Le Routard

Castille, Madrid
Aragon, Estrémadure

Cofondateurs : Philippe GLOAGUEN et Michel DUVAL

Directeur de collection et auteur
Philippe GLOAGUEN

Rédacteurs en chef adjoints
**Amanda KERAVEL
et Benoît LUCCHINI**

Directrice de la coordination
Florence CHARMETANT

Directrice administrative
Bénédicte GLOAGUEN

Directeur du développement
Gavin's CLEMENTE-RUIZ

Conseiller à la rédaction
Pierre JOSSE

Responsable voyages
Carole BORDES

Direction éditoriale
Élise ERNEST

Rédaction
**Isabelle AL SUBAIHI
Emmanuelle BAUQUIS
Mathilde de BOISGROLLIER
Thierry BROUARD
Marie BURIN des ROZIERS
Diane CAPRON
Véronique de CHARDON
Laura CHARLIER
Fiona DEBRABANDER
Anne-Caroline DUMAS
Éléonore FRIESS
Géraldine LEMAUF-BEAUVOIS
Olivier PAGE
Alain PALLIER
Anne POINSOT
André PONCELET**

2020/21

hachette

TABLE DES MATIÈRES

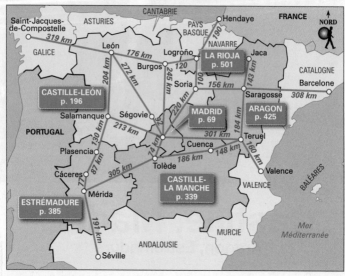

Attention : Andalousie, Andorre, Canaries, Catalogne et Valence, Pays basque, Cantabrie, Asturies, Galice et Baléares font l'objet de guides à part.

Nous avons divisé ce pays en plusieurs titres, à la demande de nos lecteurs. En effet, la très grande majorité d'entre vous ne parcourt pas tout le pays. En revanche, vous préférez plus d'adresses, plus d'histoire, plus de références culturelles, plus de visites. Au total, un guide unique comporterait plus de 1 500 pages et serait intransportable. Ce découpage n'est pas une opération commerciale mais permet avant tout de voyager sans grever votre porte-monnaie.

La rédaction

PRÉAMBULE

COMMENT Y ALLER ? 36

CASTILLE UTILE 43

MADRID ET SES ENVIRONS 69

LA CASTILLE-LEÓN 196

LA CASTILLE-LA MANCHE 339

L'ESTRÉMADURE 385

L'ARAGON 425

☎ **112 :** c'est le numéro d'urgence commun à la France et à tous les pays de l'UE, à composer en cas d'accident, agression ou détresse. Il permet de se faire localiser et aider en français, tout en améliorant les délais d'intervention des services de secours.

Important : dernière minute

Sauf rares exceptions, le *Routard* bénéficie d'une parution annuelle à date fixe. Entre deux dates, des événements fortuits (formalités, taux de change, catastrophes naturelles, conditions d'accès aux sites, fermetures inopinées, etc.) peuvent modifier vos projets de voyage. Pour éviter les déconvenues, nous vous recommandons de consulter la rubrique « Guide » par pays de notre site • *routard.com* • et plus particulièrement les dernières *Actus voyageurs*.

Recommandation à ceux qui souhaient profiter des réductions et avantages proposés dans le *Routard* par les hôteliers et les restaurateurs.

À l'hôtel, pensez à les demander au moment de la réservation ou, si vous n'avez pas réservé, **à l'arrivée.** Ils ne sont valables que pour les réservations en direct et ne sont pas cumulables avec d'autres offres promotionnelles (notamment sur Internet). Au restaurant, parlez-en **au moment** de la commande et surtout **avant** que l'addition soit établie. Poser votre *Routard* sur la table ne suffit pas : le personnel de salle n'est pas toujours au courant et une fois le ticket de caisse imprimé, il est souvent difficile de modifier le total. En cas de doute, montrez la notice relative à l'établissement dans le *Routard* de l'année et, bien sûr, ne manquez pas de nous faire part de toute difficulté rencontrée.

Le mercado de San Miguel à Madrid

© Mattes René/hemis.fr

LA RÉDACTION DU ROUTARD

(sans oublier nos 50 enquêteurs, aussi sur le terrain)

© R. Delalande et E. Dessons

Jean-Sébastien, Olivier, Mathilde, Thierry, Alain, Gavin's, Éléonore,
Anne-Caroline, André, Laura, Florence, Véronique, Isabelle, Géraldine, Fiona,
Amanda, Benoît, Emmanuelle, Bénédicte, Philippe, Carole, Diane, Anne, Marie.

La saga du *Routard* : en 1971, deux étudiants, Philippe et Michel, avaient une furieuse envie de découvrir le monde. De retour du Népal germe l'idée d'un guide différent qui regrouperait tuyaux malins et itinéraires sympa, destiné aux jeunes fauchés en quête de liberté. 1973. Après 19 refus d'éditeurs et la faillite de leur première maison d'édition, l'aventure commence vraiment avec Hachette. Aujourd'hui, Le *Routard*, c'est plus d'une cinquantaine d'enquêteurs impliqués et sincères. Ils parcourent le monde toute l'année dans l'anonymat et s'acharnent à restituer leurs coups de cœur avec passion.

Merci à tous les Routards qui partagent nos convictions : liberté et indépendance d'esprit ; découverte et partage ; sincérité, tolérance et respect des autres.

NOS SPÉCIALISTES CASTILLE, MADRID

Anne Poinsot : après avoir tâté de l'histoire, de la sociologie et de la sculpture, c'est au *Routard* qu'Anne nourrit chaque jour sa curiosité éclectique, ses désirs d'ailleurs et son goût du mot juste. Toujours l'œil grand ouvert sur la beauté paradoxale du monde. Entre les rencontres, l'exploration de terrain et les plages d'écriture, elle n'y voit pas le temps passer…

Laura Charlier : bercée par des récits de voyages depuis l'enfance, cette Marseillaise curieuse et observatrice aime les périples en sac à dos et les sentiers peu empruntés. Accompagnée de son appareil photo, elle immortalise ses rencontres et se nourrit des histoires qu'elle capte en chemin. Après avoir étudié les langues étrangères, elle a rejoint l'équipe du *Routard* pour partager ses trouvailles.

David Giason : rédacteur assoiffé de découverte, baroudeur à gros godillots, amateur de vieilles pierres, de bonne chère et de coins paumés, adepte d'échanges fructueux entre gens que tout devrait opposer. Pour lui, la curiosité est le plus indispensable des défauts. Mais, surtout, il est convaincu qu'il faut savoir dépasser les bornes. Car être voyageur, c'est être libre.

Dimitri Lefèvre : après avoir travaillé sur de nombreux films, il rejoint le *Routard* il y a 9 ans. Pour lui, recommander une adresse, c'est faire un casting pointu ; visiter un lieu, c'est faire des repérages pour écrire le scénario de la Palme d'or du film de vacances. Mais, au final, les pépites découvertes et les bons conseils aux lecteurs, ce n'est pas du cinéma !

Olivier Page : Malouin d'origine. À 16 ans, il réalise un long tour de France à mobylette. Son aptitude à la vie nomade, son goût des autres ont conduit ce Breton d'âme fugitive à collaborer avec le *Routard*. Depuis 1990, il parcourt la planète, pour découvrir d'autres lieux, d'autres gens. Et faire partager ses plus belles trouvailles à ses lecteurs.

UN GRAND MERCI À NOS AMI(E)S SUR PLACE ET EN FRANCE
Pour cette nouvelle édition, nous remercions particulièrement :
- toute l'équipe de l'office de tourisme d'Espagne à Paris, pour son efficacité sans faille ;
- **Pilar Gimeno,** de Turismo de Madrid, pour son accueil et son efficacité ;
- **Maria Cabanillas,** de Extrémadura Turismo, pour son accueil, ses conseils et sa passion communicative pour sa région ;
- **Susana Noriega,** de Turismo de Castille y León, pour sa disponibilité ;
- les **offices de tourisme de Castille-León**, de **Castille-La Manche**, d'**Aragon** et de **La Rioja,** pour toutes leurs infos et leur disponibilité ;
- **Bertrand Deschamps,** libraire et grand voyageur, qui est allé partout 2 fois.

Pictogrammes du Routard

Établissements
- Hôtel, auberge, chambre d'hôtes
- Camping
- Restaurant
- Terrasse
- Boulangerie, sandwicherie
- Pâtisserie
- Glacier
- Café, salon de thé
- Café, bar
- Bar musical
- Club, boîte de nuit
- Salle de spectacle
- Boutique, magasin, marché

Infos pratiques
- Office de tourisme
- Poste
- Accès Internet
- Hôpital, urgences
- Adapté aux personnes handicapées

Sites
- Présente un intérêt touristique
- Point de vue
- Plage
- Spot de surf
- Site de plongée
- Recommandé pour les enfants
- Inscrit au Patrimoine mondial de l'Unesco

Transports
- Aéroport
- Gare ferroviaire
- Gare routière, arrêt de bus
- Station de métro
- Station de tramway
- Parking
- Taxi
- Taxi collectif
- Bateau
- Bateau fluvial
- Piste cyclable, parcours à vélo

I.S.B.N. 978-2-01-710070-6

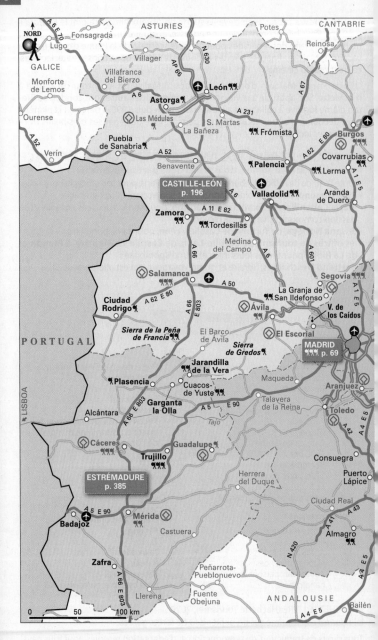

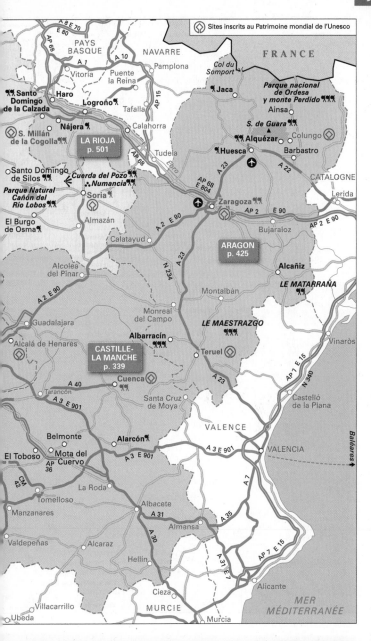

LE CŒUR DE L'ESPAGNE

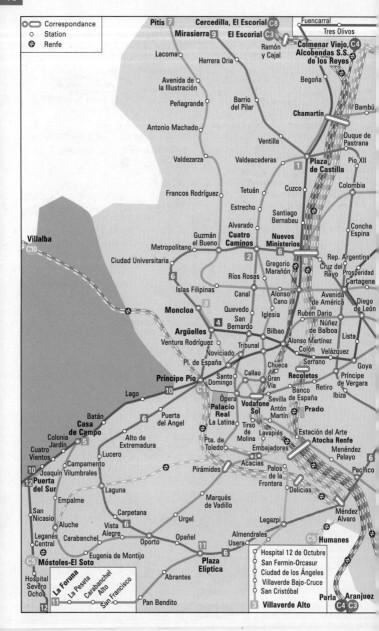

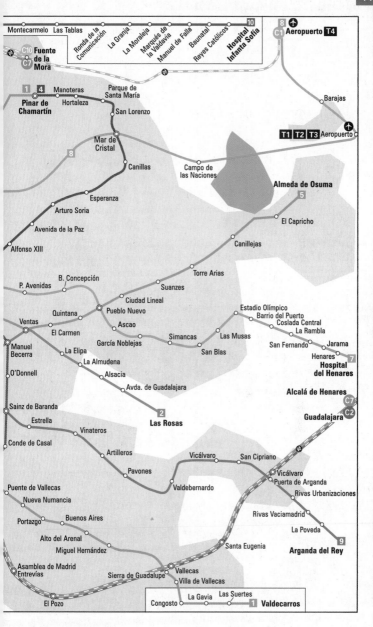

LE MÉTRO DE MADRID

« Si tu veux le chien, accepte les puces. »
Proverbe espagnol

Voici une Espagne aux terroirs puissants, aux identités bien ancrées. Incontournable capitale, Madrid aligne comme autant de joyaux des musées aux collections exceptionnelles : le Prado (Goya, Bosch, Velázquez…), le Reina Sofía – qui abrite le célèbre *Guernica* de Picasso – et le Thyssen-Bornemisza, pour les plus connus, mais aussi un Palacio Real toujours actif, de multiples églises et couvents ou encore de délicats musées d'artistes (museo Sorolla ou casa-museo Lope de Vega). Sans oublier ses dynamiques *barrios* (quartiers) qui entraînent le visiteur dans des soirées endiablées.

Tout autour s'annoncent les 2 **Castille** : on redécouvre aujourd'hui leur riche histoire, à laquelle chaque civilisation a apporté sa pierre. Églises wisigothes du VIIe s, mosquées arabes plus que millénaires, palais du Siècle d'or espagnol manifestent toute la puissance et la richesse d'un pays devenu maître du Nouveau Monde… Le patrimoine architectural castillan est tout simplement époustouflant : Ségovie, Tolède, Salamanque ou Burgos ne peuvent qu'éblouir. Rien qu'en **Castille-León,** on compte déjà 8 sites classés par l'Unesco sur la liste du Patrimoine mondial : la cathédrale de Burgos, Ávila, Ségovie et son aqueduc, Salamanque, Las Médulas, le site archéologique d'Atapuerca, l'art rupestre de Siega Verde, et la portion nord du chemin de Saint-Jacques-de-Compostelle…

D'une région à l'autre, les contrastes s'affirment. Contrastes géographiques lorsque, une fois traversé les vignobles de **La Rioja,** se dessinent déjà **l'Aragón** et les Pyrénées, creusées de canyons spectaculaires et de vallées verrouillées par de charmants villages perchés. Plus à l'ouest, **l'Estrémadure** : Cáceres et Trujillo, dont la richesse doit beaucoup à l'or des conquistadors, valent à elles seules la visite… Et marquent déjà la transition vers le Portugal voisin.

Partout, la nature est prodigue en paysages saisissants. Il suffit de sortir des sentiers battus pour découvrir une Espagne superbe et préservée, au gré de nombreux parcs naturels qui déploient leurs sentiers de randonnée, leurs lacs ou leurs torrents pour le plus grand bonheur des marcheurs et autres sportifs de plein air… C'est cette Espagne authentique, parfois oubliée des voyageurs, que nous vous invitons à découvrir.

Ségovie

© Jon Arnold Images/hemis.fr

NOS COUPS DE CŒUR

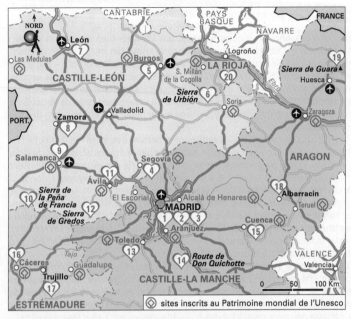

Map showing sites inscrits au Patrimoine mondial de l'Unesco

🤍 **Marcher sur les traces de la Movida à Madrid, dans les quartiers à la fois populaires et branchés de Chueca et Malasaña, La Latina ou Lavapiés.**

Insouciante, créative et dynamique, Madrid foisonne de lieux alternatifs, branchés, déjantés… On ira s'encanailler dans le quartier de La Latina, l'un des cœurs battants de la nuit madrilène avec Chueca, le quartier gay, qui essaime désormais largement du côté de Malasaña, ou du côté de Lavapiés, le quartier qui monte. On y trouve de nombreux petits restos et bars animés où l'on se laisse porter par la Movida madrilène… *p. 74*

© Hughes Hervé/hemis.fr Centro de Arte Reina Sofía
© Estate of Roy Lichtenstein New York/Adagp, Paris 2019. Architectures : Jean Nouvel, Alberto Medem et B 720

Se faire une orgie culturelle avec les musées de Madrid.

Pour une 1ʳᵉ visite, on filera sur le paseo del Arte découvrir les plus grands. Commencer par le célèbre *Prado* et ses collections uniques au monde. Il présente un fantastique panorama de la peinture espagnole du XVᵉ au XVIIIᵉ s, entre autres : Goya, El Greco, Velázquez, Zurbarán, ou encore Bosch. Poursuivre par le *museo Thyssen-Bornemisza* pour un tour d'horizon complet de la peinture depuis le XIIIᵉ s, et enfin, l'exceptionnel *Centro de Arte Reina Sofía* pour l'art contemporain. p. 109, 117, 121

Bon à savoir : la carte Paseo del Arte donne accès au Prado, au Thyssen et au Reina Sofía.

3 **Toujours à Madrid, flâner, le soir, dans le lacis des ruelles du barrio de Las Letras autour de la plaza de Santa Ana.**

Autour de la plaza de Santa Ana célébrée par Pedro Almodóvar dans *Talons aiguilles* se trouve l'ancien quartier des imprimeurs. Baptisé aussi *barrio de Las Letras* (quartier des Lettres), c'est là qu'ont vécu des écrivains célèbres, comme Cervantes ou Lope de Vega. De nombreuses citations émaillent d'ailleurs le pavé de leurs lettres au bronze poli par les semelles. Depuis la place, un lacis de ruelles, piétonnes pour la plupart, dévale la colline vers le Prado. *p. 108*

Bon à savoir : c'est aussi un quartier investi chaque soir par des milliers de noctambules de tous âges : nombreux restos, bars, salles de concert, boîtes… Quelle fiesta !

© Pompe Inglot/hemis.fr

4 **Se sentir tout petit devant l'aqueduc romain de Ségovie.**

Admirer ce superbe ouvrage d'art et le coucher du soleil depuis ses hauteurs. Et découvrir une ville d'une agréable douceur de vivre, qui révèle ses charmes au gré des flâneries dans ses ruelles. *p. 207*

Bon à savoir : facile d'accès depuis Madrid, tout comme Tolède et Salamanque.

© Felix Alain/hemis.fr

© Günter Gräfenhain/SIME/Photononstop

À Burgos, se perdre en contemplation **dans la cathédrale.**

Découvrir ce véritable joyau du gothique, ses envolées de flèches et de clochers, de portails et de façades sculptées. À l'intérieur, chaque chapelle est un véritable petit musée, et le cloître présente un plafond churrigueresque délirant ! Burgos fut capitale de la Castille catholique, et sa cathédrale symbole de sa puissance ! *p. 236*

Juan Carlos Munoz/Alamy/Hemis

♡ **Explorer les nombreux parcs naturels entre Soria et Burgos.**
6   Contempler les eaux vert émeraude de la laguna negra de Vinuesa, randonner dans le parc naturel de la sierra de Urbión (jusqu'à son pic, où le Duero prend sa source), skier à Santa Inés, buller à playa Pita au bord du lac artificiel de la cuerda de Pozo, ou préférer les lagunes glaciaires de Neila et le parc naturel du Cañón del Río Lobos (où apprentis ornithologues trouveront leur bonheur). De quoi faire le plein d'air frais ! *p. 224*

⑦ **Se laisser envoûter par les vitraux de la cathédrale de Léon, flamboyants chefs-d'œuvre datant pour la plupart du XIIIe au XVe s.**

La cathédrale gothique de Léon, l'une des 3 grandes cathédrales sur le chemin de Saint-Jacques-de-Compostelle, arbore la 2e plus grande surface de vitraux au monde (environ 1 800 m^2 !), juste derrière Chartres. D'une finesse époustouflante, leurs reflets changent selon l'heure du jour et les conditions météo. *p. 272*

Bon à savoir : il existe un Guide de la cathédrale *pour interpréter l'ensemble des vitraux, que l'on n'aurait pas la place d'analyser un par un dans ces pages !*

© Reinhard Schmid/SIME/Photononstop

⑧ **Parcourir les ruelles médiévales du centre-ville de Zamora, si bien préservé et évocateur.**

Le quartier historique est en majeure partie piéton, ce qui permet de savourer en toute quiétude la beauté de ses nombreuses églises romanes datant du XIe au XIIIe s. Les vestiges de remparts, les ruines du *castillo,* la cathédrale avec son étonnante coupole de style byzantin et une kyrielle d'intéressants musées font de Zamora une belle halte culturelle. *p. 286*

Bon à savoir : la Semaine sainte de Zamora est déclarée d'intérêt touristique national, et il existe même un musée entièrement dédié aux chars de procession !

© Pistolesi Andrea/hemis.fr

9 À Salamanque, plonger dans la richesse du Siècle d'or espagnol, d'église en université et de palais en couvent.

Outre la majestueuse plaza Mayor, l'une des plus somptueuses d'Espagne, le visiteur aura la chance d'admirer non pas 1, mais 2 cathédrales : l'ancienne et la nouvelle. Sur la façade de la Catedral Nueva, tentez de repérer le cosmonaute et le diable mangeant un cornet de glace, clins d'œil ciselés dans la pierre par de facétieux sculpteurs. Prenant des teintes vermeilles sous la lumière du jour, la pierre qui constitue les édifices de Salamanque se pare la nuit venue de splendides illuminations. Voilà un écrin magique pour vivre une folle soirée salmantine dans les ruelles pavées grouillant d'étudiants du monde entier ! *p. 309*

Bon à savoir : Salamanque est une ville-musée qui se découvre à pied. Prévoyez de bonnes chaussures !

10 Partir à la découverte des villages de montagne authentiques de la sierra de la Peña de Francia, un parc naturel où le temps semble suspendu.

Soigneusement préservés des affres de la modernité, les villages de La Alberca, Miranda del Castañar et San Martín del Castañar vivent au rythme de traditions ancestrales à l'instar de la *Moza de ánimas* qui, tous les soirs au crépuscule, rend hommage aux âmes des morts à coups de clochette… Maisons médiévales à colombages, arcades et lavoirs de granit, délicieuse charcuterie locale, paysages délicatement vallonnés : la montagne, ça vous gagne ! *p. 320*

Bon à savoir : très mal desservie par les transports en commun, la région se parcourt plutôt en véhicule privé.

⑪ **Parcourir le chemin de ronde d'Ávila dont les murailles infranchissables sont ponctuées de 88 tours et 9 portes monumentales, le tout sur un vaste périmètre de 2,5 km !**

Perchée sur un piton rocheux, la ville dégage une cohérence architecturale et un charme immédiat. Elle se présente telle une altière forteresse aux épais remparts baignés de lumière. Parmi un nombre impressionnant de palais du XVIᵉ s, de monastères et de couvents, ceux où vécut la célèbre sainte Thérèse d'Ávila. Sans oublier l'un des plus beaux spécimens de cathédrale fortifiée du pays ! *p. 332*

Bon à savoir : la VisitAvila Card *est un pass à 15 € donnant accès à tous les musées et sites de la ville. Pour les fanas de visites culturelles, ça vaut le coup !*

© Mattes René

⑫ **Enfiler ses chaussures de randonnée pour partir à la conquête de la sierra de Gredos, forgée par les glaciers, riche d'une faune et d'une flore remarquables.**

Vaste parc naturel aux reliefs exigeants, la sierra de Gredos offre d'innombrables occasions de s'éclater en plein air : ses longs sentiers menant jusqu'à des lacs de montagne aux eaux limpides prennent une dimension épique, à moins que l'on préfère s'essayer au rafting, à l'alpinisme, à l'escalade, à l'équitation… *p. 338*

Bon à savoir : la Casa del parque *est une indispensable source d'information avant d'entreprendre une rando bien préparée : •* patrimonionatural.org *•*

© Juan Carlos Cantero/AGE/Photohonstop

(13) Débusquer, au cœur de la vénérable Tolède, les vestiges plus que millénaires des passés wisigoth, arabe et juif.

Haut perchée sur un promontoire rocheux, dominée par son imposant *Alcázar* et cernée par le Tage, la ville aux 3 cultures témoigne de la possibilité d'une coexistence pacifique entre grandes religions monothéistes. Somptueuse cathédrale, églises jésuites et wisigothes, monastères franciscains, synagogues et mosquées s'entremêlent au détour d'étroites ruelles médiévales. Musées et églises exposent un nombre important d'œuvres du Greco, qui vécut ici la majeure partie de sa vie. *p. 353*

Bon à savoir : privilégier les visites dès l'ouverture ou à l'heure du déjeuner pour échapper à la foule.

© Susanne Kremer/SIME/Photononstop

(14) Se prendre pour un chevalier errant des temps modernes et partir tel Don Quichotte à la découverte des moulins à vent de la Manche…

Ces moulins sont pour la plupart des reconstitutions. Certains sont en état de fonctionnement. On appréciera aussi les paysages alentour, d'une grande puissance évocatrice. *p. 360*

© Mattes René

© Peter Eastland/AGE/photononstop

(15) **Découvrir la vieille ville, haut perchée, de Cuenca.**
Le quartier historique de Cuenca est un vrai tableau : des ruelles étroites jalonnées de palais et de maisons médiévales, des sentiers escarpés d'où l'on glane des points de vue splendides sur l'abrupte vallée du Huécar… *p. 381*
Bon à savoir : cette ville d'histoire est paradoxalement réputée pour ses musées d'art moderne, abstrait et contemporain.

© Günter Gräfenhain/SIME/Photononstop

(16) **Succomber corps et âme au charme romano-arabo-chrétien de la belle Cáceres, protégée par ses remparts almohades.**

Véritable musée à ciel ouvert, la vieille ville est un joyau architectural qui regorge de somptueux palais, manoirs Renaissance et églises gothiques, édifiés aux XVᵉ et XVIᵉ s, bordés par un calme, charmant et ancien quartier juif éclatant de blancheur, le tout protégé de fortifications almohades, où subsistent quelques tours crénelées. Une merveille d'homogénéité ! Et la ville la plus visitée d'Estrémadure. *p. 399*
Bon à savoir : la visite de nuit est encore plus magique.

© Luis Davilla/AGE/Photononstop

(17) **Flâner sur la plaza Mayor de Trujillo, l'une des plus belles places d'Espagne.**

Dominée par la majestueuse statue équestre en bronze de Francisco Pizarro, le conquérant du Pérou, cette célèbre place a vu des centaines de conquistadors en partance pour le Nouveau Monde, qui baptisèrent du nom de Trujillo une vingtaine de villes conquises en Amérique du Sud. Ceux qui en sont revenus y firent construire de somptueux palais, chefs-d'œuvre de la Renaissance. *p. 408*
Bon à savoir : lors de la fête du Fromage, la place est défigurée par d'énormes tentes blanches (la semaine qui englobe le 1ᵉʳ mai).

(18) **S'extasier devant la superbe citadelle d'Albarracín, dans le sud de l'Aragon.**

Partir randonner à la découverte des peintures rupestres – certaines classées au Patrimoine de l'Unesco – dans les belles sierras qui l'entourent. *p. 455*

Bon à savoir : la ville se découvre à pied, au fil de ruelles pentues et étroites. Laisser sa voiture au parking !

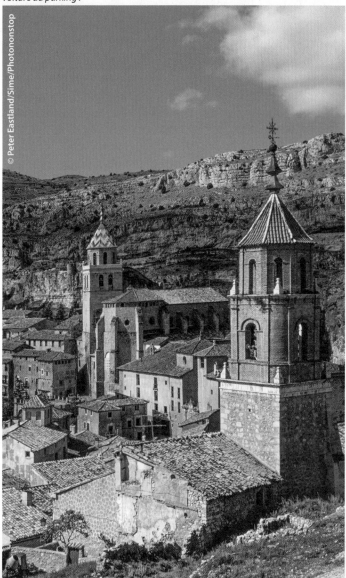

© Peter Eastland/Sime/Photononstop

⑲ **Découvrir les splendeurs des Pyrénées espagnoles, l'une des richesses de l'Aragon.**
Avec le canyoning dans la sierra de Guara pour les plus sportifs, ou l'observation du gypaète dans le parc national d'Ordesa et du Mont-Perdu, sans parler des multiples randonnées possibles. Les Pyrénées dans toute leur splendeur ! *p. 469*

© Reinhard Schmid/SIME/Photononstop

⑳ **Faire la tournée des** *bodegas* **de La Rioja.**
Devenir incollable sur les grands crus de cette région considérée comme la 1ʳᵉ région viticole du pays. *p. 508*

© FS/Photononstop

ITINÉRAIRES CONSEILLÉS

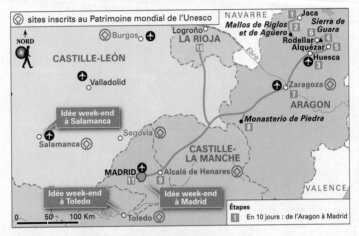

Idées week-end en 2 à 4 jours

Évidemment **Madrid**, qui peut s'apprécier en 2 jours comme en une bonne semaine, mais, en version week-end, penser aussi à **Salamanque** ou **Tolède**, de riches joyaux de Castille.

En 10 jours : de l'Aragon à Madrid

Au départ de la frontière française et du col du Somport (ou du tunnel du même nom).

Autour de Jaca (1-2 j.) **:** Jaca (1) et son très beau *Museo diocesano*, le *monastère de San Juan de la Peña*, et sur la route vers Huesca, étape ou escale aux **mallos de Riglos (2)** ou à ceux de **Agüero**. Puis autour de **Huesca (3)** et de la **sierra de Guara** (4 ; 2-3 j.) **:** à **Huesca**, la cathédrale, le *Museo provincial*. Et dans la **sierra de Guara,** l'occasion de s'essayer 1 journée au canyoning, avec des parcours pour tous les niveaux. Enfin découvrir les **villages de la Sierra,** comme le superbe **Alquézar (5)** et sa collégiale ou **Rodellar (6),** au cœur du massif.

Arrivée à **Saragosse (7** ; 2 j.), pour le *Seo* et le *palacio de la Aljafería* (classés au Patrimoine mondial de l'Unesco), la *basílica Nuestra Señora del Pilar*, la *Lonja* et *itinéraire autour des sites romains* (museo del Teatro de Cæsaraugusta, musée du Forum, musée des Thermes publics et musée du Port fluvial), le *patio de la Infanta*, et l'*aquarium*. Prendre la **route** (1 j.) **pour Madrid,** avec des étapes au **monasterio de Piedra (8)** et à **Alcalá de Henares (9).** Une alternative : faire un détour de 1 ou 2 jours par **La Rioja (10)** pour découvrir ses excellents crus. Enfin, passer au moins 2 jours à **Madrid (11).**

En 8-12 jours : de Madrid à l'Estrémadure

D'abord, évidemment, profiter 2 jours de **Madrid (1),** et en chemin faire étape à **Tolède (2** ; 2 j.), une merveille classée par l'Unesco, la ville du peintre El Greco ;

mais la flamboyante cathédrale mérite à elle seule le séjour. Sans oublier l'*ancien quartier juif,* le *musée Santa Cruz* et l'exceptionnelle collection du *musée de l'Armée de l'Alcázar.*

L'Estrémadure (4-8 j.) **:** depuis Tolède, l'autoroute mène en 2h30 à **Trujillo** (**3** ; 1-2 j.), charmante ville hors du temps, avec sa *forteresse arabe* et son *iglesia Santa María* romano-gothique sur ses hauteurs médiévales, et ses *palais* autour de sa plaza Mayor Renaissance. Vers l'est, **Guadalupe** (**4** ; 1 j.) et son riche *real monasterio de Santa María* de style gothico-mudéjar méritent le détour avant de repartir vers l'ouest à **Cáceres** (**5** ; 1 j.) pour se perdre dans les ruelles de sa vieille ville fortifiée, un musée à ciel ouvert qui regorge de richesses monumentales romano-arabo-chrétiennes. Plus au sud, poursuivre vers **Mérida** (**6** ; 1 j.) et ses étonnants vestiges romains, très biens préservés, ainsi qu'un des plus beaux musées d'Espagne, le *museo nacional de Arte romano.* Ceux qui filent sur l'Andalousie feront halte dans la jolie ville blanche de **Zafra** (**7** ; 1 j.), tandis que les autres passeront par **Badajoz** (**8** ; 1 j.) pour apprécier son vieux quartier mauresque réhabilité autour de l'*Alcazaba.* En remontant vers le nord, les ornithologues feront escale dans le **parque natural del Tajo International (9),** à la frontière du Portugal, le long du Tage, ou bifurqueront vers le **parc national de Monfragüe (10** ; 1 j.). À quelques battements d'ailes de cigogne, **Plasencia (11** ; 1 j.) est une douce étape pour approfondir ses connaissances en architecture romano-gothique. Enfin, le superbe village de **Garganta la Olla (12)** offre une dernière halte, avec la visite du monastère de Yuste, ultime demeure de Charles Quint, ou pour une baignade rafraîchissante dans ses cascades d'eau claire.

Pour ceux qui n'ont que 3 jours à consacrer à l'Estrémadure, privilégier les villes de Trujillo, Cáceres et Mérida, avec une nuit dans chacune d'elles.

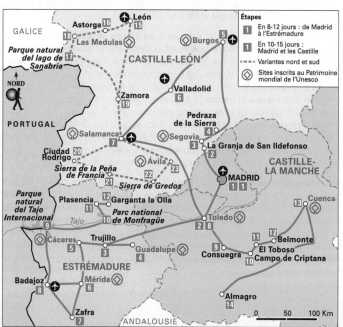

En 10 à 15 jours : Madrid et les Castille

Toujours **Madrid** (1 ; 2 j.), incontournable, puis direction Burgos, avec des étapes à **La Granja de San Ildefonso** (2) pour son *Palacio real* et son *museo del Vidrio* (musée du Verre), **Ségovie** (3 ; 1-2 j.) – incontournable *Alcázar, cathédrale* gothique tardif, le spectaculaire *aqueduc romain,* et balade entre les vieilles églises aux pierres dorées. Puis quitter l'A 1-E 5 pour une échappée vers **Pedraza de la Sierra** (4), superbe village médiéval perché sur un escarpement. À **Burgos** (5 ; 2 j.) : *catedral de Santa María, museo de Burgos,* balade en ville sur les anciens remparts, *casa del Cordón* ; et, dans les proches environs, *el real monasterio de las Huelgas* et la *Cartuja de Miraflores.*

Direction ensuite **Valladolid** (6 ; 1 j.), belle étape pour le *museo nacional de Escultura,* l'un des plus beaux de Castille, la *casa-museo de Cervantes* et le *museo-casa Colón,* et l'étonnant *Museo oriental.* Incontournable en Castille, la majestueuse **Salamanque** (7 ; 2 j.), classée au Patrimoine mondial de l'Unesco : l'inévitable *plaza Mayor* (l'une des plus belles places d'Espagne), les 2 *cathédrales* (oui, 2 !), l'*université* vieille de 800 ans, ou le colossal *convento e iglesia San Estebán…* et on en passe. Cap vers le sud et la Castille-La Manche avec **Tolède** (8 ; 2 j. ; voir ci-dessus), encore une merveille classée par l'Unesco !

Ensuite, **partir sur les traces de Don Quichotte** (2-4 j.) : admirer de superbes alignements de moulins à vent à **Consuegra** (9), à **Campo de Criptana** (10), et, à **El Toboso** (11), on visite le *museo-casa de Dulcinea* et le *Centro cervantino.* Ensuite, cap plein sud vers **Almagro** (14), pour son **centre historique du Siècle d'or,** superbement préservé ou opter pour **Belmonte** (12) et son très beau *castillo,* avant de poursuivre vers **Cuenca** (13).

Autre possibilité, entre Burgos et Valladolid, **on plonge vers le nord** : **León** (15 ; 1-2 j.), pour ses joyaux romans et gothiques, comme la *catedral Santa María de León* et ses vitraux d'une qualité rare, le *museo de San Isidoro,* mais aussi le riche *museo de León* et la *casa Botines,* une œuvre néogothique léguée par l'architecte Gaudí. Et aussi pour goûter à la saine animation nocturne du *barrio húmedo* ! Et on prolonge par une **escapade nature** (2-3 j.) : après une halte à **Astorga** (16) pour le *palacio Gaudí,* bateau sur le lac et randonnées à volonté dans les forêts du **parc naturel du lac de Sanabria** (17), ou dans l'incroyable décor de **Las Médulas** (18) et de ses grottes creusées par les Romains. Puis retour vers Valladolid, non sans marquer une pause à **Zamora** (19), pour écumer son vieux centre piéton constellé d'églises romanes et ponctué d'une cathédrale à l'architecture originale.

Variante sud, le **sud de la Castille-León** (3-4 j.) : de Salamanque, faire un crochet par la charmante et tranquille ville fortifiée de **Ciudad Rodrigo** (20) qui recèle, outre son imposante *catedral Santa María* de style roman, gothique et platéresque, un insolite *musée du Pot de chambre* ! Puis filer vers la **sierra de la Peña de Francia** (21) pour de bucoliques balades dans des villages pittoresques où le temps semble s'être arrêté. Les piles rechargées, partir pour une bonne rando dans les montagnes de la **sierra de Gredos** (22), jusqu'aux lacs glaciaires à plus de 2 000 m d'altitude avant une dernière escapade culturelle dans la ville-musée-forteresse d'**Ávila** (23) pour un ultime tour de remparts, sûrement le plus beau.

SI VOUS ÊTES...

Plutôt en famille, avec des enfants : outre ci-avant les parcs naturels et les balades, à Madrid, le *museo de Cera*, le *parque del Buen Retiro* (avec son lac), et les proches parcs d'attractions *(parc Faunia, Warner Bros Park)*. Et encore à Teruel (Aragon), *Territorio Dinópolis*, consacré aux dinosaurés.

Plutôt peinture : les grands musées de Madrid : *museo del Prado, Centro de Arte Reina Sofía* et *museo Thyssen-Bornemisza* ou ceux de Tolède pour les passionnés du Greco.

Plutôt période romaine : l'aqueduc de Ségovie, Mérida dans son ensemble, le *parque arqueológico* de Carranque (dans les environs de Madrid), Saragosse, les sites de Noheda et Segóbriga.

Plutôt époque médiévale : partout en Castille-León et en Estrémadure. Pour les fans d'architecture romane, Zamora est un must.

Plutôt châteaux et villages perchés : partout ! et surtout en Castille-León et en Aragon. En Castille-La Manche, voir le château de Belmonte et le village perché d'Alarcón.

Plutôt littérature : la route de Don Quichotte (en Castille-La Manche), la *casa-museo Lope de Vega* à Madrid.

Plutôt nature, randonnées et sports de montagne : l'Aragon, avec le *parque nacional de Ordesa y Monte Perdido* et la *sierra de Guara* (canyoning), le *parc du lac de Sanabria*, la *sierra de la Peña Francia* et la *sierra de Gredos* en Castille-Léon, le Maestrazgo et le Matarraña, le *parc national de Monfragüe* et le *parque natural del Tajo Internacional* en Estrémadure, le *parc national de las Tablas de Daimiel* et les *Lagunas de Ruidera* en Castille-La Manche.

Pause churros sur la plaza Mayor à Salamanque

Interview #experienceroutard

Par la rédaction du *Routard*

Pourquoi cette région d'Espagne plutôt qu'une autre ?

Parce que l'on y retrouve l'Espagne terroir, très agricole, et l'Espagne historique, avec un nombre de monuments classés Patrimoine mondial de l'Unesco époustouflant ! C'est le royaume des *castillo* (châteaux). Et tout ça dans des paysages extrêmement variés ! Hauts sommets de l'Aragon, vignobles valonnés de La Rioja, pâturages de l'Estrémadure (aux milieux des vestiges romains !), immenses champs de blé fleuris de coquelicots de la Castille-León... Et puis il y a Madrid, bien sûr, mais aussi Tolède, Ségovie, Salamanque ou Cuenca, qui sont de vrais joyaux.

Un souvenir de voyage ?

C'était dans un village des sierras autour de Madrid, dans une *taberna* très ancienne, sur le coup de 13h : essentiellement des habitués qui papotaient avec le serveur lorsqu'on s'est accoudés au comptoir, en commandant un verre. 1re surprise, une vraie tapa (des *tostadas* copieuses) arrive en même temps que les boissons, ce qui devient rare ! Et 5 mn plus tard, un petit poêlon de céramique rempli à ras bord de haricots au lard fumant, un plat bien rustique de *sierra*, quasiment de la taille d'une *ración*, apparaît entre nos verres. Une erreur ? non ! Comme on avait demandé au serveur ce qu'était le plat si appétissant commandé par nos voisins de zinc, il nous le faisait goûter ! Et aucune mauvaise surprise lors de l'addition : un repas presque complet pour le prix de... 2 verres de vin ! Difficile de quitter des lieux aussi généreux !

Un film à voir ou revoir avant de partir ?

Pas un seul film, mais plusieurs, d'Almodóvar. Dans les années 1990 il a beaucoup tourné dans la région : à Madrid bien sûr (on peut d'ailleurs suivre l'évolution de la ville à travers sa filmographie, de *Femmes au bord de la crise de nerfs* à *Attache-moi*), mais aussi dans l'Aragon et la magie de ses cimes dans *Julietta*. Et dans sa région d'origine, La Mancha (*La Fleur de mon secret*, *Volver*).

Une douceur à rapporter ?

Une douceur salée, le *jamón* (jambon) ! D'autant que l'Estrémadure compte une DOP, et du 100 % *bellota ibérico* s'il vous plaît, c'est-à-dire uniquement nourri au gland, et élevé en liberté en plein champ. Un régal !

Un must pour les amateurs d'adrénaline ?

L'Aragon et ses profonds canyons : la *sierra de Guara* est toujours l'un des spots européens du canyonisme ! Assez technique quand même : il faut savoir manipuler un peu les cordes, et n'oublier ni le casque, ni la combi isotherme ; et partir **ac-com-pa-gné** impérativement ! Les agences sont sérieuses, et le frisson garanti.

LES QUESTIONS QU'ON SE POSE AVANT LE DÉPART

Infos détaillées dans le chapitre « Castille utile » p. 43

➤ Quels sont les documents nécessaires ?

Pour les ressortissants de l'Union européenne et de la Suisse, la **carte d'identité** ou le **passeport** en cours de validité suffit pour entrer sur le territoire espagnol pour un séjour touristique.
Les ressortissants canadiens se verront demander leur passeport en cours de validité (pour les séjours touristiques de moins de 90 jours).

➤ Quelle est la meilleure époque pour y aller ?

Mai et juin, ou septembre et octobre, sont très agréables ; il fait chaud mais pas trop. En juillet et août, le thermomètre peut être impitoyable : Madrid est une cuvette qui retient bien la chaleur, et les plaines de Castille brûlent sous le soleil ! Se mettre alors au rythme espagnol, avec une pause aux heures chaudes (de toute manière, presque tout est fermé !). Mais les Pyrénées aragonaises et les plateaux de Castille restent alors frais et accueillants.

➤ Quel budget prévoir ?

Une chambre double dans une pension coûte entre 40 et 65 € en moyenne. Une option économique : les auberges de jeunesse privées, qui proposent des dortoirs à partir de 15 €. Mais à moins d'y aller hors saison, réservez longtemps à l'avance pour être sûr d'y trouver de la place. Autre option souvent concluante : les chambres soldées via Internet. Et puis les campings, bien sûr. Dans les restos, les *menu del día* (menu du jour) tournent autour de 9-12 € (plutôt 10-15 € à Madrid), et on peut faire un repas complet pour 15-20 €. En se rabattant sur les *tapas* ou les *raciones*

a compartir (à partager), on peut s'en tirer pour moins cher à plusieurs. Prévoir un vrai budget pour les visites, en particulier à Madrid : rien que pour le musée du Prado, la visite s'élève à 15 € ! Cela dit, nombre de musées et sites proposent des réductions pour les étudiants de moins de 25 ans, les moins de 18 ans (voire des gratuités pour ces derniers), ainsi que pour les plus de 65 ans. Autre poste de dépenses important dans les grandes villes : le parking, si vous vous déplacez en voiture.

➤ Comment se déplacer ?

Le réseau de bus est bien développé et bon marché. Pour rallier les capitales régionales, le train est intéressant. De Madrid, l'*AVE* (le TGV espagnol) permet de gagner très rapidement Tolède, Ségovie ou Cuenca, entre autres. Pour les lieux plus isolés, il faut une voiture. Le réseau routier est dense (autoroutes récentes et gratuites pour la plupart) et bien entretenu.

➤ Y a-t-il des problèmes de sécurité ?

Le vol, la fauche, la tire : quel que soit son nom, c'est la seule chose – à part quelques notes trop salées ou un coup de soleil – que vous aurez à redouter dans cette région. En voiture ou à pied, faites attention à vos affaires, et ne laissez rien traîner sans surveillance.

➤ Y a-t-il un décalage horaire ?

Non : l'heure est la même qu'en France à toutes les saisons, puisque l'Espagne effectue les changements heure d'hiver/heure d'été aux mêmes dates.

➤ **Quel est le temps de vol ?**

Il faut compter environ 2h pour les vols directs entre Paris et Madrid.

➤ **Côté santé, quelles précautions ?**

Pas de précautions particulières : être à jour des vaccins traditionnels, et, en été, prévoir de la crème solaire. Et puis c'est l'Europe, donc penser à emporter sa Carte européenne d'assurance maladie (CEAM).

➤ **Peut-on y aller avec des enfants ?**

Oui, car outre les sites historiques, toutes ces régions comptent de nombreux châteaux forts spectaculaires, de belles réserves naturelles où observer rapaces ou autres gypaètes, et même des lacs où se baigner. Repérez les meilleurs sites grâce au symbole 术.

➤ **Quel est le taux de change ? Comment payer sur place ?**

La monnaie est l'euro, ce qui est bien pratique pour les Français. Pour nos amis canadiens et suisses, le taux de change est d'environ 1 € = 1,50 $Ca = 1,12 CHF. Sur place, nombreux distributeurs de billets, change aisé, et on peut régler à peu près partout avec une carte de paiement.

➤ **Quelle langue parle-t-on ?**

L'espagnol, *claro que sí* ! Cela dit, si le français est rarement pratiqué (les hôteliers font des efforts, mais ce n'est pas généralisé), l'anglais est suffisamment courant pour pouvoir vous débrouiller au quotidien si l'espagnol vous fait défaut.

➤ **Et Don Quichotte, il est où ?**

Dans la Mancha, bien sûr, au pays des moulins, où chaque village prétend avoir inspiré le roman.

➤ **Et la fiesta ?**

Bien sûr, la fiesta dans les bars animés de Madrid, puis ses boîtes branchées, mais aussi dans les villes étudiantes comme Salamanque ou Valladolid. Mais aussi partout où l'on peut se retrouver, sur les places, dans la rue... Un vrai mode de vie.

COMMENT Y ALLER ?

EN AVION

Les lignes régulières

▲ AIR FRANCE

Rens et résas au ☎ 36-54 (0,35 €/mn – tlj 6h30-22h), sur ● airfrance.fr ●, dans les agences Air France et dans ttes les agences de voyages. Fermées dim.

➤ Air France dessert Madrid, jusqu'à 6 vols direct/j. depuis Paris-Charles-de-Gaulle 2F, et jusqu'à 5 vols directs/j. en partenariat avec *Air Europa* depuis Orly-Ouest.

Air France propose à tous des tarifs attractifs toute l'année. Pour consulter les meilleures offres du moment sur Internet, allez directement sur la page « nos meilleurs tarifs » sur ● airfrance. fr ● *Flying Blue,* le programme de fidélité gratuit d'Air France-KLM, permet de gagner des *miles* en voyageant sur les vols Air France, KLM, Transavia et les compagnies membres de Skyteam, mais aussi auprès des nombreux partenaires non aériens *Flying Blue.* Les *miles* peuvent ensuite être échangés contre des billets d'avion ou des services (surclassement, bagage supplémentaire, accès salon...) ainsi qu'auprès des partenaires.

Pour en savoir plus, rdv sur ● flyingblue. com ●

▲ AIR EUROPA

– Paris : 58 A, rue du Dessous-des-Berges, 75013. ☎ 01-42-65-08-00. ● aireuropa.com ● Ⓜ Bibliothèque-François-Mitterrand. Bureau ouv lun-ven 9h-17h, mais vous pouvez réserver par tél 24h/24.

➤ Au départ d'Orly-Ouest, Air Europa dessert Madrid avec 3 vols directs/j.

▲ IBERIA

– Paris : aéroport Orly-Ouest, hall 1. Central de résas : ☎ 0825-800-965 (0,12 €/mn + prix d'appel). ● iberia. com ●

➤ En Espagne, 35 villes desservies, dont Madrid avec, en moyenne, 5 vols/j. depuis Orly-Ouest (env 2h de vol). Également des vols via Madrid et/ ou Barcelone à destination de Burgos, León, Salamanque, Saragosse, Tolède, Valladolid, entre autres.

Les compagnies *low-cost*

▲ BRUSSELS AIRLINES

En Belgique : ☎ 0902-51-600 (0,051 € l'appel, puis 0,75 €/mn) ; en Espagne : ☎ 807-22-00-03 (0,105 € l'appel, puis 0,82 €/mn) ; en France : ☎ 0892-64-00-30 (0,34 €/mn). ● brusselsairlines. fr ●

Dessert Madrid au départ de Bruxelles avec 3 vols/j., et au départ de Paris via Bruxelles avec 1-2 vols/j.

▲ EASYJET

Rens : ☎ 0820-420-315 (en France, 0,12 €/mn + prix d'appel), ☎ 0848-28-28-28 (en Suisse, 0,08 Fs/mn + prix d'appel) et ☎ 902-599-900 (en Espagne, 0,083 €/mn + prix d'appel). ● easyjet.com ●

➤ Vols pour Madrid depuis Paris-CDG, Lyon, Genève et Bâle-Mulhouse.

▲ RYANAIR

Rens : ☎ 0892-56-21-50 (en France, 0,34 €/mn + prix d'appel), ☎ 0902-33-660 (en Belgique, 1 €/mn + prix d'appel), ☎ + 44-871-24-600-11 (pour l'Espagne, 0,10 £/mn + prix appel international ; n° en Angleterre, réponse en espagnol). ● ryanair.com ●

➤ Dessert Madrid au départ de Paris-Beauvais, Marseille et Bruxelles (Charleroi) ; Saragosse au départ de Paris-Beauvais et Bruxelles (Charleroi).

▲ VUELING

Rens : ☎ 0899-232-400 (en France, 1,34 € l'appel, puis 0,34 €/mn) ; ☎ 0902-33-429 (en Belgique, 0,75 €/ mn + prix d'appel) ; ☎ 0900-000-370 (en Suisse, 1,50 Fs/mn + prix d'appel) ; ☎ 807-300-745 (en Espagne, 0,91 €/mn

Votre voyage
de A à Z !

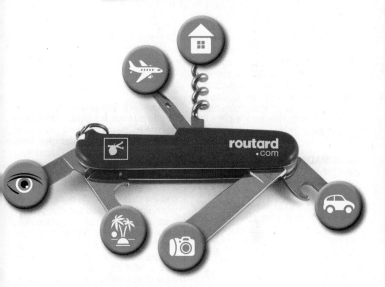

+ *prix d'appel*). ● *vueling.com* ● Une compagnie espagnole.
➤ Dessert Madrid depuis Paris-CDG en vol direct ; Valladolid via Barcelone depuis Paris-CDG, Bruxelles et Genève, et Madrid depuis Bordeaux, Brest, Bruxelles, Lille, Lyon, Marseille, Nantes, Nice, Rennes, Strasbourg et Toulouse via Barcelone.

LES ORGANISMES DE VOYAGES

En France

▲ ALLIBERT TREKKING
– *Paris* : 37, bd Beaumarchais, 75003. ☎ 01-44-59-35-35. ● *allibert-trekking. com* ● Ⓜ *Chemin-Vert* ou *Bastille*. Lun-ven 9h-19h, sam 10h-18h. Agences également à Chamonix, Chapareillan, Lyon, Nice et Toulouse.
Né en 1975 d'une passion commune entre 3 guides de montagne, Allibert propose aujourd'hui des voyages aux quatre coins du monde. Découvrir de nouveaux itinéraires en respectant la nature et les cultures des régions traversées reste leur priorité. Pour chaque pays, différents niveaux de difficulté. Allibert est le 1er tour-opérateur certifié Tourisme responsable.

▲ NOMADE AVENTURE
☎ 01-46-33-71-71. ● *nomade-aven ture.com* ●
– *Paris* : 40, rue de la Montagne-Sainte-Geneviève, 75005. ☎ 01-46-33-71-71. Ⓜ *Maubert-Mutualité*. Lun-sam 9h30-18h30.
– *Lyon* : 10, quai Tilsitt, 69002. ☎ 04-72-44-13-50. Lun-sam 9h30-18h30.
– *Marseille* : 12, rue Breteuil, 13001. ☎ 04-84-25-21-86. Lun-sam 9h30-18h30.
– *Toulouse* : 43, rue Peyrolières, 31000. ☎ 05-62-30-10-77. Lun-sam 9h30-18h30.
Nomade Aventure propose des circuits inédits partout dans le monde à réaliser en famille, entre amis, avec ou sans guide. Également la possibilité d'organiser, hors de groupes constitués, un séjour libre en toute autonomie et sur mesure. Spécialiste de l'aventure avec plus de 600 itinéraires (de niveau tranquille, dynamique, sportif ou sportif +) faits d'échanges et de rencontres avec des hébergements chez l'habitant, Nomade Aventure donne la priorité aux expériences authentiques à pied, à VTT, à cheval, à dos de chameau, en bateau ou en 4x4...

▲ TERRES D'AVENTURE
Rens (n° Indigo) : ☎ 0825-700-825 *(0,15 €/mn + prix d'appel).* ● *terdav. com* ●
– *Paris* : 30, rue Saint-Augustin, 75002. Ⓜ *Opéra* ou *Quatre-Septembre*. Lun-sam 9h30-19h. ☎ 01-70-82-90-00.
– *Agences également à Bordeaux, Grenoble, Lille, Lyon, Marseille, Nantes, Rennes, Rouen, Strasbourg et Toulouse.*
Depuis 1976, Terres d'Aventure, spécialiste du voyage à pied, propose aux voyageurs passionnés de marche et de rencontres des randonnées hors des sentiers battus à la découverte des grands espaces de notre planète. Voyages à pied, à cheval, en bateau, à raquettes... Sur tous les continents, des aventures en petits groupes ou en individuel encadrées par des professionnels expérimentés sont proposées. Les hébergements dépendent des sites explorés : camps d'altitude, bivouacs, refuges ou petits hôtels. Les voyages sont conçus par niveaux de difficulté : de la simple balade en plaine à l'expédition sportive en passant par la course en haute montagne.
En province, certaines de leurs agences sont de véritables *Cités des Voyageurs* dédiées au voyage. Consulter le programme des manifestations sur leur site internet.

▲ VOYAGEURS DU MONDE EN ESPAGNE ET AU PORTUGAL
Le spécialiste du voyage en individuel sur mesure. ● *voyageursdumonde.fr* ●
– *Paris* : La Cité des Voyageurs, 55, rue Sainte-Anne, 75002. ☎ 01-42-86-17-20. Ⓜ *Opéra* ou *Pyramides*. Lun-sam 9h30-19h. Avec une librairie spécialisée sur les voyages.

– Également des agences à Bordeaux, Grenoble, Lille, Lyon, Marseille, Montpellier, Nantes, Nice, Rennes, Rouen, Strasbourg et Toulouse. Ainsi qu'à Bruxelles et Genève.

Parce que chaque voyageur est différent, que chacun a ses rêves et ses idées pour les réaliser, Voyageurs du Monde conçoit, depuis plus de 30 ans, des projets sur mesure. Les séjours proposés sur 120 destinations sont élaborés par leurs 180 conseillers voyageurs. Spécialistes par pays et même par région, ils vous aideront à personnaliser les voyages présentés à travers une trentaine de brochures d'un nouveau type et sur le site internet où vous pourrez également découvrir les hébergements exclusifs et consulter votre espace personnalisé. Au cours de votre séjour, vous bénéficiez des services personnalisés Voyageurs du Monde, dont la possibilité de modifier à tout moment votre voyage, l'assistance d'un concierge local, la mise en place de rencontres et de visites privées, et l'accès à votre carnet de voyage via une application iPhone et Android.

Voyageurs du Monde est membre de l'association ATR (Agir pour un tourisme responsable) et a obtenu sa certification « Tourisme responsable AFAQ AFNOR ».

Voir aussi au sein de chaque ville les agences locales que nous avons sélectionnées.

Comment aller à Roissy et à Orly ?

Toutes les infos sur notre site ● *rou tard.com* ● à l'adresse suivante : ● *bit. ly/aeroports-routard* ●

En Belgique

▲ CONNECTIONS

Rens et résas : ☎ *070-233-313.* ● *connections.be* ●

Fort d'une expérience de plus de 20 ans dans le domaine du voyage, Connections dispose d'un réseau de 32 *travel shops* dont 1 à Brussels Airport. Connections propose des vols dans le monde entier à des tarifs avantageux et des voyages destinés à des voyageurs désireux de découvrir la planète de façon autonome. Connections propose une gamme complète de produits : vols, hébergements, location de voitures, autotours, vacances sportives, excursions...

▲ TAXISTOP

Pour ttes les adresses Taxistop : ☎ *070-222-292.* ● *taxistop.be* ●
– Bruxelles : rue Thérésienne, 7a, 1000.
– Gent : Maria-Hendrikaplein, 65, 9000.
– Gembloux : rue Buisson-Saint-Guilbert, 1b, 5090.

Taxistop propose un système de covoiturage, ainsi que d'autres services comme l'échange de maisons ou le gardiennage.

▲ TERRES D'AVENTURE

– Bruxelles : 23, chaussée de Charleroi, 1060. ☎ *02-543-95-60.* ● *terdav.com* ● *Lun-sam 10h-19h.*

Voir le texte dans la partie « En France ».

▲ VOYAGEURS DU MONDE

– Bruxelles : 23, chaussée de Charleroi, 1060. ☎ *02-543-95-50.* ● *voyageurs dumonde.com* ●

Le spécialiste du voyage en individuel sur mesure.

Voir le texte dans la partie « En France ».

En Suisse

▲ STA TRAVEL

● *statravel.ch* ● ☎ *058-450-49-49.*
– Fribourg : rue de Lausanne, 24, 1701. ☎ *058-450-49-80.*
– Genève : rue Pierre-Fatio, 19, 120. ☎ *058-450-48-00.*
– Genève : rue Vignier, 3, 1205. ☎ *058-450-48-30.*
– Lausanne : bd de Grancy, 20, 1006. ☎ *058-450-48-50.*
– Lausanne : à l'université, Anthropole, 1015. ☎ *058-450-49-20.*

Agences spécialisées notamment dans les voyages pour jeunes et étudiants. 150 bureaux STA et plus de 700 agents du même groupe répartis dans le monde entier sont là pour donner un coup de main *(Travel Help).*

STA propose des tarifs avantageux : vols secs *(Blue Ticket),* hôtels, écoles de langues, *work & travel,* circuits d'aventure, voitures de location, etc.

Délivre la carte internationale d'étudiant et la carte Jeune.

▲ **TERRES D'AVENTURE**
– Genève : 19, rue de la Rôtisserie, 1204. ☎ *022-518-05-13.* ● *geneve@terdav.com* ● *Lun-ven 10h-19h, sam 9h30-18h30.*
Voir texte dans la partie « En France ».

▲ **VOYAGEURS DU MONDE**
– Genève : 19, rue de la Rôtisserie, 1204. ☎ *022-519-12-10.* ● *voyageursdumonde.com* ● *Lun-ven 9h30-19h, sam 9h30-18h30 ; fermé dim.*
Le spécialiste du voyage en individuel sur mesure.
Voir le texte dans la partie « En France ».

Au Québec

▲ **EXOTIK TOURS**
Rens sur ● *exotiktours.com* ● *ou auprès de votre agence de voyages.*
Exotik Tours offre une importante programmation en été comme en hiver sur la Méditerranée et l'Europe. L'hiver, des séjours sont proposés dans le Bassin méditerranéen et en Asie. Durant cette saison, on peut également opter pour des combinés plage + circuit. Dans la rubrique « Grands voyages », le voyagiste suggère des périples en petits groupes ou en individuel. Au choix : l'Amérique du Sud, le Pacifique sud, l'Afrique (Afrique du Sud, Kenya, Tanzanie), l'Inde et le Népal.

▲ **EXPÉDITIONS MONDE**
● *expeditionsmonde.com* ●
Expéditions Monde est à l'avant-garde du voyage d'aventure, de découverte, de trekking, de vélo et d'alpinisme sur tous les continents. Les voyages en petits groupes facilitent les déplacements dans les régions les plus reculées et favorisent l'interaction avec les peuples locaux pour vivre une expérience authentique. Expéditions Monde offre aussi la possibilité de voyager en Europe à pied, ou à vélo en liberté.

▲ **KARAVANIERS**
Rens : 4035, rue Saint-Ambroise, local 220N, Montréal, H4C 2E1. ☎ *(514) 281-0799.* ● *karavaniers.com* ● *Lun-ven 9h-18h, sam 10h-15h.*
L'agence québécoise Karavaniers du Monde a pour but de rendre accessible des expéditions aux quatre coins de la planète. Toujours soucieuse de respecter les populations locales et l'environnement, Karavaniers favorise la découverte d'une quarantaine de destinations (dont l'Espagne) à pied, et en kayak de mer, en petits groupes accompagnés d'un guide francophone et d'un guide local, avec hébergement en auberge ou sous la tente.

▲ **TOURS CHANTECLERC**
● *tourschanteclerc.com* ●
Tours Chanteclerc est un tour-opérateur qui publie différentes brochures de voyages : Europe, Amérique du Nord, Amérique du Sud, Asie et Pacifique sud, Afrique et le Bassin méditerranéen en circuits ou en séjours. Il s'adresse aux voyageurs indépendants qui réservent un billet d'avion, un hébergement (dans toute l'Europe), des excursions ou une location de voiture. Également spécialiste de Paris, le tour-opérateur offre une vaste sélection d'hôtels et d'appartements dans la capitale française.

EN TRAIN

Comment aller à Madrid ?

➤ **RENFE-SNCF en Coopération :** en partenariat avec la SNCF et la *RENFE,* les TGV *Euroduplex* circulent entre Paris et Barcelone à raison de 2-4 trains/j. selon les saisons, 10h07-14h07 depuis Paris, 9h25-13h20 depuis Barcelone. Compter environ 6h20 de voyage jusqu'à Barcelone. Ils desservent les gares de Valence, Nîmes, Montpellier, Narbonne, Perpignan, Figueres et Gérone. Certains font en outre halte à Sète et Agde en été et Béziers. Il existe aussi 1 train/j. au départ de Lyon (5h de trajet) et Toulouse (env 3h) à certaines périodes de l'année. De Barcelone, correspondance possible, toujours en train à grande vitesse (*AVE,* en gare de Barcelona-Sants) pour Madrid et Saragosse. Compter en tout env 10h de trajet entre Paris et Madrid, correspondance comprise. Également 1 train/j. depuis Marseille pour Madrid (7h40) et Saragosse. ● oui.sncf ● renfe.com ● renfe-sncf.com ●

Renseignements et réservations

– *Internet :* ● oui.sncf ●
– *Téléphone :* ☎ 36-35 (0,40 € TTC/mn).
– Également dans les gares, les boutiques SNCF et les agences de voyages agréées.

Les *passes* internationaux

Avec les *passes Interrail,* les résidents européens peuvent voyager dans 30 pays d'Europe, dont l'Espagne. Plusieurs formules et autant de tarifs, en fonction de la destination et de l'âge. À noter que le *pass Interrail* n'est pas valable dans votre pays de résidence. Cependant, l'*Interrail Global Pass* offre une réduction de 50 % de votre point de départ jusqu'au point frontière en France. ● interrail.eu ●
– Pour les grands voyageurs, l'*Interrail Global Pass* est valable dans l'ensemble des 30 pays européens concernés, intéressant si vous comptez parcourir plusieurs pays au cours du même périple.
5 formules flexibles : utilisable 3, 5 ou 7 j. sur une période de validité de 1 mois (218-335 € selon formule en version adulte). ou bien 5, 10, ou 15 j. sur une période de validité de 2 mois (401-493 € selon âge et formule).

5 formules « continues » : pass 15 j., 22 j. 1, 2 ou 3 mois (443-902 € selon formule en version adulte).
Ces formules existent aussi en version 1re classe !
Les voyageurs de plus de 60 ans bénéficient d'une réduction sur le tarif de l'*Interrail Global Pass* en 1re et 2de classes (tarif senior). Également des tarifs enfants 4-11 ans et 12-27 ans.
– Si vous ne parcourez que l'Espagne, le *One Country Pass* vous suffira. D'une période de validité de 1 mois, et utilisable, selon les formules, 3, 4, 5, 6 ou 8 jours en discontinu : tarif selon pays et formule. Là encore, ces formules se déclinent en version 1re classe (mais ce n'est pas le même prix, bien sûr). Pour voyager dans 2 pays, vous pouvez combiner 2 *One Country Pass.* Au-delà, il est préférable de prendre l'*Interrail Global Pass.*
– *Interrail* offre également la possibilité d'obtenir des réductions ou avantages à travers toute l'Europe avec ses partenaires bonus (musées, chemins de fer privés, hôtels, etc.). Tous ces prix ne sont qu'indicatifs.
Pour plus de renseignements, s'adresser à la gare ou boutique SNCF la plus proche.

▲ TRAINLINE.FR
Une façon simple et rapide d'acheter vos billets de train sur le web, mobile et tablette. Réservez vos billets pour voyager en France et dans plus de 45 pays européens. Consultez les tarifs et les horaires dans une interface claire et sans publicité. Trainline compare les prix de plusieurs transporteurs européens pour vous garantir le meilleur tarif.
Réservations et paiements sur ● trainline.fr ● et sur mobiles avec l'application Trainline pour iPhone et Android.

EN VOITURE

Pour rejoindre Madrid au départ de Paris

➢ À Paris, prendre l'A 10, direction Bordeaux ; un peu après Bordeaux, la sortie n° 1 en direction de Toulouse et Bayonne. 9 km sur l'A 630 avant de récupérer l'A 63-E 5 en direction de Bayonne. Poursuivre sur l'E 5-AP-1 puis, après Bayonne et la frontière espagnole, prendre l'E 70-AP-1 en direction de Bilbao. Environ 30 km après Zarautz, prendre l'AP-1 en direction de Vitoria-Gasteiz, puis l'E 5 en direction de Burgos. Dépasser Burgos, poursuivre sur l'A 1-E 5 jusqu'à Madrid (arrivée par le nord de la ville).

Pour rejoindre Saragosse (Zaragoza) au départ de Paris

➤ Même itinéraire que pour Madrid jusqu'à la frontière espagnole. Juste après la frontière, au niveau de Hendaye, prendre la N 121A direction Iruna-Pamplona. Contourner Pamplona par la PA-30 et rejoindre l'AP-15 en direction de Tafalla, Tudella et Zaragoza. Un peu avant Tudella, bifurquer sur l'AP-68-E 804, qui mène à Zaragoza.

Le covoiturage

Le principe est économique, écologique et convivial. Il s'agit de mettre en relation un chauffeur et des passagers afin de partager le trajet et les frais, que ce soit de manière régulière ou de manière exceptionnelle (pour les vacances, par exemple). Les conducteurs sont invités à proposer leurs places libres sur BlaBla-Car, ● blablacar.fr ● (disponible sur Web et sur mobile). L'inscription est gratuite.

EN BUS

▲ EUROLINES
Rens : ☎ *0892-89-90-91 (0,35 €/mn + prix d'appel), tlj 8h-21h, dim 10h-18h.* ● *eurolines.fr* ● *N° d'urgence :* ☎ *01-49-72-51-57.*
Agences à Paris et dans tte la France.
– Vous trouverez les services d'Eurolines sur ● *routard.com* ● *Eurolines propose 10 % de réduc pour les jeunes (12-25 ans) et les seniors. 2 bagages gratuits/pers en Europe et 40 kg gratuits pour le Maroc.*
– Gare routière internationale à Paris : 28, av. du Général-de-Gaulle, 93541 Bagnolet Cedex. Ⓜ Gallieni.

1re *low-cost* par bus en Europe, Eurolines permet de voyager vers plus de 600 destinations en Europe (dont Madrid, Burgos, Salamanque, Tolède...) et au Maroc avec des départs quotidiens depuis 90 villes françaises. Eurolines propose également des hébergements à petits prix sur les destinations desservies.
– Pass Europe : pour un prix fixe valable 15 ou 30 j., vous voyagez autant que vous le désirez sur le réseau entre 51 villes européennes. Également un *minipass* pour visiter 2 capitales européennes (7 combinés possibles).

CASTILLE UTILE

ABC du centre de l'Espagne

❑ *Superficie :* 504 782 km².
❑ *Capitale :* Madrid (env 3,2 millions d'hab. ; plus de 6 millions pour la communauté de Madrid).
❑ *Principales villes du centre de l'Espagne :* Saragosse (682 000 hab.), Valladolid (304 000 hab.), Burgos (176 000 hab.), Salamanque (145 000 hab.), Badajoz (150 000 hab.), León (127 800 hab.).
❑ *Population :* env 46 720 000 hab. (estimation 2018), dont 2,44 millions en Castille-León, 2,03 millions en Castille-La Manche, 1,30 million en Aragon, 1,08 million en Estrémadure, 315 800 dans La Rioja et 6,47 millions pour le Grand Madrid.
❑ *Densité :* 92 hab./km².
❑ *Régime :* monarchie parlementaire.
❑ *Nature de l'État :* royaume. L'Espagne est divisée en 17 communautés autonomes *(autonomías)* et 2 villes autonomes (Ceuta et Melilla).
❑ *Chef de l'État :* le roi Felipe VI, depuis juin 2014.
❑ *Chef du gouvernement :* Pedro Sánchez (coalition PSOE-PSC), depuis juin 2018.
❑ *PIB/hab :* 25 000 €/an (2017).
❑ *Taux de chômage :* 13,9 % (mi-2019).
❑ *Inflation :* 1,15 % (mi-2019).
❑ *Monnaie :* l'euro.
❑ *Langues officielles :* 1 langue nationale, l'espagnol *(castellano)* ; 4 langues régionales, le basque, le catalan, le galicien, le valencien.
❑ *Indice de développement humain (espérance de vie, éducation, niveau de vie) :* 0,89. Rang mondial en 2018 : 39e.

AVANT LE DÉPART

Adresses utiles

En France

🛈 *Office national espagnol de tourisme :* pas d'accueil du public, mais rens touristiques lun-jeu 9h-17h et ven 9h-14h au ☎ 01-45-03-82-50, sur ● paris@tourspain.es ● ou sur ● spain.info/fr_FR ● Nombreuses brochures très bien faites téléchargeables sur le site internet.

■ *Consulat d'Espagne :* 165, bd Malesherbes, 75017 Paris. ☎ 01-44-29-40-00. ● cog.paris@maec.es ● exteriores.gob.es/Consulados/paris ● Ⓜ Wagram ou Malesherbes. Lun-jeu 8h30-14h30, ven 8h30-14h, et 1er sam du mois (sauf j. fériés) 8h30-12h. Autres consulats généraux à Bayonne, Bordeaux, Lyon-Villeurbanne, Marseille, Montpellier, Pau,

Perpignan, Strasbourg et Toulouse.

■ **Ambassade d'Espagne :** *22, av. Marceau, 75008 Paris.* ☎ *01-44-43-18-00.* ● *emb.paris@maec.es* ● *exteriores. gob.es/Embajadas/paris* ● Ⓜ *Alma-Marceau. Lun-ven 9h-13h30, 15h-18h.*

En Belgique

🛈 **Office de tourisme d'Espagne :** *rue Royale, 97, Bruxelles 1000.* ☎ *02-280-19-26 ou 29.* ● *spain.info/be* ● *Accueil du public lun-ven 9h-14h. Accueil téléphonique lun-jeu jusqu'à 17h, ven jusqu'à 15h.*

■ **Consulat général d'Espagne :** *rue Ducale, 85-87, Bruxelles 1000.* ☎ *02-509-87-70 et 86.* ● *cog.bru selas@maec.es* ● *exteriores.gob. es/consulados/bruselas* ● *Lun-ven 8h30-14h.*

■ **Ambassade d'Espagne :** *rue de la Science, 19, Bruxelles 1040.* ☎ *02-230-03-40.* ● *emb.bruselas@ maec.es* ● *exteriores.gob.es/emba jadas/bruselas* ● *Lun-ven 9h-13h.*

En Suisse

🛈 **Office de tourisme d'Espagne :** *Seefeldstrasse, 19, 8008 Zurich.* ☎ *44-25-36-050.* ● *spain.info/ fr_ch* ● *Comme en France, renseignements également très complets par téléphone, et des brochures à télécharger sur leur site internet.*

■ **Consulat général d'Espagne :** *av. Louis-Casaï, 58, case postale 59, 1216 Cointrin (Genève).* ☎ *022-749-14-60.* ● *cog.ginebra@maec.es* ● *exteriores.* *gob.es/consulados/ginebra* ● *Lun-sam 8h15-13h (12h sam).*

■ **Consulat général d'Espagne :** *Marienstr., 12, 3005 Berne.* ☎ *031-356-22-20 et 23.* ● *cog.berna@maec. es* ● *exteriores.gob.es/consulados/ berna* ● *Lun-sam 8h30-13h30 (12h30 sam).*

■ **Ambassade d'Espagne :** *Kalcheggweg, 24, 3000 Berne 15.* ☎ *031-350-52-52.* ● *emb.berna@maec.es* ● *exteriores.gob.es/Embajadas/berna* ● *Lun-ven 8h-15h30.*

Au Canada

🛈 **Bureau de tourisme d'Espagne :** *2 Bloor St West, 34th Floor, suite 3402, Toronto M4W 3E2 (Ontario).* ☎ *(416) 961-3131.* ● *spain.info/fr_ca* ● Ⓜ *Bloor-Yonge. Lun-ven 9h-15h.*

■ **Consulat général d'Espagne :** *2 Bloor St East, suite 1201, Toronto M4W 1A8 (Ontario).* ☎ *(416) 977-1661 ou 3923.* ● *cog.toronto@maec.es* ● *exteriores.gob.es/consulados/toronto* ● *Au 12e étage. Lun-ven 9h-12h30.*

■ **Consulat général d'Espagne :** *1200 Ave McGill College, suite 2025, Montréal H3B 4G7 (Québec).* ☎ *(514) 935-5235.* ● *cog.montreal@maec.es* ● *exteriores.gob.es/consulados/mon treal* ● *Lun-ven 9h-13h.*

■ **Ambassade d'Espagne :** *74 Stanley Ave, Ottawa K1M 1P4 (Ontario).* ☎ *(613) 747-2252 ou 7293.* ● *emb. ottawa@maec.es* ● *exteriores.gob.es/ embajadas/ottawa* ● **Section consulaire** *à la même adresse. Lun-ven 9h-13h.*

Formalités

Pensez à scanner passeport, visa, carte de paiement, billet d'avion et *vouchers* d'hôtel. Ensuite, adressez-les-vous par mail, en pièces jointes. En cas de perte ou vol, rien de plus facile pour les récupérer. Les démarches administratives en seront bien plus rapides. Merci, tonton Routard !

Pour les ressortissants français, belges et suisses, la carte d'identité en cours de validité ou le passeport suffisent pour entrer sur le territoire espagnol. Les ressortissants canadiens se verront demander leur passeport en cours de validité (pour les séjours touristiques de moins de 90 jours).
Les **mineurs** doivent être munis de leur propre pièce d'identité (carte d'identité ou passeport). Pour l'autorisation de sortie de territoire lorsque les enfants ne sont

pas accompagnés par un de leurs parents, chaque pays a mis en place sa propre régulation. Ainsi, pour les *mineurs français,* une loi entrée en vigueur en janvier 2017 a *rétabli l'autorisation de sortie du territoire.* Pour voyager à l'étranger, ils doivent être munis d'une pièce d'identité (carte d'identité ou passeport), d'un formulaire signé par l'un des parents titulaire de l'autorité parentale et de la photocopie de la pièce d'identité du parent signataire. Renseignements auprès des services de votre commune et sur ● service-public.fr ●

Assurances voyages

■ *Routard Assurance par AVI International :* 40, rue Washington, 75008 Paris. ☎ 01-44-63-51-00. ● avi-international.com ● Ⓜ George-V.
Enrichie au fil des années par les retours des lecteurs, *Routard Assurance* est devenue une assurance voyage référence des globe-trotters. Tout est inclus : frais médicaux, assistance rapatriement, bagages, responsabilité civile... Avant votre départ, appelez *AVI* pour un conseil personnalisé. Besoin d'un médecin, d'un avis médical, d'une prise en charge dans un hôpital ? Téléchargez l'appli mobile AVI international pour garder le contact avec *AVI Assistance* et disposez de l'un des meilleurs réseaux médicaux à travers le monde. *AVI Assistance* est disponible 24h/24 pour une réponse en temps réel. De simples frais de santé en voyage ? Envoyez les factures à votre retour, *AVI* vous rembourse sous une semaine.

■ *AVA – Assurance Voyages et assistance :* 25, rue de Maubeuge, 75009 Paris. ☎ 01-53-20-44-20. ● ava.fr ● Ⓜ Cadet. Un autre courtier fiable pour ceux qui souhaitent s'assurer en cas de décès-invalidité-accident lors d'un voyage à l'étranger, mais surtout pour bénéficier d'une assistance rapatriement, perte de bagages et annulation. Attention, franchises pour leurs contrats d'assurance voyage.

■ *Pixel Assur :* 18, rue des Plantes, BP 35, 78601 Maisons-Laffitte. ☎ 01-39-62-28-63. ● pixel-assur.com ● RER A : Maisons-Laffitte. Assurance de matériel photo et vidéo tous risques (casse, vol, immersion) dans le monde entier. Devis en ligne basé sur le prix d'achat de votre matériel. Avantage : garantie à l'année.

Carte internationale d'étudiant (carte ISIC)

Elle prouve le statut d'étudiant dans le monde entier et permet de bénéficier de tous les avantages, services et réductions dans les domaines du transport, de l'hébergement, de la culture, des loisirs, du shopping...
La carte ISIC permet aussi d'accéder à des avantages exclusifs (billets d'avion spécial étudiants, hôtels et auberges de jeunesse, assurances, cartes SIM internationales, location de voitures...).

Renseignements et inscriptions

– *En France :* ● isic.fr ● 13 € pour 1 année scolaire.
– *En Belgique :* ● isic.be ●
– *En Suisse :* ● isic.ch ●
– *Au Canada :* ● isiccanada.ca ●

Carte d'adhésion internationale aux auberges de jeunesse (carte FUAJ)

Cette carte vous ouvre les portes des 4 000 auberges de jeunesse du réseau *HI-Hostelling International* en France et dans le monde. Vous pouvez ainsi loger dans 81 pays à des prix avantageux et bénéficier de tarifs préférentiels avec les partenaires des auberges de jeunesse *HI*. Enfin, vous intégrez une communauté mondiale de voyageurs partageant les mêmes valeurs : plaisir de la rencontre, respect des différences et échange dans un esprit convivial. Il n'y a pas de limite d'âge pour séjourner en auberge de jeunesse. Il faut simplement être adhérent.

Renseignements et inscriptions

– *En France :* ● hifrance.org ●
– *En Belgique :* ● lesaubergesdejeunesse.be ●
– *En Suisse :* ● youthhostel.ch ●
– *Au Canada :* ● hihostels.ca ●

Si vous prévoyez un séjour itinérant, vous pouvez réserver plusieurs auberges en une seule fois en France et dans le monde : ● hihostels.com ●

ARGENT, BANQUES, CHANGE

Change et distributeurs

À titre d'information, 1 € = 1,12 CHF = 1,50 \$Ca (mi-2019). En Espagne, l'euro se prononce « é-ou-ro » et se divise en *céntimos*.
– Dans toutes les villes et même dans les villages, on peut retirer de l'argent dans les *distributeurs automatiques* *(cajeros automáticos)* avec les cartes *Master-Card*, *Visa* et *Maestro*.
– D'une manière générale, les *banques* sont ouvertes du lundi au vendredi de 8h30 à 14h. Pour ceux qui sont concernés (nos amis suisses et canadiens, entre autres), les *commissions de change* varient d'une banque à l'autre. Pour ne pas perdre au change, s'abstenir de changer en face des sites touristiques. *Important :* face à la généralisation du paiement numérique et des distributeurs automatiques, de moins en moins de banques proposent ce service.

Cartes de paiement

Quand vous partez à l'étranger, pensez à relever le plafond de retrait aux distributeurs et pour les paiements par carte, quitte à le baisser à votre retour.

> Avant de partir, notez donc bien le numéro d'opposition propre à votre banque (il figure souvent au dos des tickets de retrait, sur votre contrat ou à côté des distributeurs de billets), ainsi que le numéro à 16 chiffres de votre carte. Bien entendu, conserver ces informations en lieu sûr, et séparément de votre carte.

Par ailleurs, l'assistance médicale se limite aux 90 premiers jours du voyage et l'assistance véhicule aux cartes haut de gamme (renseignez-vous auprès de votre banque). Et, surtout, n'oubliez pas aussi de *VÉRIFIER LA DATE D'EXPIRATION DE VOTRE CARTE DE PAIEMENT* avant votre départ !
En zone euro, pas de frais bancaires sur les paiements par carte. Les retraits sont soumis aux mêmes conditions tarifaires que ceux effectués en France. Ils sont gratuits pour la plupart des cartes, mais certaines banques espagnoles facturent une petite commission.
Une carte perdue ou volée peut être rapidement remplacée. En appelant sa banque, un système d'opposition, d'avance d'argent et de remplacement de carte pourront être mis en place afin de poursuivre votre séjour en toute quiétude.

En cas de perte, de vol, ou de fraude, quelle que soit la carte que vous possédez, chaque banque gère elle-même le processus d'opposition et le numéro de téléphone correspondant.

– **Carte Visa :** *numéro d'urgence (Europ Assistance) :* ☎ *(00-33) 1-41-85-85-85 (24h/24).* ● *visa.fr* ●
– **Carte MasterCard :** *numéro d'urgence :* ☎ *(00-33) 1-45-16-65-65.* ● *mastercardfrance.com* ●
– **Carte American Express :** *numéro d'urgence* ☎ *(00-33) 1-47-77-72-00.*

● *americanexpress.com* ●
Il existe un serveur interbancaire d'opposition qui en cas de perte ou de vol vous met en contact avec le centre d'opposition de votre banque : *en France :* ☎ *892-705-705 (prix d'un appel + 0,35/mn) ; depuis l'étranger :* ☎ *+ 33 442-605-303.*

> Petite mesure de précaution : si vous retirez de l'argent dans un distributeur, utilisez de préférence les distributeurs attenants à une agence bancaire. En cas de pépin avec votre carte (carte avalée, erreurs de code secret...), vous aurez un interlocuteur dans l'agence, pendant les heures ouvrables.

Besoin urgent d'argent liquide

Vous pouvez être dépanné en quelques minutes grâce au système **Western Union Money Transfer.** L'argent vous est transféré en moins de 1h. La commission, assez élevée, est payée par l'expéditeur. Possibilité d'effectuer un transfert auprès d'un des bureaux *Western Union* ou, plus rapide, en ligne, 24h/24 par carte de paiement (*Visa* ou *MasterCard*).
Même principe avec d'autres organismes de transfert d'argent liquide comme **MoneyGram, PayTop** ou **Azimo.** Transfert en ligne sécurisé, en moins de 1h.
Dans tous les cas, se munir d'une pièce d'identité. Toutefois, en cas de perte/vol de papiers, certains organismes permettent de convenir d'une question/réponse type pour pouvoir récupérer votre argent. Chacun de ces organismes possèdent aussi des applications disponibles sur téléphone portable. Consulter les sites internet pour connaître les pays concernés, les conditions tarifaires (frais, commission) et trouver le correspondant local le plus proche : ● *westernunion.com* ● *moneygram.fr* ● *paytop.com* ● *azimo.com/fr* ●
– Autre solution, envoyer de l'argent par **La Banque Postale** : le bénéficiaire, muni de sa pièce d'identité, peut retirer les fonds dans n'importe quel bureau du réseau local. Le transfert s'effectue avec un mandat ordinaire international (jusqu'à 3 500 €) et la transaction prend 4-5 jours en Europe (8-10 jours vers l'international). Plus cher, mais plus rapide, le mandat express international permet d'envoyer de l'argent (montant variable selon la destination – 34 au total) sous 2 jours maximum, 24h lorsque la démarche est faite en ligne. *Infos :* ● *labanque postale.fr* ●

ACHATS

Mettez-vous à l'heure espagnole : la grande majorité des magasins ferment pour la pause du milieu de journée vers 14h-14h30, pour rouvrir à 17h-17h30. Sauf les grands centres commerciaux, les grandes surfaces, etc.
Bien que ralentie par la crise, l'Espagne a un niveau de vie proche de ceux de la France ou de la Belgique. Rien à voir avec l'Espagne de papa, où l'on pouvait acheter des tas de choses pour une bouchée de pain... *O tempora, o mores...*
Il reste cependant des articles à prix intéressants. Les chaussures, les objets en cuir et les vêtements des marques espagnoles (pour beaucoup, désormais internationales) offrent un bon rapport qualité-prix. À Madrid, il y a de belles antiquités, des marchés aux puces sympa et des *outlets* de fringues et de

chaussures à damner les fashionistas. Enfin, les productions gastronomiques régionales méritent une place dans votre valise : huile d'olive, vin, jambon, chorizo, conserves, etc.

Sachez aussi qu'en Espagne les **soldes** d'hiver commencent juste après l'Épiphanie (6 janvier) et finissent fin février, et ceux d'été durent tous les mois de juillet et août, même si les remises sont moins importantes qu'en France. C'est pas beau, ça ?

BUDGET

Dans l'ensemble, le coût de la vie en Espagne, du moins dans les grandes villes, est comparable à celui de la France. Les prix, qui stagnaient depuis la crise de 2008, se sont stabilisés, voire remontent légèrement. Il est encore possible de trouver des pensions autour de 40 €, notamment dans les grandes villes. Les tarifs varient souvent en fonction du jour de la semaine (plus cher le week-end dans les coins touristiques), des hautes et basses saisons (*temporada alta* ou *baja*) et des fêtes et jours fériés. La Semaine sainte (en 2020, du 5 au 13 avril ; en 2021, du 28 mars au 5 avril) est la plus chère de toutes, avec souvent un tarif spécial rien que pour elle ! Au bout du compte, vous pourriez bien payer une chambre 2 ou 3 fois plus cher qu'en basse saison... D'une région à l'autre, hautes et basses saisons varient aussi. Tandis qu'en Aragon août affiche des prix élevés, en Castille-León le même mois est plutôt considéré comme la basse saison (à l'exception de certaines villes très touristiques comme Salamanque, Ávila et Ségovie).

> **Recommandation à ceux qui souhaitent profiter des réductions et avantages proposés dans le *Routard* par les hôteliers et les restaurateurs.**
>
> À l'hôtel, pensez à les demander au moment de la réservation ou, si vous n'avez pas réservé, **à l'arrivée.** Ils ne sont valables que pour les réservations en direct et ne sont pas cumulables avec d'autres offres promotionnelles (notamment sur Internet). Au restaurant, parlez-en **au moment** de la commande et surtout **avant** que l'addition ne soit établie. Poser votre *Routard* sur la table ne suffit pas : le personnel de salle n'est pas toujours au courant et une fois le ticket de caisse imprimé, il est souvent difficile de modifier le total. En cas de doute, montrez la notice relative à l'établissement dans le *Routard* de l'année et, bien sûr, ne manquez pas de nous faire part de toute difficulté rencontrée.

Les prix sont théoriquement affichés avec la taxe sur la valeur ajoutée *(IVA)* de 10 % incluse, mais ce n'est pas encore le cas partout.

Dans la mesure du possible, nous avons choisi de vous indiquer les prix **taxe comprise.** Sachez aussi que certains établissements modestes ajoutent une commission pour tout règlement par carte de paiement (s'ils l'acceptent).

Hébergement

Les prix indiqués sont ceux d'une **chambre double,** généralement sans le petit déj (sauf indication contraire) mais **avec IVA.** Et lorsque le tarif du petit déjeuner est précisé, il s'entend par personne.

Cette échelle est évidemment indicative et peut varier légèrement d'une ville ou d'une région à l'autre.

Les tarifs ayant de plus en plus tendance à varier selon les lois de l'offre et la demande, n'hésitez pas à passer par Internet pour les réservations, car les offres intéressantes y abondent, surtout pour les établissements un peu chics.
– *Bon marché :* de 15 à 20 € par personne (en AJ) ou de 30 à 45 € pour une chambre double.
– *Prix moyens :* de 45 à 60 € (35-70 € dans certaines villes).
– *Chic :* de 60 à 90 €.
– *Plus chic :* de 90 à 120 €.
– *Très chic :* plus de 120 €.

Nourriture

> Le pain, au même titre que la bouteille d'eau, est généralement facturé (sauf s'il est inclus dans le menu). Si on le refuse, il n'est évidemment pas compté (quoique...).

On peut manger à tous les prix un peu partout. Mais si c'est la qualité que vous recherchez, cela vous reviendra aussi cher qu'en France. Avec les tapas, on peut s'en sortir honorablement, si l'on n'est pas trop gourmand. Les fourchettes de prix indiquées ci-dessous sont calculées sur la base d'un *repas complet pour une personne,* taxe (IVA) incluse mais *sans la boisson.*
– *Très bon marché :* moins de 8 €.
– *Bon marché :* de 8 à 15 €.
– *Prix moyens :* de 15 à 25 €.
– *Plus chic :* de 25 à 35 €.
– *Très chic :* plus de 35 €.
À noter que le midi, beaucoup de restaurants proposent un *menú del día* autour de 10-12 € (15-18 € le dimanche), incluant entrée, plat, dessert, pain et parfois boisson. Il est difficile de trouver meilleur rapport qualité-prix, même s'il ne faut pas forcément s'attendre à des produits haut de gamme... Encore que, il y a de bonnes surprises et de petits menus remarquables (nous ne manquons pas de les signaler !).

Visites, parking, etc.

Les musées et les châteaux sont généralement payants, de même que les églises les plus visitées, mais les prix sont le plus souvent modérés, à l'exception des grands musées nationaux de Madrid (voir plus loin « Musées et sites »).
Les parkings sont parfois chers : si vous vous déplacez en voiture, sachez que les parkings ne sont pas donnés en Espagne. Le prix d'un stationnement pour 24h peut grimper jusqu'à 20-30 € dans les grandes villes (où la circulation est de toute façon galère, et où nous vous conseillons de préférer la marche ou d'utiliser les transports en commun). Certains hôtels disposent de leur propre parking, souvent moins onéreux, ou de tarifs réduits dans les parkings les plus proches : renseignez-vous lors de la réservation ou à votre arrivée à la réception. Autant que possible, nous essayons de vous indiquer les parkings ou les zones à stationnement gratuit – lorsqu'il en reste...

CLIMAT

En règle générale, tempéré et sec. La côte atlantique subit l'influence du Gulf Stream qui lui apporte un climat assez doux et pluvieux, même en été (ce qui fait de la Galice la région la plus fraîche et la plus ventilée d'Espagne). Le climat de la Meseta (le plateau castillan, au centre de la péninsule) est quant à lui de type

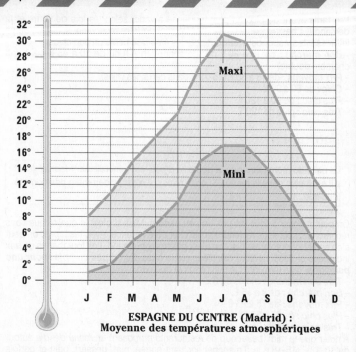

ESPAGNE DU CENTRE (Madrid) :
Moyenne des températures atmosphériques

continental : air très sec, été très chaud (souvent plus de 40 °C à Madrid) et hiver froid. Idem pour le sud de l'Aragon, où les grosses chaleurs de l'été succèdent à des hivers rigoureux.

L'époque de voyage la plus favorable pour l'ensemble de la péninsule, et en particulier la Castille, est le printemps (mi-avril jusqu'à mi-juin) ou l'automne. On y bénéficie de températures agréables (mi-septembre-début novembre), sans la foule. En été, lorsque les chaleurs se font plus fortes, l'idéal est d'adopter le fameux « horaire espagnol », en ménageant une pause dans son programme entre 14h et 17h (vive la sieste !), ou en profitant des parcs naturels et de leurs lacs.

À Salamanque, à Ávila, en Castille-León, il peut faire frais au printemps. Il peut même neiger en avril-mai, période à laquelle les sommets au-delà de 1 500 m sont encore enneigés (prévoir des lainages, surtout pour le soir).

FÊTES ET JOURS FÉRIÉS

Outre toutes les fêtes locales qui peuvent venir égayer (ou perturber) votre séjour (impossible de les recenser toutes !), et pour éviter les gros désappointements, voici les principaux jours fériés dans toute l'Espagne.

– 1er janvier : Nouvel An.
– 6 janvier : Épiphanie.
– Jeudi saint (en 2020, le 9 avril, et en 2021 le 1er avril ; férié dans toutes les régions).
– Vendredi saint (en 2020, le 10 avril et en 2021 le 2 avril).
– 1er mai : fête du Travail.

– 15 août : Assomption de la Vierge.
– 12 octobre : fête nationale d'Espagne.
– 1er novembre : Toussaint.
– 6 décembre : journée de la Constitution.
– 8 décembre : Immaculée Conception.
– 25 décembre : Noël.

Sont également fériés :
– *En Aragon :* le 23 avril, fête de la Communauté autonome ; le 2 mai si le 1er mai tombe un dimanche ; le lundi 26 décembre lorsque le 25 est un dimanche.
– *En Castille-La Manche :* le 19 mars, Saint-Joseph ; le 31 mai, fête de la Communauté autonome ; le lundi 26 décembre lorsque le 25 tombe un dimanche.
– *En Castille-León :* le 23 avril, fête de la Communauté autonome ; le 2 mai, si le 1er mai tombe un dimanche ; le 25 juillet, fête de l'apôtre saint Jacques.
– *En Estrémadure :* le 2 mai si le 1er mai est un dimanche ; le 8 septembre, fête de la Communauté autonome ; le lundi 26 décembre si le 25 (Noël) tombe un dimanche.
– *Dans La Rioja :* le lundi de Pâques (en 2020, le 13 avril) ; le 9 juin, fête de la Communauté autonome ; le 25 juillet, fête de l'apôtre saint Jacques.
– *À Madrid :* le 2 mai, fête de la Communauté autonome ; le 25 juillet, fête de l'apôtre saint Jacques.

HÉBERGEMENT

Les auberges de jeunesse

– *Les auberges officielles* sont généralement modernes, bien tenues... et un peu moins chères qu'en France ou en Belgique. La carte des AJ est théoriquement obligatoire (celle de la FUAJ est valable ; voir la rubrique « Avant le départ » au début de ce chapitre) mais dans les faits, les non-membres peuvent souvent y séjourner, moyennant un (modique) supplément. De plus, les tarifs varient un peu selon l'âge (plus ou moins de 30 ans). Pour le reste, l'aspect, l'ambiance et l'équipement sont assez similaires. Les AJ proposent pour la plupart des repas : petit déj, demi-pension ou pension complète. Penser à réserver pour juillet-août. Pour des infos directes sur les AJ dans toute l'Espagne : ● *reaj.com* ●
– *Les auberges de jeunesse privées :* on en trouve de plus en plus dans les villes touristiques (Madrid, Salamanque, Tolède...). Ce sont tantôt des maisons, tantôt de grands appartements équipés de dortoirs (le plus souvent de 4 à 6 lits) et chambres privées (ce que les Anglo-Saxons appellent *hostel*). Certaines sont installées dans des demeures anciennes et parfois dans de vrais petits palais, comme le *Cat's Hostel* à Madrid. En règle générale, elles sont plus originales et chaleureuses que les AJ officielles. Parfois plus bruyantes et festives aussi, succès oblige ! Elles disposent pour la plupart d'une cuisine commune et d'espaces collectifs conviviaux. Le lit en dortoir y coûte en moyenne de 15 à 25 € la nuit par personne, petit déj généralement compris.

Les campings

Le *camping sauvage* est interdit dans les parcs naturels, mais il est plus ou moins toléré ailleurs, à condition de demander la permission au propriétaire du terrain (ce qui est de toute façon la moindre des choses), de ne pas s'installer plusieurs jours et, bien sûr, de remballer ses détritus, comme partout !
Les prix et les catégories des *campings officiels* sont fixés par le gouvernement ; les tarifs doivent figurer bien en évidence à l'entrée. Ils sont en moyenne aussi chers qu'en France, et varient selon la saison et la durée du séjour : les réductions peuvent dépasser 50 % pour des séjours au mois.
Ils sont en général bien équipés. Hélas, autour des grandes villes, leur implantation est souvent décevante (en bord de route). En revanche, dans les sierras

d'Aragon ou de Castille-León, vous trouverez des environnements très agréables, verdoyants, ombragés dans de superbes paysages. Un des plus beaux campings d'Aragon est sans doute le camping *Valle Añisclo* à Puyarruego. Plus que pour s'y reposer, les Espagnols viennent s'y divertir : piscines (rarement ouvertes hors saison), terrains de sport, jeux pour enfants, bar-resto et parfois discothèque. Le week-end, cela peut devenir très bruyant (c'est peu de le dire !). Mais bon, comme vous aurez appris à vivre la nuit, il n'y aura plus de problème !

– *Conseils :* pensez à vous équiper de sardines très robustes (certains se servent carrément de fers à béton). Le terrain est très souvent sec, parfois d'une dureté redoutable. Un marteau-piqueur serait bien utile (mais un peu encombrant !).

– Pour ce qui est des *tarifs,* c'est soit à la parcelle (comprenant tente et voiture), et il faudra y ajouter le prix par personne ; soit élément par élément : tente, voiture, adultes, enfants... Nous vous indiquons le tarif sur la base d'une petite tente, une voiture et 2 adultes.

– À noter aussi que la plupart des campings proposent des *bungalows* ou des *mobile homes,* de différents niveaux de confort et de prix (et d'esthétisme !). Si vous voyagez à plus de 4, la formule peut s'avérer intéressante.

Les hôtels

Dans la catégorie « De bon marché à prix moyens », on trouve de petits établissements familiaux installés aux étages d'immeubles résidentiels : *hostales, pensiones, posadas, casas de huéspedes* ou *hospedajes* partagent peu ou prou le même concept et sont appelés officiellement **hostales** ou **residencias.** Leur confort et tenue se sont nettement améliorés depuis le début des années 2000, mais les prix ont suivi (même s'ils restent abordables). Si vous le pouvez, visitez une chambre avant de réserver, et si vous parlez l'espagnol, vous pouvez tenter de négocier un peu... Les tarifs baissent presque toujours selon la durée du séjour.

Les *hôtels (hoteles)* sont, eux, classés de 1 à 5 étoiles. Réserver ou arriver assez tôt pour être sûr d'avoir une chambre, et demander à la visiter avant. Les prix affichés à la réception et dans les chambres sont les tarifs maximum autorisés. Bien souvent, ils varient selon le jour de la semaine et la saison (*temporada alta* ou *baja*), quoique celle-ci joue moins dans le centre du pays que sur les côtes. Mais, de plus en plus, les tarifs sont calculés en fonction du taux de remplissage de l'hôtel, et fluctuent donc d'un jour à l'autre. Consulter le site de l'hôtel pour s'enquérir des offres en cours, parfois très intéressantes !

– Pour une chambre simple, demander une *habitación individual,* pour une chambre double, une *habitación doble,* et si vous voulez un grand lit, précisez *de matrimonio.* S'il reste encore quelques vieilles pensions équipées de *camas de matrimonio* en 120 ou 130 cm, désormais les lits doubles en 140 cm, voire grand format (*queen* ou *king size*) dans les lieux plus chics, sont devenus la norme.

– Les offices de tourisme disposent souvent d'une liste des hôtels et *hostales* avec les prix en cours. Demandez-la.

– Dernier détail, pour les affamés du matin : dans les pensions espagnoles c'est *bed* mais rarement *breakfast...* et si on vous propose le *desayuno,* il est souvent médiocre. On vous conseille donc de prendre vos petits déjeuners dans un café ou une pâtisserie-salon de thé. Dans les établissements chics, le buffet est la norme, et la qualité variable.

– *Logis* est la 1re chaîne de restaurateurs-hôteliers indépendants en Europe avec 2 200 établissements répartis dans 8 pays. Fort de ses 70 années d'expérience, le réseau offre l'assurance d'un accueil personnalisé et chaleureux, d'un hébergement de qualité ainsi que d'une restauration faite maison mettant à l'honneur produits locaux et de saison. Engagés sur les territoires, tous les *Logis* sont impliqués dans une démarche d'économie locale, privilégiant les circuits courts et les produits régionaux. Plus d'infos : ● *logishotels.com* ●

Les *paradores*

Réseau important d'établissements hôteliers exceptionnels créé en 1928. Leur principale originalité réside dans le caractère historique et l'emplacement qu'ils proposent : châteaux forts, manoirs, anciens palais, couvents, monastères souvent très bien restaurés et aménagés dans le style local. Prestations en général à la hauteur du standing et personnel qualifié. Certains *paradores* sont de construction plus récente, mais ils sont alors situés dans un site d'exception – avec vue imprenable sur la vieille ville ou la campagne sauvage.

Ils sont classés en 5 catégories, et pratiquent souvent des tarifs élevés : grosso modo entre 90 et 280 € (sans le petit déj : 17-21 €) selon la saison et le confort du *parador* (3 ou 4 étoiles). Ils pratiquent aussi des promos intéressantes en période creuse.

Nombreuses autres réductions possibles : - 10 % sur les chambres et le petit déj pour les plus de 55 ans (« *Días Dorados* ») ; - 15 % pour les séjours d'au moins 2 nuits consécutives en ½ pension dans un même *parador* sur réservation uniquement – quotas limités (avec 15 % de réduc sur les repas) ; *tarjeta 5 noches* (« carte 5 nuits ») dans des *paradores* différents (ou non) à 600 € – soit 120 € la double par nuit avec le petit déj – et une réduc de 20 % en prime sur le prix officiel du menu au resto ; les *Escapada Joven* pour les 18-30 ans (- 15 % sur les chambres et les repas hors boisson, mais sur réservation uniquement car quotas limités), etc. Certaines périodes de restriction s'appliquent. Tous les prix mentionnés ici sont IVA incluse.

À défaut de dormir dans les *paradores,* on peut toujours s'y restaurer (plutôt chics, menus de 25 à 45 €, avec une carte de snack ou de tapas dans certains) ou y prendre simplement un verre pour profiter du cadre. Le petit déjeuner est généralement excellent et gargantuesque ! En été et le week-end, il est impératif de réserver.

– Site officiel des paradores : ● *para dor.es*
■ *Iberrail France :* 14, rue Bruno-Coquatrix, 75009 Paris. ☎ 01-42-81-27-27. ● *service.paradores@iberrail.fr* ● Ⓜ *Opéra ou Madeleine.* Représentant officiel des *paradores* en France.
■ *Caractère :* Gentsestraat 20, Erpe-Mere, 9420. ☎ 0902-88-014 (1 €/mn).

● *info@caractere.be* ● *caractere.be* ● Représentant officiel des *paradores* pour la Belgique et le Luxembourg.
■ *Hotelplan MTCH AG :* Sägereistrasse, 20, 8152 Glattbrugg. ☎ 021-310-20-00 et 043-211-88-85. ● *hotelplan.ch* ● Représentant officiel des *paradores* pour la Suisse.

La location d'appartements

Valable surtout en famille, et surtout pour les grandes villes, telle Madrid (voir nos propositions dans le chapitre consacré à la ville). Des frais de restos réduits, des équipements à disposition (plus simple avec des enfants), la formule offre quelques avantages.

HORAIRES

Les *horaires des repas* sont plus tardifs que ceux pratiqués en France. Le petit déjeuner se prend de 8h à 11h, le déjeuner de 13h30-14h à 16h et le dîner de 21h à 23h (à la fraîche). Quant aux *boîtes de nuit,* certaines ne commencent à s'animer que vers 3h... Il faut avoir une santé de fer pour vivre ici ! Les *magasins* sont généralement ouverts du lundi au samedi de 9h-10h à 14h-15h et de 17h-18h à 20h-21h. Ils respectent la sacro-sainte *siesta* ! En été et dans les coins touristiques, certains commerces restent ouverts jusqu'à 22h ou 23h. Les supermarchés et grands magasins (type *Corte Inglès*), en revanche, sont ouverts toute la journée sans interruption. Pour les banques, voir plus haut « Argent, banques, change ».

LANGUE

En espagnol, le « ñ » se prononce « gne » et le « v » se prononce plus « b » que « v » : *España* se dit « Espagna », *cerveza* se dit « cerbessa », *Sevilla*, « Sebilla », *Valencia*, « Balencia », etc. Attention cependant, tout excès nuit. Essayez quand même de pondérer entre le « v » et le « b ».

PARLER LE FRANÇAIS COMME UNE VACHE ESPAGNOLE

C'est vrai que les vaches, surtout espagnoles, parlent mal le français. Cette expression datant du XVIIe s vient en fait d'une altération du mot « basque ». Avec leur accent si particulier, on comprend mieux !

Vocabulaire usuel

Pour vous aider à communiquer, n'oubliez pas notre « *Guide de conversation du routard* » en espagnol.

oui/non	*sí/no*

Politesse

bonjour	*buenos días* (le matin)
	buenas tardes (à partir de 14h)
merci/merci beaucoup	*gracias/muchas gracias*
s'il vous plaît	*por favor*
excusez-moi	*perdóneme, disculpe*
bonsoir/bonne nuit	*buenas noches*
au revoir/à bientôt	*adiós/hasta luego*

Expressions courantes

parlez-vous français ?	*¿ habla francés ?*
comment vous appelez-vous ?	*¿ cómo se llama ?*
je ne comprends pas	*no entiendo*
je ne sais pas	*no sé*
comment dit-on en espagnol ?	*¿ cómo se dice en español/castellano ?*
demain	*mañana*
ce matin	*esta mañana*
ce soir	*esta noche*
OK, c'est bon, d'accord	*vale*

Vie pratique

ville	*ciudad*
centre	*centro*
bureau de poste	*correos*
office de tourisme	*oficina de turismo*
banque	*banco*
mot de passe (accès wifi)	*contraseña*

Transports

gare routière	*estación de autobuses*
gare ferroviaire	*estación de ferrocarriles*
billet	*billete*
à quelle heure le train arrive-t-il... (part-il) ?	*¿ a qué hora llega (sale) el tren... ?*
où faut-il changer de train ?	*¿ dónde hay que cambiar de tren ?*

Argent

payer	*pagar*
prix	*precio*
combien ça coûte ?	*¿ cuánto cuesta/vale ?*
guichet automatique	*cajero automático, bancomat*
carte de paiement	*tarjeta de crédito*
pas cher, bon marché	*barato*
cher	*caro*

À l'hôtel et au restaurant

hôtel	*hotel*
auberge	*albergue*
pension	*hostal, fonda, pensión*
chambre	*habitación*
chambre double	*habitación doble/de dos camas*
pourriez-vous me la montrer (la chambre) ?	*¿ me la puede enseñar, por favor (la habitación) ?*
service compris	*servicio incluido*
petit déjeuner	*desayuno*
déjeuner	*almuerzo*
dîner	*cena*
repas	*comida*
je voudrais la note	*quisiera la cuenta*

Quelques abréviations courantes

calle	*c/* (rue)
avenida	*avda* (avenue)
carretera	*ctra* (route, chemin)
plaza	*pl.* (place)
travesía	*trav.* (passage)

Le temps

jour	*día*
semaine	*semana*
lundi	*lunes*
mardi	*martes*
mercredi	*miércoles*
jeudi	*jueves*
vendredi	*viernes*
samedi	*sábado*
dimanche	*domingo*
matin	*mañana*
midi	*mediodía*
après-midi	*tarde*
soir	*noche*
minuit	*medianoche*
heure	*hora*

Chiffres

1	*uno, una*	6	*seis*
2	*dos*	7	*siete*
3	*tres*	8	*ocho*
4	*cuatro*	9	*nueve*
5	*cinco*	10	*diez*

11	*once*	19	*diecinueve*
12	*doce*	20	*veinte*
13	*trece*	50	*cincuenta*
14	*catorce*	100	*ciento, cien*
15	*quince*	200	*doscientos*
16	*dieciseis*	500	*quinientos*
17	*diecisiete*	1000	*mil*
18	*dieciocho*		

LIVRES DE ROUTE

– ***Pour qui sonne le glas*** (1940), d'Ernest Hemingway, roman ; Gallimard Poche, 2017 : Folio n° 455. La guerre d'Espagne. Une vision lyrique et individualiste de la guerre. Le couple que forment Jordan et Maria constitue le centre du livre. Néanmoins, ce grand classique est symptomatique d'un certain état d'esprit chez les intellectuels engagés des années 1930. Superbe adaptation du livre au cinéma par Sam Wood (1943) avec Gary Cooper et Ingrid Bergman.

– ***Amour, Prozac et autres curiosités*** (1999), de Lucía Etxebarría, roman ; 10/18, 2000, n° 3253. Cristina, Rosa et Ana : une bombe sexuelle, une amazone technocrate et une ménagère dépressive. 3 sœurs que tout sépare... sauf peut-être la drogue, sous toutes ses formes. Histoires croisées du mal de vivre dans les rues madrilènes de la post-Movida, entre crudité et douceur, désespoir et humour (caustique), fatalisme et optimisme. Attention ! « Femmes au bord de la crise de nerfs » !

– ***Toreros de salón*** (1963), de Camilo José Cela, nouvelles ; Gallimard, 1994. Chez Camilo José Cela, malgré une ironie mordante et parfois un soupçon de tendresse, on apprécie surtout la retenue et le refus du jugement de valeur. En quelques portraits, il campe ces toreros de salon et leurs taureaux, au ridicule plus accusé encore.

– ***Cinq heures avec Mario*** (1966), de Miguel Delibes, roman ; Verdier, 2010. Un professeur de lycée vient de mourir. Carmen, sa femme, le veillera toute la nuit. Sur la table de chevet, la Bible, dont il avait surligné quelques passages. Dans un curieux soliloque, elle recrée la réalité de sa vie de petite-bourgeoise franquiste et frustrée face à un homme qu'elle croyait connaître. Et en profite pour vider son sac. Un livre d'une douce cruauté, qui va au-delà d'une critique sociale d'un milieu ou d'une époque, celle de l'Espagne sous Franco.

– ***Le Labyrinthe aux olives*** (1982), d'Eduardo Mendoza, polar ; Points, 1998, n° 460. Ceux qui ont lu *Le Mystère de la crypte ensorcelée* connaissent déjà le héros de cette aventure burlesque, cette fois évadé tout droit d'un asile d'aliénés. Mendoza nous fait voyager dans l'Espagne contemporaine, entre Madrid et Barcelone, sur les traces d'une mallette bourrée de pesetas.

– ***Meurtre au comité central*** (1981), de M. V. Montalbán, polar ; 10/18, 1999, n° 2197. Le détective barcelonais Pepe Carvalho enquête à Madrid sur l'assassinat du secrétaire général du PC espagnol, tout juste sorti de la clandestinité. Une occasion d'explorer avec lui un coin de l'Espagne de l'après-franquisme.

– ***Nada*** (1944), de Carmen Laforet, roman ; 2006, Le Livre de Poche. Barcelonaise d'origine, ses œuvres sont liées au mouvement littéraire du *tremendismo*, une esthétique se voulant crue, sans ménagement vis-à-vis d'une réalité souvent sombre et douloureuse. *Nada,* récompensé par le prix Nadal (1945), décrit de manière poignante la situation dramatique de l'Espagne de l'après-guerre.

– ***Les Soldats de Salamine*** (2001), de Javier Cercas, roman ; LGF, 2005, Le Livre de Poche. Entre fiction et réalité, ce roman entremêle le destin de 3 personnages. Un des fondateurs de la Phalange, organisation fasciste, échappe à la fusillade des républicains qui se retirent vers la France à la fin de la guerre civile.

– ***Anatomie d'un instant*** (2009), de Javier Cercas, roman ; éd. Babel, 2013. « Tout le monde à terre ! » La menace retentit le 23 février 1981, à 18h21 précises, à

Madrid : c'est tout un parlement qui est pris en otage par un groupe franquiste de *guardias civiles.* Cercas retrace la nuit la plus tendue de la transition démocratique espagnole, 5 ans après la mort de Franco, à travers ces 400 pages, et dresse ainsi un portrait de l'Espagne des années 1980.

– *L'Art de voler* (2011), d'Antonio Altarriba et Kim, bande dessinée ; Denoël, 2016. La biographie à peine romancée du père d'Altarriba. Né en 1910, sa vie illustre à merveille l'Espagne du XXe s : les pénuries du début du siècle, la dictature de Primo de Rivera, l'espoir de la République en 1931, le traumatisme de la guerre civile, le silence sous 40 années de franquisme, jusqu'à la démocratie. Nombreux sont les Espagnols à se retrouver dans cette vie marquée par les échecs, les condamnations, et la frustration idéologique et intellectuelle. C'est aussi un bel hommage à cet homme qui se refusa toujours à abdiquer face à l'obscurantisme, et choisit jusqu'au bout la liberté. *L'aile brisée* (2016), chez le même éditeur (2016), évoque le destin tout aussi poignant de la mère de l'auteur, celui d'une fillette issue d'un milieu très simple.

– *L'Espoir* (1937), d'André Malraux, roman ; Gallimard Poche, 1996 : Folio n° 16. Comme lord Byron en Grèce, ou Lafayette en Amérique, André Malraux est l'archétype de l'intellectuel engagé au service d'une cause étrangère. De juillet 1936 à février 1937, il a vécu en direct les événements de la guerre d'Espagne en créant l'escadrille España avant l'arrivée des Brigades internationales. Lui-même participa à 65 opérations aériennes de bombardements. De fait, son roman, basé sur le vécu, est aussi une sorte de chronique historique, où la réflexion politique prend une place centrale. Face aux franquistes, il préfère très clairement l'organisation et le pragmatisme des communistes à l'autogestion anarchiste. L'écrivain adapta son roman à l'écran. Le film sortit en juillet 1939 sous le titre *Sierra de Teruel,* car c'est là que Malraux a vécu les moments les plus forts de son engagement. Il fut renommé *Espoir* en 1945.

– *Don Quichotte de la Manche* (1605), de Miguel de Cervantes, roman ; éd. du Chêne, 2009 ; illustré par Salvador Dalí. Voilà un classique, indispensable pour quiconque désire comprendre l'âme espagnole. Voici, avec un humour décapant, les aventures d'un vieil hidalgo de la Manche. Don Quichotte est « un homme sensé atteint de folie, un fou doué de bon sens » dont le but est de venger les offenses, de redresser les torts et, bien sûr, d'effrayer les géants. Mais son problème, c'est l'anachronisme. Il n'est plus de son temps ! Et il transforme sans cesse la réalité. Des

LE PLAGIAT DE DON QUICHOTTE

À sa sortie, le roman de Cervantes connut un succès considérable ; 8 ans plus tard, un auteur sans scrupule publia une suite de l'ouvrage, dans laquelle il dénigrait vertement Cervantes... Certains affirment que c'est son ennemi préféré, l'écrivain Lope de Vega, qui s'y colla ! Furieux, Cervantes décida d'écrire sa suite des tribulations du chevalier, en le faisant mourir à la fin. L'histoire était donc définitivement close.

moulins à vent deviennent des géants à abattre, un troupeau de moutons une armée ennemie... Ascète efflanqué épris d'idéal, Don Quichotte voyage à travers l'Espagne, de la Manche jusqu'à Barcelone, en compagnie de Sancho Panza, son fidèle serviteur. Tout semble séparer ces 2 hommes opposés jusqu'à la caricature, l'idéaliste mystique et le bon vivant terre à terre. Et pourtant, l'un n'est rien sans l'autre. Publié pour la 1re fois en 1605, ce chef-d'œuvre universel a fêté ses 400 ans en 2005. Après la Bible, ce serait le 2e best-seller mondial.

– *La Manche de Don Quichotte* (2005), de Denis Tillinac, illustrations de Yan Méot ; La Table ronde. L'auteur et le dessinateur effectuent un voyage initiatique et empreint d'humour dans la Manche où, à chaque coin de rue (jusque dans leurs assiettes), plane le fantôme du célèbre héros de Cervantes.

– *La Vie de Lazarillo de Tormes* (1554), anonyme, autobiographie ; Garnier-Flammarion, éd. bilingue, 1994 (un peu difficile à trouver). Écrite par un inconnu, *La Vie de Lazarillo de Tormes* est un véritable joyau de la littérature espagnole. Cette historiette gorgée à cœur de truculence, d'intelligence vive et de bons mots fut éditée vers 1554. L'histoire est simple : un garçon est confié dès son plus jeune âge à un aveugle dont il devient le serviteur. Ensuite, du mendiant aveugle, il passe chez un prêtre avare, chez un écuyer famélique et chez un marchand d'indulgences. Notre apprenti Peter Pan devient le larbin de tout le monde et ne veut servir personne. Malicieux, il accède à la sagesse en rivalisant de cynisme et de coups bas. Peinture sociale géniale, pamphlet d'un sombre siècle, ce semblant d'autobiographie ouvre la voie d'une tradition picaresque que Cervantes renouvellera avec el señor Quijote et son valet Sancho Panza.

– *Voyage en Espagne* (1843), de Théophile Gautier, récit de voyage ; Flammarion, 1999, GF nᵒ 367. Le meilleur récit de voyage sur l'Espagne écrit par un Français au XIXᵉ s. De mai à septembre 1840, Gautier traverse le pays de Burgos à Madrid, de Tolède à Malaga. À pied, à cheval, en carriole, en diligence, cet excellent observateur ne cherche pas à enjoliver la réalité. Il la décrit fidèlement avec plein d'anecdotes, graves ou drôles. Les trésors artistiques, les églises, les couvents, les courses de taureaux, les bandits andalous, les hommes et les femmes, les mœurs, tout le captive et le dépayse.

– *Noces de sang* (1933), de Federico García Lorca, théâtre ; Gallimard Poche, 2006 : « Folio » nᵒ 282. C'est le « Roméo et Juliette » de l'Espagne, tragédie emblématique qui s'insère dans la trilogie de Lorca avec *Yerma* et *La Maison de Bernarda Alba*. Une veuve s'apprête à marier son fils, mais la fiancée refoule un amour passionné pour un autre, Leonardo. Lorsque ce dernier assiste à la noce, la passion ressurgit de l'oubli et pousse les amants à s'enfuir... Lorca n'est certes pas castillan, mais l'ouvrage est un classique dans toute l'Espagne !

MUSÉES ET SITES

Comme partout, la plupart des sites et attractions touristiques sont payants, mais leurs droits d'entrée restent raisonnables (entre 2 et 5 € pour la plupart, 6-14 € pour les sites majeurs), sauf à Madrid pour les grands musées. Nombre d'entre eux proposent une entrée gratuite ponctuelle, par exemple le dimanche ou en fin d'après-midi, 1 ou 2h avant la fermeture. D'autres musées sont gratuits pour les ressortissants de l'UE (prévoir passeport ou carte d'identité).

Les *étudiants* bénéficient de réductions sur justificatif (la carte d'étudiant française suffit souvent). Les plus de 65 ans ont eux aussi souvent droit à des réductions.

Et, en *Aragon,* les musées provinciaux, de qualité, sont gratuits tous les jours et pour tout le monde. En résumé, prix comparables aux prix français avec plus de musées gratuits. En revanche, les principales cathédrales et les églises de renom sont payantes ! Attention également, les prix augmentent souvent au printemps ou au début de l'été, donc à une période où notre guide est déjà en librairie : ce qui explique certains décalages entre les tarifs que nous vous annonçons et la réalité...

IMPORTANT : pour les horaires, les informations sont parfois contradictoires : il y a les horaires officiels de l'office de tourisme, les horaires indiqués sur les sites eux-mêmes, les prospectus... et la réalité. Nous vous indiquons ceux effectivement relevés à un moment donné, mais il arrive que cela varie d'une saison à l'autre... et d'un interlocuteur à l'autre. À confirmer sur place, donc, et comme nous, vous risquez de vous casser le nez de temps à autre.

De plus, *lors des jours fériés* (les fêtes de fin d'année et la Semaine sainte en particulier), les horaires sont restreints et encore plus fragiles : dans les grandes villes, les offices de tourisme disposent en général d'une fiche récapitulant les horaires modifiés de tous les sites.

– Pour nos lecteurs assidus visiteurs du pays, il existe un *pass* individuel, qui donne accès à tous les musées et monuments gérés par le *Patrimonio Nacional*, issus du patrimoine royal (cela ne concerne donc pas les musées régionaux, municipaux, etc., qui sont légion !). Validité de 1 an : 50 € en plein tarif ; tarif réduit 28 € ; disponible aux guichets des monuments concernés : ● *patrimonionacional.es* ● et ● *patrimonionacional.es/bonos-patrimonio-nacional* ● Plutôt intéressant pour ceux qui comptent vraiment explorer la région de fond en comble, car les châteaux et monastères royaux qui s'y trouvent sont nombreux. À noter qu'il en existe un autre qui ne concerne que la région de Madrid : voir ce chapitre.

POSTE

Les timbres *(sellos)* s'achètent dans les postes *(correos)*, ouvertes en général du lundi au vendredi de 8h30 à 20h-20h30 (14h30 dans les petites villes) et le samedi de 9h30 à 13h-14h. On en trouve aussi dans les bureaux de tabac *(estancos)*, reconnaissables à leur panonceau marron et jaune constitué d'un « T » stylisé. Tarif pour l'Europe : 1,40 €. La poste restante se dit *apartado de correos*. Toutes les infos sur les tarifs et services postaux : ● *correos.es* ●

Les services postaux sont plutôt lents, et leur fiabilité n'est pas garantie à 100 % : il n'est pas rare qu'une carte postale mette plusieurs semaines avant d'arriver à bon port. Attention à **ne pas confondre les boîtes aux lettres jaunes** de l'opérateur national *Correos*, avec celles – rouges – d'un autre opérateur présent en Espagne, *Swiss Post* (beaucoup plus long dans l'acheminement des courriers et que l'on ne conseille pas). C'est également valable pour les timbres, qui évidemment ne sont pas interchangeables !

RESTAURANTS

Pas toujours évident de s'y retrouver. La jungle des *bodegas, tascas, tabernas, bares de tapas, marisquerías, mesones* et *restaurantes,* a quelque chose d'impénétrable, sans compter les horaires des repas (on mange souvent 2h plus tard qu'en France, le midi comme le soir !). Il faut se laisser porter, oser plonger dans la foule à la recherche du comptoir et de ses gros jambons, choisir un plat sans forcément comprendre ce qu'il y a dedans... C'est en goûtant qu'on devient connaisseur !

En Espagne, il y a moins de restos tels qu'on les connaît que dans le reste de l'Europe. En revanche, la plupart des bars et cafés offrent de quoi se restaurer à bon prix : *tapilla* ou *tapita* (mini-tapas) souvent gratuites avec une consommation, *pintxos* généralement payants, *tostadas* (tartines), *bocadillos* (sandwichs) et *sándwich* (toast ou croque-monsieur).

> ## UNE AUBERGE ESPAGNOLE
>
> *Autrefois, dans ces auberges, on pouvait dormir. En revanche, la nourriture venait souvent à manquer ou était de piètre qualité. Voilà pourquoi il était conseillé de venir avec ses propres victuailles. L'expression indique aujourd'hui un lieu où l'on mange... ce que l'on apporte.*

On peut, selon son appétit ou tout simplement pour goûter des spécialités, commander *una tapa* (une petite portion), *una media ración* (une petite assiette) ou *una ración* (une assiette entière). Voir aussi la rubrique « Tapas » en fin de guide. On reste souvent debout au comptoir dans les bars, mais nombreux sont les établissements à combiner le bar à tapas avec quelques tonneaux ou tables hautes façon *taberna,* et une salle de resto plus chic séparée. Comme ça, il y en a pour tous les goûts et tous les budgets.

La plupart des établissements proposent au déjeuner le **menú del día,** c'est-à-dire le menu du jour. Pas toujours affiché, il faut parfois le demander, mais il est en principe obligatoire. Il est composé d'une entrée, d'un plat de résistance au choix et d'un dessert (la boisson et le pain sont en général inclus). Ces menus sont souvent copieux et d'un bon rapport qualité-prix, hormis dans les restos vraiment touristiques où la cuisine peut être très moyenne.

– Une pratique répandue dans les restos, c'est de commander un plat à plusieurs, dans lequel chacun « picore » à sa guise. Cela permet de limiter les frais et de goûter à diverses spécialités.

Variétés de bars...

– *Tasca :* bar à tapas, où l'on mange souvent accoudé au comptoir. On dit aussi tout simplement un *bar de tapas* ou *une tapería.* Depuis quelques années, il faut ajouter les *gastro-bares* ou *gastro-tabernas,* versions sophistiquées du bon vieux bar de tapas où la tradition côtoie la modernité avec plus ou moins de réussite.

– *Cervecería :* « brasserie », au sens littéral, donc bar à bières.

– *Bodega :* « cave à vins », en pratique une sorte de bar à vins.

– *Taberna :* taverne.

Mais tous ces noms désignent un peu la même chose : un bar où l'on consomme bières, vins et tapas...

... et de « restaurants »

– *Mesón :* restaurant assez bon marché et préparant une cuisine familiale typique. Une sorte de cantine, quoi !

– *Comedor :* salle à manger dans un établissement hôtelier ou dans un bar.

– *Asador :* grill ou rôtisserie, dans laquelle on sert principalement de la viande grillée.

– *Marisquería :* restaurant de poisson et fruits de mer (*mariscos* = fruits de mer). Vous en trouverez peu dans la région (à part à Madrid) ; il faut dire que la mer est un peu loin !

– *Restaurante :* c'est ce qui se rapproche le plus du restaurant classique, c'est-à-dire un lieu où l'on s'assied pour manger même si, en pratique, on trouve souvent un comptoir à tapas dans la salle d'à côté.

– *Les restaurants des paradores :* établissements hôteliers de luxe, les *paradores* se font les chantres de la cuisine régionale – à considérer pour un dîner un peu spécial. Service de qualité, cadre soigné et cuisine élaborée la plupart du temps. Tous les *paradores* proposent un menu (généralement entre 30 et 40 €), certains proposent également une carte de sandwichs et de tapas pour s'adapter aux petits budgets.

SANTÉ

Pour un séjour temporaire en Espagne, pensez à vous procurer la Carte européenne d'assurance maladie. Il vous suffit d'appeler votre centre de Sécurité sociale (ou de vous connecter au site internet de votre centre, encore plus rapide !) qui vous l'enverra sous une quinzaine de jours. Cette carte fonctionne avec tous les pays membres de l'Union européenne. C'est une carte plastifiée bleue du même format que la carte Vitale. *Attention,* elle

LA GRIPPE ESPAGNOLE

Ce virus de souche H1N1 venait, en fait, de Chine et transita en Europe via les États-Unis. Cette terrible grippe fut appelée « espagnole » car elle toucha la famille royale d'Espagne. Commencée en 1918, elle fit au moins 50 millions de morts, c'est-à-dire plus que la Première Guerre mondiale. Cette pandémie fut la plus meurtrière de l'humanité, bien devant la peste !

est valable 2 ans, elle est gratuite et personnelle (chaque membre de la famille doit avoir la sienne, y compris les enfants). *Attention bis,* la carte n'est pas valable pour les soins délivrés dans les établissements privés.

SITES INTERNET

● *routard.com* ● Le site de voyage n° 1, avec plus de 800 000 membres et plusieurs millions d'internautes chaque mois. Pour s'inspirer et s'organiser, près de 300 guides destinations actualisés, avec les infos pratiques, les incontournables et les dernières actus, ainsi que les reportages terrain et idées week-end de la rédaction. Partagez vos expériences avec la communauté de voyageurs : forums de discussion avec avis et bons plans, carnets de route et photos de voyage. Enfin, vous trouverez tout pour vos vols, hébergements, voitures et activités, sans oublier notre sélection de bons plans, pour réserver votre voyage au meilleur prix.

● *spain.info/fr_FR* ● Le site officiel de l'office de tourisme avec, entre autres, des brochures à télécharger. Et aussi les sites officiels de chacune des régions traitées dans ce guide : ● *turismodearagon.com* ● *lariojaturismo.com* ● *turismo extremadura.com* ● *turismocastillalamancha.es* ● *turismocastillayleon.com* ● Et pour Madrid et sa région ● *turismomadrid.es* ● ainsi que ● *esmadrid.com* ● plus spécialisé sur la ville.

● *elpais.com* ● *elmundo.es* ● Les sites des quotidiens nationaux, pour lire les nouvelles fraîches du pays.

● *picasso.fr* ● Le site officiel du grand maître, supervisé par son fils, Claude Picasso. Graphiquement réussi (encore heureux !).

● *eldeseo.es* ● En espagnol. Site dédié à Pedro Almodóvar, le génie du cinéma espagnol. Vous y trouverez des dossiers complets sur chacun de ses films et de nombreuses actualités concernant le réalisateur.

● *mundotoro.com* ● *portaltaurino.net* ● *allianceanticorrida.fr* ● Des sites pour et contre les corridas.

● *clubbingspain.com* ● Toute l'actu des meilleurs DJs et des plus grosses boîtes d'Espagne.

● *mundicamino.com* ● Plein d'infos excellentes (en français, mais les traductions demandent parfois une certaine imagination ou gymnastique de l'esprit !), pour faciliter le périple sur les chemins de Saint-Jacques-de-Compostelle : équipements, itinéraires, hébergements... et des conseils pour soigner les ampoules !

● *marca.com* ● En espagnol et en anglais, le site du quotidien sportif *Marca* pour vous tenir au courant des exploits sportifs de vos hôtes espagnols.

TABAC

Il est strictement interdit de fumer, en Espagne, dans tous les lieux publics et sur les lieux de travail. Cette interdiction s'applique aux restaurants, bars et cafés, boîtes de nuit, à toutes les administrations publiques et entreprises privées, aux gares, aéroports, stations de métro, et aussi aux espaces extérieurs faisant face aux écoles et hôpitaux.

LE TABAC EST DIABOLIQUE

Rodrigo de Jerez, compagnon de Christophe Colomb et fumeur à ses heures, fut condamné à 10 ans de prison par l'Inquisition espagnole pour satanisme... En effet, on pensait que seul le diable pouvait exhaler de la fumée par la bouche.

Petite exception : les hôtels peuvent conserver 30 % de leurs chambres pour les fumeurs. La seule possibilité pour les bars est d'aménager des espaces fumeurs interdits aux mineurs, sinon il reste les terrasses. Les contrevenants se voient infliger de lourdes amendes, dont le montant augmente graduellement : 30 € à la 1re infraction, 600 € à la 2e et 10 000 € à la 3e !

TÉLÉCOMS, TÉLÉPHONE

Téléphone

Appels internationaux

– **Espagne → France :** 00 + 33 puis le numéro de votre correspondant à 9 chiffres (c'est-à-dire le numéro à 10 chiffres sans le 0).
– **France, Belgique ou Suisse → Espagne :** 00 + 34 + numéro du correspondant à 9 chiffres.
– **Espagne → Belgique :** 00 + 32 + numéro du correspondant à 8 chiffres.
– **Espagne → Suisse :** 00 + 41 + numéro du correspondant à 8 ou 9 chiffres.
– **Espagne → Espagne :** pour les **appels locaux** (par exemple de Séville à Séville) et **nationaux** (par exemple de Séville à Grenade), on compose le numéro complet à 9 chiffres.
– **Renseignements en Espagne :** ☎ *11-888.*
– **Appels en PCV** *(servicio directo país)* **pour la Belgique :** ☎ *900-99-00-32 (33 pour la France).* On obtient une opératrice du pays concerné.

Internet

La plupart des hébergements, cafés, restos et certaines places et rues du centre-ville proposent un accès wifi gratuit. Les cafés Internet ont presque tous disparu.

Le téléphone portable en voyage

Depuis 2017, un voyageur européen titulaire d'un forfait dans son pays d'origine peut utiliser son téléphone mobile *au tarif national* dans les 28 pays de l'Union européenne, sans craindre de voir flamber sa facture. Des plafonds sont néanmoins fixés par les opérateurs pour éviter les excès... Cet accord avantageux signé entre l'UE et ses opérateurs télécoms concerne aussi la consommation de *données internet 3G ou 4G*, dont le volume utilisable sans surcoût dépend du prix du forfait national (se renseigner). Par ailleurs, si le voyageur réside plusieurs mois en dehors de son pays, des frais peuvent lui être prélevés...
Dans ces pays donc, plus besoin d'acheter une carte SIM locale pour diminuer ses frais.

La connexion internet en voyage

En Espagne, de plus en plus d'hôtels, de restos, de bars, et mêmes certains espaces publics disposent du wifi gratuit. Mieux que la connexion 3G et 4G qui peut entraîner des frais en usage intensif, le wifi permet aussi de profiter d'un débit parfois supérieur.
Une fois connecté au wifi, vous avez accès à tous les services de la *téléphonie par Internet*. **WhatsApp, Messenger** (la messagerie de *Facebook*), **Viber et Skype** permettent d'appeler, d'envoyer des messages, des photos et des vidéos aux quatre coins de la planète, sans frais. Il suffit de télécharger – gratuitement – l'une de ces applis sur son smartphone. Elle détecte automatiquement dans votre liste de contacts ceux qui utilisent la même appli.

Urgence : en cas de perte ou de vol de votre téléphone portable

Suspendre aussitôt sa ligne permet d'éviter de douloureuses surprises au retour du voyage ! Voici les numéros des 4 opérateurs français, accessibles depuis la France et l'étranger :

– **Orange :** depuis la France : ☎ 0800-100-740 ; depuis l'étranger : ☎ + 33-969-39-39-00.
– **Free :** depuis la France : ☎ 3244 ; depuis l'étranger : ☎ + 33-1-78-56-95-60.

– **SFR :** depuis la France : ☎ 1023 ; depuis l'étranger : ▯ + 33-6-1000-1023.
– **Bouygues Télécom :** depuis la France comme depuis l'étranger : ☎ + 33-800-29-1000.

Vous pouvez aussi demander la suspension de votre ligne depuis le site internet de votre opérateur.

Avant de partir, notez (ailleurs que dans votre téléphone portable !) votre numéro IMEI utile, pour bloquer à distance l'accès à votre téléphone en cas de perte ou de vol. Comment avoir ce numéro ? Il suffit de taper sur votre clavier *#06#.

TRANSPORTS

Le train

Le transport ferroviaire espagnol a subi une véritable mutation ces dernières décennies et affiche aujourd'hui des performances comparables à celles d'autres grands pays européens comme la France ou l'Allemagne. Ainsi l'**AVE** (Alta Velocidad Española, qui au passage signifie aussi « oiseau » en espagnol), le fleuron de la RENFE, relie désormais en un temps record Madrid à Valence et Albacete (via Cuenca) à Saragosse et Barcelone, à Séville et Málaga (via Cordoue), ainsi qu'à Valladolid via Ségovie. 3 fois plus rapide que les trains

CHARLES QUINT, UN SACRÉ ROUTARD

Son royaume était si vaste (Espagne, Pays-Bas, Autriche, Italie du Sud, Bourgogne) qu'il passa le tiers de sa vie sur son cheval. En plus, en guerre contre son ennemi François Ier, il ne pouvait pas traverser la France. Bonjour les détours ! En hiver, toutefois, le roi de France lui donnait une autorisation exceptionnelle. À 56 ans, martyrisé par la goutte, il abdiqua pour s'enfermer au monastère de Yuste (en Estrémadure). Épuisé, il mourut 2 ans plus tard.

classiques, mais aussi nettement plus cher... Il existe également un service de trains de proximité rapides, nommé **Avant,** qui relie notamment Madrid à Tolède, Barcelone à Tarragone ou encore Séville à Cordoue.

– Comme dans nombre de pays, les tarifs des billets peuvent dépendre du moment de la réservation et du jour, de la date ou de l'heure du voyage... Il existe également des réductions selon l'âge (enfants, jeunes et seniors), et enfin, sachez que prendre un aller-retour revient quasiment toujours moins cher que de prendre l'aller et le retour séparément. Sans oublier les forfaits et autres formules avantageuses, comme les cartes de 10 trajets (Bono 10) sur certains types de ligne.

– Les détenteurs de la carte InterRail peuvent emprunter tous les trains ou presque, moyennant toutefois un supplément si le train est à réservation obligatoire, comme c'est le cas pour les lignes AVE ou Avant. En fait, vu les réductions que la RENFE accorde, la formule InterRail n'est pas très intéressante pour l'Espagne.

– Sur certaines lignes, les lignes AVE en particulier, prévoir une bonne marge pour vous rendre à la gare, car les bagages sont passés dans des machines de sécurité du même type que dans les aéroports avant d'être embarqués : cela prend forcément un peu de temps !

– Dans la plupart des gares, en plus des guichets de vente normaux, on trouve un **guichet de atención al cliente** de la **RENFE (Red Nacional de Ferrocarriles**

Españoles). C'est le service commercial de la compagnie auprès duquel vous pourrez obtenir toutes les informations utiles (train avec ou sans couchettes, prix, départ, fréquence...). Il est généralement très pro et peut même vous sortir un listing, histoire de comparer à tête reposée.

■ **RENFE** *(Red Nacional de Ferro-carriles Españoles) :* ● renfe.com ● | *Un nº national :* ☎ 912-320-320.

Si vous désirez réserver et retirer vos billets *en France,* une adresse (mais uniquement pour les trajets grandes lignes) :

■ **Iberrail France :** 14, rue Bruno-Coquatrix, 75009 Paris. ☎ 01-40-82-63-60. ● renfe@iberrail.fr ● ⓂOpéra ou Madeleine. Lun-jeu 9h30-13h, 14h-18h30 ; ven 10h-13h, 14h-18h. | Représentant officiel de la *RENFE* en France. Tout se fera en français, moyennant une petite commission selon les billets !

L'avion

Iberia et *Air Europa* sont les compagnies régulières intérieures présentes en Espagne. Nombreuses liaisons entre les villes principales. Côté *low-cost, Vueling* (● vueling.com ●) domine le marché et propose de nombreux vols intérieurs au départ de Madrid et Barcelone (voir dans « Comment y aller ? En avion. Les compagnies *low-cost* » pour leurs coordonnées). Une autre compagnie, filiale *low-cost* d'Iberia : *Iberia Express* (● iberiaexpress.com ●), qui propose des vols nationaux et internationaux ; et *Volotea* (● volotea.com ●) assure également quelques rares liaisons intérieures depuis l'aéroport de Saragosse.
En Espagne du Centre, les principaux aéroports sont (outre Madrid) ceux de Burgos, Huesca, León, Logroño, Salamanque, Saragosse et Valladolid.

Les routes

Le réseau est bon dans l'ensemble, voire excellent, d'innombrables autoroutes *(autopistas)* ayant été construites ces dernières années grâce aux subventions européennes. À noter tout de même que les jours de pluie (oui, ça arrive), il convient de redoubler de prudence, même sur les autoroutes, l'écoulement des eaux s'effectuant parfois assez mal. Conséquence : de gros risques d'aquaplaning. Et il arrive parfois que, dans les sierras, on s'embarque sur de petites routes qui ne semblent pas avoir été conçues pour l'automobile... Côté budget, les autoroutes sont souvent gratuites ; quand elles ne le sont pas, leur prix est aussi

TAUREAUX, BRANDY ET FIERTÉ NATIONALE !

Sur le bord des autoroutes de Castille se dressent d'énormes silhouettes noires de 13 m de hauteur, en forme de taureaux. Ces anciens panneaux publicitaires représentant une marque d'alcool, le brandy Osborne, devaient être retirés. Une pétition, signée d'intellectuels, de politiques et d'artistes fit un tel tapage, déclarant qu'on tuait là un véritable symbole national, que les autorités cédèrent... Ainsi subsistent quelques dizaines de vaillants taureaux aux cornes fièrement dressées. Mais tous ont été « dégriffés », conformément à la loi anti-alcool.

élevé qu'en France. Les *autovías,* majoritaires, qui correspondent à nos « voies express » (4-voies avec un terre-plein central), restent gratuites.

L'autobus

Un excellent moyen de transport, sûr et économique. De nombreuses compagnies desservent les routes secondaires avec des bus modernes et confortables. C'est

Distances en km

	VALLADOLID	TOLÈDE	TERUEL	SÉGOVIE	SARAGOSSE	SALAMANQUE	MADRID	LEÓN	CÁCERES	BURGOS
BURGOS	121	317	374	196	279	241	238	176	455	0
CÁCERES	334	269	605	302	641	217	305	402	0	455
LEÓN	139	426	576	272	476	204	347	0	402	176
MADRID	162	74	301	92	316	213	0	337	305	240
SALAMANQUE	120	236	499	165	480	0	213	204	217	241
SARAGOSSE	315	385	184	353	0	480	316	476	641	279
SÉGOVIE	110	149	381	0	353	165	92	272	302	196
TERUEL	437	334	0	381	184	499	301	576	605	374
TOLÈDE	231	0	334	149	385	236	74	426	269	317
VALLADOLID	0	231	437	110	315	120	162	139	334	121

de loin la meilleure formule de transport quand on n'a pas de véhicule à soi. Et comme c'est un mode de transport très populaire, les gares routières et les compagnies de bus sont toujours très bien organisées. Parfois unique recours sur les axes transversaux, le bus revient environ 2 fois moins cher que le train (dans toutes les liaisons entre le Pays basque, Barcelone et Madrid, par exemple) – avec souvent une réduction supplémentaire de 10 % sur les allers-retours. En revanche, il est plus lent que les trains rapides. Vous trouverez les coordonnées des diverses compagnies (et même leur site internet, bien pratique pour connaître les horaires et les prix) au fil des pages.

La voiture

– Comme en France, sont obligatoires dans tous les véhicules (y compris étrangers) circulant en Espagne *un gilet fluorescent* (à conserver *dans l'habitacle,* à portée de main, et non dans le coffre), ainsi que *2 triangles* de signalisation (à positionner devant et derrière le véhicule, afin de vous rendre visible). Le gilet devra être utilisé par tout automobiliste amené à quitter son véhicule sur le bord d'une route, sous peine d'une amende de 90 €.
– Pour la plupart, les *stations-service* acceptent les cartes de paiement internationales.
– Les limitations de vitesse ne sont pas toujours les mêmes qu'en France et les respecter est parfois difficile, car elles tendent à changer sans que l'on comprenne vraiment pourquoi. En ville, nous vous conseillons un petit 40 km/h. Sur autoroute, elle est de 120 km/h (et non de 130 km/h) et de 100 km/h sur les 4-voies. Important également : les stops ne sont pas toujours matérialisés par une bande blanche au sol.
– Le taux maximum autorisé d'alcoolémie est de 0,5 g/l (0,3 g/l pour les conducteurs possédant le permis depuis moins de 2 ans).
– Il est interdit de téléphoner au volant, même avec un kit mains libres.
– Le port de la ceinture de sécurité est évidemment obligatoire, à l'avant comme à l'arrière.
– Les Espagnols conduisent plutôt bien et sont respectueux du code de la route. La conduite est civilisée, les klaxons et les insultes sont rares entre automobilistes. En revanche, sur autoroute, méfiez-vous des chauffards arrivant à grande vitesse qui collent les véhicules en train de doubler pour forcer le passage.
– Beaucoup de vols dans les voitures, voire de braquages (à Madrid, notamment). Choisissez de préférence des parkings gardés et, surtout, ne laissez rien traîner sur les sièges ou la plage arrière. Les bris de glace, même pour voler des broutilles, sont fréquents dans les voitures immatriculées à l'étranger. Voilà, on vous a averti. Une solution : laissez ostensiblement un journal espagnol ou encore mieux régional.

Location de voitures

Aucune difficulté à louer une voiture :

■ *BSP Auto :* ☎ *01-43-46-20-74 (tlj 9h-21h30, w-e 20h).* ● *bsp-auto.com* ● Les prix proposés sont attractifs et comprennent le kilométrage illimité et les assurances. *BSP Auto* propose exclusivement les grandes compagnies de location sur place, assurant un très bon niveau de service. Les plus : vous ne payez votre location que 5 jours avant le départ. Remise spéciale de 5 % aux lecteurs de ce guide avec le code « ROUTARD20 ».
Et aussi :
■ *Hertz :* ● *hertz.fr* ● ☎ *0825-861-861 (0,18 €/mn + prix d'appel ; lun-sam 8h-23h).*
■ *Europcar :* ● *europcar.fr* ● ☎ *0825-358-358 (0,15 €/mn + prix d'appel ; tlj 7h-22h).*
■ *Avis :* ● *avis.fr* ● ☎ *0821-230-760 (0,15 €/mn + prix d'appel).*

La moto

C'est un moyen de transport génial pour visiter l'Espagne. Partout, on peut s'arrêter facilement et admirer les points de vue, surtout sur la côte. Faites attention quand même quand il pleut : les revêtements ne sont pas terribles. Ne roulez pas avec un sac sur le dos et portez toujours un casque, de bons gants et même s'il fait chaud une bonne veste de moto, ça va de soi.

TRAVAIL BÉNÉVOLE

■ *Concordia :* 64, rue Pouchet, 75017 Paris. ☎ 01-45-23-00-23. ● info@concordia.fr ● concordia.fr ● Ⓜ Brochant ou Guy-Môquet. Envoi gratuit de brochure sur demande par tél ou e-mail. Travail bénévole. Logé, nourri. Chantiers très variés : restauration du patrimoine, valorisation de l'environnement, travail d'animation...

Places limitées. Également des stages de formation à l'animation et des activités en France. Sachez toutefois que les frais d'inscription coûtent entre 126 et 180 € selon la destination et que le voyage, l'assurance et les formalités d'entrée sont à la charge du participant.

URGENCES

☎ **112** : voici le numéro d'urgence commun à la France et à tous les pays de l'UE, à composer en cas d'accident, d'agression ou de détresse. Il permet de se faire localiser et aider en français, tout en améliorant les délais d'intervention des services de secours.

Numéros utiles

– *Toutes urgences :* ☎ 112.
– *Policía nacional :* ☎ 091.
– *Policía urbana :* ☎ 092.
– *Pompiers :* ☎ 080.
– *Samu :* ☎ 061.
– Pour tous les accidents de la circulation survenus sur l'ensemble du territoire espagnol (hors Catalogne), appeler le *Central de tráfico* : ☎ 060.

■ *Consulat général de France à Madrid :* c/ Marqués de la Ensenada, 10. ☎ 917-00-78-00. ● es.ambafrance. org ● Ⓜ Colón. Lun-ven 9h-13h15. Hors des horaires d'ouverture, et en cas de situation d'extrême urgence, le répondeur téléphonique du consulat communique un numéro de portable à contacter.

Avoir un passeport européen, ça peut être utile !

L'Union européenne a organisé une assistance consulaire mutuelle pour les ressortissants de l'UE en cas de problème en voyage. Vous pouvez y faire appel lorsque la France (c'est rare) ou la Belgique (c'est plus fréquent) ne disposent pas d'une représentation dans le pays où vous vous trouvez. Concrètement, cette assistance vous permet de demander de l'aide à l'ambassade ou au consulat (pas à un consulat honoraire) de n'importe quel État membre de l'UE. Leurs services vous indiqueront s'ils peuvent directement vous aider ou vous préciseront ce qu'il faut faire.
Leur assistance est, bien entendu, limitée aux situations d'urgence : décès, accidents ayant entraîné des blessures ou des lésions, maladie grave, rapatriement pour raison médicale, arrestation ou détention. En cas *de perte ou de vol de votre passeport,* ils pourront également vous procurer un *document provisoire* de voyage.

Cette entraide consulaire entre les États membres de l'UE ne peut, bien entendu, vous garantir un accueil dans votre langue. En général, une langue européenne courante sera pratiquée.

L'abréviation « c/ », que vous retrouverez dans les diverses adresses d'hôtels, restaurants, etc., tout au long de ce guide, signifie tout simplement « *calle* », c'est-à-dire « rue ».

MADRID
ET SES ENVIRONS

MADRID

3 300 000 hab.

> ● Pour se repérer dans Madrid, se reporter au plan détachable
> (Madrid, zoom centre, zoom Las Letras et zoom Chueca
> ● Plan du métro *p. 10-11* ● Plan d'ensemble *p. 70-71*

Madrid unit les paradoxes et se joue des extrêmes. Pleinement capitale pour la richesse de ses musées, l'efficacité de ses infrastructures et son dynamisme économique, elle dévoile des ambiances de village au gré de ses quartiers, aux identités bien définies. Orgueilleuse et *castiza* (de bonne race), elle respire aujourd'hui : elle déploie de vastes réseaux de pistes cyclables, et ses avenues monumentales ont été pour la plupart soigneusement nettoyées. Si elle a longtemps tourné le dos à la rivière qui la traverse, la Manzanares – un affluent du

Taje –, elle a rendu aux Madrilènes ses berges, parées de jardins, de ponts piétons et de nouveaux lieux alternatifs. *Madrid me mata,* proclamaient les graffitis sur les murs en pleine période de Movida. C'est vrai, cette ville est tuante... de plaisir ! Car une fois repu des chefs-d'œuvre du Prado, ébloui par le *Guernica* de Picasso au museo Reina Sofía, ou enchanté par une balade dans les ruelles du barrio de Las Austrias ou du barrio de Las Letras, la découverte n'est pas finie.

Son rythme nocturne, cette marée humaine (la *marcha*), qui bat le pavé et déboule de toutes parts à l'heure des vêpres, vous emportent à coup sûr. Les Madrilènes ne sont pas casaniers pour un sou. D'ailleurs, on dit qu'ils sont tous jeunes, même les vieux Madrilènes ! Si vous aimez sortir, tant mieux pour vous ! Quant aux aficionados des effluves matinaux, ils seront aux anges. Le matin tôt, les rues sont désertes et les larges avenues offrent de superbes perspectives.

Vous l'avez compris, il faut bien compter 4 ou 5 jours pour commencer à comprendre Madrid qui, au-delà de son centre historique, sait ménager de sacrées surprises... Et une fois que l'on s'est perdu dans les plus confidentiels museo Cerralbo ou casa-museo Lope de Vega, il reste encore les fêtes de la San Isidro, avec leurs processions au son du *chotis* sur le rythme du pasodoble et les meilleures courses de taureaux (en mai), ainsi que celles de la Virgen de la Paloma (le 15 août) : de grands moments.

MADRID ET SES ENVIRONS

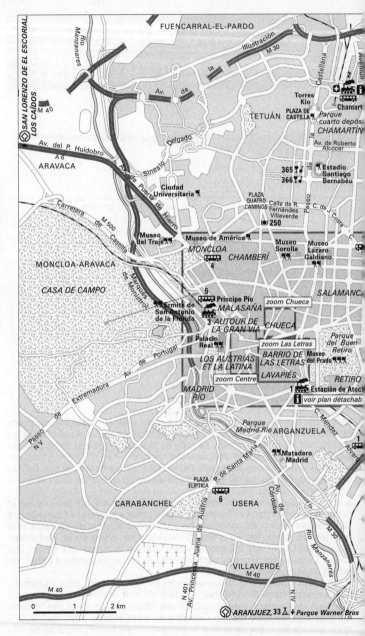

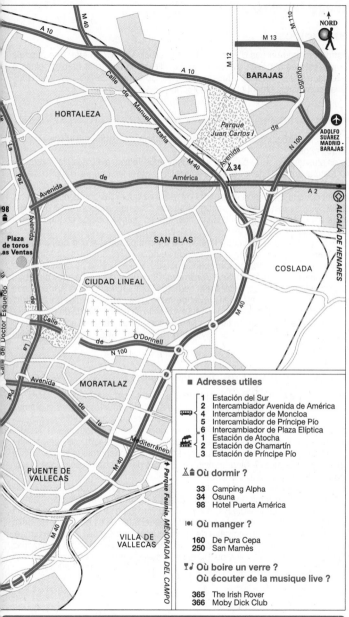

NORD

A 10
M 40
M 110
M 13
M 12
A 10
BARAJAS
Calle de Manuel Azaña
Logroño
HORTALEZA
Parque
Juan Carlos I
de
ADOLFO
SUÁREZ
MADRID-
BARAJAS
N 100
La Paz
M 40
Avenida
△34
de
América
A 2
ALCALÁ DE HENARES
Avenida
98
SAN BLAS
Plaza
de toros
Las Ventas
COSLADA
Avenida
Calle del Doctor Esquerdo
CIUDAD LINEAL
M 40
de
Calle
O'Donnell
La
N 100
de
Avenida
MORATALAZ
Paz
de
la
Mediterráneo
M 40
Parque Faunia, MEJORADA DEL CAMPO
PUENTE DE
VALLECAS
M 40
VILLA DE
VALLECAS

■ **Adresses utiles**

1	Estación del Sur
2	Intercambiador Avenida de América
4	Intercambiador de Moncloa
5	Intercambiador de Príncipe Pío
6	Intercambiador de Plaza Elíptica
1	Estación de Atocha
2	Estación de Chamartín
3	Estación de Príncipe Pío

△ ⌂ **Où dormir ?**

33	Camping Alpha
34	Osuna
98	Hotel Puerta América

|○| **Où manger ?**

160	De Pura Cepa
250	San Mamès

♀♩ **Où boire un verre ?**
Où écouter de la musique live ?

365	The Irish Rover
366	Moby Dick Club

MADRID – Plan d'ensemble

UN PEU D'HISTOIRE

Les origines

Madrid constitue un cas d'école en histoire urbaine : voilà en effet une capitale qui ne s'est pas imposée d'elle-même. La ville, dans une forêt dense, peinait à exister face à ses « voisines » Tolède, Grenade, Cordoue ou Séville, beaucoup plus actives commercialement et culturellement.

Madrid arabe puis chrétienne

En 1202, la ville est dotée d'un *fuero,* une charte qui (enfin) fait d'elle un petit quelque chose.

10 ans plus tard éclate la bataille de Las Navas de Tolosa, avec à la clé l'Andalousie. Juste avant le déclenchement des hostilités entre les troupes d'Alphonse VIII et de Mohammed al-Nasir, saint Isidore le Laboureur serait apparu au roi chrétien. Ce petit coucou divin l'aurait galvanisé et, devinez quoi ? les chrétiens gagnent la bataille. Si vous restez circonspect quant à son influence, toujours est-il que saint Isidore est désormais le patron de la ville, fêté en grande pompe chaque 15 mai par les Madrilènes.

Pendant les 2 siècles suivants, l'influence du catholicisme prend de l'ampleur. En décembre 1474, Isabelle la Catholique se concilie les notables de Madrid et se fait proclamer, un peu au forceps il faut bien le dire, « reine de Castille ». Elle fait bâtir le **monasterio de San Jerónimo,** l'**hospital de La Latina,** distribue allègrement des titres de noblesse à ceux qui l'ont soutenue (on n'appelait pas encore ça du clientélisme), fait paver certaines rues et construire un abattoir. Malgré ses bonnes grâces, Madrid reste à Séville ce qu'une partie de thé britannique est à une fiesta colombienne... Mais le (long) processus est enfin lancé, qui fera de la Castille le centre des royaumes d'Espagne, et de Madrid la capitale de la Castille.

Capitale du royaume depuis 1556

Le roi **Philippe II,** qui, par le truchement des alliances, récupère les rênes du royaume en 1556, transfère la cour de Tolède à Madrid. Pour les simples et bonnes raisons que le bois y abonde (denrée primordiale pour la construction et le chauffage), que le site de Madrid se situe à mi-chemin entre Saragosse et Tolède, et enfin... que l'air y est bon. À cette époque, en 1561, Madrid ne compte que 70 000 habitants... Au XVIIe s, les Autrichiens prennent à leur tour le sort de la ville en main. Juan Gomez de Mora transforme la place de l'Arrabal en une plaza Mayor flanquée d'une belle série d'arcades.

De la cité médiévale, il ne reste que peu de choses. Et pour cause. Le seul bâtiment qui aurait pu témoigner de cette période aurait dû être l'*Alcázar* (l'actuel Palais royal ; *plan détachable B4*). Mais voilà, un incendie se déclare en pleine nuit de Noël 1734. Les religieux ont eu chaud : des reliques telles que 3 épines de la couronne du Christ et un morceau de la Vraie Croix ont bien failli partir en fumée. Les artistes, en revanche, ont été plus malchanceux. Une douzaine de Velázquez et quelques précieux Rubens ou Titien de la collection royale ne résistèrent pas aux flammes.

Charles III, « éclaireur » de la ville

Napolitain d'origine et 3e des Bourbons, Charles III, sacré roi en 1759, débarque depuis son petit royaume de Naples dans une ville dont il ne cessera de modifier la structure. Son œuvre relève autant du saupoudrage que de la folie bâtisseuse. Aujourd'hui, si on lève la tête, on aperçoit encore de petits azulejos au-dessus des portes des maisons. Une obligation de Charles III. Il fait éclairer les rues, continue le pavage. Il s'entoure d'une clique d'architectes français et italiens. Parmi tant d'autres, les **jardins du Palais royal** *(plan détachable B4)* et la puerta de Alcalá, sur la plaza de la Independencia *(plan détachable F3-4)* de 1775 portent la marque de Francesco Sabatini. À la même époque (1785), le *Prado (plan détachable et zoom Las Letras E4-5)* commence à prendre forme.

Enfin, un point auquel nous attachons beaucoup d'importance : à partir de Charles III, on parle désormais des Madrilènes. Certes parce que la misère s'enkyste et que les insurrections se suivent, mais aussi parce que la population trouve enfin une identité, et une fierté à y vivre. Les auteurs du Siècle d'or espagnol ne s'y tromperont pas. C'est dans les cafés madrilènes que Lope de Vega et Moratín échangeront leurs idées.

La période moderne et la Movida

Passons sur les frasques de Joseph Bonaparte, gentiment affublé du surnom de **Pepe Botella** (ou « Jojo, le roi du goulot », en bon français) par les Madrilènes, alors même que les historiens ibériques s'accordent à reconnaître qu'il était sobre. Sur le plan historique, 2 dates importantes : la révolte du 2 mai 1808, qui donne le signal de la guerre d'Indépendance, puis 1936 et la guerre civile. Madrid résiste à toutes les attaques franquistes et est l'une des dernières villes à se rendre.

> ### VOITURE DE DROITE, VÉLO DE GAUCHE ?
>
> *Madrid, ville traditionnellement à droite, a toujours favorisé la voiture : grands parkings et voies larges. Les pistes cyclables ? Longtemps oubliées. En revanche, à Barcelone, le succès des locations de vélos est tel que l'on compte plus de 400 stations de bicyclettes. Ce n'est qu'en 2014 que Madrid installe des vélos en libre-service... À Barcelone, la Mairie est socialiste...*

De cette période, l'urbanisme madrilène retient la gracilité (!) et l'élégance des constructions de la Gran Vía *(plan détachable C-D3-4)*. Vous n'aurez aucun mal à reconnaître, une fois sur la plaza de España, l'admirable béton armé franquiste, aussi fin et ciselé que le style pompier peut l'être. On comprend la Movida au regard de cette période.

Mais qu'est-ce donc que la Movida ? C'est ce mouvement complètement déluré qui s'éclatait dans l'excès et pratiquait la dérision comme discipline sociale. Fêtes, sexe et drogue, mais aussi matins glauques, misère et idéaux. Car tout l'édifice politique et « moral » mis au point par Franco s'est écroulé du jour au lendemain. Le Caudillo, en novembre 1975, passe l'arme à gauche (la seule chose qu'il ait jamais passée à gauche, d'ailleurs). Dès février 1976, un décret royal abolit la censure sur les films. Dans les 2 ans qui suivent, plus de 200 partis politiques sont créés à Madrid ! **Enrique Tierno,** ex-militant marxiste, philosophe et professeur agnostique, devient maire de Madrid. Il n'a pas son pareil pour surfer sur la vague de la Movida et réconcilier les Madrilènes avec leur ville, où la fête est passée au rang d'art éphémère.

Mais la massive industrialisation de ces 50 dernières années a considérablement changé le visage de la cité, ainsi que l'urbanisation démente des deux décennies écoulées.

Alors, comment donner à Madrid un visage à la fois humain et moderne ? C'est la question qui turlupine les édiles. Ils ont d'ailleurs confié à *Ricardo Bofill* la tâche de restructurer le quartier de la gare Chamartín et de l'avenue de la Castellana : le projet « Operación Chamartín ». L'architecte catalan a donc la charge de transformer quelque 3 millions de mètres carrés en « nouveaux Champs-Élysées ». Rendez-vous dans une vingtaine d'années...

MADRID ET SES ENVIRONS

MADRID, MODE D'EMPLOI

Restos et bars

– En dehors des bars à tapas, que ceux qui veulent manger assis se rassurent, la ville compte aussi de « vrais » restos. Aucun problème pour déjeuner pas cher à Madrid : quasiment tous les restos affichent des *menus (menú del día)*. Cependant, le soir, c'est plus difficile, et vous constaterez qu'en termes de budget les restaurants que l'on indique, pour la plupart, appartiennent à la catégorie « Prix moyens ».

– Une pratique répandue dans les restos, c'est de commander un plat à plusieurs, dans lequel chacun « picore » à sa guise. Cela permet de limiter les frais et de goûter à diverses spécialités.

L'après-« Movida »

Le terme de « Movida » est déjà ancien : l'expression s'appliquait, dans les années 1980-1990, au profond élan de création et de liberté qui s'était développé dans le monde des arts, de la décoration, de la peinture, du cinéma (avec notamment Pedro Almodóvar) et de la B.D. Il en reste cependant quelques traces dans la liberté débridée qui anime la nuit madrilène. Aujourd'hui, y a-t-il une vie après la Movida ? À vous de dénicher – avec notre aide – les coins et recoins de Madrid qui vous feront répondre par l'affirmative !

Voici déjà quelques-unes des tendances, pour vous mettre l'eau à la bouche.

– *Les cafés littéraires :* l'après-midi, les Madrilènes aiment à se poser dans les cafés anciens du centre. Un héritage de l'art de la *tertulia :* entre copains et copines, on parle pendant des heures de sa voisine de palier, on refait le monde ou on décortique le dernier match du Real Madrid et le dernier épisode de la série du moment (*telenovelas,* les séries guimauve brésiliennes, comme les séries américaines). De temps à autre, on s'y réunit autour d'un spécialiste pour discuter à bâtons rompus d'un thème, d'une idée... Une bonne adresse : le *Café Libertad 8* (voir « Où boire un verre ? Où écouter de la musique live ? » dans le quartier de Chueca et alentour). On peut aussi y écouter des chanteurs-compositeurs. Autre quartier, autre style, le *María Pandora* (voir « Où boire un verre ? Où écouter de la musique live ? » dans le quartier de La Latina), avec ses lectures et ses présentations de livres.

– *Les nuits débridées de Malasaña :* le quartier au cœur de la Movida n'a rien perdu de son effervescence ; les soirs de week-end, on croirait évoluer dans un gigantesque bar à ciel ouvert. Certains lieux n'ont pas bougé d'un iota depuis les années 1980, mais la clientèle, elle, se mêle et se renouvelle. Quelle énergie !

– *Le quartier gay :* entre magasins de fringues et de déco, cafés, bars à la dernière mode et petites discothèques, le quartier de Chueca est l'autre secteur qui bouge. Ici, on a un sens aigu de la communication et *flyers* et tracts pullulent ! C'est comme la chasse au trésor.

– *Les toits-terrasses et les lieux éphémères :* la capitale espagnole n'échappe pas à cette tendance. Et comme les toits-terrasses sont rares, ils sont prisés ! (et pas très bon marché, faut l'avouer.) La plupart se juchent au sommet d'hôtels branchés, ambiance design et cheveux gominés. Quant aux bars éphémères, c'est surtout entre juin et octobre qu'ils fleurissent, dans des bâtiments en cours de réaffectation. Les *pop-up stores* (boutiques éphémères), eux, s'en donnent à cœur joie toute l'année.

– *Les cocktails vintage :* autre tendance du moment, les bars à cocktails rétro, habillage Art déco, inspirés des speakeasies, bars clandestins de l'époque de la Prohibition aux États-Unis. Derrière le comptoir et ses bouteilles scintillantes, les *mixologists* dépoussièrent des recettes oubliées, ou créent les leurs, souvent toniques, rarement bon marché. Autre genre de breuvage, la mode très hipster des *bières artisanales* microbrassées, avec de plus en plus de bars dédiés.

– **Les marchés gourmets :** depuis la rénovation du mercado San Miguel, transformé en immense bar à tapas avec tout plein de petits stands spécialisés qui en poissons, qui en jambons, qui en croquettes, etc., à partager ensuite sur de grandes tablées communes, tout le monde en ouvre ! Ç'a été le tour du mercado San Antón, à Chueca, puis du mercado San Ildefonso à Malasaña, et même les grandes enseignes comme le *Corte Inglés* s'y sont mis. En fait, ça renoue, version bobo, avec le très traditionnel comptoir à tapas du marché de papa, où les commerçants et les clients éclusaient un gorgeon à la pause.

– **Passer son week-end dans les embouteillages nocturnes (y compris à vélo !) :** ça signifie qu'au moins vous êtes allé dans les bars à la mode !

– **Les groupes de rock espagnols :** très présents sur la scène madrilène. Textes très actuels et musique de qualité. Pas d'exclusive cela dit, à Madrid on joue aussi du funk, du jazz, du blues... En revanche, si vous restez quelques jours, vous noterez vite que ce sont les mêmes groupes qui tournent d'un lieu à l'autre...

– **Les zarzuelas :** style de théâtre musical espagnol, né à Madrid au XVIIᵉ s, la zarzuela reprend du service. Les anciens répertoires sont dépoussiérés et remis à l'affiche. Les Madrilènes redécouvrent ces sortes d'opérettes avec plaisir. On peut assister à des spectacles, notamment au **théâtre de La Latina** *(pl. de la Cebada, 2 ; ☎ 91-365-28-35).*

Flamenco

– Chaque année **en juin** se tient le festival **Suma Flamenca,** qui offre près de 200 concerts dans différentes salles. ● *madrid.org/sumaflamenca* ●
Pour nos lecteurs qui visiteraient Madrid à d'autres saisons, nous proposons quelques adresses. Elles ont l'avantage de présenter des artistes d'excellent niveau, mais les spectacles sont en revanche assez chers (autour de 40 € en général, pour 1h à 1h30), et certains lieux draguent un peu trop ostensiblement le touriste. Nous avons essayé de référencer au fil de pages les adresses les plus sérieuses.

MADRID *DE NOCHE* (MADRID LA NUIT)

En début de soirée

La nuit, le sport favori est la navigation d'un comptoir à un autre, d'un bar de copains à un *bar de copas.* Et si vous avez l'impression que tous les clients du bar se connaissent, c'est souvent une réalité : les Espagnols – et les Madrilènes ne font pas exception –, sortent souvent à deux pas de chez eux... Du coup, ils retrouvent en effet leurs potes, mais aussi le patron du *Lavomatic* de la rue d'à côté ou la mère de leur voisine de palier ! Puis, à l'heure où tout ferme (de 1h30 à 2h en semaine, 2h30 ou 3h le week-end), on finit le parcours par 1 ou 2 boîtes (et, pour les plus courageux, un *after* de 6h à 12h).

– Pour assister à un concert, pas besoin d'attendre le week-end, et il y en a pour tous les goûts ! On vous indique les bars musicaux que l'on aime bien. Le concert y est souvent payant (5 à 30 € avec en général une conso incluse), et après, un DJ prend le relais pour vous faire danser, généralement jusque vers 2-3h du matin... Pour un panel plus exhaustif, n'oubliez pas de consulter la **Guía del Ocio, Madrid en Vivo** ou **Es Madrid Magazine** (voir « Adresses et infos utiles. Agendas culturels »), ou encore le site internet : ● *lanocheenvivo.com* ●

Boîtes et discothèques

Tremplins de la Movida au début des années 1980, les clubs de Madrid ont une chaude réputation. D'abord par leur nombre, mais aussi par leur diversité et leur ouverture. En semaine, il vous sera possible d'entrer presque partout, même dans les clubs qui affichent le week-end un élitisme bon teint. Le physionomiste de l'entrée est plus là pour vous saluer que pour vous refouler. La sélection se fait, en pratique, par l'argent. En semaine, l'entrée des clubs (on les appelle *discoteca* ou *sala*) est souvent gratuite avant 2h, sinon, compter 8-12 €. Le week-end, l'entrée, qui comprend une conso, est souvent plus élevée (12-20 €). Ne négligez pas les petits coupons (les *flyers*) que des rabatteurs distribuent dans la rue. Ils donnent droit à une réduction ou parfois même à la gratuité, généralement valable jusqu'à 2h du matin. Sachez aussi que certaines boîtes n'ouvrent que le week-end, que certaines changent de nom en fonction du jour de la semaine, et qu'il y a rarement du monde avant 3h du matin, heure à laquelle les bars ferment. Enfin, à côté des vraies grandes boîtes pouvant accueillir en même temps des milliers de *clubbers,* ne négligez pas non plus les cafés-concerts où, après le groupe du soir, un DJ prend la relève. Certains font partie des lieux les plus réputés pour cette 2e partie de nuit, et drainent une clientèle venue seulement pour le set du DJ.

Les adresses qu'on vous indique constituent les classiques de la nuit et les *in* du moment, sachant que leur durée de vie peut être éphémère. À Madrid, on va en boîte comme on va au bar. On y reste 1h et on file dans une autre... Allez, bonne nuit !

MUSÉES ET SITES

Madrid possède d'excellents musées, dont le célèbre *Prado* qui présente des collections uniques au monde et lui vaut une place dans le peloton de tête, mesdames et messieurs bonjour, des capitales artistiques européennes. Dans les musées nationaux, entrée gratuite avec la carte internationale d'étudiant. Parfois, vous ne paierez que moitié prix. Le mercredi, certains sont gratuits pour les ressortissants de l'UE. Pour être plus sûr, renseignez-vous à l'entrée de chaque musée car les réductions ou gratuités sont rarement indiquées. Pour les plus accros, on vous rappelle l'existence de l'*abono Paseo del Arte* (entrée pour le Prado, le Thyssen et le Reina Sofía ; voir les détails dans « Adresses et infos utiles. *Passes* touristiques »).

Arrivée à l'aéroport de Barajas

✈ *Aéroport Adolfo Suárez Madrid-Barajas (plan d'ensemble) :* à 13 km au nord-est du centre-ville de Madrid. L'aéroport est divisé en 2 pôles distincts, d'un côté les terminaux 1, 2 et 3, de l'autre, à plusieurs km, le terminal 4 (et son satellite 4S). Les T1, T2 et T3 étant en enfilade, on peut se rendre à pied d'un terminal à l'autre. Néanmoins, une navette gratuite (*bus tránsito* – affichette noir-blanc-jaune) circule entre les différentes portes d'embarquement. En revanche, depuis les T1, T2 et T3, prévoir min 15-20 mn pour rallier le T4 en métro ou en navette. Et entre le T4 et le T4S, une navette souterraine fait la liaison : là encore, compter une bonne marge de 15-20 mn.

■ *Informations générales :* ☎ 91-321-10-00 et 902-40-47-04.
🛈 *Office de tourisme :* dans les terminaux T2 (hall des arrivées) et T4 (hall 10), ● esmadrid.com ● ☎ 91-578-78-10. Tlj 8h-21h30. Documentation et plans de la ville. On y parle parfois le français.
■ *Réservations d'hôtels :* à côté des offices de tourisme, au niveau des arrivées internationales.
■ *Consignes :* tlj 5h-22h, env 6 €/2h, 10 €/24h. Une consigne très pratique dans la passerelle d'accès entre le T1, le T2 et la station de métro, une autre dans le T4 (hall des arrivées). Les bagages sont scannés avant d'être acceptés.

Comment se rendre dans le centre ?

➤ **Airport Express Bus :** 24h/24 ! Très pratique pour les arrivées nocturnes à Barajas. Un bus jaune, qui part du T4, s'arrête au T1 et au T2 puis continue vers Madrid, avec 2 arrêts (angle c/ O'Donnell et c/ Doctor Esquerdo – correspondance avec la ligne 6 du métro), plaza de Cibeles (*plan détachable E4* ; correspondances avec les bus municipaux, y compris les bus de nuit *búhos*, et avec la ligne 2 du métro – station Banco de España) avant d'arriver à la *estación RENFE* d'Atocha (*plan détachable E-F6, 1* ; trains *AVE*, réseau *Cercanías,* etc.). Départs ttes les 15-20 mn en journée, ttes les 35 mn de nuit, trajet env 40 mn (hors période de pointe !), pour 5 € (billet dans le bus). Même trajet et même fréquence dans l'autre sens. Attention, entre 23h30 et 6h, terminus et départ plaza de Cibeles *(plan détachable E4),* et non à *RENFE* Atocha.

➤ **En métro :** depuis le terminal T2 comme depuis le terminal T4. 2 stations distinctes : « Aeropuerto T1, T2 y T3 » et, à 2 stations de plus, « Aeropuerto T4 » (le terminus). La ligne 8 (rose) assure la connexion 6h05-1h30, avec un terminus à *Nuevos Ministerios.* Compter env 20 mn depuis le T4, 12 mn depuis les autres terminaux jusqu'à *Nuevos Ministerios,* et 45 mn-1h jusqu'à plaza del Sol (correspondances incluses). Prix : 1,50 € + supplément aéroport 3 € (si vous achetez dès votre arrivée à l'aéroport le *MetroBús* de 10 trajets, il vous coûtera 15,20 € ou 18,20 € pour 2 au lieu de 12,20 €). Il faut ajouter 2,50 € pour la *Tarjeta Multi,* utilisable par plusieurs voyageurs (rappel : 1 carte suffit pour plusieurs personnes).

➤ **En cercanías** *(trains régionaux) :* au départ du T4 seulement. Ligne C1, qui dessert Chamartín (gare ferroviaire), Nuevos Ministerios, Atocha (gare ferroviaire), et continue en contournant la ville par le sud-ouest jusqu'à Príncipe Pío (autre gare). Env ttes les 30 mn 5h58-22h27. Trajet env 25 mn jusqu'à Atocha, 11 mn jusqu'à Chamartín. Tarif : 2,60 €. À noter que c'est gratuit pour les passagers qui ont un billet pour un *AVE* et le prennent directement à Atocha (de même, si l'on vient directement d'un *AVE* pour gagner l'aéroport).

➤ **Bus 200 :** 5h-23h30. Fréquence moyenne de 15 mn (w-e et j. fériés : 10-20 mn en journée ; 20-25 mn le soir) ; depuis les arrivées internationales (T4, T2 ou T1), au rez-de-chaussée. Prix : 1,50 €. Il vous dépose à la gare routière *(intercambiador)* de l'Avenida de América *(plan détachable G1, 2)* en 20 mn s'il n'y a pas d'encombrement. Intéressant surtout si vous repartez directement de l'*intercambiador* América, qui dessert le nord et le nord-est du pays.

➤ **En taxi :** le prix du trajet de l'aéroport au centre-ville est forfaitaire et tourne autour de 30 € (supplément aéroport de 5,50 € compris).

MADRID ET SES ENVIRONS

Arrivée en train

■ **Informations concernant l'ensemble des trains (RENFE) :** ☎ 912-320-320. ● renfe.com ●

Madrid possède 3 gares principales : 🚆 🅱 Au sud, **estación de Atocha** (*plan d'ensemble et plan détachable E-F6, 1*) : *glorieta Emperador Carlos V.* Ⓜ *Atocha-RENFE.* **Office de tourisme de la communauté de Madrid** *dans le hall d'arrivée Cercanías au 1er étage,* lun-sam 8h-20h. Consigne automatique (gardée, avec scan des bagages) du côté Ronda de Atocha, tlj 5h30-22h20 *(sam à partir de 6h15, dim 6h30)* : 3,10-5,20 € selon taille du casier. Vaut le coup d'œil pour son dôme translucide, son jardin d'hiver planté de palmiers et son bassin à tortues. Arrivées des *AVE* en provenance de Barcelone (via Saragosse), Séville (via Cordoue), Valence, Huesca (via Saragosse), Málaga (via Cordoue), Valladolid, Cuenca (et Albacete), des *AVANT* de Tolède. Arrivée des *Alvia* venant d'Alicante, Cadix, Ciudad Real, Cordoue, Séville, Huelva, Logroño, Pampelune. Arrivée des *Altaria* depuis Algésiras, Ciudad Real, Grenade.

Plus les *trains régionaux (cercanías)* : Ávila (passe aussi par Chamartín), Ségovie (par Chamartín également), Aranjuez, Alcalá de Henares, etc.

🚂 🛈 Au nord, **estación de Chamartín** *(plan d'ensemble, 2)* : *avda Pío XII.* Ⓜ *Chamartín. Consigne 7h-23h : 3,10-5,20 € selon taille du casier.* Arrivée depuis Lisbonne, et des *AVE* en provenance de Valladolid (via Ségovie). Arrivée des trains *Talgo* régionaux : La Corogne, Pontevedra, Saint-Jacques-de-Compostelle, Badajoz, Almería (passe aussi par Atocha). Et aussi des trains de et pour Salamanque, San Sebastián, Irún, Murcie, Carthagène, León, Saragosse, Vitoria-Gasteiz.

🚂 À l'ouest, **estación de Príncipe Pío** *(plan d'ensemble et plan détachable B3, 3)* : *ctra de Castilla.* ☎ 91-580-35-90. Dessert surtout les proches environs de Madrid.

➤ Plusieurs lignes de train *Cercanías,* plus commode que le métro, relient les 3 gares entre elles : C1, C7 et C10.

Arrivée en bus

Les différentes stations de bus de Madrid sont intelligemment reliées par la ligne 6 du métro (« *circular* »). De plus, la plupart des *intercambiador* (stations intermodales) sont desservies aussi par des lignes de *cercanías.* Voir également ● *muevetepormadrid. es* ● pour le détail des accès aux différents terminaux, et ● *crtm.es* ● pour tous les transports au sein de la communauté de Madrid (mais le site est uniquement en espagnol, et pas des plus simple).

🚌 **Estación del Sur** *(plan d'ensemble, 1)* : *c/ Méndez Alvaro, 83.* ☎ 91-468-42-00. Ⓜ *Méndez Alvaro.* La **principale gare routière** de Madrid. Elle est récente, énorme et c'est le lieu de la majorité des départs et arrivées nationaux et internationaux *(notamment* Eurolines, ☎ 91-506-33-60*).* Consigne au sous-sol. *Alsa* dessert quasi ttes les destinations dont Grenade et Valladolid : ☎ 902-42-22-42 ; ● *alsa.es* ● *Avanzabus* et ses filiales (dont *Auto-Res*) sont spécialisées sur l'ouest de la Castille-León (Salamanque, Zamora, Ávila, etc.), l'Estrémadure, la Galice et la région de Valence : ☎ 914-68-42-00 ; ● *avanzabus.com* ● *Socibus* dessert Séville, Cadiz, Cordoue, Huelva et Jerez de la Frontera. ☎ 902-22-92-22 ; ● *socibus.es* ● On y trouve aussi la Cⁱᵉ *Cevesa* (☎ 902-39-31-32 ; ● *cevesa.es* ●) qui dessert Plasencia.

🚌 **Intercambiador Avenida de América** *(plan d'ensemble et plan détachable G1, 2)* : *avda de América, 9.* ☎ 902-30-20-10 ou 91-745-63-00. Ⓜ *Avenida de América. Alsa* est très présente ici : dessert Bilbao, San Sebastián, Vitoria-Gasteiz, Burgos, Santander, Pampelune, Logroño, Soria, Guadalajara et Alcalá de Henares. Également quelques départs pour Grenade.

🚌 **Intercambiador de Moncloa** *(plan d'ensemble et plan détachable B1, 4)* : *c/ de La Princesa, 89.* Ⓜ *Moncloa.* Essentiellement des liaisons au sein de la communauté de Madrid, avec la Cⁱᵉ *Herranz* (☎ 918-96-90-28 ; ● *autocaresherranz.com* ●), en particulier les liaisons avec *San Lorenzo de El Escorial* et *Los Caídos,* entre autres. Quelques liaisons de la Cⁱᵉ *Alsa* également avec Valladolid, León ou Palencia (mais plus de fréquences à l'*Intercambiador Avenida de América*). Et de *La Sepulvedana* (☎ 902-11-96-99 ; ● *lasepulvedana. es* ●) avec *Ségovie.*

🚌 **Intercambiador de Príncipe Pío** *(plan d'ensemble et plan détachable A3, 5)* : Ⓜ *Príncipe Pío. Tlj 6h-1h.* Bus vers les villes proches de Madrid.

🚌 **Intercambiador de Plaza Elíptica** *(plan d'ensemble, 6)* : Ⓜ *Plaza Elíptica.* Départs avec *Alsa* vers **Tolède,** et avec *Avanzabus* vers Getafe et de proches environs de la ville... Dessert aussi la Castille, la Castille-León, la Manche et l'Estrémadure.

Adresses et infos utiles

Informations touristiques

🚩 *Oficina municipal de turismo* (zoom centre C4, 6) : casa de la Panadería, pl. Mayor, 27. ☎ 91-578-78-10. ● turismo@esmadrid.com ● esmadrid.com ● madrid.es ● Ⓜ Sol. Tlj 9h30-21h. Plan de la ville gratuit et brochures. Organise l'été des visites guidées thématiques, en français pour certaines (mais c'est rare). Également des visites audioguidées individuelles, à télécharger directement sur votre MP4 depuis leur site ou sur place, dans leur bureau ; pour l'instant, 2 parcours en français : « La promenade de l'art », autour des principaux musées de la ville et du paseo de Recoletos, et « Madrid des Habsbourg », autour de la plaza Mayor et du Palacio real.
– Plusieurs *kiosques municipaux d'infos* en ville. Pratiques et centraux : à côté du museo Reina Sofía (Ronda de Atocha ; sur le terre-plein entre le musée et la gare d'Atocha ; tlj 11h-20h) ; à côté du museo del Prado (plaza de Neptuno, sur le terre-plein au milieu du paseo del Prado ; tlj 9h30-20h30) ; plaza del Callao (tlj 9h30-20h30) ; paseo de Recoletos (sur le terre-plein, pas très loin du Café Gijón ; tlj 11h-20h) ; dans le palacio de Cibeles-CentroCentro (pl. de Cibeles, 1, angle paseo del Prado ; plan détachable E4, 8 ; mar-dim 10h-20h ; Ⓜ Banco de España ; spécialisé dans les infos culturelles). Également 2 kiosques à l'aéroport (voir plus haut).
🚩 *Oficina de turismo de la Comunidad de Madrid* : n° général, ☎ 902-100-007. ● comunidad.madrid ● Infos sur la ville bien sûr, mais aussi sur Alcalá de Henares, San Lorenzo de El Escorial, etc. En bref, sur les environs proches de Madrid. Nombreuses brochures.
– Calle Alcalá, 31 (plan détachable D4, 17) : ☎ 91-276-71-87. Lun-sam 9h-20h, dim et j. fériés 9h-14h.
– Estación Puerta de Atocha (plan détachable E6, 7) : lun-sam 8h-20h, dim et j. fériés 9h-20h
– Également **à l'aéroport,** on vous le rappelle (voir plus haut).

■ *S.A.T.E. – Service d'accueil des touristes étrangers* (plan détachable C3, 13) : comisaría de Centro, c/ Leganitos, 19. ☎ 902-102-112 et 91-548-85-37. ● satemadrid@esmadrid.com ● Ⓜ Santo Domingo ou Plaza de España. Tlj 9h-minuit. Un bureau de police qui offre une assistance personnalisée aux touristes (vol, agression). Les agents renseignent sur les modalités de dépôt de la plainte et les formalités à accomplir. Autres services : assistance psychologique, contacts avec les ambassades et les consulats, objets perdus. On peut également porter plainte par téléphone : ☎ 902-102-112 (24h/24 en espagnol, anglais et français).
■ *Información al Ciudadano :* ☎ 010. Pour toutes les questions pratiques sur la ville (exclusivement sur Madrid) et si vous parlez l'espagnol ou l'anglais, téléphonez-leur.

Pass touristiques

– *Abono Paseo del Arte :* ce forfait valable 1 an permet l'entrée une fois dans chacun des 3 musées suivants : au Prado, à la Fondation Thyssen et au Centro Reina Sofía. **Le pass le plus demandé et en plus il sert de coupe-file** ; en vente 30,40 € à chacun des guichets de ces musées (expos temporaires non comprises). Avoir son passeport ou sa carte d'identité sur soi. Si vous l'achetez en ligne sur le site internet d'un musée, vous devrez retirer le pass auprès du guichet de ce musée.
– *Tarjeta Anual de Museos Estatales :* cette carte valable 1 an (pour 36,06 €) permet l'entrée autant de fois que vous le souhaitez dans chacun des musées nationaux d'Espagne. À Madrid, sont concernés : museo nacional del Prado, Centro de Arte Reina Sofía, Museo arqueológico nacional, museo Cerralbo, museo de América, museo del Traje, museo nacional de Antropología, museo nacional de Artes Decorativas, museo del Romanticismo, museo Sorolla. Avoir son passeport ou sa carte d'identité sur soi. Si vous l'achetez en ligne

sur le site internet d'un musée, vous devrez retirer le *pass* auprès du guichet de ce musée.

– *Abono Ocho Museo de Madrid :* une carte valable 15 j. et qui, pour 16 €, permet de visiter gratuitement 8 des musées nationaux suivants, au choix : museo del Romanticismo, museo nacional de Antropología, museo nacional de Artes Decorativas, museo del Traje, museo Cerralbo, museo de América, Museo arqueológico nacional et museo Sorolla. Existe aussi en version *Cuatro Museo* (valable 10 j., pour 8 € : même principe, 4 musées au choix dans la liste précédente). On se procure l'*abono* au guichet du 1er musée visité. Attention, n'inclut ni le museo del Prado, ni le Centro de Arte Reina Sofía. Et une dernière version, *Cinco Museos – Otro Madrid* (valable 10 j., pour 12 €), qui donne accès aux « maisons-musées » de la ville, à savoir museo Sorolla, museo Cerralbo, museo Lázaro Galdiano, museo nacional de Artes Decorativas et museo del Romanticismo.

– *Bono Patrimonio Nacional n°2 :* donne accès pendant 1 an (1 seule entrée/site) aux sites gérés par *Patrimonio nacional* situés dans la communauté de Madrid. À Madrid même : *Palacio real de Madrid, Convento de las Descalzas reales, Real monasterio de la Encarnación.* Dans le reste de la Communauté : *Real Sitio de San Lorenzo de El Escorial, Real Sitio de Aranjuez, Real Sitio de El Pardo, Abadía Benedictina de la Santa Cruz del Valle de los Caídos.* En vente 30 € aux guichets de ces monuments (réduc étudiants et plus de 65 ans). ● *patrimonionacional.es/ bonos-patrimonio-nacional* ●

Téléphone et Internet

■ *Informations téléphoniques :* ☎ 11-822 ou 11-818 ou 11-888. Pour l'international : ☎ 11-825.
■ *Internet :* la plupart des places et avenues principales du centre-ville offrent la connexion gratuite en wifi. Quant aux AJ, *hostales* et hôtels, presque tous proposent des connexions wifi à leurs clients, très souvent gratuites.

Représentations diplomatiques

■ *Ambassade de France (plan détachable E3-4, 28) :* c/ Salustiano Olózaga, 9, 28001. ☎ 91-423-89-00. ● *ambafrance-es.org* ● Ⓜ Banco de España (assez loin du métro). Lun-ven 9h-19h.
■ *Consulat de France (plan détachable E3, 22) :* c/ Marqués de la Ensenada, 10, 28004. ☎ 91-700-78-00. ● *consulfrance-madrid.org* ● Ⓜ Colón. Lun-ven 9h-13h15, fermé w-e.
■ *Ambassade et consulat de Belgique (plan détachable F2) :* paseo de la Castellana, 18. ☎ 91-577-63-00. N° d'urgence : 📱 609-28-00-41. ● *madrid@diplobel.fed.be* ● spain.diplomatie.belgium.be ● Ⓜ Colón. Au 6e étage. Lun-ven 8h30-14h (jusqu'à 16h30 par tél), fermé w-e.
■ *Ambassade et consulat de Suisse (plan détachable F3) :* edificio Goya, c/ Núñez de Balboa, 35a, 28001. ☎ 91-436-39-60 ; en cas d'urgence et 24h/24 : ☎ + 41 800-247-365. ● *mad.vertretung@eda.admin.ch* ● eda.admin.ch/madrid Consulat : ● *madrid@eda.admin.ch* ● Ⓜ Velázquez. Au 7e étage. Lun-ven 9h-13h, fermé w-e.
■ *Ambassade du Canada (plan d'ensemble) :* Torre Espacio, paseo de la Castellana, 259D, 28046. ☎ 91-382-84-00. En cas d'urgence et 24h/24 : ☎ 00-800-2326-68-31. ● *mdridg@international.gc.ca* ● espagne.gc.ca ● Ⓜ Begoña. Derrière la gare de Charmartín. Lun-ven 9h-12h30.

Urgences

■ *Urgences médicales :* ☎ 112 (n° européen).
■ *Police municipale :* ☎ 092.
■ *Police nationale :* ☎ 091.
■ *Objets perdus (plan d'ensemble) :* paseo del Molino, 7. ☎ 91-529-82-10. ● *objetosperdidos@madrid.es* ● Ⓜ Legazpi. Lun-ven 8h30-14h. Voir aussi plus loin la rubrique « Transports » pour les objets perdus dans le métro ou dans les bus.
■ *Fourrière (grúa) :* plusieurs dépôts en ville. ☎ 914-068-810 (24h/24). Pour retrouver son véhicule au moyen de son immatriculation : ● *emtmadrid.es/*

emtgruas ● On y trouve aussi les adresses et horaires des différents dépôts... Chouette, non ?

■ **Pharmacies de garde :** ☎ 010. Et quand même : *la Farmacia del Angel* (zoom *Las Letras* D4, **24**), pl. del *Ángel*, 14. ☎ 91-369-23-18 ; *tlj 24h/24 (sonner la nuit)* ; **Farmacia 13 Calle Mayor** (zoom centre C4, **23**), c/ *Mayor*, 13. ☎ 91-366-46-16, *tlj 24h/24 (sonner la nuit), ainsi que la* **Farmacia Velázquez** (plan détachable F2, **20**), c/ *Velázquez*, 70 ; tlj 24h/24 (sonner la nuit),

✚ **Hôpitaux :** *La Paz* (plan d'ensemble), paseo de la Castellana, 261 ; près de la gare de Chamartín, dans le nord de Madrid, ☎ 91-727-70-00. **Gregorio Marañón** (plan d'ensemble), c/ Doctor Esquerdo, 46, à l'est de la ville, ☎ 91-586-80-00. Ⓜ *O'Donnell.*

Compagnies aériennes

■ **Air France** (plan d'ensemble) : à l'aéroport, terminal T2, niveau 2 : ☎ 91-375-33-35.

■ **Iberia** (plan d'ensemble) : à l'aéroport, terminaux T4 et T4S : ☎ 901-111-500. ● iberia.com ●

Location de voitures

Les coordonnées ci-après sont celles des centraux de réservation. Toutes les plus grandes compagnies sont présentes à l'aéroport de Barajas.

■ **Hertz :** ☎ 91-372-93-00. ● hertz. es ● Aux terminaux T1 (☎ 902-30-52-30) et T4 (☎ 91-393-72-29). *Tlj 7h-minuit (2h30 au T1).* De même aux gares d'Atocha et de Chamartín. En ville, plaza de España (c/ *Princesa*, 14. ☎ 91-542-58-05 ; *lun-ven 8h30-19h30, sam 9h-14h).*

■ **Europcar :** ☎ 902-10-50-55. ● europcar.es ● Aux terminaux T1 et T4. Autre agence à la gare de Chamartín.

■ **Avis :** ☎ 902-180-854 ; aéroport : ☎ 902-200-162. ● avis.es ● Aux T1 et T4 *(tlj 7h-2h)* ainsi qu'aux gares d'Atocha (tlj 8h-minuit ; ☎ 902-11-02-91) et Chamartín (c/ *Agustín de Foxá*, 25 ; tlj 8h-21h, le w-e 8h-14h ; ☎ 902-09-03-43).

Loisirs

■ **Alliance française** (plan détachable C4, **26**) : cuesta de Santa Domingo, 13. ☎ 91-435-15-32. ● afmadrid.es ● Ⓜ *Santo Domingo, Callao, Plaza de España* ou *Ópera.* Lun-jeu 9h-21h, ven 9h-19h, sam 9h30-13h30, fermé dim. Juil-août lun-ven 9h-20h, fermé w-e. Très central, donc. Cours de français (y compris pour les 4-11 ans), mais aussi cours d'espagnol (au trimestre) pendant l'année scolaire. Médiathèque et presse du jour à consulter gratuitement. Expositions régulières.

■ **Institut français** (plan détachable E3, **22**) : c/ Marqués de la Ensanada, 12. ☎ 91-700-48-00. ● institut francais.es/madrid ● Ⓜ *Colón.* Proche du consulat de France. Lun-ven 8h-22h (21h ven), sam 9h-14h30, fermé dim. Cours de français, bien sûr, mais aussi expositions, spectacles, et une très agréable cafèt' vraiment pas chère et assez charmante, avec quelques tables dans une belle cour arborée *(lun-ven 8h-20h).*

■ **Centro de Arte Flamenco Amor de Dios** (zoom *Las Letras* D5, **27**) : c/ de Santa Isabel, 5. ☎ 91-360-04-34. ● jsan juan@amordedios.com ● amordedios. com ● Ⓜ *Antón Martín.* Lun-sam 10h-22h, dim 11h-15h. Au 2ᵉ étage du marché *Antón Martín.* Temple du flamenco dans le quartier de Lavapiés, cette école de danse ne propose pas de séance d'initiation, mais dispense des cours de tous niveaux pour qui veut travailler en profondeur le *duende.* Inscription sur place, programme sur le site internet. Ambiance estudiantine conviviale et décontractée ; on y croise des personnes de tout âge, toutes passionnées.

■ **Piscine** (zoom *Chueca* D3, **9**) : au **Centro Deportivo Escuelas de San Antón,** c/ de la Farmacia, 13. ☎ 91-828-90-06. ● cdmescuelassa nanton.com ● Au dernier étage (ascenseur). Piscine ouv lun-ven 7h-23h, sam 8h-21h, dim et j. fériés 9h-19h. Entrée : 5 € adulte ; réduc. En plein Chueca, une super piscine entourée par une verrière, avec vue extra sur les toits de la ville : on aligne les longueurs comme suspendu au-dessus de la ville ! 2 bassins, vestiaires, sauna, salle de sport (supplément), etc.

MADRID ET SES ENVIRONS

MADRID ET SES ENVIRONS

Agendas culturels

– L'office de tourisme publie une revue mensuelle gratuite, **Es Madrid Magazine.** On y trouve les spectacles, expos et événements du mois.
– Un autre mensuel gratuit, particulièrement axé sur les concerts : **Madrid en Vivo,** que l'on trouve dans les AJ, restos et bars. Programmation musicale jour par jour, et aussi quelques pages sur le théâtre. Équivalent sur Internet : ● lanocheenvivo.com ●, avec, à la fois l'agenda, la liste des salles de concerts (classées par quartiers) et le style de musique qu'elles programment.
– Pour savoir tout ce qui se passe en ville : chaque vendredi, **Guía del Ocio,** l'équivalent de *L'Officiel des spectacles,* pour 1 €, ou gratuitement sur leur site ● guiadelocio.com/madrid ● Pour les endroits branchés du moment, servez-vous des *flyers* que vous trouverez dans les bars. Le vendredi toujours, les grands quotidiens nationaux offrent un supplément culturel et pratique : *Metropoli* pour *El Mundo, On Madrid* pour *El País.*
– Nombreux cinémas sur la Gran Vía, autour du ⓜ Callao.

Jours fériés

Les 1er janvier, 6 janvier (Épiphanie), Semaine sainte (du vendredi au dimanche de Pâques), 1er mai, 2 mai (fête de la région et de l'Indépendance), 15 août (Assomption), 12 octobre (fête nationale), 1er novembre (fête de la Toussaint), 10 novembre (fête de l'Almudena), 6 décembre (fête de la Constitution), 8 décembre (fête de l'Immaculée Conception) et 25 décembre.
La San Isidro (15 mai), fête du saint patron de la ville, est l'occasion de 10 jours de fêtes et de spectacles dans tout Madrid avec les plus grands toreros du moment : une semaine de corridas exceptionnelles.

Transports

Un site très pratique (à condition d'avoir quelques notions d'espagnol) récapitule l'ensemble des transports de la capitale espagnole, avec possibilité d'éditer un itinéraire, etc. : ● crtm.es ● (et son appli).

Métro

● Plan du métro *p. 10-11*

Rens : ☎ 902-44-44-03 *(y compris pour les objets perdus).* ● metromadrid.es ● *Tlj 6h-1h30. L'appli officielle, MetroMadrid, est très fonctionnelle (et en français).*
Réseau excellent et rapide, rames et stations très propres. Avec le prolongement ces dernières années d'un certain nombre de lignes et la création de 3 lignes de tramway excentrées (appelées *Metro Ligero : ML1, 2* et 3), la tarification peut sembler complexe à première vue. Dans les faits, si vous visitez la ville en touriste, vous n'utiliserez que le métro proprement dit (et éventuellement le *Metro Ligero 1*). Tous les types de ticket ou abonnement s'achètent dans les stations de métro (au guichet ou à des automates, de plus en plus fréquents – CB acceptées), ou dans certains kiosques à journaux, mais il est nécessaire d'acheter au préalable le support, une carte qui se recharge (la *Tarjeta Multi*), pour 2,50 € (même si vous ne voulez faire qu'un seul trajet !). On se la procure lors du 1er achat, aux automates aussi. **Le métro est gratuit pour les enfants de moins de 4 ans.** À noter également que vous pouvez transporter gratuitement votre vélo dans le métro, toute la journée les week-ends et jours fériés et aux heures creuses en semaine *(10h-12h30, 21h-fin du service).*
– Prix d'un trajet à l'unité : 1,50 € pour Madrid centre (zona A) + *ML1.* Au-delà de 5 stations, c'est 0,10 € par station supplémentaire (plafonné à 2 €). De toute façon, sélectionnez votre trajet, la machine vous indiquera le prix à payer. Pour le *combinado Metro + Metros Ligeros 1, 2* et *3 :* 3 €. Petit détail : un trajet à l'unité, chargé sur la Tarjeta Multi, doit être utilisé dans la journée.

– *Pass* de 10 trajets (utilisable par plusieurs personnes en même temps), appelé *MetroBús,* qui vaut pour le bus urbains, le métro A et le *ML1,* très pratique et prix intéressant : 12,20 € pour le centre-ville (18,30 € *Metro + Metros Ligeros 1, 2* et *3*). Le seul à être systématiquement rentable. Attention, si vous le prenez dès votre arrivée à l'aéroport, il faut ajouter les 3 €/pers de supplément aéroport (ce qui porte le *MétroBús* à 15,20 € pour un utilisateur individuel, et à 18,20 € si on compte utiliser le *pass* à 2).

– Les *abonos turísticos* de 1, 2, 3, 4, 5 ou 7 jours. Il en existe 2 versions et autant de tarifs, en fonction des zones couvertes. Le *tarif A,* destiné surtout aux visiteurs de passage qui se contentent du centre, couvre : le métro, le *ML1,* les bus urbains et les lignes *Cercanías* urbaines ; respectivement 8,40 €, 14,20 €, 18,40 €, 22,60 €, 26,80 €, 35,40 € (réduc de 50 % pour les moins de 11 ans). Le *tarif T* inclut la totalité des transports urbains de la communauté de Madrid (donc les *ML2, ML3* et *ML4,* les lignes *Cercanías* et les autobus interurbains – dont Alcalá de Henares, San Lorenzo de El Escorial et Aranjuez), le trajet pour l'aéroport, ainsi que l'extension des bus jusqu'à Tolède, Cuenca et Guadalajara. Ils coûtent respectivement 17 €, 28,40 €, 35,40 €, 43 €, 50,80 €, 70,80 € (réduc de 50 % pour les moins de 11 ans). Pas forcément intéressant, cela dépend de vos projets : le tarif A est difficilement rentable. En revanche, si vous envisagez d'explorer aussi les environs, le T peut valoir le coup.

– *Objets perdus dans le métro* : au métro Plaza de Castilla, ☎ 917-79-63-99. Tlj 7h (10h w-e)-23h (22h w-e).

Bus

Rens : ☎ 914-06-88-10. ● emtmadrid. es ● Et l'appli EMT Madrid pour calculer itinéraires, temps de trajet et d'attente pour les bus urbains.
Même tarification que pour le métro (voir précédemment), seuls les tickets à l'unité s'achètent directement auprès du conducteur (pour les *MetroBús* et autres abonnements : dans les stations de métro, etc.). On composte son billet à la montée, à l'avant.
Réseau dense et pratique, particulièrement rapide. Fonctionne 6h-23h30. Les bus de nuit, les *búhos* (hiboux), prennent ensuite le relais : 27 lignes desservent tous les quartiers madrilènes ; ils partent en sem, ttes les 35 mn, 23h45-4h (et un dernier à 5h10). Ven-sam et veilles de fêtes, 23h45-5h30 ttes les 15-20 mn de la plaza de Cibeles *(plan détachable E4).*

– *Objets perdus dans les bus* : c/ Cerro de la Plata, 4. Ⓜ *Pacífico.* ☎ 914-06-88-10. *Lun-ven 8h-14h (rens par tél tlj 7h-21h).*

Bus touristique

– *Infos* : *lun-ven 9h-14h, 16h-19h,* ☎ 902-02-47-58. ● *madrid.city-tour. com* ● Compter 22 € pour le forfait (adulte) 1 j. et 26 € pour 2 j. Réduc moins de 16 ans et plus de 65 ans : 10 € pour 1 j., 13 € pour 2 j. ; billet famille 1 j. (2 adultes, 2 enfants : 55 €) ; gratuit jusqu'à 6 ans.
Achat du billet dans nombre d'hôtels, dans les bus, dans leur kiosque d'info *(c/ Felipe IV, près du musée du Prado ; zoom Las Letras E4)* et sur le site ● *madrid.city-tour.com/fr* ● Ces bus rouges panoramiques à impériale « *Madrid City Tour* » sillonnent la ville selon 3 itinéraires différents, 9h-22h en hte saison (mars-oct), 10h-18h le reste de l'année, avec une fréquence de 10-15 mn. On y monte et on en descend autant de fois que l'on veut dans la journée. À bord, explications en 8 langues, mais pas toujours bien synchronisées avec le parcours. Et en été, difficile d'avoir une place sur l'impériale.

Vélos et *Segway*

Comme de nombreuses capitales, Madrid s'est équipée d'un système de vélos en libre-service, doublé d'un réseau de pistes cyclables. Et pour affronter plus aisément les nombreuses collines de la ville, les vélos sont électriques (et pèsent quand même 22 kg...) ! C'est le *Bicimad,* avec environ 123 bornes réparties dans toute la ville. Outre l'abonnement annuel, il existe des cartes *Uso Ocasional* de

1, 3 ou 5 jours, qui se prennent directement aux automates des stations avec une carte de paiement. La carte *Ocasional* en elle-même est gratuite (même si une caution de 150 € est bloquée). La facturation se fait à l'heure (2 € la 1re heure, 4 € pour les heures supplémentaires), et la carte de paiement est débitée en une seule fois, à la fin de la période d'abonnement (et la caution est alors débloquée). *Ttes infos sur ● bicimad.com ● (existe aussi une appli pour localiser les stations et les places vides, réserver une bécane, etc.).*

Sinon, toujours pour découvrir la ville avec un peu d'aide, visites guidées en *Segway*, à partir de 2 personnes.
– **SegwayTrip :** *pl. San Miguel, 2.* ☎ *910-75-01-63.* ● *segwaytrip.com* ● *En face du mercado San Miguel (plan détachable C4, 130). Tlj 10h-20h.* À partir de 2 personnes, et à partir de 25 €/pers pour 1h de balade, accompagné d'un guide (en général anglophone ou hispanophone, mais français possible sur réservation préalable). Plusieurs itinéraires proposés. Et pour les accros du *Segway* déjà familiarisés avec la bête, location possible sans guide, à partir de 20 €/h env. Loue aussi des vélos, y compris électriques (nettement plus cher que les *Bicimad*).
– **Segwayfun :** *c/ de las Huertas, 39.* ☎ *629-61-22-16.* ● *segwayfun.es* ● *En plein barrio de Las Letras. Tlj 10h30-20h.* Là encore, différentes visites guidées thématiques (français possible) en *Segway*, à partir de 25 €/personne.

Cercanías

– *Infos et horaires :* ● renfe.com/viajeros/cercanias/madrid ●
Entre le train de banlieue pour ses destinations et le métro pour ses arrêts centraux (essentiellement le long des paseo del Prado, de Recoletos et de la Castellana), un peu l'équivalent du RER parisien. Une dizaine de lignes, gérées par la *RENFE*. Toutes passent au moins par l'une des 2 principales gares ferroviaires (Atocha et Chamartín), 5 lignes les relient même entre elles. Dessservent aussi Alcalá de Henares, Aranjuez ou El Escorial. Achat des billets dans les gares, aux guichets (attention, il peut y avoir la queue) ou aux automates.

Taxis

Pas de problème pour en trouver, ils pullulent, et fonctionnent au compteur. Blancs, portière avant barrée en diagonale d'une bande rouge, ils sont coiffés d'un signal lumineux : vert, c'est libre ; rouge, déjà occupé ! La prise en charge est de 2,40 € en journée du lundi au vendredi, et de 2,90 € le w-e et 21h-6h du mat. Puis tarification au kilomètre, qui reste très raisonnable (1,05-1,25 € suivant la zone et les horaires). Surtaxe : env 3 € vers ou depuis une gare routière ou ferroviaire (ainsi que pour le parc des expositions). Tarif fixe depuis l'aéroport jusque dans le centre de Madrid : 30 €. Les bagages sont gratuits. Si le prix semble trop élevé, demander un reçu officiel. Gaffe, tous les taxis n'acceptent pas les cartes de paiement : prévoir des espèces. En cas de grosse bisbille avec un chauffeur, relever le numéro du taxi et contacter le service de réclamation des taxis : ☎ 010.
🚕 **Taxis :** *Radio Taxi,* ☎ *91-176-00-81 et Teletaxi,* ☎ *91-371-21-31 ou 902-501-130, entre autres.* **Radio Taxi Independiente :** ☎ *91-405-12-13 ou 15-00.* **Radio Taxi de Madrid** *(☎ 91-547-82-00) dispose aussi d'un service adapté aux pers handicapées.*
– *Objets perdus dans un taxi : paseo del Molino, 7, Legazpi.* ☎ *91-527-95-90. Lun-ven 8h30-14h (ou, dans les 48h après la perte de l'objet et à condition d'avoir noté le n° d'immatriculation du taxi... :* ☎ *914-80-46-13 ; lun-ven 8h30-14h).*

Voiture

Vous êtes tombé sur la tête ou quoi ? La voiture peut vous être utile uniquement le soir. Dans la journée, en semaine, sérieux encombrements et difficultés pour se garer. Dans la rue, ne stationnez que lorsque la bande le long du trottoir est de couleur bleue (les lignes vertes, c'est pour les résidents !). Ticket à l'horodateur le plus proche. Gratuit la nuit de 21h à 9h, le samedi après 15h et le dimanche.

Attention à la fourrière *(grúa)*, très présente, de jour comme de nuit (voir les coordonnées dans « Adresses et infos utiles. Urgences »... au cas z'où !).

Où dormir ?

Pas trop de problèmes d'hébergement à Madrid : la ville regorge de *pensiones* et *hostales*. Pourtant, en haute saison et pendant les grands événements, plus la soirée avance, plus les chances de trouver une chambre s'amenuisent. Idem pour les week-ends qui sont très chargés. Penser à téléphoner pour savoir s'il reste de la place. Les pensions bon marché ne prennent pas toujours de réservation par téléphone, ou alors exigent un numéro de carte de paiement, et encaissent en général directement 1re nuit (difficile de se faire rembourser par la suite...). Évidemment, plus vous restez longtemps et plus vous pouvez négocier le prix (à partir de 3-4 nuits ou pour un week-end complet).
– Autre point à ne pas négliger, la climatisation ou le ventilo. Malgré ses défauts, elle est vivement conseillée en été, car il peut faire très chaud à Madrid, surtout en centre-ville.
– Et puis, n'oubliez pas, vous êtes dans une grande ville qui est loin de s'endormir une fois la nuit tombée, bien au contraire ! Alors, quelle que soit la catégorie de l'hôtel, *sachez que les chambres sur rue sont en général bruyantes.* Selon votre rythme de vie (et de sorties !), prenez vos précautions, et si vous tenez au calme, préférez une chambre intérieure... ou sortez les boules *Quies* !

Appartements

🏠 **Espahotel** *(plan détachable C3, 31)* : pl. de España, 7, 28008. ☎ 91-542-85-85. ● aparplaza@espa hotel.es ● espahotel-madrid.com ● Ⓜ Plaza de España. *Nuits en studio ou suites 90-150 € selon taille et saison (mais jusqu'à 250 € pdt les fêtes).* Un appart-hôtel très central, qui propose des studios et quelques suites pour 2-3 personnes. Tout est spacieux et élégamment meublé, avec double vitrage. Certaines chambres donnent sur la jolie place d'Espagne, d'autres sur le Palais royal : un cruel dilemme au moment de choisir ! Cuisine américaine minimale : 1 frigo, des plaques et 1 évier. Salon dans les suites, bureau, TV. Salle de bains avec baignoire. Petit déj en option à la cafét' du rez-de-chaussée (plusieurs formules). Vraiment un bon plan. En prime, un accueil aussi pro qu'agréable.

🏠 **Hotel Jardines de Sabatini** *(plan détachable B3, 32)* : cuesta de San Vicente, 16, 28008. ☎ 91-542-59-00. ● reservas@jardinesdesabatini. com ● jardinesdesabatini.com ● Ⓜ Plaza de España. *Studios 85-190 € selon saison (beaucoup plus pdt les fêtes) ; petit déj compris.* Un appart-hôtel au style contemporain-chic, très abouti. Vaste hall-réception. Accueil particulièrement pro (et francophone). Les apparts (jusqu'à 4 personnes) offrent un cadre apaisant et moderne au camaïeu de gris bleuté, sol de pierre noire, superbes salles de bains, le tout d'une élégante sobriété. Les suites comportent, outre la chambre, un salon avec canapé convertible et lit d'appoint possible : pratique en famille. Cuisine équipée. Vaste terrasse sur le toit avec vue princière sur le Palais royal et ses jardins et... une superbe collection de voitures vintage au sous-sol, de la Citroën des années 1920 à la Chrysler 1950 (pour visiter, demander à la réception).

Campings

⛺ **Camping Alpha** *(hors plan d'ensemble, 33)* : c/ de la Calidad, Polígono Los Olivos, au km 12,4 de l'A 4 direction Córdoba, 28906 Madrid-Getafe. ☎ 91-695-80-69. ● info@campin galpha.com ● campingalpha.com ● ♿ À 50 m se trouve l'arrêt du bus nº 447 pour la station de métro Legazpi, sur la ligne 3 (ttes les 30 mn, 40 mn le w-e ; dernier à 22h en sem, 21h20 le w-e). En arrivant à Getafe depuis

Madrid, sortir au panneau du camping puis reprendre l'A 4 direction Madrid pdt 1 km ; ensuite, c'est indiqué. Ouv tte l'année. Pour 2 adultes, 25-31 € env selon saison avec 1 voiture et 1 tente. Bungalows 2-5 pers 55-100 € selon capacité et saison, avec TV, frigo, clim et, pour les plus chers, 2 chambres, coin cuisine et salon. Ombragé, propre, assez calme et bien surveillé. Sanitaires vieillissants mais bien tenus, avec douche chaude gratuite. Bar-snack, épicerie, piscine gratuite (bassin pour enfants), terrain de tennis. Grande capacité d'accueil (1 050 personnes). Malgré sa proximité avec l'autoroute, on entend relativement peu les voitures.

⚴ *Osuna (plan d'ensemble, 34) : c/ Jardines de Aranjuez, 1, 28042 ; bien caché entre l'avda de Logroño et le paseo Alameda de Osuna. ☎ 91-741-05-10. ● osunacamping@ gmail.com ● campingosuna.com ● Ⓜ Canillejas (à 500 m).* Au nord-est de Madrid, par la N II, sur la route Madrid-Barcelone, prendre la déviation au km 8. *Fermé janv-mars. Avec 1 tente et 1 voiture, 25-29 € pour 2 selon saison. Pas de bungalows. CB refusées.* Une partie du camping est bien ombragée par des pins et acacias, l'autre a été plantée plus récemment. Plutôt en dépannage car le sol est dur, il est difficile de planter une sardine. Le gros avantage de ce camping est d'être accessible en métro.

Auberges de jeunesse (albergues de la juventud) et dortoirs

Les AJ officielles de Madrid offrent peu de places et sont souvent complètes dès 9h. Ne pas hésiter à réserver par téléphone ou par courriel avant même votre départ (indispensable en saison).
En marge du réseau officiel, de nombreuses adresses privées destinées aux routards, qui offrent des lits en dortoir. Très pratique, convivial et économique, l'idéal pour les voyageurs en solo ou pour rencontrer d'autres voyageurs de tous horizons.

Attention, les week-ends de septembre, tout est très demandé ! S'y prendre à l'avance.

🏠 *Cat's Hostel (zoom Las Letras D5, 41) : c/ de Cañizares, 6, 28012. ☎ 91-369-28-07. ● info@catshostel. com ● catshostel.com ● Ⓜ Antón Martín. ✗ Réception 24h/24. Résa conseillée. Selon saison, nuitée 13-25 €/pers, doubles 50-83 €.* À 2 mn à pied de la trépidante plaza de Santa Ana. Voici une de nos meilleures adresses dans cette catégorie. Cette charmante auberge de jeunesse installée dans un palais du XVIIIe s abrite des dortoirs (4 à 19 lits) et quelques chambres doubles (pas de résa possible pour ces dernières) réparties autour d'un féerique patio intérieur de style mudéjar (arabo-andalou) avec fontaine, banquettes confortables, coussins et verrière colorée au plafond. Superbe cage d'escalier du même style. Confort, charme et propreté : clim, sanitaires modernes impeccables, armoires à bagages et laverie. Bar sympa dans une belle cave voûtée de brique (et les mojitos les moins chers du quartier). Accueil pro et super ambiance.

🏠 *The Hat (zoom centre C4, 81) : c/ Imperial, 9, 28012. ☎ 91-772-85-72. ● info@thehatmadrid.com ● the hatmadrid.com ● Ⓜ Sol, Tirso de Molina ou Ópera. Nuitée 25-45 € selon saison et confort, doubles 60-145 €, petit déj 4 €. Les plus chers sont les dortoirs de 4 avec sdb.* Voici l'une des plus récentes de ces auberges privées hyper contemporaines. À un jet de chapeau de la plaza Mayor, dans un bel immeuble ancien entièrement réaménagé, des dortoirs de 4 à 10 lits (avec salle de bains intégrée pour la plupart, et clim pour les *deluxe* ; quelques-uns réservés aux filles), plutôt bien pensés et entretenus, il faut le dire (liseuse, mini-étagère perso, grand coffre à bagages...). Atmosphère bois brut et postindustriel, avec des métaux patinés sur fond de murs chaulés. Grande cave voûtée pour le petit déj, et, dernière surprise, bar à tapas sur le toit-terrasse *(ouv dès 10h pour les hôtes, mais pour les autres seulement le soir 17h-2h – dès 13h le w-e –, et très couru : arriver tôt !).* Accueil efficace et souriant.

🛏 **Safestay Madrid** *(plan détachable D2, 37) :* c/ de Sagasta, 22, 28004. ☎ 91-445-03-00. ● *safes taymadrid@safestay.com* ● *safestay. com* ● Ⓜ *Alonso Martínez.* ♿ *Dortoirs 4-12 lits 21-29 €/pers, doubles sans ou avec sdb 55-65 € (parfois beaucoup plus chères), petit déj 3 €.* Installé dans un élégant édifice du XIXe s à la superbe façade. L'intérieur est à l'avenant, grands volumes confortables et décoration tout en couleurs. Chambres spacieuses et bien équipées (quelques dortoirs réservés aux filles), literie impeccable et belles salles de bains, privées pour une moitié des dortoirs. Pas de cuisine à dispo, mais petite restauration pas chère. Espaces communs hyper agréables, dont une salle de home cinéma (quand on en a plein les pieds) et un bar sur le toit, accueil jeune, pro et anglophone, qu'espérer de mieux ? Ça grouille d'animation, et c'est aux portes des quartiers branchés de Malasaña et Chueca !

🛏 **Mucho Madrid** *(plan détachable C3, 42) :* Gran Vía, 59 (7e étage ; ascenseur), 28015. ☎ 91-559-23-50. ● *reservas@ muchomadrid.com* ● *muchomadrid. com* ● Ⓜ *Plaza de España ou Santo Domingo. Lits 17-28 €/nuit selon saison, doubles 47-75 €, petit déj inclus. Réduc si l'on réserve en ligne.* Minuscule auberge de jeunesse privée dans un immeuble chicos de la Gran Vía. Propriétaire attentionné. Intérieur coloré et très propre, plus intime que les grandes AJ. Seulement 7 dortoirs de 2 à 4 lits, avec sanitaires sur le palier. Casiers personnels dans chaque dortoir. Coin cuisine.

🛏 **Way Hostel** *(zoom Las Letras D5, 45) :* c/ de Relatores, 17, 28012. ☎ 91-420-05-83. ● *info@wayhostel. com* ● *wayhostel.com* ● Ⓜ *Tirso de Molina. Lits 15-27 €/nuit, draps inclus, double avec sdb min 70 €.* Encore une AJ privée de très bonne tenue et très centrale, gérée de manière conviviale par une équipe polyglotte et multiculturelle. Dortoirs de 3 à 8 lits (plus un de 12 lits), casiers cadenassés, carte magnétique pour accéder aux chambres, sanitaires super propres. Seul un dortoir n'a pas de fenêtre. Au rez-de-chaussée, grande cuisine pour se préparer le petit déj et salle commune

avec TV. Et pour découvrir la ville, nombreuses activités et sorties proposées (sympa quand on voyage en solo !). Excellent accueil.

🛏 **Room 007 Ventura** *(zoom Las Letras D4, 30) :* c/ de Ventura de la Vega, 5, 28014. ☎ 91-420-44-81. ● *reservas@ room007.com* ● *room007.com* ● Ⓜ *Sol. Nuitée 17-25 € (jusqu'à 30 € en très hte saison), petit déj en sus.* Uniquement des dortoirs dans cette AJ privée à taille humaine, tous bien équipés, et disposant de leur propre salle de bains. En prime, une agréable terrasse sur le toit avec une petite cuisine, et de nombreux services (consigne payante, petit resto attenant, etc.). Accueil sympa comme tout, et bonne ambiance générale. Et puis l'emplacement est vraiment pratique !

🛏 **Los Amigos Hostel et Los Amigos VIP Rooms** *(zoom centre C4, 46) :* c/ del Arenal, 26, 28013. ☎ 91-559-24-72. ● *reservas@losamigoshostel. es* ● *losamigoshostel.es* ● *losamigos viprooms.es* ● Ⓜ *Ópera. Au 4e étage (ascenseur) à gauche pour l'hostel, au 3e étage pour les doubles. Nuitée en dortoir 19-30 €/pers, petit déj compris. Doubles sans ou avec sdb 60-90 €.* AJ d'une quarantaine de places, colorée, contemporaine et centrale, tenue avec soin. Dortoirs de 4 à 10 lits (dont 1 exclusivement féminin). Cuisine jolie et spacieuse, casiers, salon TV. Les dortoirs donnant sur la rue sont dotés d'un minibalcon. À l'étage du dessous, changement d'ambiance, plus de calme et plus soignées, la douzaine de chambres (dont 2 familiales) modernes, décorées avec des touches ethniques et d'un bon confort (douche à l'italienne dans les salles de bains, sèche-cheveux et TV). Certaines ont même un petit balcon. Accueil chaleureux aux 2 étages.

🛏 **Ok Hostel** *(zoom centre C5, 55) :* c/ de Juanelo, 24, 28012. ☎ 91-429-37-44. ● *reservations@okhostels. com* ● *okhostels.com* ● Ⓜ *La Latina ou Tirso de Molina. Pile à la limite entre Lavapiés et La Latina. Nuitée en dortoir 15-30 €, doubles 65-90 € ; petit déj-buffet 3 €. Dîner 10 €.* Cette immense (200 lits) AJ privée, nouvelle génération, est la 4e du genre du jeune proprio portugais, qui après

Yes à Lisbonne et Porto, puis *Yeah* à Barcelone a ouvert *OK* à Madrid. Elle a l'avantage d'être hyper bien placée. Les dortoirs avec salle de bains intégrée (max 6 lits), sont vraiment parmi les mieux équipés qu'on connaisse. Chaque matelas, outre le classique tiroir à bagages, dispose de son propre petit coffre, d'une loupiote et d'un store qui permet de s'isoler réellement des autres. Quant aux doubles, fonctionnelles et claires, certaines se parent même d'une terrasse. Déco rouge et blanc à tous les étages, à l'image de la grande salle du rez-de-chaussée, avec un bar accueillant, une grande lignée de tables et une longue fresque. Petit coin plus intime – avec gros coussins douillets – et cuisine. Les flemmards seront les anges, tous les soirs un chef propose un menu (il suffit de s'inscrire à la réception), dîner vers 21h. Au sous-sol, laverie. L'ensemble, baigné d'une bonne ambiance, est vraiment chouette, l'accueil pro et sympathique, et pas mal d'activités sont proposées (tapas tours, etc.).

🛏 *Generator Madrid* (plan détachable, **C3, 44**) : c/ de San Bernardo, 2, 28013. Tél. : 910-47-98-00. ● ask.madrid@staygenerator.com ● staygenerator.com ● ♿ *Lits en dortoirs 18-25 € (draps inclus, serviette en supplément), doubles avec sdb 60-120 € ; petit déj 7,50 €.* On ne dirait pas de l'extérieur, mais l'endroit était un parking ! Idéal pour garer son sac quelques jours dans l'un des nombreux dortoirs de 4 ou 8 lits (certains réservés aux filles), tous avec salle de bains intérieure, coffres, loupiotes à chaque lit, bref, bien équipés. Côté doubles, plutôt spacieuses et lumineuses, et meublées sobrement. Chaque étage est caractérisé par une couleur, ce qui vous évitera de vous perdre dans cette grande ruche de plus de 500 lits. Nombreux espaces communs, dont des salons télés, une belle cafèt' (mais pas de cuisine à dispo), et, enjoliveur sur la jante, un superbe bar sur le toit-terrasse (ouv mar-dim 17h-22h), accessible aussi aux non-résidents (petits veinards !). Une grosse structure qui roule bien !

🛏 *Room 007* (zoom Chueca D3, **80**) : c/ de Hortaleza, 74, 28004. ☎ 91-368-81-11. ● booking@room007.com ● room007.com ● Ⓜ Chueca ou Tribunal. *Nuitée 15-27 €, doubles 55-80 € ; familiales min 70 € ; petit déj 2 €.* Dans cette chouette auberge, récente et bien tenue, à la frontière entre Malasaña et Chueca, on pose son sac dans l'un des dortoirs de 4 à 11 lits (quelques-uns réservés aux filles), ou dans l'une des quelques doubles. Toutes sont équipées de leur propre salle de bains (serviette fournie) et de casiers, ce qui compense l'aspect sombre de certains des dortoirs. Agréable cuisine commune, baby-foot, resto au rez-de-chaussée, et même une terrasse où papoter jusqu'à plus soif. Accueil pro.

🛏 *Barbieri Sol Hostel* (zoom Las Letras D4, **50**) : c/ de la Victoria, 6, 28004. ☎ 91-522-41-98. ● booking sol@barbierihostel.com ● barbieriho stel.com ● Ⓜ Sol. Au 2e étage. *Nuitée 14-20 €/pers ; doubles 50-70 € selon confort et saison ; petit déj et draps/ serviette compris.* Ne vous étonnez pas de l'allure de cette AJ : il reste des vestiges, de-ci, de-là, de l'ancienne pension kitsch. Outre la situation centrale, on appréciera la vaste terrasse pour prendre le soleil et le petit déj, ainsi que la présence d'un coin douche et de w-c dans chaque dortoir. 4 chambres doubles dont une avec lit *matrimonial* (toutes avec douche, mais 2 avec toilettes communes), et des dortoirs de 4 à 6 lits. Certaines chambres avec balcon, toutes chauffées. Cuisine équipée, service de laverie, salon TV.

🛏 *Las Musas Residence* (zoom Las Letras D5, **38**) : c/ Jesús y María, 12, 28012. ☎ 91-539-49-84. ● info@las musashostel.com ● lasmusashostel.com ● Ⓜ Tirso de Molina. *Nuitée 15-25 € selon taille dortoir (10 lits, 4 lits avec sdb) ; doubles 48-75 € selon confort ; petit déj inclus.* Une grande AJ privée fort bien située à Lavapiés. Cadre et mobilier contemporains jouant beaucoup sur les couleurs. Réception pro et atmosphère sympa et animée. Sanitaires impeccables. Cuisine équipée, laverie, consigne à bagages, ping-pong, *lockers* individuels, petite salle d'ordinateurs, activités diverses, dont une balade à pied de 2h30 gratuite. Terrasse-bar sur le toit !

🛏 *Far Home Atocha* (zoom Las Letras D5, **36**) : c/ de Atocha, 45,

28012. ☐ 91-621-75-42. ● atocha@
farhomehostels.com ● farhomeho
stels.com ● Ⓜ Antón Martín. Nuitée en
dortoir 19-36 € selon taille (6-12 lits) ;
doubles dès 36-52 € selon saison
(mais bien demander avt, ça peut grimper assez haut) ; petit déj inclus. Une
belle AJ privée, fraîchement rénovée,
aux tons clairs, à proximité immédiate de tous les sites intéressants.
Par l'escalier derrière la réception, on
accède, au 1er étage, à une belle salle
commune avec tables hautes, canapés, cuisine équipée, ordinateur et
même un piano. Les dortoirs et chambres sont disposés sur les 3 étages du
bâtiment (ascenseur). Les salles d'eau
communes sont impeccables et très
bien tenues. Petit bémol tout de même
pour l'accueil, pas hyper souriant !

De la plaza de Santa Ana au paseo des Arts

Quartier éminemment touristique, bien
sûr, mais on y trouve de nombreux hostales à prix doux.

Prix moyens (50-70 €)

🏠 **Hostal Residencia Fernández**
(zoom Las Letras D5, **61**) : c/ del León,
10, 28014. ☎ 91-429-56-37. ● hostal-
fernandez@hotmail.com ● hostalfer
nandez.com ● Ⓜ Antón Martín. Au
1er étage. Double avec sdb 65 € (même
prix tte l'année), triple aussi. Réduc de
8 % sur les doubles sur présentation de
ce guide. Petit hôtel intime, calme et
vraiment agréable. Les chambres (avec
TV, clim et petit coffre-fort), comme les
salles de bains, sont nickel et égayées
de jolis couvre-lits. Accueil franc et un
poil anglophone. Une bonne adresse.
🏠 **Hostal Apolo XI** (zoom Las
Letras D4, **52**) : c/ de Espoz y Mina, 6
(3e D), 28012. ☎ 91-532-14-09.
● hostalapolo11@hotmail.com ● hos
talapolo11.com ● Ⓜ Sol. À 30 m de
la plaza Puerta del Sol. Au 3e étage,
à droite (ascenseur). Doubles avec
lavabo 45 €, avec sdb 55 €, familiales 60-80 €. Réduc de 10 % sur les
doubles sur présentation de ce guide.
Éminemment bien situé. Toutes les
chambres ont été rénovées récemment

dans des tonalités fraîches. Ça en fait
une adresse basique très convenable,
d'autant que c'est bien tenu et que
l'espace disponible fait qu'on n'est pas
les uns sur les autres. Plusieurs chambres à 3 ou 4 lits très pratiques pour un
groupe d'amis. Chambres sur rue logiquement plus bruyantes que celles sur
cour. Distributeur de boissons dans le
hall. Ensemble clair et accueil agréable.
🏠 **Sleep'n Atocha** (zoom Las
Letras E5, **40**) : c/ del Doctor Dru-
men, 4, 28012. ☎ 91-539-98-07.
● info@sleepnatocha.com ● sleepna
tocha.com ● Ⓜ Atocha. Double 70 €,
jusqu'à 90 € pdt les fêtes ; chambres
jusqu'à 4 pers, compter 40 €/pers en
hte saison ; petit déj 8,50 €. L'entrée,
avec son scooter bleu et ses télé-
phones vintage, accrochés aux murs,
donne déjà le ton. Les 80 chambres,
plus ou moins grandes, ont été rénovées dans un désir de modernité totale.
Même si les moins chères ne sont pas
bien grandes, elles sont lumineuses et
très confortables. Dans les triples et
quadruples, peu de lits superposés, et
salle de bains et w-c sont séparés :
pratique. Chaque étage possède sa
couleur dominante (orange au 1er).
Projection de film avec dégustation de
pop-corn gratuit (ts les jeu, ven et sam),
pour les clients. Derrière la réception,
déco scandinave pour le bar et les
2 petites salles (où l'on prend le petit
déj) pour se poser, petit coin épicerie
bien pratique et bocaux de bonbons
accessibles partout gracieusement. En
prime, au 7e étage, une terrasse semi-
fermée aménagée sur le toit, avec thé-
café et pâtisserie à dispo en journée, et
bar le soir (20h-23h, avec petite carte
de grignotage). Bref, ces nombreux
atouts et sa situation en font un super
bon camp de base pour visiter Madrid.
Accueil jeune et sympa.
🏠 **Hostal Pretoria** (zoom Las
Letras D4, **57**) : c/ de Espoz y Mina,
7, 28012. ☎ 91-531-93-29. ● hos
tal_pretoria@hotmail.com ● Ⓜ Sol. Au
3e étage (ascenseur). Doubles 55-65 €,
jusqu'à 75 € en très hte saison. Pas de
petit déj. Encore un hébergement à
l'ameublement réduit sa plus simple
nécessité, mais aux chambres carrelées, assez grandes, bien tenues et
claires, et pour une fois les salles de

bains ne sont pas trop étroites ! Accueil de bon conseil.

☖ Hostal Oliver y Alaska (zoom Las Letras D4, **57**) : c/ de Espoz y Mina, 7, 28012. ☎ 91-524-92-08. ● hostala laska@hotmail.com ● hostalalaska. es ● Ⓜ Sol. Au 4e étage (ascenseur). Résa conseillée. Doubles avec sdb 55-75 € selon taille (jusqu'à 90 € lors de fêtes importantes), triples aussi. Pas de petit déj, distributeur de boissons chaudes. Dans une rue particulièrement touristique et animée. Tout un étage aménagé en hostal, avec de grandes chambres propres et colorées, certaines aisément transformables en triple. Celles qui donnent sur l'intérieur sont moins chères... et plus calmes : à privilégier pour les sommeils légers. Notre préférée : la grande carrée avec les poutres apparentes, qui dégage un vrai charme. Un seul bémol : les salles de bains, si elles sont bien équipées, sont lilliputiennes !

De prix moyens à chic (50-90 €)

☖ Hostal La Bruña (zoom Las Letras E5, **59**) : c/ de Moratín, 50, 28014. ☎ 91-429-47-01. ● hostalbruna@ctv. es ● hostalbruna.es ● Ⓜ Antón Martín ou Atocha. À mi-chemin des musées du Prado et du Centro Reina Sofía. Au 2e étage. Doubles avec sdb 75-90 €. Pas de petit déj. Une belle cage d'escalier vert d'eau, et des chambres modernisées avec un peu de cachet (parquet), de tailles variables. Tout est propre comme un sou neuf, immaculé, relevé de touches de couleur, et la literie de bonne qualité. Tenu par une famille aussi accueillante que souriante, mais exclusivement hispanophone.

☖ Hotel Cortezo (zoom Las Letras D5, **53**) : c/ del Doctor Cortezo, 3, 28012. ☎ 913-69-01-01. ● reser vas@hotelcortezo.com ● hotelcortezo. com ● Ⓜ Sol ou Antón Martín. Doubles 55-80 € selon période et confort (jusqu'à 250 € pdt les fêtes). Hôtel moderne sur 5 niveaux, offrant des chambres impeccables, de bonne taille et de bon confort, le tout drapé dans une sobriété toute contemporaine (parquet, tons gris et bois). Çà et là, de grandes photos de sites iconiques de Madrid. Agréable terrasse solarium sur le toit, avec ses chaises longues, dominant le sud de la ville. Petit déj varié et bon accueil en prime.

☖ Hostal Persal (zoom Las Letras, D4-5, **58**) : pl. del Angel, 12. ☎ 91-369-46-43. ● info@hostalpersal.com ● hostalpersal.com ● ● : Sol. Doubles 75-95 € (jusqu'à 120 € le w-e). La belle façade bleue attire l'œil, de même que, au fond du hall, l'agréable salle commune-bibliothèque, haute de plafond et aérée (qui accueille aussi le petit déj). Du côté des chambres, la sobriété du mobilier et les quelques touches de couleurs évoquent le vintage des années 1950, même si les salles de bains, elles, sont un peu datées. Tout confort cependant. Pour être au calme avec certitude, privilégier les chambres à l'arrière. Bon accueil, personnalisé.

☖ Hostal Gonzalo, Pension Corbero, Hostal Cervantes (zoom Las Letras E4, **60**) : c/ de Cervantes, 34, 28014. À 5 mn à pied des musées du Prado et du Thyssen-Bornemisza. **Gonzalo** : 3e étage. ☎ 91-429-27-14. ● hostal@hostalgon zalo.com ● hostalgonzalo.com ● **Corbero** : 1er étage. ☎ 91-429-41-71. ● donato@hostalcorbero.com ● pen sioncorbero.com ● **Cervantes** : 2e étage. ☎ 91-429-83-65. ● correo@hostal-cervantes.com ● hostal-cervantes. com ● Pour **Gonzalo** 65 € et **Corbero**, selon saison, doubles avec sdb env 65 € ; pour **Cervantes**, 60-75 €. Ascenseur. Situés tous les 3 dans le même immeuble bourgeois XIXe s, à différents étages. C'est la raison de notre choix : si l'un est complet, il reste les autres. Intérieur propre et bien tenu pour chacun, et bon confort : clim, TV, sèche-cheveux ou même coffre-fort. Des 3, le Gonzalo, un poil plus cher, est le plus coquet dans le genre classique, et l'accueil y est très prévenant. Le Corbero, de taille plus modeste, affiche la déco la plus moderne et colorée, mais reçoit avec une gentillesse un peu fatiguée. Quant au Cervantes, s'il se distingue par des chambres un poil plus grandes, avec des rangements et des salles de bains équipées de douche pour la plupart, l'ensemble, très blanc sur blanc, est un brin moins chaleureux. Mais l'accueil souriant et sautillant compense.

☖ Hostal Atelier (zoom Las Letras D4,

66) : *c/ del Príncipe, 18, 28012.* ☎ *91-531-66-00.* ● *hostalatelier. com* ● Ⓜ *Sol. Au 1er étage à droite. Doubles standard 54-75 €, supérieures 63-85 € selon saison. Pas de petit déj.* Une petite structure de 12 chambres à peine, entièrement et joliment rénovées dans des tons fleuris. C'est frais, moderne, impeccable, et d'un excellent confort : il y a même une bouilloire dans chaque chambre. Les supérieures, plus grandes, profitent pour certaines d'un balcon. Accueil fort sympathique. Et si c'est plein, il suffit de prendre l'ascenseur : la famille – frère, cousin, etc. – a ouvert 1 ou 2 *hostales* par étage ; tous modernes et agréables, et dans les mêmes fourchettes de prix. Au 4e (qui offre les chambres les plus lumineuses), d'un côté *Hostal Alexis* (☎ *91-032-11-80,* ● *hostal.alexis@ gmail.com* ● *hostalalexis.com* ●), une vraie bonbonnière et un accueil plein d'humour. De l'autre l'*Hostal Madrid Sol* (☎ *91-531-32-70,* ● *reservas@ hostal-madridsol.com* ● *hostal- madridsol.com* ●), à la déco plus graphique : le rouge réveille, mais les salles de bains sont bien petites, et du coup les prix sont un peu surestimés.

🛏 *JC Rooms Santa Ana* (*zoom Las Letras D4, 39*) : *c/ de la Cruz, 8, 28012.* ☎ *91-531-44-03 ou 902-400-409.* ● *santaana@jchoteles.com* ● *jchoteles. com* ● Ⓜ *Sol. Doubles 46-95 €.* Au 1er étage, une douzaine de chambres sur la thématique des provinces espagnoles : un décor aux couleurs pétantes (avec une immense photo au-dessus du lit), un mobilier et une salle de bains hyper modernes. De même, tout le confort espéré, clim, ordi et connexion dans presque toutes les chambres... Petit déj servi dans une cafétéria voisine. Un peu cher quand même en pleine saison. *Même maison, c/ Flora (voir plus loin).*

🛏 *The Tirso Molina Hostel* (*zoom Las Letras D5, 43*) : *c/ del Mesón de Paredes, 9, 28012.* ☎ *91-539-80-66.* ● *reservastirsomolina@thchostels. com* ● *thchostels.com* ● Ⓜ *Tirso de Molina. Au coin de la c/ Juanelo. Doubles 55-75 € (jusqu'à 130 € en très hte saison). Pas de petit déj.* Hôtel joliment rénové proposant de très agréables chambres à des prix

vraiment intéressants. Cadre genre « modern style » sachant allier sobriété et élégance, et salles de bains nickel. 2 chambres avec terrasse (un brin plus chères). Très bien situé, mais manque un poil d'atmosphère (aucune partie commune où se retrouver !). Très bon accueil cela dit.

🛏 *Hotel Villamañez* (*zoom Las Letras E4, 51*) : *c/ de San Agustín, 6, 28014.* ☎ *91-429-90-33.* ● *hostalvil lamanez@gmail.com* ● Ⓜ *Sevilla. Au 2e étage, à droite. Doubles avec sdb 50-65 €. Pas de petit déj.* Si le hall de l'immeuble est un peu défraîchi, les chambres, elles, d'une blancheur lumineuse, sont agréables et très bien tenues (matelas tout neufs), quoique de tailles très variables (certaines étroites, vraiment). Quelques-unes donnent sur le jardin arrière. Calme et confortable, un bon rapport qualité-prix.

🛏 *Hostal Esmeralda* (*zoom Las Letras D4, 62*) : *c/ de la Victoria, 1, 28012.* ☎ *91-521-00-77.* ● *reservas@ hresmeralda.net* ● *hresmeralda. net* ● Ⓜ *Sol.* ♿ *Au 2e étage (ascenseur). Doubles 50-80 €.* Une vingtaine de chambres confortables, d'un blanc immaculé (déco plutôt neutre), toutes identiques et d'une propreté exemplaire. Toutes donnent sur la rue (double vitrage) et sont équipées de la clim, la TV et d'un coffre individuel, ce qui compense presque l'étroitesse des salles de bains (avec sèche-cheveux). Accueil très gentil.

🛏 *Hostal Victoria II* (*zoom Las Letras D4, 63*) : *c/ de las Carretas, 3, 28012.* ☎ *91-522-15-49. Accueil et résas auprès de Hostal Victoria I (zoom Las Letras D4, 56), c/ de las Carretas, 7, 28012, au 2e étage.* ☎ *91-522- 99-82.* ● *reservas@hostal-victoria. com* ● *hostal-victoria.com* ● Ⓜ *Sol. Aux 2e et 4e étages. Résa conseillée. Doubles 55-85 € avec sdb, triples aussi. Pas de petit déj. Parking à 400 m 13 €/j. Réduc de 10 % sur les doubles sur présentation de ce guide aux Victoria I et Victoria II. Hostal* impeccable et bien arrangé. Des allures de petit hôtel, vu le confort proposé : clim, salle de bains nickel (certes, riquiqui), coffre- fort, TV satellite, minibar et téléphone dans toutes les chambres. Bonne literie et accueil pro. Notre préférence va nettement au **Victoria II** pour sa déco plus aboutie, mais le **Victoria I**, au mobilier plus ancien, présente un confort du même type. Très bon rapport qualité-prix pour l'ensemble.

🛏 **Artistic B & B** *(zoom Las Letras D5, 35)* : *c/ de Lope de Vega, 11, 28014.* 📠 *654-36-86-11.* ● *info@artisticbandb. com* ● *artisticbandb.com* ● Ⓜ *Antón Martín. Au 3ᵉ étage (sans ascenseur). Congés : 15 j. en janv, 15 j. en août. Doubles avec sdb 61-84 €, copieux petit déj inclus.* Un ravissant appartement proposant 6 chambres de bon confort, pas très grandes. Les jeunes proprios ont choisi de rénover cet appartement en lui donnant un aspect vieilli très coloré, inspiré de la chaleur de l'Amérique du Sud (d'ailleurs, Rodolfo est argentin) : murs peints à l'éponge, parquet gratté, mobilier faussement ancien, tissus « ethniques ». Tout cela est bien charmant et vraiment convivial, assorti d'un accueil très souriant : une vraie maison d'hôtes où l'on prend le temps de se parler.

De plus chic à très chic (de 90 à plus de 120 €)

🛏 **Room Mate Alicia** *(zoom Las Letras, D4, 64)* : *c/ Prado, 2, 28014.* ☎ *91-389-60-95.* ● *alicia@room-matehotels. com* ● *room-matehotels.com* ● Ⓜ *Sol ou Antón Martín. Doubles standard 130-150 € ; à partir de 250 € avec terrasse.* Pour la petite histoire, la belle façade Art déco toute en courbes qui donne sur la plaza Santa Ana se retrouve dans *Parle avec elle*, de Almodóvar (et même l'intérieur, avant la transformation en hôtel). Les chambres sont aujourd'hui d'un design étudié, coloré et très fonctionnel. Plutôt grandes côté façade, un poil plus étroites (et moins chères... pas de secret !) côté interne. Et pour sortir le grand jeu, certaines, dans les derniers étages, s'élargissent d'une terrasse ! Classe, non ? Excellent petit déj-buffet servi jusqu'à 12h (bonne grasse mat' les amis), accueil fort souriant, et situation plutôt idéale, il faut l'avouer.

🛏 **Alhambra Suites** *(zoom Las Letras D4, 67)* : *c/ de Espoz y Mina, 8, 28012.* ☎ *91-522-91-03.* ● *info@ alhambrasuites.com* ● *alhambrasuites. com* ● Ⓜ *Sol. Au 2ᵉ étage (ascenseur).*

Doubles 125-145 €, triple et suite aussi. Une trentaine de belles chambres spacieuses tout en longueur, réparties sur 2 étages (près de 30 m² pour les suites), claires, à la décoration bien contemporaine, dans un élégant camaïeu de gris et de noir. Minibar, sèche-cheveux, clim, coffre et salles de bains soignées : excellent confort, même si le lavabo est parfois dans la chambre. Attention, les *standard* sont vraiment petites. Accueil bien sympa et pro. Une photo de l'Alhambra à la réception tente de justifier le nom de l'établissement, dont la déco n'a vraiment rien d'andalou.

🛏 **Vincci Soho** *(zoom Las Letras D4, 100)* : *c/ del Prado, 18-20, 28014.* ☎ *91-141-41-00.* ● *soho@vinccihoteles.com* ● *vinccihoteles.com* ● Ⓜ *Antón Martín. Doubles standard en général 90-140 €, petit déj 17 € (souvent inclus) ; jusqu'à 250 € en très hte saison.* En plein cœur du barrio de Las Letras, cet hôtel 4 étoiles a investi 5 immeubles anciens, habilement réhabilités et totalement remodelés intérieurement. Côté chambres, les *standard* sont déjà très bien, d'un excellent confort, certaines avec balconnet, et l'ameublement mêle modernisme de belle facture (beaux matériaux) et touche design. Classique, donc, mais classe. Très bon accueil et vaste terrasse-patio pour goûter la douceur du soir.

🛏 **Petit Palace Lealtad Plaza** *(zoom Las Letras E4, 102)* : *c/ de Antonio Maura, 5, 28014.* ☎ *91-522-45-47.* ● *lealtad@petitpalace.com* ● *petitpalace.com* ● Ⓜ *Banco de España. Doubles 90-150 €, triple et familiale aussi ; petit déj-buffet inclus.* À 3 mn à pied derrière le Prado, baignant déjà dans l'ambiance chic et mesurée du quartier de Salamanca, un petit luxe à taille humaine, aménagé dans un bel édifice en pierre et brique du XIXᵉ s. Comme dans les autres hôtels de la chaîne, la modernité est sobrement à l'honneur (prêt de vélos et d'iPad), et le confort irréprochable. Petit plus, une jolie utilisation des éléments d'architecture d'origine : moulures, insert, briques patinées et beaux parquets. Préférer les supérieures, qui donnent sur la rue et gagnent en lumière. Accueil très agréable, parfois francophone.

🛏 *Hotel II Castillas (plan déta-chable D4, 68) :* c/ de la Abada, 7, 28013. ☎ 91-524-97-50. ● reservas@hoteldoscastillas.com ● hoteldoscastillas-madrid.com ● ℳ Sol ou Callao. Doubles 70-140 €, petit déj inclus. Un hôtel à l'ancienne, pas du tout design (pour une fois !), plutôt cossu même, dans une petite rue au cœur du quartier commerçant. Chambres confortables et très classiques, spacieuses et arrangées avec goût. Belles salles de bains avec douche à jet hydromassant pour certaines ou baignoire. Personnel avenant. Pour profiter de l'animation madrilène tout en restant au calme.

🛏 *Urban Hotel (zoom Las Letras D4, 69) :* carrera de San Jerónimo, 34, 28014. ☎ 91-787-77-70. ● urban@derbyhotels.com ● hotelurban.com ● ℳ Sevilla ou Sol. ♿ Doubles 200-300 € selon affluence et saison. Waouh ! Un superbe hôtel design au cœur de la ville (un des plus beaux) avec d'impressionnants volumes, beaucoup de transparences, une modernité contrôlée, rehaussée de touches ethniques, comme ces magnifiques statues de Papouasie à l'accueil. Chambres à l'unisson, avec tout le confort dont on peut rêver. La plus belle est la n° 438. Resto chic et cher et bar plus que branché, dont la clientèle se répartit entre le rez-de-chaussée stylisé et, l'été, le toit-terrasse (et sa piscine) dominant la ville.

Le Madrid de Los Austrias

Toujours le centre historique et touristique, autour de la plaza Mayor.

De prix moyens à chic (50-90 €)

🛏 *JC Rooms Puerta del Sol (zoom centre C4, 54) :* c/ Flora, 4, 28013. ☎ 91-559-40-14. ● recepcion@jchoteles.com ● jchoteles.com ● ℳ Ópera. Doubles 60-90 € (dès 45 € hors saison). Petit déj en sus, servi au proche JC Rooms Santo Domingo. Dans une petite rue tranquille, au 1er étage. Sur une thématique des principales plazas, museos et puertas de Madrid, des couleurs éclatantes (immense photo au-dessus du lit), un mobilier pop, une salle de bains acidulée. De même, tout le confort attendu, clim et ordi dans la plupart des chambres... Pas immenses cependant, les chambres, et donnant sur un patio pour la plupart, donc peu lumineuses. Accueil aimable.

🛏 *Hostal Cruz Sol (zoom centre C4, 72) :* pl. de Santa Cruz, 6, 28012. ☎ 91-532-71-97. ● info@hostalcruzsol.com ● hostalcruzsol.com ● ℳ Sol. Au 3e étage (ascenseur). Double avec sdb 65 € (même prix tte l'année : une rareté !). Pas de petit déj. À 80 m de la plaza Mayor, dans le quartier piéton. Dans un immeuble cossu, un hostal tout ce qu'il y a de plus correct, avec des chambres certes petites et sans déco mais bien équipées (clim, coffre, sèche-cheveux, frigo) et lumineuses, et un accueil très gentil. Vue sur la place ou sur les rues piétonnes. Une de nos bonnes adresses dans ce quartier central.

🛏 *Hostal Hispalense (zoom centre C4, 74) :* c/ de las Fuentes, 12, 28013. ☎ 91-542-18-52. ● info@hostalhispalense.es ● hostalhispalense.es ● ℳ Ópera. Au 2e étage. Résa conseillée. Résa impérative. Doubles 40-85 € selon sem ou w-e (hors fêtes et j. fériés). Pas de petit déj. Un petit hostal très bien placé, offrant une dizaine de chambres, à 2 mn à pied de la plaza Mayor. Accueil charmant de la patronne, ayant vécu plus de 15 ans en France. Les 10 chambres, bien agréables, sont gentiment décorées et toutes différentes, avec salle de bains impeccable, clim et réfrigérateur. Un bon choix. Cloisons peu épaisses cependant : le bruit se propage vite !

🛏 *Hostal La Macarena (zoom centre C4, 75) :* c/ cava de San Miguel, 8, 28005. ☎ 91-365-92-21 ou 91-366-61-11. ● macarena@silserranos.com ● silserranos.com ● ℳ Sol. Au 2e étage (ascenseur). Double avec sdb env 79 €. Pas de petit déj. Très bien situé : à deux pas de la plaza Mayor et du Mercado San Miguel... L'hôtel se trouve en face de l'une des anciennes murailles de la ville, dans un bel immeuble calme. Petites moulures ton sur ton dans les teintes claires : ambiance très classique ! Les chambres sont mini, mais l'ensemble est agréable et la plupart

MADRID ET SES ENVIRONS

ont un balcon (et clim). Accueil très avenant.

⌂ *Hotel Mayerling (zoom Las Letras D5, 49) :* c/ del Conde de Romanones, 6. 28012. ☎ 91-420-15-80. ● recepcion@mayerlinghotel.com ● mayerlinghotel.com ● Ⓜ Tirso de Molina ou Sol. Double env 80 € (pointe à 130 € en très hte saison, mais 50 € en basse saison...). Petit déj buffet 6 €. À la limite entre Los Austrias, La Latina et Lavapiés, les chambres claires et colorées, modernes et rénovées comme tout l'édifice, offrent un confort très honnête (bons matelas et bonne insonorisation), même si les salles de bains très ouvertes sur les chambres ne plairont pas à tous. En tout cas, le rapport qualité-prix est excellent, les buffets du petit déj (en supplément) bien garnis, l'accueil aux petits soins (et souvent en français), et café et thé restent à disposition des hôtes toute la journée.

Plus chic (90-120 €)

⌂ *Petit Palace Posada del Peine (zoom centre C4, 68) :* c/ Postas, 17, 28012. ☎ 91-523-81-51. ● posadadelpeine@petitpalace.com ● Ⓜ Sol. Doubles 110-120 €, jusqu'à 150 € en très hte saison ; petit déj 12-14 €. Vraiment très bien placé, à un jet de pierre de la plaza Mayor, dans un bel édifice typique du Madrid de Los Austrias, avec ses balconnets en fer forgé et sa façade ocre. Ce serait d'ailleurs le plus ancien hôtel de Madrid, mais tant de fois remanié – et désormais réorganisé sur 3 édifices – que seul l'escalier témoigne de son âge vénérable. Les 3 catégories de chambre (en fonction de leur taille) permettent de ménager différents budgets. Tout confort partout, comme dans tous les établissements de cette petite chaîne espagnole, et un accueil très professionnel et attentif.

⌂ *Hotel Room Mate Mario (zoom centre C4, 83) :* c/ de Campomanes, 4, 28013. ☎ 91-548-85-48 ; résas : ☎ 91-217-92-87. ● mario@room-matehotels.com ● room-matehotels.com ● Ⓜ Ópera ou Santo Domingo. Double min 100 € selon taille et saison ; petit déj-buffet env 9 €. Pour les amoureux du bel canto, à 50 m de l'Opéra. Un

hôtel design, appartenant à la chaîne *Room-matehotels* (3 autres hôtels dans Madrid, dont 1 – moins réussi à notre avis mais au bar très tendance – dans le quartier de Chueca). Installé dans un vieil immeuble bourgeois du quartier de l'Opéra, et décoré par un adepte du minimalisme : hall de réception dans les tons noir et orange, salle à manger plutôt verte et des chambres très agréables à l'esthétique graphique, originale et soignée. Tout le confort, et surtout la possibilité de profiter du wifi gratuit dans toute la ville, avec un routeur de poche fourni avec la chambre. Accueil et service au diapason.

⌂ *Palacio San Martín (zoom centre C4, 77) :* pl. San Martín, 5, 28013. ☎ 91-701-50-00, central de résa. ☎ 96-439-44-97. ● sanmartin@intur.com ● hotelpalaciosanmartin.es ● Ⓜ Ópera ou Sol. Doubles min 86 € au rdc, sinon min 110 € ; petit déj 16 €. Dans un bel immeuble du XIXe s, plus de 80 chambres, avec un patio intérieur sous verrière propice au farniente. Qu'il s'agisse des contemporaines du rez-de-chaussée (qui manquent cependant de lumière naturelle) ou des classiques directement inspirées du grand style du bâtiment, chambres lumineuses, de grand standing et plutôt vastes, excellents couchages et moquettes moelleuses. Douches à jet hydromassant, clim, coffre-fort, minibar et tout le tralala. Resto très agréable servant en continu de 11h à minuit.

Autour de la Gran Vía et de la plaza Puerta del Sol

Un peu au nord de la puerta del Sol, la Gran Vía est une large saignée à la Haussmann, où l'on trouve de grandes salles de cinéma, fast-foods, drugstores et magasins de chaîne. Le quartier abrite de nombreuses pensions et autres *hostales,* faites votre choix, mais attention au bruit la nuit : évitez si possible de prendre une chambre donnant sur une grande artère. Environnement moins sympa que le vieux quartier de la plaza Mayor, mais chambres plus grandes en général.

Prix moyens (50-70 €)

🛏 **Hostal Luis XV** (zoom Chueca D4, **48**) : c/ de la Montera, 47, 28013. ☎ 91-522-10-21. ● reservas@hostalluisxvmadrid.com ● hostalluisxvmadrid.com ● Ⓜ Gran Vía ou Sol. Presque à l'angle de Gran Vía, 8ᵉ étage (ascenseur, chouette !). Doubles avec sdb 50-90 € selon saison. Pas de petit déj. De bonnes prestations : clim, TV, téléphone, coffre-fort ; et surtout la vue splendide sur Madrid (depuis les chambres triples, notamment). Forcément, à cette hauteur, ça aide, et puis on échappe un peu au bruit de la rue. Cadre sobre, voire vieillot, quelques chambres plus spacieuses que d'autres.

De prix moyens à plus chic (50-120 €)

🛏 **Praktik Metropol** (zoom Chueca D4, **48**) : c/ de la Montera, 47. ☎ 91-521-29-35. ● reservas@praktikmetropol.com ● praktikmetropol.com ● Ⓜ Gran Vía ou Sol. Presque à l'angle de Gran Vía, réception au 1ᵉʳ étage et chambres aux 2, 3, 4 et 9ᵉ (ascenseur). Doubles 50-200 € selon saison et catégorie, petit déj 6 €. Dans un esprit loft réchauffé par des fauteuils club, une immense table en bois, des couleurs acidulées et des échappées vintage et design, voilà un établissement dans l'air du temps, réparti sur plusieurs étages. Si les chambres standard, petites, donnent sur le patio intérieur, les supérieures sont spacieuses et claires pour la plupart. Quant aux skyline, elles offrent une vue superbe sur les toits foisonnants de la Gran Vía. Panorama pour tous depuis la terrasse aménagée au 9ᵉ étage. Petits coins salon essaimés un peu partout.

De plus chic à très chic (de 90 à plus de 120 €)

🛏 **Hotel Santo Domingo** (plan détachable C3, **99**) : c/ de San Bernardo, 1 (pl. Santo Domingo), 28013. ☎ 91-547-98-00. ● reserva@hotelsantodomingo.es ● hotelsantodomingo.es ● Ⓜ Santo Domingo. Doubles 120-230 € selon saison et confort, petit déj inclus ; suites. Parking. Reconversion réussie pour ce classique 4-étoiles passé entre les mains de talentueux architectes et décorateurs. Parti pris d'un élégant design, d'espaces originaux, de couleurs sobres et nuancées et d'utilisation de matériaux nobles et bruts (aluminium, cuivre jaune...) en des formes insolites. Les chambres ont en commun beaucoup de charme, un style épuré, des lumières douces, de superbes salles de bains, et tout, tout le confort imaginable... En revanche toutes sont résolument différentes ! Sur le toit, avec vue imprenable sur la ville, mur végétalisé, belle piscine (ouv juin-sept) et bar un rien bling-bling au mobilier plastoc-design, le **Sunset Lookers**.

🛏 **De Las Letras Hotel** (zoom Chueca D4, **70**) : Gran Vía, 11, 28013. ☎ 91-523-79-80. ● las.letras@iberostar.com ● hoteldelasletras.com ● Ⓜ Gran Vía ou Sevilla. Doubles 148-288 € selon saison, min 211 € avec terrasse, et min 234 € avec terrasse ET jacuzzi privés. Petit déj 18 €. Intéressantes promos sur Internet. Encore un hôtel design réussi, aménagé dans un majestueux édifice datant de 1917. Pierres et bois jouent ici à cache-cache avec les couleurs chaleureuses des chambres : parquets anciens et grandes hauteurs sous plafond témoignent de la respectabilité de l'endroit, et s'harmonisent parfaitement avec la modernité des tapis et du mobilier. Et, partout, dans les couloirs, les escaliers et au-dessus des lits, des citations de grands écrivains... à retrouver dans la bibliothèque, bien sûr ! Également un resto gastronomique (Al Trapo), un bar à cocktails-resto très agréable sur le toit (El Ático, tlj 17h-2h), etc. Accueil pro sans être guindé.

🛏 **Hotel Moderno** (zoom Las Letras D4, **78**) : c/ del Arenal, 2, 28013. ☎ 91-531-09-00. ● info@hotel-moderno.com ● hotel-moderno.com ● Ⓜ Sol. Quasiment sur la pl. Puerta del Sol. Selon saison, doubles 100-130 €, jusqu'à 170 € avec terrasse, petit déj 10 €. Cet hôtel sobre et classique est rénové dans un style contemporain tout aussi classique, qui a su préserver son indépendance. Accueil pro et cravaté. Si vous êtes en fonds, choisissez de préférence une chambre au 6ᵉ étage : vous aurez un balcon donnant sur la plaza Puerta del Sol. Un peu cher, il faut le reconnaître : un tel emplacement se paie. Terrasse au dernier étage.

Dans le quartier de Chueca

De prix moyens à plus chic (50-120 €)

🛏 **Hostal Don Juan** (zoom Chueca D3, **88**) : pl. Pedro Zerolo, 1, 28004. ☎ 91-522-31-01 ou 77-46. ● hshostal donjuan@gmail.com ● hostaldonjuan. net ● Ⓜ Gran Vía ou Chueca. ♿ Au 2ᵉ étage. Doubles avec sdb 59-76 €, triple aussi. Pas de petit déj. Sur présentation de ce guide, réduc de 5 % sur les doubles. Dans un grand immeuble sur une place piétonne, 44 chambres impeccables, et vastes pour la plupart, avec un beau parquet vitrifié, TV, clim, téléphone. Agréables parties communes. Une vraie déco personnalisée, haute en couleur : vénérable mobilier souvent sculpté, peintures anciennes, beaux bibelots, pas mal de charme ! Triples très intéressantes. Accueil adorable, en espagnol ou en anglais. Un excellent rapport qualité-prix.

🛏 **Pensión Domínguez** (zoom Chueca D3, **90**) : c/ Santa Brígida, 1, 28004. ☎ 91-532-15-47. ● post master@hostaldominguez.com ● pen siondominguez.com ● Ⓜ Tribunal ou Chueca. Au 1ᵉʳ étage, à droite. Congés : août. Double avec sdb env 50 €, familiale aussi. Pas de petit déj. CB refusées. Possibilité d'arranger des chambres triples sur demande. Rénové. Des chambres plus ou moins lumineuses avec salle de bains (parfois) microscopique, clim et chauffage, toutes très propres. Quelques chambres de même type au 2ᵉ étage aussi. Accueil anglophone. Pas de petit déj, mais une excellente marisquería au rez-de-chaussée ! Une adresse parfaite pour sortir dans Chueca comme dans Malasaña.

🛏 **Hostal María Luisa** (zoom Chueca D3, **92**) : c/ de Hortaleza, 19, 28004. ☎ 91-521-16-30. ● info@hos talmarialuisa.com ● hostalmarialuisa. com ● Ⓜ Gran Vía. Au 2ᵉ étage (ascenseur). Doubles avec sdb 50-69 €. Min 2 nuits le w-e (ven-sam). Toutes les chambres ont téléphone, clim, réfrigérateur pour certaines, et même coffre ! Impeccablement tenu par la sympathique María Luisa et son équipe. Les chambres donnant sur la cour intérieure sont très calmes, celles sur rue plutôt bien insonorisées. Déco à l'ancienne. Accueil mitigé.

🛏 **Hostal Greco** (zoom Chueca D3, **91**) : c/ de las Infantas, 3, 28004. ☎ 91-522-46-31/32. ● info@hos talgreco.com ● hostalgreco.com ● Ⓜ Gran Vía ou Chueca. Au 2ᵉ étage (ascenseur). Doubles 50-100 €, triples aussi ; pas de petit déj. Réception un peu baroque, mais les chambres sont plaisantes, claires, prolongées d'un balcon ou d'une véranda (vue sur la rue ou sur le patio), et équipées de téléphone, clim et TV, et parfois d'un frigo. Plutôt spacieux, sauf les salles de bains, grandes comme des mouchoirs de poche. Un des fils est francophone, l'autre parle l'anglais. Une bonne adresse.

🛏 **Hostal San Lorenzo** (zoom Chueca D4, **89**) : c/ del Clavel, 8, 28004. ☎ 91-521-30-57. ● reservas@ hotel-sanlorenzo.com ● hotel-sanlo renzo.com ● Ⓜ Gran Vía ou Chueca. Réception à l'étage. Doubles 65-110 € (dès 43 € sur Internet en sem et basse saison). Petit déj buffet 7,50 €. Voici un hôtel devenu spacieux, grâce au regroupement de plusieurs hostales d'un même bâtiment, et qui, du coup, propose aujourd'hui 65 chambres dans ce charmant quartier de Chueca. Bien qu'elles aient été rénovées dans un style un peu désuet, les chambres sont soignées et bien équipées (clim, téléphone, sèche-cheveux). Insonorisation intérieure un peu légère cependant. Certaines avec balcon donnent sur la plaza Pedro Zerolo. Accueil cordial.

🛏 **Hostal Hispano** (zoom Chueca D3, **93**) : c/ de Hortaleza, 38, 28004. ☎ 91-531-48-71 ou 28-98. ● info@ hostalhispano.com ● hostalhispano.

es ● Ⓜ *Chueca. Au 2ᵉ étage (ascenseur). Doubles 60-120 €.* Une vingtaine de chambres agréables, ornées de grands posters, toutes refaites dans un esprit moderne qui oscille entre la bonbonnière et le méditerranéen. On aime ou pas, mais c'est original. Mobilier de qualité, bonne literie, clim et coffre-fort. Propreté impeccable. Petit déj en option, servi dans une cafèt' voisine. Un regret quand même : le très grand écart des tarifs en fonction des saisons.

De plus chic à très chic (de 90 à plus de 120 €)

🏠 *Vincci The Mint (zoom Chueca D4, 95) : c/ Gran Vía, 10, 28013.* ☎ 91-203-06-50. ● reservas.themint@vincci hoteles.com ● vinccithemint.com ● Ⓜ *Atocha. Doubles standard 90-200 €, petit déj inclus. Parking.* Cette chaîne d'hôtels a pris l'initiative de récupérer des bâtiments historiques pour les transformer en hôtels de luxe. Ce superbe bâtiment du début du XXᵉ s a été restauré en alliant harmonieusement authenticité et déco ultra design parfaitement réussie. Ambiance très new-yorkaise, pas vraiment de réception, c'est le bar qui en fait office, permettant au client d'attendre son tour en buvant un verre. Les 88 chambres modernes, sans excès dans la déco, murs bleus, mobilier design et draps blancs, sont superbes. Les salles de bains, dont certaines avec baignoire, ne sont pas en reste. Quelques chambres ont une terrasse (les plus chères). Très belle terrasse pour tous sur le toit avec son original « food truck » en lieu et place d'un bar.

Spécial coup de folie !

🏠 *Only You Boutique Hotel (zoom Chueca E3, 71) : c/ Barquillo, 21, 28004.* ☎ 91-005-22-22. ● madrid@ onlyyouhotels.com ● onlyyouhotels. com ● Ⓜ *Chueca. Double min 225 €.* Au cœur de Chueca et de Salesas, voici rien moins qu'un petit palais du XIXᵉ s, demeure d'un négociant fortuné, transformé en très bel hôtel.

Rénovation et décoration ont préservé nombre de carrelages, cheminées et moulures, rehaussés et complétés par un savoureux mélange de mobilier et d'objets baroques, design, vintage... voire de copies d'antiquités : très exubérant, tout ça ! Beaucoup évoquent le voyage, comme ces vieilles malles-cabines ou les cartes anciennes qui habillent les murs. Côté chambres, modernité et confort priment, même si on peut reprocher aux *deluxe* (entrée de gamme) de n'être pas bien spacieuses. D'autres, plus chères, arborent poutres apparentes ou vaste terrasse. Les patios, salons, bars et restaurants se visitent presque comme un musée ! Service très attentionné, avec, ce qui ravira les noctambules, un petit déj servi 24h/24.

Dans le quartier de Malasaña

Bon marché (max 50 €)

🏠 *Hostal Machín (zoom Chueca D3, 85) : c/ de Valverde, 9, 28004.* ☎ 91-522-26-14. ● info@hostal machin.com ● hostalmachin.com ● Ⓜ *Gran Vía. Au 4ᵉ étage (ascenseur). Fermé en août. Résa conseillée. Doubles avec lavabo ou sdb 40-50 €. Pas de petit déj.* Un *hostal* simple et accueillant, proposant des chambrettes climatisées au joli mobilier de bois et à la literie confortable, chacune avec son lavabo et sa baignoire sabot dans un coin (w-c sur le palier) plus, parfois, un petit frigo et un coffre. Tout est très propre, à défaut d'être spacieux. Petite terrasse aménagée sur le toit. Micro-ondes et distributeur de café à dispo. Consigne à bagages.

🏠 *Pil Pil Hostel (plan détachable B2, 33) : c/ de los Mártires de Alcalá, 5, 28015. Angle c/ Seminario de Nobles.* ☎ 91-051-96-73. ● holama drid@pilpilhostel.com ● pilpilhostel. com ● Ⓜ *Ventura Rodríguez.* ♿ *Dortoirs de 4, 6 et 10 pers, 13-20 €/pers ; doubles 35-55 € selon saison, petit déj inclus.* Une soixantaine de lits en tout, pour cette auberge privée, installée au rez-de-chaussée et 1ᵉʳ étage d'un immeuble. Dortoirs mixtes et dortoirs pour les filles. Matelas neufs et propreté impeccable. Douches à l'italienne avec carrelage coloré dans les salles de bains. Les parties communes ferment à minuit pour la tranquillité de ceux qui souhaitent dormir ! Cuisine à dispo au rez-de-chaussée.

🏠 **Hostal Nueva Montaña** *(plan détachable C3, 79) : c/ de la Luna, 30, 28004.* ☎ *91-521-60-85.* 📱 *640-53-55-58.* ● *hrnuemont@gmail. com* ● 🚇 *Plaza de España ou Callao ou Noviciado. Au 2ᵉ étage, à droite. Doubles 35-40 € selon confort (lavabo ou douche, w-c communs), familiales 50-60 €. CB refusées. Réduc de 10 % si séjour de 7 j. min sur présentation de ce guide.* Préférer les chambres sur la rue (peu passante), bien plus claires et avec balcon. Modeste pension de famille à l'escalier en bois et à l'accueil agréable. Petites chambres avec TV, baignant dans la simplicité. Parking à proximité avec tarif préférentiel. Une de nos bonnes adresses.

🏠 **Hostal Palacios** *(zoom Chueca D3, 87) : c/ de Fuencarral, 25, 28004.* ☎ *91-531-48-47.* ● *reservas@ hostal-palacios.com* ● 🚇 *Gran Vía. Au 1ᵉʳ étage, à droite. Double 40 € (jusqu'à 90 € le w-e). Pas de petit déj.* Bien situé par rapport à Malasaña et Chueca. Bon confort : clim et chauffage, consigne gratuite, ascenseur... Chambres au mobilier gentiment suranné organisées sur 2 étages, mais la rue se fait bruissante le soir venu. Accueil fort aimable.

Prix moyens (50-70 €)

🏠 **Hostal Jemasaca** *(plan détachable C3, 96) : c/ de la Palma, 61, 28015.* ☎ *91-532-70-11.* ● *info@ hostaljemasaca-palma61.com* ● *hostaljemasaca-palma61.com* ● 🚇 *Noviciado. Aux 2ᵉ et 3ᵉ étages (sans ascenseur). Doubles 55-70 € (145 € pdt la Semaine sainte), petit déj inclus ou non.* Ancienne pension de famille entièrement rénovée : le confort s'est nettement amélioré. Bon rapport qualité-prix : salles de bains confortables, parquet neuf, excellente literie, le tout

hyper propre. Accueil pro et anglophone. Peu de charme, mais c'est carré, nickel et coloré.

🏠 **Hostal Lauria** *(plan détachable C3, 82) : Gran Vía, 50, 28013.* ☎ *91-541-91-82 ou 88.* ● *info@hostal-lauria. com* ● *hostal-lauria.com* ● 🚇 *Callao. Au 4ᵉ étage (ascenseur). Doubles avec sdb 60-65 € (jusqu'à 130 € env selon les fêtes). Pas de petit déj.* Accueil gentil comme tout, et chambres toutes différentes. Très bien tenues, de bonne taille et récemment relookées, de façon plus moderne. Salles de bains petites, mais toutes neuves et impeccables. Un bon rapport qualité-prix. En revanche, éviter l'*Hostal Main Street* juste au-dessus, à l'accueil fort peu sympathique.

🏠 **Hostal La Prensa** *(plan détachable C3, 82) : Gran Vía, 46, 8 B 28013.* ☎ *91-531-93-07.* ● *info@hostalla prensa.com* ● *hostallaprensa.com* ● 🚇 *Callao. Au 8ᵉ étage (ascenseur). Doubles avec sdb 40-70 € selon confort et vue ; familiales aussi.* Ce 2-étoiles, installé en plein centre au 8ᵉ étage du *Palacio de la Prensa*, vaut le coup déjà rien que pour la vue exceptionnelle. Les 12 chambres, toutes de tailles différentes, à la déco un peu surannée, ont été repeintes et possèdent toutes un bon confort (clim, salle de bains). Mais le must, ce sont celles qui donnent sur la Gran Vía, avec une vue incomparable (les plus chères). Accueil adorable, aux petits soins.

De plus chic à très chic (de 90 à plus de 120 €)

🏠 **Siete Islas Hotel** *(zoom Chueca D3, 97) : c/ de Valverde, 14, 28004.* ☎ *91-523-46-88.* ● *reser vas@7islashotel.com* ● *7islashotel. com* ● 🚇 *Gran Vía. Doubles 94-250 € selon confort et saison. Petit déj 9,50 €.* Après la rénovation du grand hall très réussie, façon immense loft new-yorkais, nous attendions avec impatience celle des chambres ! C'est chose faite ! Les 3 sœurs, originaires des Canaries (Lanzarote), d'où le nom de l'hôtel (7 îles), ont repris l'hôtel familial, dont les chambres étaient devenues désuètes. Le résultat, après une longue restauration, beaucoup d'idées et l'aide d'un designer ? Superbe. Sur 6 étages, d'élégants corridors beiges aux portes noires distribuent les chambres. Parquet blanchi, murs blancs, têtes de lits en simili cannage et métal, lampes, penderies et mobilier sur mesure, en acier façon industriel, rideaux en lin noir. Salles de bains au diapason, blanches ponctuées d'accessoires noirs. Le tout d'une sobriété délicieuse. 3 des chambres possèdent une terrasse, les autres donnent sur la rue ou sur l'arrière de l'hôtel. Vaste salle de petit déj à l'entresol, sur un mini patio couvert. Location de vélos. Accueil à l'unisson, un vrai coup de cœur.

🛏 *Petit Palace Triball* (zoom Chueca D3-4, *94*) : c/ Gonzalo Jiménez de Quesada, 2, 28004. ☎ 91-522-47-90. • triball@petitpalace.com • petitpalace.com • Ⓜ Gran Vía. ♿ Doubles 90-120 € (promos sur leur site), petit déj-buffet dans un bel espace 10 €. Un hôtel « conceptuel » qui fait la part belle aux nouvelles technologies. Chambres tout confort, dans un esprit contemporain assez standard, agrandies pour certaines par des jeux de miroirs, et toutes avec douche à jet hydromassant. Intéressant, les grandes familiales avec 2 lits superposés. Si cette chaîne hôtelière espagnole a fait florès dans Madrid, celui-ci reste l'un des plus centraux, des plus agréables, et des mieux entretenus. Accueil affable, parfois en français.

Entre le Centro et l'aéroport (Madrid est)

Spécial coup de folie

🛏 *Hotel Puerta América* (plan d'ensemble, *98*) : avda de América, 41, 28002. ☎ 91-744-54-00. • hotel.puertamerica@hoteles-silken.com • hotelpuertamerica.com • Ⓜ Cartagena (mais pas pratique du tt !). Doubles deluxe 155-210 € ; suite aussi. Fréquentes promos sur leur site. Une ode à l'architecture contemporaine, dont la vue ne peut laisser indifférent. La haute façade reprend sur ses 2 ailes la moitié des couleurs de l'arc-en-ciel, de l'indigo à l'orangé. Elle est ponctuée de citations d'Éluard traduites en moult langues, choisies par Jean Nouvel (le maître d'œuvre de l'ouvrage). C'est à lui également que l'on doit les suites du 12e étage. Chacun des étages fut, en fait, confié à un architecte ou un designer différent. À vous de choisir votre univers : métallique tendance vaisseau spatial au 4e (œuvre collective de Plasma Studio) ; tout en rondeurs blanches pour le 7e (signé Ron Arad) ; vibrant de couleurs acidulées tranchant sur des murs sombres au 11e étage (l'Espagnol Mariscal est passé par là), etc. Piscine, spa et bar au dernier étage, resto et cafèt' au rez-de-chaussée (avec vue sur la très passante avenue de América... bof). Un seul bémol, les chambres standard ne sont pas si grandes... Mais l'ensemble relève de l'expérience inoubliable !

MADRID ET SES ENVIRONS

MADRID QUARTIER PAR QUARTIER

DE LA PLAZA DE SANTA ANA AU PASEO DES ARTS
(zoom Las Letras ; Ⓜ Sol, Sevilla ou Antón Martín)

Autour de la *plaza de Santa Ana* (zoom Las Letras D4 ; Ⓜ Sol) se trouve l'ancien quartier des imprimeurs. Baptisé aussi *barrio de Las Letras* (quartier des Lettres), c'est là qu'ont vécu de nombreux écrivains célèbres, comme Cervantes ou Lope de Vega. Un lacis de ruelles dévale la colline pour déboucher, à l'est, sur des places immenses et de larges avenues bordées d'édifices construits pour la plupart fin XVIIIe-début XIXe s que l'on ne traverse qu'au moyen de passages souterrains. Ce quartier des *paseos* abrite aussi *les plus grands musées de la ville* (d'où son surnom de *paseo des Arts*) : le *Prado, Reina Sofía* et *Thyssen-Bornemisza*.

MADRID ET SES ENVIRONS

C'est aussi un quartier de premier ordre dans la nuit madrilène, investi chaque soir par des noctambules de tout âge, touristes comme locaux, qui déboulent dans les nombreux restos, bars, salles de concerts, boîtes...

Où manger des tapas ?

Barrio de Las Letras

Plutôt en journée

|●| *Museo del Jamón* (zoom Las Letras D4, **120**) : carrera de San Jerónimo, 6. ☎ 91-521-03-46 ou 91-531-57-21. Ⓜ Sol ou Sevilla. Tlj. Bocadillos et tapas dès 1 €, assiettes de charcuterie ou fromage 4-15 €. Dans cette boutique (voir « Achats ») qui vend toutes sortes de jambons, on pioche aussi, le long des vastes vitrines-bar réfrigérées, des tapas à base de charcuterie ou de belles assiettes de cochonnaille débitée sous vos yeux. Toujours blindé de monde, car les prix sont très raisonnables et les produits fondants, salés et affinés à souhait.

|●| *Las Bravas* (zoom Las Letras D4, **121**) : c/ de Álvarez Gato, 3. ☎ 91-522-85-81. Ⓜ Sol. Tlj jusqu'à 23h30. Patatas bravas env 4 €. C'est le bar qui inventa les *bravas* (gros cubes de pommes de terre frits et nappés d'une sauce spéciale un poil pimentée, mixant mayonnaise et Tabasco). Un mets roboratif, pas très fin et qui dut être bon ici, dans le temps ! Sa recette fut ensuite copiée dans toute la péninsule. Nous n'indiquons plus le resto d'origine, plus bas dans une impasse (glauque et accueil peu sympa et routinier). En revanche, cette succursale, plutôt en forme de bar (avec hautes tables et comptoir), se révèle encore populaire ! Bon, ça reste une institution, à vous de juger !

|●| ↑ *Lateral* (zoom Las Letras D4, **122**) : pl. de Santa Ana, 12. ☎ 91-420-15-82. ● lateral@cadenalateral.com ● Ⓜ Sol ou Antón Martín. Tlj 12h-minuit (1h jeu-sam). Tapas 4-8 €, salade 7 €. Une minichaîne (d'autres établissements en ville), mais ce spécimen se tient plutôt bien (ce qui n'est pas le cas de tous) : préparations classiques ou plus originales (sucrées-salées, très en vogue à Madrid ces dernières années) réussies, un peu chiches pour certaines

cependant. Ses atouts : cette grande salle climatisée aux lignes élégantes qui permet de faire une vraie pause assise sur la longue banquette courant jusqu'au fond et la non moins vaste terrasse sur la *plaza*. Service un peu blasé.

|●| *Los Chanquetes* (zoom Las Letras D5, **142**) : c/ de Moratín, 2. ☎ 91-429-02-45. ● loschanquetes@yahoo.es ● Ⓜ Antón Martín. Tlj 10h30-minuit. Congés : 10-20 août. Menu du jour (midi et soir dim-jeu) 11 €, le dim 14 € ; raciones 8-18 €. Repas 20 €. On aime bien ce petit resto-bar typique, fréquenté surtout par les gens du quartier. Murs couverts d'azulejos, photos et affiches de corridas et de toreros. Une bonne escale pour les tapas, à apprécier paisiblement debout au comptoir. Concocte aussi une cuisine familiale simple, bonne et servie dans une petite salle.

Tôt ou tard

|●| *Taverna de Dolores* (zoom Las Letras E5, **125**) : pl. de Jesús, 4. ☎ 91-429-22-43. Ⓜ Atocha ou Antón Martín. Tlj 13h jusque tard. Tapas et tostas 2-4 €, fromage et charcuterie min 9 €. Annoncée par une belle devanture de céramique, voici une des plus anciennes institutions du secteur (1908). Long comptoir de marbre et bois sculpté, déco bien patinée et, en vitrine ou à l'ardoise, un choix de tapas parmi les grands classiques du genre (s'en tenir aux *tostas* et autres tapas du comptoir pour limiter la douloureuse !). Le vrai repaire de quartier (à peine quelques tables), où c'est surtout au bar que ça se passe, et d'où l'on ressort avec le bout des doigts luisant de gras.

|●| *Cervecería Cervantes* (zoom Las Letras E4-5, **132**) : pl. de Jesús, 7 (et Cervantes). ☎ 91-429-60-93. Ⓜ Atocha et Antón Martín. Tlj 12h-minuit sauf dim ap-m et août. Tostadas 3-4 €, raciones 11-22 €. Le grand concurrent

du *Dolores* tout proche, mais ici cadre rehaussé d'insolites panneaux figurant des bons vivants ! Beaucoup de tables pour se gaver assis d'excellents tapas et *raciones* à partir de très beaux produits, en particulier les crevettes, gambas et fromages. Réputé aussi pour sa bonne bière pression. Il faut voir le dimanche matin (et le 1er vendredi du mois) la ruée des fidèles après la messe en l'église du Christ de Medinaceli en face (un conseil : pour avoir de la place, partez avant la dernière bénédiction !).

|●| *Elisa* (zoom Las Letras, E5, **193**) : c/ Santa María, 42. ☎ 91-429-54-15. Ⓜ *Antón Martín. Tlj, sauf lun, 12h30-15h30, 20h30-minuit. Tapas et* raciones *1,50-13 €.* Belle façade rouge foncé à l'ancienne, où bois et miroirs se disputent la place ! Intérieur au diapason, façon taverne tradi dans son jus, à peine modernisée. *Elisa* est la « petite sœur » du *Tandem* et de *TriCiclo*, tous 2 presque voisins, mais ici c'est sur les produits du terroir que l'on met l'accent : croquettes, *bacalao* (morue), *tostadas de foie*, etc. Un peu chérot pour certains (les croquettes se payent à l'unité), mais la qualité est généralement au rendez-vous. Choisissez le bar pour découvrir les *raciones* du moment. Un poil touristique certains soirs : la proximité avec le Prado est bien pratique, non ?

|●| *Alimentación Quiroga* (zoom Las Letras D5, **128**) : c/ de las Huertas, 19. ☎ 91-029-28-63. ● hola@alimentacionquiroga.com ● Ⓜ *Antón Martín. Tlj 9h-minuit. Tosta et* pintxos *6-12 €,* tablas *12-15 €.* De l'ancienne épicerie de quartier subsiste avant tout le goût des bons produits, charcuterie et fromage en tête, bien visibles dans leur vitrine réfrigérée. Mais aussi un petit air vintage dans la déco, carrelage aux murs, vieilles étagères et antiques billots en bois. Et puis ces bouteilles, car un vrai sommelier est ici à l'œuvre. On peut d'ailleurs les acheter à emporter ou payer un droit de bouchon : sûr que ces nectars se marieront à merveille avec les *tostas de bacalao, bocadillos de tetilla* ou autres propositions du jour, axées terroir. Un peu cher quand même, c'est le revers du quartier.

|●| *Casa del Abuelo* (zoom Las Letras D4, **123**) : c/ de la Victoria, 12. ☎ 91-000-01-33. ● web@lacasadelabuelo.es ● Ⓜ *Sol. Tlj 12h-1h. Tapas et* raciones *5-12 €.* Encore une vieille maison, fondée en 1906. Dans cette rue animée, les habitués apprécient les délicieuses crevettes à l'ail simplement grillées sous vos yeux (Andy Warhol était un fan), et le petit vin maison pas cher, mais qui cogne rapidement la tête ! Le tout est servi dans une grande salle carrelée de blanc avec comptoir. On mange debout mais, pour qui préférerait poser une fesse, 2de salle en face, où l'on peut s'asseoir. Autre adresse dans le quartier, *Casa del Abuelo n° 2* (zoom Las Letras D4, **124** ; c/ de Nuñez de Arce, 5 ; ☎ 91-531-07-91). Tout aussi appétissant avec son comptoir-vitrine, et pourvu de tables et de chaises dans un cadre rustique. Et la maison continue à investir les coins de rue du quartier.

Où manger (assis) ?

Barrio de Las Letras

Bon marché (moins de 15 €)

|●| *Terra Mundi* (zoom Las Letras E5, **180**) : c/ de Lope de Vega, 32. ☎ 91-429-52-80. ● reservasterramundi@gmail.com ● Ⓜ *Antón Martín.* 🍴 *Tlj 13h-16h, 20h30-minuit (1h ven-sam). Menus du jour 11,50 € le midi, 20 € le soir, servis tlj.* Pour les raciones et autres plats, repas env 15-20 €. On vient surtout ici pour le menu, à prix très raisonnable, et la cuisine correcte. Bien que touristique, ce petit resto à la déco de bois brut patiné en teintes claires rend bien des services sous son haut plafond quand tout est plein autour. Un des rares endroits du quartier où les quelques habitués froissent toujours leur serviette au pied du bar ! Bon accueil.

|●| *Taberna Alhambra* (zoom Las Letras D4, **181**) : c/ de la Victoria, 9.

MADRID ET SES ENVIRONS

☎ 91-521-07-08. Ⓜ Sol. Tlj 9h (10h dim)-1h30 (2h ven-sam). Menu midi 13 €, assortiment de tapas 20 €. Un vibrant bar-resto où la faune bigarrée du quartier vient se restaurer dans un gentil brouhaha. Le menu du midi cale bien et se révèle savoureux. Excellentes tapas également. Le tout servi copieusement, dans un décor un peu « postindustriel » d'un côté, avec tuyaux apparents, et mauresque dans l'autre petite salle, où, pour la petite histoire, fut tournée l'une des scènes de Qu'est-ce que j'ai fait pour mériter ça !, d'Almodóvar (1984).

|●| **Taberna El Alambique** (zoom Las Letras E5, **182**) : c/ del Fúcar, 7. ☎ 91-429-65-63. ● juansarabiaalam bique@hotmail.com ● Ⓜ Antón Martín. À l'angle avec la c/ de Verónica. Tlj sauf dim soir 13h-16h30, 20h-minuit. Fermé 1 sem mi-août. Menu midi 12 € (sinon 20 €), tapas et tartines 3-4 €, repas 15-20 €. Digestif offert sur présentation de ce guide. Une adresse bien dans son jus. Boiseries, comptoir en cuivre rouge, vieilles affiches un poil anar et objets de récup donnent le ton depuis le bar, où grignoter de copieuses tartines pour les pressés et les fauchés, jusqu'à la salle chaleureuse, où l'on s'attable pour déguster une bonne et éclectique cuisine (poulet au curry, bœuf Stroganov, moussaka...). Ambiance d'habitués, service à la bonne franquette, et bon vin de la maison (faut bien justifier l'alambic, quand même !).

|●| ↑ **Ginger** (zoom Las Letras D4-5, **58**) : pl. del Ángel, 12. ☎ 91-369-10-59. Ⓜ Sol. Tlj 9h-23h30 (minuit ven-sam). Menu midi en sem env 11,70 € (verre de vin compris), carte env 20 €. En voyant cette grande salle tirée à quatre épingles, avec lumières savamment distillées et nappes immaculées, on se dit que le portefeuille va en prendre un sérieux coup. Que nenni ! Les prix sont serrés (à la virgule près !). Si elle n'a rien d'exceptionnel, la cuisine est vraiment copieuse, dans un registre méditerranéen où l'on retrouve risottos, légumes du soleil et poissons du jour. Et ça débite ! En bref, cadre et qualité corrects à des prix sages. Belle terrasse sur cette place très passante.

|●| **Tandem** (zoom Las Letras E5, **223**) : c/ de Santa María, 39. ☎ 91-016-80-67. Ⓜ Antón Martín. Mar-sam 10h30-minuit, dim 10h30-17h30. Fermé lun. Media raciones et raciones 5-18 €. Qu'est-ce qu'un tandem sinon le petit frère d'un tricycle ? Tout juste ! Même volonté de travailler des produits extra-frais qu'au plus chic TriCiclo (voir « Plus chic »), et quelques jolies fantaisies dans les préparations, à prix plus sages et dans l'esprit taverne boisée légèrement modernisée. En cas de faim intempestive, bons et copieux boca-dillos, un peu à toute heure. Brunch le dimanche.

|●| **Taverna Maceira** (zoom Las Letras E5, **128**) : c/ de las Huertas, 66. ☎ 91-429-58-18. ● tabernamaceira@ hotmail.com ● Ⓜ Antón Martín. Tlj 13h15 (13h30 sam-dim)-16h15 (16h30 sam-dim) et 20h30-0h15 (1h ven-sam ; 20h-minuit dim). Menus 10 et 15 €, repas env 15 €, tapas et raciones 4-14 €. Un des plus authentiques restos populaires qu'on connaisse. Cadre chaleureux (tonneaux aux murs, plafond décoré d'étoiles de mer), mais peu confortable (on peut se retrouver à une minuscule table ronde mal dégrossie, sur un rude tabouret). Mais la clientèle de quartier et d'habitués n'en a cure, c'est toujours plein (même un lundi soir !). Cuisine galicienne familiale mitonnée avec cœur et à prix fort modérés. Les arroz combleront les grosses faims à petits prix. Service parfois dépassé, mais la bonne humeur règne toujours...

Prix moyens (15-25 €)

|●| **Vi Cool** (zoom Las Letras D5, **147**) : c/ de las Huertas, 12. ☎ 91-429-49-13. Ⓜ Antón Martín ou Sol. Tlj sauf lun jusqu'à minuit. Menu del día env 14 € (sans boisson, mais 4 plats), menus tapas min 2 pers 22 € ou 35 € pour la version marine ; carte 30 €. Cadre contemporain assez original, haut plafond, grand volume, longue banquette confortable et ambiance détendue pour de succulentes tapas, qui repartent en général de grands classiques pour en changer l'esprit. Même la salle en sous-sol est étonnamment agréable ! Une adresse qui renouvelle le genre brillamment : finesse des

produits, saveurs nouvelles, élégante présentation... Les menus, du jour comme de tapas, se révèlent de véritables aubaines. Belle carte des vins.

I●I Casa González (zoom Las Letras D4-5, **189**) : c/ del León, 12. ☎ 91-429-56-18. ● casagonzalez madrid@gmail.com ● Ⓜ Antón Martín. 𝔅. Lun-sam 9h30-minuit, dim 11h30-18h ; ouv à partir de 18h30 juil-août. Repas env 20 €. Digestif offert sur présentation de ce guide. L'histoire de cette fameuse maison commence en 1931 lorsque le señor González, alors simple employé, décide de tenir boutique. Son credo à l'époque : des produits de qualité sélectionnés avec soin. Aujourd'hui, l'exigence est restée la même, et les connaisseurs s'y pressent pour y savourer fromages, pâtés, jambons, vins, etc., dans un décor d'épicerie fine (tous les produits sont d'ailleurs en vente à emporter). Devenu un peu cher, et service un poil guindé.

Plus chic (25-40 €)

I●I TriCiclo (zoom Las Letras E5, **220**) : c/ de Santa Maria, 28. ☎ 91-024-47-98. ● restaurantetriciclo@gmail.com ● Ⓜ Antón Martín. Tlj sauf dim, midi et soir. Résa indispensable si vous ne voulez pas vous retrouver au bar, peu confortable. Menu gastro (6 plats et 1 dessert) 54 €. Carte 25-30 €. Une adresse de choix pour les gourmets : cuisine exclusivement à base de produits frais et souvent locaux, et travaillés avec beaucoup de fantaisie. Les classiques espagnols sont joliment détournés, ici en changeant le mode de cuisson, là en introduisant un ingrédient inattendu... et la carte, courte, divague aussi vers quelques pointes d'exotisme. Ici, les raciones sont déclinées en media raciones (demie) mais aussi en tiers : histoire d'en goûter plus, pardi ! Cela dit, si la salle, qui, elle aussi, marie tradition et modernité, est agréable, on aime bien se percher sur les tout 1ers guéridons, proche du bar de l'entrée. Service impeccable et efficace, parfois un peu long. Une très belle adresse.

I●I La Ferretería (zoom Las Letras, D5, **185**) : c/ Atocha, 59. ☎ 91-429-73-61. ● reservas@ferreteriabyego.

com ● Ⓜ Antón Martín. Tlj 13h30-16h, 21h-minuit (0h30 ven-sam). Tapas min 4 €, raciones 12-18 € ; côté resto, compter min 40 €. L'entrée ne peut laisser indifférent : l'ancienne quincaillerie toute de bois, avec petits tiroirs et multiples placards sert désormais sur ses vieux comptoirs des verres de vino et des tapas... pendant qu'un artiste de la lame cisèle avec grande précision de fins copeaux de jambon. Un peu prétentieux de prime abord, l'endroit, lorsqu'on s'aventure dans l'arrière-boutique, dévoile tables hautes et cuisine ouverte, un peu plus confortables. Côté tapas, des classiques modernisés ou non, avec priorité au sourçage des produits et à l'instantanéité des préparations. Pour les curieux, les assiettes de jambon serrano ou iberico « Ego Style » en dévoilent d'insoupçonnées subtilités (pas données cependant). Au sous-sol, une très belle salle voûtée en brique accueille le resto (mais là, il faut vraiment casser sa tirelire !). Service un poil guindé, parfois dépassé, mais l'endroit mérite la halte.

Autour du paseo des Arts

Bon marché (moins de 15 €)

I●I El Fogón Verde (zoom Las Letras, E5, **135**) : c/ Alameda, 4. ☎ 911-99-79-38. ● info@elfogonverde.net ● Tlj 13h-16h, et aussi ven-sam 20h30-23h. Menus midi 11,50 €, soir 20 €. Murs chaulés et vieilles boiseries laissent deviner l'ancienne taverne de quartier, à peine retapée. Un pur végétarien que ce bien nommé « four vert », avec aussi des alternatives végétaliennes et sans gluten. Et le menu qui offre 2 choix (pas de carte ici) s'adapte au marché de saison, et change tous les jours. C'est aussi frais que copieux. Autre originalité, le fonctionnement sous forme de coopérative : les employés sont leurs propres patrons ! Et est-il utile de préciser que les tendances locavore et slow food font partie des références de l'endroit ? Une démarche d'économie solidaire, locale et savoureuse. Petit bémol sur le service, parfois bougon.

MADRID ET SES ENVIRONS

De prix moyens à plus chic (15-40 €)

|●| Samarkanda (plan détachable E6, *191*) : estación de Atocha, terminal AVE, glorieta Carlos V. ☎ 91-530-87-21 ou 97-46. ● samarkanda@restauran tesamarkanda.com ● Ⓜ Atocha Renfe. Ouv 13h-16h, 21h-minuit. Fermé dim et lun soir, 25 déc et 1er janv. Compter 30-35 €. Au cœur même de la gare d'Atocha, rénovée pour accueillir l'*AVE* (le TGV Madrid-Séville), 2 salles Art déco, une terrasse avec vue sur le fameux jardin tropical de la gare... La carte, originale, propose des plats créatifs qui font découvrir la nouvelle cuisine madrilène, légère et pleine de saveurs (les viandes y sont particulièrement goûteuses). Attention, pas pour les grosses faims, portions minimum !

|●| Estado Puro (zoom Las Letras E4, *129*) : pl. de Cánovas del Castillo, 4. ☎ 91-779-30-36. ● e.eventos@ estadopuromadrid.com ● Ⓜ Antón Martín ou Banco de España. Au rdc du NH Hotel. Tlj midi et soir jusqu'à 23h. Carte 30-35 €. C'est la déclinaison bistrot du chef Paco Roncero (dont on dit qu'il réinventa l'art des tapas). Dans un surprenant cadre moderno-kitsch (comptoir composé de centaines de minidanseuses de flamenco), l'occasion de déguster une cuisine pleine d'idées et de saveurs. À la carte, des miniplats goûteux. Service efficace qui laisse cependant le temps de lire les expressions populaires affichées aux murs, leur traduction et leur... vrai sens ! Seul petit regret, l'atmosphère peu chaleureuse. Terrasse.

Où découvrir l'une des meilleures *bodegas* de Madrid ?

Autour du paseo des Arts

|●| ▼ Bodegas Rosell (plan détachable E6, *143*) : c/ del General Lacy, 14. ☎ 91-467-84-58. ● informacion@ bodegasrosell.es ● Ⓜ Atocha Renfe, Palos de la Frontera ou Antón Martín. Angle c/ de las Delicias. Tlj sauf lun 12h-16h, 19h-minuit (seulement 12h-16h dim). Fermé août. Résa conseillée soirs et w-e. Tapas 3-4 €, repas env 20 €. Certes un poil excentré, mais les hardis lecteurs qui feront l'effort ne le regretteront pas ! C'est d'abord une superbe façade (bleu dur et rouge) garnie de céramiques d'Alfonso Romero (qui réalisa celle de la célèbre Villa Rosa de la plaza de Santa Ana). Ensuite, c'est un authentique bar à vins (sans télé !), au cadre chaleureux et à la clientèle avertie. Ni snobs ni people ici, que des amoureux du vin, sélectionné avec passion par le patron, Manuel Rosell, véritable maître dans ce domaine (et petit-fils du fondateur, c'est dire si c'est dans les gènes). Choix énorme (200 vins de toutes les régions) à des prix modérés. Cuisine du même tonneau : sélection de délicieuses tapas et *raciones,* et goûteux plats de bistrot, comme la *morcilla de Burgos,* la *bacalao al horno con ali-oli...* Belle sélection de charcuteries et fromages. Viandes diverses et poissons, là encore sans attentat au portefeuille.

Où prendre le petit déjeuner ?
Où savourer glaces et douceurs ?

☕ Brown Bear Bakery (zoom Las Letras D4-5, *189*) : c/ del León, 10. ☎ 91-369-05-87. ● info@brownbear bakery.es ● Ⓜ Antón Martín. Tlj dès 8h30, petit déj dès 3 €. Cette boulangerie propose de bonnes viennoiseries, muffins, cookies, macarons, etc., que l'on peut déguster dans 2 petites salles de l'arrière-boutique, à faire glisser avec un café et un jus d'orange frais au petit déj, et des brunchs *(sam-dim 11h-16h).*

▼ Giuseppe Ricci (zoom Las Letras D5, *262*) : c/ de las Huertas, 9.

☎ 91-429-33-45. 🖥 687-98-96-11. ● info@heladeriaricci.com ● Ⓜ Antón Martín. Tlj 11h30-22h (1h le w-e). Glaces artisanales à déguster en équilibre sur un *cono* ou fourrées dans un *focaccino* (petit pain) ou encore dans une barquette pouvant contenir jusqu'à 8 boules ! À partager avec vos petits camarades... La vingtaine de parfums au comptoir change au fil des saisons et selon l'inspiration du maître glacier. Au total, une palette de plus de 70 saveurs ! Tiramisù, figues, cappuccino, melon, citron, amandes... *Frozen yogurt* (yaourt glacé) pour les amateurs, et même des versions sans sucre.

Où boire un verre à l'heure du thé ?

Autour du paseo des Arts

🍴 **Pabellón del Espejo** (plan détachable E3, **278**) : paseo de Recoletos, 31. ☎ 91-319-11-22. ● clientes@restauranteelespejo.com ● Ⓜ Colón. Tlj 9h-1h (3h le w-e). Admirer la déco Art nouveau qui date de... 1978. Miroirs sculptés, moulures de style nouille, azulejos... La structure de l'édifice « baltaro-eiffelien » ressemble tantôt à une crinoline, tantôt à une perruque d'infante. Une belle réussite qui évoque un peu une maquette Grand Siècle posée sur le Monopoly de la Castellana. Terrasse bucolique aux beaux jours sur le large terre-plein du *paseo*.

🍴 🍷 **Café Gijón** (plan détachable E3, **279**) : paseo de Recoletos, 21. ☎ 91-521-54-25. Ⓜ Colón. Tlj 7h30-1h30. Menu dégustation min 30 €. LE grand café de Madrid. Une institution, une vieille maison, un passage obligé depuis plus de 1 siècle. Ce fut le rendez-vous des écrivains espagnols avant d'être la « cantine chic » des cadres et employés de la Castellana. Un peu guindé, quand même. Aujourd'hui, vaut surtout pour sa charmante terrasse aux chaises en fer forgé, sur le terre-plein de l'avenue.

Où boire un verre ?
Où écouter de la musique live ?

Barrio de Las Letras

Dans ce haut lieu de la nuit madrilène, dédale de ruelles très animées, les bars musicaux sont légion. De très nombreux touristes (et Madrilènes !) y affluent. Vous y passerez forcément.
Sur la plaza de Santa Ana, qui servit de décor à plusieurs scènes de films d'Almodóvar, notamment *Talons aiguilles*, nombreuses terrasses agréables pour prendre un verre en journée ou en soirée dès qu'il fait beau.

Tôt ou tard

🍷 **La Venencia** (zoom Las Letras D4, **291**) : c/ de Echegaray, 7. ☎ 91-429-73-13. Ⓜ Sol. Tlj (sauf août) jusqu'à 0h30 (un peu plus tard le w-e). Furieusement authentique ! Vieux bistrot très sombre à la façade et aux murs patinés décorés de belles affiches illustrant les fêtes du Xérès. Foultitude de tonneaux avec leur luxe d'odeurs de moisi et de pipi de chat (eh oui ! le soufre des vignes). Ici, vous êtes dans le temple du xérès, avec un antique comptoir de bois où l'on marque encore à la craie les consos. La clientèle s'accorde à reconnaître la qualité du *fino*, qu'on accompagne, comme les Andalous, d'un délicieux jambon fumé. P.-S. : la *venencia* est cette petite louche à la tige bombée utilisée pour servir le xérès. Lecteurs photographes, soyez très discrets, le patron sort de ses gonds à la vue du moindre objectif !

🍷 **Cervecería Alemana** (zoom Las Letras D4, **265**) : pl. de Santa Ana, 6. ☎ 91-429-70-33. Ⓜ Antón Martín. Tlj sauf mar 11h-1h (2h le w-e). Raciones 4,50-10 €. Vénérable brasserie datant de 1904, dont les vieux panneaux

MADRID ET SES ENVIRONS

marron foncé et l'ambiance un peu austère rappellent les tavernes germaniques (le 1er aubergiste était allemand). Quelques vieilles photos de corrida, tables de bistrot en marbre. Surtout fréquenté par les cheveux gris du quartier, voilà un lieu tranquille pour siffler une bière en journée. Les plus romantiques s'installeront sous la pendule, à la table préférée de Hemingway, qui vint souvent ici durant la guerre civile. Possibilité de grignoter quelques tapas.

Plutôt le soir

♟ ♪ **Café Central** *(zoom Las Letras D4-5, 295)* : *pl. del Ángel, 10.* ☎ *91-369-41-43.* ● *info@cafecentralmadrid.com* ● *cafecentralmadrid.com* ● Ⓜ *Antón Martín ou Sol. Tlj 13h30-2h30 (3h30 le w-e). Concerts tlj 21h-23h, 18 € lun et mar, 17 € les autres j. Résa conseillée. Le midi, petit menu sympa 13 € (16 € le w-e).* Bar musical, ni trop grand ni trop petit, au cadre de brasserie délicieusement rétro, inspiration Art déco. Principalement des groupes de jazz, tous les soirs, qui changent toutes les semaines. Cet établissement fut nommé par le magazine américain *Downbeat* comme l'un des 100 meilleurs jazz-clubs au monde... et c'est le seul en Espagne à avoir eu cet honneur ! Quand toutes les tables sont prises, on reste debout à partager un verre et une conversation avec son voisin de comptoir. Prix des consommations raisonnables et bons cocktails. Beaucoup d'ambiance, y compris en façade lorsque les plus fauchés tentent de profiter de la musique depuis la rue.
♟ ♪ **Blackbird** *(zoom Las Letras D5, 296)* : *c/ de las Huertas, 22.* ☎ *91-052-21-67.* ● *blackbirdrockbar.wixsite.com/home* ● Ⓜ *Sevilla ou Antón Martín. Mar-dim 19h30-3h. Concerts mer-dim 21h-23h : 4-5 € (gratuit mer et dim).* Tapissé de photos noir et blanc de légendes du genre, un petit rade rock-blues tout en longueur

qui crache fort ses riffs de guitare, en live une bonne partie de la semaine. De quoi secouer ses cheveux gras.
♟ ♪ **El Imperfecto** *(zoom Las Letras D5, 296)* : *pl. de Matute, 2 (angle c/ de las Huertas).* Ⓜ *Antón Martín.* ☎ *91-366-72-11. Tlj 15h-2h (2h30 ven-sam).* Un drôle de petit cocktail-bar aux couleurs flashy mais aux lumières bien dosées, surchargé d'objets kitsch et d'affiches, dans une sorte de désordre poétique et délibéré. Intime, tranquille, confortable, et on peut y écouter du jazz. Bons *batidos naturales,* cocktails pas chers, bien pour prendre un thé aussi. Jeune et décontracté du porte-monnaie. Quelques tables dehors.
♟ **Salmon Guru** *(zoom Las Letras D4, 291)* : *c/ de Echegaray, 21.* Ⓜ *Sol.* ☎ *91-000-61-85. Mar-dim 17h-2h (2h30 ven-sam). Cocktails 9-11 €. Raciones 6-12 €. Tribute to New York* dans ce bar ambiance posée, lumières tamisées, déco glam et miroirs griffonnés de personnages de comics qui assument leur côté *dark.* Derrière le bar scintillent les bouteilles, on vient ici siroter des cocktails, classiques ou créatifs, toniques, nourris au whisky comme au mezcal. Tapas soignées pour accompagner, dans une atmosphère plus relax que guindée.

Sur un *rooftop*

♟ ♪ **Radio** *(zoom Las Letras D4, 297)* : *pl. de Santa Ana, 14.* ☎ *91-701-60-00 ou 23.* Ⓜ *Antón Martín ou Sol. Ouv aux beaux jours seulement (à partir de fin avr). Tlj 21h-1h30 (3h le w-e). Entrée : 20 €, 1 conso incluse. Cocktail env 12 €.* Au sommet du chic et branché *ME Madrid Hotel,* splendide terrasse en parquet avec de confortables canapés et lits à baldaquin tendance design. On y descend des cocktails avec la jeunesse dorée de Madrid. Petite piste de danse pour se tortiller sur de la musique électro distillée par un DJ.

Où danser ?

Barrio de Las Letras

Pas mal de petites boîtes, plutôt modestes et du genre interchangeables, de part et d'autre de la calle de la Cruz *(zoom Las Letras D4).* Si vous n'êtes pas trop regardant sur le cadre et la zik, profitez des promos sur les boissons offertes dans la rue par les rabatteurs. Sinon, celle-ci a plus particulièrement retenu notre attention.

🍴 **El Son** (*zoom Las Letras D4, 50*) : c/ de la Victoria, 6. 🏢 67-105-67-91. ● discotecaelson.com ● Ⓜ Sol. Tlj 21h30-5h (6h le w-e). Musique live mar-jeu à partir de 2h. Entrée : env 10 €. Ambiance *caliente* dans ce bar-boîte salsa et latino qui ne se prend jamais trop au sérieux. Cours de danse payants à 22h30 du lundi au jeudi pour mieux maîtriser la suite de la soirée. Une boîte vraiment sympa, surtout du mardi au jeudi, quand c'est un groupe *en vivo* qui assure le rythme.

Autour du paseo des Arts

🍴 **Teatro Kapital** (*zoom Las Letras E5, 384*) : c/ de Atocha, 125. ☎ 91-420-29-06. ● info@grupo-kapital.com ● grupo-kapital.com ● Ⓜ Atocha. Ouv jeu-sam minuit-6h. Fermé dim-mer. Entrée : env 17 € avec 2 consos. L'une des plus grandes boîtes de Madrid, avec pas moins de 7 étages (dont un espace funk et R'n'B, un lounge, un bar à rhums et un autre à cocktails, etc.), pouvant accueillir plus de 5 000 *clubbers* (20-25 ans en moyenne). Les meilleurs DJs de Madrid s'y produisent pour des nuits à thème retentissantes. Terrasse au dernier étage avec fumigènes aussi puissants que des réacteurs de fusée en plein décollage !

Achats

Barrio de Las Letras

✼ **Museo del Jamón** (*zoom Las Letras D4, 120*) : carrera de San Jerónimo, 6. ☎ 91-521-03-46. Ⓜ Sol. Du *bellota* (le plus cher) aux *paletas granadinas* en passant par les *picadillos* (chutes de jambons mélangées) et les *lomos*, toute la charcuterie du pays y est. N'oubliez pas de prendre votre ticket avant de faire la queue. Pas le plus traditionnel, mais c'est là que vous aurez le plus de choix, et les produits sont vraiment bons (voir aussi « Où manger des tapas ? »).

✼ **Casa Mira** (*zoom Las Letras D4, 420*) : carrera de San Jerónimo, 30. ☎ 91-429-67-96. ● info@casamira.es ● Ⓜ Sevilla. Fermé de mi-juil à fin août, et les dim juin-sept. Tlj 10h-14h, 17h-21h ; dim 10h30-14h30, 17h-21h. Fondée en 1855, et conservée quasiment intacte depuis : rien que la vitrine est un spectacle. Mais c'est surtout la meilleure pâtisserie pour s'approvisionner en *turrón* absolument artisanal. Tradition de Noël, le *turrón* s'offre en Espagne comme les chocolats chez nous. De la famille du nougat, à base de sucre et d'amande, celui dit « de Jijona » a le grain fin ; celui d'Alicante contient des morceaux d'amande plus gros. Goûtez aussi toutes ces bonnes choses qui tournent en vitrine : les rosquillas, le mazapán (pâte d'amandes aux parfums divers) et les *polvorones* andalous, biscuits presque en poudre que l'on doit écraser et tasser dans leur papier avant de les gober.

✼ **La Violeta** (*zoom Las Letras D4, 406*) : pl. de Canalejas, 6. ☎ 91-522-55-22. ● info@laviolettaonline.es ● Ⓜ Tlj sauf dim 10h-20h. Fermé août. Une mignonne boutique historique spécialisée dans les bonbons à la violette et les violettes naturelles confites (cultivées dans les sierras voisines de Madrid). Mais aussi fruits confits et chocolats. Les mamies du quartier en raffolent !

✼ **Casa Seseña** (*zoom Las Letras D4, 421*) : c/ de la Cruz, 23. ☎ 91-531-68-40. ● capas@sesena.com ● Ⓜ Sol. Lun-sam 10h-20h (10h30-14h30 en été). Fermé dim, et 2 sem en août. Si vous rêvez depuis l'enfance d'une cape espagnole sur mesure, façon torero urbain... voici l'adresse que vous cherchiez. Depuis 1901 et 4 générations, les Seseña, de père en fils, se transmettent ce savoir-faire, en drap de laine, en velours, pour homme comme pour femme, aussi bien des modèles traditionnels que de belles coupes modernes et colorées. Comptez quand même autour de 600 €, mais il paraît qu'elles sont garanties à vie, ou presque !

À voir

Barrio de Las Letras

꘏꘏ Plaza de Santa Ana (zoom Las Letras D4) : Ⓜ Sol. Située au confluent de ruelles très animées d'où affluent de nombreux touristes, cette charmante place doit sa célébrité à Pedro Almodóvar qui la choisit comme décor pour *Talons aiguilles*. La *Cervecería Alemana*, sur le côté sud de la place, est un vieux café au décor patiné par le temps. Sur le même côté de la place, plusieurs autres tavernes de styles différents, comme la *Cervecería Santa Ana* et sa façade de bois sculpté... Rançon du charme de cette placette et de son succès, les terrasses des cafés deviennent inabordables, et le service perd en chaleur.

Certains édifices ont conservé de belles façades en azulejos. Notamment, à l'angle avec la calle de Núñez de Arce (nᵒˢ 15-17), la **Villa Rosa**, avec sa devanture reproduisant merveilleusement Séville, Cordoue, Grenade... À deux pas, **Viva Madrid** (c/ Manuel Fernández y González, 7 ; zoom Las Letras D4), l'un des plus beaux cafés de Madrid avec sa façade en azulejos. Déco intérieure du même tonneau, faite de glaces et bois sculpté (en revanche, très touristique, atmosphère artificielle)... Et, immanquable dans un genre différent, dominant la place, la superbe façade de style éclectique de l'hôtel *ME*, avec sa tourelle « gaudiesque », sa longue série de bow-windows, son fronton sculpté de putti et son resto. Hôtel longtemps populaire, fréquenté en particulier par les toreros, transformé en établissement chic et design.

꘏꘏ Depuis la plaza de Santa Ana ou la petite plaza del Ángel adjacente, il faut se laisser glisser le long de la *c/ de las Huertas,* de la *c/ del Prado,* de la *c/ del León* et des ruelles de ce *barrio de Las Letras.* Si la calle de las Huertas tire son nom des jardins et maraîchages de faubourg qui longtemps occupèrent la colline, le *barrio,* lui, tient sa référence littéraire des activités des imprimeurs (c'est ici que *Don Quichotte* fut édité pour la 1ʳᵉ fois), des théâtres qui s'installèrent nombreux, et de la foule d'écrivains et d'artistes qui élirent domicile, fin XVIᵉ-début XVIIᵉ s, dans ce quartier hors les murs à la réputation alors interlope... les maisons closes s'y comptaient, dit-on, par dizaines. Évocation de cet âge d'or, de **nombreuses citations d'écrivains** (espagnols pour la plupart) émaillent le pavé de leurs lettres au bronze poli par les semelles des promeneurs.

꘏꘏ Et puis si vous poussez vers la *c/ de Cervantes,* vous y trouverez 2 surprises : une **plaque,** presque à l'angle avec la c/ del León, rappelant que Cervantes vécut quelques années ici, et la délicieuse **casa-museo Lope de Vega** (zoom Las Letras D-E4) : au nᵒ 11. ☎ 91-429-92-16. ● casamuseolopedevega.org ● Fermé lun, 1ᵉʳ janv, 1ᵉʳ et 15 mai, 1ᵉʳ nov, 24, 25 et 31 déc. Mar-dim 10h-18h, visites guidées de 45 mn, départ ttes les 30 mn (dernier départ à 17h), max 10 pers, en espagnol, anglais et parfois français (1/j. en général) ; GRATUIT, mais **résa demandée,** sur place, par mail ou par tél. Une maison et son très joli jardin de poche, où vécut le fameux poète. Si le mobilier n'est pas celui d'origine, il est d'époque. Et, outre l'illustration du quotidien de cet homme de lettres fantasque et grand amateur de la gent féminine, c'est aussi une découverte du mode de vie d'alors dans les milieux semi-bourgeois. Visites guidées intéressantes et très vivantes.

꘏ Enfin, les amoureux du verbe matinaux pousseront jusqu'au nᵒ 18 de la c/ Lope de Vega, à savoir le **convento de las Trinitarias Descalzas...** Pendant des années, on supposa que **Cervantes** y avait été enterré en 1616, mais ses restes avaient été égarés lors d'une rénovation de l'église, fin XVIIᵉ s. Ce sont des fouilles menées en 2015 qui ont permis de retrouver (et d'authentifier grâce aux blessures qu'il avait reçues à la bataille de Lepante) les vestiges du cercueil et des ossements du père de Don Quichotte. Une plaque mortuaire, dans l'église des Trinitaires, sur la gauche juste après la porte, protège désormais le **tombeau de**

Cervantes. Rien de spectaculaire cependant ! *Visite seulement lun-ven 9h-10h (c'est-à-dire 30 mn avt la messe de 9h30), gratuit. Fermé sam-dim. Rester discret, le couvent est toujours en activité.*

Los paseos et les musées

🍴 *Los paseos :* les paseos *del Prado, de Recoletos* et *de la Castellana* constituent une véritable voie rapide en pleine ville avec, cependant, de grandes terrasses agréables en été. Ils furent, avant le règne de l'automobile, les Champs-Élysées des élégantes Madrilènes. Là encore, d'importants édifices, comme le *musée du Prado* et les ministères. À noter, juste derrière le Prado, la belle *église San Jerónimo el Real* (édifiée au début du XVIe s, mais considérablement remaniée).

🍴 *Plaza de Colón (plan détachable E3) :* Ⓜ *Colón.* On y trouve la *Biblioteca nacional de España (Bibliothèque nationale),* centre culturel de la ville, à droite de la cascade de la place (expos toujours intéressantes). Sur le côté de l'esplanade, côté c/ de Serrano, une méga sculpture de Joaquín Vaquero Turcios émaillée de citations de philosophes et d'écrivains. Et au centre du rond-point, perché sur sa colonne, c'est bien Cristobal qui domine l'ensemble !

🍴🍴🍴 *Museo del Prado (zoom Las Letras E4-5) :* paseo del Prado. ☎ 91-330-28-00. ● museodelprado.es ● Ⓜ *Banco de España* ou *Atocha.* ♿ Tlj 10h-20h (19h le dim ; 14h 6 janv, 24 et 31 déc) ; fermé 1er janv, 1er mai et 25 déc. Entrée pour la collection permanente + expo temporaire : 15 ou 16 € selon les expos ; réduc familles nombreuses, plus de 65 ans ; gratuit lun-sam 18h-20h, dim 17h-19h et tte l'année pour - de 18 ans, étudiants européens - de 25 ans et chômeurs. Intéressant aussi : 22 € pour 2 visites 2 j. différents (idéal si vous êtes plusieurs j. à Madrid). Audioguide : 4 €, 6 € avec expo temporaire. Conseil : **réserver son entrée sur le site internet du musée** (ça évite de faire la queue), mêmes tarifs, ou par tél au ☎ 902-10-70-77. Sinon, *l'Abono Paseo del Arte* sert aussi de coupe-file. À noter que pdt les créneaux de gratuité, on bénéficie aussi d'une réduc de 50 % sur les expos temporaires.
Entrée et billetterie : puerta Goya (côté plaza Cánovas del Castillo ; zoom Las Letras E5).

Le Prado s'est refait une jeunesse, en se dotant d'une extension en partie souterraine (sous le jardin, à l'arrière du bâtiment par rapport au paseo del Prado), aménagée en une belle galerie qui accueille différents services (boutiques, cafétéria, auditorium, etc., ainsi que les services techniques de restauration et conservation). Elle mène également à l'*étonnant cloître San Jerónimo,* totalement rénové et réaménagé. Devenu quasi invisible de l'extérieur, car encapuchonné dans un bâtiment moderne en grès (ici se fond entre les bâtiments environnants), le cloître, perché au sommet de 2 escaliers mécaniques, abrite désormais une **belle collection de sculptures italiennes de la Renaissance.** Et le plus fort, c'est que, de l'intérieur du cloître, le bâtiment qui le protège reste à peu près insoupçonnable.
L'un des plus riches musées de peinture au monde, dans un édifice principal du XVIIIe s. Il présente les collections que les rois d'Espagne eurent le bon goût de constituer, depuis Charles Quint, et de se transmettre malgré les aléas de l'histoire (guerres, incendies, pillage des généraux napoléoniens). C'est Ferdinand VII qui créa officiellement le musée en 1819. Il ne représente pas seulement un fabuleux panorama de la peinture espagnole, mais également des écoles flamande et italienne.
Si vous disposez de peu de temps, privilégiez la peinture espagnole en commençant par les salles Goya au rez-de-chaussée, puis enchaînez sur les peintres espagnols au 1er étage. On peut se dispenser du 2d (étage !), même s'il s'agit en partie des cartons de Goya pour la décoration du palais d'El Pardo près de Madrid.

Il ne s'agit pas ici d'énumérer toutes les œuvres du Prado (les publications du musée le font très bien), mais celles avant tout qui nous ont fait pousser de grands cris d'admiration.

Le rez-de-chaussée
– Si l'on souhaite respecter la chronologie, on commence, bien sûr, par les **salles des primitifs religieux** *(salle 50)*, au rez-de-chaussée. Pas trop nombreux (ainsi que les retables), donc une vraie sélection. Magnifique retable de l'archevêque don Sancho de Rojas.
– Dans la section **peinture romane** *(salle 51C)*, fresques murales du XIIe s transférées sur toile, dont celle, magnifique, de l'ermitage de la Santa Cruz de Maderuelo. Sur celles de l'ermitage de San Baudelio (près de Soria, XIe s), assez fascinantes, on distingue très nettement un éléphant et un ours. Étonnamment, le sujet des fresques de cette chapelle mozarabe n'est pas religieux.
– Les salles consacrées à la **peinture espagnole aux périodes gothique et Renaissance** *(salles 51A à 52C)* nous livrent des œuvres superbes : pour les influences de la peinture flamande *(salles 51A-51B)*, celles de **Fernando Gallego** (fin du XVe s), notamment *La Vierge de pitié, Le Christ donnant sa bénédiction...* Du **Maître de la Sisla,** la *Mort de la Vierge (salle 51A)*. Mais encore des œuvres de Martín Bernat ou Bermejo, ou cet étonnant *Archange saint Michel* du **Maestro de Zafra** : à ses pieds, l'hécatombe de démons ferait presque penser à Bosch ! **Pedro Berruguete** *(salle 52A)* symbolise la conjonction entre l'école hispano-flamande et la Renaissance italienne *(San Gregorio Magno y san Jerónimo, San Ambrosio y san Agustín)*. Dans cette même salle 52A, minuscule et extraordinaire *Vierge à l'Enfant* en albâtre de Gil de Siloé ; et au plafond, celui, à caissons, d'une église du León. D'**Alonso Sánchez Coello,** le *Mariage mystique de sainte Catherine (52B)*. Il fut l'un des rares peintres espagnols apprécié de Philippe II (qui préférait les écoles flamande et italienne). Peinture sur liège où, précisément, on sent l'influence flamande et aussi celle du Parmesan. Des œuvres exceptionnelles de **Luis de Morales** dit le Divin, dont *La Vierge et l'Enfant (52C)*. On note immédiatement le regard mélancolique de la Vierge, pressentant déjà les futures souffrances du Christ, tandis que Jésus cherche le sein d'une main et, de l'autre, s'accroche au voile d'une transparence raffinée. De **Juan de Juanes** *(52C)*, *Le Dernier Souper* où se perçoit nettement l'influence de de Vinci, par la disposition de l'espace et les visages expressifs des apôtres (on y trouve aussi un peu la manière de Raphaël), ainsi que la série consacrée au martyre de San Esteban ; et un très beau triptyque sur bois destiné à un retable : Jésus flanqué de personnages de l'Ancien Testament, d'un côté Melquisedec, roi de Salem, de l'autre Aarón le grand-prêtre. La Renaissance espagnole dans toute sa splendeur !
– **Salle 49 :** immense salle consacrée à la peinture italienne. Ils sont venus, ils sont tous là : **Andrea del Sarto** (Florence) dont on apprécie, dans le *Sacrifice d'Isaac,* le velouté du trait, **Bronzino, le Parmesan,** dont on admire la légèreté du toucher des vêtements, la fluidité du style... Il se révèle ici au sommet de son talent, en particulier dans les portraits *Pedro Maria Rossi* et *Camilla Gonzaga* (quel travail sur le pourpoint et la distribution de la lumière !). Mais c'est **Raphaël** qui captive ici les regards, en particulier avec la *Sainte Famille, Jésus et saint Jean.* Noter Joseph, en retrait, effacé, désabusé, le regard un peu sceptique (ruminant probablement sur la procréation assistée !), Marie et son regard indulgent devant les 2 garçons qui se disputent, avec l'archange Raphaël, Tobias et saint Jérôme ; et, surtout, à côté, le *Cardinal,* dont on ne manquera de remarquer le visage énigmatique rappelant quelque peu la *Joconde,* et en face, la *Chute pendant la montée au calvaire.* Et puis encore **Carrache,** nettement plus sombre, et **Alessandro Allori.** À deux pas, la grande salle des retables, dont celui de la *Vie de la Vierge et de saint François* de **Nicola Francés.**
– **Salle 56B :** quelles œuvres ! Notamment, une *Sainte Famille* de **Bernardino Luini,** avec un sourire à la Léonard de Vinci. Fameux sourire que l'on retrouve sur

cette bien étrange réplique de la *Joconde* (voir encadré). Merveilleuse *Annonciation* de **Fra Angelico,** dont le panneau central exprime le cycle de la condamnation et du salut de l'homme (à gauche, chassés du paradis, à droite l'Annonciation, symbole de la future rédemption). Toile de transition entre le gothique tardif (utilisation de l'or, sens du détail et technique de la miniature) et la Renaissance (traitement de la perspective et de l'architecture). À côté, une sublime *Vierge à la grenade* de **Fra Angelico,** chef-d'œuvre du Quattrocento florentin : aussi lumineux que délicat.

> ## MONA LISA A UNE SŒUR !
>
> *Exposé au Prado (salle 56B), cet emblématique portrait n'avait jamais été identifié comme tel du fait de son arrière-plan peint en noir. Une restauration récente a pourtant montré des similitudes entre les 2 tableaux : il s'agit d'une peinture à l'huile, contemporaine de Léonard de Vinci. Sous la couche de noir, un paysage de montagne identique à l'original et, surtout, un visage plus lisse, plus jeune aussi, voire plus énigmatique que notre Mona Lisa nationale. Elle aurait été réalisée par un de ses élèves, dans son propre atelier. Quand l'élève dépasse le maître...*

Puis **Le Corrège,** dont on admire une ravissante *Vierge à l'Enfant avec saint Jean* (influence nette de Vinci), **Antonello de Messina** (*Christ mort soutenu par un ange*), **Mantegna...** De **Botticelli,** *L'Histoire de Nastagio degli Onesti.*

– **Salles 55 à 58A (peinture de la Renaissance) :** aller immédiatement aux chefs-d'œuvre, comme le sublime *Jardin des délices* de **Jérôme Bosch, salle 56A** qui lui est entièrement dédiée. Peintre flamand du XVe s dont on ne sait pas grand-chose, Bosch (« el Bosco », en espagnol) choisit la dernière syllabe du nom de sa ville d'origine, s-Hertogenbosch (Bois-le-Duc), pour pseudonyme. Véritable génie, précurseur du surréalisme, il a su décrire avec un symbolisme exacerbé les angoisses de l'époque médiévale. L'observation du comportement humain, des fantasmes et des songes se traduit dans des scènes d'un grotesque sans bornes, d'un surréalisme envoûtant qui confine au délire psychédélique. *Le Jardin des délices* exprime dans une éblouissante vigueur picturale la fresque de la vie, de l'innocente rencontre (noter la position d'Adam sur le panneau de gauche) aux affres de l'enfer en passant par un monde d'abondance (panneau central), de volupté lyrique, de bonheur ludique et absolu. Remarquez tout de même les fissures dans la bulle de verre, symbolisant la fragilité annoncée de ces plaisirs. Et ne vous y trompez pas, nul érotisme dans le tableau, Bosch, fervent catholique, voulait seulement montrer ce qui était condamnable dans certains comportements humains. Dans le volet *L'Enfer,* les démons y prennent des formes d'animaux monstrueux excluant toute rédemption. 4 siècles avant, il annonce déjà Dalí ! Au 1er plan, on a droit au supplice raffiné de l'impie, du joueur et de l'alchimiste. *La Tentation de saint Antoine* est une autre œuvre marquante. Notons encore *L'Adoration des Mages* (proche de la peinture flamande) : ici, remarquer le ravissant traitement du paysage ; quant aux gueux, ils se révèlent tristement gris et blafards. Enfin, *La Charrette de foin* (*El Caro de Heno*). Dans cette charrette, plus de morale que de surréalisme. Volet de gauche, l'origine du péché et Adam et Ève chassés du paradis. Au centre, la convoitise des biens terrestres symbolisés par la charrette de foin. Les puissants, le pape, l'empereur et les seigneurs suivent, sûrs d'avoir leur part du gâteau. Le peuple se bat et se marche dessus pour quelques brindilles. Sur le tas de foin, c'est la fête, mais le musicien est un démon. Les nantis sont tranquillement servis comme l'abbesse (en bas à droite), cependant que le char est tiré vers l'enfer (panneau de droite) où mille tourments attendent les pécheurs. Voir aussi, au centre de la salle, la table où Bosch a illustré les 7 péchés capitaux.

Salle 55A, malheureusement en restauration actuellement, un chef-d'œuvre légué par **Bruegel l'Ancien,** le *Triomphe de la mort.* Grand admirateur de Bosch, Bruegel se pose lui aussi en moraliste. Dans la tradition des danses macabres médiévales, on conjure la peur de la mort en la mettant en scène et... gagnante ! Une armée de squelettes, protégée par des « boucliers cercueils » empêche les gens de fuir, tandis que les pécheurs sont poussés dans une sorte de container. Personne n'y échappe, ni le roi avaricieux qui agonise dans le coin gauche, ni les amants insouciants dans le coin droit... De *Joachim Patinir,* la *Tentation de saint Antoine* : gros travail sur les paysages dans de fortes tonalités de bleus.

– La peinture allemande *(salle 55B)* présente peu d'œuvres, mais elles sont de qualité : d'*Albrecht Dürer,* un *Autoportrait* d'une facture sublime (peut-être le portrait le plus connu de lui). Il a 26 ans et porte de riches vêtements pour signifier ostensiblement que la peinture est un art noble (noter la belle et fière signature sous la fenêtre). Dans *Portrait d'un homme inconnu,* l'artiste sait rendre avec vigueur et vérité le regard dur et implacable du personnage (un haut fonctionnaire, pense-t-on, vu la riche houppelande et le papier dans la main). De ce dernier encore, un *Adam et Ève,* 1re représentation de corps nus dans le Vieux Monde (1507). Terrible *Trois âges de l'homme* de *Hans Baldung Grien* et impressionnante *Chasse au cerf* de *Lucas Cranach le Vieux* (noter le nombre improbable de cerfs !)...

– *Salle 57A :* *Sainte Famille* de *Bernard Van Orley,* bel élan des anges et de l'Enfant Jésus vers le visage de la Vierge. Encore *Patinir* et son *Repos pendant la Fuite en Égypte.* Sublimes tableaux du maître *Jan Gossaert (dit Mabuse).* Technique du drapé et rendu du velouté des peaux parfaits. Son chef-d'œuvre absolu, le *Christ entouré de la Vierge Marie et de saint Jean-Baptiste.* Il s'inspira largement des personnages de *Van Eyck* dans son retable de Gand. De *Juan de Flandes,* intéressante *Résurrection de Lazare (salle 57)* et surtout une remarquable *Crucifixion.* Peinture tout en longueur permettant de singulariser les personnages et leur équilibre dans la composition (l'imposant et sombre soldat contrebalançant le chœur de femmes pleureuses).

– *Salle 58,* plusieurs œuvres de *Robert Campin,* dont *Sainte Barbara,* avec, au fond, la tour symbolisant le lieu où elle fut enfermée pour cacher sa beauté. De *Roger Van der Weyden,* admirables *Crucifixion* et *Descente de Croix (salle 58A).* Dans cette dernière, extraordinaire mise en scène des personnages. Le centre de gravité du tableau est déplacé totalement en bas, à gauche (bouleversant visage de la Vierge). De l'immense *Hans Memling, Vierge à l'Enfant,* mais surtout cet adorable triptyque de *L'Adoration des Mages.* Ce fut, dit-on, la 1re représentation d'un roi noir dans la peinture religieuse... De *Dirk Bouts,* superbe triptyque de la vie de la Vierge.

– Au rez-de-chaussée, dans l'immense *salle 75* consacrée surtout à Vicente Lopez, c'est un portrait de *Goya* lui-même, peint par *Vicente Lopez* qui retiendra vraiment l'attention. Extraordinaire portrait du maître à 80 ans, probablement le meilleur jamais réalisé. *Lopez* fut, à partir de 1815, l'artiste le plus sollicité par l'aristocratie madrilène. Peintre à la technique particulièrement soignée et d'une très grande sensibilité, pas étonnant qu'il fût choisi par Goya...

– *Salle 61B :* *La Reddition de Bailén* de *José Casado del Alisal* retient l'attention pour ses similitudes avec celle de Breda (de Velázquez). Même empathie du

COMMENT LE MANQUE DE GOÛT DES FRANÇAIS PROFITA AUX ESPAGNOLS !

Les peintures noires de Goya furent acquises en 1873 par un collectionneur français. Il les fit alors transférer sur toile et les présenta à l'Exposition universelle de Paris en 1878. Un vrai bide, elles passèrent totalement inaperçues ! Le collectionneur les offrit donc à l'État espagnol qui les installa au Prado. Dès lors, elles attirèrent en masse les visiteurs et, bien plus tard, les expressionnistes et les surréalistes reconnurent en elles l'un des éléments fondateurs de l'art moderne...

vainqueur espagnol envers le général français vaincu (l'un rayonne, l'autre arbore quand même un teint cireux). En face, d'**Eduardo Rosales,** la reine Isabelle qui dicte son testament. Admirez, du même côté, le délicat et lumineux *Tobias et l'Ange.*

– **Salle 61A :** la peinture historique et cette œuvre pathétique : *L'Exécution de Torrijos et de ses compagnons sur la plage de Málaga.* Beaucoup d'émotion sur les visages et les attitudes de ces patriotes qui luttèrent contre l'absolutisme royal, toutes classes confondues, de l'aristo au paysan et marin de base... Les autres fresques assez mortifères rappellent quelque peu le style des tableaux historiques russes (outrageusement dramatiques, dans des couleurs et lumières outrancières)...

– **Salle 60A-62-62A :** *Joaquim Sorolla* (*60A* et un peu *62A*, la peinture moderne, paysages, portraits). Il se fit surtout connaître par ses scènes de genre alliant réalisme et lyrisme. *Salle 62 :* les toiles de *Mariano Fortuny* (belle lumière, il y a du Delacroix chez cet orientaliste). Les amateurs ne manqueront pas de pousser jusqu'à la *casa-museo Sorolla* (voir plus loin) pour découvrir tout son univers. Son ami, **Martín Rico,** présente également une peinture lumineuse, annonciatrice de l'impressionnisme espagnol !

– **Salle 62B :** jolis portraits, en particulier celui de la délicieuse *Amalia* dans son éblouissante robe bleue, peint par **Federico de Madrazo.** Il sut capter le sourire vaguement juvénile et ironique de la jeune femme (pourtant, elle a déjà 32 ans). Nettement influencé par Ingres (peau de porcelaine, délicatesse du toucher)...

– **Salles 63-63A-63B :** portraits de **Raimundo de Madrazo** *(salle 63)* particulièrement maîtrisés. Il sut notamment, de façon brillante, capter le regard défiant d'*Aline Masson,* son modèle préféré. Pleinement dans le romantisme, **David Roberts** et son intérieur de la *Mezquita de Cordoue (salle 63B).* En voyage en Andalousie, il attrapa magistralement la fantastique lumière du pays. Divers paysages espagnols *(salle 63A).*

– Dans les **salles 64 à 67,** bel autoportrait de Goya (*salle 65* ; on le reconnaît bien en le comparant avec celui de Vicente Lopez), mais surtout ses œuvres les plus saisissantes : par exemple, celles de la *Quinta del Sordo,* sa résidence. Goya, malade et en proie, sur la fin de sa vie, à des délires mystiques, peignit ces œuvres très fortes, ces « peintures noires » *(salles 66-67),* sur les murs de la salle à manger de sa maison. Comme le *Sabbat* (ou le *Grand Bouc*), très loin de l'académisme triomphant à l'époque, peintes avec une incroyable liberté, elles dégagent une grande émotion et une terrible et inquiétante beauté. De même pour l'halluciné *Saturne dévorant l'un de ses enfants,* le *Duel à coups de gourdin* et *Deux vieillards.* Ce sont des personnages grotesques, un monde de cauchemar cruel et monstrueux dont on a pu dire qu'il préfigurait celui du XXe s. Le *Pèlerinage de San Isidro* exprime ainsi un pessimisme total. *Salle 66, Le Colosse,* une allégorie de la guerre d'Indépendance, est plus que saisissant. Cette œuvre a longtemps été attribuée à Goya, mais elle nous vient en réalité d'un de ses (très) doués) disciples.

– **Salles 64-65 :** parmi les œuvres de **Goya** les plus célèbres, le *Dos de Mayo* et le *Tres de Mayo 1808 en Madrid.* Avant le *Tres de Mayo,* aucune œuvre n'avait rompu avec autant de violence avec la tradition picturale. Cette exécution se révèle un immense cri pour la liberté. Les tueurs sont dans l'ombre. L'homme qui va mourir baigne dans la lumière, dans une attitude dérisoire et sublime, symbole de la résistance du peuple espagnol...

Le 1ᵉʳ étage

La saga des chefs-d'œuvre continue : **Goya** encore dans ses grands portraits, **Velázquez, Rubens, Murillo, Zurbarán, Le Greco, Caravage, Ribera, Titien, le Tintoret, Véronèse...**

– **Titien (salle 41 à 44) :** ses portraits dont le *Federico Gonzague, duc de Mantoue (salle 41), L'Adoration de Vénus (salle 44)* et l'un des plus célèbres, *Vénus et Adonis (salle 44)...* Toute la sensualité vénitienne dans la *salle 44,* tandis que la *salle 43* célèbre Venise et la peinture religieuse (dont Véronèse) ! Pêle-mêle encore, au fil de ces salles, *La femme qui découvre son sein* du *Tintoret (salle 44),* un magnifique *Giovanni Bellini Vierge à l'Enfant (salle 42),* et salle 40, **Bassano, Palma le Jeune...**

– **Les salles 2 à 6 :** sont dédiées à la peinture française et italienne du XVIIe, et les amoureux de sa lumière peuvent y admirer le fameux *Embarquement de saint Paul* du **Lorrain** *(salle 2),* le *Parnasse* de **Poussin** *(salle 3)* et *Sainte Cécile (salle 4).* Magnifique *Pietà* de **Daniele Crespi** *(salle 5),* regarder l'expression des visages et l'angelot, à l'arrière, qui se met le doigt dans l'œil ! Ou encore *salle 6, La Curación de Tobias* de **Bernardo Strozzi,** le *David et Goliath* du **Caravage,** superbe. Mais on a un faible pour ce tableau de **Giovanni Serodine,** *Sainte Marguerite* qui ressuscite en jeune garçon.

– **La Grande Galerie :** elle est en fait composée de 5 salles qui se suivent en continu. Les **salles 28-29** sont dédiées à **Rubens** et se révèlent d'une richesse prodigieuse. Fortement influencé par l'école vénitienne, il présente ici des œuvres très baroques : *Cérès et Pan* (réalisé avec *Frans Snyders*), le tragique *Saturne dévorant son enfant,* l'étonnante *Naissance de la Voie lactée, Les Trois Grâces* ; parmi les dernières œuvres de Rubens, c'est l'aboutissement de son style plein de grâce, de joie, de sensualité, symbole de son bonheur après le 2e mariage... Quant à *L'Adoration des Mages,* elle présente une extraordinaire débauche de détails !

– **Grande Galerie (suite) :** on y retrouve *(salle 27)* **Titien,** dont le célèbre *Empereur Charles Quint à Mühlberg* qui symbolise la quintessence de la puissance des Habsbourg. Dans la foulée, **le Tintoret,** dont l'étonnant *Lavement des pieds (salle 25)* où les disciples du Christ sont présentés de façon très quotidienne et où le sujet principal est décalé à droite pour renforcer l'effet de perspective. Noter derrière cette scène, dans la pièce du fond, l'évocation du « dernier souper »... Aussi de beaux **Véronèse,** dont *La Leçon du Christ aux docteurs du Temple (salle 26).* De **Bassano,** la *Forge de Vulcain (salle 25),* œuvre tardive et impressionnante. Seule la présence de Cupidon indique que c'est une scène mythologique (là encore, influence de Titien à travers la répartition de la lumière sur les corps).

– **Murillo (salles 16-17),** peintre du XVIIe s, porte-parole de la religiosité populaire. L'Église lui fit un grand nombre de commandes. **Murillo** ne quitta quasiment pas Séville, cependant cela ne l'empêcha pas de bien connaître le travail des peintres vénitiens et flamands de son époque (et surtout celui de Ribera). Quel talent de coloriste, quelle distribution géniale de la lumière ! Certes, parfois, c'est une religiosité un peu mièvre, mais vraiment, il manifeste un grand sens de la composition. On remarquera la *Sainte Famille au petit oiseau (salle 17).* Dans cette toile, inhabituelle, étonnante présence dominante de Joseph, alors qu'en peinture il est le plus souvent dans l'ombre ou quasiment effacé ! D'autres chefs-d'œuvre, *Explication du songe au pape Libère (salle 16), L'Adoration des bergers (salle 17)* (là, on sent l'influence de Ribera), la série des Vierges avec surtout *L'Immaculée Conception des Vénérables (salle 16)* – emportée dans les bagages du maréchal Soult après la guerre d'Espagne et rendue par la France en 1940.

– **Peinture flamande (salle 16B) :** *Judith au banquet de Holopherne* de **Rembrandt,** dont on admire la somptuosité de la robe. Autres toiles remarquables, celles de **Jan Bruegel le Vieux,** notamment sa série *Les Cinq Sens,* réalisée avec **Rubens.** Une débauche d'instruments de musique, celui de l'ouïe. Le goût est symbolisé par les victuailles. Une mère embrassant son enfant et des ouvriers travaillant le métal symbolisent le toucher. Une orgie de fleurs y exprime le plaisir de l'odorat et, enfin, le plaisir de la vue est révélé par de nombreuses œuvres d'art de l'Antiquité et celles de... Rubens. On y reconnaît entre autres *La Gloutonnerie* (à ce propos, on a là un étonnant hommage envers un contemporain !) ! Dans la toile *L'Archiduc Léopold-William dans sa galerie de peinture,* dans l'un des 4 personnages, c'est le peintre **David Teniers le Jeune** qui se représente lui-même... De *Teniers* toujours, la *Fête champêtre.* Resplendissantes natures mortes de **Frans**

Snyders. Danse avec personnages mythologiques de **Rubens**... Là, quelle finesse d'exécution, rythme et légèreté des mouvements ! Mais *le plus fascinant Rubens* du musée reste le *Jardin de l'Amour,* où le traitement des jeux de lumière est à son summum ; et on notera le dégradé progressif, génial, des personnages, au fur et à mesure que l'on va vers le fond du tableau !

– *Salles 32 et 34 à 38,* d'autres œuvres de **Goya :** les portraits de la famille royale, dont l'extraordinaire *Famille de Charles IV (salle 32).* De facture vraiment peu conventionnelle : personnages dans la pénombre, peu souriants ; une femme tourne la tête ; un enfant a l'air figé comme sur une photo d'école. Outre les coups de pinceau enlevés restituant l'éclat des bijoux, des soies et tissus chamarrés, Goya arrive à exprimer les sentiments des personnages et les charges de haine les uns vis-à-vis des autres : tour à tour mesquins, médiocres, petits, fiers. Aucune concession dans la composition, aucune obséquiosité vis-à-vis du pouvoir.

Dans la *Sainte Famille (salle 35),* le pauvre Joseph, comme toujours, reste dans l'ombre. Portrait peu flatteur de *Charles III à la chasse,* peu flatteur non plus son portrait *en armure (salle 37).* Puis intéressant *Duc et duchesse d'Osuna et leurs enfants (salle 34).* Les portraits de famille étaient un genre presque inconnu jusque-là à la Cour. Ici, l'artiste utilise subtilement les variations

LA *MAJA* NUE

La Maja desnuda (salle 36), l'un des tableaux les plus célèbres de Goya, représente une femme nue langoureusement allongée sur un lit. En 1814, la terrible Inquisition, qui existait toujours, lui fit un procès. L'artiste partit en exil à Bordeaux, où il mourut.

de gris et les teintes vertes pour renforcer le côté léger et délicat de la texture des vêtements. Les *Majas (salle 36),* la plus célèbre paire de tableaux de **Goya,** attirent du monde aussi. Peintes vers 1798, elles provoquèrent les foudres de l'Inquisition sur Goya. La *Maja desnuda* fut un événement, car auparavant il y avait peu de nus dans la peinture espagnole. Dans la *Comtesse de Chinchón (salle 38),* qui est enceinte, *Goya* réussit à exprimer la timidité du personnage (comme s'il la prenait en photo !). Dans les cheveux, un bouquet d'épis de blé, symbole de la fécondité.

– **Salle 39 (peinture française du XVIIIe s) : Van Loo, Nicolas de Largillière...** Le *Louis XVI* d'**Antoine-François Callet** se révèle une petite merveille... Dans la lignée de Rigaud : prodigieuse richesse des détails et du rendu de l'hermine !

– **Salles 19-20-21-22 (peinture anglaise, française et italienne) :** tous les grands sont là *(salle 21),* **Georges Romney** et son *Master Ward,* **Thomas Lawrence, Gainsborough, Watteau,** etc. De *Tiepolo,* la *Chute du Christ* et, surtout, *L'Immaculée Conception (salle 19),* à nos yeux son œuvre la plus importante au Prado. La Vierge écrase le péché originel représenté par le serpent (lys et rose symbolisant la virginité). Quant à *Abraham et les Trois Anges,* ils semblent sponsorisés par *McDo* (en bas, à droite comme un hamburger, non ?). *Salle 20 :* au passage, **Anton Raphaël Mengs,** un fin portraitiste qui mérite un peu d'attention...

– **Salles 8 à 15,** consacrées à la peinture espagnole du XVIe au XIXe s. On retrouve bien évidemment **Velázquez,** qui a droit à la plus grande salle du musée **(salle 12),** mais que l'on retrouve également dans les salles autour. Mais aussi **Zurbarán, le Greco, Ribera...**

– Dans la **salle 12,** on peut déjà admirer le tableau le plus

LES MÉNINES, SI MYSTÉRIEUSES

Pourquoi les personnages de ce tableau nous regardent-ils ? En fait, ils observent quelqu'un d'autre qu'on ne voit pas ! La solution se trouve dans le miroir tout au fond : on y aperçoit le roi Philippe IV et la reine. Velázquez, sur la gauche, est donc en train de peindre le couple royal, et tout le monde les observe. Ce n'est pas vous qu'on regarde, cher lecteur !

célèbre de **Velázquez**, *Les Ménines à la cour de Philippe IV*. Velázquez excella dans le portrait royal, mais encore plus dans les personnages bizarres de la Cour *(salle 15)* : nains, buffons, etc. Dans cette toile, quel jeu superbe de l'espace et de la lumière : l'artiste réussit véritablement à intégrer le spectateur à son tableau ! Ce qui est également intéressant, c'est qu'il affirme son appartenance sociale par différents messages : contrairement aux autres personnages, il se situe dans l'espace de l'infante. Il porte la croix de l'ordre de Saint-Jacques, ce qui le rattache à la noblesse. En outre, son air sérieux et réfléchi veut démontrer que son activité artistique est plus de l'ordre de l'intellectuel que du manuel... Quant au sujet qu'il peint, réponse dans l'encadré ! À Madrid, il devint l'ami de Rubens qui lui conseilla de voyager en Italie. Il y retourna plusieurs fois pour acheter des tableaux de Titien pour le roi. De Titien, il disait : « Il a tout inventé. » À Rome, il se liera avec Poussin et le Bernin. *Les Fileuses (salle 15A)*, autre œuvre majeure, avec personnages assez réalistes au 1er plan et ceux du fond presque dilués dans la lumière. Détail important : dans le fond du tableau, on aperçoit *L'Enlèvement d'Europe* par *Titien* et *Rubens*, ce qui témoigne de l'admiration de Velázquez pour ces 2 peintres. *La Reddition de Breda (salle 9A)*, probablement le tableau le plus connu des écoliers, tant il est reproduit dans les livres scolaires. Célèbre pour son jeu de lignes (diagonales, courbes, parallèles) : une remarquable construction ! Ce qui est également nouveau dans cette toile, c'est qu'on ne cherche pas à montrer le triomphe, l'arrogance d'une victoire, mais plutôt l'empathie, la clémence envers les vaincus. *Les Buveurs (salle 10)* montrent que Velázquez n'a pas son pareil pour peindre sans complaisance la joie populaire teintée d'hébétude. Période naturaliste où il n'utilisa qu'un minimum de couleurs, ne jouant strictement que sur les bruns... C'était le tableau favori de Manet. *L'Infant Baltázar Carlos (salle 12)* révèle de façon éclatante la fraîcheur, le naturel, la vivacité du jeune prince. Le musée nous offre aussi l'une des seules œuvres religieuses de Velázquez : *Le Christ crucifié (salle 14)*, noble et humain, qui semble plus méditatif que mourant. Ou encore *(salle 11)*, l'intéressant *Triumph de Bacchus*, où le classicisme du sujet est cassé par les visages des 3 hommes populaires, burinés et superbement dessinés et également la *Forge de Vulcain*, célèbre tableau mythologique.

– **Zurbarán (salle 10A)**, peintre des scènes religieuses de la 1re moitié du XVIIe s, restera célèbre pour ses « blancs » lumineux, comme dans la superbe *Apparition de l'apôtre saint Pierre à saint Pierre Nolasque (salle 10A)*, qui capte la lumière d'une manière incroyable. L'absence de décor et les personnages ascétiques donnent un côté austère aux toiles. Natures mortes aux couleurs parfaites.

– **Le Caravage et José de Ribera (salles 6 à 9) :** nombreuses œuvres majeures du **Caravage**, dont *David et la tête de Goliath* et les *Suiveurs*. Pathétique *Saint Jérôme lisant* de **Georges de La Tour (salle 7)**. De **Ribera**, la curieuse Magdalena Ventura, la *Femme à barbe* donnant le sein à son enfant : c'est le duc d'Alcalá qui commanda le portrait de cette mère velue, victime d'un désordre hormonal. Fascinant *Saint Jérôme écrivain* également *(salle 7)*. Contemporain de Zurbarán, *Ribera* montre une adhésion sans faille au style du Caravage et à son « ténébrisme » avec, en plus, un zeste de baroque. Dans la *Résurrection de Lazare (salle 7)*, période Rome et Naples, il accentue encore plus l'émotion sur les visages, et le caractère dramatique de la scène. Superbe également, *Le Songe de Jacob*, de **Ribera (salle 9)**. Belle *Adoration des bergers (salle 7A)* de **Juan Bautista Maíno**, aux couleurs éclatantes. Noter le velouté des peaux, le superbe rendu de la toison de l'agneau. Joseph n'apparaît même plus effacé, il a carrément disparu !

– **Le Greco (salles 8B, 9B et 10B)** est largement représenté même si, à cause du cadre formel, on ne ressent pas les mêmes émotions qu'à la cathédrale de Tolède. Ce Crétois, de son vrai nom Dhomínikos Theotokópoulos, l'un des artistes les plus originaux de tous les temps, trouva en Espagne son inspiration. Une œuvre unique, habitée, empreinte d'une grande religiosité ; ses personnages aux visages émaciés contrastent avec les couleurs vives et chaleureuses des drapés (grenat, vert, bleu, jaune). Le grand critique Élie Faure dit de lui qu'il délivra l'âme espagnole. Il transita avant par Venise et Rome, dont il rapporta des influences de

Titien et de Michel-Ange présentes dans ses 1res toiles, comme *L'Annonciation* et *La Sainte Trinité (salle 8B* ; sa 1re œuvre espagnole), riche en couleurs ; parallèle intéressant à faire avec *La Trinité* de *José de Ribera* dans la *salle 8* voisine, qui lui fait face, beaucoup plus sombre. Dans le *Christ portant la Croix (salle 9B)*, les yeux explosent de dévotion ! Et puis la célèbre série : *La Crucifixion, La Résurrection, Le Baptême du Christ, L'Assomption de la Vierge (salle 9B)*. Peintures pour le retable de Doña Maria de Aragon (1596). L'artiste est en fin de carrière, couleurs froides, intenses et contrastantes... Et enfin le choc : *L'Adoration des bergers (salle 10B)*, tellement lumineux et coloré, fantastique œuvre de ses dernières années, peinte pour sa propre chapelle funéraire. La toile tout en hauteur met en valeur la distance séparant le ciel de la terre. La lumière irradiée par l'Enfant donne aux autres personnages un relief statuaire. Le paroxysme du lyrisme ! Les personnages semblent brûler d'un feu mystique... Le berger du fond est un autoportrait, à sa droite, c'est son fils.

Le 2^d étage
On y accède par les ascenseurs tt au bout du 1er étage, derrière la salle 39. Peintures espagnoles des XVIIIe et XIXe s essentiellement. Encore des *Goya (salles 85 à 87, 90 à 92 et 94)*, de l'époque où il peignait des cartons de tapisserie destinés aux palais royaux (1770-1780). Scènes de la vie quotidienne très fraîches et d'un style primesautier auquel l'artiste ne nous avait pas habitués : noces, jeux et parties de chasse, scènes champêtres...

🍴🍴 Pour s'aérer les neurones en sortant des musées, nos lecteurs bucoliques flâneront dans le *Real jardín botánico,* juste en face du Prado *(zoom Las Letras E5)* : *entrée pl. de Murillo ;* ● *rjb.csic.es* ● ; *tlj 10h-21h (18h nov-fév, 20h avr et sept, 19h oct), puis fermeture au coucher du soleil, c'est-à-dire entre 18h et 21h selon saison ; entrée : 6 €, réduc, gratuit - de 10 ans. L'expo ferme à 16h30.* Très belles serres (dont la plus ancienne disposait d'un étonnant système de chauffage !), vastes parterres thématiques, depuis les plantes médicinales jusqu'aux rares essences d'Amérique du Sud ou aux bonsaïs : la collection est superbe. Certaines perspectives donnent vraiment l'impression d'avoir quitté la ville, perdu que l'on est entre les frondaisons touffues... Le *Pabellón Villanueva*, au fond, accueille aussi des expos et un très agréable café-resto (certes un peu cher, mais pour un rafraîchissement, ça passe !).

🎥🎥🎥 *Museo Centro de Arte Reina Sofía (zoom Las Letras E5-6) : c/ de Santa Isabel, 52.* ☎ *91-774-10-00.* ● *museoreinasofia.es* ● 🅜 *Atocha. Tlj sauf mar 10h-22h (19h dim, mais seulement le bâtiment Sabatini, 2e étage, le reste du musée est fermé); ferme à 19h en oct et mars, et 18h nov-fév. Fermé 1er et 6 janv, 1er et 15 mai, 9 nov, 24, 25 et 31 déc. Entrée : 10 € (expos temporaires seules 4 €), ou 15 € pour 2 visites ; réduc achat de ticket en ligne, étudiants et carte Jeune ; gratuit tte l'année - de 18 ans, citoyens de l'UE + de 65 ans et chômeurs ; gratuit pour ts en sem 19h-21h, et dim 13h30-19h, ainsi que 18 mai, 12 oct et 6 déc. Pour les amateurs, visites guidées gratuites (en espagnol) lun et mer à 17h et sam à 11h. Les gros sacs doivent être déposés dans des casiers (gratuits), mais conserver sa carte d'identité pour louer un audioguide (4,50 €). Rappel : l'*abono Paseo del Arte peut être acheté ici et permet de couper-file. **Attention :** pdt la session gratuite le dim ap-m (14h30-19h), seule une partie de la collection permanente est accessible,* à savoir le fameux 2e *étage ;* le reste du musée est fermé. Petit conseil : prendre un plan à l'entrée, car le musée est labyrinthique et la signalisation très légère.

Les collections permanentes sont aux 2e et 4e étages. Si vous n'avez que peu de temps, sélectionnez d'abord la 2e étage, un must, et en 1er lieu *Guernica*. L'œuvre géniale de Picasso justifie à elle seule la visite.

Musée installé dans l'ancien hôpital construit à la fin du XVIIIe s par Francesco Sabatini à la demande du roi. Excellente idée de la part des autorités de l'avoir reconverti en centre d'exposition consacré aux œuvres et aux mouvements les plus significatifs de l'*art du XXᵉ s* et plus particulièrement aux spécificités de la scène artistique espagnole. L'accès au musée se fait par l'un des 2 ascenseurs enrobés de cages de verre futuristes accolées à la façade XVIIIᵉ s de l'édifice, ou par le nouveau bâtiment donnant sur la ronda de Atocha et la c/ de Argumosa, dessiné par Jean Nouvel, et qui abrite désormais les œuvres de 1962 à 1982, les expositions temporaires, et, dans son patio triangulaire, un resto, la librairie, la bibliothèque, etc. Également un agréable jardin extérieur dominé par une sculpture de Calder.

2ᵉ étage de l'édifice Sabatini
Intitulé « *L'irruption du XXᵉ s : utopies et conflits* »
Une grande partie du *2ᵉ étage*, remodelé, expose l'art d'avant-garde espagnole des années 1900-1945, dont une bonne partie consacrée à la guerre d'Espagne autour du clou de la collection, à savoir le *Guernica* de **Picasso**. Immense richesse de ces collections présentant, entre autres, le cubisme, le surréalisme, le dadaïsme.
– **Salle 202** *(Paroles en liberté) :* **Picabia,** bien sûr, pilier du dadaïsme. **Man Ray** *(Élevage de poussière),* **Kurt Schwitters** (et ses collages). Documents inédits et ce beau poème : *Notre Dame de la peinture.* Fascinant *Belomancie* d'**Yves Tanguy,** les

> ## GUERNICA, OU LE CRI DU PEINTRE
>
> *Le 26 avril 1937, l'aviation de la légion allemande Condor pilonna la ville basque de Guernica, selon la technique du « tapis de bombes » (une 1ʳᵉ dans l'histoire militaire). Ce massacre de 2 000 civils fit l'effet d'un électrochoc. En protestation contre cette barbarie, Picasso peint cette toile considérée depuis lors comme son chef-d'œuvre. Un officier allemand, admirant un jour Guernica, lui posa la question : « C'est vous qui avez fait ça ? » Picasso répondit : « Non, c'est vous. »*

photos émouvantes de **Kertész,** les *Oiseaux rouges* de **Max Ernst,** puis **Brassaï, Dora Maar, Miró, André Masson.** *Composition* de Rafael Alberti... Originaux de livres de poésie *(Breton, Éluard, Soupault).*
– **Salle 203 :** *Arlequin, Buste et Palette, Deux figures* et le *Portrait de Buñuel* par **Dalí** et le *Bal* d'**André Lhote.**
– **Salle 204 :** essentiellement les insolites figures d'**Alberto,** l'étrange *Composition cosmique* d'**Oscar Dominguez** et une peinture à l'huile de **Man Ray.**
– **Salle 205 :** encore l'univers bizarre et fascinant d'**Oscar Dominguez** avec les *Siphons* et *L'Apparition de la mer.* On adore les subtiles variations sur le lion (surtout le *Lion-bicyclette* !)... Une « pièce » : l'original de l'*Anthologie de l'humour noir* de **Breton.** Et nul ne manquera le *Visage du grand masturbateur* de **Salvador Dalí...**
– **Salle 206** *(Art et Culture en exil) :* principale collection thématique, la guerre d'Espagne et sa lourde charge émotive. Photos inédites du *camp de Gurs* où furent internés les républicains espagnols, symbole de « l'hospitalité française ». Livres de l'exil. Puis dessins satiriques et peintures sur la guerre. Quelques œuvres très fortes : *Allégorie du Bien et du Mal* de **Fernández** et le *Monument aux Espagnols morts pour la France* de **Picasso.** *Femme au foulard rouge* et la *Révolution espagnole* de **Picabia,** et un saisissant tableau d'**André Masson,** *En revenant de l'exécution* (avec les sinistres gardes civils et leur tête de Mickey). *Espagne* de **George Grosz** qui a toujours parfaitement su exprimer les horreurs de la guerre. Puis *Sacrifices,* remarquable série d'**André Masson.** Terrible tableau dénonçant la complicité de l'Église espagnole avec Franco, les *Réguliers* (où elle distribue des prébendes aux mercenaires tabors marocains). Ne pas manquer non plus les dessins pleins de force sur la guerre d'**Horacio Ferrer,** très morbides d'**Antonio Rodríguez Luna** ou pleins d'humour de **Luis Quintanilla.** De **Ferrer,** *Madrid 1937,* superbe composition au réalisme émouvant. Intéressante série de **Josep Renau,** *Déclaration des principes de la République espagnole* (ou le graphisme qui rejoint la politique).

Quant au célèbre **Guernica,** après une escale au Casón del Buen Retiro depuis son retour des États-Unis en 1981, il occupe désormais une salle à lui tout seul : très impressionnant. Visages torturés, membres sectionnés, bouches béantes, tons gris et noirs, tout est fait pour augmenter le sentiment de souffrance et de douleur. Outre la taille impressionnante de ce chef-d'œuvre, l'absence de couleur est frappante : le noir et blanc renforce l'idée de mort et de deuil. Le tableau symbolise la douleur (sur la gauche, l'enfant mort porté par sa mère, la gueule du cheval défoncée par une lance...), mais aussi l'espérance (sur la droite, la femme tenant une lumière et tout en bas, une fleur discrète, signe que la vie renaît malgré tout). Bien qu'archiconnue l'œuvre de Picasso conserve une forte capacité émotionnelle. Dans la salle en face, comme pour lui donner plus de poids, un film sur la guerre d'Espagne est projeté. Entre les 2, une salle est consacrée aux études faites pour *Guernica,* voir tout particulièrement la superbe tête de cheval sur fond noir.
– Bien d'autres peintres ont accroché notre regard. **José Gutiérrez Solana** *(salles 201, 206 et 207)* et le réalisme de ses scènes : morceaux de sucre, cuillère dans la soucoupe, petite boîte d'allumettes et autoportrait de l'artiste à l'extrême gauche dans la *Tertulia del Café de Pombo.* Dans *La Visita del Obispo,* remarquer la signature de l'artiste sur l'enveloppe timbrée posée sur la table. De **Picasso** encore, *La Femme en bleu* (curieusement, elle fut reniée par le peintre), qui marque le début de sa période bleue, *Le Peintre et son modèle* (3 tableaux de 1963). Et on découvre aussi **Buñel** avec *Le Chien andalou* et bien d'autres réalisations cinématographiques qui en feront un des plus grands cinéastes espagnols (si ce n'est le plus important) dans un registre bien à lui.
– **Salle 201** *(symbolisme et modernisme) : Portrait de Sonia de Klamery, comtesse de Pradere* (composition d'une sombre sensualité) par **Anglada Camarasa.** *Lecture* de **Julio Romero de Torrès,** *Christ au sang* de **Ignacio Zuloaga,** *Désastres de la guerre* de **Goya...** Spectaculaire *Scène de garrot* de **Ramón Gayas.** Enfin, les *Pêcheurs,* fins dessins au charbon de bois de **José Ortiz Echagüe.**
– La **salle 208** est consacrée en grande partie au Madrilène **Juan Gris** et à ses œuvres cubistes très influencées par Picasso (tout est peint au même niveau : pas de 3e dimension ni de profondeur de champ) ; une bonne illustration de l'évolution du cubisme vers l'analytique synthétique. À ses côtés figurent fort logiquement **Fernand Léger** et **Georges Braque,** pionniers du cubisme. La **salle 209** est consacrée au *New Art* en Espagne.
– **Salle 210** *(rupture cubiste de l'espace) :* œuvres de **Sonia et Robert Delaunay.** Quelques **Juan Gris** encore : *Moulin à café, tasse et verre sur une table...* **Braque,** toujours, et les masques africains qui inspirèrent grandement **Picasso.**

4e étage
Intitulé : « ***La guerre est finie ? L'art pour un monde divisé...*** »
Le *4e étage,* plus politique, traite de l'après-guerre (1945-1968). Cette dernière a mis fin aux avant-gardes historiques, c'est ce que cherche à nous raconter cette partie du musée. Le discours des créateurs devient plus existentialiste *(salle 401).* Les maîtres de l'abstraction nous interrogent aussi sur les conséquences du conflit et comment continuer à être artiste après un tel séisme, à travers des toiles de **Picasso,** encore lui, mais aussi certains artistes qui émergent à cette période et jouissent aujourd'hui d'un énorme prestige international, comme **Antoni Tàpies, Jorge Oteiza** ou **Esteban Vincente.** Certains mouvements d'artistes voient le jour comme **El paso,** qui diffuse le langage informel ou le **CoBrA Group** *(salle 402),* émergeant de 1948 à 1951, autour du concept du primordial et du primitif. Avec **Joan Miró** et *Peinture,* **Pierre Alechinsky,** dont on peut voir *Les Hautes Herbes,* ou encore **Karel Appel,** *Figures.* Projection du film *Allemagne, année zéro* de **Rosselini** et une photo en noir et blanc de **Lee Miller** terrifiante.
Intéressante expo d'affiches franquistes en face desquelles s'élèvent les envolées poétiques de **Klee, Kandinsky** et les œuvres de **Joan Ponç,** assurément influencé par Dalí *(salle 405).* On retiendra évidemment la belle collection d'**Antoni Tàpies**

(salles 401, 406 et 417), magistral peintre catalan et particulièrement son *Gran Libro,* où l'on peut lire les principales préoccupations métaphysiques de sa vie. Pas toujours facile d'approche, cependant, vu son degré d'abstraction. Notons aussi le travail sur le noir du peintre **Antonio Saura** *(salle 406),* influencé par l'abstraction américaine et, visiblement, par Dalí aussi ; notons encore le travail de **Manuel Millares** en noir et blanc également, comme de grandes plaies ouvertes. *Salle 404,* intéressantes couvertures du magazine *La Cordoniz* de 1941 à 1950, où les artistes, pour éviter la confrontation directe avec le pouvoir dictatorial, dont ils seraient sortis perdants, ont utilisé l'humour irrationnel pour transgresser. La *salle 411* est entièrement consacrée à **Louise Bourgeois,** dessins et sculptures, le corps en exil.

Au fil des salles, on découvre également les œuvres de **Fautrier** *(salle 401),* **José G. Solana** avec *Têtes et Masques (salle 412),* puis **Rothko** *(salle 409)...* Insolites images critiques des années 1960 et beaux tableaux comme *Vivre et laisser mourir ou la fin tragique de Marcel Duchamp (salle 428)...* Collages particulièrement originaux de **Joan Rabascall,** dont *Fille construite sur une ligne voluptueuse (salle 425).* Puis **Klein, Villeglé, Tinguely** *(salle 424),* **Christo, Raymond Hains...** Photos décalées de **R. Rauschenberg** *(salle 423)...* **Fontana** *(salle 418),* Tàpies et les collages géniaux, façon B.D. surréaliste d'**Antonio Saura,** ainsi que ceux d'**Alberto Greco.** Puis **Robert Motherwell** *(salle 409),* **Franz Kline, Sam Francis** et son *Amérique et l'invention de la modernité (salle 410)...* Mais aussi **Francis Bacon, Jean Dubuffet,** ou encore **Yves Klein.** Pour finir, l'Espagne des années 1960, avec *Les Quatre Dictateurs* d'**Eduardo Arroyo** *(salle 428),* un vrai choc pour son expressionnisme fascinant et enfin *salle 429,* des extraits du film d'Alain Resnais (1966), *La guerre est finie.*

L'extension moderne (edificio Nouvel)
Intitulée : « **De la révolte à la postmodernité** »
Édifiée en 2005 par Jean Nouvel, avec son immense marquise rouge en aluminium et zinc, elle cohabite harmonieusement avec l'édifice Sabatini.
– Fin du parcours chronologique. Au 1er étage et rez-de-chaussée : des années 1962 à nos jours, les artistes remettent en question la nature même de l'art. Au fond, qu'est-ce que l'art ? interrogent artistes, critiques d'art et public... La question du genre, de la culture underground, de la culture de masse, de la mondialisation et du marché de l'art sont les grands thèmes de la réflexion qui guide cette 3e section du musée. Réponse entre autres avec **Michelangelo Pistoletto,** un des leaders de l'*Arte Povera (salle 104),* **Gerhard Richter** *(salle 001),* un des plus grands peintres contemporains, fan de Pollock, dont on vous livre l'une des radicales définitions : « Mes tableaux sont sans objet ; mais comme tout objet, ils sont l'objet d'eux-mêmes. Ils n'ont par conséquent ni contenu, ni signification, ni sens ; ils sont comme les choses, les arbres, les animaux, les hommes ou les jours qui, eux aussi n'ont ni raison d'être, ni fin, ni but. Voilà quel est l'enjeu (mais il y a quand même de bons et de mauvais tableaux !). » Enfin, **Marcel Broodthaers** *(salles 001 et 104).* Ce dernier, amoureux de Magritte et de Mallarmé, enchante et étonne avec ses œuvres, assemblages insolites ou accumulation d'objets mélangeant finement humour et absurde ! Mais au fil des salles, on découvre également les œuvres de **Robert Morris,** avec une série de sérigraphies. D'autres artistes de l'*Arte Povera,* comme **Luciano Fabro, Mario Merz...** Salle 4, l'art et la politique à la fin de la dictature franquiste, illustrés par des documents authentiques sur les tortures, et un film de 16 mn ! Puis, pour finir, art et activisme en Amérique latine, illustrés par de longs panneaux de **Juan Carlos Romero** sur la violence. On termine par la culture urbaine *(salle 009),* appuyée par un film d'**Almodóvar,** *Pepi, Luci, Bom et autres filles du quartier* (1980).

– La *librairie* du musée (au rez-de-chaussée de l'extension moderne) est richement fournie. Ouvrages relatifs à l'art dans un bon nombre de langues... les tentations sont grandes.

|●| ♟ **Arzábal Reina Sofía** *(zoom Las Letras E5,* **227**) **:** c/ de Santa Isabel, 52. ☎ 91-528-68-28 ou 29. ● arzabal. com ● *Sur le côté du musée Reina Sofía, presque sur la place. Tlj 9h-2h*

(dîner à partir de 20h). Salades, snacks 12-18 €, carte min 30 € le soir (résa conseillée pour le dîner). Il faut passer l'entrée un peu austère, et finalement discrète, pour découvrir d'abord des salles façon taverne moderne, ouvertes toute la journée, puis un insoupçonnable jardin-terrasse luxuriant, véritable havre de fraîcheur l'été. Une halte idéale après ou avant le musée, pour boire un verre et grignoter un bout, dans un cadre presque bucolique. En soirée, la zone tapas se réduit, et la verdure est plutôt réservée aux vrais repas : cuisine dans l'air du temps, plutôt bien réalisée, un peu chère déjà.

|●| ▼ Voir aussi, ne serait-ce que pour son très beau design (de l'architecture intérieure au mobilier), le *NuBel,* l'autre café-restaurant du *Reina Sofía (zoom Las Letras E6, 228 ;* entrée par *l'edificio Nouvel, ou c/ Argumosa, 43 ;* ☎ 91-530-17-61, ● *info@nubel.com ● ; tlj sauf mar, 9h-minuit ; snack à prix moyens, repas déjà chic).*

🏃🏃🏃 *Museo Thyssen-Bornemisza (zoom Las Letras E4) : palacio de Villahermosa, paseo del Prado, 8.* ☎ *917-91-13-70.* ● *museothyssen.org ●* Ⓜ *Banco de España. Lun 12h-16h (seulement pour la collection permanente), mar-dim 10h-19h (21h sam pour les expos temporaires) ; fermé 1er janv, 1er mai et 25 déc. Entrée : 13 €, expo temporaire incluse ; réduc + de 65 ans, carte Jeune et étudiants sur présentation d'un justificatif ; gratuit - de 12 ans et pour ts lun 12h-16h à la collection permanente. Achats et résas possibles sur leur site internet (mêmes tarifs). Possible d'y prendre l'abono Paseo del Arte, qui sert aussi de coupe-file. Audioguide intéressant (en français) : 5 € pour l'expo permanente, 4 € l'expo temporaire ; 7 € en combiné pour les 2. Pour l'expo temporaire, l'horaire de visite est imposé au moment de l'achat du billet, pour cause d'affluence. Parfois, une partie de l'expo temporaire est délocalisée sur un autre site. Parfois des ouvertures nocturnes (jusqu'à 23h ou 23h30) en juil-août : se renseigner sur place.*

Depuis octobre 1992, la collection longuement convoitée de Hans Heinrich Thyssen est définitivement proposée au public. La famille Thyssen a bâti l'une des plus grosses fortunes allemandes grâce aux 2 guerres mondiales. L'héritier Thyssen, grand collectionneur d'art, n'a pas donné sa collection à l'État espagnol mais, après d'âpres négociations, lui a vendu pour la somme de 400 millions d'euros. *Business is business !*

Répartie dans près de 50 salles sur 3 étages (18 000 m²), cette collection de près de 800 tableaux est tout simplement époustouflante, tout particulièrement en ce qui concerne la peinture hollandaise au XVIIe s, la peinture nord-américaine du XIXe s et l'expressionnisme allemand. D'autant que depuis juin 2004 elle s'est enrichie d'une nouvelle aile où sont exposées près de 200 peintures gracieusement prêtées (ce coup-ci !) par la baronne Carmen Thyssen-Bornemisza (ex-Miss Espagne des années 1960) qui poursuivit la collection à la mort de son mari, en 2002. Au total, près de 1 000 tableaux, donc ! Bien sûr, on ne va pas s'amuser à les détailler, vous nous l'accorderez ! Laissez-vous porter tout simplement par la magie de la collection. Même les plus réfractaires à la peinture risqueraient bien d'être séduits. Tous les plus grands noms qui ont marqué l'histoire de la peinture sont présents. Ne pas hésiter à prendre l'audioguide dont les commentaires sont très bien faits. On comprend tout sur l'évolution et l'histoire de la peinture à travers les siècles (du XIIIe au XXe s), d'autant plus que les œuvres sont exposées de manière chronologique. Il permet également d'avoir des explications sur les principales œuvres.

La partie la plus ancienne de la collection s'étale sur 3 niveaux (2 niveaux pour celle de Carmen Thyssen-Bornemisza répartis dans une aile attenante). *Début de la visite au 2e étage,* que l'on peut atteindre en ascenseur. On découvre d'abord une collection d'œuvres religieuses dont une riche présentation de peintres primitifs italiens, mais également des peintres allemands et espagnols du XVIe s (salle 2) et primitifs néerlandais (salle 3). Quelques coups de cœur dans les 1res salles (1 à 4) : après les classiques *Duccio, Simone Martini* et *Giovanni di Paolo* et son *Pape en Avignon,* bouche bée devant l'admirable *Crucifixion* de *David*

Gérard, l'*Ascension* de **Johann Koerbecke** (beau travail sur les visages) et la remarquable technique de **Jan Van Eyck** pour son diptyque de l'*Annonciation*. Les salles suivantes (5 à 11) font traverser toutes les périodes de la Renaissance jusqu'au Maniérisme. Superbe portraits (salle 5) : *Jeune homme en prière de **Hans Memling** et Henri VIII d'Angleterre* par **Hans Holbein**. Plus **Antonello da Messina**, **Roger Van der Weyden**... Dans la salle 7, voir *Le Jeune Gentilhomme dans un paysage* de **Vittore Carpaccio** (XVIe s), l'un des joyaux du musée qui introduit le portrait en pied dans la peinture occidentale (XVIe s). Salle 8, la peinture allemande dont le curieux *Jésus parmi les docteurs* de **Dürer** (tous avec une tronche patibulaire, sauf Jésus). Dürer réalisa ce tableau à Venise et réussit à fondre habilement la Renaissance nordique avec l'italienne (noter sa signature sur le papier dépassant du livre). Salle 9, la *Nymphe qui se repose* de **Lucas Cranach le Vieux,** mais aussi sa *Vierge à l'Enfant avec une grappe de raisin*, et le curieux visage de l'enfant. Salle 10, un impressionnant *Massacre des innocents*, transposé dans un village du XVIe s, de **Lucas Van Valckenborch**. Salle 11, *le* **Tintoret, Titien, Bassano, El Greco** dont on déguste un ravissante *Annonciation* de sa période vénitienne (on y sent nettement la triple influence de Véronèse, de Titien et du Tintoret, qu'il admirait beaucoup)... La salle 12 est une transition habile vers la peinture baroque, avec *Sainte Catherine d'Alexandrie* du **Caravage**. On y retrouve les symboles de son martyre : la roue avec les couteaux et l'épée qui la décapita. Les salles suivantes (13 à 21) conduisent en douceur vers les différents courants de la peinture du XVIIIe s, laissant derrière eux la Renaissance. Éblouissement garanti par la lumière du **Lorrain** dans la *Fuite en Égypte* (salle 13). Et le non moins lumineux *Christ sur la croix* de **Zurbarán**, qui excelle dans ce domaine (salle 14). Puis les merveilleux **Canaletto, Guardi, Bellotto** (salle 17). Surtout, *Canaletto*, notre chouchou et celui de la reine d'Angleterre (la preuve, elle en a chez elle !), notamment sa superbe *Place Saint-Marc* à Venise. Adorable *Christ dans la tempête sur le lac de Tibériade* de **Bruegel le Vieux**, chromatisme de bleus génial (salle 19). Salle 19 toujours, impressionnant *Saint Michel chassant Lucifer* de **Rubens** et également sa terriblement sensuelle Vénus, dans son *Vénus et Cupidon*. Bel autoportrait de **Rembrandt** à l'expression inquiète et au regard empreint de gravité (salle 21).

Ensuite, *2 possibilités s'offrent à vous.* Poursuivre la visite par la collection de Carmen Thyssen-Bornemisza (salles « numérotées » de A à P) ou rejoindre le 1er étage pour continuer avec l'ancienne collection, puis grimper à nouveau au 2e étage, pour poursuivre avec la collection de Madame. La 1re solution vous économisera quelques pas, la 2de nous paraît présenter plus de cohérence par rapport à l'histoire et à l'évolution de la peinture. À vous de voir. Mais attention, gardez la visite du rez-de-chaussée pour la fin, car ensuite, on ne peut pas remonter.

Pour ceux qui opteraient pour la 1re solution : la collection de Carmen Thyssen-Bornemisza, très éclectique, offre une sorte de condensé de celle de son mari. En guise de mise en bouche, on peut déguster, dans les salles A à C, le *Jugement de Salomon* de **Lucas Giordano** (géniale construction pyramidale culminant avec l'enfant tout en haut et les vagues dans le style de Ribera dont l'artiste était un fan !), puis de beaux paysages hollandais du XVIIe s : l'idyllique *Jardin d'Éden* de **Bruegel le Vieux**, les *Patineurs* de **Ruysdael** ou encore les plus inattendues scènes brésiliennes de **Post**. Quelques vues de Venise également, par *Canaletto* notamment. Suit le XVIIIe s français (salle D, avec un superbe travail sur la lumière dans *Nuit, scène de la côte méditerranéenne* de **Vernet**), puis les peintres américains du XIXe s et leurs fabuleux paysages, symbolisés par les *Chutes de saint Antoine* d'**Albert Bierstadt** (salles E et F). Salles G-H-K, on reste très nature, version **impressionniste,** avec **Jongkind, Boudin**, la *Source* de **Corot, Monet, Pissarro** (le *Champ de choux),* **Courbet**... Également un *Van Gogh*, très sombre *(Moulin de Gennep)*. Au niveau inférieur, après un nouveau coup d'œil aux peintres américains (salle J), suite des impressionnistes (Monet toujours, avec le *Pont de Charing Cross*), postimpressionnistes et l'école de Pont-Aven. Les codes se bousculent ensuite avec un panorama de la 1re moitié du XXe s, salle N (intéressant *Ludwig Kirch in Munich* de **Kandinsky**). Puis, salle O, les *Fauves* : *de Vlaminck, Dufy, Braque (Marine, L'Estaque,* ce village qui marqua son tournant vers le cubisme !). Salle P, découverte des 1res avant-gardes : les **expressionnistes (Kokoschka, Kirchner),** les **cubistes** ou apparentés (**Picasso** évidemment, **Fernand Léger, Juan Gris, Kupka, Robert Delaunay**), **Georgia O'Keeffe,** qui nous balade dans les rues de New York, **Egon Schiele...**

Avec le **1er étage de l'ancienne collection,** on poursuit le voyage depuis la peinture hollandaise du XVIIe s (avec les salles numérotées, suite logique du 2e étage donc). De la 22 à la 26, scènes de la vie quotidienne, paysages, scènes d'intérieur aux Pays-Bas. À commencer, salle 22, par **Frans Hals,** considéré comme le génie du portrait au XVIe s. Sa *Famille devant un paysage,* à la touche souple et libre, aux corps déliés, montre, entre autres, les 2 principes régissant la famille : la fidélité, symbolisée par les 2 mains qui s'étreignent, et le chien, symbole de la loyauté. De **David Theniers II,** pittoresque *Fête de village.* Puis, au fil des salles (23 à 26), *Voyageur à la porte d'une taverne* de **Van Ostade** (salle 23), beau paysage hivernal de **Jan Goyen** (salle 24), **Cuyp** (salle 25), *Vue de Naarden* de **Van Ruisdael** salle 26 (le plus grand peintre de paysages de l'époque). Noter, également salle 26, la précision des détails, la touche minutieuse de **Van de Velde** pour sa *Flotte hollandaise...*

Salle 27, belles natures mortes, dont celle au *Vase chinois* de **Willem Kalf.** Remarquable distribution de la lumière pour faire sortir les objets de l'ombre tout en douceur ; ne pas manquer non plus ses autres œuvres, remarquables de détails. Salle 28, la peinture anglaise et française du XVIIIe s, avec le séduisant *Sara Buxton* de **Gainsborough** et le *Pierrot allègre* de **Watteau,** plus **Fragonard, Nattier, sir Thomas Lawrence...** Salles 29-30, on entre dans le XIXe s avec la peinture américaine : **Copley, Peale, Cole, Head, Church...** Remarquable *Duchesse de Sutherland* de **John Singer Sargent.** Salles 31 à 33, romantisme, naturalisme, impressionnisme et postimpressionnisme européen : *Matin de Pâques* de **Caspar David Friedrich,** pape du romantisme allemand, puis **Whistler** et un (obligatoirement beau) *Vessenots à Auvers* de **Van Gogh.** C'est l'une de ses dernières toiles qui exprime bien ses sentiments contradictoires : sensation de liberté devant une nature si belle, si séduisante, en même temps qu'une profonde mélancolie et un sentiment de solitude... le suicide n'est guère loin ! Puis la *Rue Saint-Honoré* de **Pissarro,** *Chez le chapelier* et la *Ballerine verte* de **Degas,** où l'on admire sa technique du pastel, appliquée avec une virtuosité confondante. Et aussi **Renoir** et la *Femme à l'ombrelle dans un jardin,* ou encore **Monet** avec *La débâcle à Vétheuil,* toutes 2 très champêtres...

Les salles suivantes (34 à 38) vont permettre d'appréhender plus particulièrement l'**évolution de la peinture allemande au XXe s.** Noter l'influence du fauvisme chez les 1ers expressionnistes allemands, comme en témoignent les œuvres de **Kirchner** (membre du groupe *Die Brucke*). Notamment, la *Femme en rouge* et *Fränzi devant une chaise sculptée,* salle 36, usage arbitraire de la couleur, simplification formelle, tout comme chez **Franz Marc** dans *Le Rêve.* Mais aussi celles d'**Émile Nolde,** *Soir d'automne,* puis **Munch, James Ensor** *(Théâtre de masques),* **Matisse, Van Dongen.** Émotion devant le *Cirque,* l'une des dernières œuvres d'**Auguste Macke,** tué en 1914, l'un des 1ers morts allemands de la bataille de la Marne. Nette influence du cubisme et du futurisme dans le *Métropolis* de **Georges Grosz** (salle 39), qui introduit le réalisme d'entre-deux-guerres. Ici, l'artiste, traumatisé par sa Première Guerre mondiale, donne à cette toile fascinante un aspect apocalyptique témoignant de l'aliénation de l'homme et de ses tendances à l'autodestruction... Dans *The Battery* de **Réginald Marsh,** grande vivacité du trait, le vent semble comme pousser le coup de pinceau...

Salle 40, magistral *Hotel Room* d'**Edward Hopper** sur la solitude. Enfin, le rez-de-chaussée, consacré aux grandes tendances du XXe s, aussi bien en Europe avec le surréalisme ou le cubisme qu'aux États-Unis avec le pop art. Salle 41 à 43, cubisme et les pionniers de l'abstraction. Salle 41, constater la rivalité **Braque-Picasso** des années 1910-1911... Peu de différences dans les styles, suivre le match opposant la *Femme à la mandoline* de Georges à *L'Homme à la clarinette* de Pablo ! Salles 42-43, **Kupka, Picabia, Kandinsky** *(Peinture avec trois taches)* et l'avant-garde russe : **Goncharova, Rozanova, Popova...**

MADRID ET SES ENVIRONS

Puis, salles 44 à 48, dadaïsme et surréalisme prédominent, et nous conduisent vers le néodadaïsme et le pop art. En vrac, *Klee, Marx Ernst, Picasso* et son *Arlequin au miroir*, *Chagall...* De *Dalí* (salle 45), une œuvre majeure et un titre « daliesque » : *Rêve causé par le vol d'une abeille autour d'une grenade une seconde avant l'éveil*. Ici, il propose ses propres représentations des rêves, se servant des théories de Freud pour démontrer la richesse de la signification des images... Puis *Delvaux, Tanguy* et les plus grands Américains contemporains : *Pollock, Willem de Kooning, Rothko, Frank Stella.* Autoportrait de *Lucian Freud,* tiens, moins trash que ses modèles ! *Bacon,* qui peignit, d'une façon prémonitoire, l'un de ses derniers amants 2 ans avant qu'il ne se suicide ; ou *Rauschenberg,* et puis la célèbre *Femme au bain de Lichtenstein* (salle 48). C'est le « bain de Vénus » si souvent peint au cours de l'histoire de l'art, façon B.D., par l'un des fondateurs du mouvement pop art !

Bref, une collection diversifiée et très, très complète. Reste cependant une question en suspens : combien de canons faut-il fabriquer pour se payer une telle collection ?

🏹🏹🏹 Museo naval (plan détachable E4) **:** paseo del Prado, 5. Accès temporaire durant les travaux : c/ Montalbán, 2. ☎ 91-379-52-99. ● armada.mde.es/museo naval ● 🅜 Banco de España. ♿ Mar-dim 10h-19h (15h en août) ; fermé lun, 1er et 6 janv, Vendredi saint, 1er mai, 16 juil, et 24, 25 et 31 déc. Visites guidées thématiques le w-e à 11h30 (en espagnol). Don de 3 € pour la maintenance du musée. Audioguide en français 2 €. Attention, il faut **présenter son passeport ou sa carte d'identité** à l'entrée : ne l'oubliez pas ! **Partiellement fermé pour travaux jusqu'à nouvel ordre :** seules l'expo temporaire et une salle restent visibles. Le Musée naval de Madrid est à la mer et à l'histoire maritime ce que le Prado est à la peinture : une merveille à ne pas rater. Voilà un des plus beaux musées maritimes au monde ! La grandeur de l'Espagne du Siècle d'or (XVIe s) reposa avant tout sur sa puissance navale, l'audace et la compétence de ses marins. Jusqu'à sa réouverture après réorganisation complète de ses collections, **seule est visible une salle,** qui réunit une sélection de maquettes et de reproductions de navires ainsi que quelques instruments de navigation et un bel échantillonnage de proues. Et également les expositions temporaires, en général d'excellente qualité.

🏹🏹 Museo de la Biblioteca nacional de España (musée de la Bibliothèque nationale ; plan détachable E-F3) **:** paseo de Recoletos, 20-22. ☎ 91-516-89-67. ● bne.es ● 🅜 Colón ou Serrano. Au rdc de la bibliothèque. Mar-sam 10h-20h, dim 10h-14h. Fermé lun. GRATUIT. Véritable musée du livre et de l'écriture dans une muséologie moderne attractive. 8 grandes salles où l'on n'a pas le temps de s'ennuyer. Parcours dans une douce lumière bleutée pour découvrir les dictionnaires des écritures les plus anciennes (cunéiforme, hiéroglyphes, calendrier maya, etc.). Expo d'objets liés à l'écriture et différents types de formes de livres. Histoire du papier et des incunables. Des « pièces » exceptionnelles : une *Vie du Christ* de 1513, une lettre de sainte Thérèse (fondatrice des carmels ; 1604), des ouvrages de religieuses du XVIIe s rédigés à la main, du matériel de copistes médiévaux. Un manuscrit particulièrement rare : le *codice de Metz* (814-820) illustré d'animaux fantastiques, livres enluminés... 1re traduction en espagnol des écrits en hébreu du savant *Maimonide* (XIIe s). Magnifique livre d'heures de Carlos V. Très intéressante section sur la généralisation du savoir (XVI-XIXe s). 1ers caractères d'imprimerie en gothique. Émouvant : les manuscrits originaux des plus grands poètes : Federico García Lorca, Neruda... Instruments de mathématiques du roi Carlos II. Pittoresque collection de globes célestes et de vénérables phonographes (dont un curieux *hérophon* illustré de musiciens célèbres). Petite section sur la gravure, la reliure, la presse écrite. Captivante maquette faite de microprocesseurs figurant une ville et posant une tout aussi intéressante question : « Est-ce la fin de l'écriture ? »...

🏹🏹 CaixaForum (zoom Las Letras E5) **:** paseo del Prado, 36. ☎ 91-330-73-00. ● obrasociallacaixa.org ● 🅜 Atocha. Légèrement en retrait du paseo, à mi-chemin entre le museo del Prado et le Reina Sofía. Tlj 10h-20h. Fermé 1er et 6 janv, et 25 déc. Entrée : 4 € ; gratuit - de 16 ans. Audioguide : 2 €. Un centre culturel qui offre de nombreuses expositions d'art contemporain, conférences, etc. Le bâtiment étonne : une ancienne centrale électrique du XIXe s, toute de brique rouge, qui a été carrément surélevée et posée sur des piliers habillés de revêtements métalliques à la Star Trek, et coiffée en son sommet de panneaux d'acier oxydé, délicatement ajourés tels des moucharabiehs pour certains. Une œuvre résolument contemporaine et indéniablement réussie, que l'on doit au fameux cabinet suisse Herzog & de Meuron. Sur l'esplanade qui la précède, un superbe mur végétalisé (le 1er en Espagne, réalisé par des Français !). À l'intérieur, 3 étages pour accueillir les expositions et une cafétéria plutôt agréable au dernier niveau, le tout desservi par un escalier rectangulaire moderne tout en arrondis et à l'axe légèrement décalé : effet visuel garanti. Librairie très fournie.

LE MADRID DE LOS AUSTRIAS
(plan détachable B-C4-5 et zoom centre ; Ⓜ *Sol ou Ópera)*

Difficile au cours d'un séjour madrilène de ne pas boire un verre sur une des terrasses de la *plaza Mayor,* un des cœurs historiques du Madrid communément appelé *Madrid de Los Austrias* (*le Madrid autrichien,* en fait *Madrid des Habsbourg*), qui donne lieu à de riches balades émaillées de nombreuses découvertes architecturales.
Au sud de la place, le charmant et non moins dynamique quartier de **La Latina.** Ruelles étroites, qui montent et descendent au gré des petits vallons urbains, escaliers menant à des places cachées, maisons rouges et ocre, urbanisme de ville capitale plus que de capitale : on pense parfois à certains quartiers de Rome. La Latina mérite bien son nom. Pourtant, c'est un secteur qui s'est développé du temps des Habsbourg aux XVIe et XVIIe s, quand Charles Quint et ses alliés régnaient sur le pays. La Latina est aujourd'hui l'un des cœurs battants de la nuit madrilène avec les quartiers de Chueca, de Malasaña et de Las Letras. De populaire doucement branché, il est devenu carrément l'un des coins les plus en vue. Autour de la calle Cava Baja et des places et ruelles tortueuses adjacentes *(zoom centre C5)* ont essaimé une foule de bars à tapas et de restos où l'on se presse le soir, des terrasses animées aux beaux jours, et le dimanche, jour du marché, même les étudiants sont de la partie. Un quartier très agréable où les promeneurs sont plus à l'aise que les automobilistes.

Où manger des tapas ?

Du côté de la plaza Mayor

Tôt ou tard

|●| Mercado de San Miguel *(zoom centre C4,* **130***) :* pl. de San Miguel. ☎ 91-542-49-36. ● administracion@mercadodesanmiguel.es ● Ⓜ Sol. Tlj 10h-minuit (2h jeu-sam). À deux pas de la plaza Mayor, cette magnifique halle en fer de 1916 rénovée à grands frais, abrite un agréable *gastro-mercado* moderne, très pratique en cas de fringale. On y trouve fruits et légumes, fromages, charcuterie, viande, poisson, pâtisseries, vin, etc., sous toutes leurs formes, à déguster sur place, debout ou perché sur des chaises hautes au comptoir des commerçants. Et même un bar à huîtres ! Prix assez élevés. Aussi animé à midi qu'en soirée, et bien mieux que les restos à touristes de la plaza Mayor !
|●| La Campana *(zoom centre C4,* **129***) :* c/ de Botoneras, 6. Ⓜ Sol. Tlj 9h-23h (1h le w-e). *Bocadillo* de calamar 3 €, *ración* dès 6 €. LE temple du *bocadillo* de calamar, casse-croûte préféré des Madrilènes, à toute heure. L'endroit ne paie vraiment pas de mine, mais ça débite, et la file d'attente serpente finalement plutôt vite. Quelques

tables aussi (et quelques autres produits dispo, plutôt côté mer), mais nous, on préfère emporter le *bocadillo* bien dodu et s'en mettre plein les doigts !

|●| ↑ The Hat Roof Top (zoom centre C4, **81**) : c/ Imperial, 9. ☎ 91-772-85-72. ● info@thehatmadrid.com ● Ⓜ Sol ou Tirso de Molina. Au dernier étage (ascenseur). Tlj 17h (13h dim)-1h. Tablas 8-15 €. Perché au sommet de cette AJ nouvelle vague, donc vraiment à deux pas de la plaza Mayor, un très agréable *rooftop* où se partager des *tablas* de charcuterie ou de fromage, assis sur de petits tabourets. Quelques tables abritées sous une grande véranda pour les jours plus frais ou pluvieux. Vue extra ! Mais comme les *rooftops* sont rares à Madrid, l'endroit est couru, et le videur, en bas de l'ascenseur, ne s'en laisse pas conter... Prendre son mal en patience...

|●| ↑ Museo del Jamón (zoom centre C4, **131**) : pl. Mayor, 7. ☎ 91-531-23-67. Ⓜ Ópera ou Sol. Tlj 8h-0h30. Petits menus 9-13 €. Un peu plus cher que les autres établissements de la chaîne, surtout en terrasse ! Mais peut dépanner au comptoir.

|●| ↑ La Torre del Oro (zoom centre C4, **133**) : pl. Mayor, 26, c/ del Arco de Triunfo. ☎ 91-336-50-16. Ⓜ Ópera ou Sol. Tlj. Bocadillos 6-10 €, raciones et plats 8-26 € (2-3 € plus cher en terrasse). Pour les amateurs de déco tauromachique : photos de *matadores* célèbres, vidéos de corridas en continu, énormes têtes de taureaux empaillées. Bar proposant des tapas (chères) et des produits de la mer très frais, mais à la qualité parfois discutable. Grande terrasse l'été, éminemment touristique et bourrée de monde les soirs d'après corrida. On paie clairement l'emplacement.

|●| Bodega La Ricla (zoom centre C4, **184**) : c/ de Cuchilleros, 6. Ⓜ Ópera ou La Latina. Tlj sauf dim soir et mar, 13h-16h, 19h30-minuit. Tapas env 3,50-4 €. Toute petite *bodega* bien dans son jus, malgré la proximité de la plaza Mayor. Uniquement un comptoir contre lequel les habitués se pressent pour se réjouir d'une *tapa* de bacalao (l'une des spécialités) ou d'un *bocadillo* de calamares.

Du côté de La Latina

La Latina est, par excellence, le quartier des bars à tapas. Comme on dit à Madrid, c'est le quartier pour « *ir de tapeo* ». Il suffit d'arpenter la **calle Cava Baja,** où s'alignent en enfilade les bars à tapas de qualité, pour s'en convaincre ! Le week-end, à partir de 21h, l'animation bat son plein. Le dimanche après-midi et même le dimanche soir, il y a foule également. Normal, c'est le jour du marché !

|●| Casa Lucas (zoom centre C5, **127**) : c/ de la Cava Baja, 30. ☎ 91-365-08-04. ● info@casalucas. es ● Ⓜ La Latina. Tlj sauf mer midi 13h-15h30, 20h-minuit (ven-sam 13h-16h, 20h-1h). Fermé 24-25 déc et 31 déc-1er janv. Pintxos 6-8 €, raciones 8-20 €. Une cuisine de bistrot recherchée et goûteuse, servie en toute simplicité et avec le sourire par le papa du chef dans un cadre de bois clair : 5 tables, un bar et basta ! Carte assez courte mais parfaitement maîtrisée, et toujours quelques propositions de la semaine. Parmi les spécialités, essayer le foie gras mi-cuit aux fruits caramélisés ou les délicieux cannellonis noirs aux fruits de mer... Le tout mis en valeur par une présentation soignée et une carte des vins très étudiée. On comprend pourquoi l'endroit est si prisé... D'ailleurs, la cuisine a un furieux goût de revenez-y : on voudrait goûter à tout !

|●| Juanalaloca (zoom centre C5, **138**) : pl. Puerta de Moros, 4. ☎ 91-366-55-00 ou 91-364-05-25. ● restaurantejuanalaloca@hotmail. com ● Ⓜ La Latina. Tlj sauf lun 12h-1h. Congés : 2e sem d'août. Raciones 7-15 € ; petit menu le midi en sem 14,50 €. Cadre moderne (carrelages métro, lumière tamisée) pour cet excellent bar à tapas. On recommande leur menu du midi, inventif et d'un rapport qualité-prix convaincant ; à dévorer sur les quelques tables de bistrot en marbre. Derrière le comptoir, bel étal de tapas bien frais et toujours aussi créatif. Vaste choix de bons vins espagnols servis au verre.

|●| Posada del Dragon – Bar Dragónate (zoom centre C5, **136**) : c/ de

la Cava Baja, 14. ☎ 91-119-14-24.
● info@posadadeldragon.com ●
Ⓜ La Latina. Tlj midi et soir. Pintxos
3-4 €, raciones 8-15 €. Au rez-de-
chaussée d'un hôtel, voici un bar à
tapas servant de petits délices créatifs et d'une qualité indéniable. Sur le
beau comptoir de granit et de marbre
s'étalent empanadas variées, tartines,
croquettes et ceviche... Tout est frais,
à base de produits du marché. Vins
au verre et bières artisanales. Plus
cher du côté des salles carrelées de
blanc, ventilées et modernes, ainsi
que sur la terrasse-patio intérieure :
mieux vaut se contenter des tapas du
bar.

|●| 🍸 **La Cabra en el Tejado** (plan
détachable C5, *137*) : c/ de Santa Ana,
31. Presque à l'angle de la c/ Toledo.
☎ 91-033-33-59. ● lacabradeltejado@
gmail.com ● Ⓜ La Latina. Tlj à partir
de 13h (11h dim)-2h (sam 13h30-2h30).
Quiches, crêpes, croquettes et tostas
4-5 €, menu midi 10 € (sauf juil-août).
Entre le bar à tapas et le bar tout court,
un bar de quartier dans son jus, investi
par une équipe dynamique. Mini-
quiches, minicrêpes et croquettes font
office de tapas, pour accompagner
un joli choix de vins. Très fréquenté
par les 25-35 ans, aussi bien entre
copines autour d'un gâteau au chocolat
dans l'après-midi que par des bandes
assoiffées. De quoi faire vraiment monter la chèvre sur le toit (¡ la cabra en el
tejado !)...

|●| 🌱 **Delic** (zoom centre C5, *135*) :
c/ Costanilla de San Andrés, 14 (pl. de
la Paja). ☎ 91-364-54-50. ● bazarde
lic@gmail.com ● Ⓜ La Latina. Tlj sauf
lun midi 11h (17h lun)-2h (2h30 ven-
sam). Grignotage 5-10 €, menu du jour
12,50 €. Un endroit agréable pour un
en-cas sucré ou salé (un en-cas, on a
dit : les gros appétits resteront sur leur
faim). Difficile de ne pas trouver saveur
à son goût : salades originales, empanadas, houmous, mais surtout des
gâteaux, tartes et muffins alléchants.
Un éclairage chaleureux, de vieilles
pubs Banania et des photos en noir et
blanc. Musique cool. Jusqu'à 22h30,
vous avez une chance de trouver
une table, après... Tables en terrasse
sur la plaza de la Paja, toutes aussi
disputées !

Plutôt le soir

|●| **El Viajero** (zoom centre C5, *126*) :
pl. de la Cebada, 11 (en face du marché). ☎ 91-366-90-64. ● elviajero@
elviajero.com ● Ⓜ La Latina. Mer-dim
midi-2h. Tapas et raciones 4-12 €, repas
18-20 €. Un des repaires du quartier,
avec ses murs de brique ou de béton
brut, son mobilier de brocante, ses différents espaces pour satisfaire toutes
les envies. La grande terrasse, sous les
parasols face au marché. Le rez-de-
chaussée, l'œil sur la cuisine ouverte,
perché sur des tabourets autour de
longues tablées rugissantes. L'étage,
plus intime, avec ses canapés de cuir.
Et enfin, aux beaux jours, le toit terrasse jardin. Pour mettre tout le monde
d'accord, un mojito réputé, et un large
choix de tapas et raciones travaillés,
des classiques poulpe ou croquetas,
au plus exotique houmous et ses chips
d'aubergine, en passant par le minibur-
ger au brie et à la confiture d'oignons.
Difficile de ne pas trouver son compte !

|●| **Lamiak** (zoom centre C5, *140*) :
c/ de la Cava Baja, 42. ☎ 91-365-
52-12. ● lamiak@lamiak.net ● Ⓜ La
Latina. Tlj 12h-minuit. Pintxos env 3 €,
raciones 7-15 €. Un cadre joyeux, entre
des murs jaune paille. Une ambiance
décontractée, bercée de musique
électro-jazzy. Pas d'autre alternative
que de rester debout, son verre à la
main, tellement l'endroit est bondé en
soirée (et le dimanche, à l'heure du marché). Quelques guéridons et des tables
en sous-sol. Chaleureux, vraiment bon
et pas cher. Autre adresse tout aussi
chouette à Lavapiés (voir plus loin).

|●| 🌱 **Taberna Almendro 13** (zoom
centre C5, *139*) : c/ del Almendro, 13.
☎ 91-365-42-52. Ⓜ La Latina. Tlj 13h-
16h, 19h30-minuit (w-e et j. fériés 13h-
17h et 20h-1h). Env 15 €. Dans ce bar
andalou immuable aux mignonnes petites fresques, les patrons ne plaisantent
pas sur le choix de leurs charcuteries et
vins de Xérès, qu'ils vont chercher chez
de petits producteurs. Leur spécialité,
les roscas, sorte de gros sandwichs
ronds de pain baguette toasté, fourré
de charcut', de viande, de fromage.
À partager, et à arroser, par exemple,
d'une manzanilla, un xérès doux. Une
excellente adresse à prix justes.

MADRID ET SES ENVIRONS

Vers la gare de Príncipe Pío

🔴 **Casa Mingo** (plan détachable A3, 232) : paseo de la Florida, 34. ☎ 91-547-79-18. Les bus nos 46 (départ à l'angle d'Alcalá et Gran Vía) et 75 (départ Callao) s'arrêtent à 50 m, le bus no 41 part d'Atocha. Ⓜ Príncipe Pío ; puis 300 m à pied. Tlj en continu 11h-minuit. Raciones 7-12 €. À côté de l'ermitage décoré de fresques de Goya. C'est le dernier grand chigre (« bar à cidre » en bable, dialecte des Asturies) et le plus ancien de Madrid (1888), entre les pierres massives d'un ancien dépôt ferroviaire sous la voie de chemin de fer. À l'intérieur, les milliers de bouteilles alignées au-dessus du comptoir et les grandes barriques composent un décor figé depuis des lustres. L'été, c'est bourré, et on sort les tables. Choix restreint ; on vous conseille la spécialité de tripes (callos) à la madrilène (avec chorizo, lard et boudin), le poulet rôti (pollo asado – les habitants du quartier viennent le chercher à emporter), le chorizo au cidre... Garder une place pour l'un des plus fameux fromages d'Espagne : le cabrales (genre de roquefort servi en tranches généreuses), que l'on écrase en le mélangeant à un peu de cidre, lequel est servi doux ou naturel en boutanches de 75 cl (l'usine de production est juste à côté).

Où manger (assis) ?

Du côté de la plaza Mayor

Prix moyens (15-25 €)

🔴 **El Cucurucho del Mar** (zoom centre C4, 201) : c/ del Postigo de San Martín, 6. ☎ 91-524-08-41. ● restaurante@cucuruchodelmar. com ● Ⓜ Callao. Tlj sauf lun. Menus tlj midi et en sem le soir env 13 € (vin compris), ou le w-e le soir 14-15 €, carte 20-35 €. Digestif offert sur présentation de ce guide. Décor de coquillages et d'étoiles de mer incrustés sur fond crème réussi. Parce que dans ce resto galicien, le poisson et les fruits de mer règnent en maîtres, de la soupe en passant par la ventrèche jusqu'à l'arrivage de la pêche du jour. Frais, goûteux et cuissons parfaites, un trio gagnant. Excellente mariscada pour 2. Attention, le menu du jour, lui, est plus basique, mais reconstituant. Quelques tables en terrasse.

🔴 **La Taberna del Alabardero** (zoom centre C4, 195) : c/ Felipe V, 6. ☎ 91-547-25-77. ● alabardero madrid@grupolezama.es ● Ⓜ Ópera. Tlj 11h30-1h. Résa le soir. Tapas 2,50-5,50 €, raciones 12-18 €. Côté restaurant on passe à la catégorie supérieure, env 50 €. Un vrai restaurant madrilène, chic mais typique, où le roi aurait l'habitude de venir déguster son omelette après le théâtre ! Superbe terrasse, vue sur le Palais royal, pour laquelle on opte, si le temps le permet. Ou encore à l'intérieur, assis dans la 1re salle, où l'on sert tapas et raciones, avec son antique bar en bois sculpté, ses banquettes rouges, ses photos souvenirs aux murs. Une bonne occasion de tapear dans un lieu « hautement » fréquenté, sans se ruiner. Sinon, si vous êtes en fonds, côté restaurant cela se passe dans la salle du... fond, plus chic (tables nappées) et aussi beaucoup plus cher. Bonne ambiance et service pro.

Très chic (plus de 40 €)

🔴 **Casa Botín** (zoom centre C4, 202) : c/ de Cuchilleros, 17. ☎ 91-366-42-17. ● gesbotin@botin.es ● Ⓜ Tirso de Molina. Tlj 13h-16h, 20h-minuit. Résa le soir. Menu min 46,50 € le soir. Maison datant de 1725, ce qui en fait l'un des plus vieux restaurants du monde, selon le Guinness des records. Pour la petite histoire, c'est un cuisinier français, M. Jean Botin, qui l'a ouvert. Demander à voir le four et la préparation de l'agneau de lait (la spécialité) et du cochon. Plusieurs salles à manger à la déco soignée. Bien sûr, c'est l'un des restos les plus touristiques de Madrid, et quand vient l'addition, c'est le coup de bambou... Une astuce : se rabattre sur le ½ poulet rôti, accompagné de pommes de terre au four, le plat le moins cher de la carte !

Du côté de La Latina

Bon marché (moins de 15 €)

|●| ⬆ **Viva Burger** (zoom centre C5, **135**) : c/ Costanilla de San Andrés, 16 (pl. de la Paja). ☎ 91-366-33-49. ● reservas@vivaburger.es ● Ⓜ La Latina. Tlj 11h-minuit (2h ven-sam). Menu midi 12,50 €, carte env 15 €. Belle terrasse sur l'adorable et prisée plaza de la Paja, ou grande salle boisée et chaleureuse : déjà 2 beaux atouts pour ce resto végétarien. Mais ce qui attire la foule (carrément !), ce sont les burgers végé bien frais proposés en formule au déjeuner (boisson et dessert compris). Un sans-faute.

De prix moyens à chic (15-35 €)

|●| ⬆ **Naia** (zoom centre C5, **145**) : pl. de la Paja, 3. ☎ 91-366-27-83. ● info@naiabistro.com ● Ⓜ La Latina. Tlj sauf lun 13h30-16h30, 20h30-23h. Menu midi en sem 12 €, raciones 8,50-18 €.

Encore une bonne adresse sur cette adorable plaza de la Paja, où la carte assez courte joue le jeu des produits traditionnels revus et corrigés de manière raffinée. À partager en guise de tapas sur la terrasse (prise d'assaut, comme toujours), ou en s'attablant pour un vrai repas dans les agréables salles très contemporaines et plutôt classes, qui se prêtent bien à un tête-à-tête intime.

Très chic (plus de 40 €)

|●| **El Landó** (plan détachable B5, **205**) : pl. de Gabriel Miró, 8. ☎ 91-366-76-81 ou 91-365-82-53. ● info@casalucio.es ● Ⓜ La Latina. Tlj sauf dim soir 13h-16h, 20h30-minuit. Fermé en août. Carte 45-60 €. Au sous-sol, dans un décor de superbes boiseries, une salle climatisée et une carte typiquement castillane. Voici le resto le plus fréquenté par la jet-set et le monde du spectacle. Il suffit de jeter un coup d'œil aux photos, à l'entrée : Tom Cruise, Will Smith, les Rolling Stones, Randy Cooper (dernier people en date) et aussi... Juan Carlos, en personne ! Cuisine traditionnelle de haute volée. Spécialité : patatas con huevos (pommes de terre aux œufs). Est-il nécessaire de préciser que la réservation est ultra-conseillée ?

MADRID ET SES ENVIRONS

Où prendre le petit déj ?
Où savourer des douceurs ?

🍫 **Chocolate con churros :** les amateurs (nombreux ! et nous en sommes...) de cette onctueuse préparation dans laquelle on trempe sans vergogne de croustillants et fondants churros, apprendront qu'à Madrid le chocolate con churros est généralement servi jusque vers 11h-12h, puis en fin d'après-midi, vers 17h-18h. Direction, sans hésitation (adieu, régime !) à la **Chocolatería San Ginés** (zoom centre C4, **272** ; pasadizo de San Ginés, 5 ; voir plus loin « Faims de nuit ») ou à la **Chocolatería Valor** (zoom centre C4, **273** ; c/ del Postigo San Martín, 7 ; ☎ 91-522-92-88 ;

● serrabar@serrabar.es ● ; tlj 8h – 9h w-e-22h30 – minuit ven, 1h sam ; chocolate con churros 4,60 € ; CB refusées ; sur présentation de ce guide, 1 ration de churros offerte pour la commande de 4 chocolats chauds). Dispose d'une terrasse et d'une salle proprette.

🍦 🍫 **Mistura** (zoom centre C4, **281**) : c/ Ciudad Rodrigo, 6. ● shop@misturaicecream.com ● Ⓜ Sol ou Ópera. Tlj 10h-23h (minuit ven-sam). Formules petit déj 3,50-5,50 € (jusqu'à 13h), glace min 2,95 €. À l'entrée de la plaza Mayor, les onctueuses et savoureuses glaces artisanales Mistura (voir plus loin « Quartier de Chueca. Où prendre son petit déj ? Où savourer des douceurs ? »). Également un bon de choix de mueslis, salades de fruit, etc., pour des petits déj qui calent. Salle en sous-sol étonnante, ou à emporter.

Où boire un verre à l'heure du thé ?

🍷 🍺 ↑ **Café de Oriente** (zoom centre C4, **271**) : pl. de Oriente, 2. ☎ 91-541-39-74 (cafétéria) ou 91-547-15-64 (resto). Ⓜ Ópera. En face du Palais royal. Tlj 8h30 (9h dim)-1h30 (plus tard le w-e). Menu du jour (cafét') env 16 €, compter 50 € à la carte. Un café-brasserie situé à la place d'un ancien couvent. Banquettes de velours, tissus d'un classicisme très victorien tendus sur les murs. Y aller surtout pour « farnienter » sur l'agréable terrasse, l'été, face aux jardins du Palais royal. Cuisine assez sophistiquée. Atmosphère d'une simplicité élégante (le style madrilène) mais pas trop chichiteuse compte tenu de l'endroit.

🍷 ↑ **El Ventorrillo** (plan détachable B5, **270**) : c/ de Bailén, 14. ☎ 91-366-35-78. Ⓜ Ópera. Tlj 12h-1h. Voici sans doute l'une des plus belles terrasses de Madrid, avec une vue imprenable sur la cathédrale Santa María la Real de la Almudena et les arbres des parcs alentour, puisque ici on les surplombe tous. Alors évidemment, les boissons (jus de fruits, bières, vins au verre) sont chères mais ¡ dios ! que l'on s'y sent bien !

Où boire un verre ? Où écouter de la musique live ? Où voir un spectacle de Flamenco ?

Du côté de la plaza Mayor

Plutôt dans la journée

🍷 ↑ Plusieurs bars-restos avec **terrasses** encadrent la plaza Mayor (zoom centre C4). Excessivement chers bien sûr, et qui racolent le client à qui mieux mieux !

🍷 ↑ **Rooftop du Corte Inglés** (zoom Las Letras D4, **301**) : pl. Puerta del Sol, 10. Ⓜ Sol. Ce Corte Inglés destiné au sport possède un toit-terrasse accessible à tous, d'où l'on a une super vue. Accueil en revanche pas toujours top, mais se contenter d'y boire un verre pour le coucher du soleil est très sympa.

Plutôt le soir

🍷 🎵 **La Coquette Blues Bar** (zoom centre C4, **306**) : c/ de las Hileras, 14. ☎ 91-530-80-95. Ⓜ Ópera ou Sol. Congés : août. Tlj sauf lun 20h-3h (21h en hiver). Entrée libre mais conso plus chère les soirs de concert. On aime bien ce blues bar, installé dans une minuscule cave décatie en brique rouge. Les lieux sont si étroits que le public grignote ses pipas collé aux musicos. Bonne atmosphère conviviale, qui sonne aussi juste que les notes des groupes invités presque chaque soir. Venir tôt, car très vite plein à craquer.

🍷 🎵 🎸 **Café Berlin** (zoom centre C4, **298**) : c/ Costanilla de Los Angeles, 20. ☎ 91-559-74-29. ● infocafeberlin@gmail.com ● berlincafe.es ● Ⓜ Ópera ou Callao. Concerts ts les soirs vers 21h et 23h (sauf lun) puis DJ mardim jusqu'à 6h. Entrée : 10-15 €, une conso incluse. En sous-sol, une salle circulaire, la scène au fond, la piste de danse au milieu et, tout autour, rangés derrière des rambardes Art déco, des tables rondes et des fauteuils rouge à lèvres. Un décor tendance pour un des clubs-concerts les plus courus de la ville chez les actifs urbains comme on dit, la trentaine relax. Ça commence par un concert, même 2, éclectiques (jazz, blues, salsa ou même flamenco) et ça finit en boîte de nuit, avec aux platines plus de funk que de boom boom.

Du côté de La Latina

Plutôt dans la journée

🍷 ↑ On a un petit faible pour la terrasse de la **Cervecería San Andrés** *(zoom centre C5, 310)* sur la belle place San Andrés (pardi !) avec ses tables à l'ombre du clocher de l'église San Andrés (re-pardi !) et, surtout, à l'écart de la circulation automobile.

Plutôt le soir

♟ Aux beaux jours, on traîne, on discute, on se rencontre aux **terrasses** des bistrots donnant sur la *plaza de la Paja* et la *plaza San Andrés (zoom centre C5)*, très animées en soirée (mais sous la pression des riverains – qui veulent, paraît-il, dormir la nuit – tout ferme à 1h du mat !).

♟ ♪ **María Pandora** *(plan détachable B5, 315)* : *pl. Gabriel Miró, 1.* ☎ *91-364-00-39.* ● *info@mariapandora.com ● mariapandora.com ●* Ⓜ *La Latina. Jeu-sam 19h-2h, dim 16h-23h. Fermé lun-mer.* Vue imprenable sur le parc de la Casa de Campo depuis ce café littéraire tranquille : canapés et fauteuils, lumières tamisées et musique jazzy. Si le coin librairie cache des trésors de la littérature latino-américaine, la carte des boissons, elle, fait la part belle aux champagnes et *cavas* (vins catalans pétillants...). Parfois des concerts, one-man-shows, soirées poésie et présentations de livres qui garantissent une soirée intello cool. Une adresse assez intemporelle, version décontractée, qui colle bien à l'esprit du quartier.

♟ ♪ **Marula Café** *(plan détachable B5, 300)* : *c/ de Caños Viejos, 3.* ☎ *91-366-15-96.* ● *info@marulacafe.com ● marulacafe.com ●* Ⓜ *La Latina. Fermé lun-mar. Concerts mer-dim à partir de 23h30-minuit (22h dim). Payant ven-sam (6-9 €), gratuit les autres soirs.* Planqué dans une impasse, un minuscule club funk rouge *seventies* qui envoie de la syncope en live 5 soirs par semaine, à l'heure où les garçons sages plongent sous la couette. Gros son et ambiance plus ou moins énergique selon l'affluence.

♟ ♪ **Contraclub** *(plan détachable B5, 314)* : *c/ de Bailén, 16.* ☎ *91-365-55-45.* ● *info@contraclub.com ● contraclub.es ●* Ⓜ *La Latina. Juste après le pont de Segovia. Ven-sam 22h30-6h. Fermé dim-jeu. Entrée : env 10 €.* Une petite salle de concerts au décor rougeoyant pour une programmation indie pop. Quand les musicos ont rangé leur matos, un DJ électro passe aux commandes. La clientèle rajeunit alors un peu.

Flamenco

♪ **Corral de la Morería** *(plan détachable B5, 401)* : *c/ de la Morería, 17.* ☎ *91-365-84-46 ou 11-37.* ● *info@corraldelamoreria.com ● corraldelamoreria.com ●* Ⓜ *Ópera ou La Latina. Rue qui donne c/ de Bailén, au niveau du viaducto. Repas à partir de 19h ; spectacles à 20h et 22h. Résa conseillée. Spectacle seul : 50 € (conso incluse) ; petite réduc si on dîne (mais repas à la carte 40 € env, taxes non incluses !).* Dans un décor néo-hispanique plongé dans la pénombre, voilà l'un des meilleurs spectacles de flamenco de Madrid, qui a reçu au fil des ans de prestigieux clients (Marlon Brando, Marlène Dietrich, Lauren Bacall, Burt Lancaster, Richard Gere, Mohammed Ali...). En basse saison, assez facile de se contenter d'une boisson. De mai à septembre, beaucoup moins évident à cause du monde : on ne peut alors échapper au dîner-spectacle, un vrai coup de poignard dans le portefeuille. Veiller à la tenue vestimentaire.

Faims de nuit

🥤 ☂ **Chocolatería San Ginés** *(zoom centre C4, 272)* : *pasadizo de San Ginés, 5.* ☎ *91-365-65-46.* ● *info@chocolateriasangines.com ●* Ⓜ *Sol. Dans le vieux Madrid, dans le passage qui contourne l'église San Ginés et donne sur c/ Arenal. Tlj 24h/24. Chocolat 2,60 € ; 4 € avec churros ou* porras. Les murs de cette chocolaterie historique, fondée en 1894, résonnent des derniers décibels de la boîte voisine, le *Joy Eslava,* à l'heure où les grands fauves vont boire à la rivière ; les oiseaux de nuit, eux, se désaltèrent avec un chocolat épais, accompagné de *churros* et de *porras*. Faites de

MADRID ET SES ENVIRONS

beaux rêves... Tables et comptoir de marbre, et, aux murs, les clients célèbres (Richard Gere, Yves Montand, Javier Bardem, Penélope Cruz, Almodóvar...). On paie au comptoir, on va se poser, et on donne son coupon au serveur. Madrilènes et touristes joyeusement mêlés plongent sans complexe leurs *churros* dans le liquide onctueux et délicieux, jusque sur les terrasses dans la ruelle piétonne.

Où danser ?

ᴪ **Joy Eslava** (*zoom centre C4, 288*) : c/ del Arenal, 11. ☎ 91-366-37-33. ● comercial@joy-eslava.com ● joy-eslava.com ● Ⓜ Sol. Tlj minuit-6h. Entrée : 15-18 € selon j. de la sem. Cet ancien théâtre reconverti en boîte est un incontournable de la nuit madrilène. Un club sélect, mais pas trop, où vient transpirer la jeunesse dorée de Madrid, un brin *fashionista,* mais décontractée. Soirées à thème différentes chaque soir. On y croise régulièrement des VIP du monde des sports, du spectacle, des médias... Concerts de *musica en vivo* en début de soirée.

ᴪ Voir aussi plus haut le **Café Berlin,** qui se transforme en boîte passé minuit.

Achats

Quartier commerçant par excellence. Dans la calle Mayor s'alignent des **boutiques de jeans.**

✿ **El Flamenco Vive** (*zoom Las Letras D5, 424*) : c/ Moratín, 6. ☎ 91-547-39-17. ● elflamencovive@elflamencovive.es ● Ⓜ Ópera. Lun-sam mat 10h-14h, 17h-20h30. Fermé sam ap-m et dim. Les voix inoubliables d'Antonio Maierena ou de Camarón, la guitare de Paco de Lucía, le flamenco-blues de Ketama, le flamenco-variétés de Pata Negra... une petite boutique très spécialisée pour tout connaître du flamenco : livres, CD, tenues et chaussures.

✿ **Casa Hernanz** (*zoom centre C4, 426*) : c/ de Toledo, 18. ☎ 91-366-54-50. ● alpargeteriahernanz.com ● Ⓜ Tirso de Molina. En contrebas de la pl. Mayor. Lun-ven 9h-13h30, 16h30-20h ; sam 10h-14h. Fermé dim. Touristes et Madrilènes traversent la ville pour venir y choisir leurs espadrilles faites main depuis 1845. Certains jours à l'ouverture, il y a même la queue ! Également de la vannerie artisanale et un bon choix de sacs en jute.

✿ **Discos la Metralleta** (*zoom centre C4, 435*) : pl. de San Martín, en sous-sol. ☎ 91-531-82-64. ● felipe@lametralleta.es ● Ⓜ Ópera ou Sol. Accessible par un escalier qui descend à côté de l'*Hotel Palacio San Martín.* Lun-sam 10h-14h, 16h30-20h30. Les collectionneurs de disques passeront des heures dans ces 3 grandes salles débordant de vinyles et de CD, en quête de la perle rare. Belle section de musique latino, beaucoup de rock toutes tendances et de la variété en pagaille.

✿ **Maty** (*zoom centre C4, 405*) : c/ de las Hileras, 7. ☎ 91-541-20-16. Ⓜ Ópera ou Sol. Lun-ven 10h-13h45, 16h30-20h ; sam 10h-14h, 17h-20h. Un magasin historique (1943) et dans son jus qui regorge de robes, costumes et accessoires pour danseurs, en particulier de flamenco. En soi, un vrai spectacle. Une antenne à deux pas de là (c/ Maestro Victoria, 2, ☎ 91-531-32-91), pas mal non plus, et exclusivement tournée vers le flamenco : toutes les robes possibles et imaginables, les chaussures, peignes à cheveux et mantilles.

✿ **Ferpal** (*zoom centre C4, 432*) : c/ del Arenal, 7. ☎ 91-532-38-99. Ⓜ Sol. Lun-sam 9h45-20h45. Fermé dim. Épicerie fine, jambons, chorizo, saucissons suspendus au-dessus des étals... On pourrait craindre le pur piège à touristes vu l'emplacement, mais il n'en est rien : les produits sont de qualité, et les Madrilènes aussi viennent s'y ravitailler. On prend un ticket et on fait gentiment la queue devant la vitrine qui nous intéresse.

🔸 *Foire aux timbres (zoom centre C4) :* dim mat sous les arcades de la pl. Mayor. Également grand choix de billets de banque et cartes postales anciennes (mais question prix, pas de cadeau !).

À voir

🎭🎭🎭 *Plaza Mayor (zoom centre C4) :* une superbe place (122 m sur 94), construite entre 1617 et 1619, sur ordre du roi Philippe III (au centre, sa statue), symbole de l'architecture du Madrid de Los Austrias. Cette place a servi de scène pour les autodafés, de théâtre pour les pièces religieuses de Lope de Vega ou d'arène pour des corridas. Elle était aussi la place des exécutions criminelles, ou des manifestations populaires et carnavals (encore de nos jours). Autant de souvenirs tragiques ou joyeux relatés sur les dossiers des 4 bancs circulaires situés à chaque coin de la place. Mais s'il y a du monde, vous aurez bien du mal à admirer les gravures !

Architecture assez dépouillée, révélant l'influence de Herrera. De grandes arcades voûtées communiquent avec les principales rues voisines. Les habitations situées entre les tours sont antérieures à la construction de la place.

On peut y voir la *casa de la Panadería* (boulangerie) avec ses fresques mythologiques peintes en 1992 pour remplacer les anciennes fresques très détériorées et, de l'autre côté, la *casa de la Carnecería* (boucherie). Elles portent toujours leur nom respectif. Belles maisons à portique. L'été, on prend le café au soleil, entre amis, au milieu des bateleurs de rue en tout genre, musiciens, mimes, etc. ; faut dire que c'est un point d'affluence incontournable pour les visiteurs de passage, d'autant qu'elle accueille l'office de tourisme principal. Tous les dimanches matin, marché aux timbres et à la monnaie sous les arcades. Une dernière chose : au n° 30, l'une des plus anciennes boutiques de sombreros de la ville. De la casquette d'hidalgo un peu ringarde aux chapeaux à larges bords...

Tout autour, petits cafés et restos en pagaille dans un réseau de rues piétonnes et marchandes reliant la puerta del Sol à la plaza Callao au niveau de la Gran Vía. Les rues du quartier portent les noms des petits métiers artisanaux qu'on y trouvait du temps de Philippe III : *cuchilleros* (couteliers), *bordodores* (brodeurs), *botoneros* (fabricants de boutons), etc.

➤ De la plaza Mayor, passer sous l'arche voisine de l'office de tourisme et remonter la petite rue Felipe III jusqu'à l'*iglesia San Ginés (zoom centre C4 ; n'ouvre qu'à 18h).* Cervantes et Lope de Vega (écrivain et poète, auteur de plus de 1 800 comédies) y furent baptisés, entre autres. L'église, d'origine mozarabe, est l'une des plus anciennes de la ville puisqu'elle fut mentionnée au XIIᵉ s. Elle fut plusieurs fois réformée et arbore un petit air de forteresse. À l'intérieur, 2 œuvres intéressantes : *Les Marchands chassés du Temple* du Greco et un très beau christ en ivoire (XVIIᵉ s). Poursuivre tout droit par la c/ San Martín jusqu'à la plaza de las Descalzas Reales, pour visiter son fameux couvent.

🎭🎭🎭 *Convento de las Descalzas Reales (zoom centre C4) :* pl. de las Descalzas Reales, 3. ☎ 902-04-44-54. ● patrimonionacional.es ● Ⓜ Sol. Mar-sam 10h-14h, 16h-18h30 ; dim et j. fériés 10h-15h. Fermé lun, et 24, 25 et 31 déc. Dernières entrées 1h avt. Visites en petits groupes, obligatoirement guidées (et parfois au pas de course), en espagnol, anglais ou italien selon les heures : il faut **réserver sur Internet** ou **impérativement venir tôt** (dès 9h) pour prendre son ticket de résa. Entrée : 6 € (8 € avec le Real monasterio de la Encarnación, valable 48h). Également inclus dans le Bono 2 de Patrimonio Nacional (ts les monuments de la communauté de Madrid gérés par Patrimonio Nacional). Gratuit mer-jeu ap-m pour les ressortissants de l'UE : venir alors avt l'ouverture pour retirer son entrée, puis revenir à l'heure dite.

Qui devinerait l'existence, derrière cette noble mais sobre façade de monastère, d'un important trésor artistique Renaissance ? À l'origine, un palais construit au XVIe s par Luis de Vega (déjà architecte de l'extension de l'Alcázar de Séville), et occupé par Carlos V (c'est-à-dire Charles Quint, rien que ça !) et Isabel de Portugal, son épouse. C'est d'ailleurs ici que naquirent leurs enfants, le futur Philippe II et Doña Juana. Cette dernière se retrouve très jeune veuve de son cousin le prince Juan de Portugal, et décide de prendre le voile : son gentil frère Philippe II transforme tout bonnement le palais familial en couvent franciscain, qui n'accueillit guère que des femmes issues de la noblesse ! Ce qui explique la magnificence Renaissance de ce couvent très spécial.

Charmant cloître planté d'orangers, dont la galerie conduit à un escalier en marbre typiquement Renaissance, aux murs et plafond couverts de fresques baroques, balustrades en trompe l'œil, etc. L'une de ces fresques s'anime de pas moins de 8 archanges (au lieu des 4 reconnus par l'Église : privilège royal !), et vous remarquerez à droite de la 2e volée d'escaliers un portrait de la famille royale au complet. La galerie du 1er étage aligne les chapelles, toutes plus richement décorées les unes que les autres : Christ sanguinolent et martyrs sont à l'honneur. La chapelle de l'Annonciation avait à l'origine été décorée par Fra Angelico : pour remplacer son œuvre déplacée au musée du Prado, un artiste anonyme a produit une copie « à la manière de », afin de conserver à la chapelle son esprit. Belle collection d'objets liturgiques également, au fil de la visite : croix en cristal de Bohême, reliquaires, ostensoirs, tableaux en relief (en nacre, en corail, entre autres), etc.

Galeries de portraits de la famille royale à tous les âges, superbe salle aux sculptures, dont une étonnante Marie Madeleine en pénitente, très réaliste, vêtue d'une peau de chameau (véritable !). Et dans la grande salle du Roi, nombreux portraits de la famille (royale, toujours), dont certains peints par Rubens (sœur Dorothée, Catherine de Médicis...). Puis des enfilades de salles présentant les collections de tableaux : Zurbarán, Bruegel l'Ancien, Titien (bien représenté dans la salle « italienne »), etc. Également une superbe église (mais que l'on ne visite pas pendant les messes, en particulier le dimanche).

➢ En redescendant vers la plaza Mayor, on croise la c/ del Arenal, une longue rue piétonne et commerçante qui part de la puerta del Sol. Prendre à droite, sans oublier de lever le nez pour admirer les balcons et corniches sculptés. La rue s'achève par la plaza de Isabel II, où trône l'austère *Teatro real* (Ⓜ *Opera ; zoom centre C4 ; voir plus loin*). Initiée au début du XIXe s par le roi Fernando VII, sa construction est poursuivie par Isabel II qui sera toutefois amenée à faire détruire une partie du travail accompli, puisqu'il n'était plus au goût du jour. Cet édifice néoclassique sera finalement inauguré en 1850 et accueillera pièces, opéras, concerts et ballets avant d'être remodelé et converti définitivement en opéra, sa fonction exclusive depuis 1997. Longer le *Teatro real* par la droite en remontant la c/ Arrieta, jusqu'au couvent de la Encarnación.

🏃🏃 *Real Monasterio de la Encarnación* (plan détachable C4) : pl. de la Encarnación, 1 ; en bas de la c/ Bola. ☎ 91-454-88-00. ● *patrimonionacional.es* ● Ⓜ *Ópera. À deux pas de la pl. Isabel II et de la pl. de Oriente. Mar-sam 10h-14h, 16h-18h30 ; dim et fêtes 10h-15h. Fermé lun. Dernières entrées 1h avt. Visites guidées ttes les 30 mn, en espagnol ; durée : 1h. Il faut* réserver sur Internet *ou* impérativement venir tôt *(dès 9h) pour prendre son ticket de résa. Entrée : 6 € (8 € avec le Convento de las Descalzas Reales ; valable 48h). Également inclus dans le Bono 2 de Patrimonio Nacional (ts les monuments de la communauté de Madrid gérés par Patrimonio Nacional) ; gratuit mer-jeu ap-m pour les ressortissants de l'UE : venir alors en avance pour retirer son entrée, et revenir à l'heure dite.*

Façade de style classique et beau retable dans l'église. Mais c'est surtout le *musée* qui mérite une visite : peintures de l'école madrilène ; *Ribera, Carreño* et *Bartolomé Román* sont notamment représentés. Dès l'entrée, on admire le *Saint Augustin et sainte Monique* de *Luca Giordano,* ainsi que le précieux *Rencontres* franco-espagnoles sur la Bidassoa (ou l'échange des Princesses) d'un anonyme flamand et 2 peintres ténébristes. Grande salle de peinture d'où émergent une belle *Assomption* de **Carreño,** une *Sainte Famille* de **Van Cleeve** et une douce *Vierge à l'Enfant* napolitaine.

– *Au 1er étage :* un impressionnant christ gisant assez sanguinolent, un beau *Christ en Croix* en ivoire sculpté hispano-philippin et un *Portement* de Luca Giordano. Dans la grande salle suivante, nombreux portraits en pied de nobles et de princesses (dont le fondateur du monastère).

– Retour au *rez-de-chaussée* pour une description un peu fastidieuse par le guide de toutes les fresques du cloître. Cependant, dans la 1re chapelle, intéressante *Apothéose de l'Agneau,* œuvre de **Juan Van der Hamen** (couleurs vives, visages expressifs). Puis suivent les épisodes de la vie de la Vierge (l'Annonciation, la Naissance, la Circoncision, la Présentation au Temple, etc.). Pour finir, les épisodes de la *Passion du Christ* et le martyre de saint Sébastien.

Salle du chapitre avec stalles en bois, grande fresque de la Cène et série de peintures de saints convertis en anges (Raphaël, Gabriel...). Mais le clou de la visite, c'est la **salle des reliquaires,** unique en Espagne, si ce n'est en Europe. Ils sont de toutes les formes possibles, faits de matériaux divers et précieux et abritent plus de 1 500 reliques, dont un morceau de la Sainte Croix et une fiole contenant le sang de saint... Pantaleon (qui se fige, dit-on, tous les 26 juillet !). Plafond peint et intéressant *La Vierge et Joseph,* tableau de **Bernardino Luini** (de l'école de Léonard de Vinci). Suivent sacristie et salle dédiée à la patronne des marins.

Imposante architecture néoclassique de l'église, mais sans trop de charme. Croisée de transept sous coupole et immense retable à colonnes de marbre. On notera la lourde table de communion à balustre en cuivre jaune.

➤ Au coin du *monasterio de la Encarnación* débute la **plaza de Oriente** *(plan détachable et zoom centre C4),* l'une des plus majestueuses de la ville. Semi-circulaire et agrémentée d'un jardin à la française, elle donne, comme vous l'aurez remarqué, sur la face ouest du Palais royal. Joseph Bonaparte, en supervisant la construction de cette place, fit détruire les maisons médiévales qui avaient le tort de gâcher la perspective. Au centre, la célèbre **statue équestre de Philippe IV,** gracieuse et imposante à la fois, réalisée au XVIIe s par Pietro Tacca, considéré comme le meilleur représentant du baroque toscan. Le poids repose entièrement sur les pattes arrière et la queue du cheval : une vraie prouesse technique pour l'époque. L'astuce, c'est que l'avant du canasson est creux alors que l'arrière est massif. Ainsi, l'équilibre et l'assise de l'ouvrage sont garantis. Mais l'aspect artistique n'est pas en reste : la posture du cheval cabré et le mouvement du roi, accentué par le drapé de son étole, donnent à l'ensemble une dynamique indéniable. Tout autour de Felipe sont alignés une vingtaine de rois wisigoths surnommés les *Reyes godos,* qui régnèrent du IVe au VIIe s apr. J.-C. Prévus à l'origine pour décorer la façade du *Palacio real,* ils furent en fait dispersés dans les jardins publics de la ville, car leur poids aurait rudement mis à l'épreuve la solidité des corniches... et mis en danger les passants ! Quelqu'un aurait pu y penser avant, non ?

🎭 🚶 **Teatro real** *(zoom centre C4) : pl.* de Oriente. ☎ 91-516-06-96. ● teatro-real.es ● **Ⓜ** *Ópera. Visites guidées tlj 10h30-13h (en anglais et en français sur demande), durée 50 mn-1h ; entrée : 8 €, gratuit - de 7 ans ; réduc. Également des visites thématiques, seulement en espagnol : artistique (tlj à 9h30, env 1h15, 12 €) ; technique (tlj à 10h, env 1h15, 16 €, accessible aux enfants à partir de 10 ans seulement pour des raisons de sécurité) ; nocturne (à quelques dates seulement, uniquement sur résa, voir sur le site, 1h, 30 €). Enfin, visite libre avec audioguide tlj 9h30-15h30 (dernière entrée 14h30) : 7 € ; réduc ; gratuit - de 5 ans ; compter 1h de visite.*

La visite classique est déjà une bonne introduction à l'histoire du bâtiment (enfin ouvert aux visiteurs), depuis son inauguration en 1850 jusqu'à sa rénovation à la fin du XXe s. Ce sont les aspects architecturaux du bâtiment qui sont mis en avant.

Seule la salle est d'origine, le reste a été totalement reconstruit, surélevé et modernisé : les luxueux salons, le foyer, la salle – qui peut accueillir jusqu'à 1 750 personnes selon la taille de la fosse – et ses balcons. Très intéressante aussi, la visite « artistique ». Elle permet d'approcher les salles de répétition (chœur ou orchestre), les ateliers de couture, maquillage, costumes et de coiffure. Également les loges des comédiens (qui peuvent accueillir 360 personnes et sont équipées de télé, piano, canapé, douche, lit pour se reposer...) ou la régie. Explications sur le fonctionnement et le déroulement de tous ces ateliers, avant et pendant le spectacle.

Quant à la visite technique, probablement la plus intéressante, centrée sur la scène et ses coulisses, c'est toute la *vie cachée* de ce type de prestigieuses salles de spectacles qu'elle dévoile. Le processus de préparation d'un opéra, les ateliers de fabrication des décors (métal et bois). On découvre que la scène fait pas moins de 22 étages d'un immeuble (dont 8 sous la scène et 14 au-dessus) : elle est beaucoup plus grande que la salle. Très accessible grâce à un système hyper sophistiqué de poulies, de leviers, d'ascenseurs géants qui peuvent transbahuter de haut en bas (et réciproquement) les plateaux. Cela permet de préparer plusieurs décors à l'avance sur ces plateaux, selon les besoins du spectacle. Très impressionnant ! Et grâce à ce système, les camions accèdent à l'arrière de la scène pour déposer les matériaux et décors encombrants, directement sur cette dernière. Enfin, quelques chiffres : plus de 200 personnes travaillent ici tous les jours, 14 salles de répétition, 1 auditorium pour les spectacles pour enfants et 3 pour les cours universitaires. Et l'opéra dispose de ses propres studios télé pour les retransmissions.

🎭🎨 *Palacio real* (Palais royal ; plan détachable B4) : c/ de Bailén. ☎ 91-454-88-00. ● patrimonionacional.es ● Ⓜ Ópera. ♿ Avr-sept : tlj 10h-20h ; oct-mars : tlj 10h-18h ; dernier accès 1h avt ; fermé les j. de réceptions officielles et la plupart des j. fériés. Entrée : 11 € ; ajouter 3 € pour l'audioguide (en français, on conseille de le prendre) ; expo temporaire : 5 € ; Real Cucina : 5 €. Également inclus dans le Bono 2 de Patrimonio Nacional (ts les monuments de la communauté de Madrid gérés par Patrimonio Nacional) ; réduc - de 16 ans, étudiants - de 25 ans, et - de 65 ans ressortissants de l'UE ; gratuit - de 5 ans ; visite libre gratuite pour les ressortissants de l'UE lun-jeu à partir de 18h avr-sept, de 16h oct-mars. **Impressionnante relève solennelle de la garde le 1er mer du mois** à 12h dans la grande cour (sauf en été !), vérifier sur place s'il n'y a pas de changements exceptionnels, ça arrive parfois. Une autre relève, plus modeste et routinière, se déroule chaque mer 11h-14h devant la puerta del Príncipe, côté pl. de Oriente.

Grande vue sur le parc de la Casa de Campo et les faubourgs de Madrid. Sur la place conçue par Joseph Bonaparte, statue équestre de Philippe IV.

Histoire

Le Palais royal est construit à partir de 1738, sur le site de la forteresse ou *alcázar* fondé au milieu du IXe s sous l'émirat de Muhammad ben Abd al-Rahman, qui constitue le noyau dur du développement urbain de Madrid. L'*alcázar* est ensuite récupéré par les rois de Castille au tout début de la *Reconquista* (1085). Sous le règne de Charles Quint (Carlos V), la forteresse est transformée progressivement en palais de la Renaissance. C'est avec le transfert de la capitale de Tolède à Madrid en 1561, sous Philippe II, que le Palacio real retrouve son rôle politique. À Noël 1734, le vieil *alcázar* est détruit par un incendie. Le roi Felipe V, 1er roi de la maison des Bourbons d'Espagne, ordonne alors la construction d'un nouveau palais : c'est celui que l'on voit aujourd'hui. Une trentaine d'années furent nécessaires pour l'édifier dans ce style néoclassique, au charme assez austère.

Visite

On traverse d'abord la *place d'Armes,* grande esplanade utilisée pour les parades militaires. C'est là que l'actuel roi d'Espagne passe en revue les troupes chaque année. Puis le palais présente une intéressante déco intérieure, à commencer par le vestibule et le Grand Escalier qui mène aux appartements royaux. Plusieurs

salles se distinguent par leur riche décor, autour du patio del Principe. Ornée de belles tapisseries, la *salle des Colonnes* est utilisée comme salle de fêtes, banquets et réceptions. Elle servit de cadre à la signature le 12 juin 1985 du traité d'adhésion de l'Espagne à la Communauté européenne, et plus récemment de l'abdication du roi Juan-Carlos. Également un rien chargé, le *salon Gasparini*, l'un des ensembles rococos les plus étonnants d'Espagne : c'était la chambre à coucher du roi Charles III. Ne pas rater le délicieux *cabinet des Porcelaines,* exemple frappant du goût pour les chinoiseries au XVIII⁰ s. La monumentale *salle à manger,* parsemée de dorures, affiche au plafond une fresque représentant Christophe Colomb offrant le Nouveau Monde au roi. Passage maintenant dans la *chapelle royale* (pas toujours ouverte), d'aspect très théâtral avec ses ors, ses marbres, son plafond doré à caissons, etc. Voir ensuite la *salle de musique* abritant une collection d'instruments à corde réalisés à la fin du XVII⁰ s par Stradivarius, le meilleur luthier de tous les temps. Enfin, succession de petites salles : la salle de billard à la déco boisée, l'étonnant fumoir à la déco orientalisante très prononcée, et l'élégant boudoir tout en stuc (œuvre de Sabatini) de Marie-Louise de Parme qui demeure l'une des salles les plus importantes du palais. Enfin, précédée de l'antichambre officielle, la *salle du trône,* tout en velours cramoisi et dorure, s'affirme kitchissime ! Au plafond, superbe fresque de Giambattista Tiepolo, *La Grandeur de la monarchie espagnole.*
– *La real Farmacia (pharmacie royale) : accès par la place d'Armes. Actuellement fermée pour rénovation.* Destinée depuis son origine à préparer les substances médicinales pour soigner la famille royale et la Cour, on y admire de riches collections de pots à pharmacie, récipients en verre de toutes formes, mortiers, distillateurs, etc. ; le tout rangé dans des meubles anciens.
– *La Real Armería (Armurerie royale) : accès par la place d'Armes.* Ce musée présente de très belles armes et armures – datant du XIII⁰ au XIX⁰ s – dont la plupart proviennent de la collection personnelle de l'empereur Charles Quint (Carlos V). Si on n'aime pas les armes en tant que telles, on peut toutefois y retrouver le souffle de la grande histoire. Parmi les pièces les plus rares : les armures personnelles de guerre de Charles Quint et de Philippe II, la litière de voyage de Charles Quint, l'épée du conquistador Francisco Pizarro, les armes et les vêtements de l'amiral turc Ali Pacha (tué à la bataille de Lépante), et, enfin, la tente du roi François Iᵉʳ (roi de France) prise par son ennemi Charles Quint (encore lui !) après la bataille de Pavie (24 février 1525). L'épée de François Iᵉʳ (symbole de la défaite française de Pavie) ne fut rendue à la France qu'en 1808 lors de l'occupation napoléonienne de Madrid.
– *La Real Cucina (la cuisine royale) :* visite ttes les heures en petit groupe seulement (résa conseillée, à l'entrée principale ou sur Internet). Si la visite est groupée, elle n'est pas guidée, et on peut le regretter. Installées au sous-sol d'une aile privée du palais (que l'on traverse sagement en silence !), ces vastes voûtes abritent rôtissoires gigantesques, longues plaques de cuisson et innombrables batterie de cuisine en cuivre de la fin du XIX⁰ s. Cellier, glacière, caves... Les curieux remarqueront quelques poêles ou pianos de fonte issus d'ateliers français. Quelques panneaux, mais globalement ça manque d'explication, et on nous pousse d'une salle à l'autre un peu rapidement.
– À l'ouest du Palais royal, *2 grands parcs agréables* : le *campo del Moro (plan détachable B4 ; tlj 10h-18h, jusqu'à 20h avr-sept ; GRATUIT)* et celui de la *Casa de Campo,* qu'on peut rejoindre par un téléphérique *(A/R 6 €)* du paseo del Pintor Rosales Ferraz.

🏹 Face à la place d'Armes se trouve la *cathédrale Santa María la Real de la Almudena (plan détachable B4)* : c/ de Bailén, 10. ☎ 91-542-22-00. ● *catedralde laalmudena.es* ● *Tlj 9h-20h30 (10h-21h en juil-août), sauf pdt les offices. Entrée : 1 €.* Commencée à la fin du XIX⁰ s mais consacrée seulement en 1993 (année également du transfert de l'autel actuel depuis San Isidro), elle tire son nom de la muraille de l'*alcázar* : l'*Almudayna.* Si son architecture est d'un intérêt tout relatif,

MADRID ET SES ENVIRONS

il faut néanmoins voir ses vitraux contemporains et son abside signés Kiko Argüello, vraiment étonnants ! Admirez également son plafond peint aux inspirations gothiques par José Luis Galina (en 2000) et ses portes en bronze au passage. Les amateurs d'art contemporain passeront aussi (discrètement – c'est un lieu de prière) un œil dans la *capilla del Santissimo* pour ses superbes mosaïques de Rupnik (2011). Et puis elle est tout de même le siège officiel de l'archevêché de Madrid.

– *Museo de la catedral :* accès depuis l'esplanade qui sépare la cathédrale du Palais royal. Lun-sam 10h30-14h30 ; fermé dim et j. fériés. Entrée : 6 € ; réduc. Audioguide gratuit à télécharger sur smartphone. Après un passage par la sacristie (encore de belles mosaïques de Rupnik) et la salle du chapitre, un ascenseur mène aux galeries supérieures. La 1re déroule le fil de l'histoire du diocèse de Madrid, avec force explications et illustrations de l'histoire mouvementée de la statue de Santa María de la Almudena et la

UNE VIERGE POLYGLOTTE ?

*La patronne de Madrid, Santa María de la Almudena, porte un drôle de nom. La légende veut qu'elle ait été cachée par les chrétiens au IX*e *s pour la protéger de l'arrivée conquérante des musulmans. Redécouverte au XI*e *s par Alfonso VI, elle fut planquée dans la muraille qui protégeait la ville. Muraille se disant « al mudayna » en arabe, le nom de Sainte Marie « de la muraille » lui resta. Voici donc une Vierge bien chrétienne baptisée d'un nom arabe !*

figure de San Isidro le laboureur, les 2 patrons de la ville. Tous 2 honorés par de nombreuses donations de paroissiens, mais celles destinées à la Vierge sont les plus impressionnantes (très nombreuses couronnes, des ostensoirs, etc.). Présentation aussi de la congrégation qui veille jalousement sur la Vierge et ses trésors (la *Real esclavitude :* tout un programme...). Accès par plusieurs volées de marches à la **coupole, avec une terrasse** qui en fait le tour à presque 360° ! Descente vers la 2de galerie, tout entière consacrée à la description et l'explication des 7 sacrements principaux de l'Église catholique. On peut s'en passer... La sortie se fait par la cathédrale.

– En sortant de celle-ci, tournez 2 fois à droite pour aller voir la **crypte néoromane :** c/ Mayor, 92 ; ☎ 91-548-09-30 ; tlj 10h-14h, 17h-20h, donation 1 ou 2 €. Située juste en dessous de la cathédrale, c'est un impressionnant ensemble composé de près de 500 colonnes, celles de la nef centrale étant taillées d'un seul bloc. Sous le sol de marbre blanc, de nombreux tombeaux, étonnamment fleuris pour certains ; ce qui donne un drôle d'aspect aux transepts, ponctués de pots de fleur. Mais la perle de la crypte est cette icône de la *Vierge à la fleur de lys,* sur la droite, de loin la plus ancienne de Madrid, puisqu'elle fut peinte en 1083, après la reconquête de la ville. Pour l'anecdote, elle disparut pendant plusieurs siècles puis réapparut « par miracle » en 1623, à l'occasion des travaux de l'église.

➢ Juste en face de la crypte, jeter un œil aux très modestes restes de la **muraille arabe,** excavés en 1950. Ces remparts ceinturaient la ville au temps des Maures. Bon, il n'en reste vraiment pas grand-chose. Remonter vers le centre-ville en prenant la c/ Mayor. Sur la gauche au n° 86, le *palacio de Abrantes,* qui

PASSE-MURAILLE

Les Madrilènes sont surnommés los gatos (les chats) à cause de l'habileté qu'ils déployèrent, lors de la reconquête de la ville, à escalader la haute muraille construite par les Maures. Comme des chats.

abrita les contingents italiens des Brigades internationales pendant la guerre civile espagnole. Aujourd'hui, cet édifice orné de jolies fresques est le siège de l'Institut culturel italien.

🎭🎭 *Plaza de la Villa (zoom centre C4) :* plus loin dans la calle Mayor, on tombe sur cette « place de la mairie » très harmonieuse, bien qu'affichant 3 styles différents. Tout d'abord, l'hôtel de ville *(ayuntamiento)*, appelé aussi **Casa de la Villa,** avec son architecture du XVIIe s caractéristique de la maison d'Autriche. Une partie servait autrefois de prison. Sur le côté est de la place, un vieux palais de brique dominé par la **torre de los Lujanes,** d'influence mudéjare (début du XVe s). Cette demeure, sans doute l'une des plus vieilles de la capitale, présente une belle porte gothique armoriée. Elle servit de prison à

ON N'EST JAMAIS MIEUX TRAHI QUE PAR LES SIENS...

Pirouette de l'histoire, François Ier dut sa défaite à Pavie à son propre cousin, le connétable Charles de Bourbon. Et plus encore, avant de passer sous la férule de Charles Quint, Charles était un compagnon d'armes de François Ier : il l'a d'ailleurs secondé avec autant d'ardeur que de succès à la bataille de Marignan, en 1515. En fait, ils se brouillèrent pour une histoire d'héritage...

François Ier, roi de France, après sa défaite à Pavie contre Charles Quint (son grand ennemi), de février 1525 à janvier 1526. Côté sud, la **casa de Cisneros,** bâtie au XVIe s mais en partie reconstruite au début du XXe s lorsqu'elle fut rachetée par la mairie (l'arche qui la relie à la Casa de la Villa date d'ailleurs de cette rénovation). Belle façade platéresque de... Bellido, qui date du début du XXe s ! Seules les façades donnant sur la c/ Sacramento et l'escalier sur le côté sont d'origine.

➤ Descendre la c/ del Cordón jusqu'à la place du même nom, dominée par... la **casa del Cordón,** pardi ! Elle tient son nom du cordon porté en guise de ceinture par les Franciscains, et qu'on peut observer en façade. En empruntant sur 20 m la c/ San Justo au coin de la place, on aperçoit la curieuse façade bombée de l'**iglesia San Miguel** *(zoom centre C4),* de style baroque italien.

En face, descendre les marches du petit *pasaje del Obispo* et prendre la c/ Segovia sur la droite. Noter au passage l'amusante façade du *Centro de Salud,* composée d'un entrelacs de motifs floraux stylisés sur fond rouge. Plus bas, vous remarquerez plusieurs façades en trompe l'œil. Nous changeons de quartier : **voici La Latina, l'un des coins les plus attachants de la ville.**

➤ Grimper la costanilla San Andrés, qui débouche sur la **plaza de la Paja** *(place de la Paille ; zoom centre C5).* C'était l'un des centres névralgiques à l'époque médiévale : le grand marché s'y tenait. Elle doit son nom à une coutume chrétienne qui obligeait les habitants à fournir en paille les chapelains et aumôniers du coin afin qu'ils puissent nourrir leur âne.

Tout de suite à gauche, ne pas manquer l'adorable **jardín del Príncipe Anglona** *(tlj 10h-22h, en hiver 10h-18h30)* l'un des rares exemples de jardins nobles qui nous soient parvenus. Dessiné au XVIIIe s, réaménagé début XIXe s et devenu public, il mélange le style néoclassique à des éléments arabes (fontaine). On peut faire un détour en remontant la c/ del Príncipe Anglona jusqu'à l'**iglesia San Pedro el Viejo,** avec sa tour mudéjare.

Mais revenons à notre place de la Paille : en haut se trouve la **capilla del Obispo** *(zoom centre C5 ; visites possibles en silence, 20 mn avt chaque office, lesquels ont lieu lun-ven 18h30 et 19h30 – ainsi que 12h30 mar, jeu et ven –, sam 12h30 et 20h, dim 12h30 et 19h ; ☎ 91-559-28-74 ou sur ● reservascapilladelobispo@ archimadrid.es ●),* bâtie au XVIe s afin d'abriter la dépouille de San Isidro. Elle mêle le style gothique avec une façade platéresque et des éléments Renaissance. Beau retable polychrome et intéressant tombeau sculpté.

Juste derrière, l'**iglesia San Andrés** *(tlj sauf dim ap-m 8h-13h, 18h-20h),* du XVIIe s, vaut le coup d'œil pour sa coupole baroque surchargée d'angelots et de fruits.

🍴 👫 Voisin, le petit **museo de San Isidro** (ou **museo de los Orígenes** ; *mar-dim 9h30-20h ; GRATUIT ; feuillet à l'entrée en anglais ou espagnol)* est avant tout un minimusée de Madrid, mais on lui préfère le *museo de Historia,* nettement plus riche. Installé dans un ancien couvent, quelques pièces intéressantes cependant, dont une grande salle qui permet de visualiser en 3D la faune (dont dinosaures et autres mastodontes) qui occupait le site de la ville avant l'installation des hommes (les enfants kiffent !). Vestiges archéologiques aussi, puis une salle consacrée à San Isidro le laboureur, patron de la ville (y compris l'utilisation de son nom pour vendre de l'ambroisie ou du *vino quina*), et l'évocation de différentes légendes fondatrices de la ville, avant de finir par la chapelle. Enfin, petit jardin de simples.

Depuis la très agréable *plaza San Andrés,* où aiment flâner les Madrilènes, on aperçoit l'*iglesia San Francisco el Grande (plan détachable B5),* dont l'unique intérêt est une chapelle décorée par Goya (la 1re à gauche).

À l'opposé partent les *cava Baja* et *cava Alta (zoom centre C5),* rues des plus vieilles auberges de Madrid, où les routards de l'époque traînaient leurs guêtres. Ça n'a pas vraiment changé, puisque aujourd'hui on y trouve de nombreux bars à tapas et une ambiance des plus animée en soirée. De là, il suffit de remonter les rues commerçantes vers le nord, en se laissant attirer comme un aimant par la très magnétique plaza Mayor.

🎎 *Ermita de San Antonio de la Florida (plan détachable A3) :* sur la glorieta du même nom, au bout du paseo de la Florida. ☎ 91-542-07-22. Ⓜ *Príncipe Pío* puis 300 m à pied. Bus nos 46, 41 et 75. ♿ Mar-dim 9h30-20h. Fermé lun, 1er janv, 1er mai et 25 déc. GRATUIT.

Dès 1732 fut construit sur les rives du Manzanares un ermitage à saint Antoine de Padoue, par Churriguera lui-même. Dans ce coin alors champêtre où les Madrilènes venaient prendre le frais et se baigner, une grande dévotion populaire à saint Antoine se développa très vite (un pèlerinage s'y tenait même le 13 juin). Au point qu'il fallût agrandir l'édifice plusieurs fois. Tâche confiée d'abord à Sabatini, puis, à la demande de Carlos V, à Fontana, qui bâtit l'ermitage actuel en 1792, dans le style néoclassique alors en vogue.

Banale vue de l'extérieur, bizarrement peu connue, cette chapelle est pourtant décorée de *fresques de Goya,* réalisées en 1798 et illustrant, sur la coupole à lanterne (merci le torticolis), le miracle de saint Antoine. Leur intérêt réside dans leur style résolument profane, voici un tableau précis de la société madrilène de l'époque avec ses aristos, grands bourgeois, demi-mondaines, mais surtout pauvres et gens du peuple qui ont plutôt l'air de demander des comptes à saint Antoine. Visages très expressifs, où se lit souvent l'inquiétude. La dépouille de Goya, mort à Bordeaux en 1828, fut rapatriée en 1919 pour reposer dans cette chapelle... du moins son corps, puisque sa tête, pour des raisons demeurées mystérieuses, n'a jamais été retrouvée.

Juste à côté de la chapelle originale a été bâtie sa sœur jumelle, où se déroulent les offices religieux (impossible dans l'ermitage d'origine : les pèlerins étaient trop présents !).

QUARTIER DE LAVAPIÉS ET EL RASTRO
(plan détachable et zoom Las Letras C-E5-6 ;
Ⓜ *Antón Martín)*

Demandez aux Madrilènes où se trouve le quartier des origines de Madrid, où l'histoire de la capitale a commencé. Ils vous diront : Lavapiés. Il faut savoir qu'à Madrid les habitants de chaque quartier prétendent être les « vrais » Madrilènes. Ceux de Lavapiés le crient plus fort que les autres. Ce quartier populaire et cosmopolite, d'une extrême hospitalité, accueille des émigrés et des restos du monde entier, et attire également une nouvelle population composée d'artistes et d'intellectuels. Le tout forme une joyeuse tour de Babel vraiment attachante, avec ses épiceries de tous les coins du monde et ses nombreux théâtres et centres culturels, comme le **Ciné Doré** *(zoom Las Letras D5)*. Au niveau gastronomique, quelques rues se sont même transformées en *Little India* (au nord de plaza de Lavapiés, calle Lavapiés, del Ave María, del Olivar...).

C'est aussi un quartier en pleine mutation, à l'image de la place de Lavapiés, restaurée. Il est aujourd'hui menacé par la pression spéculative des promoteurs et de la Mairie, qui veulent le « normaliser ». Il serait pourtant dommage que ce quartier perde son esprit de village. Quoi qu'il en soit, Lavapiés est un quartier qui monte, tendance « branchouille bohème », et l'un de ceux qui réservent le plus de surprises au visiteur curieux.

Où manger des tapas ?

I●I Lacaña *(zoom Las Letras E5, 159)* : c/ de Santa Isabel, 50. ☎ 91-527-22-69. ● rosacatalanlosa@gmail.com ● Ⓜ Atocha (le plus proche), Antón Martín ou Lavapiés. Tlj 8h-2h (9h-1h w-e). Petits déj dès 3 €, menu midi 13 €, tapas 3-6 € et raciones 6,50-13 €, couscous le dim 20 €, repas 15-20 €. CB refusées. Pratique, à deux pas du musée Reina Sofía. Un bar à tapas de quartier, aux couleurs pimpantes rehaussées par de belles expos de peinture. Grands choix de tapas et *raciones*, plus toujours 3 plats (et l'un des meilleurs couscous de Madrid le dimanche de 13h30 à 16h30). Bonne sélection de cocktails et de jus de fruits hyper frais aussi (kiwi, papaye, maracuja, mangue, etc.). Terrasse très sympa aux beaux jours.

I●I Restaurante Achuri *(zoom Las Letras D5, 161)* : c/ de Argumosa, 21. ☎ 91-468-78-56. Ⓜ Lavapiés. Tlj jusque tard. Tapas, raciones 4-7,50 € (un peu plus en terrasse). Un des rendez-vous de la faune locale, tendance libertaire. Plutôt animé le soir (pas de cuisine avant 13h30). Tapas, *raciones*, *bocadillos*, croquettes, salades,

gratins, mon tout du genre classique, mais les gens viennent surtout parce que c'est un très populaire point de rencontre. Terrasse.

I●I Lamiak *(zoom Las Letras D5, 140)* : c/ de la Rosa, 10. ☎ 91-539-74-50. Ⓜ Antón Martín. Tlj 10h (13h w-e)-1h (2h30 ven-sam). Pintxos env 2,80 €, raciones 7-9 €. Tout proche de la plaza de Antón Martín, même esprit décontracté de bar de potes, de bon son et de *pintxos* qui calent à petit prix (mais sans sacrifier la qualité de la maison mère, dans La Latina).

I●I Taberna El Sur *(zoom Las Letras D5, 158)* : c/ de la Torrecilla del Leal, 12. ☎ 91-527-83-40. Angle c/ San Simón. Ⓜ Antón Martín. Tlj. Menu midi max 10 €, tapas 3-8 €, media raciones et raciones dès 6 €. Dans ce petit établissement tout en longueur, les habitués du quartier se serrent les coudes (et le cœur) au bar, pendant que les autres se partagent une poignée de guéridons et une autre de tables. Petit format, donc ! Mais de bons produits frais, simplement et justement préparés, et une ambiance plutôt décontractée.

Où manger (assis) ?

Bon marché (moins de 15 €)

I●I El Economico – Soidemersol *(zoom Las Letras D5, 170)* : c/ de Argumosa, 9 (angle c/ del Salitre). ☎ 91-539-41-95 ou 91-528-16-55. Ⓜ Lavapiés. Tlj 12h-1h sauf lun. Menu en sem env 12 € ; plats 9-12 €, rioja « jeune » 12 €. Nourrit le quartier

depuis 1948. Ce fut longtemps le resto des fauchés, et aujourd'hui, même si les prix ont grimpé, la cuisine maison, simple et peu chère, reste correcte (sans plus, hein !) et appréciée des étudiants et artistes du quartier. Salle tout en longueur avec tables en bois et azulejos, prolongée par une plus petite au fond, ou petite terrasse ombragée. Spécialité de confit de canard sauce orange et *bacalao a la plancha.* Pour les grosses faims, la *parrillada* de viandes (largement pour 2 !).

|●| 🚋 Pum Pum Café *(zoom Las Letras D5, 152)* : *c/ de Tribulete, 6. Pas de tél.* 🅜 *Lavapiés. Tlj 9h (10h w-e)-20h. Brunch w-e 10h-20h. Plats 7-9 €.* Ce genre de cafés tenus par des jeunes, qui s'inventent un peu partout, mais restent très sympa. Adorable petite salle aux murs de brique, tables et chaises d'école (avec coussin !) réhabilitées. Tendance bio, végane et fait maison. Bruschetta, toast, brioches, burger, salades... Essayez la *doble benedict PumPum*, très complète. Jus de fruits délicieux. Bref, un endroit idéal pour grignoter toute la journée, et dès le petit déj. En prime, très bonne musique !

|●| Dans cette catégorie, voir aussi ci-dessus dans « Où manger des tapas ? » *Lamiak*, qui dispose de quelques tables (vite pleines !).

De bon marché à prix moyens (15-25 €)

|●| Taberna de Antonio Sánchez *(zoom Las Letras D5, 141)* : *c/ del Mesón de Paredes, 13.* ☎ *91-539-78-26.* 📠 *620-29-88-12.* ● *tabernaan toniosanchez@gmail.com* ● 🅜 *Tirso de Molina. Tlj sauf dim soir 12h-16h30, 20h-minuit. Congés : 2ᵈᵉ quinzaine de juil. Tapas env 3,50 € ; plats 8,50-15,50 €. Menu express le midi 7,50 € (au bar en sem)-10,50 €.* Baptisée du nom d'un célèbre torero, c'est une magnifique taverne fondée en 1830 et au charme suranné : murs de bois sombre, bancs, tables en marbre, têtes de taureaux empaillées... Dans l'assiette, bon choix de spécialités de la Castille, dont se régale la clientèle d'habitués tranquilles. Dommage que parfois les plats manquent dès le début du service.

|●| Cascorro Bistrot *(zoom centre C5, 162)* : *pl. de Cascorro, 21.* ☎ *91-039-09-52.* ● *bistrot.cascorro@yahoo. com* ● 🅜 *La Latina. Mar-sam 12h-1h, dim 13h-17h, fermé lun. Menu midi 12,50 €, carte 20-25 €.* Des pépites françaises derrière un tablier espagnol ! En vrai, ce bistrot, tenu

par 2 Français, s'amuse des classiques ibériques en y introduisant des touches bien gauloises, le tout à base de produits frais. L'*ensalada rusa* se fait aérienne, le riz au lait se pare de caramel au beurre salé... une vraie réussite dès le menu du déjeuner. À la carte, compter 2-3 tapas pour être rassasié. Déco dans la même oscillation franco-ibérique, et beau choix de vins naturels.

|●| Sidrería Casa de Asturias *(zoom Las Letras D5, 171)* : *c/ de Argumosa, 4.* ☎ *91-527-27-63.* ● *casa deasturias@casadeasturias.com* ● 🅜 *Lavapiés. Tlj sauf dim. Fermé 3 sem fin août. Menu 10 € le midi en sem (11 € en terrasse) ; carte 25-30 €.* Au cœur de Lavapiés, un populaire bar-resto asturien où l'on retrouve le traditionnel cidre frais et fruité pour se désaltérer et qui, bien sûr, accompagne harmonieusement les bons petits plats de là-bas ! *Chorizo a la sidra, pimientos de padrón* (modérément épicés, pas trop grillés), *churrasco al troceado, sépia de la rias, fabada asturiana,* porc à toutes les sauces... le tout copieusement servi. Atmosphère turbulente et bruyante à souhait, terrasse sur le trottoir prise d'assaut aux beaux jours.

|●| El Imparcial *(zoom centre C5, 226)* : *c/ del Duque de Alba, 4.* ☎ *91-795-89-86.* ● *administracion@ elimparcialmadrid.com* ● 🅜 *Tirso de Molina ou La Latina. Tlj 12h-1h (2h30 w-e). Menu midi 14-15 €, carte 25-30 €.* Derrière la façade ocre de cette demeure ancienne, à l'étage sous de bien hauts plafonds, c'est un long bar à cocktails et sa table d'hôtes en marbre qui sautent d'abord aux yeux. Mais notre préférence va à la très grande salle à l'éclectisme classe et étudié, où l'on s'attable à 2 ou sur une des grandes tables communes, entre mobilier contemporain se mêlant aux moulures et vieux parquet lasuré conservé dans son jus. Ensemble très lumineux et plébiscité par les habitants du quartier. En particulier au déjeuner, pour son menu au choix restreint mais hyper frais, autour d'une cuisine espagnole moderne qui suit les saisons.

|●| Malacatín *(plan détachable C5,*

164) : c/ de la Ruda, 5. ☎ 91-365-52-41. Ⓜ La Latina. Ouv le midi lun-sam 11h-17h30, le soir mer-sam 20h-23h. Fermé dim. Résa conseillée. Cocido complet env 20 €. Belle sélection de vins dès 14-15 €. Existe depuis 1895. L'un des restos les plus populaires de El Rastro, et l'un des meilleurs *cocidos* de Madrid (pas moins de 14 ingrédients !). Pas bien grand,

c'est vite surpeuplé. Cadre chaleureux d'affiches de *toros,* belles céramiques, vieux souvenirs se serrant les uns contre les autres, collection de chopes au plafond... Atmosphère rugissante garantie et réservation quasi obligatoire !

I●I Voir aussi dans « Où manger des tapas ? » la *Taberna El Sur,* pour ses quelques tables.

Où prendre le petit déjeuner ?

🗟 *Pan Adoré* (zoom centre C5, **261**) : pl. de Cascorro, 20. 🗟 654-68-20-70. ● marion.panadore@gmail.com ● Ⓜ La Latina. Tlj 8h-21h. Fermé 1 sem en août. Petits déj dès 2,40-3 €, salades du jour env 6 €, menu du jour 10,50 €, tostas y bocadillos 4-6 €, brunch ven-sam 12,50 €. Un petit local bien dans son époque, qui surfe de manière sympathique sur la vague des salades fraîches, quiches et pâtisseries maison et pain artisanal. Et les viennoiseries du petit déj se tiennent très bien ! Faut dire que les jeunes proprios sont français...

🗟 *La Rollerie* (zoom Las Letras D5, **277**) : c/ de Atocha, 20. ☎ 91-420-46-75. ● welcome@larollerie.com ● Ⓜ Sol.

♿ Tlj 8h-22h30 (23h30 w-e). Petit déj servis 8h-12h30, brunch 11h-16h. Petits déj dès 4 € ; brunch env 16 €. Un vaste espace clair doublé d'une mezzanine, une ambiance « à la campagne » agréablement standardisée pour cette boulangerie-salon de thé (une minichaîne espagnole) qui débite du petit déj pour tous les goûts, sucré ou salé. Viennoiseries et pains de bonne tenue, jus d'orange frais... De quoi bien commencer la journée. Également des salades et sandwichs, servis toute la journée. N'ayez pas peur de la file d'attente, elle progresse vite ! Comptoir pour emporter, aussi, et 3 autres succursales en ville.

Où manger une glace ?

🍨 *Sani Sapori* (zoom Las Letras D5, **198**) : c/ de Lavapiés, 31. ☎ 91-530-89-96. ● info@sanisapori.es ● Ⓜ Lavapiés. Mars-oct, tlj sauf mar et mer mat 10h-23h (1h sam, 22h30 dim), ouv tlj juin-août ; nov-fév, ouv seulement jeu-dim mêmes horaires. Glaces 2,50-4 €. Un glacier absolument extra, qui ne travaille que des produits bio

soigneusement sélectionnés et élabore tous ses parfums, parfois franchement originaux, dans son propre laboratoire. La glace au baobab, vous en aviez déjà goûté, vous ? Onctueux, onctueux... Quelques tables en terrasse pour déguster sa douceur et reposer ses pieds.

Où boire un verre ?
Où écouter de la musique live ?

Le long de la calle de Argumosa (*zoom Las Letras D-E5*), une ribambelle de bars sympa étalent leurs terrasses sur le trottoir à l'abri des arbres (mais pas des oiseaux canardeurs...). Un paradis à l'heure de l'apéro, dans une belle atmosphère cosmopolite et populaire, mêlée d'intellos précaires.

Encore faut-il réussir à dégoter une table ! La nuit, pas de parano inutile, mais les jeunes filles éviteront tout de même de se promener seules dans les rues peu animées autour de la place de Lavapiés. Aucun risque, en revanche, dans la c/ de Argumosa, pleine de vie.

Tôt ou tard

🍷 🎵 *La Buga del Lobo* (zoom Las Letras D5, *321*) : c/ de Argumosa, 11. ☎ 91-467-61-51. Ⓜ Lavapiés. Tlj 13h30-2h. Un bar-resto alterno, l'un des plus animés de la rue en soirée, recouvert de fresques trash et surréalistes, comme à Mexico. Tout évoque ici le voyage (La Buga est un petit port du Guatemala). Bonnes bières artisanales et souvent, le week-end, un petit groupe. Éviter d'y manger, cependant. Terrasse.

🍷 *Bar Pavón* (plan détachable C5, *299*) : c/ de las Embajadores, 9. ☎ 91-219-06-82. Ⓜ La Latina. Tlj 10h30-1h30 (2h30 ven-sam). Raciones 4,50-5 €. Décor rétro, un rien bobo, dans ce bar de quartier adossé au théâtre du même nom, et très fréquenté en début de soirée. Accoudé au comptoir, sous l'élégant plafond à caissons, on sirote bières artisanales et cocktails pas bien chers en picorant un choix restreint de *raciones* plutôt originales, avant d'aller faire l'inventaire des affiches de spectacles et concerts tapissant le couloir des toilettes, pour programmer sa soirée du lendemain. Un vrai repaire de cultureux, relax et convivial.

🍷 *Bar Automatico* (zoom Las Letras D5, *326*) : c/ de Argumosa, 17. ☎ 91-530-99-21. • mespe18@hotmail.com • Ⓜ Lavapiés. Tlj 18h-1h30. Fermé en août. Intime et un poil branchouille, il y règne une ambiance très relax. Bonnes tapas, croquettes, brochettes de poulet, etc., économiques.

🍷 🎵 *Café Barbieri* (zoom Las Letras D5, *320*) : c/ del Ave María, 45. ☎ 91-527-36-58. Ⓜ Lavapiés. Tlj 8h-1h (2h30 ven-sam). Vaste et élégante salle Belle Époque, conservée dans son jus : miroirs gravés, tables en marbre, banquettes en velours, colonnettes à chapiteaux, plafond mouluré. Un café au charme suranné, prisé des théâtreux et autres intellos bohèmes du quartier. Excellents cocktails de café aux mélanges parfois surprenants. De temps à autre des spectacles musicaux payants en fin de semaine. On évitera cependant d'y manger.

Culture, grignotage et café...

🍷 *Espacio cultural La Victoria* (zoom Las Letras D5, *327*) : c/ de Santa Isabel, 40. ☎ 91-528-64-57. • lavictoriacultural.com • Ⓜ Antón Martín. Tlj 12h-16h, le soir jusqu'à 1h (2h ven-sam). Petit café-théâtre aménagé dans une boutique restée fermée 50 ans ! On en a conservé le vieux carrelage, les fines colonnettes de fonte, le côté usé et patiné, et ajouté un vénérable piano et du mobilier de brocante. Théâtre au sous-sol, le week-end, vers 21h (parfois le jeudi soir aussi). Sinon, lieu sympa pour se retrouver dans une atmosphère reposante, déjeuner de quelques salades, burgers, *tortas* et gâteaux, ou prendre le thé.

🍷 *Café Ciné Dr Steam* (zoom Las Letras D5, *328*) : c/ del Olivar, 17. ☎ 91-173-62-73. • info@doctorsteam.es • doctorsteam.es • Ⓜ Tirso de Molina ou Antón Martín. Mar-sam 17h-minuit (2h ven-sam), dim 12h-23h. Fermé lun et 15 j. fin août. Chouette concept que ce café de poche dissimulant à l'arrière une minisalle de cinoche. Un salon plutôt (seulement 10 places), où mater pour seulement 2 € de bons classiques en v.o., anciens comme récents, genre Tarantino, Brian De Palma, Milos Forman, etc. (3-4 séances/jour). Tartes et quiches maison à grignoter pour trois fois rien. Et des forfaits boisson + ciné.

🍷 ⚜ *La Fugitiva – Librería Café* (zoom Las Letras D5, *329*) : c/ de Santa Isabel, 7 (angle c/ Duque de F. Núñez). ☎ 91-468-24-53. • info@lafugitiva.es • Ⓜ Antón Martín. Lun-mar 10h-23h, mer-sam 10h-minuit, dim 11h-23h. Très intéressante librairie de quartier (bouquins pointus, signatures d'auteurs, animations littéraires diverses) où l'on peut à toute heure se relaxer devant un bon café et des muffins. La librairie, l'âme d'un quartier, une espèce en voie de disparition, qu'il faut toujours défendre avec acharnement !

🍷 *La Libre* (zoom Las Letras E6, *267*) : c/ de Argumosa, 39. ☎ 81-052-33-66. • pilarcatani42@hotmail.com • Ⓜ Lavapiés. Tlj 8h30 (9h30 w-e)-22h30 (23h ven-sam). Fermé j. fériés, août et autour de Noël. Petits déj *jusqu'à 12h30 (13h30 ven-dim) 3-7 €, brunch à tte heure 9-10 €.* Au bout de la rue, derrière l'extension moderne du Reina Sofía, sur la placette avec la fontaine, sympathique et intime café-librairie pour déguster un café ou un thé, prendre son petit déj (brunch servi à toute heure) ou grignoter un snack, tranquillou au milieu des bouquins. Cadre hétéroclite et chaleureux, mobilier *kitschy,* et miniterrasse recherchée.

Plutôt le soir

¶ ♪ Juglar (*zoom Las Letras D5,* **322**) : *c/ de Lavapiés, 37.* ☎ *91-528-43-81.* ● *info@salajuglar.com* ● *sala juglar.com* ● Ⓜ *Lavapiés. Mer-dim 21h30-3h. Fermé lun-mar et 15 j. en août. Entrée libre ; ou 9-20 € selon concert (vers 22h).* On aime bien ce chaleureux bar tout en brique où se tiennent, du mercredi au samedi, dans la salle du fond, des concerts de musique live pour les moins éclectiques : pop, rock, funk, soul, reggae, flamenco, électro... Une programmation de qualité, très courue par les jeunes et moins jeunes, qui sirotent bières et cocktails pas chers collés-serrés en se laissant flatter les esgourdes ! Une référence dans la nuit madrilène.

¶ Bodegas Lo Máximo (*zoom Las Letras D5,* **323**) : *c/ de San Carlos, 8.* ☎ *91-539-00-70.* Ⓜ *Lavapiés. Tlj 18h (13h sam-dim)-2h (1h dim). Entrée libre.* Un bar d'étudiants sympa, clin d'œil aux *seventies,* avec ses grosses fleurs et son carrelage mosaïque. On y lie facilement connaissance autour d'un cocktail économique, dans une atmosphère pépère préférant la parlote à l'avalanche de décibels. Moins de monde en semaine, *claro.*

¶ ♪ Taberna La Aguja (*zoom Las Letras D5,* **324**) : *c/ del Ave María, 25.* ☎ *91-527-79-50.* ● *laagujalavapies@ hotmail.com* ● Ⓜ *Antón Martín ou Lavapiés. Tlj 20h30-2h30. CB refusées.* Un petit rade poisseux, fréquenté par les jeunes bohèmes du coin. Quelques affiches de concerts (les Stones, The Who...) donnent le ton. Les vinyles de blues et de rock qui tournent sur la platine font le reste. *Musica en vivo* de temps en temps. Pas cher. Si c'est trop bondé, on peut se replier sur son clone, *La Olivia,* 200 m plus bas dans la même rue (n° 35). Même salle de poche, même collec' de vinyles, même clientèle, et mêmes horaires !

Flamenco

♪ ¶ Casa Patas (*zoom Las Letras D5,* **400**) : *c/ de los Cañizares, 10.* ☎ *91-369-04-96.* ● *casapatas@ casapatas.com* ● *casapatas.com* ● Ⓜ *Antón Martín ou Tirso de Molina. Fermé 1re quinzaine d'août. Flamenco live lun-jeu à 22h30, ven-sam à 20h et 22h30. Entrée : env 39 €, 1 boisson comprise.* Associée à une école de flamenco, cette scène incontournable à Madrid présente des spectacles de qualité. En supplément du *concierto,* c'est aussi un resto tout en longueur avec des nappes à carreaux, d'où l'on ne voit cependant pas le spectacle. Bonnes tapas ou cuisine traditionnelle méditerranéenne goûteuse et pas trop chère (*resto 13h-16h30, 20h-minuit ; ven-sam 18h30-1h30*).

Cinéma

■ *Ciné Doré* (*zoom Las Letras D5*) : *c/ de Santa Isabel, 3 ; à l'angle du pasaje Doré, à côté du Mercado Antón Martín.* ☎ *91-369-11-25.* Ⓜ *Antón Martín. Fermé lun. Prix dérisoires (et gratuit - de 18 ans). Cafétéria mar-dim 16h-minuit.* Logé dans une mignonne bâtisse Art nouveau, ce ciné-club plein de charme abrite la *Filmoteca española* et propose des projections de vieux films espagnols et étrangers, en intérieur ou en plein air. C'est le repaire des cinéphiles madrilènes. Le plafond de la grande salle vaut le coup d'œil.

■ Voir aussi plus haut dans « Culture, grignotage et café » le *Café Ciné Dr Steam* (*zoom Las Letras D5,* **328** ; *c/ Olivar, 17*).

Achats

⚜ Chaque dimanche matin, jusque vers 15h, la **plaza de Cascorro** *(zoom centre C5)* et la rue **Ribera de Curtidores** *(plan détachable C5)* sont envahies de stands : c'est El Rastro, le marché aux puces de la ville (voir ci-dessous dans « À voir. À faire ».)

⚜ **Mercado Antón Martín** *(zoom Las Letras D5, 403)* : tlj sauf sam ap-m et dim 9h-14h, 17h30-20h30. Un marché couvert avec des montagnes d'olives, des fromages locaux, de beaux fruits et légumes, et bien sûr des jambons, chorizo, bref, un marché très espagnol.

⚜ **Librería Malatesta** *(zoom Las Letras D5, 430)* : c/ de Jesús y María, 24. ☎ 91-539-10-07. ● lamalatesta. net ● Ⓜ *Tirso de Molina ou Lavapiés. Lun-ven 10h30-14h, 17h-21h. Le dim, à El Rastro, pl. Tirso de Molina.* LA librairie alternative et libertaire de Madrid, bourrée de bouquins sur tous les sujets : politique, socio, écolo, Guy Debord en espagnol et des inédits de Bakounine en français, Thoreau, Orwell... Signatures d'auteurs. Cartes postales, affiches, excellent rayon musique et chansons, vidéos, bon choix de T-shirts engagés.

⚜ Voir aussi plus haut dans « Culture, grignotage et café » **La Fugitiva – Librería Café** *(zoom Las Letras D5, 329 ; c/ de Santa Isabel, 7).*

À voir. À faire

🏃 **Lavapiés :** agréable balade à l'écart des sentiers battus de la plaza de Santa Ana, avant d'aller boire un verre... Sortir du métro à Tirso de Molina, et descendre la c/ del Mesón de Paredes *(zoom Las Letras D5-6)* tranquillement. Elle est bordée de *corralas*, ces habitations populaires typiques du vieux Madrid. Une *corrala*, c'est une cour entourée de galeries à chaque étage avec des montants et balcons en bois. Les pouvoirs publics ont restauré plusieurs grandes *corralas* typiques. On découvre aussi, toujours en descendant, les ruines d'une vieille église. Au retour, en remontant *(zoom Las Letras D5, 452)*, au n° 8, calle del Ave María, un *salón de peluquería* (coiffeur) avec devanture en azulejos reproduisant des dessins marrants.

➤ **À la découverte du Lavapiés alternatif :** pour humer l'air du temps et s'extasier devant la créativité de la jeunesse madrilène, rien de tel que de visiter les centres culturels autogérés que compte ce quartier hors normes. Le plus connu est la **Tabacalera – Centro nacional de Artes Visuales** *(c/ de Embajadores, 53 ; plan détachable D6, 453 ; Ⓜ Embajadores ; ● latabacalera.net ● ; tlj sauf lun, 12h-20h – 11h w-e et j. fériés)*, installé dans une ancienne fabrique de cigarettes. Dans ce bâtiment décrépit et fourmillant de vie, on assiste chaque jour à des concerts gratuits, ateliers d'art, cours en tout genre. Mais également des expos et installations d'artistes pour la promotion de l'art. Cafétéria et bar à prix d'amis. Plus calme, enclavé entre des immeubles, le jardin partagé alternatif **Esta es una plaza** *(zoom Las Letras D-E6, 454 ; c/ del Dr Fourquet, 24 ; ● estaesunaplaza. blogspot.com.es ● ; dim 12h-15h ; en principe, tlj ensoleillé en saison)* accueille les promeneurs entre ses carrés de potager bio. Les enfants disposent d'aires de jeux et peuvent suivre des ateliers créatifs pendant que les parents papotent dans des fauteuils de récup ou suivent des cours de jardinage. Il y a même un petit amphithéâtre fabriqué à partir de vieux cageots, où l'on assiste les soirs de week-end à des concerts et pièces de théâtre. Au passage, petite visite à la **Librería Malatesta** *(c/ de Jesús y María, 24, voir plus haut, rubrique « Achats »)*. Dans un style plus lisse, la **casa Encendida** *(plan détachable D6 ; ronda de Valencia, 2 ; ☎ 902-43-03-22 ; ● lacasaencendida.es ● ; tlj sauf lun 10h-22h)*, sponsorisée par la *Caja Madrid*. Ici, pas de hippies pieds nus ni de graffitis sur les murs, mais de grandes salles accueillant des expos gratuites, parfois aussi des films et concerts, une bibliothèque pluridisciplinaire. Nombreux ateliers multimédia proposés (photos, radio, médiathèque) et cours d'espagnol pour les migrants. Pour finir, une boutique de commerce équitable (produits d'épicerie, livres, etc.). Cafétéria bon marché au rez-de-chaussée, belle terrasse sur le toit (qui accueille concert et cinéma en plein air les w-e de juillet-août, à prix mini – 3-5 €). Enfin, le **mercado San Fernando** *(zoom Las Letras D5-6 ; c/ de Embajadores, 41 ; ● mercadodesanfernando.es ● ; lun 9h-14h, 17h-21h, mar-jeu 9h-21h, ven-sam 9h-23h, dim 11h-17h)* a fait peau neuve. A perdu (un peu) de l'alimentation, mais s'est enrichi de nouveaux stands : produits bio et écolo, boutiques d'artisanat, petits ateliers, bières artisanales, cadeaux, petits troquets sympa...

🎣 ⚜ C'est à deux pas que se tient le plus grand **marché aux puces** de Madrid, **El Rastro** *(plan détachable C5-6 ; c/ de la Ribera de Curtidores,* Ⓜ *La Latina).* Gigantesque, il se tient chaque dimanche jusque vers 15h. Une foule énorme : vers 11h, on fait du 10 m à l'heure, et vers midi du sur-place ! Nettement plus animé en été que lors des frimas d'hiver. Fripes, petit artisanat, objets « tombés du camion » (autoradios, portables, montres), mais dans l'ensemble, nettement plus de camelote chinoise que de perles pour chineurs avertis. Quant aux boutiques d'antiquités, ouvertes en semaine, elles n'offrent pas vraiment de bonnes affaires. Mieux vaut quitter la rue de Ribera de Curtidores pour aller dans les petites rues adjacentes (c/ del Carnero, c/ de Carlos Arniches) ou rendre une visite aux antiquaires et créateurs de la plaza Vara de Rey.

AUTOUR DE LA GRAN VÍA ET DE LA PLAZA PUERTA DEL SOL *(plan détachable B-C3, D-E4 et zoom Chueca ;* Ⓜ *Plaza de España, Santo Domingo, Callao ou Sol)*

La Gran Vía, artère centrale, commerçante et bourdonnante, relie la **plaza de España** à la **plaza del Callao** : on est au cœur de Madrid, au centre de l'animation. Des flots de Madrilènes déferlent presque à toute heure pour lécher les vitrines des magasins de chaînes et autres franchises. Quant à la **plaza Puerta del Sol** *(plan détachable et zoom Las Letras D4),* elle ne possède aucun charme particulier, mais, carrefour de nombreuses avenues, centre névralgique des lignes de métro et de bus, c'est le passage obligé des Madrilènes et provinciaux venus faire du shopping. C'est aussi là que se tint le grand sit-in de protestation des « Indignados », en 2011. Vous y passerez forcément à plusieurs reprises lors de votre séjour. De l'ancienne porte médiévale, la **puerta del Sol,** il ne subsiste guère que le nom « Sol », qui provient du cadran solaire figurant jadis sur l'un des édifices. La place telle qu'on la découvre aujourd'hui fut aménagée sous Isabel II. À l'époque, c'était un lieu de rencontre où l'on venait parler politique et corridas. Cette place fut l'épicentre du bain de sang du *Dos de mayo 1808,* immortalisé par Goya. Une plaque commémorative le rappelle, sur la droite de la *Casa de Correos* (face sud de la place). Cette ancienne poste, qui abrite actuellement le gouvernement régional, servit de « Direction générale de la sécurité » sous Franco. C'est dire si les Droits de l'homme y ont donc été bafoués tant et plus. Au pied de cet édifice, la plaque indiquant le centre géographique d'où part le kilomètre 0 des nationales espagnoles.

À l'angle avec la c/ Alcalá se dresse une statue des 2 symboles de la ville, *El Oso y el Madroño* (L'Ours et l'Arbousier). C'est ici que les Madrilènes, jeunes et vieux, se retrouvent le soir du Nouvel An. Au centre de

UNE TRADITION BIEN UTILE

Les Madrilènes se retrouvent à la puerta del Sol, le soir du Nouvel An, avec 12 grains de raisin. Ils les avalent au son des 12 coups de minuit pour que l'année soit bonne et prospère. Cette tradition ne date que de 1909, année de surproduction des vignes. Les vignerons eurent cette idée pour épuiser les stocks. La tradition est restée.

la place, une statue équestre de Charles III. Plus loin, entre la **plaza del Callao** *(plan détachable C4)* et la **plaza de España** *(plan détachable B-C3)*, le quartier change d'aspect : les rues transversales deviennent des successions de bazars et de restos chinois entrecoupés de cabarets louches devant lesquels traînent des filles de joie pas si joyeuses... C'est aussi ça, le visage trop fardé du centre de Madrid.

Où manger des tapas ?

|●| **Casa Labra** *(zoom Las Letras D4, 150) :* c/ de Tetuán, 12. ☎ 91-531-00-81. ● casalabra@telefonica.net ● Ⓜ Sol. *Tlj sauf dim 13h15-15h30, 20h15-22h (9h30-15h30, 17h30-23h pour la taberna). Tapas et bocadillos 1-6,50 €.* Cette taverne existe depuis 1860, et il y en avait 1 500 comme celle-là en 1900 ! La Mecque des *croquetas* et autres *buñuelos de bacalao* (morue), à savourer avec une bonne bière. Toujours bondé et, lorsque le petit bar sature, qu'importe, les clients débordent dans la rue piétonne et sur quelques guéridons fort prisés. Pour obtenir une boisson, demander un ticket à l'un des serveurs qui naviguent entre les consommateurs. Très bon vermouth à la pression *(vermuth de grifo).* C'est ici que serait né le Parti socialiste ouvrier espagnol : comme quoi, c'est un lieu qui inspire !

|●| Voir aussi dans « Où manger (assis) ? » ci-après **El Mollete Taberna,** pour ses bonnes tapas en soirée.

|●| ☂ Corte Inglés – Gourmet *(plan détachable C-D4, 187) :* pl. de Callao, 2 (entrée côté c/ del Carmen, puis à droite pour l'ascenseur jusqu'au 9e étage). Ⓜ Callao ou Sol. *Tlj 10h-minuit (1h ven-sam).* Bon, on

n'a pas vraiment l'habitude de vous emmener manger des tapas dans un grand magasin... Mais ce « marché » affiche 2 sacrés atouts : plusieurs comptoirs, avec ou sans tables, pour commander burgers, pizzas, planches de charcuterie ou de fromage autour d'un verre *(Imanol* ou *La Máquina* pour les tapas par exemple, ou *Juanillo Club* pour les amateurs de cocktails), et un looong balcon avec une vue splendide sur la Gran Vía, le quartier du Palais royal et les toits de la Puerta del Sol. Un conseil : squatter d'abord une table sur la terrasse et envoyer ensuite l'un des convives chercher les godets. C'est qu'à l'heure de l'apéro elles se font rares, ces tables !

|●| **Casa Manolo** *(zoom Las Letras E4, 186) :* c/ de Jovellanos, 7. ☎ 91-521-45-16. Ⓜ Sevilla. *Tlj, sauf lun soir et dim, 9h-minuit env. Tapas max 8 €, carte 25-30 €.* Fondée en 1896. Découvrez la cantine informelle du Parlement espagnol – qui est à moins de 3 pas. Depuis plus d'un siècle, et dans un décor suranné, on se presse pour goûter d'excellentes croquettes. Sinon, 2 spécialités : l'*estofado de rabo de toro* (ragoût de queue de bœuf) et la *bacalao a la vizcaína.*

Où manger (assis) ?

De bon marché à prix moyens (15-25 €)

|●| **El Molette Taberna** *(plan détachable C4, 144) :* c/ de la Bola, 4. ☎ 91-547-78-20. ● tabernaelmolette@hotmail.com ● Ⓜ Santo Domingo ou Ópera. *Tlj sauf dim 10h-2h, avec fermeture 17h-20h en sem. Congés : août, Noël et Nouvel An. Menu midi 12 €, plats 10-15 €, repas env 20 €.*

Une des plus anciennes tavernes du quartier (1830), bien connue de Francis Ford Coppola qui y mangea en 2008. Adorable et minuscule avec seulement quelques tables en mezzanine et un petit comptoir. Cuisine familiale. Excellents produits. Bon menu au déj et grande affluence le soir. Bonnes et classiques tapas et *raciones* : croquettes de gorgonzola ou de boudin, *pulpo a la gallega,* flan de *marisco*... Chouette sélection de vins.

I●I *Al Natural* (zoom Las Letras E4, **188**) : c/ de Zorrilla, 11. ☎ 91-369-47-09. ● acero@alnatural.biz ● Ⓜ Banco de España. Tlj sauf dim soir 13h-16h, 20h30-23h30 (minuit ven-sam). Le midi, 1er menu 12,90 € ; le w-e, menu dégustation 24 €. Soupes, salades et plats 7-12 €. Derrière la Chambre des députés (las Cortes), une adresse où les végétariens trouveront mets à leur goût. Dans un cadre champêtre un poil kitsch (beau comptoir en céramique), le personnel, tout sourire, sert gratins et pains de légumes, lasagnes végétales (carte qui laisse le choix), jus de fruits 100 % naturels et un large choix d'infusions.

Plus chic (25-40 €)

I●I *Taberna La Bola* (plan détachable C4, **146**) : c/ de la Bola, 5. ☎ 91-547-69-30 ou 91-541-71-64. ● labola@labola.es ● Ⓜ Santo Domingo. Tlj sauf dim soir (en été sam soir et dim) 13h30-15h30, 20h30-23h. Résa conseillée le soir. Cocidos 21-25 €. Carte 30-35 €. CB refusées. Depuis 1870, une des grandes tavernes classiques de Madrid, devenue une institution – certains diront un piège à touristes –, spécialiste du fameux cocido madrileño. Dans une rue discrète, mais repérable à sa façade rouge pétard. Le décor intérieur n'a guère changé depuis le XIXe s. Cadre de panneaux sculptés et de banquettes de bois sombre, égayé de photos de clients célèbres et de dessins. Beau comptoir d'accueil et 2 salles chaleureuses, où virevoltent des serveurs à l'ancienne, se prenant au sérieux. Faut dire que l'on a là une clientèle assez assise (voire âgée : remarquez, le Sénat est au bout de la rue !). Beaucoup de vieux habitués donc, ravis de cette carte immuable et de l'atmosphère un peu conformiste. Qualité régulière du cocido, l'un des plus réputés de la ville (un repas à lui tout seul, servi en 2 plats) et encore à prix abordable. Le reste est très traditionnel et pas très fin... Plutôt roboratif, tout ça ! Si, à 13h, on a l'assurance de toujours trouver de la place, il est conseillé de réserver le soir.

Où prendre le petit déj ?
Où savourer de bons gâteaux ?

☕ *La Mallorquina* (zoom Las Letras D4, **192**) : pl. Puerta del Sol, 8. ☎ 91-521-12-01. Ⓜ Sol. Tlj 8h30-21h. À l'angle de la c/ Mayor, une pâtisserie qui régale les Madrilènes depuis 1894. Vitrines et rayons croulent sous les gâteaux et viennoiseries les plus savoureuses. Longs comptoirs où l'on se presse pour se sustenter avant le boulot ou salle au 1er étage au cadre banal, mais tranquille.

Où boire un verre à l'heure du thé ?

🍷 ☕ ↑ *La Pecera – Círculo de Bellas Artes* (plan détachable et zoom Chueca E4, **274**) : dans le Círculo de Bellas Artes, c/ Alcalá, 42. ☎ 91-360-54-00. ● info@circulobellasartes.com ● Ⓜ Sevilla ou Banco de España. Tlj 9h-1h (3h le w-e). On sirote un verre sur la terrasse (brumisée en été), ou dans la salle Belle Époque sous un beau plafond peint et un lustre impressionnant éclairant une femme nue couchée (qui reste de marbre). Consos chères, mais c'est tellement classe...

Où boire un verre ?
Où écouter de la musique live ? Où danser ?

🍷 ♪ *Costello Café & Niteclub* (zoom Chueca D4, **330**) : c/ del Caballero de Gracia, 10. ☎ 91-522-18-15. ● costello@costelloclub.

MADRID ET SES ENVIRONS

com ● costelloclub.com ● Ⓜ *Gran Vía*. Mar-dim 20h-3h30. Fermé lun. Entrée libre ; concerts 8-10 €. Belle déco à la fois épurée et design dans ce chaleureux bar où la jeunesse madrilène (25-35 ans) cause fort sur de grandes banquettes, en sirotant le cocktail du jour pas cher. Également des concerts sympa vers 21h30 (rock, pop, funk, blues...) ou des soirées DJ sous les voûtes en brique de la jolie cave, qui compte aussi bar et piste de danse. Une très bonne adresse qu'on recommande chaudement.

Sur un *rooftop*

🍴 🌴 ⛶ Plusieurs hôtels branchouilles ont ouvert les bars de leur toit-terrasse aux amateurs de belles vues de Madrid (et de cocktails : autant joindre l'agréable à l'agréable !). Au *Dear Hotel* (plan détachable C3, **325** ; *Gran Vía*, 80, presque au niveau de la pl. de España), les 2 niveaux de terrasse ouvrent sur la plaza de España, se parent d'une piscinette, d'un resto, et d'un bar à cocktail forcément un peu chic (pour le bar : tlj dès 20h ; sinon, terrasses ouv 12h-minuit). Au *Vincci Vía 66,* on atteint la terrasse par un bel ascenseur vitré (puis un dédale de couloirs et un escalier !), pour s'installer dans un bar-lounge très fashion et siroter des cocktails à 12-17 € (plan détachable C3, **326** ; *Gran Vía*, 66 ; tlj 15h-23h, 0h30 ven-sam). Plus bling-bling encore, le *Sunset Lookers* s'est juché au sommet de l'hôtel *Santo Domingo* (plan détachable C3, **99** ; lire plus haut « Où dormir ? »). Piscine (réservée aux résidents) et mobilier design, blanc plastoc.
Quant au *Picalagartos Sky Bar,* au dernier étage de l'hôtel *NH Collection Gran Vía* (zoom Chueca D4, **334** ; c/ Gran Vía, 21 ; accès ascenseur 9e étage ; lun-jeu 17h-1h ; ven-dim midi-2h ; fermé nov-mars), sa terrasse à 360° déploie une vue splendide sur la Gran Vía, bien sûr, mais aussi sur le quartier de Chueca et les toits de la Puerta del Sol. Cocktails pas si chers et ambiance plutôt relax. Enfin,

le *Gingko Sky Bar,* au 12e étage de l'*Hotel VP Plaza España Design* (plan détachable C3, **337** ; pl. de España, 5 ; tlj midi-1h30/3h30 ven-sam) : si une partie de cette somptueuse terrasse (parfois venteuse !) accueille un resto – presque abordable, cela dit –, la vue époustouflante, au coucher du soleil, vaut bien de casser sa tirelire pour un cocktail dans la zone lounge !
🍴 🌴 ⛶ *Azotea – Círculo de Bellas Artes* (plan détachable et zoom Chueca E4, **274**) : dans le Círculo de Bellas Artes, c/ Alcalá, 42. ☎ 91-389-25-00 ; résa au resto : ☎ 91-530-17-61. ● info@circulobellasartes.com ● Ⓜ *Sevilla* ou *Banco de España*. Au 7e étage (ascenseur sur le flanc, côté c/ Marqués de Casa Riera). Tlj 9h (11h w-e)-2h (2h30 ven-sam) ; horaires restreints hiver et automne (ferme vers 21h). Accès 4 € (5 € avec les expos du CBA). Pas tout à fait au sommet de cet étonnant bâtiment, mais ce 7e étage dégage déjà un panorama extra sur c/ Alcalá et la plaza de Cibeles, et on en prend plein les yeux en sirotant un verre affalé sur des sofas... On peut aussi y manger (plats 14-20 €, réservation recommandée, le nombre de vraies tables étant limité).

En boîte de nuit

🎵 *El Sol* (zoom Chueca D4, **381**) : c/ Jardines, 3. ☎ 91-532-64-90. ● elsol@elsolmad.com ● elsolmad. com ● Ⓜ *Gran Vía*. Mar-sam minuit-5h30 (6h le w-e). Fermé lun. Concerts : 10-20 € en moyenne. Entrée après le concert : env 14 €. Avec sa déco kitschissime, ce club, présent dès le début de la Movida, a démâté plus d'un branché ! La clientèle des origines a su rester fidèle, et ce sont désormais des brochettes de quadras qui bougent leurs petits corps comme des dingues sur de la « musique-de-danse-de-jeune » en 2e partie de soirée, après des concerts qui voguent du rock à la soul. Atmosphère bon enfant. Une valeur sûre de la nuit madrilène.

Où voir un spectacle de flamenco ?

♪ **Las Tablas** (plan détachable B3, **402**) : pl. de España, 9. ☎ 91-542-05-20. ● info@lastablasmadrid. com ● lastablasmadrid.com ● Spectacle de 1h ts les soirs à 20h et 22h. Entrée : 29 €/pers, 1 boisson incluse. Un tablao modeste planqué dans un recoin de la plaza de España, qui vérifie l'adage : petite salle, grande qualité ! Certes, l'endroit est moderne, sans vrai cachet, mais la scène est toute proche, et les spectacles sont à vous dresser le poil ! Les troupes, qui tournent, viennent en général d'Andalousie. Parfois uniquement guitare et chant, parfois avec des danseurs, c'est selon. On peut y grignoter aussi, mais comme ils n'ont pas de vraie cuisine, ce sera planche de charcuterie ou salade de tomates...

Cinéma

■ **Ciné Golem** (plan détachable B3) : c/ de Martín de los Heros, 14. ☎ 91-559-38-36. ● golem.es ● Ⓜ Plaza de España. Un des 1ers cinés d'art et d'essai de Madrid qui, à ses débuts, invitait les réalisateurs et acteurs pour promouvoir un genre nouveau en Espagne à la fin des années 1970 : François Truffaut, Wim Wenders, Alan Turner et beaucoup d'autres sont venus ici. Les films sont en version originale. Agréable librairie-café cinéphile juste en face, le **Ocho y Medio – Vía Margutta,** où siroter un petit noir ou grignoter un plat du jour bon marché en attendant sa séance, en terrasse sur la rue piétonne, ou parmi les étagères croulant sous les bouquins consacrés au 7e art (tlj sauf dim 10h-14h, 17h-20h30). Almodóvar est partout mis à l'honneur dans la librairie !

Achats

☸ **Antigua Casa Talavera** (plan détachable C3, **427**) : c/ de Isabel la Católica, 2. ☎ 91-547-34-17. ● info@ antiguacasatalavera.com ● Ⓜ Santo Domingo. Tlj sauf sam ap-m, dim et j. fériés 10h-13h30, 17h-20h. À deux pas de la plaza Santo Domingo, une façade en azulejos, pour un magasin tenu par un grand connaisseur et passionné de céramiques hispaniques. Anciennes, modernes, des reproductions qui reprennent fidèlement les motifs traditionnels : des pièces fabriquées artisanalement dans la région de Tolède (Puerta la Reina et Talavera), de Grenade (où l'on apprend que les motifs du XVIIe ne comportent que du bleu cobalt, alors qu'au XVIIIe s apparaissent aussi les verts) et Valence (essentiellement pour les azulejos). Une véritable caverne d'Ali Baba !

☸ **Killer's Discos** (plan détachable D4, **433**) : c/ de la Montera, 28. ☎ 91-521-44-33. ● discoskillers.com ● Ⓜ Sol. Lun-sam 10h30-14h, 17h-20h30. Fermé dim. Sur 2 étages, d'innombrables vinyles et CD d'occasion à bas prix : du pain bénit quand on aime fouiner dans les bacs pendant des heures ! Absolument tous les styles sont représentés.

☸ **Discos Babel** (zoom centre C4, **434**) : costanilla de Los Ángeles, 5. ☎ 91-548-10-82. ● discosbabel.com ● Ⓜ Ópera ou Santo Domingo. Tlj sauf dim 11h-14h, 17h-20h. Là aussi, pour les fans, un choix énorme de vinyles, des « pièces » uniques... et de vrais conseils.

À voir

✹✹ **Gran Vía :** la colonne vertébrale de Madrid regroupe la plupart des hôtels de chaîne, les magasins de marque et les franchises, etc. Là, quelques grandes salles de cinéma pour voir les derniers films américains et espagnols. Ouverte en 1918, avec un tracé en lignes brisées, cette avenue traverse un quartier de la fin du XIXe s, où certains immeubles s'inspirent de l'architecture du New York de l'époque ou de Chicago (c'était d'ailleurs le but visé). C'est le cas de la **torre de la Telefónica** (zoom Chueca D4), à l'angle de la c/ Fuencarral, construite en 1930, grandiose la nuit lorsqu'elle s'illumine. Ce style néoclassique, désormais typiquement madrilène, est à l'origine l'œuvre de l'**architecte Antonio Palacios** (lequel construisit aussi la 1re ligne de métro de la ville). Expo gratuite (accès par c/ Fuencarral, 3 ; tlj sauf lun) sur les nouvelles technologies de la communication. La balade architecturale n'est pas terminée ! Voici un autre bel édifice, de style Belle Époque : l'**immeuble Metropolis** (angle Gran Vía et c/ de Alcalá ; zoom Chueca E4). Sa façade monumentale abrite un groupe de sculptures allégoriques dédiées au commerce et à l'industrie, mais la Victoire ailée qui la coiffe n'est pas d'origine : elle a été ajoutée. 6 d'entre elles sont signées de la main du sculpteur français René de Saint Marceaux. Mais on doit ce colosse haut de 45 m à 2 architectes parisiens : **Jules et Raymond Février** (le père et le fils). Les ornementations (colonnes corinthiennes, tête de lions, etc.), caractéristiques de l'architecture haussmannienne du début du XXe s, rappellent furieusement Paris, et plus encore à la vue de la coupole d'ardoises sombres ornée de dorures et couronnée d'une victoire ailée. Achevé en 1911, l'**Edificio Metropolis** (que vous retrouverez sur bon nombre de cartes postales !) devint très vite l'emblème de la Madrid moderne.

L'écrivain américain Hemingway adorait la Gran Vía (qu'il fréquenta dans les années 1930-1940) et en parle souvent dans ses romans : il allait boire des whiskies au **Café Chicote** (Gran Vía, 12), qui existe toujours aujourd'hui mais où l'esprit ne souffle plus vraiment. À l'autre bout, au beau milieu de la plaza de España (en pleine restructuration et partiellement accessible), trône le colossal monument à la mémoire de Cervantes.

%%% **Museo real Academia de Bellas Artes de San Fernando** (plan détachable D4) **:** c/ de Alcalá, 13. ☎ 91-524-10-34. ● rabasf.com ● Ⓜ Sol ou Sevilla. Mardim et j. fériés 10h-15h (dernière entrée à 14h45) ; fermé lun, et août et certains j. fériés (1er et 6 janv, 1er et 30 mai, 9 nov, 24, 25 et 31 déc). Entrée : 8 € ; réduc ; gratuit - de 18 ans, étudiants - de 25 ans et le mer pour ts (sauf j. fériés).

Le musée comporte 2 sections. Si le 1er étage, le plus important, est toujours ouvert, c'est plus aléatoire pour le 2[d] étage. À noter que l'ensemble du musée est actuellement en restructuration, donc certaines de nos indications peuvent s'avérer obsolètes ! Voici un musée méconnu à tort, et qui offre de belles surprises. On peut y voir un ensemble d'œuvres couvrant la période du XVI[e] au XIX[e] s. Cette académie créée en 1752 par Ferdinand VI, dans un superbe édifice de style néoclassique, assura l'enseignement des beaux-arts jusqu'à la moitié du XXe s. Goya en fit partie à partir de 1780.

Rez-de-chaussée
– Les expos temporaires, mais surtout, tout au fond, la présentation des plaques de cuivre originales (1815) des *Désastres de la guerre* de **Goya.** Dans un cadre tamisé à souhait, une merveille !

1er étage
– *Salle 3,* consacrée au XVIIIe s, une esquisse du *Sacrifice de Callirhoé* de **Fragonard** (la version définitive est au Louvre) et une *Vénus* de **Van Loo** qui tente d'aguicher Mercure : comment résister ? Du même Van Loo, plusieurs portraits dont ceux du couple royal Fernando VI et Bárbara de Breganza. *Salle 6,* belle série de moines de **Zurbarán** (il s'agit des moines du couvent de la Merced, à Séville) et un adorable *Agnus Dei* (à la laine moutonnant à souhait !) prêt à être sacrifié. Et *salle 9,* un très expressif (et musculeux) *Saint Jérôme* d'**El Greco,** ainsi qu'une étonnante scène de vie familiale chez El Greco, œuvre de Jorge Theotocopuli, qui était tout simplement le fils naturel du maître. *Salle 10 :* belle adoration des bergers de Juan Do.

– *Salle 13,* ne pas manquer le *Martyre de saint Barthélemy* de **Ribera,** pour son beau travail sur la lumière et le spectaculaire arrachage de peau, ou son *Saint Jérôme pénitent,* presque illuminé par son écriture. De même, son *Ascension de Madeleine* pleine d'un doux lyrisme... Entre les 2, une captivante *Prise du Christ* de **Seghers,** qui semble éclairée par un feu toujours vivace. *L'Extase de saint François d'Assise* de **Murillo,** et aussi sa *Madeleine* qui en fait peut-être un peu trop... tout comme ses miséreux font bien proprets dans son *San Diego de Alcala et les pauvres.*

– *Salle 17,* **Rubens,** avec le magnifique *Suzanne et les vieillards* (carrément lubriques), et l'unique **Arcimboldo** d'Espagne, le délicat *Primavera* (printemps).

– *Salle 19,* une douzaine de **Goya,** dont quelques toiles majeures, comme *L'Enterrement de la Sardine,* tableau joyeux et inquiétant à la fois, auquel l'artiste sut insuffler vie et action, sans perdre sa manière grotesque. Ou encore, *La Tirana,* qui, malgré la sévérité de son visage, n'est que le surnom donné à l'actrice María Rosario Fernández. Citons aussi les scènes de genre : l'entrée des taureaux dans le village, la *Procession de flagellants,* une *Scène d'Inquisition,* la *Maison de fous* et 2 autoportraits, dont l'un en train de peindre. Les fans y trouveront encore quelques lettres écrites de sa plume et des testaments qui lèguent des œuvres à l'académie (Goya n'en fut pas seulement membre mais la dirigea également).

2e étage

– Un étage éclectique, où l'on découvrira des salles d'objets décoratifs, des émaux et surtout d'étranges reliefs miniatures en cire du XVIIIe s (notamment des vues de Dresde, Naples et Jérusalem), d'une étonnante précision, réalisés par **Nicolas Englebert Cetto.** Intéressants portraits de **Vicente Lopez** (classique, mais superbe rendu !), de Tiepolo et d'un certain **Velázquez,** mais celui-là s'appelait Zacarias Gonzalez... Collection insolite d'*azufres,* petits portraits de terre cuite en médaillon. *Salles 29 et 30,* les routards amateurs de cartes se régaleront des plans et reliefs. *Salles 31 et 33 :* salles des plâtres et des antiques, comme il se doit dans toute académie des Beaux-arts classique, avec reproduction de bustes antiques et reconstitution d'une partie de la villa de los Papiros d'Erculanum (Italie).

Dernier étage

Vaste section dédiée à la *l'art du XXe s.* Entre autres, collection de photos anciennes de la ville, *salle 41* consacrée à Sorolla et Rusiñol, beaux portraits et scènes de genre (superbe banquet de mariage) de Sotomayor *salle 42.* Ou le sombre José Gutierrez Solana *salle 43* et les portraits de femmes si expressifs de Zuloaga *salle 44.* En *salle 56,* quelques œuvres de **Juan Gris** et une série de dessins et de bronze de **Picasso.**

➤ En continuant la calle de Alcalá, au carrefour avec la Gran Vía, on aperçoit, en levant les yeux, des statues d'anges et de chars romains en bronze trônant fièrement sur les toits, ce qui allège un peu l'ensemble.

🎭 *Círculo de Bellas Artes (plan détachable et zoom Chueca E4, 274) :* c/ Alcalá, 42 (angle c/ Marqués de Casa Riera). ☎ 91-360-54-00. ● circulobellasartes.com ● Ⓜ Sevilla ou Banco de España. Tlj sauf lun 11h-14h, 17h-21h. Entrée expo : 4 € ; combiné avec *l'Azotea (voir plus haut) :* 5 €. Le *Cercle des Beaux-Arts* est situé dans un superbe immeuble Art nouveau, et rien que pour lui la halte et la visite d'une expo vaut la peine. Fourmille d'activités : expositions, conférences, cinéma, lectures publiques, rencontres d'écrivains, concerts (le tout de qualité). Et puis on peut siroter un verre dans sa cafétéria (de luxe !), *La Pecera,* ou, plus *hype,* sur le toit-terrasse, baptisé simplement l'**Azotea,** avec une vue extra sur la ville (voir plus haut pour le détail de ces 2 adresses).

🏃🏃 *Plaza de Cibeles* *(plan détachable E4) :* Ⓜ *Banco de España.* La calle de Alcalá mène à cette grande place consacrée à Cybèle, déesse de la Fertilité dans le monde gréco-romain. Celle-ci est représentée au milieu de la place sur un grand char tiré par 2 lions. Lieu de rencontre des fans du Real Madrid après les grands matchs historiques. Tout autour, on trouve la Banque d'Espagne, le palacio de Cibeles de style romantico-gothique, le ministère de la Défense, etc. De là, la calle de Alcalá se prolonge jusqu'à la plaza de Independencia avec l'imposante *puerta de Alcalá* au centre *(plan détachable F4)*.

🏃🏃 ⬅ *Mirador de Cibeles – CentroCentro* *(plan détachable E4) :* pl. de Cibeles, dans le *Palacio de Comunicaciones,* qui fait office d'hôtel de ville et de poste. ☎ 91-480-00-08. ● centrocentro.org ● Ⓜ *Banco de España. Accès aux expos (gratuit) mar-dim 10h-20h (fermé certains j. fériés) ; montée au mirador mar-dim 10h30-13h30, 16h-19h. Montée : 3 € ; réduc - de 14 ans ; gratuit le 1ᵉʳ mer du mois et certains j. fériés (2 et 15 mai, 12 oct) ; limitée à 50 pers à la fois et 30 mn :* **prendre son ticket à l'avance** *! Visite guidée gratuite de l'édifice tlj à 12h et 18h30, durée 45 mn-1h (en espagnol, plus rarement en français).* Rénové à grands frais, cet élégant « palais des communications » fut construit en 1919 sur un projet d'Antonio Palacios (qui dessina également le Círculo de Bellas Artes) et Joaquín Otamendi. Considéré comme le 1ʳᵉ édifice moderniste de Madrid, il était destiné à accueillir le siège de la Poste dans un cadre assez grandiloquent, il faut l'avouer ! Aujourd'hui siège de la mairie de Madrid, il offre, depuis son mirador situé à 70 m de haut, au 8ᵉ étage (accessible en partie par ascenseur), une **vue absolument splendide** sur la ville. Profitez-en pour admirer l'édifice (ou découvrez-le lors d'une excellente visite guidée), avec ses ponts de verre, ses stucs ciselés, l'adorable escalier G (juste derrière le bureau d'info touristique dans le hall), carrelé des azulejos d'origine. Il abrite aussi des expos temporaires de qualité, un auditorium, des concerts... Et une *cafétéria* au fond du hall *(menu du jour à 15 € tt à fait honorable)*, et au 6ᵉ étage un resto gastronomique très chic ainsi qu'un *bar-tapería en terrasse (tlj 10h-minuit ; droit d'accès – déductible de l'addition)*.
– Sur le flanc du bâtiment, par la c/ Montalbán, accès à la *galería de Cristal,* la superbe verrière qui traverse le bâtiment comme un passage et débouche c/ de Alcalá. On l'emprunte comme un passage pour l'admirer, et l'endroit accueille souvent des événements ou des installations (une patinoire en hiver, par exemple).

🏃🏃 *Museo Cerralbo* *(plan détachable B3) :* c/ de Ventura Rodríguez, 17. ☎ 91-547-36-46. ● museocerralbo.mcu.es ● Ⓜ *Plaza de España ou Ventura Rodríguez. Mar-sam 9h30-15h, plus jeu 17h-20h ; dim et j. fériés 10h-15h. Fermé lun et la plupart des j. fériés : 1ᵉʳ et 6 janv, 1ᵉʳ mai, 24, 25 et 31 déc. Entrée : 3 €, audioguide 2,50 € ; gratuit - de 18 ans, + de 65 ans, étudiants - de 25 ans, familles nombreuses ; et pour ts jeu 17h-20h, sam 14h-15h et dim 14h-15h.* Comme le musée Lázaro Galdiano, il s'agit d'un don du marquis de Cerralbo, qui résidait dans cet hôtel particulier bâti à la fin du XIXᵉ s. L'édifice est si somptueux et si riche en chefs-d'œuvre qu'il serait dommage de zapper cette visite. Le but de ce genre de demeure était d'étaler sa fortune et son statut social afin d'impressionner le visiteur. Force est de constater que l'effet est réussi, même plus d'un siècle après ! Après le hall clinquant et le majestueux escalier d'honneur entièrement plaqué de marbre, la visite commence par le petit jardin à l'anglaise (le sanglier en marbre est une copie d'une œuvre florentine), puis on déambule au gré de somptueux salons, qui tranchent avec la sobriété (toute relative) de la chambre à coucher du maître des lieux (pièce que personne n'était censé visiter, ceci explique cela !). L'escalier qui s'épanouit de part et d'autre du hall permettait aux calèches de déposer les visiteurs à l'intérieur de l'édifice, qu'elles traversaient ensuite.
À l'étage noble, impressionnante salle d'armes qui rend hommage au prestigieux passé militaire de la famille. Joli fumoir décoré à l'orientale, le salon arabe, un style

exotique dont la haute société de l'époque était friande. Puis la salle à manger d'apparat en met plein les mirettes avant d'accéder à la salle de billard, où l'on notera le portrait de Louis XIV par Hyacinthe Rigaud ainsi qu'un beau Tintoret. Le bureau du marquis, reflet de sa personnalité, directement relié à la bibliothèque et sa collection de timbres, monnaies et médailles, et les superbes rayonnages accueillant environ 10 000 volumes. Les amateurs de peinture frétilleront en arrivant dans les 3 galeries où trônent, entre autres, un magnifique *Saint François d'Assise* du Greco, un Zurbarán et un Ribera, un Caravage et des dessins de Goya. Et pour terminer en beauté, l'impressionnante salle de bal, qui relie les 3 galeries, avec ses dorures, ses superbes plafonds peints, ses panneaux de marbre des Pyrénées et ses miroirs vénitiens.

🎖️🎖️ Templo de Debod *(plan détachable B3)* **:** *paseo del Pintor Rosales, dans le parque de la Montaña.* ☎ 91-366-74-15. Ⓜ *Plaza de España. Mar-dim 10h-20h (19h de mi-juin à mi-sept). Fermé lun et 1ᵉʳ et 6 janv, 1ᵉʳ mai, 25 déc. GRATUIT (mais pas plus de 30 visiteurs à la fois à l'intérieur du temple, pour max 30 mn).* Une sacrée surprise : un **authentique temple égyptien** en plein Madrid ! Qui plus est situé dans un très beau parc : on y a construit un plan d'eau et planté des palmiers pour recréer son environnement. Construit en Égypte au IIᵉ s av. J.-C., ce temple est un cadeau de l'État égyptien, offert en 1968 en remerciement pour la contribution de l'Espagne au sauvetage du temple d'Abu Simbel (déplacé pour construire le barrage d'Assouan). C'est l'un des rares vestiges de la civilisation égyptienne en bon état en dehors du pays. Dédié à Amon et Isis, il était initialement situé en Nubie (sud de l'Égypte). À l'intérieur subsiste les bas-reliefs d'origine, essentiellement des scènes d'adoration des divinités, bien mis en valeur par l'éclairage. À noter, les salles du 1ᵉʳ étage sont souvent fermées le week-end. De nuit, le temple éclairé est une splendeur.

⚘ ➤ À l'arrière du temple, superbe point de vue sur la ville, de l'autre côté du río *Manzarana*, la *Casa de Campo,* et au sud, le *Palacio real,* la *Catedral* et le *Palacio de Abrantes.*

⚘ ➤ À 5 mn du temple, départ du **téléphérique** *(plan détachable A2)* qui descend vers le parc Casa de Campo. ☎ 91-541-11-18. ● *telefericomadrid.es* ● *Tlj 12h-19h (20h mai-sept, et 20h30 les w-e d'été). Le reste de l'année, vérifier ouverture et horaires sur leur site internet, horaires plus aléatoires. Prix : 4,50 € l'aller simple, 6 € A/R ; réduc ; gratuit - de 4 ans.* Belles vues à glaner sur l'ouest de la ville. Mais cela reste tout de même cher, pour une queue assez longue et seulement 11 mn de trajet. Le plus simple (et le moins cher) pour atteindre le parc reste le métro !

QUARTIER DE CHUECA *(zoom Chueca ;* Ⓜ *Chueca)*

Cœur battant du Madrid nocturne, épicentre de la vie agitée des jeunes branchés, Chueca est un secteur très vivant, grand comme un mouchoir de poche. Dans ce quadrillage de rues étroites que l'on sillonne volontiers à pied (éviter à tout prix la voiture), vous trouverez une foule de magasins de mode et de gadgets pour geeks – attention, les magasins n'ouvrent pas avant 11h dans le quartier – ainsi que de nombreux bars, restos design, boutiques dans le vent et *outlet.* Agréable de se balader en levant les yeux sur les balcons à fenêtres *(cristaleras)* qui ornent les façades des immeubles...
C'est aussi le quartier homo, mais ici, sans esprit de ghetto. Les jeunes (ou moins jeunes) – homos et hétéros – viennent avant tout profiter de l'animation des fins de semaine.
Plus qu'ailleurs, la vie nocturne dans ce quartier est grande consommatrice de lieux. Ce qui amène souvent des changements dans les noms des établissements ou dans le genre de clientèle.

MADRID ET SES ENVIRONS

Ne nous en veuillez pas. Vous trouverez à coup sûr, plus loin ou à côté, la toute dernière adresse tendance ! Il suffit d'observer ce qui se passe autour de soi et de suivre la foule...

Où manger des tapas ?

Tôt ou tard

|●| ↑ *Mercado de San Antón* (zoom *Chueca D-E3, 156*) : c/ de Augusto Figueroa, 24. ● info@mercadosananton.com ● Ⓜ Chueca. Tlj 10h-minuit (22h pour la partie marché traditionnel au 1er étage). Point de rendez-vous de la nouvelle population bobo du quartier, ce marché tout beau, tout neuf puisque entièrement rénové, aligne, au 2e étage, des stands de cuisine grecque, italienne, japonaise ou même... espagnole ! Les produits sont excellents, le choix très varié et le cadre contemporain bien rafraîchissant. On commande aux comptoirs, puis on tente de se dégoter un bout de table à partager. Le toit-terrasse, au 3e, est occupé par un agréable resto-bar (la *Cocina de San Antón*, ☎ 91-330-02-94 ; tlj 10h-minuit – 1h30 ven-sam ; prix moyens ; résa conseillée surtout en terrasse), qui a vite été adopté par les habitants du quartier. Si la cuisine est honnête (mais sans relief), le cadre et la terrasse sont bien agréables.

|●| *El Tigre Sidrería* (zoom *Chueca D4, 165*) : c/ de las Infantas, 30. ☎ 91-532-00-72. Tlj 12h30-1h30. CB refusées. Un des bars à tapas les plus populaires de Chueca... et pour cause, les tapas accompagnant la boisson (elle-même pas chère !) sont gratos. Certes, pas d'une grande finesse, mais cette grosse assiette de croquettes, saucisse, *pintxos* et patates sautées comble les faims des plus fauchés ! Toujours plein comme un œuf, les coudes sur le comptoir de marbre, les pieds dans les papiers gras, et la tête dans les conversations bruyantes. Cerise sur les tapas, service joyeux et alerte... Annexes, toujours dans Chueca, au c /Infantas, 23, et c/ Hortaleza, 30.

|●| *Bodega de la Ardosa* (zoom *Chueca D3, 155*) : c/ de Colón, 13. ☎ 91-521-49-79. ● info@laardosa. com ● Ⓜ Tribunal ou Chueca. Lun-ven 8h30-2h, le w-e 11h45-2h30. Tapas à partir de 3 €, plats 8-20 €. On a un petit faible pour cette *bodega* de poche vivante, fondée en 1892, pittoresque aux murs couverts de beaux azulejos, d'affiches anciennes, d'émouvants souvenirs et, derrière le vieux comptoir en bois, d'un impressionnant choix de bouteilles poussiéreuses. On boit de la bière et du vermouth sur des tonneaux, en se régalant de *croquetas,* de *pintxos* et d'assiettes de jambon, saucisson et fromage. Voir l'insolite tableau des records d'absorption de Guinness... À l'heure de l'apéro, qui s'étire bien tard, faudra jouer des coudes pour accéder au comptoir. Bonne ambiance, en journée comme tard le soir.

|●| *Das Meigas* (zoom *Chueca D3, 166*) : c/ de Barbieri, 6. ☎ 91-532-85-76. ● dasmeigas@hotmail.com ● Ⓜ Chueca et Gran Vía. Tlj 12h-16h, 19h30-1h. Congés : 3 sem en août. Tapas 4-9 €. Menus 11,50 (14 sam-dim)-24 €. Café ou digestif offert sur présentation de ce guide. Sympathique *marisquería* galicienne, fréquentée surtout le soir. Vraiment popu ; les habitués se pressent au comptoir pour se régaler de fruits de mer et de copieuses tapas. Salle de resto confortable derrière, mais peu fréquentée, les clients préférant la 1re salle, plus chaleureuse et animée. Nul doute que vous y ferez un bon repas. En plus du poisson et des crustacés, l'occasion de déguster un bon *cocido completo.* Éviter la paella en revanche, décevante (en même temps, c'est normal, ce n'est ni galicien ni madrilène !).

|●| *Stop Madrid* (zoom *Chueca D3, 157*) : c/ de Hortaleza, 11. ☎ 91-521-88-87. Ⓜ Gran Vía. Tlj 12h30-2h. Tapas min 3,50 €. Fondée en 1928, cette ancienne boucherie aux murs carrelés de blanc n'a pas changé d'un iota depuis sa création. Aujourd'hui, sur le marbre du boucher, on ne

découpe plus des quartiers de viande mais des tranches de *jamón*. Bonne qualité, certes, mais un peu chérot quand même au vu des portions : les petits budgets se contenteront d'un vermouth à la pression. Clientèle d'habitués, ça va sans dire. Quelques tables basses ou tonneaux pour poser une fesse.

Où manger (assis) ?

Bon marché
(moins de 15 €)

I●I ⊺ Tienda de Vinos *(zoom Chueca D-E3, 149) : c/de Augusto Figueroa, 35.* ☎ *91-521-70-12. En principe, tlj jusqu'à 22h30 (parfois fermé sans précision). Fermé fin août. Plats 7-12 €.* Vieux resto populaire, chargé d'histoire, fondé en 1890. Fréquenté durant la dictature de Franco par les étudiants de gauche, ce qui lui valut le surnom de *El Communista.* Est resté quasiment dans son jus depuis les années 1950-1960, avec son cadre austère de panneaux rouge foncé, son vieux bar à l'entrée. Seuls quelques articles de journaux, dessins et caricatures mettent un peu de couleur aux murs. Cuisine rustique, mais bonne, comme ces *chipirones* à l'encre bien servis, les *callos* au chorizo (tripes), *rinones al jerez* (rognons), *conejo* à la tomate (lapin). Le quartier est devenu tellement branché que ce lieu prolo dans l'âme est devenu paradoxalement décalé, presque *out* ! Nous, en tout cas, on l'aime toujours...

I●I Bazaar Restaurant *(zoom Chueca D-E3, 221) : c/ de la Libertad, 21.* ☎ *91-523-39-05.* Ⓜ *Chueca. Fermé 1ᵉʳ janv, 24, 25 et 31 déc. Tlj 13h15-16h, 20h30-23h30 (minuit jeu-sam). Plats 8-18 €.* Une élégante salle blanche avec un beau parquet, entourée par d'immenses baies vitrées. Tables bien séparées. Les produits d'épicerie sont artistiquement disposés dans d'élégantes armoires. Bien que l'ensemble du personnel soit asiatique (comme dans tous les autres restos de cette minichaîne), la cuisine s'inspire de la Méditerranée. À des tarifs si bas, ne vous attendez tout de même pas à de la grande cuisine ni à un service très pro, mais les sardines sont top et le rapport qualité-prix dur à battre.

I●I Bogotá *(zoom Chueca E3, 151) : c/ de Belén, 20.* ☎ *91-308-12-47.* ● *bogotarestaurante@gmail. com* ● *bogotarestaurante.es* ● Ⓜ *Chueca ou Alonso Martínez. Tlj sauf dim 12h-16h, 20h-23h. Menus midi 12,50-15 €, carte 20-25 €.* Comme les galeristes et créatifs du quartier, c'est surtout au déjeuner que l'on se presse entre ces murs pâles rehaussés de tirages photos originaux et de quelques tableaux. Une affaire de famille, qui privilégie la fraîcheur des produits et les plats de la cuisine populaire madrilène. Efficace et sympa au déjeuner, mais beaucoup plus désert le soir.

I●I La Mordida *(zoom Chueca E3, 222) : c/ de Belén, 13.* ☎ *91-308-20-89.* ● *avaquerolamordida@yahoo. es* ● Ⓜ *Alonso Martínez ou Chueca. Tlj 13h30-1h non-stop. Menu 13 €, plats 8-14 €.* Chaîne mexicaine : une explosion de couleurs, calendrier aztèque peint au plafond, tables et chaises aux peintures éclatantes, portraits de Zapata et du *subcomandante* Marcos, Frida Kahlo et autres illustres Mexicains. Crêpes de maïs au fromage fondu *(quesadillas),* guacamole, *nachos*, fajitas (viande de poulet effilée en sauce), tacos... Ambiance, comme la déco, joyeuse et colorée.

I●I La Cocina del Desierto – Al-Jaima *(zoom Chueca D3-4, 224) : c/ de Barbieri, 1.* ☎ *91-523-11-42.* Ⓜ *Gran Vía ou Chueca. Tlj 13h30-16h, 21h-minuit (0h30 ven-sam). Plats 5-9 €.* Petit resto à la façade discrète, dans lequel vous dégusterez d'excellentes spécialités d'Afrique du Nord : tagines, couscous et brochettes, généreusement servis. Le pain est apporté dans des paniers en osier, tables en cuivre ou petites estrades pour jouer au pacha sur des coussins. Une adresse pleine de saveurs du désert. Annexe à deux pas, c/ Libertad, au nº 13 *(ouv ts les soirs, et aussi mer-dim midi ; même carte et* *prix, même déco rustico-raffinée et même excellent accueil).*

Prix moyens (15-25 €)

|●| El Cisne Azul (*zoom Chueca E3, 148*) : c/ de Gravina, 27. ☎ 91-521-37-99. Ⓜ *Chueca. Tlj sauf dim. Viandes 16-21 €. Sélection champignons 15-25 €.* N'allez pas croire qu'on vous prend pour une truffe, mais voici un resto spécialisé... dans les champignons. Dans ce simple troquet décoré de photos de champis aux murs, on déguste des dizaines de variétés, parfois rares quand la saison s'y prête. Comme vous ne connaissez sans doute pas tous les noms en espagnol, un serveur vous les présente de visu. Ils sont ensuite apprêtés à votre convenance : aux œufs, au foie, au fromage, aux pétoncles, avec des ris d'agneau, etc. À vous chanterelles, russules et tricholomes ! Et au n° 19, à quelques pas, la version *taberna*, plus populaire, où l'on savoure des tapas de champignons accoudé au comptoir en sirotant de petits verres de vermouth.

|●| Delirant (*plan détachable E3, 134*) : c/ del Almirante, 20. ☎ 91-532-79-68. ● mad@delirant.es ● Ⓜ *Chueca. Fermé dim, lun, et le soir mar. Menu midi 15 € (17 € sam), menu dégustation ou carte env 30 €.* Delirant, et très amusant, même ! Ce *chocolate con churros* en entrée ? ces œufs au plat accompagnés de frites en dessert ? Ni chocolat, ni churros, ni œufs, ni frites : rien que des leurres, aussi réalistes que délicieux ! Car le chef ne fait pas que jouer avec les aliments (et avec les mots), il cuisine aussi avec talent, s'inspirant du terroir espagnol, méditerranéen au sens large, et même un brin asiatique. Menus et cartes, très courts, font tourner les surprises au gré des saisons et des inspirations de l'équipe. On déguste tout ça dans la belle salle claire, assez brute de déco en vitrine, côté bar, ou dans la bibliothèque, plus intime, à l'arrière. Service aux petits oignons, et là ce n'est pas du pipeau ! Un vrai coup de cœur !

|●| Roostiq (*zoom Chueca E3, 168*) : c/ Augusto Figueroa, 47. ☎ 91-853-24-34. Ⓜ *Chueca. Tlj sauf dim soir. Plats 12-18 €, repas 25-30 €. Résa conseillée le soir en fin de semaine.* Une des nouvelles adresses en vogue de Chueca, un peu chicos mais encore abordable. « Cocina al fuego » (cuisine au feu !), voici son credo, complété par un choix judicieux de produits fermiers, et même issus de leur propre ferme pour certains. Vous l'avez compris, il s'agit d'une cuisine assez simple et classique, tout entière consacrée à respecter ces beaux produits saisonniers. Du coup, le poulet de la grand-mère (*pollo de la abuela*) est copieusement servi en cocotte, les pizzas sont fines et généreusement garnies, les viandes fonda+ntes... Plus d'intimité dans la salle, mais on aime bien le bar aussi !

|●| Le Cocó (*zoom Chueca D3, 175*) : c/ Barbieri, 15. ☎ 91-521-99-55. ● info@lecocomadrid.com ● *Tlj 9h-minuit, cuisine en continu, réduite avt 13h et de 15h à 20h. Plats 8-16 €.* Déco bohème chic, simili de bric et de broc, mais le tout est très étudié. Briques peintes ou lattes de parquets dépareillées sur les murs. On s'installe sur de grandes tables d'hôtes ou individuelles. Une cuisine espagnole de la *casa*, avec des produits bio ou de culture raisonnée (très à la mode en ce moment à Madrid), accompagnés de vins naturels. C'est bon, frais, pas compliqué, et on peut grignoter toute la journée !

Plus chic (25-40 €)

|●| Taberna La Carmencita (*zoom Chueca E3, 177*) : c/ de la Libertad, 16. ☎ 91-531-09-11. ● tabernala carmencita@yahoo.es ● *Tlj cuisine en continu 12h30-2h. Plats 15-26 €, repas 25-30 €.* À l'angle de 2 rues, cette authentique taverne de 1854, fréquentée en son temps par Néruda, Alberti et bien d'autres, a vu grandir le quartier. Rafraîchie avec respect, avec ses 3 petites salles en enfilade, ses azulejos mis en valeur par des murs crème, ses parquets anciens, ses tables et chaises inchangées et quelques touches de modernité comme les luminaires. En cuisine, l'authenticité est aussi de mise, on mange dans les assiettes de nos grands-mères avec de grandes serviettes basques rouge et blanc. Dans l'assiette, des plats traditionnels, subtilement revisités. Une cuisine « bistronomique », absolument délicieuse, un régal pour les papilles. Tous les produits sont issus du commerce équitable, de cultures bio ou raisonnées, ou directement de producteurs locaux. Adorable petite salle à manger à privatiser au sous-sol près de la cuisine.

●I● *Arallo Taberna* (zoom Chueca D4, **229**) : c/ Reina, 31. ☎ 690-67-37-96. ● madrid@arallotaberna.com ● Ⓜ Chueca ou Sevilla. Fermé 2-3 sem en août. Tlj 13h-16h, 20h-minuit. Résa conseillée jeu-dim, surtout le soir. Menu déj env 20 €, carte 25-30 €. Une *taberna* nouvelle génération, ce qui saute aux yeux dès l'entrée (un ancien conteneur d'un bleu royal). Déco résolument post-indus', donc ! L'assiette, elle, est plutôt anti-indus', puisque les produits hyper frais sont travaillés dans une grande cuisine ouverte flanquée d'un long bar : la meilleure place pour profiter du ballet d'une extrême précision des nombreux cuistots qui s'y activent. Quelques tables quand même, pour plus de confort. On marie ici – voire on fusionne – la culture culinaire espagnole, fruits de mer en particulier, avec l'Asie et l'Amérique latine, tant du côté des saveurs que des cuissons. Et c'est une réussite ! Pour en sortir rassasié, compter 2-3 mini-entrées par personne et 1 plat. Vaste choix de vins, de bonnes bières (dont *La Chouffe*) et de cocktails : l'endroit est clairement dans l'air du temps, mais, curiosité, pas de dessert. Service virevoltant, et le rapport qualité-prix-surprise est finalement excellent !

●I● *Ribeira d'O Miño* (zoom Chueca D3, **167**) : c/ Santa Brígida, 1. ☎ 91-521-98-54. ● marisqueriaribei radomino.com ● Ⓜ Chueca ou Tribunal. Tlj sauf lun 13h-16h, 20h-minuit. Fermé août. Plateau min 25 €. Une des *marisquerías* les plus populaires de Madrid, à des prix étonnamment modérés. Tout au fond, 2 salles tranquilles pour savourer une excellente cuisine galicienne et des fruits de mer d'une belle fraîcheur. Le plateau de base, vraiment copieux, arrosé du p'tit blanc du patron, présente déjà un remarquable rapport qualité-prix. Chaleureuse atmosphère et clientèle d'habitués réjouis.

●I● *La Barraca* (zoom Chueca D4, **230**) : c/ de la Reina, 29. ☎ 91-532-71-54. ● reservas@labarraca.es ● Ⓜ Gran Vía ou Banco de España. Tlj 13h30-16h, 20h-minuit. Résa conseillée. Plats 10-20 €. Paellas 15-22 € (avec mariscos). Plusieurs salles en enfilade, plus ou moins grandes (privatisables) à la déco chic traditionnelle, où l'on vient manger la spécialité de la maison : la paella, classée parmi les meilleures de la ville, déclinée en de multiples recettes (une quinzaine à la carte). La plupart sont servies pour 2 personnes ou plus. Copieux et succulent, un resto cité dans tous les bons guides gastronomiques. Aussi bien fréquenté par les hommes d'affaires du quartier que par les touristes de passage. Choix de vins impressionnant. Service légèrement blasé en revanche.
Si c'est complet, une alternative paella à deux pas :

●I● *Restaurante Paella de la Reina 39* (zoom Chueca D-E4, **179**) : c/ de la Reina, 39. ☎ 91-531-18-85. ● res taurante@lapaelladelareina.com ● Ⓜ Gran Vía ou Banco de España. Tlj 13h30-16h, 20h-minuit. Paellas 15-25 €. 3 petites salles en enfilade après avoir passé le bar. Un classique du genre qui propose également de bonnes paellas.

●I● *La Sacristía* (zoom Chueca D3, **231**) : pl. Pedro Zerolo, 1. ☎ 91-522-09-45. ● info@la-sacristia.es ● Ⓜ Gran Vía ou Banco de España. Tlj sauf dim soir et août, 13h-16h, 20h30-minuit. Repas env 30 €. Une enfilade de salles sobres, cossues et tranquilles permettent d'apprécier la cuisine. On vous apporte d'emblée de quoi picorer, et c'est avec le sourire qu'on vous sert gibier et poisson. Mais la grande spécialité, c'est la morue (la devise ici : « *i la bacalao, estrella de nuestra cocina !* »). N'abusez pas du vin de messe en dessert... Accueil adorable.

Où prendre le petit déj ? Où savourer des douceurs ? Où boire un jus de fruits frais ?

MADRID ET SES ENVIRONS

Horno San Onofre (*zoom Chueca D3, 275*) : c/ de San Onofre, 3. ☎ 91-522-85-44 ou 91-522-72-16. Ⓜ Gran Vía. Tlj sauf 25 déc et 1er janv 8h-21h30 (9h-21h dim). Hormis les viennoiseries encore tièdes à tremper dans le chocolat chaud ou le café, laissez-vous tenter par l'étonnante variété de *turrones* maison ou par la savoureuse *tarta de Santiago*, sorte de gâteau aux amandes. Nombreuses spécialités selon les périodes de l'année, demander celles du moment. Seulement 2 petites tables sur place. L'heureux propriétaire possède 3 autres pâtisseries dans le même quartier : c/ Hernani, 7 ; c/ de Hortaleza, 9 ; c/ Mayor, 73, ainsi qu'au marché de San Miguel et même une au Japon !

Café Comercial (*plan détachable D2, 266*) : glorieta de Bilbao, 7. ☎ 91-088-25-25. ● info@cafecomercial.com ● Ⓜ Bilbao. Tlj 8h30 (9h w-e)-2h (1h sam-dim). On peut l'avouer : on a eu très très peur que ce superbe café de 1887, véritable institution de la ville pour les *tertullia* qui s'y tenaient, soit sacrifié sur l'autel du commerce à tout va, pendant ses 2 années de fermeture. Mais point de McDo à la place : il est bel et bien ressuscité, certes un peu plus léché, un peu plus branché... mais à l'image du quartier, en somme. Belle hauteur sous plafond, immenses miroirs et lustres façon Art déco témoignent toujours de son histoire, côté café (en rez-de-chaussée) comme côté resto. Agréable terrasse, squattée indifféremment par les *afterworks* en goguette, les étudiants à rouflaquettes ou les papys à gapette.

Mama Inès Café (*zoom Chueca D3, 225*) : c/ de Hortaleza, 22. ☎ 91-523-23-33. ● cafe@mamaines.com ● Ⓜ Chueca. Tlj 9h-1h30. Café de quartier convivial tout en longueur, dans les tons blancs, avec tables de marbre, et lumières bien tamisées le soir... Organise régulièrement des expos de peinture contemporaine, ce qui peut changer la déco du tout au

tout ! Bons petits déj à prix doux, et aussi glaces, salades et sandwichs. L'ambiance change complètement en soirée autour des cocktails !

Harina (*zoom Chueca D3, 282*) : c/ de Augusto Figueroá, 2. ☎ 91-521-72-51. ● harina@harinamadrid.com ● Tlj 9h-minuit. Petits déj 8-11,50 €. Une boulangerie-cafêt' en service continu, qui permet de prendre un petit déj comme une salade, une part de tarte ou un sandwich dodu à toute heure ! Certes, c'est une minichaîne, mais qui a de la tenue. Agréable salle aux matériaux bruts, claire et lumineuse, et petit éventail de tables sur la ruelle piétonne. Autre adresse, dotée d'une bien plus grande terrasse : pl. de la Independencia (c'est-à-dire puerta de Alcalá, face au parque del Retiro), pour savourer la Madrid monumentale.

♀ Mistura (*zoom Chueca D3, 281*) : c/ de Augusto Figueroa, 5. ☎ 91-755-63-91. ● shop@misturaicecream.com ● Tlj 10h-23h (minuit ven-sam). Glace min 2,50 €. Les glaces de Mistura (« mélange » en portugais) sont simplement succulentes ! Artisanales, sans conservateur ni colorant ou autre additif bizarre, à teneur en graisse réduite (si madame, c'est possible !)... On choisit ses parfums et son *topping* (fruits frais, fruits secs, graines variées, pépites de choco, etc.), qui sont habilement malaxés ensemble à froid, ce qui donne une texture assez unique. À vrai dire, on les a adorées même sans *topping*. La pistache à elle seule vaut le voyage à Madrid... Annexe du côté de la plaza Mayor (avec petits déj également).

♀ ♀ Frutal Zumería Chueca (*zoom Chueca D3, 284*) : c/ de Gravina, 3. ☎ 91-176-07-82. ● frutalzumeria.com ● Ⓜ Chueca. Tlj 9h (10h sam, 12h dim)-21h. Petits déj 2,50-8 €, jus de fruits 3,50 € les 400 ml à 8,50 € le litre. Toute une sélection de jus de fruits et légumes aux vertus différentes (digestion, immunisant, vitaminé, détoxifiant, purifiant, antioxydant, favorisant la circulation, etc.). De quoi se refaire une petite santé après avoir abusé des bars à tapas et de leurs breuvages. 2 autres adresses dans le centre : *Frutal Zumería Salamanca (plan détachable G2, 284 ; c/ de José Ortega y Gasset, 55 local 2 ;* ☎ *91-260-71-23 ;* Ⓜ *Gasset ou Lista ; lun-sam 9h(10h sam)-21h30 ;* *fermé dim ; ferme à 20h30 hors saison).* *Frutal Zumería Malasaña (plan détachable D3, 284 ; c/ de San Andrés, 12 ;* ☎ *91-521-55-08 ;* Ⓜ *Tribunal ; tlj sauf dim 11h-20h30).*

Où boire un verre ? Où écouter de la musique live ?

Beaucoup de monde, beaucoup de bars, dans ce secteur qui est sans conteste le plus branché de la ville. Revers de la médaille, ça manque parfois de caractère, les adresses changent de style comme de chemise, selon la mode du moment. En voici quelques-unes qui sortent du lot. Pour le reste, suivez la foule !

Tôt ou tard

⚑ *Vinoteca Vides (zoom Chueca E3, 319) : c/ de la Libertad, 12.* ☎ *91-531-84-44.* Ⓜ *Chueca. Mar-ven 17h-2h, sam 12h-2h30. Raciones et media raciones 5-12 €. Vins au verre 4,50-12 €. CB refusées.* Un petit bar à vins proposant pas moins de 125 crus espagnols de 65 régions différentes. Conseils avisés pour une initiation aux appellations et cépages du terroir ibérique. À accompagner de charcuterie ou de fromage, servis tout de même légèrement. Ambiance décontractée quoique touristique, et le soir on joue des coudes durant l'*afterwork* !

☂ Si l'envie vous prend de boire un verre perché, à deux pas, *La Terraza de Oscar (zoom Chueca D3, 331)* : *pl. Pedro Zerolo.* C'est le toit-terrasse de l'hôtel *Room Mate Oscar*, idéal en fin de journée pour bénéficier de la vue superbe (360°) sur la ville.

⚑ *Angel Sierra (zoom Chueca E3, 335) : c/ de Gravina, 11.* ☎ *91-531-01-26.* Ⓜ *Chueca. Tlj 12h30-2h. Tapas 2-3 €.* Fresques patinées, azulejos, belles glaces gravées de pubs, grosses barriques dans la salle de derrière, centaines de bouteilles poussiéreuses... Dans cet antique « abreuvoir » fondé en 1917 et donnant sur la plaza Chueca, cœur de la fiesta du quartier, on picole de bons vins au comptoir, du vermouth artisanal, accompagnés,

pourquoi pas, de délicieux anchois. Quelques tables en terrasse, sur la place. Bondé les soirs de fin de semaine, quand celle-ci est littéralement envahie par les noctambules.

⚑ *Café Belén (zoom Chueca E3, 338) : c/ de Belén, 5.* ☎ *91-308-27-47.* Ⓜ *Chueca ou Alonso Martínez. Mar-dim 15h30-3h (minuit dim).* Un îlot de tranquillité et de détente au beau milieu de la fiesta. Agréable petit bar cosy : vieilles poutres, tables en marbre, éclairage tamisé et musique choisie, pas trop forte, pour discuter gentiment entre amis ou en amoureux. À la carte : une foule de thés et un beau choix d'alcools.

⚑ *Café Acuarela (zoom Chueca D3, 336) : c/ de Gravina, 10.* ☎ *91-522-21-43.* Ⓜ *Chueca. Tlj 14h-3h.* Au cœur de Chueca, un petit salon de thé en journée, plutôt bar lounge le soir. Déco baroque classe et décalée, atmosphère élégante et très cosy, un poil mystique aussi avec ses images pieuses et tous ces *puppi* potelés. Quelle que soit l'heure, on s'y pose confortablement pour papoter, échanger des regards, dragouiller...

Plutôt le soir

⚑ ♪ *El Bogui (zoom Chueca E3, 289) : c/ del Barquillo, 29 ; entrée par la c/ Piamonte.* ☎ *91-521-15-68.* ● *bogui.es/jazz* Ⓜ *Chueca. Ouv mer-dim dès 21h (quelques programmations lun et mar), concerts à 21h30 (parfois 18h ou 20h le dim, consulter le programme sur le site). Places assises limitées, donc résa conseillée, sinon c'est debout. Entrée 10-18 €, et jusqu'à 30 € quand il y a une tête d'affiche.* Voici un des clubs de jazz les plus réputés du moment, qui programme régulièrement des pointures venues du monde entier. Ambiance du tonnerre et pour les aficionados, les concerts sont de très bonne qualité. En fin de semaine, après le concert, le club se convertit en boîte gominée, avec 2 DJ sets concomitants, chacun dans son espace, et chaque soir différents (house, R'n'B, hip-hop, etc.).

♪ ♪ **El Junco Jazz Club** (plan détachable E2-3, **341**) : pl. de Santa Barbara, 10. ☎ 91-319-20-81. ● info@eljunco. com ● eljunco.com ● Ⓜ Alonso Martínez ou Chueca. Mar-sam 23h-5h30 (6h ven-sam). Entrée : 9-10 €. Tous les soirs ou presque, des concerts de jazz, de blues, résonnant dans une cave voûtée brute de forme. Une formidable programmation, suivie de musiques funk, soul, blues, latina, brazil, reggae, etc., mixées par des DJs qui vous emmènent jusqu'aux 1res lueurs du jour. Jams d'enfer les dimanche, mardi et jeudi... Un club avec lequel il faut compter dans la nuit madrilène.

♪ ♪ **El Intruso** (zoom Chueca D3, **313**) : c/ de Augusto Figueroa, 3. ● info@ intrusobar.com ● intrusobar.com ● Ⓜ Chueca. Tlj 22h-5h30 (6h ven-sam). Concert ts les soirs ou presque vers 22h : 7-10 €. Plongée dans la pénombre, une salle modèle new-yorkais, tout en longueur, le comptoir en L, la scène au fond, pour des concerts énergiques, éclectiques (funk, rock, blues, salsa, garage...) dans la lueur rougeoyante des spots. Et après le groupe, DJ. Banquettes pour reprendre son souffle. Les soirs d'affluence, grosse ambiance, plus relax que branchouille.

♪ **Barbara Ann** (plan détachable E3, **316**) : c/ de Santa Teresa, 8. ☎ 91-826-78-91. Ⓜ Alonso Martínez ou Colón. Tlj sauf dim 17h30-1h (2h mer, 3h jeu-sam). Plats 11-20 €. Cocktails 8-10 €. Décor glam rock évidemment rétro, évidemment tamisé, dans cet afterwork pour urbains branchés à l'aise du portefeuille. Perché au comptoir ou confortablement calé sur les banquettes, on y sirote une courte sélection

de cocktails, à accompagner de plats fusion osant le grand écart entre le Mexique et l'Asie, chacun portant le nom d'une star du rock (sans qu'on ait bien saisi le rapport...). En fin de semaine, à mesure que l'heure avance, l'ambiance monte et le volume des riffs aussi, jusqu'à ce que tout le monde termine compressé contre le comptoir. Transfusé à la basse-guitare-batterie, on est alors chaud pour aller se finir, presque en face, au **Thundercat** (plan détachable E3, **317** ; c/de Campoamor, 11 ; ● thundercatclub.com ●), boîte rock qui envoie les watts du jeudi au samedi à partir de minuit, avec d'abord un groupe assurant des reprises, puis DJ jusqu'à 6h du mat.

♪ ♪ **Areia** (zoom Chueca D3, **339**) : c/ de Hortaleza, 92. ☎ 91-310-03-07. ● info@areiachillout.com ● Ⓜ Chueca, Alonso Martínez ou Tribunal. Tlj 14h (13h w-e)-3h. Entrée libre. Un chill out qui a la cote auprès des jeunes actifs et autres trentenaires, pour ses coins sombres, ses canapés et banquettes moelleuses et sa déco aux accents orientaux. Bien pour une pause lounge dans l'après-midi, et encore mieux le soir, lorsque l'ambiance bat son plein, boostée par un DJ électro différent chaque soir. Possibilité de se restaurer (rien d'extraordinaire) en continu jusqu'à minuit.

♪ ♪ **Café Libertad 8** (zoom Chueca E3, **344**) : c/ de la Libertad, 8. ☎ 91-532-11-50. ● info@libertad8cafe.es ● libertad8cafe.es ● Ⓜ Chueca ou Banco de España. Tlj 18h-3h. Fermé en août. Entrée libre ; animations : 4-5 € ; concerts : 7-10 €. Créé juste après la chute de Franco, un café littéraire bien connu des amateurs de soirées cuenta-cuentos (contes), poésies et surtout cantautores (chanteurs à texte), qui s'y produisent presque chaque soir vers 21h30. Riche programmation donc, et cadre très chaleureux, rétro et intime, pour une soirée culturelle au calme.

Où danser ?

⚡ **Ocho y Medio** (Sala But ; plan détachable D2, **380**) : c/ de Barceló, 11. ● ochoymedioclub.com ● Ⓜ Tribunal.

Ouv ven-sam dès minuit-1h. Fermé dim-jeu. Entrée : 12-15 €. Ouvert au début des années 2000, relocalisé dans une salle en sous-sol, le *Ocho y Medio* est la référence pour des nuits rythmées d'électro-pop, électro-rock et autres sons indie, mixés par les DJs résidents ou par des invités, parmi lesquels, régulièrement, des stars du genre. De quoi faire du lieu l'un des clubs les plus courus de la ville chez les 25-35 ans. Beaucoup, beaucoup de monde, et une grosse ambiance. Parfois des concerts payants en 1re partie de soirée (vers 21h).

🍴 🕺 *Les bars-boîtes aux couleurs du rainbow flag :* on en trouve pas mal, souvent les uns à côté des autres, ouverts surtout en fin de semaine, de 23h à 3h en général. Des lieux bien plus modestes que les vraies boîtes, dans lesquels on danse en espace réduit, sans se prendre la tête. Leur entrée est la plupart du temps gratuite et accessible aussi aux hétéros sans restriction ni mauvaise grâce. D'un lieu (et d'un soir) à l'autre, l'ambiance peut parfois être un peu morte. N'hésitez pas à aller jeter un œil chez le voisin... Parmi les plus fréquentés, plutôt par des quadras, citons le *Why Not (zoom Chueca D3, 347 ; c/ de San Bartolomé, 7),* en sous-sol, cadre tamisé façon bateau en bois verni, photos de stars en noir et blanc. Entrée payante en revanche *(env 10 €).* Gratuit, et plus jeune, le *D'Night,* juste en face *(zoom Chueca D3, 346 ; c/ de San Bartolomé, 6),* ou encore le *Studio 54 (zoom Chueca D3, 345 ; c/ de Barbieri, 7).*
Voir aussi plus haut, dans « Où boire un verre ? » les soirées DJ d'après concert des jazz club *El Bogui* (plutôt branché) et *El Junco* (plus décontracté), et les mix de classiques rock du *Thundercat.*

Achats

⚜ *Casa Postal (zoom Chueca E3, 428) :* c/ de la Libertad, 37. ☎ 91-532-70-37. Ⓜ *Chueca. Lun-ven 10h-14h, 17h-19h30 ; sam 11h-14h (fermé sam en août). Fermé dim.* Un véritable paradis pour les amateurs de cartes postales anciennes, de vieilles photographies et de plaques émaillées de récup. M. Martín Carrasco Marqués en a en effet une collection superbe, rangée dans des tiroirs minutieusement numérotés. Dans les vitrines, des mini-antiquités, de petites boîtes, des objets miniatures... Adorable !
⚜ *Patrimonio Comunal Olivarero (plan détachable E3, 431) :* c/ de Mejía Lequerica, 1. ☎ 91-308-05-05. Ⓜ *Alonso Martínez ou Tribunal. Angle c/ Hortaleza. Lun-ven et sam mat 10h-14h, 17h-20h. En juil, mar-sam 9h-15h, fermé dim-lun. Fermé dim et en août.* Une fondation destinée à promouvoir les huiles d'olive espagnoles, et qui a ouvert boutique. Toutes les DOC en huile du pays, depuis le flacon de 20 cl au bidon de 5 l ! Parfois possible d'en déguster certaines.
⚜ *Mercado de San Antón (zoom Chueca D-E3, 156) :* c/ de Augusto Figueroa, 24. *Tlj 10h-22h (15h dim) ;* jusqu'à minuit en sem et 1h30 le w-e pour la zone resto et bars. *Voir aussi* « Où manger des tapas ? ». Si son resto en terrasse et ses bars à tapas sont désormais un must, il conserve aussi une partie marché traditionnel, certes pas donnée, mais qui aligne les produits du terroir espagnol. Et au sous-sol, supermarché bienvenue.
⚜ Dans la *calle de Fuencarral (zoom Chueca D3-4 ;* piétonne pour une large part), nombreux magasins de fringues branchées, de créateurs, et de grandes chaînes internationales. Assez cher toutefois. Les amateurs de stocks *(outlet)* déambuleront plutôt le long de la *calle de Hortaleza* (attention, chaussures en vue, surtout des marques dédiées aux filles, mais pas exclusivement !) et dans les ruelles avoisinant la station de métro Chueca. Bien entendu, plusieurs boutiques spécial homos (fringues, librairies, objets de toutes sortes, etc.) autour de la plaza Chueca, dans les *calles* de Pelayo et de Hortaleza. Enfin, nombreux magasins de chaussures (encore, si, si !) où l'on peut trouver quelques bonnes affaires.

MADRID ET SES ENVIRONS

À voir

🗽🎎 Museo del Romanticismo (musée du Romantisme ; plan détachable D3) : c/ de San Mateo, 13. ☎ 91-448-10-45. ● museoromanticismo.mcu.es ● Ⓜ Tribunal. Mar-sam 9h30-20h30 (18h30 nov-avr) ; dim et j. fériés 10h-15h. En juil-août, nocturne le jeu 20h30-23h (à vérifier). Fermé lun, 1er et 6 janv, 1er mai, 24, 25 et 31 déc. Entrée : 3 € ; réduc ; gratuit - de 18 ans, étudiants - de 25 ans, + de 65 ans et pour ts sam après 14h, dim et certains j. fériés. Installé dans un bel hôtel particulier, ce musée présente un panorama intéressant de la vie bourgeoise sous le règne d'Isabelle II (1833-1868), que l'on voit d'ailleurs à cheval et en uniforme militaire dès la 2e antichambre. La déco et les œuvres exposées reflètent à merveille les tendances de l'époque : plafond peint, superbe mobilier inspiré du style Empire, salle de bal kitsch à souhait avec ses murs tendus de soie rose (on en mangerait !)... Quant aux appartements privés, ils illustrent le penchant de la noblesse et de la bourgeoisie pour les stéréotypes de l'Espagne populaire, dont ils étaient si éloignés et qui leur semblaient si pittoresques : scènes de beuverie à la campagne, belles Andalouses, paysans richement vêtus (!), brigands et canailles de tout poil... Salle 10, admirer le nécessaire de toilette du roi Fernando VII lui-même, et le siège d'aisance qui accueillit maintes fois l'auguste postérieur. Dans l'oratoire, on notera encore le portrait du pape Grégoire Ier par Goya. Agréable **petit café** dans le jardin.

🗽🎎 Museo de Historia (plan détachable D3) : c/ de Fuencarral, 78. ☎ 91-701-18-63. ● madrid.es/museodehistoria ● Ⓜ Tribunal. Mar-dim 10h-19h. Fermé lun, 1er et 6 janv, 1er mai, 24, 25 et 31 déc. GRATUIT. Voici une muséographie récente qui se concentre vraiment sur l'histoire de Madrid et des Madrilènes : les 3 niveaux suivent la chronologie de son développement en tant que capitale depuis le XVIe s. Le **rez-de-chaussée** s'organise surtout autour de portraits royaux (Philippe II, Charles Quint), de gravures et de tableaux. On y retrouve San Isidro, patron très populaire de la cité, des scènes de fêtes populaires ou religieuses (dont le Corpus Christi) des XVIe et XVIIe s, et les sites royaux développés dans les proches environs (le palais du Retiro – à l'emplacement de l'actuel parc, la Casa de Campo, le palais du Pardo – qui était le lieu préféré de Philippe IV, etc.). Le **1er étage** aborde l'époque des Bourbons, le XVIIIe s, essentielle puisque c'est eux qui font de Madrid une capitale monumentale en multipliant les palais et les symboles de pouvoir dans l'architecture de la ville, comme l'arc de triomphe de la plaza de Alcalá. C'est aussi le siècle du développement des manufactures royales : on retrouve ici de monumentales toiles destinées à devenir des cartons de tapisserie, le cristal issu de la manufacture de La Granja de Ildefonso, des collections de porcelaine de celle du Buen Retiro, ou d'éventails. Enfin tout ce qui fait aussi la vie quotidienne et culturelle des Madrilènes : le théâtre, les costumes, etc. Et l'épisode de l'entrée de Napoléon dans la ville, avec des Madrilènes qui préfèrent mourir de faim plutôt que d'accepter du pain de l'ennemi ! Au **2e étage**, c'est le XIXe s son cortège de guerres carlistes, qui opposeront madrid et une partie de l'Espagne durant tout le siècle... Ce qui n'empêche pas le Romantisme d'émerger, comme partout en Europe, et de s'exprimer dans les beaux-arts en exaltant les héros de ces affrontements, comme le général Torrijos ou Mariana Pineda. Madrid est alors une ville à l'activité intellectuelle intense, où café et tertullias foisonnent d'échanges ! Période festive aussi, où Isabelle de Bourbon (Isabelle II) protège les artistes et érige l'opéra. Industrielle encore, alors qu'Alfonso XII met le train sur les rails... Ne pas finir la visite sans faire un tour au sous-sol, avec 2 superbes maquettes de la ville, qui illustrent parfaitement son développement (comparez donc avec le plan détachable de votre Routard !) !

🗽🎎 Museo de Cera (plan détachable E3) : paseo de Recoletos, 41. ☎ 91-319-26-49. ● museoceramadrid.com ● Ⓜ Colón. Lun-ven 10h-14h, 16h30-20h ; w-e *et j. fériés 10h-20h. Entrée à prix vertigineux : 21 € ; - de 12 ans et + de 65 ans : 14 €. Audioguide (pas en français) 3 €. Tarif famille dispo seulement sur résa sur leur site.* Londres a son Tussaud, Paris a son Grévin, eh bien Madrid a aussi son musée de cire ! Plus de 450 personnages en 2 galeries. La 1re retrace l'histoire de l'Espagne au travers de ses dirigeants, ses explorateurs, ses sportifs, ses artistes et écrivains, ses toreros... Et la 2de rassemble un melting-pot de tout et n'importe quoi. Autres attractions : un simulateur, un train fantôme et une projection avec des effets spéciaux sur l'histoire de l'Espagne. Le tout sans grand intérêt, il faut l'avouer.

– En sortant, vous ne pourrez pas louper une superbe grenouille en bronze de 4 m de haut, au corps bleu-vert gravé de petits symboles. Œuvre d'Eladio de Mora, elle trône sur le trottoir juste devant l'entrée du Gran Casino de Madrid, qui a sponsorisé sa création et son installation. Cette **Rana de la Fortuna** (grenouille de la chance) est censée porter bonheur !

🎭 **Fundación MAPFRE – Sala Braganza** *(plan détachable E3) :* c/ Bárbara de Braganza, 13. ☎ 91-581-46-09. ● *fundacionmapfre.org* ● *Ouv seulement pdt expositions : lun 14h-20h, mar-sam 10h-20h, dim 11h-19h. Entrée : 3 € ; gratuit lun ap-m.* MAPFRE n'est rien d'autre que la plus grosse compagnie d'assurances espagnole ! Et sa fondation subventionne plusieurs lieux culturels, dont cette salle. En général, expositions d'excellente tenue, dont les dates sont annoncées à grand renfort d'affichage dans toute la ville (et sur le site internet).

QUARTIER DE MALASAÑA *(plan détachable B-C-D2-3 ;* Ⓜ *Bilbao, Tribunal, Ventura Rodríguez ou Noviciado)*

À moins de 10 mn à pied de la puerta del Sol. Autant dire la *puerta* à côté ! Tranquilles le jour, les rues qui grimpent de la calle de la Luna jusqu'à la plaza Dos de Mayo s'enfièvrent la nuit. Nombreux murs couverts de tags et de graffitis, témoins du renouveau du quartier qui a commencé dès les années de la Movida et ne s'est pas éteint depuis.

Son passé contestataire aux accents révolutionnaires n'était certes pas fait pour plaire à la dictature franquiste qui, en fermant l'université voisine de San Bernardo, parvint à disperser les étudiants devenus gênants. Pas étonnant, donc, si la fin de l'obscurantisme culturel venue, tous les faiseurs de courants s'y soient retrouvés pour fêter le retour de la liberté.

Autour de la plaza Dos de Mayo *(plan détachable D2-3 ;* Ⓜ *Tribunal ou Noviciado),* qu'on se le dise, c'est un quartier de *copas,* où l'on vient prendre un verre jusque tard dans la nuit dans une effervescence totale. Quelle ambiance ! Grosso modo, à l'ouest de la calle de Fuencarral et autour des *calles* (semi-piétonnes) de Velarde, de San Andrés, Vicente Ferrer, de la Palma et de la fac des arts appliqués,

LES CISEAUX DE LA LIBERTÉ

Le quartier tient son nom de Manuela Malasaña, jeune couturière qui fut exécutée à 16 ans par les troupes de Napoléon pour avoir, dit-on, détenu une arme interdite : une paire de ciseaux ! Elle devint une héroïne et un symbole de cette insurrection populaire de 1808 qui marqua le début de la guerre de Libération contre les Français.

vous rencontrerez dès la nuit tombée un incroyable melting-pot culturel et pas mal d'adresses à l'esprit alternatif. Vieux punks sur le retour, nombreux étudiants, jeunes gens modernes, hipsters en pleine exploration urbaine, paumés sirotant leur bibine sur un banc, cœurs délaissés en quête de l'oubli, amoureux de « performances » et autres happenings... et une tripotée de bars et de restos dans l'air du temps.

Où manger des tapas ?

Gros dilemme : à Malasaña, on peut manger des tapas partout, ou presque ! La difficulté sera plutôt de trouver de la place quelque part en fin de semaine... Pour peu que le temps soit au beau fixe, des nuées de Madrilènes parcourent les ruelles et placettes du quartier à la recherche d'un coin de bar où poser son coude ou d'un bout de terrasse où squatter une table... Seules solutions pour le néophyte : se pointer très tôt (genre 19h), ou se laisser porter par la vague et tenter sa chance au pifomètre. Les rues et places les plus riches en bars : c/ Espíritu Santo (et sa placette Juan Pujol, à l'angle avec la c/ de San Andrés), et ses parallèles vers le nord jusqu'à la c/ de Manuela Malasaña ; plaza San Ildefonso (autour de l'église), c/ Baja de San Pablo (au sud et à l'est), c/ del Pez (au sud)... Et notre sélection de valeurs sûres, mais rarement vides !

I●I El Pez Gordo (plan détachable D3, **145**) : c/ del Pez, 6. ☎ 91-522-32-08. Ⓜ Callao ou Tribunal. ♿ Tlj 19h30-2h. Raciones 5-9 €. Dans cette petite rue qui draine du monde, tapas, vins et bières à prix fort raisonnables, que l'on grignote au son d'une musique jazzy, reggae ou *motown*, un poil rétro, comme le cadre. Goûtez le *salmorejo*, le pâté servi avec de la confiture, les délicieuses croquettes ou encore les tripes à la madrilène servies en copieuses *ración* ou *media ración*. Très populaire, tout ça !

I●I Casa Julio (plan détachable D3, **210**) : c/ Madera, 37. ☎ 91-522-72-74. Ⓜ Tribunal. Tlj sauf dim 13h-15h30, 19h-minuit. Croquettes dès 5 €. Car la spécialité, derrière cette devanture rouge bien patinée (l'endroit existe depuis les années 1920), ce sont les croquettes ! Coincé contre le comptoir ou réfugié à l'une des rares tables (et quelques guéridons), on déguste ces petites choses aussi croustillantes que fondantes dans un joyeux brouhaha. Et le pire, c'est qu'on en redemande. Certes touristique, mais les habitants du quartier s'y pressent tout autant.

I●I Taberna La Lirio (plan détachable D3, **169**) : c/ del Espíritu Santo, 30. ☎ 91-521-39-58. ● tabernalalirio@gmail.com ● Ⓜ Tribunal ou Noviciado. Tlj midi-1h. Menu 10 €, repas 12-15 €. Moins flamboyant et plus traditionnel que son voisin *Ojalá*, mais de bonnes tapas (à déguster en terrasse aux beaux jours) et une petite salle bariolée bien conviviale et vite remplie. De toute façon, sur cette placette, le soir venu, la 1re place dégotée sera la bonne !

I●I Pez Tortilla (plan détachable C3, **204**) : c/ Pez, 36. 🖷 653-91-99-84. ● info@peztortilla.com ● Ⓜ Noviciado. Lun-mer 18h-2h, jeu-dim 12h-2h (minuit dim). Pintxos de tortilla 3 €. L'endroit fait fureur chez les jeunes noctambules du coin, car le concept se déguste avec délice ! De bonnes grosses parts de tortilla, nature, de *patatas* (le grand classique espagnol), asperges-jambon, champignons, fromage ou autre, en fonction des saisons, fraîchement préparées. C'est bien simple : sur le tableau au-dessus du bar, la liste des tortillas du jour encore dispo... Elles parviennent sur le comptoir au fur et à mesure de leur préparation, grand disque croustillant et moelleux-baveux à la fois de 30-40 cm de diamètre pour 3-4 cm d'épaisseur... On vous conseille d'opter pour le *pintxo*, c'est-à-dire la part (déjà 1/8) ; la grande, c'est l'omelette entière. Pour varier les plaisirs, quelques croquettes aussi. On arrose tout ça, comme partout à Malasaña, de *cañas* bien fraîches ou de vins au verre franchement pas plus chers qu'ailleurs, dans une ambiance rugissante !

I●I Orio (zoom Chueca D3, **200**) : c/ de Fuencarral, 49. ☎ 91-521-83-18. ● info@gruposagardi.com ● Ⓜ Tribunal. Tlj 10h-1h. Pintxos env 2 €. Un bar à tapas basque qui aligne une bonne sélection de *pintxos* sur le bar. On demande une assiette, on se sert, et on se perche au bar ou sur les tables hautes. À la sortie, c'est le nombre de piques (alignées sur le bord de son assiette !) qui détermine l'addition. C'est rapide, raisonnable côté prix, et plutôt de qualité égale. Bar à huîtres dans un coin (c'est la grande mode à Madrid depuis quelques années !) et salle de resto (plus chère) au 1er étage.

➥ **El Cambalache** *(plan détachable D3, 206) :* c/ del Espíritu Santo, 28. ☎ 91-521-11-72. Ⓜ *Tribunal. Sur la pl. Juan Pujol. Tlj 10h-minuit. Part de pizza et empanadas 2,50-4,50 €.* Pas vraiment un bar à tapas, mais ces spécialités d'Argentine s'avèrent la providence des affamés à budget serré. Pizzas « roulées » et *empanadas* (ces chaussons fourrés à la viande, entre autres) richement garnies, à emporter (quelques guéridons), histoire de caler cette affreuse dent creuse ! Un classique des faims intempestives du coin !

Où manger (assis) ?

Bon marché (moins de 15 €)

I●I **Ojalá – La Musa** *(plan détachable D3, 169) :* c/ de San Andrés, 1. ☎ 91-523-27-47. ● ojala@grupo lamusa.com ● Ⓜ *Tribunal ou San Bernardo. Tlj 8h30-1h (1h30 ven-sam). « Plage » ouv dès 18h30. Menu midi 10 € ; le soir, bonne sélection de viandes autour de 16 €.* Sur cette placette qui, le soir venu, foisonne d'animation, *Ojalá* est d'abord une cafétéria-resto aux murs turquoise. Mais elle cache aussi au sous-sol une cave en brique aménagée en resto de plage ! On y mange assis sur de confortables coussins posés sur une épaisse couche de sable blanc (et fin) de la plage d'Alicante, le tout éclairé par des néons fluo, mauve et bleu, dans une ambiance solarium assez rigolote. Sous les briques, la plage donc, ou comment s'offrir une soirée de vacances tout en restant en ville... Cuisine hispano-imaginative, burger, salades, *empanadas*... Smoothies et jus variés bien frais. Très bien aussi pour le petit déj.

I●I **80° – Ochenta Grados** *(plan détachable D2, 172) :* c/ Manuela Malasaña, 10. ☎ 91-445-83-51. Ⓜ *Tribunal ou Bilbao. Tlj 13h30-16h (16h30 ven-dim), 20h30-minuit (2h ven-sam). Menus midi en sem 12,50-13,80 € ; carte 15-20 €.* Voici 2 grandes salles claires et contemporaines, où les rouges-orangés viennent raviver les murs de brique. Quant à l'assiette, elle surprend, elle amuse, et on en redemande. Le principe ? Des plats plus ou moins traditionnels, proposés en *media ración* pour en goûter plusieurs (3-4 suffisent à combler un bon appétit), et gentiment réinterprétés... Le tartare, par exemple, s'accompagne d'une glace à la moutarde, le calamar se glisse dans un *pan de cristal* pour devenir *bocadillo...* et le tout n'est jamais cuit à plus de 80 °C afin de préserver au maximum les produits, d'où le nom de l'endroit. Service efficace et agréable, ce qui ne gâte rien. Un vrai bon plan.

I●I 🍴 **La Cajita de Nori** *(plan détachable C2, 153) :* c/ del Limón, 30. ☎ 91-758-72-95. ● lacajitadenori@ gmail.com ● Ⓜ *Ventura Rodríguez ou Noviciado. Face à l'entrée du centre culturel Conde Duque. Tlj midi et soir jusqu'à minuit (1h30 le w-e). Menu 11 € – 12,50 € en terrasse –, plats 9-20 €.* Ancien petit atelier de métallurgie (noter le système de poulies au-dessus du bar). Loin du tintamarre touristique, petit resto de quartier, clientèle locale sympa et accueil jeune ; petite salle derrière le bar, intime, colorée, climatisée et tranquille. Menu (vin et café compris) très correct, saucisse de Mamie Paulette et sa purée de 3 pommes vivement conseillées, et la paella du samedi et dimanche midi se révèle fort savoureuse... Terrasse sur la placette.

I●I **Zombie Bar** *(plan détachable D3, 203) :* c/ del Pez, 7. ☎ 91-011-19-52. Ⓜ *Tribunal ou Callao. Angle c/ de la Madera. Tlj 13h-1h30 (3h le w-e). Menu midi en sem 11 €, hamburgers 11-12 €.* Pas besoin de chercher bien loin : derrière ce bar à cocktails-*hamburguesería* se cache le duo électro des Zombie Kids... Déco inspirée de l'univers des comics Marvel, et carte de hamburgers variés et délicieux, avec une viande choisie avec soin (et même une version tofu pour les zombies-végétariens). Bière servie à la pression dans des bocaux (comme la confiote de maman !) et grand choix de cocktails. Arriver tôt ou tard, sous peine de virer mort-vivant de faim à faire la queue...

Prix moyens (15-25 €)

|●| *Gabriel* (plan détachable C3, **163**) : c/ del Conde Duque, 10. ☎ 91-542-80-19. ● jorge@restaurantegabriel.com ● Ⓜ *Noviciado* ou *Ventura Rodríguez*. Lun-sam 10h-16h30, plus le soir mar-sam 18h-2h. Fermé dim. Résa conseillée. Menu midi 14 €, carte 20-25 €. Petite salle proprette, joliment aménagée, pour une fraîche cuisine à base de produits du marché. Les musts : les croquettes de *jamón* ou de *bacalao* au parfum de truffe blanche, les lasagnes, le *lomo de buey* pour 2, les patates gratinées...

|●| *Paraíso del Jamón* (plan détachable C3, **217**) : c/ de San Bernardo, 8. ☎ 91-532-83-50. Ⓜ *Santo Domingo*. Tlj 7h-1h. Assiettes combinées 12-19 €, raciones 3-12,50 €. Vous êtes plutôt *bellota, granadino, serrano* ? Pour le savoir, c'est ici qu'il faut vous rendre. Impressionnant ! Du sol au plafond, de beaux jambons entiers vous font de l'œil. Assiettes de dégustation plutôt copieuses avec également des salamis et des fromages du coin. Longs comptoirs de marbre et tables pour les déguster, dans une ambiance un peu ringarde mais rigolote. Des minimenus à consommer au bar avec boisson et *bocadillos*. Les *raciones* sont servies généreusement. Éviter les plats, moins intéressants. Un îlot d'ibéritude ! Plusieurs autres adresses en ville.

Où grignoter toute la journée ?

🍺 |●| 🍷 *Federal Café* (plan détachable C2-3, **208**) : pl. de las Comendadoras, 9. ☎ 91-532-84-24. ● madrid@federalcafe.es ● Ⓜ *Noviciado*. Tlj 9h-minuit (1h ven-sam, 20h dim). Sandwichs, salades, burgers et plats 6,50-12 €. Federal est le nom d'une petite ville dans le nord de l'Australie, ces endroits où il n'y a rien d'autre à faire que de boire et manger ! D'où l'idée de ce café branché, où les serveurs sont aussi jeunes et sympa que les clients, et où l'on peut boire et grignoter à toute heure de la journée. Grande salle esprit cantine moderne, ouverte sur la lumière par de grandes baies vitrées, complété d'une grande et belle terrasse, sur la

place piétonne. Parfait également pour le brunch, bon choix et frais.

🍺 |●| 🍷 *Mür* (plan détachable C3, **209**) : pl. Cristino Martos, 2. ☎ 91-139-98-09. ● e.hola@murcafe.com ● Ⓜ *Ventura Rodríguez*. Lun-ven 9h-23h (2h ven), sam 10h-2h, dim 11h-22h. Petits déj 3-6 € ; salades, tartes, bagels et autres snacks 5-9 €. Toute petite entrée timide, ne pas s'y fier, la salle se trouve à l'étage, déco de bric et de broc. Au calme, sur un canapé ou attablé dans une ambiance assez cosy malgré tout. La cuisine est simple, bonne et le rapport qualité-prix imbattable. Petite terrasse sur la placette, pas désagréable en été sous les parasols.

Où savourer des douceurs et boire un café ou un thé ?

🍺 *Café de Ruiz* (plan détachable D2, **276**) : c/ de Ruiz, 11. ☎ 91-446-12-32. ● cafederuiz@gmail.com ● Ⓜ *Tribunal*. Tlj 15h-2h30 (3h30 ven-sam). CB refusées. Partageant les confortables banquettes, vieilles dames pomponnées et ados bavards passent des heures dans ce café ancien. Aux murs, de vieilles affiches et, sur les tables en marbre, des mousses au chocolat succulentes, des

cafés viennois avec petits fours, des thés exotiques. Au fond, des recoins plus intimes pris d'assaut par les tourtereaux. Un régal en fin d'après-midi.

🍦 *Acquolina* (plan détachable D3, **264**) : pl. del Dos de Mayo (angle c/ Velarde, 15). ☎ 91-523-30-36. Ⓜ *Tribunal* ou *Bilbao*. Tlj 13h30-minuit. Dès 2,50 €. Bon glacier artisanal aux saveurs riches et subtiles, qui fait tourner les fruits au gré des saisons... Un régal pour les grands comme pour les petits, d'autant qu'un coin de la plaza Dos de Mayo est aménagé en aire de jeux pour les *niños,* à l'ombre des arbres.

Où boire du bon vin ?

▼|●| Entrevinos *(plan détachable B3, **194**) :* c/ de Ferraz, 36. ☎ 91-548-31-14. ● taberna@entrevinos.net ● Ⓜ *Ventura Rodríguez ou Argüelles. Tlj jusqu'à minuit. Fermé août.* Media ración et ración 7-15 €. Presque en face du parc de la Montana, un fameux bar à vins, doublé d'un bon resto. Cadre sobre, rien ne doit détourner de la qualité des quelque 300 vins référencés ici. Cependant, les bruyants babillages de la clientèle donnent vie à ce lieu sympathique. D'autant que les plats s'avèrent assez élaborés et goûteux (excellent *salmorejo,* par exemple). Au tableau noir, les vins du mois.

Où boire un verre ?
Où écouter de la musique live ?

Tôt ou tard

▼ Les terrasses de la plaza Dos de Mayo *(plan détachable D2-3) :* sous les arbres, plusieurs bistrots disposent d'agréables terrasses pour boire un verre en grignotant tapas ou parts de pizza, en journée et jusque tard dans la nuit. Et ça continue dans les rues adjacentes... Bonne ambiance au *El 2D,* à l'angle avec la c/ Velarde, ou au *Malabar,* sur la place, ou au *Verbena* (c/ Velarde, 24).

▼ Kikekeller *(plan détachable D3, **302**) :* c/ de la Corredera Baja de San Pablo, 17. ☎ 91-522-87-67. ● kikekeller@kikekeller.com ● Ⓜ *Callao. Boutique ouv lun-sam 17h-21h, le bar jeu-sam 19h-3h.* À l'arrière de la boutique de ce couple d'architectes designers, le show-room s'invente bar le week-end. Un lieu fort sympathique décoré de leurs créations, dans un esprit loft-art-studio, comme ce bar fait d'une calandre de tracteur des années 1920, cette cabine d'ascenseur devenue w-c, et tous ces meubles et objets uniques qu'ils ont créés. Les serveurs serviront habillés de leur kilt gris et chemise en jean, ou vous irez directement vous servir dans l'énorme frigo, d'une bière ou boisson en bouteille et ils vous l'ouvriront. Expos tous les 2 mois.

▼ Mercado de San Ildefonso *(zoom Chueca D3, **312**) :* c/ de Fuencarral, 57. ☎ 91-559-13-00. ● info@mercadodesanildefonso.com ● Ⓜ *Tribunal. Tlj midi-minuit (1h jeu-sam).* Sur 3 étages et 2 terrasses, voici le dernier *street food market* de la ville, pile à la rencontre de Chueca et Malasaña. Même principe qu'au mercado San Antón tout proche, à Chueca (lire plus haut), en moins bobo, en plus gueulard et rigolard, tous âges mélangés. Bref, une atmosphère à l'image du quartier, bien sympa à l'heure de l'apéro, qu'on nourrit en piochant dans la foule de stands de croquettes, tortillas (omelettes), brochettes et autres tapas (18 comptoirs en tout et autant de bars que d'étages), avant de se trouver une place autour des grosses tables communes en bois.

▼ |●| El Jardín Secreto *(plan détachable C3, **351**) :* c/ del Conde Duque, 2. ☎ 91-541-80-23. ● eljardinsecreto10@gmail.com ● Ⓜ *Bilbao ou Plaza de España. Tlj 18h-1h. Fermé 2e et 3e sem d'août.* Carte env 20 €. Petit faible pour ce café-cabane ambiance exotique, joliment arrangé avec un bric-à-brac d'objets hétéroclites. Un lieu à la fois simple et chaleureux, qui a tout du nid pour tourtereaux. Bon choix de thés, cafés et chocolats délicieusement parfumés, mais aussi des cocktails qui descendent tout seuls, sans oublier les superbes salades, petits plats inventifs lorgnant vers l'Asie et desserts très craquants comme le prometteur *orgasmo por chocolate.* Excellent accueil.

Plutôt le soir

♟ *Irreale* *(plan détachable D2, **342**) :* c/ de Manuela Malasaña, 20. ☎ 91-172-28-02. Ⓜ *San Bernardo ou Bilbao. Tlj 18h (13h ven-sam)-1h (2h30 ven-sam). Raciones et burgers 7-11 €.* Ça joue des coudes à l'heure de l'apéro, dans ce p'tit pub tout de bois tapissé, fréquenté par les trentenaires tendance hipster pour son large choix de bières artisanales du monde entier, qui tapent fort en degrés. Plus d'une quinzaine d'options à la pression (*IPA, pilsener, stout, amber ale*, etc.), la sélection du moment griffonnée sur un tableau noir. *Raciones* bien solides et burgers pour éponger. Atmosphère relax, arrosée de musique électro alterno. Tables supplémentaires en sous-sol, la rumeur des conversations et le tintement des pintes en moins.

♟ *La Vía Láctea* *(plan détachable D2-3, **352**) :* c/ de Velarde, 18. ☎ 91-446-75-81. Ⓜ *Tribunal. Tlj 20h-3h. Entrée libre.* Ça se remplit passé minuit dans ce haut lieu de l'époque de la Movida qui, depuis les années 1980, n'a pas changé d'un iota ! Néons rougeoyants, vieilles affiches de concerts tapissant murs et plafonds, et côté musique, même combat pour le vieux rock'n'roll ! Tout au fond, le billard. Clientèle plus ou moins jeune, où chacun trouve sa place dans cet univers délicieusement vintage. Génial !

♟ *Tupperware* *(plan détachable D3, **353**) :* c/ Corredera Alta de San Pablo, 26. ☎ 91-548-50-16. 🖥 625-52-35-61. ● sonia@tupperwareclub.com ● Ⓜ *Tribunal. Tlj 20h-3h. Entrée libre. CB refusées.* Hommage décalé à l'univers des séries B dans ce petit bar kitschissime, classique des établissements de nuit du quartier. Figurines ringardes derrière le comptoir (Frankenstein et les Barbapapa !), fresque façon fanzine et extrait de films improbables sur fond de rock *old school* cultivent une ambiance bon enfant qui saute les générations. Plein à craquer le week-end. On peut poursuivre la soirée chez le voisin, *Penta*, bar-boîte rock version poche, bondé le week-end depuis la Movida *(c/ de la Palma, 4 ; tlj 23h-3h ; entrée : env 8 €).*

♟ *Madrid Me Mata* *(plan détachable D3, **350**) :* c/ Corredera Alta de San Pablo, 31. ☎ 91-173-82-45. Ⓜ *Tribunal. Tlj 21h-3h. Entrée libre.* Retour vers le futur, direction les années 1980, dans ce bar hommage à la Movida. Les 3 salles en enfilade ont beau être tapissées de photos souvenirs de Pedro et consorts, la playlist dérouler les classiques des *eighties*, clip en prime, ça ne sent pas la naphtaline. Et si ceux qui ont le cheveu qui grisonne retrouvent là un air de jeunesse, les nouvelles générations s'y pressent volontiers aussi, passé minuit. Sûr qu'à Malasaña le cœur de la Movida bat encore !

♟ ♪ *Taboó* *(plan détachable D3, **354**) :* c/ de San Vicente Ferrer, 23. ☎ 91-524-11-89. ● taboo@taboo-madrid.com ● taboo-madrid.com ● Ⓜ *Tribunal. Ven-sam 22h-6h. Fermé dim-jeu. Concert vers 21-22h, puis DJ. Entrée : 10-12 €.* Colorée en façade de 2 fresques destroy, une petite salle de concerts très sympa, avec piste de danse et programmation éclectique, du flamenco au pop-rock en passant par les rythmes latinos. Et quand les zicos ont replié, les DJ prennent le relais (house). Très vite bondé d'étudiants venus « se terminer » ici ; c'est l'un des rades qui ferment le plus tard du quartier. Chaude ambiance !

♟ *El Maño* *(plan détachable C2-3, **390**) :* c/ de la Palma, 64. ☎ 91-521-50-57. Ⓜ *Noviciado ou San Bernardo. Tlj sauf dim soir 13h-17h et 20h-2h. Raciones 4-9 €.* Dans une rue qui s'apparente à un bar à ciel ouvert, v'là, derrière sa devanture vitrée aux boiseries patinées, le rade où l'on vient entamer la soirée – ou plus si affinités –, avant d'aller se disperser chez les voisins. Atmosphère tonitruante autour du comptoir rétro et des rares tables de marbre dispersées sous le plafond Art déco. Entassés les uns contre les autres, on lie vite connaissance. De quoi augurer d'une bonne soirée... Tapas tout ce qu'il y a de plus banal pour accompagner.

♟ ♪ *Freeway* *(plan détachable D3, **355**) :* c/ de San Vicente Ferrer, 7 (angle corredera de San Pablo). ☎ 91-522-75-82. Tlj 18h-3h (3h30 ven-sam). Toujours plein d'étudiants exubérants, sur fond musical tonitruant... Beau comptoir à fines colonnes en bois couvert de photos de chanteurs de rock. Mon tout dans une atmosphère rougeoyante, voire incandescente. Salle au sous-sol (DJ, concerts).

▼ *El Bistró del Teatro (plan détachable C3, 332) :* c/ del Pez, 20. ☎ 91-127-40-75. Tlj sauf dim 9h (10h sam)-minuit (1h30 jeu, 2h30 ven-sam). Petit bistro tout rouge tout en profondeur où le vermouth, la bière et les *copa de vino* s'enfilent l'air de rien, souvent accompagné d'une *tapita*. On n'a pas été convaincu par la cuisine, mais l'ambiance est au rendez-vous, entre habitués et bande de potes en goguette dans cette calle del Pez qui ne cesse de gigoter.

▼♪ *BarCo (zoom Chueca D3, 318) :* c/ del Barco, 34. ☎ 91-531-77-54. ● pdejuan@barcobar.com ● barcobar.com ● **Ⓜ** Tribunal ou Gran Vía. Tlj 22h30-5h. Concert tlj ou presque vers 23h-minuit ; régulièrement dim, vers 21h30. Entrée max 12 €. Une salle à taille humaine, avec une programmation d'excellente qualité en jazz, soul, blues ou funk. Accueille aussi régulièrement les concerts de la *Escuela de Música creativa*, une école de jazz de bon niveau. Après les concerts, le bar se transforme en boîte, mais c'est souvent un peu mort.

Flamenco

♪ *Teatro Flamenco Madrid (plan détachable D3, 333) :* Teatro Alfil, c/ del Pez, 10. ☎ 91-159-20-05. ● info@teatroflamencomadrid.com ● teatroflamencomadrid.com ● **Ⓜ** Noviciado, Tribunal ou Callao. Spectacle de 1h ts les soirs à 18h30 et 20h15 (et 22h dim). Et lun à 22h, cycle « lunes flamenco », autour d'un artiste. Résa conseillée le w-e, sur place (billeterie ouv 13h-21h) ou sur leur site. Spectacle seul 25 €, 28 € avec conso (38 € avec table réservée, 50 € avec table + assortiment de charcuterie). Réduc de 10 % sur présentation de ce guide. Le flamenco se tient ici dans une vraie salle de théâtre, servie par une mise en lumière qui trace le fil du spectacle. Il faut dire que le maître du lieu dirigea longtemps le *museo del Baile Flamenco* de Séville : un professionnel aguerri, donc ! Les artistes (musiciens, chanteurs et danseurs), toujours d'excellent niveau, changent régulièrement, chacun imprimant son style et son âme. Et lorsque l'émotion pure du flamenco jaillit... Olé !

À voir

╳ La *plaza Dos de Mayo (plan détachable D2-3)* incarne le cœur de ce quartier puisque, à cet endroit, les Madrilènes défendirent une caserne dont il ne reste aujourd'hui qu'une arche en pierre. Dans les années 1940-1950, le quartier fit à nouveau parler de lui en résistant à tous les projets de démolition qui le menaçaient, et ses loyers modiques attirèrent par la suite hippies et bohèmes de tout poil. Il était donc logique que le mouvement de la Movida prenne ses quartiers nocturnes à cet endroit, qui reste, encore aujourd'hui, un pôle d'activités foisonnantes, de cafés et de boutiques branchées.

╳ *Conde Duque Centro Cultural (plan détachable C2-3) :* c/ del Conde Duque, 11. ☎ 91-480-04-01 (8h-14h30). ● condeduquemadrid.es ● **Ⓜ** Ventura Rodríguez, Noviciado ou San Bernardo. Musée et expo : mar-sam 10h-14h, 17h30-21h ; dim et j. fériés 10h30-14h. Fermé les 24, 25, 31 déc et 1er janv. GRATUIT. Cette ancienne caserne début XVIIIe s, assez austère, accueille aujourd'hui, après une belle rénovation, une multitude d'activités et de services culturels. Bibliothèque historique de la ville, bibliothèque publique, et ce qui nous intéresse le plus : expositions de bonne qualité, théâtre, spectacles de danse ou concerts (programmation détaillée sur leur site). Également un petit *musée d'Art contemporain* (MAC), où l'accrochage tourne régulièrement. Les passionnés de graphisme (au sens large : de la B.D. à l'histoire de la publicité) iront aussi faire un tour, à deux pas, au *Museo ABC (c/ Amaniel, 29-31, ● museo.abc.es ●, mar-sam 11h-20h, dim 10h-14h ; fermé lun ; GRATUIT),* qui ne présente que des expos temporaires, souvent assez pointues.

╳╳ *Palacio de Liria (plan détachable C2) :* c/ de la Princesa, 20. ☎ 91-230-22-00. ● palaciodeliria.com ● **Ⓜ** Ventura Rodríguez ou Argüelles. Tlj, sauf lun ap-m,

9h45-14h, 15h45-19h30 (18h30 nov-fév). Fermé 1er et 6 janv, 24 et 25 déc, et l'ap-m des 5 janv et 31 déc. Visite guidée de 1h ttes les 30 mn : 14 € ; réduc ; gratuit - de 6 ans, et pour ts lun à 9h45 et 10h15 sur résa internet seulement. **Résa conseillée**, car visite par groupe de 20 pers max ! Tout récemment ouvert à la visite, ce superbe palais du XVIIIe s et son parc, en plein cœur de Madrid, appartiennent toujours à la fameuse famille d'Albe. Vieille et puissante lignée aristocratique espagnole, dont la figure la plus marquante ces dernières décennies était la fantasque Cayetana Fitz-James Stuart, grande figure de la vie mondaine espagnole (et des tabloïds !), disparue en 2014. Mais ce palais de 200 pièces ne fait pas que défier la chronique mondaine, il abrite aussi une collection privée exceptionnelle. « Surnommé le "petit frère du Palais royal", il pourrait aussi bien être qualifié de "mini cousin du Musée du Prado" », comme le souligne Sandrine Morel dans *Le Monde*. Outre la magnificence de la décoration, des tapisseries, lustres et du mobilier, ce sont donc des Goya, des Velazquez, des Rubens ou des Zuloaga que croise la visite, qui se limite pourtant à 12 pièces de l'ensemble et s'achève dans la bibliothèque aux 20 000 volumes (dont des raretés, évidemment !).

QUARTIER DE CHAMBERÍ
(plan détachable B-C1-2 ; Ⓜ Argüelles)

Un quartier plus aéré et plus résidentiel, plus cossu aussi, mais dans lequel on peut s'aventurer pour admirer ses larges avenues arborées, voire pousser jusqu'à son mercado de Chamberi, finalement tout proche du *museo Sorolla*, pour casser la croûte (c/ Alonso Cano, 10).

Où manger ? Où boire un verre ?

I●I Jotá (plan détachable D2, **240**) : c/ de Sandoval, 6. ☎ 91-448-00-57. ● info@restaurantejota.com ● Ⓜ Bilbao ou San Bernardo. Tlj sauf dim soir et lun soir, 13h-17h, 20h-minuit. Menu midi en sem 12 €. Repas 20-25 €. 2 salles après le bar, dont 1 plus chic au fond avec ses nappes blanches, et 1 tout en longueur au sous-sol (pour les grandes tablées), mais aux beaux jours on optera plutôt pour la terrasse. Une bonne cuisine traditionnelle espagnole, concoctée avec les produits trouvés au marché le matin. Très bon rapport qualité-prix pour le menu du midi. Clientèle essentiellement du quartier, ou touristes égarés. Accueil aimable.

Où trouver l'un des meilleurs fromagers de Madrid ?

⌘ **La Queseria** (plan détachable C2, **422**) : c/ de Blasco de Garay, 24. ☎ 91-594-38-56. ● info@laqueseria.es ● Ⓜ Argüelles. Tlj sauf sam ap-m et dim 10h-14h, 17h30-20h30. Fermé 2de quinzaine d'août. Toute petite boutique, mais on y trouve plus de 130 variétés de fromage (la plupart espagnols, et comme dirait Léo Ferré, allez savoir pourquoi ?)... Raúl Castañeda se révèle un artisan passionné, proposant les meilleurs produits du pays. Plus de 80 de ses fromages sont traditionnels, c'est-à-dire ayant au moins un siècle d'existence. Spécialités des Canaries comme le Palmero (un chèvre légèrement fumé), le Majorero et le Herreno. Il sait parler de toutes les régions avec talent et fait découvrir de vraies petites raretés. Emballage sous vide pour les voyageurs bien sûr !

À voir

🕯 **Andén 0 – Estación Chamberí** (plan détachable D-E2) : pl. de Chamberí. ☎ 902-44-44-03. À l'angle de la c/ de Santa Engracia et de la c/ de Luchana, *entrée par l'espèce de tourelle en verre et en métal. Jeu 10h-13h, ven 11h-19h, w-e 11h-15h. Fermé lun-mar. GRATUIT.* Une ancienne station de métro désaffectée depuis des décennies, transformée tout simplement en musée du métro de Madrid et conservée dans son état d'origine (les années 1920). On y découvre, après une petite vidéo de 20 mn (en espagnol seulement) sur l'histoire et l'évolution du métro madrilène, le quai toujours décoré des réclames publicitaires, les belles céramiques et les guérites en bois des guichetiers. Et si vous empruntez la ligne 1, vous longerez ses quais fantomatiques.

QUARTIER DE SALAMANCA ET DU PARQUE DEL BUEN RETIRO *(plan détachable E-G2-5 ;* Ⓜ *Goya ou Príncipe de Vergara)*

À l'est du centre historique de Madrid, au-delà du paseo del Prado, s'étend le vaste quartier de Salamanca, habité par les catégories sociales aisées. Voici un autre visage de Madrid, luxueux et opulent. Quadrillé par une série de larges avenues et de rues se coupant à angle droit, Salamanca dévoile un urbanisme très différent de celui du Centro. C'est une sorte de ville nouvelle de la fin du XIXe s et du début du XXe s, juxtaposée à la ville ancienne. Le quartier est marqué dans son plan et son dessin par l'esprit fonctionnel et utilitariste, et l'opulence des années 1900. On y trouve les boutiques les plus chics de la ville et des restos à tarifs généralement élevés. Ce n'est pas un quartier très animé le soir, mais on y vient dans la journée pour visiter le Musée archéologique et pour se promener (ou faire un jogging) dans le parque del Buen Retiro.

Où manger des tapas ?

Prix moyens (15-25 €)

|●| **29 Fanegas** *(plan détachable F1, 178) :* c/ del General Oráa, 29. ☎ 91-411-61-31. Ⓜ Núñez de Balboa. *Tlj 9h (11h w-e)-1h (0h30 dim, 2h jeu-sam). Fermé dim soir en août. Tapas et* raciones *4-14 €.* Bien sûr, vous ne traverserez pas Madrid pour ce resto, mais si vous vous baladez dans le coin, sachez qu'il est considéré comme une valeur sûre du quartier. Chose inhabituelle, la minisalle au sous-sol (climatisée) est tout aussi fréquentée que le comptoir. Décor brique, carrelage immaculé souligné de jaune, bouteilles bien en vue, et tables de marbre. Clientèle de bonne famille, avec beaucoup de cols blancs le midi. De goûteuses *raciones,* comme les *pimientos del padrón* (petits piments verts grillés modérément épicés), la brandade de morue, le foie gras poêlé, de copieuses salades et un joli choix de *pintxos* pour accompagner les apéros du soir.

|●| **De Pura Cepa** *(hors plan détachable par G3 et plan d'ensemble, 160) :* c/ Fuente del Berro, 31. ☎ 91-309-28-79. Ⓜ O'Donnell ou Goya. *Tlj sauf dim et j. fériés 9h-minuit. Menu midi lun-ven 12 €, menu dégustation (min 2 pers) 24 € (vin compris !), plats 9-19 €.* Une *enoteca* qui s'est fait sa place par la qualité de sa sélection de vins. La cuisine qui l'accompagne se révèle du même niveau à des prix tout à fait abordables. Salle tranquille aux tonalités plaisantes. Petite carte pour les mets, mais grande pour les vins *(min 13 €).* Excellente sélection au verre. Goûter aux *chipirones encebolladas* et au magret de canard aux fruits rouges. Traditionnel comptoir pour les tapas. Accueil gentil comme tout.

|●| ▼ **Platea Madrid** *(plan détachable F3, 207) :* c/ de Goya, 5-7. ☎ 91-577-00-25. Ⓜ Serrano ou Colón. *Tlj 12h-0h30 (2h30 jeu-sam). Assortiment de tapas env 20 €.* Immense spot gastronomique chic, magnifiquement aménagé dans une ancienne salle de spectacle dont on a conservé la structure. L'ancienne fosse et l'orchestre déploient un éventail de bars et de minirestos à tapas

thématiques (souvent doublé d'une boutique spécialisée : jambon, produits de la mer, fromage, miniburgers, etc.), y compris quelques exotismes du côté japonais ou péruvien. Une fois la commande passée, le jeu est de trouver une place à l'une des tables que tout ce petit monde se partage... Et pour casser sa tirelire, grimper à l'étage jusqu'au resto *Arriba,* le resto très très gastronomique (et tout aussi cher !) du chef Ramón Freixa... Quant au balcon, il accueille *El Palco,* un bar à cocktails. Tout ça plaît beaucoup à la jeunesse dorée de la ville ! Il n'y a qu'à voir la file qui se forme à l'entrée le soir en fin de semaine.

Très chic (plus de 40 €)

|●| *Laredo* (plan détachable G4, 175) : c/ del Doctor Castelo, 30.

Où manger (assis) ?

Prix moyens (15-25 €)

|●| *Puerto Lagasca* (plan détachable F2, 183) : c/ de Lagasca, 81. ☎ 91-576-41-11. ● info@puertola gasca.com ● Ⓜ Núñez de Balboa. Tlj 8h30 (10h30 w-e)-2h. Fermé sam midi en août. Repas 15-20 €. Une taverne moderne fréquentée par les cols blancs du quartier, et bien connue également de la communauté française de Madrid, car voisine de l'église Notre-Dame-des-Français. Des tables hautes pour un déjeuner rapide ou, à l'arrière, une salle cosy et intime, aux tons frais. La carte, en *raciones* et *media raciones,* décline de bons classiques, avec une belle place aux poissons. Bref, une pause pratique et goûteuse, à privilégier en semaine plutôt que le dimanche.

Très chic (plus de 40 €)

|●| *Restaurante El Buey* (plan détachable G3, 176) : c/ del General Pardiñas, 10. ☎ 91-431-44-92 ou 91-578-38-71. ● elbueymadrid@elbuey.es ● Ⓜ Goya ou Príncipe de Vergara. Sert jusqu'à minuit. Fermé dim soir. Plats 14-25 €.

☎ 91-573-30-61. ● laredo@taber nalaredo.com ● Ⓜ Ibiza. Tlj sauf dim 12h-minuit (cuisine 13h30-16h, 20h30-23h30). Congés : août. Repas min 40 €. Le bar à tapas traditionnel de la bourgeoisie locale est devenu un resto assez classe dans un superbe cadre design, sobre et élégant tout à la fois. Spacieuse salle à manger et bar fort agréable, mon tout dans un beau jeu de lumières. Bien entendu, ce « nouveau *Laredo* » propose toujours la même qualité de cuisine et des produits d'une réjouissante fraîcheur. Choix particulièrement étendu de plats savoureux. Goûtez donc au *cochinillo confitado,* crème de patate truffée... Le vin se révèle également l'un des points forts du lieu. Superbe sélection de flacons espagnols bien sûr, mais aussi de grands crus français (notamment de superbes bourgognes)...

Un resto de viande aux nappes à carreaux rouges, au cadre intime, avec une carte courte où le bœuf (*buey,* donc, en v.o.) est à l'honneur, tendre et goûteux. Régale depuis plus de 30 ans. Les morceaux sont vendus au kilo (environ 48 €).

|●| ↑ *Luzi Bombón* (plan détachable F1, 196) : paseo de la Castellana, 35 (entrée sur Rafael Calvo). ☎ 91-702-27-36. ● reservas.luzi@gru potragaluz.com ● Ⓜ Rubén Darío. Tlj 12h-1h (2h jeu-sam). Plats 14-28 €. Le coup de cœur des hommes d'affaires pour son concept moderne, son confort, l'atmosphère relax et pour l'excellent rapport qualité-prix de sa cuisine. Immense espace au design et mobilier particulièrement épurés, dans les tonalités gris, blanc et crème. Tables bien séparées et faible niveau sonore rendent pour une fois les conversations agréables. Cuisine ouverte traditionnelle, aux accents modernes également. Spécialités d'*arroz al carbón* et de plats francs du collier genre tartare au couteau ou poulet fermier, accompagnés de petits légumes assez élaborés. Belle terrasse.

Où bruncher ? Où savourer glaces et douceurs ?

ŷ Giangrossi (plan détachable F3, 280) : c/ de Velázquez, 41, au coin de la c/ de Hermosilla. ☎ 91-781-30-73. Ⓜ Velázquez. Lun-ven 8h-minuit, w-e 9h-1h. Déco blanc et orange, cadre résolument contemporain, confortables fauteuils ou tabourets hauts, terrasse ombragée, personnel tout de noir vêtu. On n'y sert pas seulement des glaces, mais c'est pour elles qu'on vient, et aussi pour le *turrón* ou le yaourt au miel et noix de macadamia. Gâteaux et autres viennoiseries. D'autres adresses dans Madrid.

ŷ Rocambolesc (plan détachable F2, 283) : El Corte Inglés, c/ de Serrano, 52. ☎ 91-576-52-34. Ⓜ Serrano. Au 7e étage, dans l'espace Gourmet. Tlj 12h30-minuit (1h ven-sam). Le maître glacier catalan est parti à la conquête de Madrid en s'installant dans l'espace « gourmet » de ce *Corte Inglés* des beaux quartiers. On y retrouve toute la richesse de leurs arômes et le crémeux des textures ! Allez, en fermant les yeux, on oublie presque qu'on est dans un grand magasin !

Où boire un verre en début de soirée ?

ȳ Dry Martini Bar (plan détachable F3, 391) : c/ de Hermosilla, 2, dans l'hôtel Gran Meliá Fénix. ☎ 91-431-67-00. Ⓜ Serrano ou Colón. Tlj 10h-1h (2h ven-sam, minuit dim). Cocktail env 14 €. Atmosphère sélecte dans ce bar esprit Art déco, logé au rez-de-chaussée du très chic *Gran Meliá Fénix*. Coupole tapissée de mosaïque, fauteuils club, tentures cossues, long comptoir dont le métal brille sous les lumières tamisées. Le cadre en jette, et attire la *upper class* amatrice de cocktails novateurs, la plupart créés par Javier de las Mueles, un ponte de la discipline. Près d'une soixantaine de recettes à la carte, de quoi multiplier les expériences, si le portefeuille suit... Pour accompagner, tapas classiques abordables, ou cuisine soignée plus chère.

Achats

⌬ Pour les achats chics, une seule direction, la calle de *José Ortega y Gasset (plan détachable F-G2).* À la même hauteur, au nº 61 de la calle Serrano, une *galerie* occupe l'ancien immeuble du journal *ABC*.

⌬ Pour le plaisir des yeux, le charmant et presque bucolique *marché couvert de la calle de Ayala (mercado de la Paz ; plan détachable F2-3 ; fermé sam ap-m et dim).* Pour de belles antiquités, parcourir aussi la *calle del Conde de Aranda (plan détachable F3).*

À voir

🏃 🚶 *Parque del Buen Retiro (plan détachable F-G4-5) :* Ⓜ Retiro. Ouv tlj 6h-22h (minuit avr-sept). Bien agréable de s'y promener après une surdose de trafic automobile ou en sortant du Prado, pour reprendre des forces après une orgie de peinture. Bol d'air historique de Madrid, lieu idéal pour la sieste, il existait déjà au XVIe s, tout comme son lac (l'*Estanque*). De belles promenades bordées de grands arbres et de larges allées ouvertes convergent vers ce bassin central, où l'on peut louer une barque *(6 € lun-jeu, 8 € ven-dim ; pour 45 mn).* On peut aussi faire un tour du bassin en *barco solar (ttes les 15 mn 10h-14h, 16h-20h, 2 €/pers),* grosse barcasse très lente qui fonctionne, comme son nom le suggère, à l'énergie solaire. À noter qu'en cas de pluie ces 2 activités aquatiques sont suspendues. Le dimanche matin, tout le monde s'y donne rendez-vous, tandis que musiciens, jongleurs et cartomanciennes assurent l'animation. Également des

MADRID ET SES ENVIRONS

aires de jeux pour enfants et d'immenses pelouses, propices au farniente. Nombreux kiosques-cafés également (pas donnés), et un bistrot chic, *Florida Retiro* (dans le prolongement du bassin, côté avenida de Menéndez Pelayo).

Faisant de l'ombre à la pièce d'eau, l'impressionnante colonnade surmontée d'une statue équestre est un **monument dédié à Alphonse XII.** Récemment rénové, le sommet de la colonne, juste sous la base de la statue, héberge un belvédère vitré, accessible uniquement en été et sur réservation, mais gratuit (tentez votre chance, des mois à l'avance, sur ● *reservaspatrimonio.es* ● ; *visites mai-oct seulement*).

Sur la droite, on parvient au *palacio de Velázquez* (palais des expositions). Édifice original de brique habillé d'azulejos, il accueille des expos temporaires gratuites, dans son immense volume aux structures métalliques, façon Art nouveau *(tlj 10h-22h, 19h oct, 18h nov-mars).* Derrière, dominant un bassin, le beau **palacio de Cristal** (vestige de l'Expo universelle de Londres en 1851), tout en légèreté et transparence, présente lui aussi de temps en temps des expositions temporaires *(mêmes horaires).* Et puis ce vaste parc offre encore une *rosaleda* (roseraie) et un observatoire astronomique. Au nord du parc s'étend *Recoletos,* prolongement de Salamanca et de ses magasins et restos chics.

🍴🎭 **Museo arqueológico nacional** *(Musée archéologique ; plan détachable F3) :* c/ de Serrano, 13. ☎ 91-577-79-12. ● *man.es* ● Ⓜ *Serrano.* ♿ *Mar-sam 9h30-20h, dim et j. fériés 9h30-15h. Fermé lun, 1ᵉʳ et 6 janv, 1ᵉʳ mai, 24, 25 et 31 déc. Entrée : 3 € ; réduc ; gratuit sam après 14h et dim.* Après plusieurs années de restructuration et de travaux, les collections archéologiques espagnoles ont retrouvé un écrin à leur dimension, modernisé, agrandi, repensé, enrichi de supports interactifs... 13 000 œuvres sur 3 niveaux illustrent désormais le riche patrimoine ibérique. Au rez-de-chaussée, on débute avec la préhistoire et le processus de peuplement de la péninsule (quelques belles pièces d'orfèvrerie). Au **1ᵉʳ étage,** entrée de plain-pied dans la culture ibère *(salles 10 à 17)* avec les emblématiques et superbes « dames » du Iᵉʳ millénaire av. J.-C., la *Dame de Baza* et la *Dame d'Elche* entre autres, du matériel issu des sites de Numancia ou Baza, et même la surprenante culture talayotique (présente sur les îles de Minorque et Mayorque, aux Baléares). On enchaîne logiquement avec l'*Hispania Romana (salles 18 à 22),* dont une étonnante pompe hydraulique romaine, des bas-reliefs et de nombreux vestiges issus des sites de Mérida, Medina Sidonia ou Baelo Claudia. C'est dans la section Antiquité tardive – Monde médiéval/Al-Andalus *(salles 23 à 27)* que l'on retrouve les bijoux wisigothiques du « trésor de Guarraza » et de beaux spécimens d'art mudéjar. Puis, au **2ᵉ étage,** le monde médiéval chrétien *(salle 27)* avec sa cohorte de gisants, de chapiteaux rescapés d'église ou le portail du monastère San Pedro de Arlanza. L'époque moderne *(salles 28 à 30)* présente un visage plus varié : collection de porcelaines, bronzes Renaissance, céramiques, instruments de musique ou vitrines d'armes, mais aussi les productions des manufactures royales de l'époque (Alcora, La Granja et Buen Retiro). Enfin, une section Égypte, Nubie et Proche-Orient *(salle 32 à 35)* suivie d'une grande salle consacrée à la Grèce, en particulier une superbe collection de vases. En redescendant, les amateurs s'arrêteront à l'entresol dédié à la numismatique et aux médailles *(salles 37 à 40),* qui offre un panorama de l'histoire des monnaies depuis la Chine antique jusqu'à nos jours.

Sur place, boutique, cafétéria, etc.

🎭 **Fundación Juan March** *(plan détachable G2) :* c/ de Castelló, 77 (angle c/ de Padilla). ☎ 91-435-42-40. ● *march.es* ● Lun-sam 11h-20h, dim et j. fériés 10h-14h. GRATUIT. Cette fondation accueille régulièrement des expos d'art contemporain assez pointues, et organise également des concerts ou des conférences, toujours de bonne qualité. Petite librairie.

Si les 2 musées suivants semblent un peu isolés, on les atteint en fait très rapidement en métro, et ils ne sont qu'à 10 mn à pied l'un de l'autre. Franchement, ne vous en privez pas, ce sont de vrais petits bijoux !

🏃🏃 **Museo Sorolla** *(plan détachable E1) : paseo del General Martínez Campos, 37.* ☎ *91-310-15-84.* ● *museosorolla.mcu.es* ● Ⓜ *Rubén Darío ou Gregório Mara-ñón. Bus nº 5 depuis la puerta del Sol. Dans le nord de la ville. Mar-sam 9h30-20h, dim et j. fériés 10h-15h. Fermé lun, 1ᵉʳ et 6 janv, 1ᵉʳ mai, 24, 25 et 31 déc. Entrée : 3 € ; gratuit - de 18 ans et + de 65 ans, étudiants 18-25 ans et chômeurs ; gratuit pour ts sam 14h-20h et dim. Visite guidée (en espagnol) : gratuite tlj à 17h sauf de mi-juin à fin août ; ou 6 € tlj 11h-13h30. Audioguide : 2 €.*

L'ancienne demeure-atelier du peintre est devenue un petit musée qui mérite vrai-ment d'être découvert. D'abord parce que ça change des immenses palais où l'on ingurgite la peinture comme des gâteaux au chocolat, et puis parce que l'endroit est aussi frais et sympathique que la peinture de Sorolla. Il faut dire qu'on a un véritable faible pour Sorolla... Et son atelier, une pièce immense aux superbes pro-portions, tout au fond de la maison, est une véritable plongée dans son univers : ses livres alignés dans les bibliothèques (quelques-uns en français, d'ailleurs), ses collections d'objets anciens... ainsi qu'un bel éventail de toiles qui illustrent l'évo-lution de son travail. Et puis les petits *jardins andalous* qui précèdent la maison-atelier et l'isolent de la rue sont une merveille de finesse et de bon goût, avec le glouglou de leurs petites fontaines. Sous le soleil, le buis et les roses embaument. D'ailleurs, eux sont en accès libre !

Sorolla (1863-1923) exposa beaucoup aux États-Unis sous les auspices de l'*His-panic Society of New York,* qui lui commanda plusieurs toiles. À Paris, il obtint le grand prix de l'Exposition universelle en 1900. Son évolution picturale est intéres-sante. Au début du XXᵉ s, il s'est attaché à peindre le réalisme social espagnol. Plus tard, il cherche à faire partager son amour pour la lumière méditerranéenne et les éléments naturels.

🏃🏃 **Museo Lázaro Galdiano** *(plan détachable F1) : c/ de Serrano, 122.* ☎ *91-561-60-84.* ● *flg.es* ● Ⓜ *Núñez de Balboa ou Rubén Darío. Tlj sauf lun 10h-16h30 (15h dim) ; fermé 1ᵉʳ et 6 janv, Jeudi et Vendredi saints, 1ᵉʳ et 15 mai, 15 août, et 24, 25 et 31 déc. Entrée : 7 € ; réduc ; gratuit - de 12 ans ; gratuit pour ts tlj 15h30-16h30 et dim 14h-15h.*

D'une incroyable richesse, ce musée est situé dans une superbe demeure de maître construite au début du XXᵉ s par un riche homme d'affaires, qui légua ses trésors à l'État en 1947. Sa collection déroule un vaste panorama de la création européenne de la Renaissance au XIXᵉ s, balayant aussi bien les arts picturaux que liturgiques ou décoratifs. Çà et là, des accrochages temporaires d'œuvres contemporaines posent un autre regard sur la collection. Pour les amateurs, un complément indispensable au Prado.

– Au *rez-de-chaussée,* on commence logiquement par un hommage à José Lázaro Galdiano. Suivent quelques tableaux du XVᵉ au XVIIIᵉ s des écoles espa-gnoles et européennes. Ne pas manquer non plus les coffrets hispano-musulmans en ivoire du XIIᵉ au XIVᵉ s (2ᵉ salle). Très beau saint Michel en vitrail également, et impressionnante *chambre du Trésor* dans laquelle est exposée une remarquable collection de bijoux et d'émaux liturgiques, ainsi qu'une superbe épée du XVᵉ s, au fourreau en argent ciselé puis doré.

– Le *1ᵉʳ étage* intéressera les férus de peinture espagnole, avec un large éventail de toiles du XVᵉ au XIXᵉ s. L'âge d'or espagnol (XVIᵉ et XVIIᵉ s) est particulièrement bien représenté (toiles d'*El Greco* notamment). Objets d'art religieux et beau mobi-lier d'époque. Ne pas oublier de lever le nez pour admirer les fresques qui ornent les plafonds richement sculptés. Avant de grimper au 2ᵉ étage, une halte s'impose dans la salle 13, entièrement consacrée à Goya. On peut y admirer son célèbre tableau *El Aquelarre* (« Le Sabbat ») et, à côté, la saisissante *Scène d'ensorcel-lement,* dont les tons bleu et noir augmentent la dimension dramatique.

– Au *2ᵉ étage,* place aux écoles de peintures italienne, flamande, hollandaise, allemande (angoissant *Calvaire* de Cranach, transposé dans son XVIᵉ s), française et anglaise. Superbes écritoires et différents objets (bronzes, horloges, plateaux, etc.). Étonnante galerie de portraits miniatures et médaillons.

MADRID ET SES ENVIRONS

– Au **3e étage,** incroyable collection d'armes (mousquets et arbalètes incrustées d'ivoire), dont une incongrue épée-pistolet allemande du XVIIe s, le barillet fixé à la garde (pièce n° 9). Enfin, superbes bronzes, céramiques, coffrets d'ivoire ou de bois marquetée, objets liturgiques en argent et textiles.

Avant de partir, faites donc un petit tour dans le jardin du musée et sa soixantaine d'espèces végétales différentes.

ENTRE LE CENTRE DE MADRID ET CHAMARTÍN
(plan d'ensemble ; nord de Madrid)

Où manger ?

De plus chic à très chic (de 25 à plus de 40 €)

I●I *San Mamès (plan d'ensemble, 250) :* c/ Bravo Murillo, 88. ☎ 91-534-50-65. ● *tabernasanma mesmadrid@yahoo.com* ● Ⓜ *Quatro Caminos. Tlj sauf dim, lun soir, fêtes et en août, 13h30-16h15, 20h30-23h15. Carte 30-35 €.* Petite taverne définitivement hors des sentiers battus. Pourtant le grand Ferran Adrià, les 1ers ministres Felipe Gonzalez et Zapatero et bien d'autres honorèrent le lieu de leur visite. C'est qu'elle régale les Madrilènes depuis tant d'années (c'est le fils qui officie désormais) et, dit-on, on y déguste parmi les meilleures tripes de la ville. Cadre intime, décor céramique traditionnel, nappes à carreaux et, sur les murs, une flopée de photos de célébrités et d'articles de journaux élogieux. Bonne sélection de vins.

Où boire un verre ?
Où écouter de la musique live ?

Vers l'avenida de Brasil (Ⓜ Santiago Bernabéu)

Dans ce quartier chic et récent, entre appartements de luxe et bureaux cachés dans des immeubles à l'architecture banlieusarde, un nombre croissant de bars-boîtes à la clientèle *pija* (B.C.B.G.) jouent à touche-touche sur à peine 200 m, le long de l'avenida de Brasil.

Ⓣ ♪ *The Irish Rover (plan d'ensemble, 365) :* avda de Brasil, 7. ☎ 91-597-48-11. ● theirishrover@ theirishrover.com ● theirishrover. com ● Tlj 12h-2h. Concerts gratuits mer-ven à partir de 23h. Surprenant au cœur de l'Espagne, un minivillage irlandais avec ses rues pavées, son pub, sa pharmacie, son épicerie, ses billards, sa bibliothèque et sa terrasse. Côté concerts, du folk, de la musique irlandaise bien sûr, mais sans exclusivité, du rock, de la pop, et du jazz. La bière coule à flots et l'ambiance est garantie. Matchs de foot et rugby retransmis sur écran géant. Burgers et *fish & chips* pour parfaire le tableau.

Ⓣ ♪ *Moby Dick Club (plan d'ensemble, 366) :* avda de Brasil, 5. ☎ 91-555-76-71. ● mobydickclub@ mobydickclub.com ● mobydick club.com ● Mer-jeu 22h-3h (5h jeu), ven-sam 22h-6h. Fermé lunmar. Congés : août. Entrée : 6-25 € selon programme ; gratuit après le concert (vers 23h30). Cette carène de bateau renversé au décor industriel bien d'aujourd'hui joue les points de repère pour pop-rockeurs tendance B.C.B.G. Live différent chaque soir vers 22h, du mercredi au samedi. Après le concert, la soirée se prolonge avec DJs, dans la même tonalité.

À voir

🏃 **Plaza de Castilla** *(plan d'ensemble)* : Ⓜ *Plaza de Castilla.* Un autre aspect de Madrid, le Madrid moderne, avec ses avenues à 4 voies et ses 2 tristes immeubles aussi penchés que la tour de Pise, les torres Kio, du nom du consortium koweïtien qui en fut le commanditaire (et pompeusement surnommées « porte de l'Europe ») ! Sur le rond-point, monument dédié à Calvo Sotelo (monarchiste assassiné avant la guerre civile), et obélisque de Calatrava. Contigu à la place, étalé au pied d'un château d'eau, l'un des bassins d'adduction d'eau de la ville, relié au canal Isabel II, a été transformé en un vaste parc, le *Cuarto depósito.*

🏃 **Estadio Santiago Bernabéu** *(stade ; plan d'ensemble)* : ☎ 91-398-43-70. ● realmadrid.com ● Lun-sam 10h-19h, dim 10h30-18h30 *(horaires différents les j. de match).* Fermé dim, 25 déc et 1er janv. Billets sur place, près de la porte 7, sur le paseo de la Castellana. Cher : 25 € (- de 14 ans : 18 €) ; audioguide 6 €. Visite des gradins, des vestiaires, de la salle des trophées, du petit musée... Bref, une visite incontournable pour tout supporter qui se respecte. Cela dit, dans le genre, le mieux reste encore d'aller voir un match...

Corrida

– **Plaza de toros Las Ventas** *(plan d'ensemble)* : c/ de Alcalá, 237. ☎ 91-356-22-00 *(résas corrida).* ● info@lasventas.com ● lasventastour.com ● Ⓜ *Ventas.* Tlj 10h-18h (19h juin-août), dernière entrée 30 mn avt. Nocturne juil-août les jeu et sam 20h-23h. Ferme plus tôt les j. de corrida (ts les dim fin mars-début oct, 9 mai-10 juin, et feria d'oct). Fermé 31 déc-1er janv. Entrée du musée : 14,90 €, audio-guide en français inclus ; réduc (guichet à la porte principale).

Las Ventas est la 3e plus grande *plaza* mondiale (avec plus de 23 000 places) derrière *Valencia* au Venezuela et la *Monumental* de Mexico. C'est un passage obligé pour qui veut inscrire ses lettres de noblesse tauromachique. À Madrid, on ne pardonne aucune erreur au torero venu chercher sa *confirmation* ; un public d'aficionados jusqu'à la caricature. Acclamé par les mouchoirs blancs ou humilié par les sifflets de la foule, le torero est seul face au taureau *bravo,* une immense bête sauvage et racée pouvant peser jusqu'à 600 kg et plus. Une corrida y a lieu tous les dimanches, du 10 mars au 17 octobre. Le fin du fin, c'est la *feria de San Isidro* qui se déroule tous les jours vers 19h la 2de quinzaine de mai jusqu'à mi-juin ; elle rassemble les plus grands toreros du moment. En général, les prix officiels des places (toutes numérotées) se situent entre 5 €, tout en haut de l'arène, et 150 €, tout près de la piste et à l'ombre. Selon les têtes d'affiche, les prix au marché noir peuvent atteindre des sommets vertigineux, attention aux arnaques ! Franchement, à moins d'être un inconditionnel de tauromachie, on vous conseille de prendre des places en haut, les *andanadas,* c'est vraiment pas cher et, en plus, c'est abrité.

– **La visite des arènes** commence par le musée. Quelques portraits de toreros célèbres, comme le fameux *Pepe Ilo,* célèbre torero du XVIIIe s, mort dans les arènes de Madrid. Une série d'affiches anciennes de corrida, des estampes, dessins et tableaux sur le sujet. Puis la plus belle partie du musée, des vitrines qui présentent de superbes costumes ayant appartenu à de grands toreros : costumes de

LES *MACHOS,* PAS TOUJOURS CEUX AUXQUELS ON PENSE !

Les cordons qui serrent le pantalon du torero aux genoux sont des machos. *D'où l'expression en espagnol* Apegarse bien los machos *(attache-toi bien les* machos), *que l'on adresse à une personne qui va vivre une situation difficile ou dangereuse.*

MADRID ET SES ENVIRONS

Manolete, dont celui qu'il portait le jour de sa corrida mortelle ou la tenue d'une femme torero, *Juanita Cruz*, superbe. Une autre salle expose des banderilles, y compris explosives, dans une vitrine. Plusieurs portraits de toreros du XVIIIe au XXe s, tableaux de corrida et têtes de taureaux. Puis pour finir, dessins et peintures originaux d'affiches de corrida de 1990 à 2015. Viennent ensuite des films d'archives de corrida au sous-sol, avec des images de toreros violentés par le taureau (âmes sensibles s'abstenir). On poursuit par les arènes (dont on ne peut pas fouler le sol), la chapelle, la *Caballerizas*, l'écurie des ânes et des chevaux (ce sont les ânes qui tirent le taureau mort hors de l'arène). Puis l'arène, impressionnante, les gradins, la loge royale et la tribune du président de l'arène. Ce dernier est la personne la plus importante de la corrida. C'est lui qui décide de la grâce du taureau (rare... un seul fut gracié). Les aficionados sont toujours dans les gradins numéro 7. La récompense du torero (selon la qualité de son combat) va d'une oreille du taureau (décision des spectateurs) à la 2e oreille (c'est le président qui décide), la récompense suprême étant les 2 oreilles et la queue.

On peut voir les taureaux avant leur dernier voyage, de 12h à 12h30 les jours de corrida. Prendre un ticket à l'entrée principale (1 €), mais venir un peu avant, car les places sont limitées. En effet, les taureaux ne doivent pas voir d'être humain avant le combat, on les aperçoit d'une coursive au-dessus du toril.

QUARTIER DE LA MONCLOA
(plan d'ensemble ; ouest Madrid)

À voir

🎣 **Museo de América** *(plan d'ensemble et plan détachable A1) :* avda de los Reyes Católicos, 6. ☎ 91-549-26-41. ● *mecd.gob.es/museodeamerica* ● Ⓜ *Moncloa (ligne 3 : sortie Isaac Peral ; ligne 6 : sortie Plaza de Moncloa) ou Islas Filipinas (ligne 7 : sortie Gaztambide). À la sortie du métro, repérer la grande tour futuriste (El Faro), dans le prolongement de l'arc de triomphe : le musée, fléché, est juste derrière ; accès par une voie piétonne arborée en surplomb de la voie rapide voisine. Mar-sam 9h30-15h (19h jeu), dim et j. fériés 10h-15h. Fermé lun, 1er et 6 janv, 1er mai, 24, 25 et 31 déc. Entrée : 3 € ; réduc ; gratuit étudiants 18-25 ans, - de 18 ans, + de 65 ans et pour ts dim et jeu après 14h.* Collections d'ethnographie, archéologie et art colonial, montrant l'évolution de la civilisation sur le continent américain de l'Alaska à la Patagonie, depuis la découverte des civilisations précolombiennes (inca, maya, aztèque...) jusqu'à aujourd'hui. C'est le seul bémol : l'histoire et le peuplement du continent sont assez peu traités pour ce qui est de la période d'avant la découverte. Les salles consacrées à l'Amérique latine sont particulièrement intéressantes du fait de la conquête et de l'exploration de l'Amérique par l'Espagne. Intéressante reconstitution d'un cabinet de curiosités du XVIIIe s, riche d'objets et d'échantillons savants (minéraux, bois exotiques, etc.) rapportés des terres lointaines. Parmi les pièces rares : une dalle en pierre de Palenque (civilisation maya, 600-800 apr. J.-C.), un *Codex Tudela* (Mexique, XVIe s), une copie d'un buste en métal doré représentant le conquistador Hernán Cortés, ou le trésor des Quimbayas (superbe ensemble d'objets et statues en or exhumés des tombes de 2 caciques en Colombie).

🎣 **Faro de Moncloa** *(tour de Moncloa ; plan détachable, A1) :* avda de los Reyes Católicos, 6. ☎ 91-550-12-51. ● *esmadrid.com/faro-de-moncloa* ● Ⓜ *Moncloa (ligne 3 : sortie Isaac Peral ; ligne 6 : sortie Plaza de Moncloa) ou Islas Filipinas (ligne 7 : sortie Gaztambide). Bien visible depuis la pl. de Moncloa, accès par une voie piétonne arborée en surplomb de la voie rapide. Mar-dim 10h-20h (19h30 dernière entrée). Fermé lun. Entrée : 3 € ; réduc ; gratuit jusqu'à 6 ans. Théoriquement,*

à terme, sera assujetti à des résas à heure fixe. Pour l'instant, il suffit de s'y rendre.
Cette tour de télécommunications (elle a toujours cette fonction), pas forcément
très gracieuse dans le paysage, a quand même l'avantage d'offrir, en haut de son
ascenseur, une vue panoramique sur Madrid, panneaux de repérage à l'appui.
Certes, ils sont très légèrement décalés par rapport au paysage urbain (où l'on
découvre toute la verdure de Madrid !) qui s'ouvre à travers les larges baies vitrées,
mais si vous passez dans le coin, pourquoi pas...
– Dans le hall au pied de la tour, **petit office de tourisme municipal** *(tlj
9h30-20h30).*

🎭🎭 **Museo del Traje** *(musée du Costume ; plan d'ensemble) :* avda Juan de Herrera, 2 *(dans le quartier de l'université).* ☎ 91-550-47-00. ● *mecd.gob.es/mtraje* ●
Ⓜ *Ciudad Universitaria, puis c'est à 5-10 mn à pied (mais mal indiqué) : descendre l'ave. Complutense jusqu'au rond-point, c'est sur la droite. Ou bus n° 46
depuis* Ⓜ *Sevilla ou Plaza de España : arrêt devant le musée. Mar-sam 9h30-19h
(jusqu'à 22h30 jeu en juil-août), dim 10h-15h. Fermé lun, 1ᵉʳ et 6 janv, 1ᵉʳ mai, 24,
25 et 31 déc. Entrée : 3 €, audioguide inclus ; réduc ; gratuit - de 18 ans, étudiants
18-28 ans et + de 65 ans ; gratuit pour ts le sam dès 14h et dim, ainsi que 18 mai,
12 oct, 16 nov et 6 déc.* Une belle muséographie moderne et didactique au service
d'une superbe collection qui, si elle n'oublie pas les costumes masculins, fait la
part belle aux costumes des femmes à travers l'histoire. Ou comment le corps
social, d'une époque à l'autre, contraint le corps féminin à se plier à ses modèles.
Illustration la plus parlante, l'évolution des sous-vêtements, du rigide corset d'hier
au soutif-culotte d'aujourd'hui. Les pièces les plus anciennes, espagnoles, datent
du XVIᵉ s, mais le reste de l'Europe, et la France en particulier, sont bien présents
aussi, l'arrivée des Bourbons ayant radicalement modifié les codes vestimentaires
(voir, notamment, les costumes de bals et, moins glamour, les étonnants bas
chaussettes). À partir du milieu du XIXᵉ s, grâce à l'apparition et à la circulation des
revues, la mode se fait européenne : romantisme, Belle Époque... jusqu'à l'avènement du prêt-à-porter dans la 2ᵈᵉ moitié du XXᵉ s. Enfin, belles pièces de haute
couture espagnole et de créateurs contemporains. Pour finir, agréable cafétéria au
rez-de-chaussée, et une boutique plutôt sympa.

🎭 *La cité universitaire (plan d'ensemble) :* Ⓜ *Moncloa.* Pour nos lecteurs qui
ont du temps ou qui sont férus d'urbanisme. Sur l'un des champs de bataille les
plus sanglants de la guerre civile, on construisit cette cité universitaire vaste, aérée
et verdoyante. À l'entrée se trouve le *museo español de Arte contemporáneo,*
qui abritait une importante collection d'art contemporain espagnol désormais
transférée au *Centro de Arte Reina Sofía* (voir plus haut). À l'heure actuelle n'y
sont plus exposées que des œuvres secondaires. Passé l'arc de triomphe qui en
marque l'entrée, l'avenida de la Victoria mène au *palais de la Moncloa,* résidence
du 1ᵉʳ ministre.

PARQUE MADRID RÍO *(sud Madrid)*

🚶🚶 Étendue sur 7 km le long des **rives du río Manzanares,** de la gare de Príncipe
Pío à l'ouest (avec une liaison vers le parc Casa de Campo) jusqu'au quartier de
Legazpi au sud-est (et Matadero), cette gigantesque coulée verte recouvre avanta-
geusement le tracé de l'ancien périphérique. Une vraie réussite ! *(*Ⓜ *Pirámides et
Marqués de Vadillo – ligne 5 – sont les points d'accès les plus centraux – au niveau
du puente de Toledo, piéton).* Au cours de la balade, à suivre à pied comme à vélo,
se succèdent 17 passerelles et des ponts dignes d'intérêt, comme, en partant de
l'ouest, le *puente del Rey* (de 1816), le *puente de Segovia,* du XVIᵉ s (le plus ancien
de Madrid), le *pont « oblique »,* le *puente del Principado de Andorra* (pont en Y,
avec 2 bras sur une rive et 1 sur l'autre), le *puente de Toledo* (début du XVIIIᵉ s)
ou le futuriste *puente de Arganzuela,* de 274 m de long, dont la structure rappelle l'ADN (réservé aux piétons et aux cyclistes). Pour finir, les *ponts jumeaux de*

l'*Invernadero* et *du Matadero* : 2 ponts piétons couverts, avec des voûtes ornées de mosaïques en verre recyclées figurant les habitants du quartier. Pour les fans de foot, coup d'œil en passant, entre le pont en Y et celui de Toledo, à l'*estadio Vicente Calderón,* l'enceinte de l'Athlético Madrid (surprenant, le périph passe en dessous !). De *nombreuses aires de jeux* jalonnent le parcours, ainsi que des skate-parcs et terrains de sport qui font de ce grand parc *le nouveau poumon de la ville.* Quelques kiosques-cafét' ainsi que des points d'eau, des jeux d'eau et de grandes pelouses ombragées idéales pour pique-niquer ou faire une sieste. Zone la plus sympa, les jardins du *puente de Toledo,* d'inspiration baroque, dont les motifs végétaux mettent superbement le pont en valeur. Autour du *puente de Arganzuela,* le parc se fait plus touffu et s'agrémente de fontaines et toboggans.

🎭🎨 *Matadero* (hors plan détachable par E6 et plan d'ensemble) *: paseo de la Chopera, 14.* ☎ 91-517-73-09. ● *mataderomadrid.org* ● Ⓜ *Legazpi. Mar-ven 16h-21h (22h mai-oct), w-e et j. fériés 11h-21h (22h mai-oct). Fermé lun. En bordure du parque Madrid Río.* Dans un immense complexe de brique de style néomudéjar, les anciens abattoirs ont été transformés de manière spectaculaire en centre d'art contemporain et passerelle culturelle interdisciplinaire dédiée aux arts visuels. Très riche programmation : expos d'avant-garde (gratuites en général), cinéma (y compris séance nocturne en plein air gratuite en août), théâtre, danse, lectures, performances, résidence d'artiste, plate-forme spécialisée dans le design, et de très nombreux événements éphémères, dont un marché de producteurs un week-end par mois (date variable) et un autre dédié au design, le 1er week-end de chaque mois en principe *(2 sections : gratuite en extérieur, payante en intérieur – 3 €).* Programme sur le site internet ou au comptoir d'info, au milieu de l'allée principale, sur la droite *(Zona Uno).* Jeter aussi un coup d'œil, à l'arrière, aux anciennes serres *(palacio de Cristal)* et à la *Casa del Reloj,* un centre culturel installé dans l'ancien pavillon administratif du marché aux bestiaux, lui aussi réhabilité (reconnaissable à sa tour de l'horloge).

🍽 💬 Le complexe compte 2 cafés-restos à prix raisonnable, dont *La Cantina,* à l'entrée, aménagée dans l'ancienne chambre froide, qui sert en continu café et pâtisseries maison et, pour le repas, une courte sélection de plats et entrées du jour frais et créatifs, faisant la part belle aux légumes, ça change *(formules 10-13 €).* À apprécier au pied de l'imposante chaudière qui servait à fabriquer des blocs de glace, ou dans le grand patio à l'arrière (☎ 625-90-81-88 ; *Tlj sauf lun 11h-minuit).*

DANS LES ENVIRONS DE MADRID

LES PARCS D'ATTRACTIONS

🚶🚶 *Parc Faunia* (parque biológico de Valdebernardo) *: avda de las Comunidades, 28.* ☎ 91-301-62-10. ● *faunia.es* ● Ⓜ *Valdebernardo ou Cercanías Vicálvaro (C2). À 15 km de Madrid. Parking : 5 €. En gros : mai-août, tlj 10h30-19h (23h ou minuit ven-sam, 20h le w-e) ; sept, 10h-18h ; le reste de l'année, horaires compliqués, voir leur site internet. Entrée : 27,95 € ; env 21,45 € enfant (3-7 ans) et senior (+ de 65 ans). Grosse réduc sur le site internet.* À travers une agréable balade, on découvre les 8 écosystèmes de la planète. Au total, 720 espèces animales, des milliers d'arbres et de plantes, des expositions interactives, des ateliers... tout pour mieux connaître les richesses naturelles de la Terre, de façon ludique et créative.

🚶🚶 *Warner Bros Park* (Warner Bros Movie World Madrid) *: à San Martín de la Vega sur la N IV, à 22 km de Madrid (sortie 22).* ☎ 91-821-12-34. ● *parquewarner.com* ● *Parking cher : 8 € (autant y aller en train !). Pour les piétons, trains directs (ligne*

Cercanías C3) depuis Atocha jusqu'à Pinto, puis des bus jusqu'au parc (détail des horaires sur leur site). Horaires compliqués : vérifier sur leur site ! Juil-août, tlj 11h30-minuit ; le reste de l'année, ouv essentiellement w-e et vac scol, grosso modo 11h-20h (parfois 21h ou 23h) ; fermé janv-fév. Entrée : 40,90 € adulte ; 32,90 € - de 1,40 m et + de 60 ans ; gratuit pour les enfants - de 1 m. Également pass de 2 j. et réduc pour les entrées après 17h et après 20h (parking gratuit à partir de 20h). **Grosse réduc sur Internet.** Sur 150 ha, c'est l'un des plus grands parcs d'attractions d'Europe, composé de 5 zones thématiques : *Hollywood Bld, Cartoon Village, Old West Territory, DC Super Heroes World* et *Warner Bros Studios.* Une trentaine d'attractions, pour tous les âges et tous les goûts, consacrées aux films et personnages de la *Warner Bros* : de la visite des studios aux attractions aquatiques, du ciné en 3D aux montagnes russes... Et, bien sûr, des restos, des boutiques, etc. De mi-juin à mi-septembre, également le **Warner Bros Beach,** voisin, un parc aquatique (billets combinés).

MEJORADA DEL CAMPO

Petite ville à 18 km à l'est de Madrid. Accès par l'autoroute R3 (payante), sortie n° 12 (cette bretelle rejoint l'A 3 Madrid-Valence).
Cette banlieue-dortoir n'a d'autre intérêt que sa cathédrale assez folle...

¶¶⚔ Catedral de Nuestra Señora del Pilar, de Don Justo Gallego : à l'angle de la c/ Santa Rosa et de la c/ Antonio Gaudí (fléché). Entrée par c/ A. Gaudí, 10. Une incroyable construction dont le style évoque à la fois le facteur Cheval et les visions de Gaudí (le nom de la rue a été prémonitoire). Son maître d'œuvre, Justo Gallego Martínez, est né le 20 septembre 1925 à Mejorada del Campo. À 27 ans, il se fait moine cistercien à Soria. Malade de la tuberculose, il doit quitter les ordres, revient dans son village natal et décide de construire un temple à la gloire de Dieu, sur un terrain hérité de ses parents. Sans aucune formation d'architecte ni de maçon, inspiré de sa seule foi, il se lance en 1964 dans la construction de cette grande église, qu'il réalise de ses propres mains, en utilisant essentiellement des matériaux de récupération.
Le résultat est étonnant : des tours de brique et de ciment de 30 m de hauteur, des armatures métalliques surgissant à leur sommet, une coupole ajourée de 25 m, une vaste nef surmontée d'une rosace, un cloître, un patio à colonnes, une crypte... Après plus d'un demi-siècle de labeur de « bénédictin », don Justo Gallego, qui fêtera ses 95 ans en 2020, espère voir un jour son grand ouvrage achevé, avec des dons privés comme source de financement et la main-d'œuvre de plusieurs volontaires.
– On laisse une donation dans des urnes à l'intérieur de la cathédrale. Ne pas déranger don Justo, qui est désormais trop âgé pour rencontrer les visiteurs.

ALCALÁ DE HENARES
(à l'est de Madrid, sur la route de Saragosse)

● Plan *p. 185*

Excursion agréable de 1 journée. Une grande ville de plus de 200 000 habitants, qui cache un centre historique très riche en monuments. Alcalá abrite depuis des siècles la plus grande *université* de la communauté de Madrid, d'où l'ambiance jeune et les facilités pour se restaurer pas cher. L'édifice qui abrite l'université, classée depuis 1998 au Patrimoine mondial de l'Unesco, date de la Renaissance, et sa façade est le meilleur échantillon de bien des beautés architecturales qu'il abrite. Nombre de cigognes viennent au printemps faire leur nid sur les

MADRID ET SES ENVIRONS

innombrables clochers et animent la ville de leur vol... Alcalá de Henares est aussi connue pour être la ville natale du célèbre auteur de Don Quichotte, *Miguel de Cervantes Saavedra* (1547-1616), dont on visite la maison.

Comment y aller de Madrid ?

🚌 Depuis la *gare routière de l'avda de América* (plan d'ensemble et plan détachable G1, **2**). Bus n° 223. Départs ttes les 6-30 mn. Trajet : env 30 mn. *Infos : Cᵢₑ Alsa,* ● *alsa.es* ●

🚆 Depuis les gares *RENFE-Cercanías d'Atocha (plate-forme cercanías n° 3) ou de Chamartín,* départ ttes les 10-15 mn sur les lignes C2 (direction Guadalajara) et C7 (direction Alcalá de Henares). Trajet : 37 mn. ● *renfe.com* ●

Adresses utiles

🛈 **Oficina de turismo** (plan B2, **1**) : *Capilla del Oidor, pl. de Rodriguez Marin, s/n.* ☎ 918-89-26-94. ● *turismoalcala.es* ● *Également un kiosque pl. de Cervantes (angle c/ de Libreros, ouv ven-dim seulement ; plan A-B2, **2**).*

Mar-ven 10h-14h, 17h-20h (16h-19h en hiver) ; sam 10h-15h, 16h-20h (10h-19h en hiver) ; dim 10h-13h. Plan de la ville, brochure en français, agenda culturel...

Où dormir ?

🛏 **Hostel Complutum** (plan B2, **10**) : pl. de San Diego, 2. ☎ 918-80-03-87. ● *info@hostelcomplutum. com* G *hostelcomplutum.com* ● *En face de l'entrée de l'université, sur la place. Lits en dortoir 23-24 €, petit déj et drap inclus ; doubles 64-69 €.* Niché dans un beau bâtiment ancien entièrement réaménagé, un *hostel* extra, aux dortoirs modernes et confortables (pas plus de 5 lits par unité, armoire, loupiote, bonne literie, salle de bains), et des chambres doubles du même acabit, lumineuses et sobrement décorées dans un esprit contemporain. Cuisine commune et salon TV à dispo des hôtes, et au rez-de-chaussée un café-bistrot bon

marché entre étagères de bouquins et plantes vertes, très fréquenté par la clientèle estudiantine. Vraiment réussi tout ça !

🛏 **Hotel Evenia Alcalá Boutique** (hors plan par A2, **11**) : *Cardenal Cisneros, 22.* ☎ 918-83-02-95 ou 902-02-15-00. ● *alcala@eveniahotels.com* ● *eveniahotels.com* ● *À 5 mn à pied de la pl. Cervantes. Double env 80 €, petit déj compris.* En plein centre, dans une pittoresque maison du XVIIᵉ s autour d'un patio frais, voici des chambres confortables, douillettes et arrangées façon design contemporain. Très bon rapport qualité-prix en période creuse. Une belle adresse de charme.

Où manger ? Où boire un verre ?

🍽 **La Casa Vieja** (plan A2, **20**) : c/ San Felipe Neri, 7. ☎ 918-83-62-81. ● *casavieja@rutadelosmesones. com* ● *À côté de la pl. Santos Niños. Tlj sauf dim soir-lun 13h-2h. Menus 15-27 €, plats 7-19 €, repas env 25 €. Également une carte de tapas.* Construit au XVIᵉ s, ce superbe *mesón* en brique et vieille pierre reflète bien

l'architecture populaire de la Renaissance. Si le temps le permet, demander une table dans la grande cour, très agréable. Dans l'assiette, bonne cuisine castillane mijotée avec soin, dont beaucoup de grillades. Également des tapas pour les fauchés. Rapport qualité-prix correct. Une adresse pour tous les budgets.

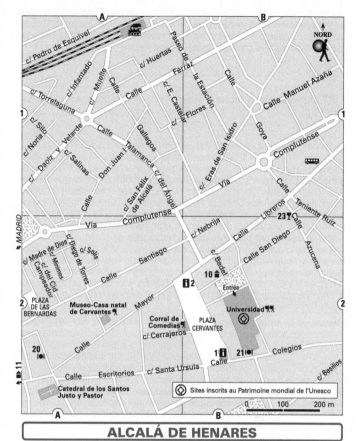

ALCALÁ DE HENARES

- ■ **Adresses utiles**
  - 🛈 1 Oficina de turismo (B2)
  - 🛈 2 Kiosque de tourisme (A-B2)

- 🛏 **Où dormir ?**
  - 10 Hostal Complutum (B2)
  - 11 Hotel Evenia Alcalá Boutique (hors plan par A2)

- 🍴 🍷 **Où manger ?**
  Où boire un verre ?
  - 20 La Casa Vieja (A2)
  - 21 Hostería del Estudiante (B2)
  - 23 Café Renacimiento (B1-2)

🍴 **Hostería del Estudiante** *(plan B2, 21) :* c/ Colegios, 3. ☎ 918-88-03-30. ● *alcala@parador.es* ● *Resto de l'hôtel Parador. Tlj sauf dim soir-mar. Menu 28 €, plats 13-30 €.* Grande salle chaleureuse aux allures chics-médiévales, avec poutres apparentes. À la carte, cuisine de Castille qui fait la part belle aux viandes à la broche, *croquetas*, poulet au vin et même aux plats « basses calories ». Une adresse pour ceux qui ont des sous.

🍷 **Café Renacimiento** *(plan B1-2, 23) :* c/ Azucena, 2. ☎ 918-78-73-68. ● *info@caferenacimiento.es* ● *Tlj sauf lun, 17h-3h (4h sam).* Bar lounge

MADRID ET SES ENVIRONS

branché, installé dans... une ancienne petite chapelle baroque (celle du collegio Santa Catalina, 4 siècles d'histoire) ! On y sirote des cocktails assis sous la coupole, alors que le chœur est occupé par un comptoir. Concerts régulièrement. Une reconversion vraiment réussie !

À voir

◎ **٩٩ Universidad de Alcalá** (colegio Mayor de San Ildefonso ; l'université ; plan B2) : pl. San Diego, s/n. ☎ 918-85-64-87. ● visitasalcala.es ● Visite guidée obligatoire en espagnol (collegio mayor + capilla) à 11h, 12h, 13h (et 14h w-e et j. fériés), 16h, 17h, 18h (et 19h de mars à mi-oct). Avec en plus le Palacio Laredo (fermé août) : celles de 12h et 17h, et w-e et j. fériés 11h30, 12h30, 13h30, 16h30, 17h30, 18h30. Durée : 45 mn. Entrée : 6 € (7,50 € avec Palacio Laredo ; Palacio Laredo seul, sans visite guidée : 2,50 €) ; réduc. L'une des plus prestigieuses universités d'Espagne, fondée en 1499. C'est ici que fut écrite la 1re Bible polyglotte (en latin, grec et hébreu). Le lieu a été classé en 1998 au Patrimoine mondial de l'Unesco. Après avoir détaillé la belle façade massive flanquée de blasons, de symboles mythologiques et du cordon des franciscains (son fondateur, le cardinal de Cisneros, était issu de cet ordre), on poursuit la visite en traversant plusieurs patios verdoyants affichant différents styles architecturaux, dont le 1er, en granit, est certainement le plus emblématique. Pénétrons ensuite dans le bâtiment le plus ancien de l'université pour y admirer l'impressionnante *salla Paraninfo* avec un plafond rouge, bleu et or très travaillé. C'est ici qu'a toujours lieu la remise des diplômes. Voir encore la *capilla de San Ildefonso* pour son superbe plafond mudéjar en bois sculpté, ainsi qu'un tombeau superbement ciselé.

٩ Museo-casa natal de Cervantes (plan A2) : c/ Mayor, 48. ☎ 918-89-96-54. ● museocasanataldecervantes.org ● À l'angle de la c/ Imagen. Mar-dim 10h-18h (19h le w-e ; dernière entrée 30 mn avt). Fermé lun, 1er et 6 janv, 1er mai, et 24, 25 et 31 déc. GRATUIT. Petite maison en brique typique du XVIe s, entièrement rénovée (un peu trop d'ailleurs !), où naquit en 1547 le grand écrivain espagnol, figure tutélaire des Lettres du pays depuis plus de 5 siècles ! L'intérieur reproduit un habitat typique de l'époque, dans une version aseptisée. Organisé autour d'un patio central avec puits, le *rez-de-chaussée* est dédié aux pièces de vie : cuisine, salle à manger, parloir, boudoir des femmes, cabinet du père de Cervantes (vestiges de fresques du XVIe s), chirurgien de son état. Au *1er étage,* on trouve les chambres à coucher de la famille Cervantes, équipées de meubles d'époque : lits, coffres, bureaux, fauteuils, lampes à huile... Au même niveau, une pièce regroupant les marionnettes « quichottesques » de Maese Pedro.

٩ Corral de Comedias (plan A-B2) : pl. Cervantes, 15. ☎ 91-882-13-54. ● corraldealcala.com ● Visite guidée de 30 mn : Vérifier auprès de l'office de tourisme, mais théoriquement mar-jeu à 12h et 17h ; ven à 12h ; sam à 12h, 12h30 et 17h ; dim à 12h et 12h30 (modif possible selon représentations théâtrales). Fermé lun. Entrée : 3 €. Mignon petit théâtre fondé en 1601 et toujours en activité. On en découvre les gradins, les balcons, la scène, et les coulisses où se trouvent les amusants dispositifs de bruitage et autres mécanismes de changement de décor. Dans ce bel écrin, représentations en fin de semaine toute l'année pour les hispanophones (se renseigner).

SAN LORENZO DE EL ESCORIAL (L'ESCURIAL)

À 50 km de Madrid. Situé à plus de 1 000 m d'altitude au cœur de la sierra de Guadarrama, cet imposant monastère doublé d'un Palais royal est devenu l'un des plus célèbres musées d'Espagne, abritant notamment l'une des plus importantes collections de peinture du pays. Commandé par Philippe II suite à sa victoire sur l'armée d'Henri II, roi de France, en 1557 le jour de la Saint-Laurent (San Lorenzo en espagnol), il doit son nom à ce saint patronage. D'ailleurs le bâtiment a la forme d'un gril en souvenir de saint Laurent, qui subit le supplice du barbecue.

Commencée en 1563, la construction du complexe ne dura qu'une vingtaine d'années ; un record pour l'époque ! Cela explique aussi la grande unité de style de l'ouvrage en granit gris, aux lignes sobres, à l'aspect très austère, qui définira le style herrérien par la suite... Le monastère et le site de El Escorial ont été classés au Patrimoine mondial de l'Unesco en 1984, et demeurent l'attraction principale de la communauté de Madrid, par les Madrilènes notamment. C'est aussi un bon point de départ pour des balades à pied dans la sierra.

Comment y aller de Madrid ?

En train

➢ Ligne C3, depuis la **station souterraine Madrid-Atocha,** env 1h05 de trajet. Départs ttes les 1h. Passent également par les gares de Sol et Chamartín. *Infos :* ☎ *912-320-320.* ● *renfe. com* ● De la **gare d'El Escorial,** un bus (n° 1) conduit ensuite au centre de San Lorenzo (sinon, 20-25 mn de marche, par exemple en traversant le parc).

En bus

➢ Depuis la **gare routière** située c/ Princesa, sous la plaza Moncloa à Madrid *(Intercambiador de Moncloa ;* Ⓜ *Moncloa).* Bus n°s 661 et 664 à prendre au niveau - 1, départs ttes les 10-30 mn. Trajet 55 mn. *Infos :* ☎ *918-96-90-28.* ● *autocaresherranz.com* ● On arrive à la gare routière, à 5 mn à pied du monastère.

Adresse utile

🚩 **Oficina de turismo :** *c/ Grimaldi, 4.* ☎ *918-90-53-13.* ● *sanlorenzoturismo.org* ● *Dans la rue piétonne face à l'entrée du palais. Tlj sauf dim ap-m 10h-14h, 15h-18h.* Plan de la ville, petite brochure en français, infos sur les sentiers de randonnée pédestre du coin, salle d'expo sur l'histoire du village, la faune et la flore de la sierra de Guadarrama.

Où dormir ?

De chic à plus chic (60-120 €)

🏠 **Hotel de Martín :** *c/ Gobernador, 1.* ☎ *918-90-39-44.* ● *info@alojamientodemartin.com* ● *alojamientodemartin. com* ● *Doubles 60-120 €, petit déj* 7,50 €. À deux pas du palais, cette vieille maison de caractère livre une dizaine de belles chambres confortables et aménagées dans un style design bien affûté. Certaines donnent sur la place, d'autres, plus chères, sont dotées d'un jacuzzi.

Où manger ?

De prix moyens à plus chic (15-35 €)

🍽 **Las Viandas :** *pl. de la Constitución, 2.* ☎ *918-90-09-86.* ● *info@lasviandas.es* ● *Fermé dim soir hors saison. Menu midi 11,50 €, sinon 25-30 €, plats 9-21 €. Empanada maison offerte sur présentation de ce guide.* Resto propret aux murs parsemés d'affiches d'art. Dans l'assiette, savoureuses spécialités de saison – inspirées des Asturies – avec pas mal de poissons et de viandes. Plats bien présentés et service stylé très aimable. Terrasse ombragée sur la place aux beaux jours. On s'est régalés !

I●I Mesón-taberna La Cueva : c/ San Antón, 4 ; entrée taberna c/ Sobral. ☎ 918-90-15-16. ● mesonlacueva@ mesonlacueva.com ● Tlj sauf dim soir-lun. À la taberna, tapas et raciones 2,50-13 €. Côté resto, menus 22-30 €, plats 5-21 €. Cocido le jeu 24 €. Taverne plus que pittoresque construite en 1768 sur plusieurs niveaux par l'architecte du Prado. Les salles avec leur déco d'époque valent vraiment le détour : un véritable voyage dans le temps. Cuisine castillane pleine de saveurs, mitonnée avec les bons produits frais du terroir. Pour profiter de l'ambiance locale et de prix doux, opter pour la partie *taberna*, comme sortie d'un film de capes et d'épées : tapas, *raciones* et *bocadillos* généreusement servis, au bar, dans une micro-salle ou en terrasse sur la ruelle. La bonne table du village, pour toutes les bourses.

À voir

◈ 🏛🏛🏛 *El Monasterio de San Lorenzo de El Escorial :* paseo Juan de Borbón y Battenberg, s/n. ☎ 918-90-59-03 ou 04. ● patrimonionacional.es ● Tlj sauf lun, 10h-20h (18h oct-mars) ; fermé 31 déc-1er janv et 6 janv. Fermeture caisses 1h avt. Entrée : 10 € ; réduc. Gratuit pour les ressortissants de l'UE mer et jeu 17h-20h (15h-18h avr-sept). Audioguide en français 3 €, ou visite guidée en français (sur résa) 7 €.

Conseil : arriver tôt (ou réserver vos entrées sur Internet). En été, ne pas avoir peur de la longue file d'attente ; ça va assez vite. Prévoir au moins 2h de visite en courant, et 3h pour en profiter ! Cafétéria bon marché sur place.

Le site s'explore selon un parcours bien cadré, traversant des salles d'apparat grandioses et souvent richement dotées de tableaux de maître, des appartements et autres lieux de vie intéressants mais plus modestes, sans oublier les patios, églises, bibliothèque...

Voici, tout d'abord, une jolie petite série de *tapisseries flamandes* provenant de la collection léguée par Charles Quint (Carlos V) à son fils Philippe II. Brodées de fils d'or, de laine et de soie, elles étaient sorties lors des cérémonies religieuses. Certaines sont inspirées du *Jardin des délices* du peintre Jérôme Bosch. Là, ne pas rater le *Martyre de saint Maurice* signé El Greco ; un avant-goût de la somptueuse collection de peintures royales à venir.

Pénétrons à présent dans l'orgie du *musée de peinture* et de ses œuvres formidables ! Tableaux de Michiel Coxcie, l'un des peintres préférés de Philippe II, aussi appelé « le Raphaël flamand », dont un *Martyre de saint Philippe* aux allures de foire... Puis peinture italienne avec notamment Titien qui nous étonne dans sa superbe *Sainte Marguerite,* triomphant d'un dragon croix en main. Véronèse livre ensuite sa patte souple et lumineuse dans *Dieu le Père et l'Esprit saint.* Également des toiles du Tintoret, puis de la peinture espagnole avec notamment Ribera et son *Apparition de l'Enfant Jésus à saint Antoine de Padoue,* bouche-bée ! Belle série de Luca Giordano, dont *Le Doute de saint Thomas,* et puis des Guercino, etc. On perçoit que les goûts personnels de Philippe II le portaient vers des peintres très conventionnels, voire pompeux, alors même qu'il dédaignait la peinture du Greco, dont il rejetait l'audace...

Ne pas rater ensuite la sublime *salle des Batailles,* longue galerie couverte de fresques relatant les grandes victoires espagnoles du XVIe s. Elle demeure l'emblème de la politique d'expansion de Philippe II.

Montons à présent vers les *appartements royaux (palacio de los Austreas),* aux murs revêtus d'azulejos dans leur partie basse. Quelques meubles et portes marquetées de facture exceptionnelle. Et puis encore de beaux tableaux de valeur. Remarquer au sol la méridienne solaire utilisée pour mettre à l'heure les pendules du palais. Voir la chambre à coucher de Philippe II, attenante à son bureau modeste et sombre. C'est d'ici que le monarque dirigeait son empire !

Passons maintenant au **panthéon royal,** au terme d'un impressionnant tunnel de marbre conduisant au sous-sol. On retrouve dans cette crypte circulaire impressionnante pratiquement tous les rois et reines d'Espagne. Débauche de marbre et de bronze. Plus loin, le **panthéon des Infants,** assez morbide, présente quelques gisants sculptés d'une extrême finesse...

Ensuite, les **salles capitulaires** abritent une formidable débauche d'œuvres de grands peintres. Du Greco, un *Saint-Pierre* en tunique jaune, mais surtout *L'Adoration du nom de Jésus,* où le roi Philippe II apparaît agenouillé. De Velázquez, *La Tunique de Joseph.* Et encore des Tintoret, plusieurs Véronèse, une foule de Ribera...

Entrons à présent dans la **vieille église** pour admirer notamment le *Martyre de saint Laurent* peint par Titien. À gauche en sortant, jeter un coup d'œil à l'escalier monumental du palais et sa voûte peinte d'une fresque à la gloire de l'Espagne.

Ensuite, la **basilique** se montre glaciale, austère, colossale ; bref, dans le plus pur style herrérien. Haute coupole centrale, immenses fresques aux plafonds, retable de 26 m de haut en marbre avec statues en bronze, représentant notamment les rois Charles V et Philippe II agenouillés et assistant à la messe.

Voir enfin la magnifique **bibliothèque** aux plafonds peints. Bibles et corans enluminés, cartes anciennes, scènes de batailles, manuscrits aux graphismes superbes, etc.

Les **jardins** du palais-monastère valent eux aussi le détour...

Fête

– **Saint-Laurent :** *10 août.* Fête de la ville. Corridas.

LA VALLÉE DE LOS CAÍDOS

À une dizaine de kilomètres de San Lorenzo de El Escorial, la célèbre « vallée des Morts », testament politique et architectural de Franco qui l'inaugura en 1959. On la repère de loin, avec sa croix de granit s'élevant à 150 m de haut. Y aller, ne serait-ce que pour rendre hommage aux nombreuses vies humaines qu'a englouties la construction de la basilique souterraine Santa Cruz, un monument démesuré symbole de la rudesse des années de dictature.

➣ **Accès :** ctra Guadarrama-El Escorial. La basilique se trouve à 6 km du portail d'entrée : voiture très conseillée. Sinon, 1 seul bus depuis San Lorenzo de El Escorial (rens : ☎ 91-896-90-28 ; ligne 660A, 15h15 du terminal des bus, retour à 17h30).

– **Visite :** infos au ☎ 91-890-56-11 ou 13-98. ● patrimonionacional.es ● *Tlj sauf lun 10h-19h (18h oct-mars). Fermeture caisse 1h avt. Messe tlj à 11h, ainsi que dim à 13h et 17h. Entrée (chère !) : 9 € ; réduc.* Comme dans tout édifice religieux, attention à votre tenue (pas de débardeur ni de minijupe).

🏃 **La basilique souterraine Santa Cruz :** elle a été entièrement creusée dans la roche par des prisonniers républicains de la guerre civile. Chantier titanesque : 20 ans de travaux, une esplanade de 30 000 m^2 et une nef de 260 m de long (bien plus que Saint-Pierre de Rome) aux allures de hall de gare. L'architecture des lieux et la décoration intérieure en disent long sur la psychologie du dictateur et son rapport à la mystique catholique. Thèmes récurrents : la Sainte Croix (croisades), l'Apocalypse et la mort. Beaucoup de souffrance dans les représentations.

Couleurs dominantes : le noir et le gris. Assez sinistre, tout ça, brrrr...

Dans le long couloir menant à la nef, 2 gigantesques anges de bronze à l'allure martiale terrifiante, épée en main, dont les traits évoquent furieusement l'art officiel de l'Italie fasciste et de l'Allemagne nazie. À la croisée du transept, coupole de 42 m de haut avec une fresque en mosaïque représentant tous les morts de l'Espagne montant vers Dieu. Petite précision : *los caídos* ne signifie pas « les caïds » bien sûr, mais « ceux qui sont tombés » (pour la patrie).

UNE DÉPOUILLE ENCOMBRANTE

Ici, dans la crypte, reposent près de 40 000 victimes de la terrible guerre civile qui ensanglanta l'Espagne de 1936 à 1939. Principalement des nationalistes (27 000), mais aussi environ 10 000 républicains. La proximité de la sépulture de Franco, grand responsable de ces massacres, choque de nombreux citoyens : qu'un monument national d'une démocratie rende ainsi hommage à un dictateur... Le Parlement espagnol a finalement voté en septembre 2018 le principe d'une exhumation et d'un déménagement de sa dépouille.

Au sol, à côté de l'autel central, la pierre tombale de Primo de Rivera (curieusement, seul son prénom, José Antonio, figure sur la dalle), puisque désormais la dépouille de Franco, exhumée après de nombreuses péripéties juridiques le 24 octobre 2019, n'est plus ici. Atmosphère vraiment pesante. On préfère la lumière du jour. Ouf !

De l'esplanade, panorama superbe sur toute la sierra de Guadarrama. Pour le contempler du pied même de la croix, emprunter les escaliers de l'autre côté de la butte, devant la basilique.

ARANJUEZ   (28300)   59 000 hab.

● Plan p. 191

◎ « Château, *concierto,* casino, fraises et asperges » : non, ce n'est pas le titre du dernier film d'Almodóvar, mais en résumé les mots-clés d'Aranjuez, élégante petite ville historique amarrée dans la verdure des bords du Tage, à 49 km au sud de Madrid. Ce « paysage culturel d'Aranjuez » a d'ailleurs été classé au Patrimoine mondial de l'Unesco en 2011. D'abord, un *château,* royal s'il vous plaît ! Aux XVIe et XVIIe s, les alentours immédiats étaient entièrement réservés aux bons plaisirs du roi et nul autre mortel n'avait le droit d'y résider... *Castillo* des Bourbons, sublime petit palais d'été (Casa del Labrador), voies d'eau sinueuses et barques royales témoignent encore de ces fastes passés. *Concierto* comme *Concierto de Aranjuez,* du grand compositeur espagnol Joaquín Rodrigo (1901-1999, enterré ici), et popularisé (entre autres) par Miles Davis. *Casino,* parce qu'on y vient aussi pour jouer. Fraises, car c'est une spécialité des jardins d'Aranjuez, au beau milieu de paysages arboricoles. Quant aux asperges, on les retrouve à la carte de la plupart des restaurants de la ville !

Étape intéressante pour les amateurs de palais et de beaux jardins, Aranjuez constitue en fin de semaine l'une des sorties préférées des Madrilènes.

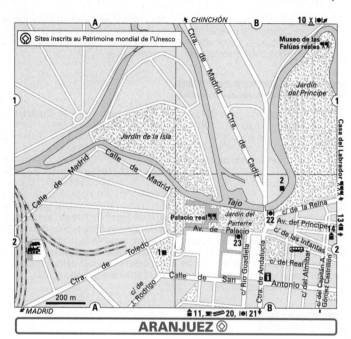

Sites inscrits au Patrimoine mondial de l'Unesco

ARANJUEZ

MADRID ET SES ENVIRONS

■ **Adresses utiles**

🛈 Oficina de turismo (B2)
1 Chiquitrén (A2)
2 Barco turístico
« El Curiosity » (B2)

🛏 **Où dormir ?**

10 Camping Internacional
Aranjuez (hors plan par B1)
11 Hostal Castilla
(hors plan par B2)

13 Hotel El Cocherón 1919
(hors plan par B2)
14 Jardín de Aranjuez (B2)

🍴 🍷 **Où manger ?**
🍰 **Où déguster une pâtisserie ?**

20 Pastelería Parras
(hors plan par B2)
21 Taberna-Mesón La Venta
(hors plan par B2)
22 El Rana Verde (B2)
23 Carême (B2)

Comment y aller ?

En bus

🚌 **Gare routière** (plan B2) : c/ de las
Infantas, 16. ☎ 902-19-87-88.
➤ **Madrid** (1h) : de l'Estación Sur, avec
les **bus nᵒˢ 423** et **419** (● redtransporte.
com ●), départs ttes les 15-30 mn ; env
40 mn à 1h de route.

En train

🚃 **Gare ferroviaire** (plan A2) : c/ de la
Estación, s/n. ☎ 912-320-320. ● renfe.

com ● À 1 km à l'ouest du centre. Pour
rejoindre le centre, bus nᵒˢ 1, 2, 3 et 4.
➤ **Madrid** (45 mn) : 2-3 trains/h sur la
ligne C3, au départ de la gare d'Atocha.
De mi-avr à fin juin et de mi-sept à fin
oct, on peut aussi emprunter, les w-e et
j fériés, le **tren de la Fresa (« train de la
Fraise »),** un vieux vapeur aux wagons
de bois – qui fut le 2ᵉ à être inauguré
en Espagne, en 1851 ! Il quitte la station Delicias (derrière Atocha) vers 10h
pour arriver à Aranjuez vers 11h ; retour
à Madrid le soir même vers 18h30,

arrivée 19h30. Le prix du billet *(30-35 €, réduc enfants)* comprend une dégustation de fraises à bord (!), le transfert en bus vers le centre d'Aranjuez, la visite des jardins et, en option, la visite guidée du Palais royal et du musée des *Falúas reales (infos et résas :* ☎ *912-320-320 ;* ● *renfe.com* ●).

Adresses et infos utiles

🛈 *Oficina de turismo (plan B2) :* pl. de San Antonio, 9 (sous les arcades). ☎ 918-91-04-27. ● *aranjuez.es* ● Tlj 10h-18h (fermé lun-ven 14h-14h30). Plan de la ville et bonnes brochures. Accueil sympa.

■ *Chiquitrén (plan A2, 1) :* départ c/ de Palacio Silvela (face Palais royal). ☎ 902-08-80-89. ● *turismoaranjuez. com* ● Départ tlj (sauf lun nov-fév) 11h-20h, ttes les 30 mn. Billet : 6 € ; réduc. Durée : 50 mn. Ce petit train touristique dessert tous les sites, du Palais royal aux arènes en passant par la fameuse Casa del Labrador. Pratique pour ceux qui ne peuvent pas trop marcher.

■ *Barco turístico « El Curiosity » (plan B2, 2) :* embarcadère en contrebas du Puente Barcas, à l'extrémité est du Jardín del Parterre. ☎ 911-61-03-67. 🖷 638-60-04-09. ● *elcuriosity.com* ● Seulement le w-e et j. fériés, à 12h30 et 17h30. Billet : 10 € ; réduc. Durée : 45 mn (2h30 avec la visite guidée d'un des jardins de la ville). Une promenade au fil du Tage ? Partant en face du resto *El Rana Verde*, cette espèce de bateau-mouche remonte le cours d'eau jusqu'aux abords de la *Casa del Labrador* en passant devant le camping. Le tour inclut une visite guidée au choix.

Où dormir ?

Camping

⛺ |❖| *Camping Internacional Aranjuez (hors plan par B1, 10) :* c/ Soto del Rebollo, s/n. ☎ 918-91-13-95. ● *info@ campingaranjuez.com* ● *campinga ranjuez.com* ⛄ À 1 km au nord, accès par la route M-305. Ouv tte l'année. Env 21-39 € pour 2 avec tente et voiture ; bungalows 64-150 € (4-8 pers). Un immense site plutôt animé, entre le Tage et des champs agricoles. Les parcelles sont bien délimitées et ombragées, mais en saison c'est un peu l'usine et le sol est assez dur. Piscine (payante), bar-resto, épicerie, jeux pour enfants et location de kayaks.

Prix moyens (moins de 60 €)

🛏 *Hostal Castilla (hors plan par B2, 11) :* ctra de Andalucía, 98. ☎ 918-91-26-27. ● *hostalcastilla@yahoo.es* ● *hos talcastillaaranjuez.com* ● *Double env 50 €, petit déj 3 €.* Une adresse à l'ancienne, organisée autour d'un charmant patio fleuri et carrelé d'azulejos. Chambres correctes pour le prix, à la déco gentiment rustique, avec clim et, pour la plupart, une salle de bains refaite. Accueil avenant.

Chic (60-90 €)

🛏 *Hotel El Cocherón 1919 (hors plan par B2, 13) :* c/ Montesinos, 22. ☎ 918-75-43-50. 🖷 667-45-62-62. ● *elcocheron1919@yahoo.es* ● *elco cheron1919.com* ● ⛄ Fermé 3 sem en août. Doubles 58-66 €, petit déj 6 €. Un hôtel discret au rapport qualité-prix impeccable, l'un de nos préférés d'Aranjuez. Déco élégante et subtile mêlant le bois, les matériaux modernes et la couleur marron, dominante de la maison. La plupart des 10 chambres, charmantes, personnalisées et bien équipées, sont agencées autour d'un patio. Accueil gentil.

🛏 *Jardín de Aranjuez (plan B2, 14) :* avda del Príncipe, 26. ☎ 918-75-42-07. ● *info@hoteljardindearan juez.com* ● *hoteljardindearanjuez. com* ● *Doubles 60-100 €, petit déj inclus.* Hôtel central accueillant, offrant une bonne vingtaine de chambres sans charme particulier (sol carrelé, déco classique), mais confortables et fort bien équipées (clim, minibar, coffre et sèche-cheveux). Celles côté rue sont plus claires et restent calmes. En revanche, on cherche toujours le jardin...

Où manger ? Où déguster une pâtisserie ?

De bon marché à prix moyens (moins de 25 €)

🍽️ 🍰 **Pastelería Parras** (hors plan par B2, **20**) : c/ del Gobernador, 57. ☎ 918-91-01-56. ● pasteleriaparras@gmail.com ● Tlj 7h15-14h, 17h30-20h30. Juste à côté du marché couvert, une boulangerie-pâtisserie réputée dans toute la ville pour ses parts de tartes, viennoiseries et autres gâteaux secs enrobés de chocolat. Prépare également de petits en-cas, sandwichs... Idéal aussi pour le petit déj.

🍽️ 🍴 **Taberna-Mesón La Venta** (hors plan par B2, **21**) : c/ Stuart, 149. ☎ 918-92-57-69. ● mesonlaventa@hotmail.es ● Tlj 8h-17h, 20h-23h30. Menu midi en sem 12 €, plats et raciones 8-24 €. À 10 mn à pied du Palais royal, un bar à vins-resto à la salle soignée ornée d'objets rustiques, et une terrasse sur le trottoir. Le lieu ne paie pas de mine mais propose une excellente cuisine traditionnelle espagnole, qu'il s'agisse des plats, des tapas ou des *raciones*. Même le vin au verre est réjouissant ! En bref, une excellente adresse, très couleur locale, fréquentée par les habitués du quartier.

De prix moyens à très chic (de 15 à plus de 35 €)

🍽️ 🍴 **El Rana Verde** (plan B2, **22**) : c/ de la Reina, 1. ☎ 918-91-13-25. ● info@elranaverde.com ● 🚻 Cuisine tlj 12h30-17h, 20h30-23h30. Menus midi 16-30 €, plats 13-26 €. Installée au bord du Tage depuis 1903, cette institution se repère de loin à sa couleur vert grenouille ou vert asperge – 2 spécialités (le batracien et le légume) qui font sa réputation, la 3e étant... les fraises ! On y sert aussi poissons, viandes et gibier. L'endroit est assez touristique ; on est plus attiré par le cadre et la terrasse au bord de l'eau que par la cuisine...

🍽️ 🍴 **Carême** (plan B2, **23**) : avda de Palacio, 2. ☎ 918-92-64-86. ● reservas@caremejesusdelcerro.com ● Tlj sauf dim soir. Au bistrot, menu 18 €, plats et raciones 7-18 € ; au resto, menus 55-62 €, plats 15-26 €. Une des tables renommées de la ville. Au rez-de-chaussée, le bistrot, avec ses tables semées sous les arcades, face aux jardins du Palais royal et, à l'étage, le resto – nettement plus cher – et son agréable terrasse dominant le parc. Dans l'assiette, une délicieuse cuisine de saison, à la fois enracinée et inventive, qui sublime les bons produits frais du terroir. Laissez-vous tenter par le pigeon (*pichón*) rôti... ou les artichauts au corail d'oursin !

À voir

– **Important :** la visite du palais et des musées est **gratuite** mer et jeu de 15h à 18h oct-mars, et de 17h à 20h avr-sept **pour les ressortissants de l'UE.**

🏛️🏛️ **Palacio Real** (plan B2) : pl. de Parejas. ☎ 918-91-07-40. ● patrimonionacional.es ● Tlj sauf lun 10h-20h (18h oct-mars). La caisse ferme 1h avt. Entrée : 9 €, réduc ; visite du museo de las Falúas reales comprise. Audioguide en français 3 €. Commencé par Philippe II au XVIe s et achevé par Charles III au XVIIIe s, le palais appartient toujours à la famille royale espagnole. Parfois comparé à Versailles pour ses immenses jardins et sa proximité avec Madrid, il n'a cependant jamais été le siège de la Cour. Tout de brique et de pierre blanche, il dégage une certaine austérité, fruit de l'intervention du fameux architecte Juan de Herrera.

MADRID ET SES ENVIRONS

La visite peut paraître un peu fade, surtout si vous avez déjà vu le palais de l'Escurial. Toutefois certaines salles méritent vraiment le coup d'œil. Tout d'abord, la **salle des hallebardiers** présente de belles tapisseries bruxelloises du XVIe s. Dans les **appartements du roi**, on trouve un étonnant fumoir couvert de stucs colorés et surmonté d'une coupole de style mauresque, le tout réalisé au XIXe s par le restaurateur en chef du palais de l'Alhambra. Suivent ensuite la **salle de bal** garnie de miroirs à dorures et de mobilier rococo, la **chambre de la reine** et son plumard grand veneur, puis le formidable **cabinet de porcelaines,** à la déco rococo-orientalisante exubérante. Ne pas manquer non plus la **salle du trône,** ornée d'un plafond peint et bardée de velours cramoisi et de lustres à pampilles, ainsi que l'**oratoire privé du roi,** pour ses fresques bibliques aux attitudes et aux regards si expressifs.
– Après la visite, allez donc flâner dans les 3 beaux **jardins** qui entourent le palais. Bordés par le Tage, rendez-vous des cygnes et des canards, le **jardin del Parterre,** le **jardin de la Isla** et le **jardin del Príncipe** foisonnent de fontaines et de bosquets, et s'y nichent des potagers et des sections « à la française » fleuries et colorées. Une visite enrichie par les bonnes infos de l'audioguide du Palais royal.

⚔ 🚶 ♿ **Museo de las Falúas reales** (musée des Barques royales ; plan B1) **:** dans le jardin del Príncipe. Tlj sauf lun 10h-20h (18h oct-mars). Entrée et audioguide (en français) inclus dans le **billet du Palacio Real,** à prendre seulement à la billetterie du Palacio (qui ferme à 19h, 17h oct-mars). La famille royale aimait se détendre sur le Tage dans des barques richement décorées, qui étaient aussi utilisées lors des cérémonies d'apparat et des fêtes musicales sur l'eau. Ce petit musée en dévoile une demi-douzaine, toutes aussi belles et uniques les unes que les autres. De fabrication italienne et inaugurée sous le règne de Charles II (fin XVIIe s), la plus impressionnante de ces chaloupes fut construite à Naples et servait à voguer sur le lac des jardins du Buen Retiro, à Madrid. Elle foisonne de chérubins, atlantes et autres caryatides incroyables de dorure !

⚔⚔⚔ **Casa del Labrador** (hors plan par B2) **:** dans le Jardín del Príncipe, à env 3 km à l'est du Palais royal. ☎ 918-91-03-05. ● patrimonionacional.es ● Accès à pied, en voiture, ou avec le train touristique Chiquitrén (voir « Adresses utiles »). Visite guidée (obligatoire) tlj sauf lun 10h-19h (17h oct-mars), ttes les 30 mn-1h, par groupe de 10 pers max. Billet en vente sur place ou au Palacio real (paiement seulement par CB), ou encore sur Internet. Entrée : 5 €. Durée : env 40 mn.
La visite à ne pas manquer ! Noyé dans un immense parc arboré où s'écoule paisiblement le Tage, on aime beaucoup ce petit palais tout cosy, qui était à l'origine un relais de chasse. C'est Charles IV qui, à la fin du XVIIIe s, lui donna son apparence actuelle et ses intérieurs néoclassiques à taille humaine : statuaire omniprésente, tentures de soie aux murs, plafonds peints de scènes mythologiques, pendules françaises, etc. Superbe salle décorée de mosaïques et de bustes antiques avec cette étonnante horloge animée française autour d'une représentation de la colonne de Trajan. Également un billard et, dans la salle de bal, la table en malachite offerte par un prince russe au XIXe s. Dans les pièces attenantes, voir aussi les toiles de Brambilla montrant de délicieux paysages et les jardins du Palais royal de la Granja de San Ildefonso, près de Ségovie. Puis l'étonnante salle de platine de style Empire (conçue à Paris en 1804) avec ses boiseries recouvertes de quelque 14 000 motifs de bronze et de... platine, logique !

DANS LES ENVIRONS D'ARANJUEZ

CHINCHÓN (28370)

Vieux et beau village à 20 km au nord-est d'Aranjuez et à 45 km de Madrid, Chinchón est la capitale de l'anisette. Ne pas hésiter à y faire un tour pour admirer sa remarquable *plaza* circulaire, entourée de maisons blanc et vert à galeries, sur 2 ou 3 niveaux. Détail étonnant, elle est encore recouverte de terre battue... Car toute l'esplanade a été conçue pour les spectacles taurins. Les galeries, elles, abritent bars et restos (proposant pour la plupart un menu du jour : celui du resto *Arco de Goya* – fermé lundi – est bon et peu cher). Également les ruines d'un château du XIVe s (privé et fermé à la visite) et une église massive, *Nuestra Señora de la Asunción,* où l'on peut admirer un Goya.

Où dormir ? Où manger très chic ?

🛏 I●I *Parador :* c/ de los Huertos, 1. ☎ 91-894-08-36. ● chinchon@para dor.es ● parador.es ● Doubles standard 90-190 €, petit déj 18 €. Près de la place, un ancien monastère augustin du XVIIe s qui ne manque pas de cachet. Joli patio-jardin avec fontaine et galeries où trônent des statues religieuses. Chambres à la déco sobrement rustique. Piscine aussi, et resto traditionnel pas donné (plats 20-28 €, menu 45 €).

LA CASTILLE-LEÓN

• Carte p. 198-199

La Castille-León, assise sur la Meseta del Duero, immense et haut plateau étendu entre 900 et 1 000 m d'altitude, est le centre de gravité tant géographique qu'historique de l'Espagne. Au nord les monts Cantabriques, au sud la sierra de Gredos et la sierra de Guadarrama, enferment cette contrée altière dans des remparts naturels. Cette belle terre à blé ondulée à l'infini ressemble tantôt à une steppe fauve brûlée par le soleil, tantôt à des dunes sans fin. Aridité apparente seulement, car elle n'est pas si sèche, cette région. Le Duero y prend sa source près de Soria et la traverse, avant de se diriger vers le Portugal. Et entre Soria et Burgos, de nombreux parcs naturels et lacs glaciaires, à découvrir, offrent fraîcheur et baignade. Le joli vignoble de Ribera del Duero a même trouvé le moyen de s'y épanouir ! Vu sa situation sur la carte, ce n'est pas un hasard si les chrétiens furent refoulés dans cette lointaine Castilla La Vieja (la Vieille-Castille) à partir du XIe s sous la poussée expansionniste des Maures. Les rois de Castille et León puis de Castille et Aragon y établirent donc leur base arrière pour mener la *Reconquista,* et élevèrent de nombreux châteaux fortifiés et des villes-forteresses dominant de vastes horizons.

D'où cette pléiade de superbes cités, classées au Patrimoine mondial de l'humanité par l'Unesco : Burgos, avec son incroyable cathédrale gothique, siège du pouvoir royal pendant 300 ans (l'empereur Charles Quint y est mort) ; Ávila, capitale provinciale la plus haute d'Espagne, perchée à 1 127 m ; l'aristocratique Salamanque, ses palais du Siècle d'or, ses couvents et ses universités. Plus proche de Madrid, Ségovie, où rivalisent de célébrité un Alcázar, telle une vigie sur son éperon rocheux, et un aqueduc romain magnifiquement conservé, un des plus beaux d'Europe. À Valladolid, dernière capitale royale avant Madrid, on marche dans les pas des figures tutélaires de l'Espagne : le roi Philippe II y est né, l'écrivain Cervantes y a vécu, le père Bartolomé de Las Casas y prêcha en faveur des Indiens, et le navigateur Christophe Colomb y est mort amer et désabusé.

Enfin, n'oublions pas le León, limitrophe avec la Galice, les Asturies et le Portugal, qui dévoile des paysages plus austères encore, mais non moins chargés d'histoire, avec Zamora au sud et León au nord.

Cette province a façonné les hommes et les femmes du Siècle d'or au caractère sévère et obstiné, des gens sobres et fiers. Terre de moines et de mystiques (sainte Thérèse d'Ávila, saint Jean de la Croix), mais aussi de chevaliers, de croisés, de héros de la *Reconquista* et du Nouveau Monde, passionnés, exaltés, et toujours âpres au butin ! La Castille-León est une belle machine à remonter le temps espagnol ! Et pour profiter pleinement de la région, même au cœur de l'été, la meilleure solution reste de se mettre à l'heure espagnole : visites et balade le matin, repos l'après-midi, re-balade à partir de 16-17h (l'heure à laquelle rouvrent les musées !) et tournée des bars à tapas dans la soirée. Chouette programme, non ?

– *Bon à savoir :* pour obtenir des infos sur tte la région, ● turismocastillayleon. com ●, ou central téléphonique ☎ 902-20-30-30.

SÉGOVIE (SEGOVIA) (40000) 52 500 hab.

● Plan *p. 200-201*

◎ Un grand moment du voyage en Castille ! Classée au Patrimoine de l'humanité par l'Unesco en 1985, la ville attire de nombreux visiteurs. Les Romains, déjà, s'y installèrent, puis les Maures et, enfin, les rois et reines de Castille, qui aimaient y venir prendre l'air de la montagne. Accrochée à un promontoire abrupt à plus de 1 000 m d'altitude, la ville prend le soir des teintes ocre fauve et mordorées fascinantes.

Quel plaisir de parcourir ses ruelles sinueuses pour découvrir les merveilleux palais ornés de sgraffites et les églises romanes qui s'y cachent ! Et que dire de cet immense et superbe aqueduc romain, dont les arches délicates ont vu s'écouler déjà près de 2 millénaires. Ou encore l'*Alcázar,* qui domine les ríos Eresma et Clamores, s'élançant comme une étrave au-dessus du plateau castillan. Ce nid d'aigle qui permet de discerner la ville au loin, fut autrefois l'une des places fortes du royaume de Castille.

– *Conseil :* si vous arrivez en voiture, laissez-la tout de suite au parking (voir « Adresses et infos utiles ») car la vieille ville est presque entièrement piétonne.

Arriver – Quitter

En train

🚂 *Estación RENFE (hors plan par C3) :* ☎ 912-320-320. ● renfe. com ● Attention, il y a 2 gares à Ségovie. La 1re pour les trains classiques : pl. Obispo Quesada, à env 2 km du centre historique sur la route de Madrid ; bus n° 8 depuis la c/ Colón, n° 6 depuis le paseo del Salón ou n° 9 depuis la pl. Artillería. La 2de pour les trains rapides (AVE) : *estación Segovia-Guiomar,* à 5 km du centre ; bus n° 11 depuis la pl. Artillería, n° 12 depuis la gare routière. Consignes automatiques et points d'info.

➢ *Madrid :* 25-30 trains/j., 7h-22h15 en sem (8h30-21h30 le w-e). Durée : 27 mn à 2h selon gare de départ.

En bus

🚌 *Estación de Autobuses (plan C3) :* paseo Ezequiel González, 12. ☎ 690-88-66-60. Dans la partie sud de la ville basse. À 5 mn à pied de la pl. del Azoguejo. 2 compagnies principales desservent la ville : *Avanza Bus* (☎ 912-72-28-32 ; ● avanzabus.com ●) et *Linecar* (☎ 921-42-77-05 ; ● linecar. es ●).

➢ *Madrid :* 2-3 bus/h avec *Avanza Bus,* 6h30-23h15 de Madrid, 5h35-21h45 de Ségovie. 1er départ un peu plus tard le w-e.

➢ *La Granja :* ttes les 45 mn en sem, 6h45-21h de La Granja, 7h30-21h45 de Ségovie. Moitié moins de bus le w-e, avec *Linecar,* ligne M8 (ticket à acheter dans le bus). Durée : 25 mn.

➢ *Ávila :* 4 bus/j. en sem, 2 le w-e dans les 2 sens avec *Avanza Bus.* Durée : 55 mn-1h15.

➢ *Salamanque :* 2 bus/j. dans les 2 sens avec *Avanza Bus.* Durée : 2h30-3h30.

➢ *Valladolid :* 15 bus/j. en sem, 4-6 le w-e, dans les 2 sens avec *Linecar.* Durée : 1h30-2h.

LA CASTILLE-LEÓN

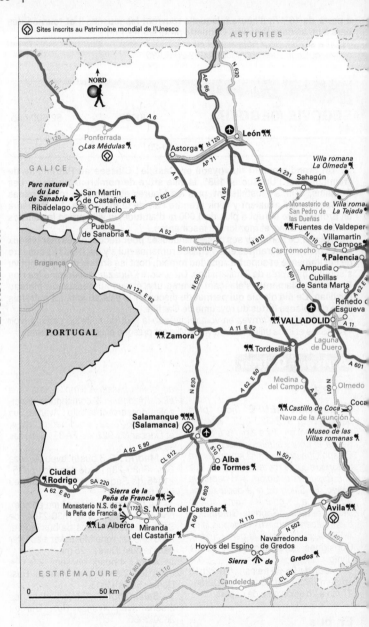

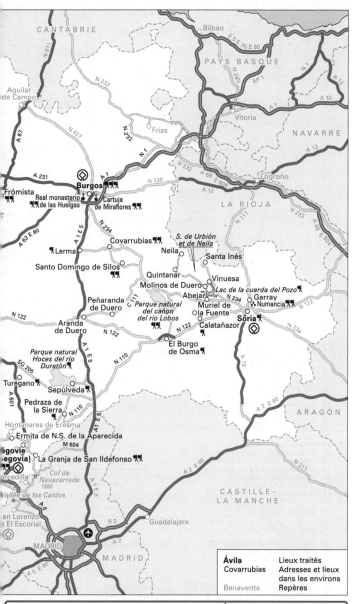

Ávila	Lieux traités
Covarrubias	Adresses et lieux dans les environs
Benavente	Repères

LA CASTILLE-LEÓN

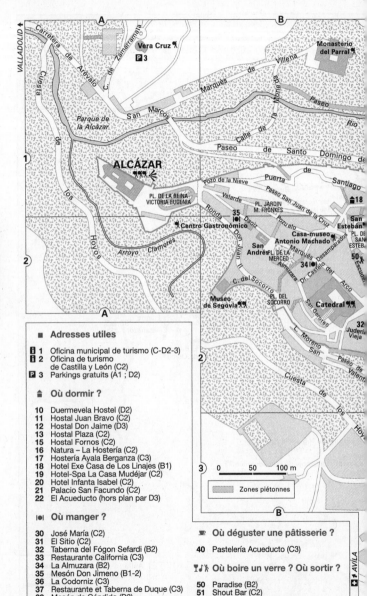

■ Adresses utiles

i 1 Oficina municipal de turismo (C-D2-3)
i 2 Oficina de turismo
de Castilla y León (C2)
P 3 Parkings gratuits (A1 ; D2)

■ Où dormir ?

10 Duermevela Hostel (D2)
11 Hostal Juan Bravo (C2)
12 Hostal Don Jaime (D3)
13 Hostal Plaza (C2)
15 Hostal Fornos (C2)
16 Natura – La Hostería (C2)
17 Hostería Ayala Berganza (C3)
18 Hotel Exe Casa de Los Linajes (B1)
19 Hotel-Spa La Casa Mudéjar (C2)
20 Hotel Infanta Isabel (C2)
21 Palacio San Facundo (C2)
22 El Acueducto (hors plan par D3)

■ Où manger ?

30 José María (C2)
31 El Sitio (C2)
32 Taberna del Fógon Sefardi (B2)
33 Restaurante California (C3)
34 La Almuzara (B2)
35 Mesón Don Jimeno (B1-2)
36 La Codorniz (C3)
37 Restaurante et Taberna de Duque (C3)
38 Mesón de Cándido (D3)

■ Où déguster une pâtisserie ?

40 Pastelería Acueducto (C3)

♆♪☆ Où boire un verre ? Où sortir ?

50 Paradise (B2)
51 Shout Bar (C2)
52 Canavan's et Theatre (C2)

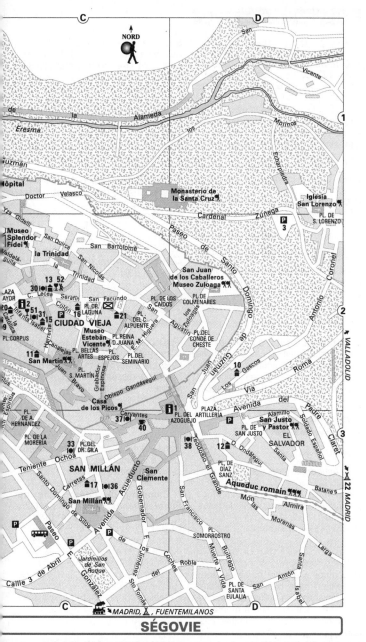

NORD

C

D

LA CASTILLE-LEÓN

de   la   Alameda

Eresma   los   Molinos   1

uzmán

Hôpital

Doctor   Velasco   Monasterio de
la Santa Cruz   Iglesia
San Lorenzo   PL. DE
S. LORENZO

Cardenal   Zúñega   P
3

Museo
Splendor
Fidei   San Quirce   San Bartolomé   Paseo   de   Santo   Domingo   Coronel   Antonio

la Trinidad   la

Valdelá-   Aguila   San Nicolás   San Juan
de los Caballeros
Museo Zuloaga

13 52   Trinidad   PL. DE LOS
CAÍDOS   PL. DE
COLMENARES

AZA
AYOR   C. Lecea   Serafín   San Facundo   2

20   i   51   Colón   PL. DR.   San   los   VALLADOLID
31   16   LAGUNA   Zuloagas
Cándida   30   21   PL.
Infanta Isabel   DEL C.   San   PL.DEL
9   15   Herreria   CIUDAD VIEJA   ALPUENTE   Agustín   CONDE DE
PL.CORPUS   Museo   CHESTE
Esteban
Canalejas   Vicente   PL.REINA   Juan
11   PL.   D.JUANA   10   Gascos   Roma
San Martín   BELLAS   PL.   Los   Via
ARTES   ESPEJOS   E. M. Higuera   del   3
Juan S. MARTÍN   PL.DEL   Padre
Bravo   SEMINARIO   San   Avenida   Claret
Grabador   Obispo Gandásegul   Alamillo
Espinosa   Juan   San Justo   MADRID
PL.   PLAZA   y Pastor
Casa   DEL ARTILLERÍA   PL. DE   EL   22
de los Picos   i 1   SAN JUSTO   SALVADOR
PL.   37   Cervantes   AZOGUEJO   San Justo
DE A.   40   Soldado Español
HERNÁNDEZ   P   12
PL. DE LA   33   PL.DEL   38   Teodosio   O. Ondátegui   Santa
MORERÍA   DR. GILA   San   PL. DE   Aqueduc romain
Teniente   Clemente   DÍAZ   Batanes
Ochoa   SAN MILLÁN   el Grande   SANZ
17   36   Acueducto   Mon   Almira
Carretas   Gobernador   San Francisco   Morenas
San Millán   Santo Domingo de Silos   Avenida   Larga
P   de   los   PL.
Paseo   SOMORROSTRO
P   Jimenez   del   Coches   Buitrago   Santa   Antón
Jardinillos   Roble   Muerte y Vida   Isabel
de San   Sto Tomás   PL. DE
Roque   San   SANTA
Calle 3 de Abril   González   EULALIA

C   MADRID, FUENTEMILANOS   D

SÉGOVIE

LA CASTILLE-LEÓN

Adresses et infos utiles

Infos touristiques

🛈 *Oficina municipal de turismo* (plan C-D2-3, **1**) : pl. del Azoguejo, 1. ☎ 921-46-67-20. ● turismodesegovia. com ● *Au pied de l'aqueduc. Tlj 10h-19h (18h30 oct-mars).* Un office dynamique. Bonnes infos, plan de la ville et pas mal de brochures, gratuites ou non, ainsi qu'un audioguide (en espagnol et anglais ; 5 €) pour découvrir le centre. Organise régulièrement des visites guidées (payantes) en anglais et en espagnol.

🛈 *Oficina de turismo de Castilla y León* (plan C2, **2**) : pl. Mayor, 10. ☎ 921-46-03-34. ● turismocastil layleon.com ● *Lun-sam 9h30-14h, 16h-19h (17h-20h de juil à mi-sept) ; dim 9h30-17h ; fermé 25 déc et 1er janv.* Face à la cathédrale, pratique. Infos et plans de la ville et de la région. Bon accueil.

Transports

🅿 *Stationnement :* difficile de se garer gratuitement, du moins à moins de 15 mn à pied du centre historique. Vous pouvez tenter votre chance non loin de la plaza San Lorenzo (plan D2,

3) ou bien à l'opposé, devant l'église de la Vera Cruz (plan A1, **3**). Du samedi après-midi (14h) au lundi matin (9h30), toutes les rues sont gratuites (mais encore faut-il y trouver de la place). Sinon, les parkings publics sont payants et chers : 20-25 €/24h (tarifs en fait à la minute, la 1re heure étant toujours la plus onéreuse). Vous en trouverez au niveau de l'aqueduc (plan D3), autour de la gare routière (plan C3) ou encore au cœur de la vieille ville (le plus cher). La plupart des hôtels ont un accord avec des parkings publics qui fait réduire leur coût.

🚕 *Radio-taxi :* ☎ 921-44-50-00.

Santé et urgences

➕ *Hôpital général de Ségovie* (hors plan par B3) : ctra de Ávila. ☎ 921-41-91-00.

▪ *Urgences :* ☎ 112.

Divers

– Le jeudi matin, sympathique **marché** (alimentation, vêtements et babioles) sur la plaza Mayor (plan C2). Une bonne façon de ressentir l'atmosphère de la ville...

Où dormir ?

Campings

⚐ *El Acueducto* (hors plan par D3, **22**) : crta de la Granja, 112, 40004. ☎ 921-42-50-00. ● informacion@campinga cueducto.com ● campingacueducto. com ● *À 3 km de la ville, sur la route de La Granja (N 601). Accès par le bus n° 5 (ttes les 15 mn). Ouv mars-oct. En hte saison, env 26,40 € pour 2 avec voiture et tente. Bungalows 2-5 pers 49-110 €.* Un camping à taille humaine, sans prétention mais bien tenu. Préférez les emplacements au fond du terrain, qui offrent une vue sur la montagne et tournent le dos à la route (très passante). Bungalows en bois au charme désuet mais correctement équipés ; les plus grands avec terrasse, salle de

bains et kitchenette peuvent accueillir jusqu'à 5 personnes. Bar-cafèt' et épicerie. 2 piscines *(gratuites mais ouv seulement l'été).* Accueil aimable.

⚐ *Camping de l'aérodrome de Fuentemilanos* (hors plan par C3) : c/ Mirasierra, à **Fuentemilanos.** ☎ 921-48-51-72. 📱 669-28-65-54. ● info@fuentemilanos.com ● fuente milanos.com ● *À 17 km de la ville, par la N 110 (suivre panneaux « aéro-dromo »). Ouv juin-sept (le reste de l'année, appeler, on ne sait jamais). Réception ouv le mat. Résa conseillée. Compter 19-21 € pour 2 avec voiture et tente ou camping-car. Bungalows 2-3 pers 49-75 €.* Une adresse un peu secrète (ce sont surtout les pilotes qui y dorment) mais ouverte à tous, au milieu des champs, calme et bien tenue. Le (faible) trafic de l'aérodrome ne perturbe en rien la quiétude du lieu. Emplacements espacés mais peu ombragés pour tentes et caravanes et bungalows charmants bien équipés (douche, kitchenette, frigo). Sanitaires, douches, piscine (en été), machines à laver. Restaurant proposant une cuisine familiale raffinée, à prix doux (menu 14 €). Avec un peu de chance, vous ferez copain-copain avec un aviateur qui vous proposera un tour dans les airs !

Bon marché (moins de 45 €)

🏠 *Duermevela Hostel* (plan D2, **10**) : c/ Gascos, 7, 40003. ☎ 921-04-70-04. ● reservas@duermevelahostel.com ● duermevelahostel.com ● Dortoir env 20 €/pers, double 45 € ; petit déj-buffet 2 € (!). Stationnement gratuit à 5 mn à pied. Située dans une rue calme en contrebas de l'aqueduc, l'unique AJ privée de la ville où sont conviés humains, mais aussi « animaux, plantes, projets et idées » ! 19 places réparties dans des dortoirs de 4 lits (et 4 petites chambres privées), simples mais lumineux et agréables, décorés avec un brin de fantaisie. Petit déj dans un petit salon avec grande carte du monde, où reposent des livres et une guitare. Coin ciné aménagé dans les combles (grands canapés, TV-DVD...). Sanitaires communs nickel, machine à laver, petite cuisine, patio pour les fumeurs. Une adresse idéale pour les routards (solo notamment) au budget limité, qui aiment la convivialité. Accueil sympa. Et pour les grandes retrouvailles, possibilité de louer toute l'auberge.

Prix moyens (45-60 €)

🏠 *Hostal Juan Bravo* (plan C2, **11**) : c/ Juan Bravo, 12, 40001. ☎ 921-46-34-13. 📱 699-10-17-86. ● hostaljuan bravo@gmail.com ● Appeler avt, la gérante n'est pas toujours sur place. Congés : janv. Double env 58 €. En plein centre-ville, dans une rue piétonne, cet *hostal* propose des chambres plutôt bien arrangées et agréables (malgré une déco passée de mode) avec TV et salles d'eau. Certaines avec petit balcon et vue sur la ville et les alentours. Une adresse pratique, d'autant que l'accueil est vraiment sympathique !

🏠 *Hostal Don Jaime* (plan D3, **12**) : c/ Ochoa Ondátegui, 8, 40001. ☎ 921-44-47-87 ou 90. ● hostaldon jaime@hotmail.com ● hostaldonjaime. com ● Entre l'église San Justo et l'aqueduc, au calme. Doubles 35-60 €, petit déj (servi jusqu'à 12h) 3,50 €. Parking proche 10 €. Petit déj offert sur présentation de ce guide (si résa directe). À 100 m de l'aqueduc, au calme, hôtel bien tenu à prix raisonnables. Chambres confortablement équipées (TV, clim) à la déco classique, certaines avec vue sur l'église San Justo (d'autres donnent en revanche sur une courette minuscule). Annexe en face (même type de prestations).

🏠 *Hostal Fornos* (plan C2, **15**) : c/ Infanta Isabel, 13, 40001. ☎ 921-46-01-98. ● info@hostalfornos.com ● hostalfornos.com ● Résa conseillée. Double 55 € ; pas de petit déj. En centre-ville dans la « rue des bars », un *hostal* impeccable, installé aux 1er et 2e étages d'un immeuble. L'escalier sombre en bois contraste avec les chambres lumineuses, coquettes, bien équipées (clim) et... colorées (tons ocre, jaune, vert pâle avec dessins champêtres au mur) ! Celles côté cour sont moins bruyantes mais également moins lumineuses. Accueil efficace.

🏠 *Hostal Plaza* (plan C2, **13**) : c/ Cronista Lecea, 11, 40001. ☎ 921-46-03-03. ● informacion@hostal-plaza.com ● hostal-plaza.com ● Double 55 € ; pas de petit déj. Parking à côté 14 €. Des chambres simples mais correctes, à la déco un peu démodée. Celles au 3e étage disposent d'une belle vue sur la ville (et de la clim incluse). Salles de bains impeccables (mais parfois minuscules).

De prix moyens à plus chic, voire très chic (de 45 à plus de 120 €)

Dans cette catégorie, les tarifs hôteliers jouent vraiment au yo-yo selon le taux de remplissage, toujours plus important le week-end qu'en semaine. Dans certains cas, ça va du simple au double, voire au triple en cas de pic !

🛏 **Natura – La Hostería** (plan C2, **16)** : c/ Colón, 5-7, 40001. ☎ 921-46-67-10. ● info@naturadesegovia.com ● hosterianatura.com ● Résa conseillée. Doubles 50-80 € ; pas de petit déj. Parking à proximité 20 €. À 2 mn de la plaza Mayor, une chouette adresse ! Dès les espaces communs, on découvre une esthétique colorée singulière présente jusque dans les chambres, toutes différentes mais toutes décorées dans un style rustique, avec du mobilier ancien et des couleurs pastel un rien défraîchies. L'ensemble se révèle chaleureux. Un établissement très accueillant et souvent plein.

🛏 **Hotel-Spa La Casa Mudéjar** (plan C2, **19)** : c/ Isabel la Católica, 8, 40001. ☎ 921-46-62-50. ● info@lacasamudejar.com ● lacasamudejar.com ● ♿ Doubles 50-110 €, petit déj 9 €. Spa 25-30 €. Il donne sur une rue piétonne, à 30 m de la plaza Mayor. Des chambres de bon confort (clim, minibar et coffre, parquet) assez classiques, donnant sur la rue (peu bruyante), ou sur une cour intérieure lumineuse. Superbe spa avec jacuzzi, douches aromatiques, massages... Bon accueil. Attenant, bon resto spécialisé dans la cuisine juive séfarade : El Fógon Sefardí (menu du jour 13,50 €).

🛏 **Hostería Ayala Berganza** (plan C3, **17)** : c/ Carretas, 5, 40001. ☎ 921-46-04-48. ● info@hosteriaayalaberganza.com ● hosteriaayalaberganza.com ● Doubles 60-145 €. Parking 13,50 €. Aux portes de la vieille ville, ce charmant palais du XVᵉ s est un point de chute à la fois intimiste et élégant. La déco emploie le moderne en respectant l'ancien (brique, pierre et poutres), qu'il s'agisse des belles parties communes ou de la petite vingtaine de chambres, toutes différentes mais toutes spacieuses, soignées et bien équipées (clim). Resto. Accueil tout en douceur.

🛏 **Hotel Exe Casa de Los Linajes** (plan B1, **18)** : c/ Dr Velasco, 9, 40003.

☎ 921-41-48-10. ● reservas@execasa deloslinajes.com ● execasadeloslinajes.com ● Doubles 50-145 € (promos fréquentes sur Internet), petit déj 7 €. Parking 15 €. Adresse de charme située derrière l'église San Esteban, au calme. L'hôtel occupe une partie d'une bâtisse médiévale, d'où son aspect singulier et son beau porche d'entrée. Mais son cachet se retrouve surtout dans les chambres, soignées, avec parquet ou sol en terre cuite. Tout confort : lits king size, clim, minibar et coffre. La plupart bénéficient d'une belle vue sur la vallée et la campagne, ou d'une terrasse. Salle de sport. Superbe petit déj-buffet, varié et copieux, servi dans une caféteria lumineuse.

🛏 **Hotel Infanta Isabel** (plan C2, **20)** : pl. Mayor, 12, 40001. ☎ 921-46-13-00. ● admin@hotelinfantaisabel.com ● hotelinfantaisabel.com ● Doubles 60-130 € (promos fréquentes sur Internet), petit déj 9 €. Parking 15 €. Les arcades de cet édifice trônent sur la plaza Mayor. Inconvénient : c'est un peu agité le week-end. Il s'agit d'une vieille maison avec une trentaine de chambres soignées, quelques-unes donnant sur la plaza. Bon équipement (clim). Bon petit déj au bar adjacent. Au resto, C'oma, dirigé par le chef Ivan Renta, des propositions traditionnelles revisitées au goût du jour.

🛏 **Palacio San Facundo** (plan C2, **21)** : pl. San Facundo, 4, 40001. ☎ 921-46-30-61. ● info@hotelpalaciosanfacundo.com ● hotelpalaciosanfacundo.com ● ♿ À 150 m de la pl. Mayor. Doubles 100-150 €, petit déj inclus. Parking 19 €. Installé sur une placette tranquille, ce palacio du XVIᵉ s abrite un hôtel de luxe, qui allie tradition et confort moderne avec brio. Tout s'organise autour d'un charmant patio couvert à colonnes de pierre, surmonté d'une galerie en bois, là même où se prend le petit déj. Les chambres sont cosy, assez sobres et de bon goût. Certaines ont un balcon ou une terrasse, d'autres mansardées n'ont qu'un velux. Hôtel raffiné et élégant, reflété dans un accueil professionnel. Cher mais d'un rapport qualité-prix honnête.

Où manger ?

Presque tous les restos ont un bar avec comptoir où l'on peut se régaler de tapas pour accompagner l'apéro. De quoi s'ouvrir l'appétit ! Les 2 spécialités de la ville devraient plaire aux gourmands : du cochon de lait grillé *(cochinillo)* ou des haricots blancs *(judias)* cuisinés avec des oreilles et des pieds de porc. Un délice !
Côté douceur, goûter au *ponche segoviano* (légère crème pâtissière entre 2 couches de génoise moelleuse, le tout saupoudré de sucre glace), par exemple à la *pastelería Acueducto (c/ Cervantes, 22 ; plan C3, 40),* qui fait aussi café. Également sur la plaza Mayor, à l'entrée de la calle Isabel la Católica *(plan C2),* la *Bombonería-Confitería El Alcázar* (qui revendique l'invention de cette douceur, mais ne la vend qu'en version familiale).

Tapas

|●| José María *(plan C2, **30**) : c/ Cronista Lecea, 11.* ☎ *921-46-11-11.* ● *reservas@restaurantejosemaria. com* ● ♿ *Tlj jusque tard.* Le bar à tapas préféré des gens du coin. Dès 10h du matin, on y sirote un café en grignotant une *tapita* de tortilla. Venue l'heure du *tapeo* en soirée, on n'est jamais sûr de pouvoir y entrer ! Délicieuses *raciones* de jambons et chorizos (qui pendent derrière le bar), d'oreilles et queues de cochon, et poissons marinés de la grand-mère *(escabechos de la abuela).* Également une salle de resto plus chic (et chère) à l'arrière (voir « De prix moyens à très chic »). Un incontournable.
|●| El Sitio *(plan C2, **31**) : c/ Infanta Isabel, 9.* ☎ *921-46-09-96. Tlj jusque tard. Raciones 7-20 €.* Une adresse qu'on apprécie pour sa simplicité. Idéale pour grignoter quelques tapas, succulentes, accoudé au comptoir avec les gens d'ici. Le soir, la foule déborde largement dans la rue. Ambiance festive assurée ! Au resto à l'étage (plus chic), plats typiques comme les *judías* et le *cochinillo*. Bien aussi pour le petit déj. Accueil souriant.

|●| Taberna Casa Duque *(plan C3, **37**) : voir plus loin* Restaurante Duque.

De bon marché à prix moyens (max 25 €)

|●| Taberna del Fogón Sefardi *(plan B2, **32**) : c/ la Judería Vieja, 11.* ☎ *921-46-62-50. Tlj midi et soir. Menu 13,50 €, plats 5-9 €.* Dans une ruelle calme, à deux pas de la cathédrale. Plusieurs fois primée pour ses tapas tendance fusion. Associations sucré-salé étonnantes et succulentes. Assiettes généreuses et bien présentées. Nos tables préférées ? Celles vers l'impressionnante fresque murale à l'intérieur, ou celles installées dans la rue. Sans doute le meilleur rapport qualité-prix-originalité de la ville.
|●| Restaurante California *(plan C3, **33**) : pl. del Dr Gila, 9.* ☎ *921-46-37-49.* 🖥 *672-47-19-61. Tlj 13h-16h sauf mer. Menus 12-31 €, raciones 7-16 €.* Depuis l'extérieur on ne voit rien, mais on entend ! Cette petite salle typique fleurant bon la Castille rurale fait le plein de locaux tous les jours ! Et ça grouille de monde : difficile d'y trouver de la place sans réservation... plusieurs jours à l'avance (ou tentez votre chance après 15h, quand certaines tables se libèrent). La raison de ce succès ? Une cuisine savoureuse et hypercopieuse (que du fait maison !), servie avec le sourire malgré l'affluence. N'hésitez pas à prendre le menu le moins cher (boisson comprise), vous aurez déjà bien assez !
|●| La Almuzara *(plan B2, **34**) : c/ del Marqués del Arco, 3.* ☎ *921-46-06-22. Tlj sauf lun-mar, midi et soir. Plats 10-14 €.* Un peu de fraîcheur dans ce bain de cochonnailles et d'huile, parfois un rien éreintant, pourra ravir les végétariens et amateurs. La salle est bien charmante avec sa décoration champêtre et ses poutres en bois apparentes. Délicieuses salades, gratins de légumes, pizzas, plats originaux à base de riz complet et spaghettis.
|●| Mesón Don Jimeno *(plan B1-2, **35**) : c/ Daoíz, 15.* ☎ *921-46-63-50.*

LA CASTILLE-LEÓN

● jimenocb@gmail.com ● *Tlj sauf mar jusqu'à 18h. Menu 26 €, plats 7-20 €.* Situé dans une étroite et longue rue qui descend vers l'Alcázar (ou qui monte vers la plaza Mayor). Rustique, simple et bien tenu. *Sopas, ensaladas, croquetas* et autres spécialités ségoviennes dont un *cochinillo* appétissant.

De prix moyens à très chic (de 15 à plus de 35 €)

🍴 🍗 ***La Codorniz*** *(plan C3, 36)* : c/ de los Hermanos Barral, 3. ☎ 921-46-39-04. ● *lacodorniz@restaurantelacodorniz.com* ● *En contrebas de l'église San Millán. Tlj midi et soir. Menu déj en sem 13 €, plats 15-22 €. Quelques raciones.* Ce resto ouvert en 1985 est un incontournable de Ségovie ! Pour se mettre dans le bain, joignez-vous aux habitants qui s'arriment au comptoir : vous ne trouverez pas plus authentique ! Au resto, des plats traditionnels faits maison et succulents : *cochinillo* rôti et moelleux à souhait, ou caille (l'emblème du resto). Une valeur sûre.

🍴 ***Restaurante Duque*** *(plan C3, 37)* : c/ Cervantes, 12. ☎ 921-46-24-87. ● *info@restauranteduque.es* ● *Tlj midi et soir. Menu 40 €, plats 20-33 €.* Cette vieille enseigne est célèbre pour son cochon grillé et sa soupe castillane. Succulents *judiones de La Granja* (haricots géants) : ceux à la morue et aux poireaux sont exquis. Déco chargée que l'on retrouve souvent par ici (photos du chef avec différentes personnalités, médailles et plateaux de cuivre), tables joliment dressées,

service impeccable... Le resto est plutôt chic et cher, mais le bar à tapas est plus économique et bon enfant.

🍴 🍗 ***Mesón de Cándido*** *(plan D3, 38)* : pl. del Azoguejo, 5. ☎ 921-42-59-11. ● *candido@mesondecandido.es* ● *Au pied de l'aqueduc. Tlj midi et soir. Résa conseillée. Plats 12-24 €.* L'un des restos les plus anciens et les plus connus de la ville, tenu par la même famille depuis des générations. En terrasse (le midi seulement) ou dans un décor d'auberge rustique avec, dans ce dédale de salles, une certaine intimité préservée. Déco chargée de diplômes et de photos du patron avec moult célébrités comme... Gary Cooper et Salvador Dalí ! Des classiques bien réalisés : cochon de lait, perdrix, agneau. Et si vous êtes là au bon moment, vous assisterez peut-être à la découpe du cochon de lait avec une... assiette ! Il se délite aisément s'il est assez tendre. L'assiette est ensuite brisée au sol. À table ! Très touristique (nombreux groupes), mais le service reste au top.

🍴 ***José María*** *(plan C2, 30)* : c/ Cronista Lecea, 11. ☎ 921-46-11-11. ● *reservas@restaurantejosemaria. com* ● 🍴 *Tlj 9h-1h (10h-2h w-e). Résa conseillée. Menu 53 €, plats 16-28 €.* Le resto le plus cher de notre sélection... mais la promesse d'une savoureuse et typique cuisine castillane ! Grande salle à l'ancienne très bien apprêtée, avec quelques touches originales (voir le mur couvert d'assiettes brisées !). La carte change au fil des saisons, mais propose toujours des viandes de 1er choix et des options végétariennes.

Où boire un verre ? Où sortir ?

Ségovie est connue pour ses nuits animées (les étudiants sont nombreux dans le coin). La fête se concentre surtout dans la calle Infanta Isabel *(plan C2)*, baptisée d'ailleurs « calle de los bares ». Plus près de l'aqueduc, nombreuses terrasses animées (l'été notamment) avenue Fernández Ladreda *(plan C3)*, quasi piétonne. Pour poursuivre la soirée, la calle de los Escuderos *(plan B2)* aligne plusieurs bars de nuit

et discothèques comme le ***Paradise,*** au n° 5 *(plan B2, 50)*, qui fait salle comble le week-end.

🍸 ***Shout Bar*** *(plan C2, 51)* : c/ Infanta Isabel, 11. 🖥 692-11-37-85. *Tlj à partir de 21h.* Le repère de la jeunesse estudiantine venue se rincer le gosier sur fond de rock (et autres styles musicaux). Baby-foot, patio extérieur pour les fumeurs. Bien pour tâter l'ambiance des nuits ségoviennes !

🍸☂ ***Canavan's*** *(plan C2,* ***52****)* ***:*** *pl. de la Rubia, 2. ☎ 921-46-02-52. Tlj 16h-3h (6h w-e).* La fantaisie irlandaise et la jovialité espagnole réunies ! Que demander de plus ? Petite salle tout en longueur suivie d'une autre avec piano. En terrasse, quelques tonneaux font office de table ! Attenant, le ***Theatre*** *(jeu-sam seulement, à partir de minuit),* un club au décor baroque (de théâtre !) sur 2 niveaux, spécialisé dans les gins et proposant des soirées DJ.

À voir. À faire

*– **À noter :** la plupart des musées et sites de la ville sont fermés les 1er et 6 janv, 29 juin, 25 oct et 25 déc, et partiellement ou complètement les 24 et 31 déc. Une escapade culturelle à privilégier le mat ou le soir, pour éviter la foule et pour profiter des plus belles lumières du jour.*

★★★ ***L'aqueduc romain*** *(plan D3)* ***:*** *au pied de la vieille ville, pl. del Azoguejo.*
Magnifique et impressionnant. De loin comme de près. Il aurait été construit sous l'empereur Trajan (53-117 apr. J.-C.) pour ravitailler en eau la partie haute de la ville, où se trouvait le commandement militaire. La captation d'eau se fait dans le Riofrío, à 14 km de Ségovie. Si les 13 premiers kilomètres étaient souterrains, le dernier, qui est l'aqueduc lui-même, constitué d'arcades, est dans un état remarquable. Le plus surprenant, c'est qu'il n'y a pas un gramme de mortier, les 20 000 blocs de granit se soutiennent les uns les autres, ce qui lui donne un air irréel. Les architectes de l'époque avaient décidément du génie... Si les historiens ont bel et bien la certitude qu'il s'agit d'un aqueduc romain, on l'appelle aussi *puente del Diablo* (voir l'encadré), même si à la place de la dernière pierre on trouve aujourd'hui l'image de la Vierge.
Autrefois menacé par la pollution automobile (il faut dire que les voitures passaient en dessous !), l'édifice de 28 m de haut a bénéficié d'un grand nettoyage au début des années 1990, et aujourd'hui (la circulation automobile ayant aussi été limitée), le risque d'une détérioration s'amenuise de jour en jour. Ouf !
À la tombée de la nuit, splendide coucher de soleil sur la campagne environnante depuis la partie haute (accessible par des escaliers). Avec en fond sonore, les chants des centaines d'hirondelles qui virevoltent autour des arches de l'aqueduc !

LA VIERGE PARDONNE AUX DÉVERGONDÉES !

Selon la légende, l'origine de l'aqueduc serait diabolique ! En effet, une jeune servante, lasse de porter des jarres d'eau depuis la source, se vit proposer un marché avec le diable : il ferait livrer l'eau le lendemain avant l'aube si la donzelle lui offrait son âme. La jeune fille accepta mais, bien vite rongée par le remords, se mit à implorer l'intervention de la Vierge pour rompre cet accord démoniaque. Le diable, lui, s'était mis à la tâche... qui prenait la forme d'un aqueduc. Coup de théâtre alors, la Vierge fit paraître le 1er rayon solaire juste avant la pose de la dernière pierre... et la jeune fille put conserver son âme... Ouf !

★★★ ⇐ ***Alcázar*** *(plan A1)* ***:*** *pl. de la Reina Victoria Eugenia. ☎ 921-46-07-59. • alcazardesegovia.com • Tlj 10h-20h (18h nov-mars) ; fermé 1er et 6 janv et 25 déc. Dernière entrée 30 mn avt. Entrée : 5,50 € ; réduc. Feuillet explicatif gratuit en français ; audioguide (en français aussi) 3 €. Donjon : 2,50 €. Gratuit mar 14h-16h pour les ressortissants de l'UE (sauf j. fériés).*
On le repère de loin : sa silhouette se détache, noble et massive, sur la sierra de Guadarrama.
Bâti sur un éperon rocheux, sa construction remonterait au XIIe s grâce aux travaux des émirs arabes, qui eux-mêmes s'étaient servis de fortifications romaines et wisigothes. Il fut au Moyen Âge l'une des résidences favorites des rois de Castille

LA CASTILLE-LEÓN

et l'une des forteresses défensives du royaume. En décembre 1474, Isabelle la Catholique sortit de l'Alcázar pour être couronnée reine de Castille et León dans l'église Saint-Michel, au lendemain de la mort du roi Henri IV. Christophe Colomb serait même venu lui demander de l'argent en 1492 ! Insolite : l'eau de l'aqueduc y arrivait encore jusqu'en 1954 !

Devant cet ensemble exceptionnel, dont la forme évoque la proue d'un navire, observons tout d'abord le **donjon massif** garni de tourelles crénelées. Son aspect presque authentiquement médiéval provient en fait d'une restauration « à la Viollet-le-Duc » réalisée au XIXe s, suite à un incendie. À l'intérieur de l'Alcázar, nombreuses salles présentant des collections de beaux meubles gothiques, coffres, armures, tapisseries. Superbes plafonds à caissons de style mudéjar, tout particulièrement dans la **salle du Trône** (avec ses 2 trônes royaux côte à côte) et la **salle de la Galère.** La **salle des Pommes de pin (sala de las Piñas)** s'appelle ainsi à cause des 302 motifs du plafond imitant... des pommes de pin. Dans la **salle des Rois,** spectaculaire frise en couleur et en relief, véritable galerie de portraits des rois des Asturies et de Castille (jusqu'à Jeanne la Folle, la mère de Charles Quint). Par les baies vitrées, on aperçoit le sanctuaire de la Vierge de la Fuencisla, patronne de la ville, et le couvent des Carmes qui abrite le tombeau de saint Jean de la Croix, frère d'âme de sainte Thérèse d'Ávila. Dans la **chapelle,** retable fastueux travaillé de l'école castillane du XVIe s illustrant l'enfance du Christ. Là fut célébré le mariage entre Philippe II, fils de Charles Quint, et Anne d'Autriche (consécration de la dynastie des Habsbourg d'Espagne). De la pointe de l'éperon aux falaises abruptes, point de vue très beau, mais nous encourageons surtout à gravir les 152 marches très raides du **donjon (Torre de Juan II),** haut de 80 m. Là-haut, panorama exceptionnel sur toute la vallée et les monastères environnants. Et dans la lumière du soir, c'est encore mieux : la ville s'offre tout entière à vous.

Intéressante **salle d'armes** avec moult bombardes et couleuvrines. Très belle arbalète incrustée d'ivoire et d'os. Observer l'ingénieux système de fermeture des coffres. Presse à frapper la monnaie du XVIIIe s.

– Depuis la cour du château, on peut aussi accéder à un musée insolite installé dans l'ancien **Collège royal d'Artillerie,** qui occupa cette partie de l'Alcázar de 1764 à 1862. À l'intérieur : documents scientifiques, maquettes, et toutes sortes de souvenirs sur l'école et ses anciens élèves les plus illustres...

🎯🎯 🕺 **Museo de Segovia** (plan B2) : Casa del Sol, c/ del Socorro, 11. ☎ 921-46-06-15. Mar-sam 10h-14h, 16h-19h ; dim et j. fériés 10h-14h. Fermé lun. Entrée : 1 € ; réduc ; gratuit le w-e. Livret explicatif en français gratuit et audioguide (1 €). Dans un ancien abattoir (XVe s), un beau musée sur l'histoire de Ségovie et de ses proches environs, depuis sa formation géologique. Sections thématiques sur l'archéologie, l'ethnologie, les beaux-arts et l'art sacré. Belle mise en valeur des objets et œuvres exposés. Selon ses goûts, on s'attarde plus volontiers sur les fragments de mosaïques romaines, l'orfèvrerie wisigothe (riche section !), les éléments d'architecture romane provenant d'églises proches, une superbe pietà (du monastère d'El Parral), l'impressionnant retable de la vie du Christ provenant de l'église de Santa Columba aujourd'hui disparue, une collection de cristal, des vêtements traditionnels, les œuvres d'artistes locaux... et même des maquettes animées de fabriques traditionnelles (scierie, fonderie de cuivre...) ! Très complet donc.

🎯🎯 **Catedral** (plan B2) : pl. Mayor. ☎ 921-46-22-05. ● catedralsegovia.es ● Tlj 9h-21h30 (18h30 nov-mars) ; fermé j. fériés. Entrée : 3 € ; gratuit dim 9h30-10h45. La cathédrale de Ségovie, de style gothique tardif, succéda à l'ancienne cathédrale, détruite en 1521 lors de la révolte des Comuneros (dirigée par un Ségovien, Juan Bravo et qui embrasa toute la Castille contre le despotisme de Charles Quint).

À l'intérieur, on remarque aussitôt la luminosité et la majestuosité de l'édifice. Grilles remarquables encadrant les superbes stalles gothiques provenant de l'ancienne cathédrale (qui se situait face à l'Alcázar), et surmontées d'un orgue fameux pour son harmonie, toujours utilisé.

Cloître charmant, autre héritage de l'ancienne cathédrale d'où l'on accède à la salle capitulaire et la chapelle Santa Catalina, aménagées en petit **Museo diocesano** : magnifiques tapisseries flamandes du XVIIᵉ s, d'après des cartons de Rubens, carrosse doré surmonté d'un ostensoir en argent, quelques peintures et triptyques intéressants, orfèvrerie religieuse (étonnant bougeoir ceint d'un serpent à tête humaine), peintures sur marbre. La décoration de la nef est plus sobre, à l'exception de plusieurs magnifiques retables aux détails churrigueresques, notamment dans la chapelle du Saint-Sacrement (*capilla del Santísimo Sacramento* : n'hésitez pas à en pousser la porte si une messe n'est pas en cours). Et juste avant cette porte, jetez un œil sur votre gauche au beau calvaire gothique provenant de l'ancienne cathédrale.

– ✦ Visites guidées de la *tour* : *avr-oct : à 10h30, 12h, 13h30, 16h30, 18h, 19h30 (et 21h30 ven-dim en mai-sept). Nov-mars : à 10h30, 12h, 13h30 et 16h30. Compter 7-10 €.* Départ dans la chapelle San Blas. Il y a un peu plus de 180 marches à gravir pour atteindre son clocher ! De là-haut, superbe panorama sur toute la ville et ses environs.

🎏 ***Museo Splendor Fidei – Palacio Episcopal*** *(palais épiscopal ; plan B-C2) :* pl. San Esteban, 13. 🖩 608-48-68-08. ● segoviasacra.es ● *En principe, tlj 10h (10h30 nov-mars)-14h, 16h-20h (18h30 nov-mars). Fermé lun en nov-mars. Dernière entrée 30 mn avt. Entrée jumelée avec 4 églises romanes : 6 € ; avec les églises et la cathédrale : 8,50 €.* Dans un palais épiscopal réhabilité, ce musée étale l'exceptionnel patrimoine religieux de la région. Les évêques de Ségovie y résidèrent jusqu'en 1969. Aujourd'hui, on parcourt une collection d'art sacré, notamment d'orfèvrerie (voir les incroyables croix de procession !). On finit par les dépendances reconstituées du palais, où vivaient autrefois les évêques.

🎏 ***Centro Gastronómico de Segovia*** *(plan B2) :* c/ Daoíz, 9. ☎ 921-46-01-47. ● segoviaiswine.com ● *Tlj sauf mar 11h-15h (14h musée), 18h-21h (20h musée) ; w-e 12h-21h (20h musée). Entrée : 1 € (ou 3-5 € avec une dégustation).* Dans une maison du XIIᵉ s joliment réhabilitée, plusieurs petites salles sur 2 étages illustrent la gastronomie locale sous toutes ses formes (dont des recettes) : *cochinillo, ponche segoviano, judiones de La Granja* et même le... whisky de Ségovie, le seul d'Espagne ! Explications en espagnol et parfois en anglais. Petite boutique avec produits typiques à déguster.

🎏 ***Casa de los Picos*** *(plan C2-3) :* c/ Juan Bravo, 33. Une demeure du XVᵉ s qui vaut le coup d'œil pour sa façade entièrement recouverte de pierres pointues (comme des « pointes de diamant »). Elle abrite l'école supérieure d'art et de dessin, et parfois des expositions temporaires.

🎏 ***Casa-museo Antonio Machado*** *(plan B2) :* c/ Desamparados, 5. ☎ 921-46-03-77. ● machado.turismodesegovia.com ● *Tlj, horaires variables. 15 pers à la fois. Visites guidées (en espagnol) possibles. Entrée : 2,50 € ; réduc ; gratuit mer.* Le musée est installé dans la modeste maisonnette où le poète Antonio Machado vécut entre 1919 et 1932. Photographies, extraits de ses poésies. Dans le jardinet, buste du poète par le sculpteur Barral.

🎏 ***Museo de Arte contemporáneo Esteban Vicente*** *(plan C2) :* plazuela de las Bellas Artes. ☎ 921-46-20-10. ● museoestebanvicente.es ● ✦ *Mar-ven 11h-14h, 16h-19h ; sam 11h-20h ; dim et j. fériés 11h-15h. Fermé lun. Entrée : 3 € ; réduc ; gratuit jeu.* Ce vaste espace moderne accueille de nombreuses expos temporaires et une collection d'œuvres du peintre-poète Esteban Vicente (né à Turégano en 1903, mort à Long Island en 2001), qui fit partie de l'école de New York. Ses peintures rappellent le style abstrait des années 1930.

🎏🎏 ***San Juan de los Caballeros – Museo Zuloaga*** *(plan D2) :* pl. de Colmenares. ☎ 921-46-33-48. *Ouv seulement mer 9h-15h30 (dommage !). Entrée : 1 €.* L'une des plus anciennes églises de Ségovie (XIᵉ s). Double porche sculpté intéressant et belle nef romane. Elle abrite le *museo Zuloaga,* car l'artiste (Daniel Zuloaga,

LA CASTILLE-LEÓN

oncle d'Ignacio, le peintre plus connu) en fit, en 1905, son atelier de céramique (le four est toujours niché dans un ancien ossuaire). Il y réalisa des pièces destinées à la décoration de grands bâtiments : le casino de Donostia, la gare de Bilbao mais aussi pour des *tabernas* à Madrid. Belle collection de ses œuvres, où l'on voit qu'il s'essaya à tous les styles : Art déco, orientalisant, ou très classique.

À l'étage, outre l'étonnante salle de bains décorée par l'artiste, jolie collection de dessins et d'aquarelles d'étude pour des projets ou des commandes de façades. Dans la salle du fond, le portrait du céramiste par son neveu ; remarquez dans ses mains le vase que l'on retrouve dans la vitrine à droite.

🎭 *Les églises romanes :* une douzaine d'églises romanes remarquables se cachent dans la ville et aux alentours. Horaires variables et entrée payante (env 4 €). Le *Pass Segovia Sacra (6-12 € ; infos à l'office de tourisme)* se révèle intéressant pour visiter, en plus des églises, la cathédrale et le palais épiscopal *(museo Splendor Fidei)*.

– *San Esteban (plan B2) :* pl. de San Estebán. *Ouv seulement lors de certaines fêtes.* Belle galerie à chapiteaux romans et élégant campanile de 5 étages (les 3 derniers avec arcades ouvertes). Un peu plus loin, la très sobre *église de la Trinidad (plan C2).*

– *San Martín (plan C2) :* c/ Juan Bravo. Présente une triple galerie extérieure. Chapiteaux là aussi remarquables, avec animaux fantastiques, motifs floraux, scènes de l'Évangile, etc. Tout autour de l'église, très belles demeures seigneuriales. La tour massive située derrière l'église *(torreón de Lozoya,* qui accueille des expos temporaires) témoigne de la puissance de l'une des familles.

– *San Millán (plan C3) :* c/ Fernández Ladreda. L'une des plus belles églises romanes de la ville, construite au XIIe s. Chevet admirable, galerie extérieure à chapiteaux et tour mozarabe. À l'intérieur, épuré, 3 vaisseaux et une abside aux arcades aveugles.

– *San Justo y Pastor (plan D3) :* pl. San Justo. Autre ravissante petite église romane des XIIe et XIIIe s. Vestiges de très belles fresques du XIIe s dans l'abside.

🎭 Au-delà des remparts, le foisonnement d'*églises, couvents* et *monastères* continue. Accès par le paseo de Santo Domingo de Gúzman, au pied des remparts. Avec l'excellente carte de l'office de tourisme, vous les repérerez en un coup d'œil. Voilà quelques pistes : le *monasterio de la Santa Cruz (plan C-D1)* – et son superbe portail isabellin – se visite aux heures d'ouverture de l'université, qu'il héberge. On voit le cloître et l'église, et les vestiges de l'église romane du XIIIe s dans certaines salles de classe (voir la salle d'archéologie notamment). Le *monasterio del Parral (plan B1 ; visite guidée mer-dim à 11h et 17h ; donation appréciée),* avec son église de style isabellin et des tombeaux platéresques, constitue le départ d'une belle promenade dans la campagne. Ou encore la *iglesia San Lorenzo (plan D1-2)* qui révèle de belles influences mudéjares et la *iglesia de la Vera Cruz (plan A1 ; du mar ap-m au dim 10h30-13h30, 16h-19h ou 18h en hiver ; fermé lun et mar mat ; entrée : 2 €, gratuit mar),* dont la légende attribue la fondation au XIIIe s aux Templiers (elle appartient aujourd'hui à l'ordre de Malte).

Balades

– Promenade du *Valle de los Clamores (plan A-B2).* Accès par la Puerta de San Andrés *(plan B2),* à côté de la pl. del Socorro. Cet agréable *paseo* boisé se situe en contrebas des remparts de la ville (côté ouest). Une balade ombragée, au calme.
– ⊰ Ne pas manquer l'extraordinaire *camino natural del Eresma (13 km ; plan A1-3),* un sentier qui fait presque le tour de la ville et qui démarre sur les hauteurs à l'ouest de la cathédrale et de l'Alcázar. Les points de vue sur la ville y sont tout simplement époustouflants, surtout en fin de journée.
– À ne pas confondre avec la *vía verde del Valle del Eresma.* Idéale pour les marcheurs et les cyclistes, elle emprunte une ancienne voie ferrée et relie Ségovie

à Olmedo (un poil au sud de Valladolid) sur environ 73 km. Depuis Ségovie, départ sous le pont métallique de la carretera de Villacastín *(hors plan par C3)*. On peut par exemple aller jusqu'au km 9, à *l'ermitage de Nuestra Señora de la Aparecida*, un coin agréable pour pique-niquer sur l'herbe. Il faudra revenir par le même chemin (18 km A/R soit env 4-5h à pied), ou continuer pour les plus courageux ! Il est possible de revenir à Ségovie en bus avec la Cᵉ *Linecar* depuis *Hontanares del Eresma* (km 12,5), ou à *Nava de la Asunción* (km 48).

Fêtes

– **Santa Agueda :** *1ᵉʳ dim après le 5 fév, à Zamarramala, à 3 km de Ségovie.* Le pouvoir est donné aux femmes de la ville (machos, s'abstenir) en souvenir du rôle crucial qu'elles jouèrent dans la victoire contre les Maures.
– **Festival international de marionnettes** *(Titirimundi) :* mi-mai. L'un des plus importants d'Espagne. ● titirimundi.es ●
– **San Juan y San Pedro :** *24-29 juin.* Les fêtes de la ville, avec toutes sortes de manifestations organisées.
– **Folk Segovia :** *fin juin-début juil.* Festival folklorique.
– **Festival international de musique et de danse :** *juil.* En différents endroits de la ville (aqueduc, cathédrale...), danse, musique, opéra et théâtre.
– **La Virgen de la Fuencisla :** *dernier dim de sept.* Célébration où la sainte patronne de la ville, parée de ses plus beaux atours, est rendue à son sanctuaire dans la vallée de l'Eresma.
– **San Frutos :** *25 oct.* Fête de ce saint ermite, avec quelques manifestations autour de la cathédrale.

DANS LES ENVIRONS DE SÉGOVIE (SEGOVIA)

Voir aussi plus loin « Valladolid. Entre Valladolid, Ségovie et Ávila » pour les sites au nord-ouest de Ségovie.

LA GRANJA DE SAN ILDEFONSO

À 11 km au sud-est de Ségovie.
La Granja, adossée au flanc nord de la barrière montagneuse de Guadarrama (qui sépare la Vieille-Castille de la région de Madrid), s'est développée autour de son grand château royal, « petit Versailles espagnol », qui vaut le détour. Une ville à taille humaine, agréable à découvrir à pied, dans une atmosphère paisible.

Adresse et infos utiles

➢ Pour y aller depuis **Ségovie**, ligne M8 avec *Linecar* (● linecar.es ●), ttes les 45 mn, 7h30-21h45 (9 bus le dim, 10h30-21h30). *Voir plus haut « Ségovie. Arriver – Quitter ».* À la Granja, le bus s'arrête en face du musée du Verre et à la Puerta de Segovia (accès au centre historique).

🛈 **Oficina de turismo :** *pl. de los Dolores, 1.* ☎ 921-47-39-53. ● turismoreal sitiodesanildefonso.com ● *Tlj sauf lun mat 10h-14h, 15h30-19h30.* Plan de la ville, brochure en français. Infos sur les randonnées dans les monts environnants *(Montes de Valsaín).*

Où manger ?

Dans la vieille ville, on trouve de nombreux petits restos pour toutes les bourses, comme **La Chata** *(pl. de España, 9,* ☎ *921-47-15-00 ; ouv* ts les midis sauf lun ; carte env 20 €), malgré un accueil pas toujours très chaleureux.

I●I Reina XIV : c/ Reina, 14. ☎ 921-47-05-48. ● info@valsain.com ● À deux pas du musée du Verre, face à la puerta de la Reina en entrant dans la vieille ville. Ts les midis (sauf lun-mar), plus sam soir. Congés : janv. Menu min 30 €,

carte 35-40 €. Une adresse chic, à l'agréable décoration classique (la cave à l'entrée donne le ton !). Table gastronomique où les habitués se régalent de spécialités traditionnelles locales, comme les haricots géants *(judíones de La Granja)* ou le cochon de lait rôti *(cochinillo asado)*.

À voir

🏃🏛 **Palacio real de La Granja de San Ildefonso :** au centre de la vieille ville. ☎ 902-04-44-54. ● patrimonionacional.es ● Palacio : avr-sept, mar-dim 10h-20h ; oct-mars, mar-dim 10h-18h. Fermé lun. Dernière entrée 1h avt. Jardin : mai-sept, tlj 10h-20h (21h de mi-juin à août) ; avr, tlj 10h-19h, jusqu'à 18h30 hors saison (18h l'hiver). Entrée : 9 € (compter 40 mn de visite) ; réduc ; gratuit mer ap-m et jeu ap-m pour les ressortissants de l'UE, les 18 mai et 12 oct pour ts. Audioguide 3 € ; guide 4 €.

Édifié en 1731 par Philippe V (petit-fils de Louis XIV et roi de la dynastie des Bourbons d'Espagne), *ce majestueux et immense palais rappelle Versailles.* Ce fut longtemps la résidence d'été des Bourbons. À l'intérieur, d'abord un intéressant *museo de Tapices* (musée des Tapisseries ; pièces flamandes des XVe-XVIIe s, évoquant notamment la Genèse, les *Triomphes* de Pétrarque ou encore les *Métamorphoses* d'Ovide). On visite les nombreuses salles luxueusement décorées, comme les anciens appartements privés : moulures, dorures, fresques et lustres en cristal (de fabrication locale, bien sûr). Mais ce qui retient vraiment l'attention, c'est la salle des laques : les murs sont recouverts de panneaux laqués aux thèmes orientaux. À côté de l'entrée du palais se trouve la *chapelle* dans la Collégiale royale *(Real Colegiata),* où demeure le tombeau de Philippe V.

L'autre chef-d'œuvre du site, ce sont les *jardins à l'italienne* : à la végétation luxuriante et superbement dessinés par des paysagistes venus de France qui se sont (eux aussi !) inspirés de ceux de Versailles. Ses fontaines monumentales sont célèbres, notamment la *Fama,* dont le jet dépasse les 40 m (en principe – cela dépend des réservoirs d'eau ! – visibles avr-août : mer, sam et dim à 17h30 ; dim à 13h ; 4 €). Spectaculaire !

HARICOTS POUR TOUS !

Les haricots castillans (les judíones) furent introduits au XVIIIe s dans la région par les jardiniers français du château. Originaires d'Amérique du Sud, ces haricots servirent d'abord de fourrage aux animaux, puis les domestiques du palais en firent leur plat favori, et enfin ce sont les habitants du village qui les adoptèrent.

🏃🏛 **Museo del Vidrio** (musée du Verre) : Real fabrica de Cristales de La Granja, paseo del Pocillo, 1. ☎ 921-01-07-00. ● realfabricadecristales.es ● Museo del Vidrio : mar-ven, dim et j. fériés 10h-15h, sam 10h-18h. En été : mar-ven 9h-18h, sam 9h-19h, dim 9h30-15h. Fermé lun. Atelier et four : mar-ven 9h-15h ; sam 10h-13h45, 16h-17h30 ; dim 10h-15h. Fermé lun. Entrée : 6 € ; réduc. Cet immense bâtiment industriel (25 000 m²) est une *ancienne manufacture royale,* la Real Fabrica de Cristales de La Granja. Construite au XVIIIe s, elle fut l'un des centres de production du verre les plus importants d'Espagne et abrite aujourd'hui un grand musée. On y découvre les étapes de la fabrication, les machines utilisées et les différents aspects techniques de la profession (d'hier et d'aujourd'hui). Explications en espagnol, complétées par quelques panneaux en français. Très belles collections de verreries anciennes et contemporaines provenant du monde entier. Mais la cerise sur le gâteau, c'est évidemment l'*atelier* : les maîtres verriers y œuvrent devant leur *horno* (four) et dévoilent un savoir-faire exceptionnel.

PEDRAZA DE LA SIERRA *(40172)*

À 36 km au nord-est de Ségovie sur la route N 110 en direction de Aranda de Duero et de Soria. Très mal desservi en bus depuis Ségovie. Parkings gratuits 200 m avt l'entrée du village et à proximité du castillo-museo Ignacio Zuloaga.
Un sublime village médiéval, perché sur un rocher escarpé, dominant de ses remparts les vallées de Castille. La richesse de ses maisons et bâtisses témoigne de son fabuleux passé. Déclaré Monument national, le village a été sauvé de la ruine par la ténacité de sa municipalité et de ses habitants (500 à peine). Ils y veillent comme sur un trésor (voir les balcons fleuris de leurs maisons). On y pénètre par une porte fortifiée des plus imposante. Chaque maison a été restaurée avec soin, chaque pierre amoureusement brossée. Nombreuses demeures seigneuriales blasonnées le long des ruelles étroites.
Pedraza serait la patrie de l'empereur Trajan, selon certains historiens. En outre, ce gros bourg isolé aurait été la prison des 2 fils du roi François Ier, pris en otage après la bataille de Pavie remportée par Charles Quint en 1525.

Adresse utile

▯ **Oficina de turismo :** *c/ Real, 3, à 20 m de la pl. Mayor.* ☎ *921-50-86-66.* ● *pedraza.info* ● *Mer-dim 11h-14h30,* *15h-19h30. Fermé lun-mar. Doc sur les environs. Visites guidées de la ville. Bon accueil.*

Où dormir ?
Où manger à Pedraza et dans les environs ?

Peu d'hébergement à Pedraza, affluence et tarifs en conséquence. Attention le week-end à la belle saison, les hôtels sont souvent réservés pour des mariages par de joyeuses familles.

De bon marché à prix moyens

🛏 **Hostal Peñas :** *c/ Cantarranas, 11, 40173* **La Velilla.** ☎ *921-50-99-49.* 🖥 *608-90-78-46.* ● *hostalrurallavelilla@hotmail.com* ● *hostalpeñas.es* ● *À 2 km du centre de Pedraza, dans un hameau dans la vallée. Double 55 € avec le petit déj.* Au calme, une petite maison transformée en hôtel rural à prix sages. Chambres simples et bien tenues, donnant sur les ruelles du hameau. Le meilleur rapport qualité-prix de Pedraza (où tout est cher).
🛏 ●l **Posada El Zaguán :** *pl. de España, 16, 40370* **Turégano.** ☎ *921-*50-11-65. ● *zaguan@el-zaguan.com* ● *el-zaguan.com* ● *Double env 70 €. Resto 15-25 €.* Au cœur de l'un de ces villages castillans typiques, cette *posada* (à ne pas confondre avec l'hôtel du même nom, plus cher) est une vieille demeure de caractère, faite de pierre, de bois et de brique, avec un délicieux jardin à l'arrière avec vue sur le château. Superbe salon commun avec cheminée et vieux postes de radio au mur. Chambres charmantes, tout confort, à la décoration personnalisée et soignée (certaines, comme la n° 301, sont assez petites, demander à en voir plusieurs). Abrite aussi un bar et une bonne table (traditionnelle). Un de nos coups de cœur dans la région !
●l ↑ Pour manger, plusieurs *restos* à prix raisonnables sur la jolie plaza Mayor dont **El Soportal,** pour ses tapas et ses *raciones,* et son cadre plaisant. Ouv tlj sauf mer soir. *Menus 15-29 €, raciones 8-18 €.*

LA CASTILLE-LEÓN

Plus chic

🏠 *Hospedería de Santo Domingo :* c/ Matadero, 3. ☎ 921-50-99-71. ● info@hospederiadesantodomingo. com ● hospederiadesantodomingo. com ● ♿ Doubles 95-130 €. La meilleure adresse du village, dans une demeure vieille de 3 siècles. Les chambres ont bien du charme, toutes confortables avec une déco contemporaine stylisée (les standards donnent sur la rue tandis les supérieures avec balcon donnent sur un vaste paysage). Petit déjeuner-buffet copieux et varié. Délicieux jardinet avec vue. Aux beaux jours, c'est un poste d'observation parfait pour regarder les cigognes faire leur nid.

🏠 ⏐●⏐ *Posada de Don Mariano :* c/ Mayor, 14. ☎ 921-50-98-86. ● info@ hoteldonmariano.com ● hoteldonmariano.com ● Resto fermé dim soir, lun, 1re quinzaine de janv et 2de de juin. Double env 90 €, et 1 spéciale à 115 €, petit déj 9,50 €. Réduc à partir de 2 nuits. Menu min 25 €. Dans un décor rustique de caractère, les chambres agréables et colorées sont toutes différentes. Nos préférées ? La Muñeca, avec son lit à baldaquin et Los Palacines, toute rose ! Certaines donnent sur un patio intérieur fleuri. Spécialités castillanes au resto (où l'on prend le petit déj également) : cordero lechal (veau) et cochinillo asado (cochon de lait). Accueil cordial.

🏠 *El Hotel de La Villa :* c/ Calzada, 5. ☎ 921-50-86-51. ● info@elhotelde lavilla.com ● elhoteldelavilla.com ● ♿ Doubles 100-120 €, suite 250 €, avec petit déj. Une vieille demeure seigneuriale très bien restaurée. Très beau salon commun où lézarder. Chambres spacieuses et charmantes, décorées avec goût. Les mansardées, au 2e étage, sont particulièrement romantiques (notamment les nos 225, 226 et 230). Spécial coup de folie : l'immense suite no 120, avec jacuzzi au centre de la chambre !

⏐●⏐ *Reberte :* c/ Real, 5. ☎ 921-50-87-05. Ouv le midi uniquement. Menus 25-30 €. Petite auberge rustique et chaleureuse dans une superbe bâtisse (façade somptueuse !), où l'on s'attable volontiers à l'étage autour du four où grillent les cochons de lait. Cuisine castillane copieuse et goûteuse. Le digestif généralement offert par le patron n'est pas de trop ! Accueil très sympathique.

À voir

🍗 *Plaza Mayor :* avec ses vieilles maisons à portique, c'est l'une des plus charmantes de Castille-León. La place et les rues de Pedraza servent de décor à de nombreux films (dont certaines scènes de La Folie des grandeurs (1971), de Gérard Oury, avec Yves Montand et Louis de Funès), et plus récemment à des séries espagnoles, dont des scènes de la mini-série d'horreur 30 monedas (sur HBO Espagne en 2020), du réalisateur Álex de la Iglesia. Ne soyez donc pas étonné d'y voir, en semaine surtout, des décors fictifs !

🍗 *Castillo-museo Ignacio Zuloaga :* ☎ 921-50-98-25. ● museoignaciozuloaga. com ● Au bout du rocher, à l'aplomb de la falaise. Visite guidée seulement, mer-dim 11h-14h, 17h-20h (16h-19h l'hiver). Fermé lun-mar. Entrée : 7 €. Du XVIe s, ce château trapu ne manque pas d'attrait avec son pont dormant et ses remparts solides. À l'entrée, curieuse porte cloutée à laquelle on n'a pas envie de se frotter ! On visite les jardins, les patios et la tour-musée où sont conservées les œuvres du peintre castillan Ignacio Zuloaga (1870-1945), portraitiste dans la plus pure tradition de la peinture espagnole du début du XXe s. C'est Zuloaga lui-même qui entreprit de restaurer ce castillo. Si son nom ne vous dit rien, Zuloaga a fréquenté les grands noms de l'art du XXe s (Gauguin, Van Gogh, Degas, Rodin, Toulouse-Lautrec) et ses œuvres figurent dans les collections de nombreux musées à travers le monde dont le musée Rodin et le musée d'Orsay à Paris.

🍗 *Carcel de la Villa :* dans la puerta de la Villa, à l'entrée de la ville, au début de la c/ Real. ☎ 921-50-99-55. Tlj 11h30-14h, 16h-19h. Visite guidée seulement (env 20 mn). Entrée : 3 €. Ancienne prison de la ville dans un édifice médiéval du XIIIe s.

🏛 *Casa del Águila Imperial* : c/ Cañada Real Orejana, s/n. ☎ 921-50-87-78. ● patrimonionatural.org ● *En bas du village, sur la droite en arrivant. Ouv Semaine sainte-nov : ven-sam et j. fériés 10h-14h30, 15h30-19h ; dim 10h-15h. Expo : 1 € ; réduc.* Un centre d'interprétation sur l'aigle impérial, installé sur les ruines de l'église San Miguel. Beaux jardins médiévaux. 3 *balades* partent d'ici :
– *La Orejanilla :* pas de difficulté. Sur 5,2 km. Durée : 2h A/R.
– *Las Tongueras :* difficulté moyenne. Sur 2,8 km. Durée : 1h A/R.
– *El Mirador de la Velilla :* difficulté moyenne. Sur 5,6 km. Durée : 2h A/R.

Fête

– *Noche de las Velas (Nuit des bougies) :* 2 sam début juil. ● pedraza.net ● Près de 60 000 bougies installées dans les rues du village. Accès gratuit mais limité.

SEPÚLVEDA (40300)

À 23 km au nord de Pedraza de la Sierra, et à env 50 km au sud d'Aranda de Duero, à mi-chemin entre Ségovie et Soria.
Perchée sur un éperon rocheux en surplomb d'un profond canyon entre les ríos Duratón et Castilla. Romaine d'abord, wisigothe, musulmane avec les sultanats des Maures (du VIIIe au Xe s) puis reprise par les rois chrétiens, la ville reste imprégnée par ce riche héritage roman (témoin de son époque de splendeur, du XIe au XIIIe s).
Classé site historique et artistique en 1951, Sepúlveda est aujourd'hui un gros bourg tranquille, animé par la venue de joyeuses familles le week-end, et la capitale du *cordero asado* (agneau grillé), une spécialité aussi croustillante que goûteuse.
– *Stationnement :* laisser sa voiture par exemple c/ Sancho García, c/ de los Fueros, c/ San Bartolomé, dans les rues qui descendent du centre-ville vers le río Duratón, et continuer à pied.

Adresses utiles

🛈 *Oficina de turismo :* pl. del Trigo, 6. ☎ 921-54-04-25. ● turismosepulveda. es ● Mar-dim 10h30-14h30, 16h-18h. *Fermé lun-mar (et jeu ap-m hors saison).* Organise en saison des visites guidées de la ville *(sam à 12h ; 4,50 € ; groupe de 10 pers min).* Plan de la ville et quelques brochures sur les environs.
■ *Casa del parque natural de las*

Hoces del río Duratón : c/ Conde de Sepúlveda, 34. ☎ 921-54-03-22. ● patrimonionatural.org ● *Dans l'iglesia Santiago de Sepúlveda. Mer-dim 10h-15h (18h sam). Fermé lun-mar.* Un centre d'interprétation de l'environnement ludique et bien documenté. Expo sur la faune et la flore de la région. Bons conseils, carte gratuite.

Où dormir ? Où manger ?

🏠 |●| *Hotel Vado del Duratón :* c/ San Justo y Pastor, 10. ☎ 921-54-08-13 (hôtel). 🖹 690-20-27-72 (resto). ● reservas@vadodelduraton.com ● vadodelduraton.com ● *Congés : 15 j. fin janv. Resto fermé lun.* Double 69 €, petit déj et parking inclus (si résa directe). Plats 12-25 €, menus 25-35 €. Dans une demeure ancienne restaurée et

aménagée dans un style contemporain. Des chambres simples, mais agréables et confortables (literie correcte, belles salles de bains...). Certaines ont un bout de vue sur la ville. À l'étage, terrasse accueillante pour buller. Côté resto, le *Fogón del Azogue* propose une cuisine un peu chère de bonne qualité, et bien sûr les spécialités locales de viandes grillées. Service courtois et souriant.

|●| **Restaurante El Señorio de Sepúlveda :** c/ Sancho Garcia, 5. ☎ 921-54-00-56. ● info@señoriodesepulveda. es ● À 50 m en contrebas de la pl. principale. Tlj midi et soir. Congés : janv. Menus 10-15 €, plats 5-15 €. Le patron est jovial comme Sancho Panza. Il concocte et sert les spécialités locales comme la sopa castellana, les haricots blancs castillans (judías blancas), et le fameux agneau de lait au four (cordero asado al horno). À l'entrée, petit comptoir convivial où l'on joue des coudes avec les habitués des lieux, entre 2 discussions enflammées.

|●| **El Figón de Ismaël :** c/ Lope Tablada, 2. ☎ 921-54-00-55. ● info@ elfigondeismael.com ● Tlj au déj, plus le soir le w-e. Résa conseillée. Menus 26-38 € ; plats 14-20 € ; cordero asado (2 pers) 35 €. Chez Ismaël, on se sent bien. Dans 2 jolies salles aux murs blancs et poutres apparentes, on déguste un succulent cordero asado, accompagné de frites ou de salade. Le week-end, c'est plein à craquer. Sans réservation, tentez quand même votre chance, vous ne le regretterez pas.

🍬 Pour des douceurs traditionnelles de la région : l'incontournable **pâtisserie artisanale La Peña** (pl. España, 20 ; tlj sauf lun 9h-20h30).

À voir. À faire

Nombreuses églises romanes. De l'église de la Virgen de la Peña (remarquez le superbe tympan de la porte d'entrée !), très belle vue sur le canyon profond et encaissé. Tout en haut du bourg, panorama plongeant sur toute la vallée depuis l'église El Salvador (plus ancienne église romane de la province, datant de 1093).

🍴 **Antigua Carcel de Sepúlveda :** pl. del Trigo, 7. ☎ 921-54-04-25. Horaires variables, se renseigner à l'office de tourisme. Entrée : 3 € ; avec le museo de los Fueros : 4 € ; réduc. Il s'agit de l'ancienne prison de la ville, datant de 1543, reconvertie en musée. Son thème ? L'enfermement (volontaire ou non), à travers les époques. Au rez-de-chaussée, quelques cellules d'origine. Au 1er étage, plusieurs salles ludiques sur l'univers carcéral, la privation de liberté, la prison domestique (la femme recluse) mais aussi la vie monastique. Au 2e étage, reconstitution de l'ancienne prison avec plusieurs cellules pour hommes et femmes, salle du conseil, zone administrative... Un musée intéressant, en tout cas original, à l'atmosphère particulière, avouons-le, mais qui invite à la réflexion.

🍴 **Museo de los Fueros :** c/ Santos Justo y Pastor, 8, près de l'arco del Ecce Homo (ou puerta del Azogue). ☎ 921-54-04-25. Horaires variables, se renseigner. Entrée : 3 € ; avec la prison 4 € ; réduc. Dans l'église de los Santos Justo y Pastor (époque romane), restaurée et aménagée en musée régional. Jolie collection d'art religieux, quelques pierres tombales dans la crypte, et une courte expo sur les villages des alentours. On y apprend l'histoire de Sepúlveda à travers Los Fueros. Ce terme médiéval désigne le statut juridique et administratif donné à des villages de pionniers que le roi voulait repeupler coûte que coûte pour étendre et asseoir son pouvoir. Tous pouvaient y habiter, chrétiens, juifs, Maures, libres ou esclaves à condition de respecter la loi qui était la même pour tous. Dans les Fueros, il ne pouvait y avoir ni palais royal, ni palais épiscopal.

🍴 **Parque natural Hoces del río Duratón :** à 12 km à l'ouest de Sepúlveda, accès par Villaseca ou San Miguel de Neguera. Autour del río Duratón, qui serpente entre d'impressionnantes falaises en à-pic, il couvre une superficie de 5 000 ha et abrite quelques vautours, faucons, hiboux et autres bêtes à plumes et à poils. Plusieurs clubs (la plupart à San Miguel de Bernuy) proposent des locations de **canoës** (piragüismo).

Plus d'infos à la *Casa del parque natural* (voir plus haut) sur les 6 **balades** à faire dans le parc, dont notre préférée :
– *L'ermita San Frutos :* faible difficulté. Sur 1,85 km. Durée : 1h A/R. En voiture, env 4 km de piste depuis le village de Villaseca, puis 15 mn à pied.

SORIA   (42000)   36 000 hab.

• Plan *p. 218-219*

Sur le haut plateau au nord-est de la Castille, dans un paysage qui évoque en hiver (il neige souvent) les horizons lointains de l'Amérique du Sud, Soria n'a pas le caractère exceptionnel de Ségovie ou de Burgos, certes, mais elle a une belle âme. Son isolement et sa pauvreté en firent naguère une terre d'émigration, et la province reste la moins peuplée d'Espagne. À présent, malgré son dépeuplement, la ville a retrouvé un certain dynamisme économique et

SORIA, LE GRAND AMOUR DE DU GUESCLIN

L'histoire l'a oublié, mais le connétable de France Bertrand Du Guesclin a guerroyé aussi en Castille contre les Maures au service d'Henri II de Castille. Pour le remercier, le roi lui accorda en 1368 le titre de connétable de Castille et comte de Soria ! On dit aussi que doña de Soria fut le grand amour du chevalier breton. Un enfant illégitime naquit de cette union : Olivier Du Guesclin, ancêtre des marquis de Fuentes...

une douceur de vivre. Située sur la rive du Duero, elle séduisit de nombreux artistes espagnols comme le poète Antonio Machado ou le peintre Juan Soreda. Soria est castillane de cœur et d'esprit : à l'heure du traditionnel *paseo*, les habitants sortent de chez eux pour se promener sur la calle El Collado.
Un site à visiter à proximité : Numancia, ancienne cité celtibère qui résista aux légions romaines pendant 14 ans avant de capituler. Au sommet d'une haute colline, Numancia est l'ancêtre de Soria sans laquelle celle-ci n'aurait pas de raison d'être.
Depuis 2010, Soria est classé au Patrimoine culturel immatériel de l'humanité de l'Unesco. Une distinction obtenue grâce à sa pratique alimentaire emblématique, la diète méditerranéenne : un modèle nutritionnel dont les principaux ingrédients sont les fruits et légumes frais ou séchés, l'huile d'olive, les céréales, de nombreux condiments et épices, une proportion limitée de produits laitiers, de poissons et de viandes. Et tout cela arrosé de vin ou d'infusions !

Arriver – Quitter

En train

🚉 **Estación RENFE** *(hors plan par A2) :* estación Cañuelo, ctra de Madrid. ☎ 912-320-320. • *renfe.com* • *Au sud-ouest de la ville.*
➢ **Madrid :** 2 trains/j. (3 le dim depuis Soria), 1 le mat et 1 en début de soirée,

depuis Soria comme depuis Madrid. Durée : env 3h.

En bus

🚌 **Estación Autobuses** *(hors plan par A1-2) :* avda de Valladolid, 40 (au niveau de l'avda de la Constitución).

LA CASTILLE-LEÓN

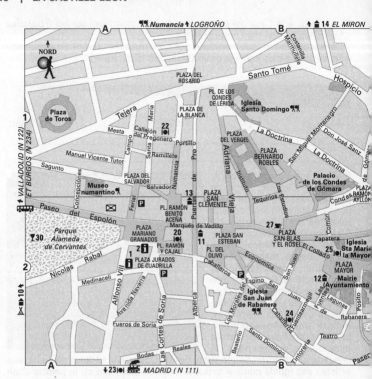

Adresses utiles

🛈 1 Oficina de turismo de Castilla y León (A2)
🛈 2 Oficina municipal de turismo (A2)

Où dormir ?

10 Albergue juvenil Antonio Machado (hors plan par A2)
11 Hostería Solar de Tejada (B2)
12 Hotel Soria Plaza Mayor (B2)
13 Hotel Apolonia (A2)
14 Hotel Leonor (hors plan par B1)

☎ 975-22-51-60. ● estacionsoria. com ● Consigne. Desservie principalement par les *Continental* (gérée par Alsa : ☎ 902-42-22-42 ; ● alsa.es ●) et *Therpasa* (☎ 975-22-20-60 ; ● therpasa.es ●).

➤ *Madrid :* env 16 bus/j. dans les 2 sens. Durée : 2h15-3h. Terminus avda de América (8-9 bus/j.) ou bien aéroport Madrid-Barajas (8-9 bus/j.). Cie *Continental.*

➤ *Valladolid :* 3 bus/j. dans les 2 sens. Durée : 2h45. Cie *Linecar.*

➤ *León :* 1 bus tlj sauf sam dans les 2 sens. Horaires très variables, se renseigner sur place. Durée : env 5h15. Cie *Linecar.*

➤ *Burgos :* env 4 bus/j. dans les 2 sens : lun-sam 7h-19h. 2 bus seulement dim. Durée : 2h20. Cie *Therpasa.*

➤ *El Burgo de Osma :* bus direction Langa de Duero. De Soria, 2 bus/j.

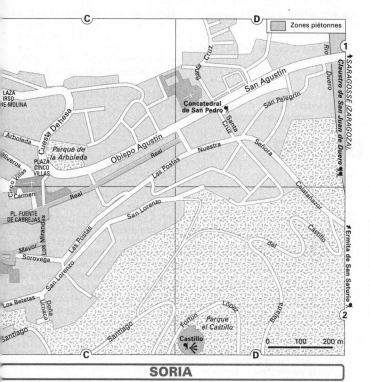

SORIA

LA CASTILLE-LEÓN

¡●¡	Où manger ?			
	20 Taberna Capote (A2)		**25** Mesón Castellano (B2)	
	22 Cervecería El Templo (A1)	☕	Où faire une pause sucrée ?	
	23 Bar-restaurante El Ventorro (hors plan par A2)		**27** Nueva York (B2)	
	24 Baluarte (B2)	❢	Où boire un verre ?	
			30 Bar El Kiosco (A2)	

lun-ven en début et fin d'ap-m ; 1 bus dim en fin d'ap-m. Durée : 45 mn. Cⁱᵉ *Therpasa*.

➢ *Salamanque et Barcelone :* 1 bus/j. dans les 2 sens. Durée : 6h. Cⁱᵉ *Vibasa*.

Adresses et infos utiles

🛈 *Oficina de turismo de Castilla y León* (plan A2, *1*) : c/ Medinaceli, 2. ☎ 975-21-20-52. ● turismo castillayleon.com ● Près de l'entrée principale du parc Cervantes. Lunsam 9h30-14h, 16h-19h (17h-20h en été) ; dim 9h30-17h. Très bonnes infos et plan de la ville. Très bon accueil. Si vous avez envie de balades au grand air, demandez la brochure consacrée au GR 86.

🛈 *Oficina municipal de turismo (plan A2, 2) :* pl. Mariano Granados. ☎ 975-22-27-64. ● turismosoria.es ● soria.es ● Mar-dim 10h-14h, 16h-20h (19h hors saison). Fermé lun, plus dim ap-m hors saison.

– *Site internet :* ● sorianitelaimaginas. com ● Très complet (en espagnol).

– Stationnement : les lignes blanches au sol signalent un stationnement gratuit (souvent excentré), les lignes bleues un stationnement payant en semaine. Compter env 1,40 € pour 2h. On conseille le parking central la plaza del Olivo, pour 3 €/24h. Le grand parking del Espolón (entrée c/ Ferial) est plus cher.

Où dormir ?

Camping

⛺ *Camping Fuente de la Teja (hors plan par A2) :* au sud de Soria ; ctra de Madrid, km 223, 42005. ☎ 975-22-29-67. ● camping@fuentedelateja. com ● fuentedelateja.com ● Sur le périphérique SO-20, sortie 8 (Quintana Redonda et Fuentepinilla). Au niveau de l'échangeur de la N 111 et de l'A-15 en direction de Madrid (panneaux). Ouv mars-oct. Env 22 € pour 2 avec tente et voiture. Juste en contrebas de l'autoroute, donc assez bruyant et sans charme... Il n'est pas toujours évident de trouver une place au milieu des alignements de caravanes. Terrain assez dur et peu ombragé. Sanitaires convenables, bar, snack, et piscine payante (l'été). Pas génial, mais c'est le seul si proche de Soria. Bon spot pour observer la nidification des cigognes !

⛺ *2 aires pour camping-cars,* un peu excentrées : une au début de l'avda de Valladolid (en face du Parque Gabriel Cisneros) et une à c/ « J » (la plus grande) à Polígono Las Casas (à côté de *Leclerc*). À noter qu'ici pas de restrictions au stationnement des camping-cars, tant que cela est fait dans le respect du voisinage.

De très bon marché à prix moyens (10-60 €)

🏠 *Albergue juvenil Antonio Machado (AJ ; hors plan par A2, 10) :* pl. Odón Alonso, 1, 42003. ☎ 975-23-94-60. ● machado-ij@jcyl.es ● reaj.com ● Ouv seulement en juil ou en août, en alternance avec l'AJ *Gaya Nuño.*

Fermé sept-juin. Avec petit déj, env 10 € pour les - de 30 ans et 11,30 € pour les autres. Pens complète possible, 15-21 €. Carte FUAJ obligatoire. À 5 mn à pied du centre, cette résidence étudiante moderne est un vrai bon plan l'été : bonnes infrastructures fonctionnelles, chambres impeccables et bien meublées (2 lits simples, bureaux, placards et salles de bains attenantes). Sur place : consigne, laverie et salon TV. Accueil charmant et personnel arrangeant ! Une autre résidence *(ouv en juil ou en août, en alternance avec la précédente) : Albergue juvenil Gaya Nuño,* à côté *(paseo de San Francisco, 1),* moins récente.

🏠 *Hostería Solar de Tejada (plan B2, 11) :* c/ Claustrilla, 1, 42002. ☎ 975-23-00-54. ● info@hosteriasolardetejada. es ● hosteriasolardetejada.es ● *Double 60 €. Pas de petit déj.* Dans l'hypercentre, une bonne adresse pour un court séjour ou une étape. Chambres toutes différentes, colorées et personnalisées de bibelots. Les plus bruyantes donnent sur rue. Petites salles de bains. Accueil sympa.

De chic à plus chic (60-120 €)

🏠 *Hotel Soria Plaza Mayor (plan B2, 12) :* pl. Mayor, 10, 42002. ☎ 975-24-08-64. ● info@hotelsoriaplazamayor. com ● hotelsoriaplazamayor.com ● *À droite de la mairie (ayuntamiento). Congés : 10 j. début janv et 2 sem fin déc. Doubles 70-85 €. Réduc de 10 % sur les doubles en basse saison ou café offert sur présentation de ce guide.* Un bon rapport qualité-prix dans cette catégorie rustique-chic en plein centre-ville. Les chambres, propres et confortables, donnent sur la place ou sur la rue à côté. Très calme la nuit.

🏠 |●| **Hotel Apolonia** (plan A2, **13**) : c/ Puertas de Pro, 5, 42002. ☎ 975-23-90-56. ● info@hotelapoloniasoria. com ● hotelapoloniasoria.com ● Doubles 70-90 € , petit déj 8 € ou env 3 € à la cafèt'. Promos sur leur site. En plein centre, hôtel design aux chambres épurées et bien aménagées (TV, clim, douche à l'italienne). Nos préférées ? Les n°s 101 et 107. On évitera juste celles donnant sur le square, bruyantes. Accueil charmant. Sympathique

bar à tapas (7h-23h) avec terrasse, au rez-de-chaussée.

🏠 **Hotel Leonor** (hors plan par B1, **14**) : paseo del Mirón, s/n, 42005. ☎ 975-22-02-50. ● hleonor@hotel-leonor.com ● hotelleonormiron. com ● Doubles 70-80 €, petit déj 8 €. Accrochée à flanc de montagne, en surplomb du río Duero, cette grande auberge aux épais murs de pierre a bien du caractère. Vue magnifique qu'on ne se lasse pas d'admirer depuis les terrasses et certaines chambres. Grand confort (clim) et déco rustique-chic. Accueil gentil.

Où dormir dans les environs ?

🏠 **La Posada de Numancia** : Ramón Benito Aceña, 34, 42162 **Garray**. ☎ 975-25-20-68. 🖥 605-09-11-52. ● laposadadenumanciagarray@gmail. com ● Sur la N 111, direction Logroño, à 8 km au nord de Soria. Double env 84 €, petit déj inclus. À droite de la route principale, en venant de Soria.

Cette imposante auberge rustique se révèle charmante. Elle est tenue par un couple accueillant, Tomas et Ana Carmen, ainsi que leur compagnon canin. Toutes confortables, les chambres donnent sur la route ou sur l'arrière (pas de vue) pour les plus calmes.

LA CASTILLE-LÉON

Où manger ?

Tapas

Les bars à tapas se concentrent autour de la **plaza Ramón Benito Aceña** (plan A2 ; au début de la fameuse c/ El Collado) et de la petite plaza San Clemente à deux pas de la rue centrale (plan B2). Accès par une ruelle au niveau du 48-50 sur la c/ El Collado. Le soir, en fin de semaine, c'est littéralement noir de monde ! Essayez les spécialités du coin comme le picadillo soriano, une sorte de hachis de chorizo et le torrezno, de la poitrine de porc frite.

De très bon marché à bon marché (max 15 €)

|●| **Taberna Capote** (plan A2, **20**) : pl. Ramón y Cajal. ☎ 975-22-73-71. Tlj jusque tard. Montadito de base 1,20 € ; menu midi 14 €. Un bar à montaditos (sandwichs) qui propose aussi

quelques tapas et plats typiques de la région. Rien d'exceptionnel, mais ça fait l'affaire. Entre 2 bouchées, prenez le temps d'admirer les dizaines de photos en noir et blanc encadrées au mur ! Le midi comme le soir, ambiance jeune et animée.

|●| ↑ **Cervecería El Templo** (plan A1, **22**) : callejón del Pregonero, 2. ☎ 975-21-51-62. ● buzon@eltemplosoria.es ● Tlj sauf lun. Menus : midi 12,50 €, w-e 20 €. Un bistrot de quartier très apprécié des locaux pour sa carte variée et ses prix démocratiques : plats classiques, mais aussi toute une sélection de pintxos, bocadillos et de platos combinados. Accueil sympa.

De plus chic à très chic (de 25 à plus de 35 €)

|●| **Bar-restaurante El Ventorro** (hors plan par A2, **23**) : avda Mariano Vicén, 33. ☎ 975-22-37-54 ou 97-75.

• *restaurante@elventorro.es* • *Tlj sauf lun. Fermé en juil.* Carte 30-40 €. Sans doute le meilleur rapport qualité-prix de Soria. On y sert une cuisine traditionnelle castillane, savoureuse et copieuse. Belle carte de produits de la mer. Service attentionné mais sans chichis !

I●I *Baluarte* (plan B2, *24*) : c/ Caballeros, 14. ☎ 975-21-36-58. • *contacto@ baluarte.info* • *Tlj sauf dim soir-lun. Plats 9-20 €, menu traditionnel 54 €, menu dégustation 69 € (9 plats), repas 25-50 €.* Une valeur sûre ! Situé en plein centre de Soria, ce gastro moderne et créatif revisite la cuisine castillane avec un brin de folie et d'excentricité. Des plats exquis et raffinés, concoctés par Óscar García (classé parmi les 20 jeunes chefs les plus prometteurs d'Espagne par le journal *L'Expansion*). Les portions sont conséquentes et équilibrées. Déco chic et élégante, mais dans l'esprit nouvelle génération. Service et accueil à la hauteur de la réputation de la maison.

I●I *Mesón Castellano* (plan B2, *25*) : pl. Mayor, 2. ☎ 975-21-30-45. *Tlj jusque tard.* Carte 30-35 €. Classique, sans grande originalité mais que nous recommandons surtout pour ses tapas de qualité à picorer au bar, ainsi que *bocadillos, raciones* et *platos combinados*. Dans la salle, on déguste une bonne cuisine typique de la région, mais à notre avis un peu surfacturée. Belle carte de vins. Service efficace.

Où faire une pause sucrée ?

☛ ↑ *Nueva York* (plan B2, *27*) : pl. San Blas y el Rosel. ☎ 975-21-27-84. • *pasteleriany@hotmail.com* • *Tlj 8h-21h.* Drôle de référence à New York. Non, ce n'est pas un fast-food à l'américaine mais une adresse (ouverte en 1951 !) pour un petit déj ou un goûter rapide et pas cher (pâtisseries à prix sages).

Où boire un verre ?

❢ ↑ *Bar El Kiosco* (plan A2, *30*) : Alameda de Cervantes, s/n. ☎ 975-18-78-33. • *info@elkioscodesoria.com* • *Tlj jusque tard.* À n'importe quel moment de la journée, ce bar branché en plein cœur du parc ne désemplit pas. Tonneaux en guise de table sur la terrasse. Quelques *pintxos* pour grignoter. Concerts. Attenant, le resto (chic) met à l'honneur les produits de saison *(tlj sauf mar hors saison, midi et soir ; plats 9-36 €)*.

À voir
....

Dans le centre historique

🍖 *Museo numantino* (plan A1) : paseo del Espolón, 8. ☎ 975-22-13-97. ♿ Face au parc Alameda de Cervantes. *Tlj sauf dim ap-m et lun, 10h-14h, 16h-19h (17h-20h l'été).* Entrée : 1 € ; gratuit le w-e. Un musée moderne qui s'intéresse à l'histoire de Soria (société, langue, religion, rites funéraires...) depuis le Paléolithique. Belle collection de fossiles (mandibule et bassin d'éléphant !), silex, outils, objets et de fragments de sculptures. La riche section sur la culture celtibère vaut vraiment le détour (proximité de Numancia oblige).

🍖🍖 *Les églises romanes* : celle de ***Santo Domingo*** *(ouv tlj ; plan B1)*, avec sa façade tripartite du XIIIe s et son impressionnant portail central à la riche iconographie, attire l'œil ! Quelques autres jolies églises, dont ***San Juan de Rabanera*** *(ouv rarement ; plan B2)*.

Un peu à l'extérieur

★ **Concatedral de San Pedro** *(plan D1) :* *pl. de San Pedro. Horaires variables, autour des heures de culte. Entrée : 2 €.* On y vient surtout pour son admirable cloître roman : les arcs à colonnes doubles sont surmontés de magnifiques chapiteaux aux motifs floraux et animaliers. D'autres encore portent d'intéressantes scènes figuratives. En sortant, sur la droite, une petite salle renferme les vestiges de l'église primitive, datant du XIIe s.

★ ⟨ **Les ruines du castillo** *(parque municipal del Castillo ; plan D2) :* *accès par le paseo Santiago puis la c/ Fortún López.*
Sur une colline à l'est de la ville, qui domine la vallée de la rivière Duero. Vue superbe de là-haut, mais elle se mérite si vous partez d'en bas ! Le château n'est qu'un ensemble de ruines. Difficile d'imaginer qu'au Moyen Âge on disait qu'il était aussi grand que la forteresse de Jérusalem !
Domaine de la très noble et très puissante famille de Soria, le *castillo* avait une grande importance stratégique. Il gardait la frontière entre les terres chrétiennes au nord de la Castille et le vaste domaine d'Al-Andalus au sud, habité par les Maures. Quant au château, rattaché au domaine royal, il fut tour à tour assiégé, incendié, détruit et dynamité par le général Duran pendant les guerres napoléoniennes. Il ne reste malheureusement rien de sa splendeur passée.

Sur la rive sud de la rivière Duero

★★ **Claustro de San Juan de Duero** *(hors plan par D1) :* *paseo de las Ánimas ; direction Zaragoza par la N 122. À gauche juste après le pont qui enjambe le Duero.* ☎ *975-22-13-97. Mar-sam 10h-14h, 16h-19h (16h-20h l'été, 16h-18h l'hiver) ; dim et j. fériés 10h-14h. Fermé lun. Entrée : 1 € ; gratuit le w-e.* Du très beau cloître (XIIIe s) de ce vieux monastère de San Juan de Jerusalén (l'ordre des Hospitaliers) ne subsistent que les colonnes portant des arcs de différents styles qui s'entrelacent sous le ciel. Mais c'est un spectacle à ne pas manquer : ce mélange d'arts roman, arabe et mudéjar est unique en Espagne.

★ **Ermita de San Saturio** *(hors plan par D2) :* *paseo San Saturio, à env 2 km du centre par la route d'Agreda.* ☎ *975-18-07-03. Mar-sam 10h30-14h, 16h30-18h30 (19h30 en ½ saison et 20h30 l'été) ; dim et j. fériés 10h30-14h. Fermé lun. GRATUIT.* Pour y accéder, on passe sous un joli porche et on suit un chemin bucolique bordé de peupliers, qu'Antonio Machado appelait la « balade des amoureux ». Ermitage du XVIIIe s, intéressant pour ses fresques et son autel baroque. Haut perché sur un rocher, il est accessible par un escalier extérieur ou un passage dans une grotte qui surplombe la rive du Duero.

Balades

– **Ruta del Duero** *(GR-14) :* ce *camino natural* passe par Soria et longe les berges du Duero. Quelques pontons de baignade. Au niveau du bar *Soto Playa (hors plan par D2),* un club de sports nautiques *(Escuela Numancia)* loue des kayaks, *paddles* et barques.

DANS LES ENVIRONS DE SORIA

★★ ⟨ **Le site de Numancia** *(Numance) :* à *Garray, à 7 km au nord-est de Soria (en direction de Logroño par la N 111).* ☎ *975-25-22-48.* 📱 *650-70-96-71.* ● *numanciasoria.es* ● *Mar-sam 10h-14h, 16h-20h (19h mars-mai et oct ; 18h* janv-fév et nov-déc) ; dim et j. fériés 10h-14h. Fermé lun. Dernière entrée 30 mn avt la fin. Entrée : 5 € ; réduc ; gratuit mar. Visite guidée possible sur résa. Après 20 ans de résistance, Rome décide d'en finir avec cette cité celtibère (comptant 4 000 personnes) arrogante et emploie les grands moyens. En 134 av. J.-C., Scipion Émilien, vainqueur de Carthage, dirige les opérations à la tête d'une armée de plus de 50 000 hommes et fait construire un rempart de 9 km jalonné de tours et de campements autour des rebelles. Après un siège de 11 mois, les Celtibères survivants se rendent, non sans avoir mis le feu à la cité ! On parcourt des ruines, partiellement recouvertes de champs de coquelicots et de marguerites, qui révèlent une configuration urbaine quadrillée avec des rues et des trottoirs. Intéressant : 2 reconstitutions de maisons romaines (vraiment réalistes !) et celtibères permettent de comparer les modes de vie. Du rempart, vue globale du village.

DE SORIA À BURGOS PAR LES FORÊTS DE PINS

Entre Soria et Burgos, une vaste bulle de verdure et de fraîcheur s'offre à vous ! Une région superbe, appelée « Los Pinares » car elle est parsemée de forêts de pins. Au programme : randonnée, farniente ou balade au bord des lacs et lagunes, et même ski... Pour la découverte du coin, il faut être motorisé.

VINUESA (42150)

À env 36 km à l'ouest de Soria. Mignon petit village, très bien situé, aux pieds du parque natural de la Sierra de Urbión et de la laguna Negra, et juste à côté du lac artificiel de la cuerda del Pozo.

Adresse utile

🏛 **Oficina de turismo :** c/ Castillo, route principale au sud du village. ☎ 975-37-81-70. ● vinuesa.es ● À droite, à 50 m avt le croisement avec la route pour laguna Negra. Juil-sept, ouv mer-dim 10h-14h, 16h-20h ; fermé lun-mar. Le reste de l'année, ouv ven 16h-20h ; sam et j. fériés 10h-14h, 16h-20h ; dim 10h-14h. Plans de la région, infos sur les activités liées à la nature.

■ **Casa del parque** (Maison du parc) : à 2 km de Vinuesa, sur la route de la laguna Negra. ☎ 975-37-74-90. ● patrimonionatural.org ● Tlj en juil-août 10h-14h, 16h-20h. Horaires variables le reste de l'année. Un centre (et musée) dédié à la forêt. Plans de randonnées et conseils avisés. Arrêt vivement conseillé si vous comptez découvrir la laguna Negra ou les picos de Urbión. C'est sur le chemin !

Où dormir ? Où manger dans le coin ?

⋏ **Camping Cobijo :** ctra Montenegro de Cameros, km 2, 42150 **Vinuesa.** ☎ 975-37-83-31. Si réception fermée : 📱 630-65-46-66 ou 690-37-94-82. ● recepcion@campingcobijo.com ● campingcobijo.com ● ♿ À 2 km de Vinuesa sur la route de la laguna Negra. De mi-avr à début nov. Resto ouv tlj juil-août. Compter 24 € pour 2 avec tente et voiture. Bungalows 2-6 pers 57-139 €. En pleine nature, au pied des montagnes (proche du lac de la cuerda del Pozo), dans une immense et aromatique pinède (10 ha). Camping très agréable (placement libre), mais terrain caillouteux : à vos maillets ! Bien équipé : bar, resto, épicerie, laverie, piscinette *(ouv en été)*, aire de jeux pour les enfants... Accueil chaleureux.

🏕 *Camping Urbión :* à env 11 km au sud de Vinuesa par la SO-820 puis à gauche à Molinos de Duero par la CL-117. ☎ 975-23-16-30. ▤ 646-24-33-49. ● info@campingurbion.com ● campingurbion.com ● *Ouv avr-oct.* Compter 25 € pour 2 avec tente et voiture. Les pieds dans l'eau du lac de la *cuerda del Pozo,* un camping nature très bien entretenu. Les emplacements ne sont pas délimités et on choisit librement de s'installer à l'ombre des arbres. Piscine. Nombreuses activités liées au lac et aux montagnes environnantes.

🏠 *Hostal Lagunas de Urbión :* paseo Reina Sofía, 22, 42156 **Molinos de Duero.** ▤ 616-31-96-71. ● lagunas deurbion@gmail.com ● lagunasdeur bion.com ● *À 5 km de Vinuesa. Double env 52 € avec petit déj.* Au cœur d'un village charmant (avec ses ruelles pavées et ses maisons traditionnelles), cet *hostal* propose 9 chambres simples mais très bien tenues (avec TV, radio, grand lit et salle de douche). Jardin-terrasse adorable où l'on peut prendre son petit déjeuner. Accueil attentionné.

🏠 ❙●❙ *Real Posada de la Mesta :* 42156 **Molinos de Duero.** ☎ 975-37-85-31. ▤ 685-98-55-87. ● info@ realposada.com ● realposada.com ● *À 5 km de Vinuesa. Double 60 €, petit déj 8,50 €. Repas 25-30 €.* Bâtisse en pierre de caractère datant de 1729 transformée en hôtel de charme, avec vue sur la chaîne de montagnes de la sierra de Urbión. Chaque pièce est un musée à part entière où tableaux anciens et vieux outils côtoient œuvres d'art contemporain. Chambres divines (poutres, pierres apparentes...) et bien équipées. Salon-bibliothèque commun avec billard et jeu d'échecs. Jardin. Au resto, cuisine castillane typique, dans une salle élégante. Le petit déj est plus restreint.

À voir. À faire

🚶 🤸 *Vinuesaventura :* ctra de Vinuesa a Montenegro, km 2,5. ▤ 628-46-32-00. ● vinuesaventura.com ● *Après le camping* Cobijo, *à droite, sur un chemin forestier.* Un parc accrobranche fort sympathique où tous les niveaux et les âges (1,10 m minimum) se partagent les 5 circuits.

🚶 🛶 *Lac de retenue de la cuerda del Pozo :* à 10 km au sud de Vinuesa par la SO-820, puis la CL-117 qui mène aux plus belles parties du lac. En toile de fond : forêts de pins et pics d'Urbión. Des plages artificielles ont été créées autour du réservoir qui contrôle le fleuve Duero dans sa source. On conseille la *Playa Pita,* la plage officielle de Soria *(ctra de la Playa Pita depuis la route CL-117).* Sports nautiques sur place (planche, canoë, kayak, embarcation à pédales...). Bar-cafèt', barbecue où l'on peut faire de la paella (mais si !). Camping sauvage interdit mais il y a une aire pour camping-cars et des sanitaires publics.

🚶🚶 *Laguna Negra y circos glaciares de Urbión :* arrêt à la casa del Parque *(voir plus haut)* avt tte chose. De Vinuesa, l'étroite et sinueuse route forestière conduit à un parking où il faut laisser son véhicule (en saison). Restent 2 km à parcourir à pied (par le GR-86) ou à bord d'une navette *(1,20 € l'A/R).* Au bout, une allée grossièrement pavée conduit à une superbe lagune aux eaux vert émeraude, entourée de falaises abruptes. Magnifique et magnétique. Cet espace naturel a inspiré notamment le poète Antonio Machado pour son œuvre *La Tierra de Alvargonzález.* Autres accès moins empruntés de Covaleda et de Duruelo de la Sierra *(à 13 et 18 km au nord-ouest de Vinuesa par la CL-117),* où, après avoir laissé son véhicule aux parkings, on rejoint le GR-86.1 jusqu'au pic d'Urbión (à 2 229 m), où le Duero prend sa source.

➢ Le 1er dimanche d'août a lieu la célèbre traversée à la nage de la lagune. L'un des événements sportifs incontournables de la région ! Interdiction, en revanche, de s'y baigner le reste de l'année.

LA CASTILLE-LEÓN

➤ **Punto de Nieve Santa Inés :** *17 km au nord de Vinuesa par la SO-830.* 🖥 699-10-50-17. ● *puntodenievesantaines.com* ● *Ouverture variable.* Petite **station de sports d'hiver** : ski, snowboard, balades à raquettes, excursions... Restaurant sur place.

LAS LAGUNAS DE NEILA

Ce parc naturel réunit plusieurs lagunes d'origine glaciaire dans la sierra de Neila. Vraiment superbes, elles sont entourées par des hauts sommets de montagne. Un paradis pour les amateurs de grand air et de belles balades. Si vous arrivez du sud, la route qui y mène (BU-822) est superbe.

Adresse utile

■ **Casa del Parque :** *c/ San Miguel 1, 09679* **Neila.** ☎ 947-39-49-09. ● *patrimonionatural.org* ● *Ouv mars-nov, horaires variables.* Un centre d'interprétation installé dans une église romane. Nombreuses activités organisées dans le parc naturel. Infos sur les balades à faire dans le coin.

Où camper dans le coin ?

⚠ **Camping Arlanza :** *ctra del Campamento, s/n, 09670* **Quintanar de la Sierra.** ☎ 947-39-55-92. ● *campingarlanza@hotmail.com* ● *À env 11 km au sud de Neila. Ouv avr-sept. Env 19 € pour 2 avec tente et voiture. Bungalows 2-6 pers 41-108 €.* Une très bonne option que ce camping municipal au bord du río Arlanza. Accès gratuit aux piscines municipales pour les campeurs. Emplacements délimités d'un côté et campement libre de l'autre. Faites vos jeux ! Quelques bungalows avec cuisine et d'autres sans. Bar-resto à côté. Environnement reposant, bercé par le courant du *río*.

À voir. À faire

🎥🎥 **Lagunas de Neila :** *à env 8 km à l'ouest de Neila. Laisser la voiture au parking des Lagunas.* D'origine glaciaire, ces lagunes composent de très beaux paysages. Du parking, vous n'êtes qu'à quelques centaines de mètres des 1res lagunes. Se renseigner à la *casa del Parque natural.*
– **Idée de randonnée** *(PRC-BU 203 – balisage blanc et jaune) :* niveau moyen à difficile, 8 km, environ 4h. Fait une boucle et frôle la *laguna de la Cascada,* offrant de très beaux points de vue sur les autres lagunes (*Negra, Larga, Brava* et *de los Patos*).

CALATAÑAZOR *(42193)*

À 30 km de Soria sur la N 22 en direction de El Burgo de Osma.
En arabe, *Calat am Nasur* signifie « le château aux vautours ». Au détour d'un virage, on découvre tout à coup cette bourgade médiévale isolée de 100 habitants aujourd'hui (dont seulement 15 en hiver !) contre 500 en 1900. Perchée au sommet d'une colline rocheuse, ses rues sont étroites et pavées, bordées de vieilles demeures. La rue principale conduit aux ruines du château qui domine la plaine. Grimper en haut de ce qu'il reste de l'une des tours pour un panorama exceptionnel sur les environs.

C'est dans la cuvette herbeuse, en contrebas, qu'aurait eu lieu en l'an 1002 la défaite d'El-Mansour contre les armées du royaume de Castille et León. Un buste de ce chef arabe renommé se dresse au bord de la rue principale. « *Calatañazor, donde Almanzor perdió el tambor...* » (« Calatañazor où Al-Manzor a perdu la face... ») Il ne se remit pas de cette défaite et mourut peu de temps après à Medinaceli.

Où dormir ? Où manger ?

🏠 |❶| ⬆ *La Posada real Casa del Cura :* c/ Real, 25. ☎ 975-18-36-42. 🖬 666-19-32-22. ● *reservas@posadarealcasadelcura.com* ● *posadarealcasadelcura.com* ● *Fermé début déc-fin janv. Double 75 €. Possibilité ½ pens, voir offres sur leur site.* Cette belle demeure de caractère révèle un intérieur chaleureux alliant l'ancien et le moderne de façon harmonieuse, à l'image du salon aménagé dans une belle cheminée (on est installé dans le foyer conique !), et des chambres arrangées avec goût. Vue superbe sur la campagne et les collines aux alentours. Agréable jardin pour paresser.

🏠 |❶| *Casa rural El Mirador de Almanzor :* c/ Real. ☎ 975-18-36-42. 🖬 666-19-32-22. ● *reservas@elmiradordealmanzor.com* ● *elmiradordealmanzor.com* ● *Double 65 €. Plats 6-17 €. En fin de sem, formules ½ pens.* Auberge de charme et de style mozarabe, dans l'ombre des ruines du château. Chambres de caractère (parquet, poutres, murs en pierres apparentes...), meublées avec soin et confort. Vue sur le village et les environs. Du même proprio que l'adresse précédente. Au resto, cuisine typique du coin.

À voir

🎋 *Les vieilles cheminées :* en forme de cônes, couvertes de tuiles, les cheminées du village sont coiffées d'une sorte de couvercle en bois ou en tôle.

🎋🎋 *Monumento natural de la Fuentona :* à 6 km au nord-ouest de Calatañazor. Une résurgence d'eau souterraine, célèbre pour sa transparence, qui donne naissance à la rivière Abión. Superbe ! Plusieurs chemins de randonnée pédestre partent du village voisin *Muriel de la Fuente. La Fuentona* est aussi l'un des spots les plus célèbres d'Espagne pour la spéléologie.

EL BURGO DE OSMA (42300)

À 64 km au sud-ouest de Soria sur la route Soria-Valladolid.
La rue principale, très longue et piétonne, va de la plaza Mayor à la cathédrale. Elle est bordée d'élégantes demeures en brique, soutenues par des piliers de pierre ou de bois.
➤ Liaisons en bus vers Soria (2 bus/j. en sem, sauf sam ; 1 bus dim en fin d'ap-m), avec la Cⁱᵉ *Therpasa* (● *therpasa.es* ●).

Où manger ?

|❶| *Restaurante Virrey Palafox :* c/ Universidad, 7. ☎ 975-34-02-22. ● *restaurante@virreypalafox.com* ● *Tlj sauf dim soir-lun. Congés : 22 déc-10 janv. Menu 15 € (sauf août), plats 16-25 €.* À droite de l'*Hotel Termal* (luxueux), au bord de la grande route. Un bon resto qui propose une cuisine sérieuse, traditionnelle, et récompensé régulièrement par toutes sortes de prix. Alors on fait comme les habitués. On se concentre sur la carte et l'on se régale d'un velouté de champignons ou d'un agneau rôti, préparés dans les règles de l'art.

À voir

🗡 Catedral : *à proximité de la pl. Mayor ; tlj sauf lun (ouv lun en août) 10h30-13h30, 16h-19h30 (10h30-13h, 16h-18h hors saison). Entrée : 2,50 € ; visite guidée 4,50 €.* Sa construction, démarrée en 1232, se poursuivit au fil des siècles, mêlant ainsi différents styles. Le portail principal date du XIIIᵉ s et la haute tour baroque (72 m) du début du XVIIIᵉ s. Voir la chapelle San Pedro de Osma, du haut de son imposant escalier. Beau cloître gothique du XVIᵉ s. À l'intérieur, dans le *Museo diocesano,* une collection de statues en bois polychrome, peintures, orfèvrerie et manuscrits (dont le *Beatus d'Osma,* écrit et peint vers 1086, qui contient la 1ʳᵉ version du *Commentaire sur l'Apocalypse* de Beatus de Liébana, un moine espagnol du VIIIᵉ s). Dans la salle capitulaire se trouve le tombeau de San Pedro de Osma, un ecclésiastique français qui devint évêque en Castille. À l'origine, il s'appelait Pierre de Bourges puis son nom fut transformé en Burgo... En sortant de la cathédrale, ne pas oublier de jeter un coup d'œil au beau retable du maître-autel, sculpté par le célèbre Juan de Juni.

LE CAÑÓN DEL RÍO LOBOS

À 18 km au nord d'El Burgo de Osma (route Valladolid-Soria).
Avec une superficie de 9 500 ha, le *parque natural Cañón del Río Lobos* abrite un grand canyon (25 km de long) formé par la rivière... Lobos. Falaises abruptes, curieuses formations géologiques, flore riche et variée. La région est très appréciée aussi des ornithologues (nombreux vautours et autres rapaces). Parking obligatoire à chaque extrémité du site.

Adresse utile

🛈 Casa del Parque : *à env 1 km d'Ucero, sur la SO-920 en direction de San Leonardo de Yagüe.* ☎ 975-36-35-64. ● *patrimonionatural.org* ● *L'été, tlj 10h-20h.* Bons conseils, excellent accueil. Le GR-86 passe par ici et permet de traverser ces beaux paysages, d'admirer l'ermitage San Bartolomé (une chapelle provenant d'un monastère templier du XIIᵉ s) et de longer la rivière.

Où dormir ? Où manger ?

Camping

⚊ Camping Cañón del Río Lobos : *ctra Burgo de Osma-San Leonardo de Yagüe, 42317 Ucero.* ☎ 975-36-35-65. ● *info@campingriolobos.es* ● *campingriolobos.es* ● ⚒ *À la sortie d'Ucero vers le parc. Fermé oct-Semaine sainte.* Compter 26 € pour 2 avec tente et voiture. Camping verdoyant, calme et bien tenu, aux emplacements convenables. En revanche, les sanitaires sont insuffisants en très haute saison. Bar, resto, tennis, piscine *(en été),* location de vélos et aire de jeux pour les enfants.

De prix moyens à plus chic

🏠 I●I ⚑ El Balcon del Cañón : *c/ Castillo, 1, 42317 Ucero.* ☎ 975-36-35-76. ● *info@ucerorural.com* ● *ucerorural.com* ● *Doubles 50-60 €. Plats 11-20 €.* Ici, on aime la couleur violette, dégradée en mauve et parme. Chambres spacieuses décorées avec imagination, toutes agréables, calmes et confortables. Notre préférée ? *L'Alqui-mia* avec ses 2 fenêtres et sa vue sur la rivière. Salle de restaurant dans le style design rustique, et une terrasse donnant aussi sur la rivière et le pont. Cuisine locale fraîche : soupe à l'ail, *cochinillo, chuletón, bacalao...* Une belle adresse !

🏠 I●I **Posada Los Templarios :** c/ Igle-sia, 1, 42317 **Ucero.** ☎ 975-36-35-96. ● info@posadalostemplarios.com ● posadalostemplarios.com ● *Resto le soir (seulement pour les hôtes). Fermé mar-mer oct-juin. Congés : janv. Résa conseillée. Doubles 68-102 €. Repas 20-25 €.* Dans une maison en pierre du XVIIe s joliment rénovée, juste à côté de l'église du village. Chambres charmantes, de style rustique et mon-tagnard, façon petit nid douillet idéal. Spa. Accueil jovial.

BURGOS (09000) 176 000 hab.

● Plan p. 230-231

LA CASTILLE-LEÓN

Symbole de l'Espagne éternelle, ancienne capitale des royaumes de Cas-tille, voici Burgos, hautaine, fière, gardienne des valeurs traditionnelles. À la croisée des routes sur le chemin de Saint-Jacques-de-Compostelle, elle est l'une des villes les plus riches culturellement de la région. Bien sûr, tout le monde a entendu parler de sa merveilleuse cathédrale, à notre avis bien plus fascinante que celle de Ségovie et aussi exceptionnelle que celle de Tolède. Mais l'aménagement verdoyant de ses rives en fait un lieu de promenade délicieux, très apprécié de ses habitants, et lui confère une vraie douceur de vivre.

UN PEU D'HISTOIRE

Burgos a été plusieurs fois la capitale de l'Espagne, d'abord pendant près de 5 siècles jusqu'à la chute de Grenade, en 1492. Le nom de Burgos reste aussi associé à celui du Cid Campeador, ce chef de guerre du XIe s, dont de nombreux récits et poèmes enjolivèrent quelque peu l'existence (Corneille s'inspira de l'un d'eux pour sa célèbre pièce).

En 1497, Christophe Colomb y vint après son 2e voyage au Nouveau Monde pour se faire confirmer dans ses privilèges. Même quand Valladolid devint capitale (provisoire), Burgos conserva son prestige : Philippe le Beau – père de Charles Quint – y est mort, et le roi François Ier y fut retenu prisonnier après sa défaite à Pavie devant les Espagnols.

Burgos atteint son apogée durant le règne des Rois catholiques et de Charles Ier au XVIIe s, grâce au Consulat de la Mer et à la présence de riches marchands qui commerçaient avec le nord de l'Europe. Elle était alors 1re ville de Castille et cour royale. Puis la ville perdit de sa superbe jusqu'au milieu du XVIIIe s. Autre épisode trouble : l'attaque de la ville par les troupes napoléoniennes au XIXe s. Le château fut détruit et plusieurs quartiers adjacents, abandonnés, avec leurs églises et leurs hôtels particuliers.

De 1936 à 1939, Burgos eut le titre peu envié de capitale provisoire de l'Espagne fasciste. Franco y installa son gouvernement, opposé au gouvernement légal de Madrid. C'est vrai que la ville avait eu le bon goût d'offrir peu de résistance au *pronunciamiento* !

LA CASTILLE-LEÓN

■ **Adresses utiles**

🛈 1 Oficina de turismo
de Castilla y León (B1)
🛈 2 Centro de Recepción de Turistas –
CITUR (B2)
3 Agence RENFE (B1)

🛏 **Où dormir ?**

10 Hostel Burgos (B2)
11 Pensión Peña (C1)
12 Hostal Monjes Peregrinos
et Hotel Monjes Magnos (C1)
13 Hostal Lar (C1)
15 Hotel Fórum Evolución (C2)
16 Hotel Mesón del Cid (A2)
17 Hotel Norte y Londres (B1)

🍽 **Où manger ?**

20 La Cabaña Arandina
et Cervecería Morito (B2)
21 Donde Alberto (B1)
22 Gaia (A2)
23 Casa Ojeda (B1-2)
24 Polvorilla (B-C1)
25 Casa Pancho (B1)
26 La Favorita (B1)

☕ **Où boire un café ?**
Où manger une douceur ?

30 Pastelería Alonso de Linaje (B2)
31 Valor (B2)

🍸 **Où boire un verre ?**
Où sortir ?

36 El Matarile (C1)
37 Viva La Pepa (B2)

Arriver – Quitter

En train

🚂 **Estación RENFE** (hors plan
par C1) : avda Príncipes de Asturias.
☎ 912-320-320. ● renfe.com ● À 6 km
du centre ! Pour s'y rendre, bus nº 25
depuis la pl. España (ttes les 30-40 mn,

7h45-22h15 en sem ; 8h-22h sam ;
8h40-22h dim) ou taxi (env 7-10 €).
Heureusement, il y a une agence
RENFE en ville (voir plus loin « Adresses
utiles »).

➢ **Ávila :** 3-4 trains/j. dans les 2 sens.
Durée : 2h50.

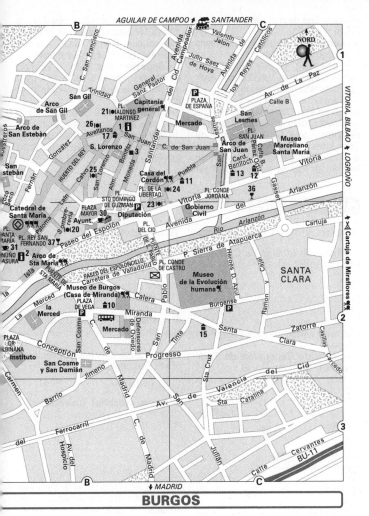

BURGOS

AGUILAR DE CAMPOO ↟ SANTANDER

LA CASTILLE-LÉON

> *León :* env 4 trains/j., dont 1 de nuit, peu pratique. Durée : 2h.
> *Madrid (Chamartín) :* 7-8 trains/j. dans les 2 sens. Durée : env 2h30-3h.
> *Palencia :* env 7 trains/j. dans les 2 sens, dont 1 de nuit. Trajet : 50 mn.
> *Salamanque :* 9-10 trains/j., dans les 2 sens. Durée : 2h45-5h.
> *Valladolid :* 11-12 trains/j. dans les 2 sens, en *Regional Express* et *Alvia* (le plus rapide). Durée : 1h-1h30.

> *Sahagún :* 3 trains/j. dans les 2 sens. Durée : env 1h20.

En bus

🚌 *Estación Autobuses (plan B2) :* c/ de Miranda, 4. ☎ 947-28-88-55. Desservi principalement par *Alsa* (☎ 902-42-22-42 ; ● alsa.es ●).
> *Madrid (avda de América) :* nombreux départs tlj 7h-0h30 avec *Alsa*

(et aussi bus de nuit depuis Burgos). Durée : 2h30-3h.

> **León :** 4-5 bus/j. dans les 2 sens avec *Alsa*. Durée : 2-3h.

> **Sahagún :** 1 bus/j. vers 16h45 depuis Sahagún et 10h30 depuis Burgos, avec *Alsa*. Durée : 2h15.

> **Lerma :** lun-ven 6 bus/j., 2 bus le w-e, avec *Alsa*. Durée : env 30 mn.

> **Covarrubias et Santo Domingo de Silos :** pour Santo Domingo de Silos, lun-jeu 1 bus vers 17h30 de Burgos (ven 18h30), et retour le lendemain vers 8h10. Pas de bus le w-e. Pour Covarrubias, en sem sauf mer, 2 bus à 13h et 18h30 de Burgos, et 2 retours mêmes jours à 9h et 16h30, 1 le dim mai-sept vers 18h avec *Arceredillo*.

> **Ségovie :** bus jusqu'à Aranda de Duero (durée : 1h15, 7 bus/j. en sem, 2 le w-e), ou Valladolid et correspondance.

> **Salamanque :** 2-3 départs/j. dans les 2 sens avec *Alsa*. Durée : 3-4h.

> **Valladolid :** 3-4 départs/j. dans les 2 sens (avec *Alsa*). Durée : 1h30-2h30 (direct ou pas).

Adresses utiles

Informations touristiques

▣ **Oficina de turismo de Castilla y León** (plan B1, **1**) : pl. Alonso Martínez, 7. ☎ 947-20-31-25 ● oficinadeturismodeburgos@jcyl.es ● turismocastillayleon.com ● Lunsam 9h30-14h, 16h-19h (17h-20h, 1er juil-15 sept) ; dim 9h30-17h. Accueil professionnel, efficace et en français !

▣ **Centro de Recepción de Turistas – CITUR** (plan B2, **2**) : c/ Nuño Rasura, 7. ☎ 947-28-88-74. ● turismoburgos.org ● aytoburgos.es ● Juin-sept, tlj 9h-20h. Oct-mai, tlj 10h-14h, 16h-19h30. Doc en français.

Transports

▣ **Parkings :** payants (en moyenne 13 €/j.) sous la pl. Mayor (plan B2) et pl. de España (plan C1). 2 autres un peu moins chers : pl. de Vega (plan B2) et celui face au museo de la Evolución humana (plan C2).

■ **Agence RENFE** (plan B1, **3**) : c/ de la Moneda, 23. ☎ 912-320-320. Lun-ven 9h30-13h30, 17h-20h ; sam 9h30-13h30. Fermé dim. Infos et vente de billets. Très pratique.

Urgences

✚ **Nuevo Hospital Universitario :** avda de las Islas Baleares, 3. ☎ 947-28-18-00.

Où dormir ?

Camping

⚊ **Fuentes Blancas** (hors plan par C2) : ctra Cartuja de Miraflores, km 3,5, 09193. ☎ 947-48-60-16. ● info@campingburgos.com ● campingburgos.com ● À 3,5 km de Burgos, en direction de la cartuja de Miraflores. Bus nos 26, 27 au départ de la pl. de España (4 bus/j. hors saison, ttes les heures l'été). Ouv tte l'année. Env 26 € pour 2 avec tente et voiture. Plusieurs bungalows jusqu'à 5 pers 90 €. Un vaste camping convenable, tout près de la chartreuse, dans un parc bien ombragé (barbecue, possibilité de balades). Sanitaires corrects. Machines à laver, bar, resto, aire de jeux pour les enfants, minigolf, location de vélos. Accueil (francophone) expéditif. Piscine gratuite en été.

■ **Aire pour camping-cars :** gratuite, ouv tte l'année ; c/ Farmacéutico Obdulio Fernández (à 30 mn à pied du centre-ville, en direction de l'aéroport, juste derrière le Centro comercial Camino de la Plata).

Très bon marché (max 20 €)

⌂ **Hostel Burgos** (plan B2, **10**) : c/ Miranda, 4, 09004. ☎ 947-25-08-01.

654-49-29-79. ● info@hostelburgos. com ● hostelburgos.es ● Dans le bâtiment de la gare routière. Ouv tte l'année (24h/24 en hte saison). Min 17 € le lit en dortoir (4, 6 ou 8 lits avec sdb commune), 42 € la double avec sdb privée ou 76 € la quadruple avec sdb privée ; petit déj inclus. Une auberge de jeunesse récente et idéalement située, proche du centre-ville ! Sa devise ? « Partager et coexister ». 120 lits répartis en dortoirs, chambres doubles, triples ou quadruples (toutes ou presque avec des lits simples). Impeccables et joliment agencées. *Chill out* pour se détendre, lire et faire de la musique. Cuisine (pour les groupes) et salle à manger. Laverie. Prêts de livres. Accueil sympa. Un vrai bon plan pour les routards au budget serré !

Bon marché (30-45 €)

🛏 **Pensión Peña** (plan C1, 11) : c/ La Puebla, 18, 09004. ☎ 947-20-63-23. 📱 639-06-70-89. ● loli.arauzo@gmail. com ● Au 1er étage. Doubles 26-29 €, avec lavabo seulement. Pas de petit déj. CB refusées. Une petite pension modeste mais de qualité, tenue par une dame attentionnée qui vit sur place. Une dizaine de chambres propres, confortables et colorées. En revanche, douches et w-c en commun pour tout le monde. Pas de jaloux !

Prix moyens (30-60 €)

🛏 **Hostal Monjes Peregrinos** (plan C1, 12) : c/ Bernabé Pérez Ortiz, 1, 09004. ☎ 947-20-51-34. 📱 649-17-73-44. ● info@monjesmagnoshotel. com ● hostalmonjesperegrinos.com ● ♿ À l'angle avec la c/ Cardenal Benlloch. Sans ou avec douche privée, doubles 35-60 €. Pas de petit déj. Chambres correctes à prix sages, très propres et fonctionnelles. Le bémol : une salle de bains de poche, parfois ouverte sur la pièce. Beaucoup de pèlerins. Pas le grand luxe, mais accueil efficace du patron, Ismaïl. Sur la rue voisine, il gère aussi l'*Hotel Monjes Magnos* (c/ Cardenal Benlloch ; ● monjesmagnoshotel.com ● ; double 70 €), aux chambres plus design.

🛏 **Hostal Lar** (plan C1, 13) : c/ Cardenal Benlloch, 1, 09004. ☎ 947-20-96-55. ● reservas@hostallar.es ● hostallar. es ● Au 2e étage. Double 60 €. Pas de petit déj. Petit hôtel aux allures de cabinet dentaire abritant 11 chambres simples et propres dans l'appartement et 6 autres (avec seulement lavabo) au 7e étage. Quelques-unes ont une petite terrasse. Accueil aimable.

🛏 **Hotel Fórum Evolución** (plan C2, 15) : c/ Santa Clara, 8, 09004. ☎ 947-25-60-32. ● info@hotelforumevolucion. com ● hotelforumevolucion.com ● Double env 75 €. Proche du centre, un hôtel moderne, design et accueillant. Grandes chambres confortables, lumineuses et bien équipées (clim, TV, coffre-fort). À la cafèt', spécialités de la région et savoureux vins locaux. Une très belle adresse à l'excellent rapport qualité-prix !

De chic à très chic (de 60 à plus de 120 €)

🛏 **Hotel Norte y Londres** (plan B1, 17) : pl. Alonso Martínez, 10, 09003. ☎ 947-26-41-25. ● info@hotelnor teylondres.com ● hotelnorteylondres. com ● ♿ Double 70 € (promos sur leur site), petit déj 7-8 €. Bien situé, dans un immeuble ancien du centre historique, il abrite des chambres confortables et correctement équipées, à la déco un peu vieillotte. Les plus petites donnent sur la place, les plus grandes sur la rue piétonne. Seul bémol, la globale insonorisation du lieu fait qu'on entend parfois ses voisins.

🛏 **Hotel Mesón del Cid** (plan A2, 16) : pl. de Santa María, 8, 09003. ☎ 947-20-87-15. ● mesondelcid@meson delcid.es ● mesondelcid.es ● Double 90 € ; petit déj-buffet 10 €. Parking 18 €. Impossible d'être plus proche de la cathédrale, à moins de dormir dans le clocher ! Emplacement extraordinaire pour cette vénérable demeure du XVe s, qui abrita naguère des imprimeurs. Décoration au diapason dans l'esprit du Cid Campeador. Demander évidemment une chambre avec vue sur la place (piétonne, sans voitures) et la cathédrale. Elles ont du caractère et le confort nécessaire (avec clim). Resto.

LA CASTILLE-LEÓN

LA CASTILLE-LEÓN

Où manger ?

Tapas et *bocadillos*

Nombreux petits bars à tapas dans le coin des rues Llanas de Adentro et Llanas de Afuera. *Mesones*, et bars à tapas bon marché dans la petite ruelle San Lorenzo *(plan B1)*, qui donne sur la plaza Mayor. Excellentes spécialités locales de *morcillas* : boudin aux riz.

|●| ↑ *La Cabaña Arandina (plan B2, 20)* : c/ Sombrerería, 10. ☎ 947-26-19-32. ● lolovaler@hotmail.com ● ☁ Tlj midi et soir. Tapas 1,50-4 €, menu 10,50 €, plats 10-16 €. Café offert sur présentation de ce guide. Sur une placette, petite maison dans une rue animée. Salle typique des bars à tapas avec son lot d'habitués de longue date. Grand choix de tapas et *raciones* : *morcilla* de Burgos (boudin), *botones* (champignons farcis), moules farcies, etc.

|●| ↑ *Donde Alberto (plan B1, 21)* : pl. Alonso Martínez, 5. ☎ 637-016-461. Tlj sauf lun. Pintxos 2-2,50 €. Un lieu sans chichis et accueillant, idéal pour le *tapeo* à tout moment de la journée. Généreux et savoureux *pintxos*, saupoudrés d'un zeste d'originalité parfois. On s'assoit au comptoir avec les habitués, ou sur la terrasse paisible face à la *Capitania General*. Accueil gentil.

Bon marché (8-15 €)

|●| *Cervecería Morito (plan B2, 20)* : c/ de la Sombrerería, 27 (angle c/ Diego Porcelos, 1). ☎ 947-26-75-55. ● selenemolano@hotmail.com ● Tlj jusqu'à 23h30, plus tard le w-e. Bocadillos, tostas, *tapas*, raciones 4-10 €. CB refusées. C'est notre coup de cœur ! Y venir de préférence tôt en soirée (surtout le week-end !), car dès 21h c'est déjà noir de monde... Murs de vieille pierre, poutres apparentes, tables et bancs auprès d'un bar où les habitués mangent au coude à coude. Plats généreux et délicieux à des prix démocratiques. Que demander de plus ? De succulents desserts dignes des grandes maisons ! Salle à manger à l'étage.

|●| *Gaia (plan A2, 22)* : c/ Fernán González, 37. ☎ 947-27-97-28. ● gaianomad@hotmail.com ● En été, lun-ven 13h30-16h ; fermé dim-lun hors saison. Congés : avr et de fin sept à mi-déc. Menu (4 plats) 12 €. Entre 2 tournées de tapas caloriques, manger végétarien s'avère salvateur ! Une petite adresse un peu secrète, derrière l'hôtel *Mesón del Cid*. Déco colorée, à l'image des excellents menus du jour, frais, savoureux et vraiment pas chers. Accueil jovial et petit coin boutique pour les fans. Pas de réservation possible : venir tôt, le resto ne désemplit jamais.

De prix moyens à plus chic (15-35 €)

|●| *La Favorita (plan B1, 26)* : c/ de Avellanos, 8. ☎ 947-20-59-49. ● contacto@lafavoritaburgos.com ● Ouv tlj. Pintxos 2-3 €, plats 12-22 €. Authentique « taverne urbaine » au décor de brique, de pierre et de bois, toujours pleine à craquer ! Ne pas hésiter à se faire une place au comptoir, pour boire un verre de vin du coin accompagné de bons *bocadillos* et *pintxos*, plusieurs fois primés. Au resto, savoureuses spécialités régionales, dont de belles viandes grillées. Une bonne adresse, au service dynamique.

|●| ↑ *Casa Ojeda (plan B1-2, 23)* : c/ de Vitoria, 5, et pl. del Cordón, 10. ☎ 947-20-90-52. ● reservas@restauranteojeda.com ● Tlj sauf dim soir. Résa vivement conseillée le w-e. Tapas 1-2 €, platos combinados 14-15 €, carte 30-50 €. De loin la meilleure adresse de la ville, et d'un bon rapport qualité-prix. Une vieille maison, valeur « toujours sûre » de Burgos depuis 1912. Dans tous les cas, un décor élégant : le vaste bar à tapas de la cafétéria, la terrasse vitrée ou le resto à l'étage nettement plus chic et plus cher. Savoureuse cuisine traditionnelle avec de délicieux *platos combinados* et des desserts maison de qualité. Service souriant.

|●| ↑ *Polvorilla (plan B-C1, 24)* : pl. de la Libertad, 9 bajo. ☎ 947-25-74-74. ● restaurante@polvorilla.es ● ☁ Fermé

dim. Menus 14 € en sem, 22 € le w-e ; carte 12-25 €. Au rez-de-chaussée, une salle chaleureuse, style pub espagnol, pour savourer d'excellentes tapas. Au 1er étage, petit resto à l'ambiance bistrot. Et une vaste terrasse, sur l'agréable place. Cuisine de qualité et service attentif.

|●| *Casa Pancho (plan B1, 25) : c/ San Lorenzo, 13 y 15.* ☎ *947-20-34-05.* ● *barpancho1958@gmail.*

com ● *Tlj. Tapas 2-2,50 €, menus du jour 12-15 € (dont 1 menu du pèlerin), carte env 30 €.* Certes, le cadre est ordinaire, mais les gens du cru ne s'y trompent pas : les tapas servies au bar sont typiques et excellentes, tandis que les plats au resto se révèlent copieux et savoureux (viandes épaisses et fondantes, salades garnies, délicieux champignons farcis...). Accueil un brin frileux, dommage.

Où boire un café ? Où manger une douceur ?

☕ 🍮 🍦 *Pastelería Alonso de Linaje (plan B2, 30) : pl. Mayor, 34, et Espolón, 20.* ☎ *947-20-10-65. Tlj 9h-13h, 16h30-20h.* Un classique où l'on savoure les spécialités du coin : *yemas* de Burgos, *camelitos del Cid* (chocolat blanc à la cannelle) dans un cadre désuet. C'est ici que les dames de la « belle société » venaient causer en sirotant le café. Aujourd'hui, le

décor est resté mais la clientèle s'est diversifiée.

☕ 🍦 *Valor (plan B2, 31) : c/ Nuño Rasura, 8b.* ☎ *947-26-93-87. Tlj 9h-13h, 16h30-22h (en continu le w-e).* Une bonne option pour déguster le *chocolate con churros.* La déco est sobre, mais le chocolat est aussi épais que possible et les *churros* légers et croustillants ! Accueil tout en douceur.

Où boire un verre ? Où sortir ?

Plusieurs quartiers et cafés-bars pour débuter la soirée. La 1re zone se situe le long des calles San Juan *(plan B-C1)* et La Puebla *(plan C1).* Dans ce secteur, on a apprécié le *Bardeblás (c/ de la Puebla, 29),* pour ses concerts et ses lectures.

L'autre coin des noctambules se situe près de la cathédrale *(plan B1-2),* dans les bars, pubs et bars-boîtes du quartier Llanas de Adentro et Llanas de Afuera, et de la calle Fernán Gonzáles. On a aimé notamment l'*Opalo,* et *La New Miel,* où l'on danse sur de la pop ou du rock espagnol.

Enfin, un peu à l'écart de ces pôles, 2 refuges assez originaux pour redonner des couleurs à vos nuits blanches...

🍸 🍦 *El Matarile (plan C1, 36) : avda del Arlanzón, 11.* ☎ *947-04-33-54.* ● *matarileburgos@hotmail.com* ●

matarileburgos.com ● *Tlj jusque tard.* Un bar-club-brocante à l'atmosphère chaleureuse et à la déco vraiment décalée : palettes en bois accrochées au plafond, balançoire ou vélo en guise de chaises, tables d'écolier, vieux fauteuils, caisses en bois transformées en étagères. Savoureuse carte de cocktails, originaux et créatifs. DJ et *live bands* plusieurs fois par semaine. Notre coup de cœur !

🍸 🍦 *Viva La Pepa (plan B2, 37) : pl. del Rey San Fernando, 6, ou paseo del Espolón, 4.* ☎ *947-10-27-71.* ● *viva lapepa-burgos@hotmail.es* ● ♿ *Tlj jusque tard.* Tout de blanc vêtu, ce bar à cocktails atypique est lumineux et accueillant. On peut aussi y picorer de petits plats, pour la plupart végétariens. Vue imprenable sur la cathédrale depuis la terrasse.

LA CASTILLE-LEÓN

À voir. À faire

Bon à savoir : un billet combine les visites de la cathédrale et des églises San Esteban, San Nicolás et San Gil (● *larutadelgotico.com* ● ; *8 €*).

LA CASTILLE-LEÓN

◎ ✹✹✹ *Catedral de Santa María (plan B2) :* pl. de Santa María. ☎ 947-20-47-12. ● catedraldeburgos.es ● Tlj 9h30-18h30 (10h-18h de nov à mi-mars). Fermeture des portes 1h avt. Entrée : 7 € ; réduc ; gratuit mar après 16h30. Audioguide en français, très bien fait, inclus dans l'entrée, sauf mar dès 16h30, 3 €. Brochure en français bien claire et détaillée.

Vous êtes venu pour elle et vous avez 1 000 fois raison. « Prodigieuse efflorescence de l'art gothique, plus touffue et plus compliquée qu'une forêt vierge du Brésil », selon Théophile Gautier, qui y passa en mai 1840. Chef-d'œuvre de l'art gothique et classée Patrimoine de l'humanité par l'Unesco, elle fut commencée vers 1220, mais demanda 3 siècles de travail et de finitions. Contrairement à celle de Salamanque, l'ancienne cathédrale romane fut entièrement rasée. La cathédrale étant en restauration permanente, vous ne pourrez probablement pas tout voir.

Les exégètes noteront les 2 périodes différentes de construction : la 1re influencée par le gothique fleuri français, la 2de par le gothique nordique (rhénan et flamand). Les architectes surent merveilleusement utiliser les accidents du terrain. *À l'extérieur,* c'est une envolée de flèches et de clochers, une orgie de portails et de façades sculptées. La *porte du Sarmental* (côté plaza del Rey San Fernando) est d'une grande finesse. Le tympan représente le Christ dictant l'Évangile à la bande des 4, studieusement à l'ouvrage sur leur pupitre. Splendide rosace au-dessus de la porte.

– Toutes les *chapelles* sont de véritables petits musées avec leurs propres histoires (et il y en a une vingtaine !). La *chapelle du Saint-Christ (capilla del Santo Cristo),* à droite de l'entrée principale, est en principe interdite aux touristes et réservée au culte et à la prière. Elle possède un Christ en croix du XIVe s très populaire à Burgos et très réaliste : bras et tête articulés, vrais cheveux, corps recouvert de peau de buffle pour imiter la vraie peau... La *chapelle des Connétables (capilla de los Condestables,* près du cloître) est majestueuse, une cathédrale dans la cathédrale, dès la grille d'entrée du XVIe s. Style gothique fleuri. Riche coupole octogonale en étoile, gisants en marbre du Connétable de Castille et de son épouse *(don Pedro Fernández de Velasco et doña Mencía de Mendoza y Figueroa),* d'une grande finesse d'exécution. Retable Renaissance en partie réalisé par le célèbre Diego de Siloé. Sur la gauche, une fascinante *Vierge à l'Enfant,* attribuée à Memling, du XVe s (noter la richesse du paysage derrière, la beauté du drapé de la robe). À droite, dans un recoin, ne pas manquer ce petit tableau qui dévoile les charmes d'une superbe et mystérieuse *Marie Madeleine,* œuvre d'un disciple de Léonard de Vinci ! Enfin, la *chapelle Sainte Anne (capilla Santa Ana)* présente un superbe retable en bois de chêne doré de style gothique flamboyant, œuvre de Gil de Siloé au XVe s. Un des plus beaux d'Espagne. En face, très belle tapisserie, bien plus sobre, qui illustre la Crucifixion.

– Dans la *nef,* on est fasciné par les stalles du chœur. Chacune d'elles raconte une histoire. Ancien et Nouveau Testament, vie des saints, etc. Entièrement en marqueterie de buis dans du noyer, exceptionnel. Au milieu, statuette gisante de l'évêque Don Mauricio, fondateur de la cathédrale (buste recouvert de cuivre et émaux, datant du XIIIe s). Retable du maître-autel de style Renaissance avec Vierge en argent massif. Les grilles en fer et bronze sont du XVIIe s. À la *croisée du transept,* en levant les yeux, on est véritablement aspiré vers la merveilleuse coupole sculptée à plus de 50 m de hauteur. Cette étoile en dentelle de pierre du XVIe s diffuse une lumière qui modèle admirablement la pierre. Au-dessous, la *pierre tombale du Cid et de Chimène* (l'inscription porte les noms de Rodericus et Eximina). Dans un coin, au pied de l'Escalier Doré, chariot en argent de la Fête-Dieu, de 1901, dont le reliquaire en or pèse 14 kg.

– *La porte du cloître :* juste en face de la chapelle de la Visitation et à droite lorsqu'on entre par la porte du Sarmental. Superbe porte gothique, en bois sculpté, œuvre de Gil de Siloé (le père de Diego), en harmonieuse fusion avec son portique de pierre.

– *Le cloître :* remarquer le délirant plafond churrigueresque de la sacristie principale, censé représenter le couronnement de la Vierge. Pas banal : une coupole réalisée sur un espace rectangulaire. On accède au cloître, de style gothique, datant de la fin du XIIIe s et qui abrite de nombreux tombeaux.

À côté de la chapelle du Corps du Christ, le fameux coffre du Cid.

LE CID EST-IL UN ARNAQUEUR ?

Banni par Alphonse VI et ayant besoin d'argent, le Cid remplit un coffre de cailloux et obtint d'un prêteur sur gages une très forte somme à condition qu'il ne l'ouvrît pas avant 1 an. Si le coffre n'était pas récupéré après cette date, le trésor qu'il était censé contenir reviendrait au prêteur. Le Cid put rendre l'argent avant que la supercherie ne soit découverte... Petit futé !

Les chapelles autour du cloître abritent des sculptures et peintures exceptionnelles, ainsi qu'un *petit musée* où l'on admire la *Flagellation* de Diego de Siloé, des bibles enluminées, de l'orfèvrerie religieuse, des manuscrits anciens, des tapisseries flamandes. Sachez que dans la *capilla de Santa Catalina,* surnommée « salle des Évêques » (devinez pourquoi !), il manque la figure de l'avant-dernier de ces messieurs qui, n'aimant pas son portrait, demanda expressément sur son testament qu'il ne soit pas accroché avec les autres. Coquet, va ! Enfin, la visite s'achève par un petit tour dans le cloître inférieur (très belle vue sur les 2 niveaux du cloître), où l'on jette un coup d'œil à l'expo temporaire du moment.

🦌 *Iglesia de San Nicolás de Bari* (plan A-B2) : *un peu plus haut que la cathédrale.* ☎ 606-09-42-71. Lun-sam 11h30-13h30 (11h-14h de mi-mars à fin oct), 17h-19h. Fermé dim. Entrée : 2 € ; gratuit mar ap-m. Date du XIVe s. Portail sculpté, gisants, et surtout un superbe retable en pierre de Simón de Colonia. Jetez votre obole dans l'urne et la lumière sera !

🦌🦌 *Museo de Burgos ou casa de Miranda* (plan B2) : c/ Miranda, 13. ☎ 947-26-58-75. ● museodeburgos.com ● Tlj sauf dim ap-m et lun 10h-14h, 16h-19h (17h-20h l'été). Fermé 1er et 6 janv, 11 et 29 juin, 24, 25 et 31 déc. Entrée : 1 € ; réduc ; gratuit - de 18 ans, + de 65 ans et pour ts le w-e et certains j. fériés. Feuillet explicatif en français. Installé dans 2 jolies demeures mitoyennes Renaissance, avec patio. Une 1re partie s'intéresse à l'histoire de la province depuis le Paléolithique (objets provenant de différentes nécropoles, riche collection de bronzes de la période celtibère, importante section consacrée à la villa romaine de Clunia...), la 2de est consacrée aux beaux-arts (superbe section médiévale, avec de beaux coffrets en ivoire sculpté, des gisants, mais également des peintures du XVe s et une collection intéressante d'œuvres contemporaines). Un musée vaste, riche et bien agencé.

🦌🦌 La balade à pied en ville vous conduira aux *vestiges des anciens remparts,* comme la superbe *arche Santa María* (arco de Santa María ; plan B2), du XIVe s, au bord du río Arlanzón et donnant sur la place de la cathédrale. Bien restaurée, elle porte en façade les statues des personnages illustres de la cité (on reconnaît le Cid à droite de Charles Quint) et abrite des expos temporaires et un petit *musée de la Pharmacie* (collection de pots du XVIe au XIXe s). Visites mar-sam 11h-14h, 17h-21h ; dim seulement le mat ; fermé lun et j. fériés ; GRATUIT. Puis sur la promenade populaire du paseo del Espolón jusqu'à la plaza de Primo de Rivera (plan B2). De là, en remontant la calle Santa Santander, on rencontre la casa del Cordón (plan B1).

🦌🦌 *Casa del Cordón* (plan B1) : pl. del Cordón. Elle abrite aujourd'hui la banque *Caja de Burgos* (seul le superbe patio intérieur se visite durant les heures de bureau). Il s'agit d'un magnifique palais Renaissance rénové qui porte sur sa façade de gros cordons en pierre sculptée entourant les portes et les fenêtres. Ils symbolisent la corde portée autrefois en guise de ceinture par les moines

LA CASTILLE-LÉON

franciscains, très présents dans la vie politique espagnole. Pendant 300 ans, les comtes puis les rois et reines de Castille-León y séjournèrent. Cette *casa* eut de prestigieux locataires : Christophe Colomb y fut reçu par les Rois catholiques le 23 avril 1497 au retour de son 2e voyage au Nouveau Monde. Il vint jusqu'ici pour obtenir confirmation de ses privilèges sur les nouvelles terres découvertes aux Indes (l'Amérique !). Philippe le Beau, 1er roi d'Espagne de la dynastie des Habsbourg (père de Charles Quint), y est mort (d'un coup de froid, dit-on) en 1506. Le roi François Ier y séjourna après sa captivité (suite à la défaite de Pavie). En 1515, l'union des couronnes de Castille et de Navarre y fut célébrée. Et c'est encore dans ce palais que furent signées en 1512 les fameuses *Leyes de Burgos* en faveur des droits des Indiens du Nouveau Monde, suite au plaidoyer du frère Bartolomé de Las Casas.

– En continuant vers le nord, nouvelles portions de murailles avec l'*arche de San Esteban (plan B1),* de style mudéjar du XIIIe s, encadrée de 2 grosses tours. Plus loin, *arche de San Gil,* avec une charmante petite église gothique à côté, du même nom.

🏹 *Capitanía general (plan B1) :* pl. Alonso Martínez. Sur le côté nord de cette belle place se dresse le bâtiment (fin XIXe s) du Commandement militaire de la région de Burgos *(Capitanía general).* Entre 1937 et 1940, ce fut le *Cuartel general* de la 6e région : le général Franco y installa son QG pour diriger les opérations militaires contre les forces républicaines (la guerre d'Espagne). Il y reçut d'ailleurs Pétain lors de l'Occupation. Petit rappel : Burgos était la capitale nationaliste (fasciste et franquiste) tandis que Valence était celle des républicains.

🏹 *Museo de la Evolución humana (plan C2) :* paseo Pedro de la Sierra de Atapuerca. ☎ 902-02-42-40. ● museoevolucionhumana.com ● Mar-ven 10h-14h30, 16h30-20h ; w-e et j. fériés et tlj sauf lun juil-sept, 10h-20h. Entrée : 6 € ; réduc ; gratuit - de 8 ans et + de 65 ans, mer ap-m, et mar et jeu à 19h. Un budget colossal a été englouti dans ce bâtiment moderne posé sur le quai sud de la rivière Arlanzón, qui ne s'intègre pas dans le style de la ville. Le thème est passionnant. Sur 4 niveaux, présentation didactique et interactive de l'évolution humaine en termes biologique et culturel, et hommage à Darwin et à son œuvre.

🏹 ← *Castillo de Burgos (plan A1) :* Cerro de San Miguel (colline surplombant la ville). ☎ 947-20-38-57. De mi-juin à sept : tlj 10h-20h30 ; le reste de l'année : se renseigner. Visite guidée dans les galeries souterraines, tlj sauf lun-mar à 11h15, 12h, 12h45, 13h30, 16h15, 17h, 17h45, 18h30, 19h15. GRATUIT. Le château occupe stratégiquement le sommet d'une colline depuis la fondation de la ville au IXe s. Résidence royale au Moyen Âge, puis caserne, il fut détruit en 1813 par les troupes de Napoléon. On visite les remparts restaurés (vue sur la cathédrale), puis en visite guidée un minuscule musée (objets découverts lors des fouilles, film en espagnol) et une escapade (pas indispensable) dans les anciennes galeries pour découvrir le puits.

🏹🏹 L'influence du *chemin de Saint-Jacques* sur la configuration urbaine de Burgos fut (et reste) si importante que son tracé historique existe encore et se repère grâce aux coquilles qui le jalonnent (au sol ou à côté du nom des rues). Une chasse au trésor, ça vous tente ? On vous propose de prendre le chemin à l'envers... Pour rester en centre-ville, on peut s'engager sur le chemin à hauteur du pont de Malatos *(hors plan par A2)* puis remonter les calles de Villalón et del Emperador *(hors plan par A1),* qui traversent des quartiers populaires (ouf ! un peu d'authenticité dans cette ville éminemment touristique). Elles mènent jusqu'à la calle de Fernán González *(plan B1),* aux jolis balcons de bois accrochés aux maisons. On poursuit ensuite le long des calles de Avellanos, puis de San Juan *(plan B1, puis C1)...* Pour continuer, il faudrait passer de l'autre côté du petit canal qui coupe la rue San Lesmes, et pourquoi pas aller jusqu'à Santiago (sauf que c'est exactement dans la direction opposée) !

À voir dans les proches environs

✵✵ *Real monasterio de las Huelgas (hors plan par A3) :* Los Compases, s/n. ☎ 947-20-16-30. ● patrimonionacional.es ● À 1,5 km à l'ouest, sur la rive gauche, dans un cadre calme et agréable. Bus nos 5 et 7 depuis le pont Santa María (plan B2). On conseille, si le temps s'y prête, d'y aller à pied en suivant la promenade le long de la rive droite du río Arlanzón. Ouv tte l'année : mar-sam 10h-14h, 16h-18h30 ; dim et j. fériés 10h30-15h ; fermé lun et certains j. fériés. Dernières entrées 1h avt. Entrée : 6 € ; réduc ; gratuit mer et jeu ap-m pour les ressortissants de l'UE. Visite guidée obligatoire, en espagnol (en français sur demande). Compter 1h.

Vraiment digne d'intérêt, d'autant que la visite guidée est passionnante. Créé au XIIe s, le monastère est entouré de murailles crénelées. Les sœurs cisterciennes (de familles nobles) qui y vivaient régnaient autrefois sur toute la région. Et, aujourd'hui encore, une trentaine de sœurs y résident. Église de style romano-gothique séparée au milieu par une grille, l'impressionnante nef centrale avec stalles et tapisseries étant réservée à la noblesse. Une chaire tournante permettait au prédicateur de s'adresser au public et aux religieuses. Nombreux sarcophages et sépultures dont celle du roi Alphonse VIII et de son épouse Leonor de Plantagenêt. Dans le cloître principal, noter la magnifique porte mudéjare et les vestiges de stuc au plafond, d'une grande finesse d'exécution. Dans la salle capitulaire, triptyques, tapisseries espagnoles du XVIIe s, tableaux de l'école de Velázquez et superbe *Vierge aux flèches*. C'est dans cette salle que Franco forma le 1er gouvernement fasciste. Ensuite, on traverse un 2d cloître, royal et de style roman, adorable avec fines colonnes jumelées et chapiteaux à motifs floraux.

À côté, la *capilla de Santiago* renferme une curiosité, un mannequin aux bras articulés qui sacrait les rois d'Espagne (ni Juan Carlos ni Felipe n'ont utilisé ce rite). Enfin, le *museo* présente des vêtements et draperies découverts dans les tombeaux du panthéon royal, heureusement épargnés par les pillards.

UN MANNEQUIN SEMI-DEVIN

Le mannequin du Real monasterio de las Huelgas est une pièce unique, qui permet de se faire une idée plus précise de ce que fut la royauté espagnole. Comme nul être humain ne pouvait être considéré comme supérieur au roi, c'est ce mannequin articulé, mû au moyen de ficelles, qui adoubait le dauphin de son bras droit, puis lui donnait l'accolade de son bras gauche...

✵✵ *Cartuja de Miraflores (chartreuse royale de Miraflores ; hors plan par C2) :* à 4 km env à l'est de Burgos. ☎ 947-25-25-86. ● cartuja.org ● Bus « Fuentes Blancas » (celui du camping du même nom) depuis la pl. de España. Lun-sam 10h15-15h, 16h-18h ; dim et j. fériés 11h-15h, 16h-18h. GRATUIT (donation suggérée). Fondée en 1442, cette église gothique fut choisie par Jean II comme panthéon, mais

ON NE TUE PLUS LES JUIFS

À une quinzaine de kilomètres de Burgos, le village de Castrillo Matajudios (littéralement « où on tue les juifs » !) a gardé ce nom pendant plus de 500 ans. À l'époque d'Isabelle la Catholique, on massacrait les juifs qui refusaient de se convertir. En 2014, par référendum, la commune a décidé de s'appeler « Mota de Judios » (Mont des Juifs). Ouf !

c'est Isabelle la Catholique qui en acheva la construction. Si l'extérieur paraît bien sobre, l'intérieur révèle une incroyable richesse : les dossiers des stalles sont ornés de sculptures délicates, toutes différentes, tandis que le retable et le mausolée sont de véritables chefs-d'œuvre de Gil de Siloé. Face à l'incroyable

retable en bois polychrome, de facture plus classique, on note le réalisme du mausolée en albâtre avec les gisants de Jean II (père d'Isabelle la Catholique) et de sa
2de femme Isabelle de Portugal. À côté, celui de l'infant Alonso, leur fils. Dans les
chapelles attenantes, expositions de pièces artistiques.

Fêtes

– **Fête de Curpillos :** juin (le ven après la Fête-Dieu). Processions civiles et religieuses qui s'achèvent par une fête au parque de Parral où l'on danse, boit et mange.
– **Fêtes de Saint-Pierre et Saint-Paul** (San Pedro y San Pablo) : à partir du
29 juin. La principale fête de la ville dure 7-10 jours : corridas, festival de danse
folklorique et de musique populaire.

DANS LES ENVIRONS DE BURGOS

LERMA (09340)

🏃 À 40 km au sud de Burgos, sur la route d'Aranda de Duero. Accessible en bus
avec Alsa depuis Burgos, sur la ligne Burgos-Aranda. Et pour explorer les environs,
un taxi Arlanza Bus (📱 600-50-04-00).
Sur une colline à 800 m d'altitude qui surplombe la vallée de l'Arlanza, voici une
calme bourgade qui révèle ses charmes en déambulant dans ses ruelles escarpées. Elle fut fondée au Moyen Âge (Xe s), mais n'atteignit son apogée qu'au XVIIe s
lorsqu'elle devint résidence ducale (les fameux et puissants ducs de Lerma). La
petite cité se retrouve alors dans la grande histoire. La route royale qui relie Madrid
à la France y passe. On flâne aujourd'hui avec plaisir dans le quartier médiéval,
on admire le panorama depuis le mirador de Los Arcos. La plaza Mayor bordée
de maisons de brique sur piliers est dominée par la silhouette du Palais ducal
(XVIIe s), aménagé en parador (ne pas hésiter à visiter le grand patio et son bar,
très agréable).

Adresse utile

🖂 **Point d'info :** c/ Audiencia, 6.
☎ 947-17-70-02. ● oficina@citlerma.
com ● Dans la mairie. Tlj sauf lun

10h-13h45, 16h-19h. Visites guidées
de la ville (horaires affichés sur la
porte).

Où dormir ? Où manger ?

🛏 |●| **Posada de Eufrasio :** c/ Vista
Alegre, 9. ☎ 947-17-02-57. ● informa
cion@posadadeeufrasio.com ● posa
dadeeufrasio.com ● Doubles 75-85 €.
À 300 m de la plaza Mayor et du Palais
ducal (parador), très bien située. Une
auberge « rustique-chic » avec de
sublimes murs en pierres apparentes.
La tradition et le confort font ici bon
ménage. Préférer une chambre avec
vue sur la vallée (superbe). Fait aussi
resto, juste à côté, auquel on s'adresse
s'il n'y a personne à la réception. Espaces bien-être.

🛏 |●| **Asador Casa Brigante :** pl.
Mayor, 5. ☎ 947-17-05-94. 📱 609-
81-70-72. ● info@casabrigante.com ●
casabrigante.com ● Tlj midi seulement.
Fermé le soir. Carte 25-30 € ; lechazo
(pour 2) 30 €. CB refusées. Auberge
rustique du XIXe s donnant sur la place
centrale. Le chef, le jovial et sympathique Diego Peñas, parle bien le français et sert un excellent agneau de lait
(lechazo), cuit au four à bois. Il connaît
sur le bout des doigts l'histoire de la
ville. Excellent rapport qualité-prix.
Possibilité de louer également la casa

rural attenante *(capacité 10-12 pers, 6 chambres tt confort, pour 550 €/w-e).* ▲ ***Casa Rural El Zaguán :*** *c/ Barquillo, 6.* ☎ *947-17-21-65.* 🖥 *617-76-25-47.* ● *info@elzaguanlerma.es* ● *elzaguan lerma.es* ● *Double 66 €.* Une vieille bâtisse aux pierres apparentes, datant du XVIIIᵉ s, transformée avec goût et raffinement en hôtel de charme. Chambres de caractère (murs en brique, porte en bois, poutres) vraiment charmantes. Grand patio extérieur avec barbecue en libre-service. Les propriétaires, grands amateurs de vin, organisent des dégustations au sous-sol, dans une superbe cave voûtée naturelle. Petit déjeuner (délicieux) composé avec les produits de la région. Une adresse authentique et raffinée pour hédonistes avertis.

COVARRUBIAS *(09346)*

À 40 km au sud-est de Burgos.
🎯🎯 Covarrubias est une charmante et attachante bourgade médiévale (environ 500 habitants) au bord du río Arlanza. Ses rues, placettes, remparts et édifices à colombages transportent dans une autre époque sans aucun effort d'imagination.

Arriver – Quitter

Une visite plutôt pour les motorisés car les horaires de bus sont vraiment galère :
➢ ***Burgos :*** lun, mar, jeu et ven, 2 bus/j. depuis Burgos vers 13h et 18h30, retours vers 9h et 16h30. Mai-sept, 1 seul bus le dim vers Burgos à 18h.
➢ ***Lerma :*** bus le mer à 9h30, retour à 12h30.

Adresse utile

🛈 ***Oficina de turismo :*** *c/ Monseñor Vargas (dans la porte fortifiée).* ☎ *947-40-64-61.* ● *covarrubias.es* ● *Ouv mar 10h-15h ; mer-sam 10h-15h, 16h-18h (17h45 mer-jeu) ; dim 10h-18h. Fermé lun. Visite guidée possible, se renseigner.* Infos générales sur le coin. Accueil (francophone) souriant.

Où dormir ? Où manger ?

⚞ ***El Camping de Covarrubias :*** *ctra Covarrubias y Hortigüela, s/n.* ☎ *983-29-58-41.* 🖥 *616-93-05-00.* ● *pro atur@proatur.com* ● *proatur.com* ● *Env 21 € pour 2 avec tente et voiture.* Pour dépanner, un camping vieillot et sans charme. Essentiellement fréquenté par des mobile homes loués à l'année par des locaux. Pas d'électricité sur les emplacements. Snack-bar et piscine.
⚞ ***Camping à El Torcón :*** *à env 10 km de Covarrubias sur la CL-110, inscription et rens à l'office de tourisme de Covarrubias.* Au bord du río Arlanza, camping sauvage toléré. Très prisé l'été.
▲ 🍽 ***Pensión Casa Galín :*** *pl. Doña Urraca, 4.* ☎ *947-40-65-52.* ● *info@ casagalin.com* ● *casagalin.com* ● *Au centre du village. Resto fermé dim soir et mar. Congés : 12-30 déc. Double 40 €. Menus 12-25 €, carte env 20 €.* Une maison ancienne joliment rénovée (colombages, poutres apparentes, parquet...), abritant de petites chambres propres et agréables d'un bon rapport qualité-prix. Depuis 1830, 6 générations de la même famille se sont succédé dans cette bonne auberge villageoise. En bas, au resto, cuisine familiale avec de bons produits fermiers, et *raciones* de bonne qualité.
▲ ***Hotel rural Doña Sancha :*** *avda Victor Barbadillo, 31.* ☎ *947-40-64-00,* 🖥 *600-78-67-94.* ● *info@hoteldonasan cha.com* ● *hoteldonasancha.com* ● *À 300 m du bourg, sur la route de San*

Pedro de Arlanza et de Salas, à gauche. Bien indiqué. Doubles 60-76 €. Café offert sur présentation du guide. Une maison dans le style local avec des pans de bois, avec véranda. Chambres rustiques confortables avec baignoires et petits balcons (pour certaines), et une vue sur la campagne verte et fleurie en été. Dans le jardin, hamacs et balançoires pour buller au calme. Accueil chaleureux.

|●| *Restaurante de Galo :* c/ Monseñor Vargas, 10. ☎ 947-40-63-93.

● degalo@degalo.com ● *Au centre du village. Ouv le midi seulement dim-mar et jeu, midi et soir ven et sam. Fermé mer. Menu 13 € en sem, 19 € le w-e, plats 10-15 €.* Le vaste four à l'entrée donne le ton. Il sert à cuire l'agneau grillé, tendre à souhait et savoureux, que l'on le déguste à petites bouchées, une fois installé dans la salle rustique. Et si on veut manger autre chose, il y a des plats traditionnels classiques à prix sages.

À voir

– Nombreuses maisons anciennes à colombages, reposant sur des piliers. Une des plus remarquables est la *casa de Doña Sancha,* du XVe s, avec une avancée à pans de bois, des murs blancs, et des piliers usés par le temps. Située près de la *colegiata,* sur une charmante placette, elle abrite une galerie d'art.

🏹 *Torreón de Fernán González :* pl. Doña Sancha, 7. ▯ 677-53-42-67. ● tor reondefernangonzalez.es ● *Musée ouv fév-juin et de sept à mi-déc, sam 11h30-14h, 16h30-19h ; dim 11h30-14h ; fermé en sem. Juil-août, tlj sauf lun-mar et dim ap-m 11h-14h, 17h30-20h. Congés : de mi-déc à janv. Entrée : 6 € ; réduc.* Construit au Xe s sur ordre du comte Fernán González, ce donjon défensif ressemble à une pyramide tronquée ! D'après la légende, le comte y enferma sa fille, l'infante Doña Urraca, pour la punir de ses amourettes avec un berger. Ses murs abritent désormais un intéressant musée consacré aux armes médiévales (l'un des plus grands d'Europe sur ce thème !) : épées, gourdins, lances, glaives, dagues… Certaines pièces valent vraiment le coup d'œil, comme les catapultes ou les trébuchets.

🏹🏹 *Colegiata (collégiale) :* dans le centre du village sur la route principale. ☎ 947-40-63-11. *Tlj sauf mar visites à 11h, 12h, 13h, 16h30 et 17h30 (à 13h, 16h30 et 17h30 dim et j. fériés). Entrée : 4 € ; réduc. Visite libre pour l'église (tlj sauf lun 10h30-14h, 16h-19h) et guidée (en espagnol : 1h) pour le cloître et le musée.* Un petit panthéon en pleine campagne ! Une vingtaine de tombeaux de stars médiévales, comme ceux de Fernán González ou de Cristina de Norvège, l'épouse de Philippe de Castille… Orgues réputées, peintures et sculptures du XIIe s et de l'école maniériste, des pri-

UNE NORVÉGIENNE EN CASTILLE

Cristina de Noruega (fille du roi Haakon IV de Norvège) épousa en 1257 le prince Philippe de Castille. Elle mourut à 26 ans. Selon les rumeurs, elle était nostalgique de son pays natal. Certains pensent qu'une méningite l'a emportée, d'autres parlent d'un chagrin d'amour (car en fait elle était amoureuse du frère de son mari…). Toujours est-il que cet événement du XIIIe s provoqua encore, plus de 8 siècles après, l'émoi de la Norvège, qui finança une chapelle et créa une route de San Olav…

mitifs, des vêtements sacerdotaux et des documents anciens. Le fin du fin, c'est lorsque le guide découvre le « trésor », un fabuleux triptyque attribué à Gil

de Siloé représentant *L'Adoration des Mages.* S'il n'y a pas de groupe, le cloître avec ses fines colonnettes se révèle un merveilleux havre de paix.
– Sur la petite place, près de l'entrée de la *colegiata*, statue de la princesa Cristina de Norvège, offerte par la ville de Tonsberg en Norvège.

🔫 *Capilla de San Olav :* *à 2 km à l'extérieur du village, au bout d'une piste cail-louteuse.* Drôle d'apparition que ce bunker posé en pleine nature qui n'est autre qu'une chapelle moderne dédiée à saint Olav, le patron de la Norvège... pays qui a financé sa construction pour rendre hommage à Cristina de Norvège.

🏖 *El Piélago :* *juste après le pont qui traverse le río Arlanza.* Une plage aménagée avec accès direct à la rivière. Bar saisonnier, barbecue.
– Juste à côté, passage du **GR-160 (Camino del Cid)** et départ d'un sentier qui mène à Santo Domingo de Silos *(16,7 km ; 5h à pied ; difficulté moyenne ; infos au ☎ 947-25-62-40).*

SANTO DOMINGO DE SILOS *(09610)*

À 18 km au sud de Covarrubias et à 69 km de Burgos par la N 234. Assez difficile de s'y rendre pour les routards non motorisés (voir plus haut « Burgos. Arriver – Quitter »).
On conseille d'y arriver par la N 234. Après avoir traversé des gorges flanquées de falaises calcaires ciselées par le temps, on débouche sur ce petit village de 300 habitants, à flanc de colline. Il abrite l'incroyable monastère de *Santo Domingo.* « Loin du monde, mais plus proche du ciel », pensaient les ermites et autres moines qui s'y installèrent pour prier loin du vacarme des villes. Cette tranquillité-là est toujours d'actualité. Ce monastère (toujours actif) attire de nombreux visiteurs (notamment pour ses messes chantées en grégorien).

Où dormir ? Où manger ?

De prix moyens à chic

🏠 🍴 ⛵ *Hotel Mesón Casa de Guzmán :* *pl. Mayor, 9.* ☎ 947-39-01-25. 📠 650-79-84-55. ● *reser vas@mesoncasadeguzman.com* ● *mesoncasadeguzman.com* ● *Resto fermé lun (ouv tlj en août). Double 60 €. Menu 13 €.* Un hôtel sans prétention mais accueillant. À l'étage, des chambres impeccables, dont certaines donnent sur la place (la n° 22 en particulier). Au rez-de-chaussée, petit resto de spécialités locales.

🏠 🍴 *Hotel Santo Domingo de Silos :* *c/ Santo Domingo de Silos, 8-22 (la rue principale).* ☎ 947-39-00-53. ● *reservas@hotelsantodomin godesilos.com* ● *hotelsantodomin godesilos.com* ● *Doubles 39-80 €. Menus 12-25 € midi et soir. Parking env 8 €.* Une adresse pour toutes les bourses : d'un côté, un *hostal* tout simple (chambres datées), d'un autre, un hôtel correct et classique (à défaut d'être charmant), et pour les plus fortunés, un 3-étoiles avec bains à bulles. Au resto, une cuisine sans prétention dans une ambiance conviviale. Piscine.

🏠 🍴 *Hotel Tres Coronas de Silos :* *pl. Mayor, 6.* ☎ 947-39-00-47. ● *reservas@hoteltrescoronasde silos.com* ● *hoteltrescoronasdesilos. com* ● *Ouv tlj. Double env 90 €. Repas 25-30 €.* Hôtel de caractère dans un petit palais du XVIIe s, surnommé la *Casa Grande.* Vieilles pierres patinées par le temps, poutres et piliers de bois ancien, meubles comme chez l'antiquaire, un charme historique que l'on retrouve moins dans les chambres, tout de même agréables et confortables. Préférer celles avec vue sur l'église. Bon restaurant traditionnel dont la spécialité est l'agneau rôti au four à bois (lequel trône à l'entrée !).

LA CASTILLE-LEÓN

À voir

....

🎬🏃 Monasterio de Santo Domingo : ☎ 947-39-00-49. ● abadiadesilos. es ● Visites mar-sam 10h-13h, 16h30-18h ; dim et j. fériés (le règlement du monastère en compte beaucoup) 12h-13h, 16h-18h. Fermé lun et lors de certaines fêtes. Entrée : 3,50 € ; réduc ; gratuit - de 12 ans et pour ts le mer ap-m. Visite libre ou guidée. Messes en chant grégorien à l'église (à 21 ou 23h, horaires sur le site). Magnifique cloître roman sur 2 niveaux, réputé dans toute l'Espagne pour la qualité des bas-reliefs et des chapiteaux qui ornent les arcs des galeries. Ils sont tous différents, et leur origine reste mystérieuse. Superbes plafonds mudéjars. Petit musée d'Art sacré et salle d'expo temporaire.

À faire dans les environs

....

➢ **Desfiladero de la Yecla** (gorge de la Yecla) : à 2 km au sud-ouest de Santo Domingo, sur la route de Caleruega. Amusante microbalade de 20 mn. Un escalier à gauche, juste avant ou juste après le tunnel, permet de descendre au fond des gorges et de les suivre sur une passerelle fixée aux parois qui, par endroits, se rapprochent en laissant tout juste de quoi passer votre carrure d'armoire à glace.

PALENCIA   (34 000)   80 000 hab.
....

● Plan p. 246-247

À mi-chemin entre Burgos et Valladolid, dans l'une des immenses plaines qui forment la Tierra de Campos, Palencia est une petite ville de province sans grand charme souvent délaissée au profit de ses plus prestigieuses voisines. Et pourtant, elle se donne bien du mal pour tenter de redorer son blason de « très ancienne cité ibérique ». D'abord celtibère puis Pallantia la romaine, elle fut aussi conquise puis dévastée par les musulmans. Au XIe s, elle devient siège épiscopal et, en 1208, la 1re université d'Espagne y est fondée ; mais, une dizaine d'années plus tard, celle-ci est transférée à Salamanque. Pas de chance ! Il n'en reste pas moins que Palencia, ville agréable, porte encore la marque de son prestigieux passé, grâce à ses monuments en excellent état de conservation.

Arriver – Quitter

En train

🚂 **Estación RENFE** (plan C1) : Los Jardinillos, s/n. ☎ 912-320-320 (n° national). ● renfe.com ●
➢ **Madrid** (Chamartín) **via Valladolid et Ávila :** env 1 train/h aller comme retour, 5h30-21h30 depuis Palencia (à partir de 8h dim), 7h-22h15 depuis Madrid. Trajet 1h20-3h55 selon train.
➢ **Salamanque :** 1 train direct/j. Et des liaisons en changeant à Valladolid. Trajet : 2h10-4h10.

➤ *Burgos :* env 7 trains/j. dans les 2 sens (le dernier vers 20h50 de Palencia, 18h15 de Burgos). Trajet : 45-55 mn.

➤ *León :* env 18 trains/j. aller comme retour, le dernier vers 22h de Palencia, 20h30 de León. Trajet : 1h-1h20.

➤ *Valladolid :* nombreux trains dans les 2 sens, 7h-1h (5h30-21h30 depuis Palencia). Trajet : 35-45 mn.

➤ *Barcelone (Sants) :* 3-8 dans les 2 sens, 9h30-20h20 (1h20-14h20 depuis Palencia). Trajet : 6h-8h.

En bus

🚌 *Estación de autobuses (plan B1) :* juste à côté de la gare RENFE. ☎ 979-74-32-22.

➤ *Salamanque :* 3-4/j. dans les 2 sens, avec la Cie Alsa (☎ 902-42-22-42 ; ● alsa.es ●). Trajet : env 2h15.

➤ *Madrid :* dans les 2 sens, avec la Cie Alsa ; 5-6 bus/j. (estación del Sur) ; 3-4 pour l'aéroport. Durée : env 3h30.

Adresses utiles

🛈 *Oficina de turismo (plan C2) :* c/ Mayor, 31. ☎ 979-70-65-23. ● palenciaturismo.es ● Lun-sam 9h30-14h, 17h-19h (16h-20h de mi-sept à juin) ; dim 9h30-17h. Doc sur Palencia et ses environs, plan-guide bien fait. Accueil efficace.

Transports

🚕 *Taxis :* ☎ 979-72-00-16 ou ☎ 979-70-70-70. 24h/24.

🅿 *Parking :* c/ Juan Ramón Jiménez (plan D2) et c/ de la Estación (plan B1) pour 1 €/j. Sinon, pl. de los Juzgados (plan C2). *Aire de camping-car (gratuite) :* Isla Dos Aguas (hors plan par D3).

Santé et urgences

✚ *Hospital San Telmo (hors plan par B3) :* avda San Telmo. ☎ 921-72-82-00.

Où dormir ?

Auberge de jeunesse

🏠 *Albergue juvenil Palencia (hors plan par D3, 10) :* c/ Los Chalets, 1, 34004. ☎ 979-71-25-33 ou 33-66. ● juventud.palencia@jcyl.es ● juventud.jcyl.es ● ♿ Sur la route de Burgos, dans une petite rue perpendiculaire, juste en contrebas à droite du pont qui rejoint l'autoroute. Bus n° 2 depuis le centre-ville. 8,50 €/pers pour les - de 30 ans, 11,50 € pour les autres ; avec petit déj. Pens complète 15,60-21,10 €. CB refusées. Moderne, fonctionnelle, adaptée aux petits budgets. Chambres de 2 à 4 lits, avec douches et w-c en commun. En revanche, certaines doivent se contenter de vasistas. Salon TV et cafétéria. Accueil courtois. Bémols : un peu éloignée du centre-ville et parfois bruyant.

De bon marché à prix moyens (30-60 €)

🏠 *Hotel Colón 27 (plan C3, 11) :* c/ Colón, 27, 34002. ☎ 979-74-07-00 ou 07-37. ● hotelcolon@hotelcolon27.com ● hotelcolon27.com ● Face à l'école La Salle. Doubles 35-60 €. Petit hôtel central et classique, aux chambres standard de bonne taille et de confort convenable (préférer celles sur rue, moins bruyantes). Accueillant. Sur la façade, détail intrigant : 2 éléments en plâtre, en forme d'œuf, posés sur des conduits. Et, sur chacun, une figurine de bonhomme, collée dessus... Street art local ?

🏠 *Hostal Tres de Noviembre (plan C3, 12) :* c/ Mancornador, 18, 34001. ☎ 979-70-30-42. ● hostal3denoviembre.es ● Réception ouv 19h-22h

LA CASTILLE-LEÓN

LA CASTILLE-LEÓN

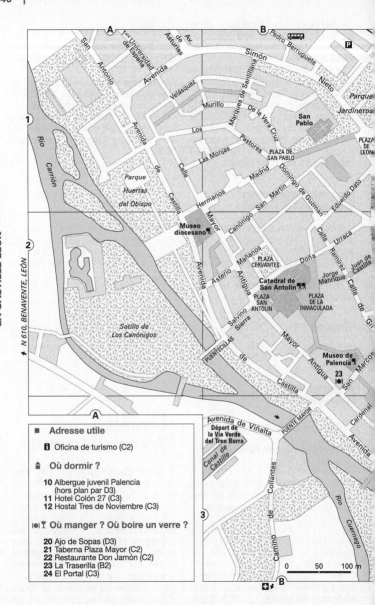

■ **Adresse utile**

🛈 Oficina de turismo (C2)

🛏 **Où dormir ?**

10 Albergue juvenil Palencia
(hors plan par D3)
11 Hotel Colón 27 (C3)
12 Hostal Tres de Noviembre (C3)

🍽🍷 **Où manger ? Où boire un verre ?**

20 Ajo de Sopas (D3)
21 Taberna Plaza Mayor (C2)
22 Restaurante Don Jamón (C2)
23 La Traserilla (B2)
24 El Portal (C3)

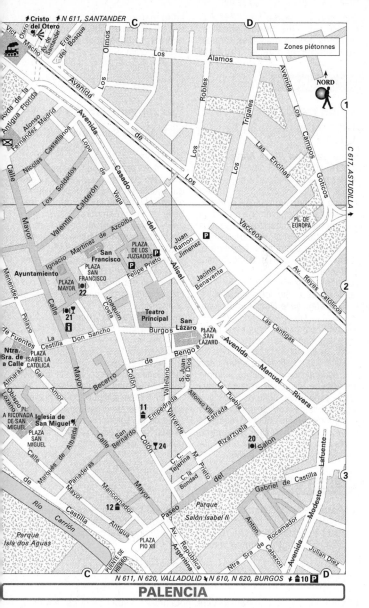

PALENCIA

LA CASTILLE-LEÓN

(résa par tél). Double env 38 €. Pas de petit déj. Une bonne surprise. Chambres petites mais bien tenues. Déco simple et fleurie. Propreté impeccable. Une triple aussi (la n° 113) est réservable au même prix que les doubles pour 2 personnes. Accueil jovial.

Où manger ?

De bon marché à prix moyens (8-25 €)

|●| ♟ ↑ *Taberna Plaza Mayor (plan C2, 21)* : pl. Mayor, 8. ☎ 979-74-04-10. ● *info@tabernaplazamayor.es* ● *Menus 13-25 €, carte 12-20 €.* Au cœur de la ville, sur la place centrale. Adresse classique, avec une collection de jambons et de chorizos suspendus derrière le bar. Parmi les spécialités : carpaccio de bœuf avec fromage et légumes grillés, cabillaud, poulpes... En dessert : le riz au lait maison, succulent. Salle de resto au fond ou grande terrasse. Service sympathique.

|●| ↑ *Restaurante Don Jamón (plan C2, 22)* : plazuela de la Sal, 1. ☎ 979-70-22-70. ● *reservasdonjamon@gmail.com* ● Légèrement en retrait de la pl. Mayor. *Tapas 4-8 €, plats 12-18 €, menus 13-35 €.* Un resto « dans son jus », essentiellement tourné, comme son nom le suggère, vers la charcuterie espagnole. Jolis *azulejos* aux murs. Ambiance familiale, où toutes les générations se côtoient et se régalent ! À côté, sur la pl. Mayor, l'élégante *Parrilla Don Jamón* propose des légumes, viandes et poissons grillés.

Prix moyens (15-25 €)

|●| ↑ *Ajo de Sopas (plan D3, 20)* : paseo del Salón, 25. ☎ 979-10-47-12. *Tlj sauf dim soir-lun. Raciones 6-24 €.* À l'orée du parc Isabel II, sur une allée passante. Le vent nouveau qui souffle sur la ville a déposé là une adresse surprenante. À l'intérieur, très belle déco contemporaine avec parquet, plafond végétal, bel éclairage. On recommande d'y boire un verre et de déguster une assiette à partager. Le jeune chef, Alberto Soto, propose une cuisine locavore créative... Et c'est un délice (goûter à la *ensaladilla* ou aux *empanadillas*). Service efficace et connaisseur.

|●| *La Traserilla (plan B2, 23)* : c/ San Marcos, 12. ☎ 979-74-54-21. ● *contacto@latraserilla.es* ● *Tlj sauf dim soir. Menu midi env 20 €, menu de saison env 35 €, carte le soir 15-25 €.* Installé dans une maison du XVIᵉ s, voilà l'un des meilleurs restos de la ville. Cuisine délicieuse alliant tradition et création, mijotée avec des produits typiques de la région. Le chef (et patron) Miguel Sánchez est un pilier actif de la gastronomie palencienne.

Où boire un verre ?

♟ *El Portal (plan C3, 24)* : c/ Colón, 35. *Tlj jusqu'à 3h du mat.* L'un des meilleurs bars à cocktails de la ville ! Grand comptoir en bois lustré, lampes vertes, musique branchée et carte inventive. Quelques tables dehors. Une belle adresse pour fêter quelque chose !

À voir

🎯 Petite balade dans le *centre-ville,* notamment le long de la *calle Mayor,* l'artère principale, bordée de maisons anciennes supportées par des colonnades. Au n° 36, élégante façade gothique avec fresque, et au fond de la rue à droite, l'*ayuntamiento,* à la curieuse devanture de brique, accolé à une belle église. On apprécie aussi la quiétude de la plaza Mayor, avec ses nombreuses terrasses...

🕇 **Museo de Palencia** *(plan B2)* : *pl. del Cordón, 1.* ☎ *979-75-23-28. Mar-sam 10h-14h, 16h-19h (17h-20h juin-sept). Dim et j. fériés 10h-14h. Fermé lun. Entrée : 1,20 € ; réduc ; gratuit - de 18 ans et + de 65 ans, et pour ts le w-e.* La *casa del Cordón,* bâtisse du XVIᵉ s de style Renaissance, tient son nom d'une corde sculptée dans la pierre qui orne sa façade. Ce cordon symbolise l'humilité des moines franciscains. Si la façade est fort belle donc, l'intérieur bétonné donne plus dans le style « bunker ». Mais, après tout, on vient pour le contenu : sur 3 niveaux, d'importantes collections archéologiques consacrées principalement à la préhistoire, et aux époques romaine (magnifique mosaïque provenant de la villa *La Olmeda*) et médiévale (sarcophages, chapiteaux...). La collection d'objets celtibères, issue des fouilles de Tariego, Monte Bernorio et Palenzuela est particulièrement remarquable (reconstitution de la nécropole de *Palenzuela,* notamment). Une preuve supplémentaire de la richesse du secteur.

🕇🕇 **Catedral de San Antolín** *(plan B2)* : *pl. de la Inmaculada.* ☎ *979-70-13-47.* ● *catedraldepalencia.org* ● *Mai-oct : lun-sam 10h-13h30, 16h-18h, 18h35-19h30 ; dim et j. fériés 16h30-20h. Nov-avr : lun-sam 10h-13h30, 16h-18h ; dim et j. fériés 16h-19h. Cathédrale + crypte + musée : 5 € ; réduc ; gratuit mar ap-m. Audioguide inclus (sauf mar ap-m, 2 €). Possibilité de visite guidée en espagnol (tlj sauf dim, à 11h30 et 12h30 ; env 1h ; 1 €).* Bien qu'inachevée, elle vaut le détour pour les richesses artistiques qu'elle abrite. La cathédrale a été érigée sur la base d'une église romane elle-même construite à la place d'une basilique wisigothe (on en distingue quelques vestiges dans la crypte : des colonnes et bois polychromes). La construction à 3 nefs a été tracée d'après le modèle de la cathédrale de Burgos. Grand retable du XVIᵉ s (peintures de Juan de Flandes) au-dessus de l'entrée de la cage d'escalier conduisant à la **crypte de San Antolín** (le patron de la ville). Sculptures de Gil de Siloé, de Philippe de Bourgogne, grille du chœur finement ouvragée... Le cloître du XVIᵉ s est beau mais a perdu de sa splendeur originelle car les arches ont été vitrées et des rideaux posés. On accède au *museo (sala capitular)* où est exposé *El Martirio de San Sebastián* du Greco. Superbe porte de la sacristie du XVIᵉ s en noyer : elle est composée de 4 panneaux sculptés, chacun représentant l'une des 4 vertus cardinales, illustrée par une figure féminine.

🕇 **Iglesia de San Miguel** *(plan C3)* : *pl. San Miguel, 4.* ☎ *979-74-07-69. Tlj 9h30-13h30, 18h-20h. GRATUIT.* Vraiment étonnante, la partie extérieure de cet édifice du XIIIᵉ s, à mi-chemin entre église et forteresse ! Clocher ajouré original, symbole de la transition du roman au gothique. À l'intérieur, présidant l'autel, superbe statue du Christ du XVᵉ s. D'anciennes peintures murales de style gothique ont été découvertes il y a quelques années.

🕇 **Museo diocesano** *(plan A-B1-2)* : *c/ Mayor Antigua, 34.* ☎ *979-70-69-13. Tlj sauf dim, visites guidées à 10h30 et 11h30 (plus 12h30, 16h30, 17h30 et 18h30 en été, tlj sauf lun). Entrée : 4 € ; réduc.* Dans le *Palacio episcopal* (XVIIIᵉ s), ce musée d'une douzaine de salles expose des sculptures romanes des XIIᵉ et XIIIᵉ s, des sculptures sur bois d'Alejo de Vahía et plusieurs tableaux de peintres du XVᵉ et XVIᵉ s comme Pedro Berruguete, Andrea del Sarto, Zurbarán, Juan de Flandes... Superbe retable de la Vierge de Diego de Siloé. Également une collection d'objets liturgiques.

🕇 ⇐ **Cristo del Otero** *(hors plan par C1)* : *sur une colline qui domine la ville. À min 30 mn à pied ou en voiture. GRATUIT.* Perchée en haut d'une colline de 850 m, cette colossale sculpture en béton, représentant le Christ, est l'œuvre de Victorio Macho (natif de Palencia), en 1931. Avec ses 20 m de haut, elle est la statue du Christ la plus haute du monde, après le *Corcovado* de Rio de Janeiro. Tout en haut, magnifique panorama sur la ville et les alentours. Aux pieds de la statue se trouve la petite chapelle Sainte-Marie : c'est là que repose le corps de Victorio Macho (selon ses dernières volontés, rien que ça !). Voir aussi la rubrique « Fêtes. Pan y Queso ».

LA CASTILLE-LEÓN

Fêtes

– **Bautizo del Niño :** *1ᵉʳ janv.* Fête célébrée depuis le XVIᵉ s. Procession traditionnelle.
– **La Virgen de la Calle** *(ou **Las Candelas**) : 2 fév.* Palencia célèbre sa patronne. Procession jusqu'à la cathédrale, dans la ferveur populaire.
– **Pan y Queso :** *dim proche du 16 avr.* La foule en liesse vient se masser au pied du *Cristo del Otero* pour attraper au vol des miches de pains et du fromage lancés depuis le belvédère (reméemorant ainsi le martyre du Christ).
– **Feria Chica :** fête traditionnelle qui coïncide avec la Pentecôte. Danses traditionnelles, exposition de céramique et foire au livre d'occasion.
– **San Antolín :** *2 sept.* Célébrations des fêtes patronales de la ville. Les habitants se retrouvent à la crypte de la cathédrale et y boivent l'eau qui leur accordera les faveurs du saint.

DANS LES ENVIRONS DE PALENCIA

Vraiment plein de belles choses à voir dans les parages... La province de Palencia abrite notamment la plus grande concentration de **monuments romans** d'Europe : il y en a partout, tous plus intéressants les uns que les autres. Petits ermitages, grands ensembles monastiques, églises... Vous n'aurez que l'embarras du choix.

– **Vía Verde del Tren Burra :** depuis Palencia au niveau d'une zone d'ancrage *(dársena)* du canal de Castilla *(plan B3)*. Sur une ancienne voie ferrée, possibilité de rejoindre, à pied ou à vélo, Castromocho à l'ouest sur environ 30 km. Vous croiserez des champs, des nids de cigognes, en longeant le canal sur une 1ʳᵉ partie. Et pourquoi ne pas faire un détour par la *laguna de la Nava,* au niveau de Mazariegos, pour observer les nombreux oiseaux du coin ?

🐾 Remarquables **pigeonniers** aux alentours. Il suffit par exemple de se balader entre **Villamartín de Campos** (14 km à l'ouest de Palencia) et **Ampudia** (17 km au sud-ouest de Villamartín) pour en croiser des dizaines : des petits, des grands, des carrés, des rectangulaires, certains coiffés de plusieurs toits superposés. Les ronds sont d'origine romaine.

🐾🐾 ⟜ **Castillo de los Sarmiento :** à **Fuentes de Valdepero.** ☎ 979-76-77-32.
● castillodelossarmiento.es ● À 6 km au nord de Palencia. *De mai à mi-oct : mardim 10h30-14h, 17h-20h, fermé lun. Hors saison : ven-dim 10h30-14h, 16h-18h, fermé lun-jeu. Entrée : 3 € ; réduc. Feuillet explicatif en français.* Dans un village doucement bercé par le chant des oiseaux, un superbe château du XVᵉ s, digne d'intérêt. La famille Sarmiento fait construire ce château pour asseoir son pouvoir. Un jour de 1521, un groupe de *comuneros* aux ordres de l'évêque Acuña assiège le château, pour sa situation stratégique. Acuña ira jusqu'à obliger la famille Sarmiento à faire la route à pied et complètement nus jusqu'à Valladolid, où ils seront faits prisonniers... Ce qu'on visite aujourd'hui est un héritage architectural de cet épisode traumatique : libérés, les Sarmiento décident de transformer le château en une véritable forteresse, imprenable... L'une des spécificités du lieu est son côté labyrinthique avec ses multiples petites salles cachées. On visite le *patio de Armas* (voir les fenêtres qui servaient à tirer sans se faire voir), les oubliettes *(calabozo),* la *camara superior,* avec une superbe exposition sur l'histoire de la ville et de la région à travers des scènes reconstituées en pâte à modeler. Ne pas manquer enfin le chemin de ronde et son large panorama défensif.

FRÓMISTA (34440)

🐾🐾 À 29 km au nord de Palencia sur la N 611. Une étape importante pour les pèlerins en marche vers Saint-Jacques ! Ce qui fait de Frómista un village assez animé et à l'ambiance chaleureuse. Petit **office de tourisme** au cœur du bourg *(ouv tlj en théorie)* avec quelques bénévoles qui font tourner la boutique.

Où dormir ? Où manger ?

⌂ **Albergue Municipal Frómista :** *pl. Obispo Almaraz, 8.* ☎ 979-81-09-90. 📱 686-57-97-02. ● *carmen-hospitalera@live.com* ● *Accueil 12h-23h en été, 15h30-21h en hiver. Congés : Noël.* **Réservée aux pèlerins avec** credencial *(le carnet à tamponner) uniquement. Lit en dortoir env 11 €, petit déj 3 €.* Une auberge pour pèlerins, tenue par la chaleureuse Carmen. En plein centre du village, à deux pas de l'iglesia de San Martín, une cinquantaine de lits dans un bâtiment calme et doté d'un petit jardin. Laverie. Parking pour vélos.

⌂ **Hostal Camino de Santiago :** *c/ Francesa, 26.* ☎ 979-81-02-82. 📱 696-00-98-03. ● *hostalcamino@hotmail.com* ● *hostalcaminodesantiago.es* ● *Réception 13h30-21h30. Congés : déc-janv. Double 48 €.* Sur une petite place ombragée, au bord du camino francés, la plus vieille maison du village, supportée par des piliers de pierre et identifiable à sa façade jaune ! Chambres impeccables. Il y en a même une plus chic (et plus chère) avec lit à baldaquin. Accueil adorable !

|●| ↑ **La Venta :** *pl. de San Martín, 8.* ☎ 979-81-00-12. ● *laventafromista@gmail.com* ● *Tlj sauf lun 12h-22h. Congés : janv-mars. Menus 11-13 € ; plus cher à la carte.* Une vieille bâtisse du XVIIIe s, juste en face de l'iglesia de San Martín. Les 2 sœurs qui tiennent l'endroit l'ont gardé dans son jus : poutres apparentes, murs bruts, vieux outils en guise de déco, tonneaux... Joli jardin calme et verdoyant (le top après une journée de marche !). Côté assiette, cuisine européenne classique mais de qualité, à base de produits du coin. Une partie du resto accueille des expos de photos, de peintures, de sculptures et des rencontres avec les artistes... Accueil souriant.

À voir. À faire

Iglesia de San Martín : *pl. de San Martín. Tlj 9h30-14h, 16h30-20h (15h30-18h30 hors saison). Entrée : 1,50 € ; audioguide en français 1 €.* Probablement le meilleur exemple d'art roman de la région. Cette église réunit tous les éléments architecturaux et décoratifs qui caractérisent ce style. Du XIe s, elle est remarquable pour son chevet magnifique aux absides ornées de colonnettes et de frises, tandis qu'à l'intérieur on note la qualité des chapiteaux. D'autres jolies églises dans le village, notamment celle de **San Pedro.**

Voir aussi l'ancienne **écluse** à 4 niveaux sur le canal de Castille. Au niveau de l'embarcadère, le bateau touristique *Juan de Homar* (📱 673-36-84-86) longe le chemin de Saint-Jacques pendant 4 km jusqu'à Boadilla del Camino, à l'est.

VALLADOLID   (47000)   309 000 hab.

● Plan p. 254-255

En grande partie moderne et industrielle, Valladolid n'est pas de prime abord la plus belle ville de la région. Mais une fois traversé les grises banlieues, le centre historique ne manque pas de charme. Avec ses superbes églises et cathédrales, ses bâtiments anciens préservés et sa célèbre plaza Mayor,

LA CASTILLE-LEÓN

piétonne et colorée, Valladolid est un point de chute idéal pour rayonner dans la région. Ne ratez pas la visite incontournable du *museo nacional Colegio de San Gregorio*, à notre avis l'un des plus beaux de Castille. Dans les rues, prenez le temps d'admirer les merveilleuses façades isabilines et plateresques qui rappellent le passé royal et fastueux de Valladolid, plusieurs fois siège de la Cour et capitale du royaume d'Espagne.

Aujourd'hui, on la redécouvre aussi à travers sa gastronomie : toute une génération de jeunes chefs réinvente et s'approprie les recettes typiques de Castille dans des lieux de plus en plus branchés, qui attirent la jeunesse estudiantine locale.

UN PEU D'HISTOIRE

Son nom vient de l'arabe *Belad Valed* (Terre du Vali). À partir du XIIIe s, Valladolid est la résidence des gouverneurs de Castille et les rois aiment y séjourner, bien que Burgos reste le siège officiel du pouvoir. En 1469, on y célébra le mariage de Ferdinand roi d'Aragon et d'Isabelle de Castille. Au XVIe s, c'était une des villes les plus peuplées et prospères d'Espagne. Les Rois catholiques y avaient installé la chancellerie du royaume. Du temps de Charles Quint, elle était la capitale intermittente du royaume. La rue des Orfèvres, la célèbre calle Platería, était le symbole même de sa richesse : 4 carrosses pouvaient y passer de front. La plaza Mayor comptait 500 portails et 2 000 fenêtres ! « *Valladolid es el mundo abreviado* », disait-on : « Valladolid est un résumé du monde. »

Christophe Colomb y mourut, triste et amer, en 1506. Le père Bartolomé de Las Casas, défenseur des droits des Indiens, y vint en 1550 pour plaider leur dignité auprès du roi. Philippe II, fils de l'empereur Charles Quint, y est né en 1527. Il décida en 1560 de transférer la capitale à Madrid. Après cette date, Valladolid déclina et n'était plus qu'une résidence royale, un lieu de passage entre Madrid et Burgos. La cour de Philippe III y revint momentanément pour quelques années de 1601 à 1606. De 1603 à 1606, Cervantes vécut à Valladolid au moment où sortait des presses

GRAND DESTIN, TRISTE FIN

« L'Amiral (Christophe Colomb), doublement accablé par la goutte et par le chagrin de voir tous ses droits bafoués, rendit l'âme, à Valladolid, le 20 mai 1506. » Son fils Hernando était là, cette citation est de lui. Tombé en disgrâce, abandonné par le pouvoir, jalousé et méprisé, le découvreur du Nouveau Monde eut une triste fin. Il exigea que ses chaînes de prisonnier soient placées dans son cercueil avant d'être inhumé dans la cathédrale de Séville. Selon son vœu, une partie de sa dépouille fut envoyée à Santo Domingo (République dominicaine) et inhumée dans la cathédrale de cette ville.

son chef-d'œuvre *Don Quichotte*. D'autres célèbres artistes comme Zorrilla, Alonso Berruguete ou Juan de Juni y ont composé leurs œuvres.

C'est encore à Valladolid que Napoléon installa son quartier général, en 1809. Mais ce conquistador français n'a pas laissé un grand souvenir dans la mémoire collective des Espagnols...

Arriver – Quitter

En train

🚆 **Estación RENFE – Campo Grande** (hors plan par C3) : c/ Recondo, s/n.

☎ 912-320-320 (n° national). ● renfe. com ●

➢ **Madrid :** nombreux trains, dont 2 AVE (moins de 1h, mais un peu plus cher). Sinon, prendre l'*Alvia* ou l'*Avant*. Durée : 2h45-3h en *Media Distancia* et 1h-1h10 en *Alvia* et *Avant*.

➢ *León :* env 17 trains/j., dont 3-4 *Alvia* ou *Regional* (les moins chers). Durée : env 1h15 en *Alvia*.

➢ *Palencia :* nombreux trains dans les 2 sens, env 7h-23h (dont 1 train de nuit) ; 5h35-21h30 de Palencia. Durée : 25-45 mn.

➢ *Salamanque :* 8 trains/j. A/R, 4h55-20h50 de Salamanque, 7h35-23h10 de Valladolid en sem. Durée : env 1h10-1h30 en *Regional*.

➢ *Zamora :* 3 trains/j. A/R de Valladolid, à 6h45, 14h10 et 17h35 ; de Zamora, à 8h25, 13h35 et 18h40. Durée : 1h15-3h40 (les *Regional Express* sont les plus rapides).

En bus

🚌 *Estación de autobuses (hors plan par C3) :* c/ Puente Colgante, 2 ; à deux pas de la gare RENFE. ☎ 983-23-63-08. Consigne 8h-22h.

➢ *Madrid (estación del Sur) :* 16-19 bus/j. dans les 2 sens avec la Cⁱᵉ *Alsa* (☎ 902-42-22-42 ; ● alsa.es ●). Durée : 2h15-3h30.

➢ *León :* 9-11 départs/j., aller comme retour, avec la Cⁱᵉ *Alsa*. Durée : 1h45-2h.

➢ *Ségovie :* env 14 bus/j. (6-7 le w-e) dans les 2 sens avec la Cⁱᵉ *Linecar*

(☎ 983-23-00-33 ; ● linecar.es ●). Durée : 1h10 (direct), sinon 2h.

➢ *Soria et Zaragoza (Saragosse) :* 3 départs/j. avec la Cⁱᵉ *Linecar*. Env 3h de trajet pour Soria et 5h30 pour Saragosse.

➢ *Salamanque :* 6-9 bus/j. (dont 2 *Express*) avec la Cⁱᵉ *Avanza Bus* (☎ 912-72-28-32 ; ● avanzabus.com ●). Trajet : env 1h30 en normal, 1h20 en *Express*.

➢ *Zamora et Palencia :* bus ttes les heures 7h-21h en sem (moins fréquents le w-e), avec la Cⁱᵉ *La Regional* (☎ 983-30-80-88 ; ● laregionalvsa.com ●). Durée : 1h20 pour Zamora, 1h pour Palencia.

En avion

✈ *Aeropuerto (hors plan par A2) :* ☎ 902-404-704. ● aena.es ● À 13 km de Valladolid, par la route de León (N 601). Liaisons en bus avec la gare routière (Linecar, ☎ 983-23-00-33 ; ● linecar.es ● ; 3 €, à acheter dans le bus). Depuis l'aéroport : 7-9 bus/j. 8h30-20h45 (9h45-19h15 sam ; 11h15-20h45 dim) ; vers l'aéroport : 7-9 bus/j. env 8h-20h (9h-18h30 sam ; 10h30-20h dim). Trajet : env 30 mn.

➢ Vols tlj pour *Barcelone* (direct) et en hte saison pour les Baléares et les Canaries.

LA CASTILLE-LÉON

Adresses et infos utiles

Informations touristiques

ℹ *Oficina de turismo (plan B3) :* pabellón de Cristal, acera de Recoletos, s/n. ☎ 983-21-93-10. ● info.valladolid.es ● Lun-sam 9h30-14h, 16h-19h (17h-20h juil-sept) ; dim 9h30-15h. Excellent accueil. Bien documenté : brochures avec des suggestions de balades, visites guidées et plans-guides de la ville. Un autre kiosque d'info au centre de la plaza Fuente Dorada *(plan B2 ; mar-sam 11h-13h30, 17h-19h ; dim 11h-13h30 ; fermé lun).*

➢ *Bus touristique (plan B3) :* juste à côté de l'office de tourisme. ☎ 983-21-93-10. Départs à 17h et 18h le ven (et 19h l'été), 12h, 13h, 17h et 18h (et 19h l'été) sam et dim. 8 € ; réduc. Un

bus à marquise pour découvrir toute la richesse patrimoniale de la ville ! Bon plan : la *Valladolid Card* (8 €/j. ; dispo à l'office de tourisme) permet un accès gratuit et illimité au bus touristique et à 9 musées de la ville.

Transports

🚕 *Taxis :* ☎ 983-29-14-11 ou 983-10-03-00. 24h/24.

🅿 *Parkings :* sous la pl. Mayor (plan B2), pl. de España (plan C3) et pl. de Zorilla (plan B3).

Urgences

⬛ *Ambulances de la Croix-Rouge :* ☎ 983-13-28-28.

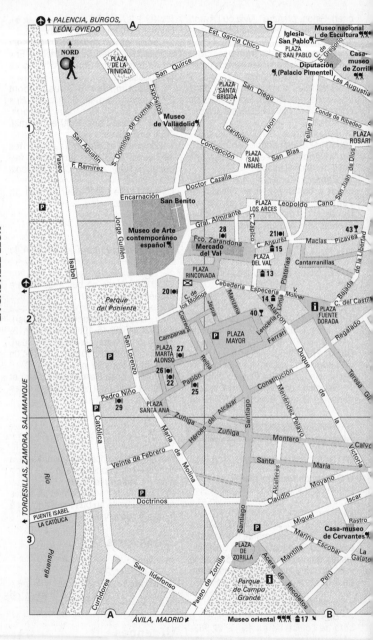

PALENCIA, BURGOS, LEÓN, OVIEDO

NORD

Est. García Chico

Museo nacional de Escultura

Iglesia San Pablo

PLAZA DE SAN PABLO

Casa-museo de Zorrill

PLAZA DE LA TRINIDAD

San Quirce

Diputación (Palacio Pimentel)

Las Augustia

PLAZA SANTA BRÍGIDA

San Diego

Exposición

Domingo de Guzmán

Gardoqui

León

Conde de Ribadeo

Felipe II

PLAZA ROSARI

San Agustín

F. Ramírez

Museo de Valladolid

Concepción

PLAZA SAN MIGUEL

San Blas

San Juan de Dios

Paseo

Encarnación

Doctor Cazalla

San Benito

PLAZA LOS ARCES

Leopoldo

Cano

43

Jorge Guillén

Museo de Arte contemporáneo español

Gral. Almirante

28

Fco. Zarandona

C. Zapico

21

C. Ansúrez

Macías

Picava

de la Libertad

Mercado del Val

15

PLAZA DEL VAL

Platerías

Cantarranillas

Isabel

PLAZA RINCONADA

13

Cebadería

Especería

V. Moliner

PLAZA FUENTE DORADA

20

C. de los Molinos

Correos

Jesús

Manzana

14

Lonja

Alarcón

C. del Castill

Parque del Poniente

Campanas

Lencería

40

PLAZA MAYOR

Ferrari

Regalado

San Lorenzo

PLAZA MARTA ALONSO

27

Reina

Duque

Teresa Gil

26

22

Pasión

25

Constitución

Menéndez Pelayo

Santiago

Pedro Niño

29

PLAZA SANTA ANA

Zúñiga

Héroes del Alcázar

Zúñiga

Santiago

Montero

Calvo

La Católica

María de Molina

Santa

María

Victoria

Veinte de Febrero

Alcalleres

Moyano

Río

Claudio

Iscar

Doctrinos

Miguel

Rastro

Casa-museo de Cervantes

La Galate

PUENTE ISABEL LA CATÓLICA

Marina Escobar

Pisuerga

PLAZA DE ZORRILLA

Mantilla

Acera de Recoletos

Perú

Curtidores

San Ildefonso

Paseo de Zorrilla

Parque de Campo Grande

TORDESILLAS, ZAMORA, SALAMANQUE

ÁVILA, MADRID

Museo oriental

17

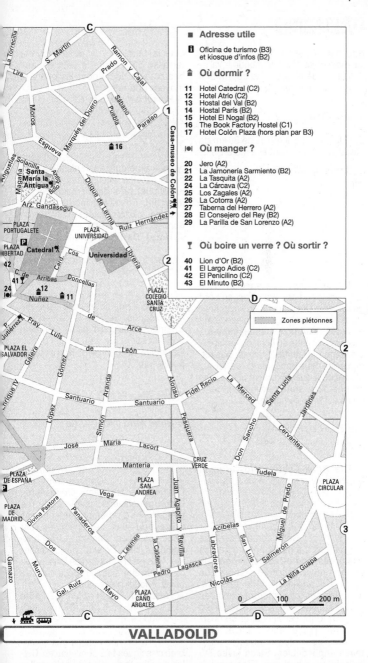

■ **Adresse utile**

🄸 Oficina de turismo (B3)
et kiosque d'infos (B2)

🛏 **Où dormir ?**

11 Hotel Catedral (C2)
12 Hotel Atrio (C2)
13 Hostal del Val (B2)
14 Hostal París (B2)
15 Hotel El Nogal (B2)
16 The Book Factory Hostel (C1)
17 Hotel Colón Plaza (hors plan par B3)

🍽 **Où manger ?**

20 Jero (A2)
21 La Jamonería Sarmiento (B2)
22 La Tasquita (A2)
24 La Cárcava (C2)
25 Los Zagales (A2)
26 La Cotorra (A2)
27 Taberna del Herrero (A2)
28 El Consejero del Rey (B2)
29 La Parilla de San Lorenzo (A2)

🍸 **Où boire un verre ? Où sortir ?**

40 Lion d'Or (B2)
41 El Largo Adios (C2)
42 El Penicilino (C2)
43 El Minuto (B2)

Zones piétonnes

0   100   200 m

VALLADOLID

Où dormir ?

Attention ! Durant la *Semana Santa* et les mois d'été, il y a du monde à Valladolid ! Ne débarquez pas trop tard si vous n'avez rien réservé.

Campings

Pas de camping à moins de 30 km de Valladolid ! Mieux vaut être motorisé...

⚬ *Camping El Astral (Kawan Village) :* camino de Pollos, 8, 47100 *Tordesillas.* ☎ 983-77-09-53. ● info@ campingelastral.es ● campingelastral. es ● À env 30 km au sud de Valladolid, par l'autoroute Valladolid-Salamanca. Fermé déc-fév pour les locatifs. Compter 22-40 € pour 2 avec tente et voiture. Bungalows 57-140 € (2 nuits min). Offres régulières sur leur site. De loin, le meilleur camping de la région. Situé aux portes sud de Tordesillas, au bord de la rivière Duero, dans un environnement nature ombragé. Emplacements espacés, sanitaires impeccables... Aussi des chalets en bois tout équipés. 2 piscines (gratuites), tennis, basket, minigolf, ping-pong, aires de jeux... Machines à laver. Excellent accueil, les propriétaires sont eux-mêmes campeurs et fils de campeurs.

De bon marché à prix moyens (30-60 €)

🛏 *The Book Factory Hostel (plan C1, 16) :* c/ Paraíso, 8, 47003. ☎ 983-18-11-02. ● reservas@thebookfactoryhostel.com ● thebookfactoryhostel. com ● Lit en dortoir env 21,50 €/pers, petit déj en sus ; double env 60 €, avec petit déj. Cette adresse centrale a 2 visages. La partie hôtel offre des chambres confortables, modernes et sobrement décorées. Tandis que la partie auberge, plus récente, accueille des joyeux lurons dans des dortoirs mixtes de 12 à 16 lits (avec casiers), dont certains sont compartimentés en plusieurs espaces cloisonnés, pour plus d'intimité. Sanitaires impeccables. Salon (avec TV) et cuisine à partager. Opter sinon

pour la cafèt' *(ouv tlj)* et sa chouette terrasse où prendre le petit déj aux beaux jours. Idéal pour les petits et moyens budgets.

🛏 *Hostal del Val (plan B2, 13) :* pl. del Val, 6, 47003. ☎ 983-37-57-52. 📱 650-45-03-39. ● hostaldelval@hotmail. com ● hostaldelval.es ● Réception au 3e étage. Doubles 31-40 € (lavabo, douche ou sdb). Pas de petit déj. La façade typique a perdu de sa splendeur. Une petite pension, située dans le quartier historique, près du mercado del Val (marché). Chambres modestes mais propres, parfois dotées d'un balcon donnant sur la placette.

🛏 *Hotel Catedral (plan C2, 11) :* c/ Nuñez de Arce, 11, 47002. ☎ 983-29-88-11. ● reservascatedral@hoteles valladolid.com ● hotelesvalladolid. com ● Doubles 50-80 €, petits déj 11-13,20 €. Parking 15 €. Un boutique-hôtel chic à prix doux, situé dans une rue piétonne, derrière la cathédrale. Chambres impeccables et colorées, donnant sur la rue (très calme) ou sur les flancs du bâtiment. Bon rapport qualité-prix.

Chic (60-90 €)

🛏 *Hotel Atrio (plan C2, 12) :* c/ Nuñez de Arce, 5, 47002. ☎ 983-15-00-50. ● reservasatrio@hotelesvalladolid. com ● hotelesvalladolid.com ● ♿ Doubles 65-120 €, petits déj 11-13,20 €. Parking env 15 €. Comme son voisin l'*Hotel Catedral* (même propriétaire), l'*Atrio* bénéficie du calme de la rue piétonne et d'un emplacement dans le cœur du sujet. Les chambres sont décorées avec élégance, très bien équipées (clim, TV) et un peu plus chères. Tous les lits font 2 m de long (assez rare pour être signalé). Belle salle de bains. Accueil prévenant.

🛏 *Hotel El Nogal (plan B2, 15) :* c/ Conde Ansúrez, 10, 47003. ☎ 983-34-03-33. ● info@hotelelnogal.com ● hotelelnogal.com ● Double 75 €. Parking 12 €. Un hôtel calme aux chambres classiques très convenables. Celles avec un lit double sont plus petites que les *twin*. Certaines sont équipées de douches à hydromassage (luxe !). Resto sur place.

🛏 **Hostal París** *(plan B2, 14) :* c/ Especería, 2, 47001. ☎ 983-37-06-25. ● recepcion@hostalparis.com ● hostalparis.com ● *Accès sous les arcades. Doubles 50-80 €. Pas de petit déj. Parking 13 €.* Dans un vieil immeuble citadin avec ascenseur, une quarantaine de chambres douillettes. Certaines couleurs piquent un peu les yeux, toutefois... sauf si l'on est fan du vert pomme ! Préférez celles du 4e étage, plus claires et plus calmes. Une bonne adresse, centrale et accueillante.

🛏 **Hotel Colón Plaza** *(hors plan par B3, 17) :* acera de Recoletos, 21, 47004. ☎ 983-04-68-04. ● *reservas colonplaza@hotelesvalladolid.com ● hotelesvalladolid.com ●* ♿ *Double env 80 €, petit déj buffet 16,50 €. Parking payant.* Un hôtel-boutique de charme à la décoration contemporaine soignée. Une élégance qui se retrouve dans les chambres, confortablement équipées (minibar, TV, clim). Certaines salles de bains sont vitrées, pour les amoureux... de la transparence ! Préférer celles avec vue sur la place, plus lumineuses. Une belle adresse pour se faire plaisir. Accueil superbe.

Où manger ?

Tapas

|●| ↑ **Los Zagales** *(plan A2, 25) :* c/ Pasión, 13. ☎ 983-38-08-92. ● restaurante@loszagales.com ● *Tlj jusque tard. Tapas, canapes, tostadas, bocadillos 2,80-4 €, raciones 6-12 €, menus 20-25 €.* Récompensé plusieurs fois pour la créativité de ses tapas (vraiment originales !). On aime beaucoup l'esprit du lieu. On mange debout au bar (économique), sur la terrasse sans charme (mais à l'air frais) ou dans le *comedor*. Une excellente adresse en plein centre.

|●| **La Cárcava** *(plan C2, 24) :* c/ Cascajares, s/n. ☎ 983-29-67-47 ● juan joseag1462@gmail.com ● *Tlj. Congés : 10-20 août. Ración 6 €, tostadas ou tapas 3 €.* Reconnaissable à ses murs jaunes et ses poutres apparentes, un bar à tapas pas bien grand ! Et toujours plein de gens enthousiastes et conviviaux amassés le long du zinc, ou débordant sur la petite terrasse. *Castellano, romanesco* ou *salmon,* toutes les *tostadas* (tapas sur pain grillé) sont savoureuses.

|●| **La Tasquita** *(plan A2, 22) :* c/ Caridad, 2. ☎ 983-35-13-51. ● info@latasquita.com ● *Fermé lun. Env 1,60-3,80 €.* L'un des bars à tapas préférés des habitués. Comme à *La Cárcava,* les incontournables, ici, ce sont les *tostadas,* des tartines toastées, coiffées de fromage frais, d'anchois, de poulpe mariné, de rôti aux pommes...

Originales et délicieuses ! Bon, il y a aussi tous les grands classiques. Belle salle de resto avec ses azulejos colorés au sol et aux murs.

|●| ↑ **La Cotorra** *(plan A2, 26) :* c/ Caridad, 2. ☎ 983-34-74-70. ● info@lacotorra.es ● *De 12h jusque tard. Tapas 1,30-7 €, plats 5-16 €.* Un « gastrobar à tapas » devenu le rendez-vous préféré des *happy few,* en fin de journée ! Chouette terrasse, toujours pleine le soir venu, avec sa déco vintage façon récup (palettes, barils...). À l'intérieur, style industriel et branché. Côté assiette, mélange de tapas traditionnelles et de cuisine fusion, vraiment pas mal ! Portions généreuses. Service efficace. Carte en français.

|●| **La Jamonería Sarmiento** *(plan B2, 21) :* c/ Conde Ansúrez, 11. ☎ 983-35-55-14. ● rg@ya.com ● *Tlj 11h (12h30)-15h, 19h30-minuit.* De l'extérieur, on ne devine pas une telle adresse... Et pourtant, voilà une formule originale, entre charcuterie et bar à tapas. Au beau milieu d'une collection de jambons, saucissons, pâtés, rillettes, fromages et conserves, quelques tabourets pour savourer au comptoir des spécialités. En matinée, on y sert de la soupe (à l'ail, aux légumes, selon les jours), à accompagner d'une *pulguita* (minisandwich).

|●| **Jero** *(plan A2, 20) :* c/ Correos, 11. ☎ 983-35-35-08. *Tlj sauf mar. Tapas et pintxos env 2,50 €, plats 10-31 €.* Ici, la vedette c'est le *pintxo.*

LA CASTILLE-LEÓN

Mais pas n'importe lequel : les tartines débordent de garnitures inédites (certaines ont été primées), souvent sucrées-salées. Les incontournables sont affichés sur un tableau. Service sympathique.

Bon marché (8-15 €)

|●| ↑ Taberna del Herrero *(plan A2, 27)* : c/ Calixto Fernández de la Torre, 4. ☎ 983-34-23-10. ● info@lataberna delherrero.es ● Tlj jusqu'à minuit (1h le w-e). Canapés 1,80 € ; plats 6-16 €. Central, à deux pas de la plaza Mayor, un bar-resto au style rustico-moderne, avec de grandes tables en bois et des briques aux murs. Tous les plats sont inscrits à la craie sur une immense ardoise. La spécialité de la maison ? Les *huevos rotos*, mais on y sert aussi de généreuses assiettes de poisson et de charcuterie. Et c'est bon ! Dommage pour l'accueil, souvent frileux.

De prix moyens à plus chic (15-40 €)

|●| El Consejero del Rey *(plan B2, 28)* : c/ Francisco Zarandona, 6. ☎ 983-66-08-89. ● elconsejerodelrey@gmail. com ● Le long du mercado del Val. Tlj sauf dim soir-lun, jusqu'à 23h. Congés : 15 j. fin juil-début août. Menu mar-ven 20 €, plus cher à la carte. Toujours l'une des meilleures adresses de la ville. La spécialité ici c'est le *lechazo de Castilla* (agneau de lait ; sur demande), mais on apprécie aussi la morue (*bacalao*, le Portugal n'est pas si loin...), ou le *chuletón de buey* (bœuf castillan). La carte est courte, un bon signe. Assiettes généreuses et service avenant.

|●| La Parrilla de San Lorenzo *(plan A2, 29)* : c/ Pedro Niño, 1. ☎ 983-33-50-88. ● restaurante@laparrilladesanlo renzo.es ● Tlj sauf dim soir 13h35-17h, 20h15-23h45 (fermé dim soir et lun en juil-août). Plats 16-23 €. Cet ancien couvent du XVIe s a été reconverti en resto semi-gastro... nomique. Belles salles voûtées au charme d'antan : pierres apparentes, statues, fer forgé, tableaux anciens... Spécialités de viandes cuites au feu de bois (agneau de lait, autruche, chevreau cuits dans un magnifique four en pierre à l'entrée) et produits de la mer (langoustines, gambas, lotte...). Vraiment bon ! Superbe cave à vins que l'on peut visiter. Service impeccable. Une valeur sûre.

Où boire un verre ? Où sortir ?

Le **quartier de l'université et de la cathédrale,** notamment sur les plazas Portugalete, Solanilla et Santa María la Antigua, regorge de cafés, de bars à tapas et de restos bondés de jeunes. Clientèle plus âgée dans les bars autour de la plaza San Miguel *(plan B1)* après minuit, et des plazas Santa Ana *(plan A2)* et Martá Alonsó *(plan A2)* encore plus tard.

▼ ↑ Lion d'Or *(plan B2, 40)* : pl. Mayor, 4. ☎ 983-34-20-57. Tlj jusque tard. L'un des grands cafés classiques de la plaza Mayor, prolongé par une vaste terrasse animée à toute heure. Voici l'endroit parfait pour boire un *cortado* en admirant les lieux. La déco est un mélange réussi de Belle Époque, de mobilier de jardin et de miroirs vénitiens.

▼ ↑ El Largo Adios *(plan C2, 41)* : c/ de Arribas, 2. ● jcastrillon76@ gmail.com ● À côté de la cathédrale. Tlj de 12h à tard le soir (à l'aube le w-e). On y vient surtout pour sa vaste terrasse donnant sur la cathédrale ! Le bar ne manque pas de cachet, avec ses petites tables de marbre et ses azulejos. Les murs sont tapissés de photos en noir et blanc d'écrivains et d'artistes.

▼ ↑ El Penicilino *(plan C2, 42)* : pl. de la Libertad, 5. 651-70-64-69. ● dan dozapatilla@gmail.com ● Tlj de 10h à tard le soir. La version alternative (voire libertaire !) du *Largo Adios* ci-dessus. Ambiance bohème et festive pour ce lieu où se mêlent artistes, étudiants, hommes d'affaires, punks, rockers et habitués de tout âge ! Un joyeux mélange qui donne des airs d'auberge espagnole à la terrasse qui ne désemplit jamais.

♥ El Minuto *(plan B2, 43) :* c/ Macías Picavea, 15. Tlj (sauf dim mat) 8h (9h sam)-1h (2h30 le w-e). Un café-bar vintage emblématique, aux airs vaguement viennois. Idéal pour un chocolat chaud accompagné d'une pâtisserie ou *un pan con tomate* accompagné d'un *cortado,* dans une douce atmosphère.

À voir

☆☆☆ Museo nacional de Escultura *(musée national de Sculpture)* – **Colegio de San Gregorio** *(plan B1) :* c/ Cadenas de San Gregorio, 1-2. ☎ 983-25-40-83 ou 03-75. ● museoescultura.es ● Mar-sam 10h-14h, 16h-19h30 ; dim 10h-14h. Fermé lun. Entrée : 3 € ; réduc ; gratuit - de 16 ans, + de 65 ans, et pour ts sam après 16h et dim. Audioguide (en français) : 2 €.

Un incontournable ! Près de 4 siècles de sculpture religieuse (du XVe s au XVIIIe s) présentés, dont les plus belles œuvres jamais réalisées en Castille : retables, reliefs, sculptures en bois polychrome. Fabuleux. Les amateurs prévoiront 2 bonnes heures de visite.

Le musée a investi le *colegio de San Gregorio,* magnifique bâtisse du XVe s, célèbre pour le faste et l'originalité de ses ornements et de ses plafonds à caisson. Dans le ***patio intérieur,*** près de l'entrée et de la billetterie, une plaque rappelle que l'édifice abrita au XVIe s la *junta de Valladolid.* Le père Bartolomé de Las Casas y a défendu en 1550 et 1551 les droits et la dignité des Indiens d'Amérique face à la raison d'État représentée par Juan Ginés de Sepúlveda.

– *Salles 1 et 2 :* sculptures du XVe s. Notamment la **superbe Vierge de Pitié** (caractéristique du gothique tardif) et ***magnifique retable*** de San Jerónimo (vers 1465).

– *Salles 3, 4 et 5 (début de la partie Renaissance) :* sculptures du grand maître **Alonso Berruguete,** dont on admire le retable monumental de *San Benito el Real* (en plusieurs parties). **Son art est maniériste, un style selon lequel le chemin vers Dieu passe par la douleur, la souffrance.**

– *Salle 7 :* les stalles de *San Benito el Real,* incroyable réalisation collective de la 1re Renaissance, en bois de noyer.

– *Salle 8 :* les sculptures du bourguignon **Juan de Juni** (1507-1577). Originaire de Joigny (Bourgogne), il s'installa à Valladolid en 1530 où il devint le plus grand sculpteur (religieux) du royaume, avec son confrère Alonso Berruguete. Juan de Juni est souvent considéré comme le plus grand interprète de la douleur humaine, transcrite dans des personnages angoissés et tourmentés. Exemple parfait, ici, avec l'intense théâtralité de l'*Enterrement du Christ.*

– *Salle 14 :* sans doute l'une des œuvres les plus captivantes et mystérieuses du musée : **les**

UN BON CRU BOURGUIGNON

La Bourgogne donne de grands vins et de grands sculpteurs ! Juan de Juni s'appelait à l'origine Jean de Joigny, comme la petite ville actuelle de l'Yonne (Bourgogne). Au XVIe s, la Bourgogne était sous domination de l'Empire espagnol des Habsbourg dirigé par Charles Quint puis par Philippe II. Pour un artiste bourguignon, formé à Paris et à Rome, c'était une belle promotion que de venir travailler comme sculpteur officiel dans les grandes cités castillanes comme Valladolid.

retables reliquaires du couvent de San Diego, à la fois magiques et ostentatoires, qui témoignent de l'éphémère présence de la Cour à Valladolid au début du XVIIe s. **Étonnant buste en pierre de Charles Quint** (unique en Europe), jeune souverain le plus puissant du monde...

– *Salle 15 (début de la partie Baroque, 1er étage) :* section dédiée au sculpteur **Gregorio Fernández** (1576-1636). On commence par l'**extrême naturalisme du**

LA CASTILLE-LEÓN

Christ gisant, exemple parfait du virage néoréaliste du baroque à cette période. Nous sommes maintenant face à l'esthétique du renoncement, les œuvres provoquent davantage d'émotions et de sentiments.

– *Salle 19 : superbe sculpture de la Madeleine pénitente, de Pedro de Mena* (1638-1688), une œuvre clé pour le baroque espagnol : elle représente à elle toute seule l'esthétisme du repentir et du renoncement. Énigmatique peinture signée **Francisco de Zurbarán** (1598-1664) : *Santa Faz – Paño de la Verónica,* un drap avec le visage du Christ en filigrane...

– Ne pas rater également, au rez-de-chaussée, la salle consacrée aux **Pasos procesionales,** ces immenses sculptures qui accompagnaient les manifestations de pénitence des fidèles au XVIIe s.

– **Le cloître :** magnifique, lumineux, chef-d'œuvre d'harmonie, il repose sur des colonnes torsadées, et on peut voir dans la galerie supérieure de surprenantes gargouilles sculptées représentant un aigle, des diables, un singe et... une femme ! Agréable jardin extérieur attenant. Voir aussi la chapelle du *colegio de San Gregorio,* de la fin du XVe s. Magnifique portail de style gothico-Renaissance.

– Le **palacio de Villena,** dans la c/ de las Cadenas de San Gregorio, en face du colegio de San Gregorio. Il suffit de traverser la rue (le billet global inclut la visite). Il abrite **El Belén napolitano,** une énorme crèche de Noël composée de 620 pièces et personnages en bois, en ambre, en tissu ou en plâtre. C'est un exemplaire de l'une de ces fameuses crèches napolitaines très en vogue depuis Charles III. Réalisée par plusieurs artistes, elle mesure environ 12 m de long, protégée par une vitrine. La naissance de Jésus est un prétexte pour montrer la vie quotidienne dans ses plus infimes détails (marché, vendeurs de rue, menuisier, boulanger, musicien, et aussi des mendiants, des pasteurs, des animaux, etc.). Et le cortège des Rois mages arrive sur la droite. Quelques expositions temporaires également.

🎄 *Iglesia San Pablo (plan B1) :* à côté du *museo nacional de Escultura.* Là aussi, une époustouflante façade isabiline.

🎄 À l'angle des rues San Gregorio et Angustias, jeter un coup d'œil dans le hall d'entrée de la *Diputación provincial (plan B1),* orné de superbes azulejos. Il s'agit de l'ancien *palacio Pimentel.* L'empereur Charles Quint (Carlos Quinto) y logea et Philippe II, son fils, y est né le 21 mai 1527.

🎄 La calle Angustias vous mènera vers la petite *iglesia Santa María la Antigua (plan C1),* juste avant la cathédrale. Cet édifice, construit au XIe s et remanié au XIVe s dans le style gothique, a conservé de sa 1re époque une jolie tour-clocher romano-lombarde et son porche.

🎄 *Catedral (plan C1-2) :* commencée sous Philippe II qui chargea Juan de Herrera en 1580 d'en réaliser les plans. Sobre et imposante, elle est marquée par l'austérité qui caractérise le style de cet architecte. Elle ne fut achevée qu'au XVIIIe s et ne possède pas vraiment d'homogénéité architecturale, en raison du grand nombre d'architectes qui y travaillèrent. D'ailleurs, elle a un côté inachevé qui se perçoit bien dès l'extérieur.

– Intéressant **Museo diocesano** : ☎ 983-30-43-62. Mar-ven 10h-13h30, 16h30-19h ; w-e et j. fériés 10h-14h. Fermé lun. Entrée : 3 € ; réduc. Nombreuses sculptures en bois polychrome et sarcophages. Beaux retables, autel en argent massif, orfèvrerie religieuse. Dans la dernière salle, voir notamment une *Visitation* et une *Descente de Croix* pour le moins acrobatique.

– Visites guidées (en espagnol) à la **tour** : tlj sauf lun à 11h, 12h et 13h ; plus 18h mar-sam ; plus 19h, 20h et 21h ven-sam ; 6 € ; compter 45 mn. Vente des billets au *Museo diocesano* ou à l'office de tourisme selon les horaires.

🎄 *Pasaje Gutiérrez (plan B-C2) :* joli passage couvert entre les rues Fray Luis de León et Castelar.

🎄 *Patio Herreriano – Museo de Arte contemporáneo español* (musée d'Art contemporain espagnol ; plan A2) : c/ Jorge Guillén, 6. ☎ 983-36-29-08.

● museoph.org ● ♿ Mar-ven 11h-14h, 17h-20h ; sam 11h-20h ; dim 11h-15h. Fermé lun. GRATUIT. Dans le monastère de San Benito et l'annexe, un bâtiment ultramoderne. Sur 4 niveaux, expositions temporaires et collection de plus de 800 œuvres (certaines présentées par roulement) qui offrent une approche intéressante de l'art contemporain en Espagne (principaux artistes depuis 1918, styles et tendances).

🍴🍴 *Casa-museo de Cervantes* (plan B3) : c/ del Rastro, 2. ☎ 983-30-88-10. ● museocasacervantes.es ● Mar-sam 9h30-15h, dim 10h-15h. Fermé lun et les 1er et 6 janv. Entrée : 3 € ; réduc ; gratuit dim. Livret (en français).
Cervantes, l'auteur de *Don Quichotte,* et sa famille vécurent environ 3 ans (entre 1603 et 1606) dans cette demeure (aujourd'hui complètement reconstituée et restaurée). Visite de plusieurs pièces meublées dans le style de l'époque, notamment la cuisine et la chambre-cabinet de travail de l'auteur.
À l'époque, il s'agissait d'une maison de 2 étages qui comptait 13 pièces au confort sommaire. Y vécurent 20 personnes de sa famille qui avaient suivi Cervantes à Valladolid. C'est ici qu'il a rédigé quelques-unes de ses œuvres célèbres : *Le Licencié Vidriera, Le Colloque des chiens* et même une partie de *Don Quichotte* ! Cervantes était alors receveur des impôts pour le gouvernement, vivant avec peu de moyens. Il quitta Valladolid pour Madrid, quand son chef-d'œuvre, devenu un classique de la littérature, sortit des presses en 1607. Cette parution lui donna la reconnaissance qu'il attendait et le courage de continuer sur sa lancée.

🍴 *Museo de Valladolid* (plan A1) : pl. Fabio Nelli. ☎ 983-35-13-89. Tlj sauf lun et j. fériés 10h-14h, 16h-19h (17h-20h juil-sept) ; dim 10h-14h. Entrée : 1 € ; réduc ; gratuit le w-e et pour + de 65 ans et - de 18 ans. Musée classique, installé dans le beau palais Fabio Nelli (fin du XVe s). 2 sections principales : archéologie (de la préhistoire aux Wisigoths) et beaux-arts (en majorité des peintures religieuses et des statues en bois polychrome). Petite section consacrée à l'histoire de la ville. Également des expos temporaires.

🍴🍴🍴 *Museo oriental* (hors plan par B3) : Real colegio Agustinos, paseo Filipinos, 7. ☎ 983-30-68-00. ● museo-oriental.es ● Au sous-sol du collège royal des Pères Augustins, face à l'entrée sud du parque de Campo Grande. Lun-sam 16h-19h, dim et j. fériés 10h-14h. Entrée : 5 € ; réduc. Feuillet en français. CB refusées.
Un trésor dans son genre. Ce musée, fondé en 1874, est le plus important en Espagne concernant l'art asiatique. Il rassemble les riches collections constituées par les pères missionnaires augustins (2 000 d'entre eux sont partis d'ici !) au cours de leurs périples en Chine, au Japon et aux Philippines.
Plus de 1 000 pièces exceptionnelles sont exposées, par pays, dans 18 salles en tout. Arts et cultures de la Chine (salles 3 à 10), des Philippines (salles 11 à 14), du Japon (salles 15 à 18) : bronzes, porcelaines, mobilier, laques, ivoires (notamment une superbe série d'éventails du XVIIIe s), mais aussi de vieux vêtements anciens, des masques ou des calligraphies précieuses. Parmi les pièces majeures, un uniforme d'officier de parade en soie et en or (salle 9), de rares objets en nacre dont une magnifique boîte à musique (salle 10), la collection de 48 ivoires philippins (salle 13), la plus riche d'Europe !

LE GALION DE MANILLE

Pendant 250 ans, de 1566 à 1815, la liaison Acapulco-Manille fut assurée par un bateau espagnol appelé le « galion de Manille ». Un interminable voyage qui suivit la route découverte en 1564 ! Il fallait environ 100 jours (un peu plus de 3 mois) à l'aller et 180 jours (6 mois !) au retour. Grâce à ces échanges annuels entre l'Amérique et l'Asie, le Mexique a découvert notamment le riz, le piment et la cannelle, les camélias, les gardénias et les chrysanthèmes. Et l'Asie a vu pour la 1re fois le maïs, les haricots, le cacao, le tabac et le sucre...

– Le long couloir d'entrée au rez-de-chaussée du collège royal rend hommage au basque **Andres de Urdaneta** (1505-1568), cosmographe, marin, conquistador et père augustin à la fin de sa vie. À la demande du roi Philippe II d'Espagne, Urdaneta est le 1er Européen à effectuer la liaison maritime entre le Mexique et les Philippines, à travers l'océan Pacifique : plus de 5 mois de traversée, de novembre 1564 à avril 1565. Mais personne n'avait avant lui fait le chemin inverse (la *tornavuelta*) c'est-à-dire Manille-Acapulco. Urdaneta y parvient. Après son exploit, cette route deviendra celle du fameux galion de Manille (voir encadré).

🎭🎭 **Casa-museo de Colón** (*musée-maison de Christophe Colomb ; hors plan par C1*) **:** *c/ Colón, angle avec c/ Facultad de Medicina.* ☎ *983-29-13-53. Tlj sauf lun 10h-14h, 17h-20h30. Dernière entrée 30 mn avt la fermeture. Entrée : 2 € ; 1 € mer ; réduc. Explications en espagnol. Pour une visite guidée, résa au* ☎ *902-50-04-93.*

Détrompez-vous : ceci n'est pas la maison où a vécu Christophe Colomb, ni où il est mort (comme on a pu le croire pendant longtemps). Il meurt le 20 mai 1506 à Valladolid, dans l'ancien couvent de San Francisco. Cette « casa-museo » est un musée commémoratif. « A Castilla y a León, nuevo mundo dio Colón » (Colomb a bel et bien donné un Nouveau Monde aux royaumes de Castille et de León). Pour immortaliser le souvenir des grandes découvertes de Colomb, le roi ordonna que l'on inscrive cette phrase sur sa tombe. Réparti sur 4 niveaux, le musée retrace la vie et l'œuvre de ce marin obstiné, qui a découvert le Nouveau Monde alors qu'il cherchait à atteindre Cathay (la Chine).

On redécouvre ses 4 voyages aux Indes orientales (cartes, plans, documents), de manière ludique et interactive. Colomb a toujours pensé qu'il avait atteint les Indes, même à sa mort il ne parlait pas d'un nouveau continent. C'est Amerigo Vespucci, navigateur italien jaloux de Colón, qui a donné son prénom à l'Amérique. Cette erreur historique a perduré. Car ce Nouveau Monde aurait dû s'appeler la « Colombie » ou la « Cristobalique »... Parmi les documents, voir la reproduction du texte des *Capitulaciones de Santa Fe* (avril 1492) et, au dernier étage, la copie du testament de Christophe Colomb rédigé la veille de sa mort.

– Dans la cour, près de l'entrée, reproduction de la 1re embarcation de Colomb, la *Santa María,* et buste du conquistador *Ponce de León* (né à Santervás en 1467- mort à Cuba en 1521).

🎭🎭 **Casa-museo de Zorrilla** (*maison-musée de José Zorrilla ; plan B1*) **:** *c/ Fray Luis de Granada, 1.* ☎ *983-42-62-66. Mar-sam 10h-14h, 17h-20h ; dim 10h-14h. Fermé lun. GRATUIT. Visite guidée uniquement (en espagnol), ttes les 30 mn.* De l'œuvre de José Zorrilla (1817-1893), on retiendra surtout sa pièce de théâtre *Don Juan Tenorio.* Mais il reste l'un des dramaturges espagnols les plus populaires du pays (son portrait apparaissait sur les billets de 1 000 pesetas). Avec un guide (visite de qualité !), on découvre sa maison natale, où il vécut en famille. Dans chaque pièce, des objets et des meubles personnels nous rapprochent de l'écrivain (notamment 2 magnifiques pianos dont 1 qu'il emportait en voyage !). Superbe jardin extérieur où sont parfois organisés des lectures et des concerts (programme affiché à l'entrée du musée).

Manifestations

– **Semana Santa** (*Semaine sainte*) **:** *sem avt Pâques.* Croyants ou pas, chrétiens ou pas, agnostiques, mécréants, athées, venez tous à Valladolid pendant cette semaine pour comprendre le fond de l'âme religieuse des Espagnols. Il y a une dizaine de processions, rien que le Jeudi saint (*Jueves santo*) à travers les rues de la ville. Les plus fascinantes et surprenantes sont les processions de nuit avec les cortèges de pénitents encapuchonnés et de fidèles suivant des ribambelles de statues, reliques, offrandes... En journée, les chars de procession, créés par des sculpteurs tels que Juan de Juni et Gregorio Fernández, transforment les rues en véritable musée à ciel ouvert. Brochure spéciale de l'office de tourisme indiquant les divers itinéraires.

– **T.A.C. Teatro y artes de calle** *(festival des Arts de la rue) : dernière sem de mai.*
– **Fêtes patronales :** *début sept pdt 10 j.* Célébrations en hommage à la *Virgen de San Lorenzo,* patronne de la ville.
– **Semana international de Cine** *(SEMINCI ; festival de Cinéma) : fin oct.* ● seminci.es ● Films d'auteur du monde entier.
– **Concurso nacional de Pintxos y Tapas** *(Concours national de Pintxos et Tapas) : nov.* L'un des événements gastronomiques les plus importants du pays. Les meilleurs cuisiniers viennent présenter leurs dernières créations directement dans les rues de la ville. Miam ! Le **Concurso provincial** a lieu début juin.

DANS LES ENVIRONS DE VALLADOLID

– ⛹ **Valle de los 6 sentidos :** *avda de Valladolid, à* **Renedo de Esgueva.** ☎ 983-66-11-11. *À env 12 km à l'est de Valladolid. Tlj sauf lun, 11h-21h (18h déc-mars). Entrée : 4 € ; réduc.* Parc pour les enfants avec jeux adaptés pour les tout-petits jusqu'aux plus grands (tyroliennes, miniparc aventure). Familial.

⛹ **Tordesillas :** *à env 30 km au sud de Valladolid, sur la route de Salamanque ou de Madrid.* Un gros village dominant les horizons lointains balayés par les vents d'hiver, qui s'anime le week-end. Rien de spécial de prime abord, pourtant le sort du monde s'est décidé là le 7 juin 1494 avec la signature du célèbre traité de Tordesillas. Les royaumes d'Espagne et du Portugal se partageaient le globe terrestre autour d'une ligne nord-sud, qui traversait l'océan Atlantique de pôle à pôle. L'hémisphère occidental revenait à la Castille, tandis que l'hémisphère oriental était attribué au Portugal. Ainsi les 2 souverains se partagèrent-ils le monde pour mieux effectuer leurs

L'AMOUR À LA FOLIE

Fille des Rois catholiques Isabelle de Castille et Ferdinand d'Aragon, Jeanne Ire, couronnée reine de Castille en 1504, ne supporta pas le décès de son jeune époux Philippe le Beau (issu de la dynastie Habsbourg). Elle en devint folle. Pendant des mois, accompagnée d'un cortège de moines et de gardes, Juana la Loca – Jeanne la Folle, comme on la surnomme – parcourut jour et nuit la Castille avec le cercueil de son époux. Elle l'ouvrait de temps en temps... car elle le croyait encore vivant. Lâchée par son père et son fils (Charles Quint), la veuve folle finit par s'enfermer pendant 46 ans dans un lugubre palais de Tordesillas jusqu'à sa mort, en 1555.

conquêtes. D'un côté, le **museo del Tratado** *(mar-sam 10h-13h30, 16h-18h30 ; dim 10h-14h ; fermé lun ; GRATUIT)* fait revivre cette histoire incroyable et un peu oubliée aujourd'hui. De l'autre côté, la **casa del Tratado** présente une petite expo de maquettes reproduisant des monuments historiques, dont le fameux *Palacio Real de Tordesillas* (où s'enferma Jeanne la Folle), qui n'existe plus aujourd'hui.

ENTRE VALLADOLID, SÉGOVIE ET ÁVILA

⛹ **Museo de las Villas romanas :** *route nationale N 601 Valladolid-Adanero-Madrid, km 137, à* **Puras.** ☎ 983-62-60-36. ● *provinciadevalladolid.com* ● *À 500 m de la route nationale N 601, sur la droite en venant de Valladolid, un panneau l'indique au niveau des villages d'Almenara et de Puras. Avr-sept : mar-dim 10h30-14h, 16h30-20h (oct-mai, jeu-dim 10h30-14h, 16h-18h). Fermé lun. Congés : janv. Entrée : 3 € ; réduc ; gratuit - de 12 ans.* Curieuse apparition au milieu des champs castillans et des vastes horizons ondulants ! Là se tient un musée de 1 800 m² attenant à 2 immenses hangars à claire-voie qui abritent les vestiges d'une villa romaine du IVᵉ s apr. J.-C. On circule à pied sur des passerelles aménagées au-dessus de belles mosaïques. Un espace d'exposition permet de mieux comprendre comment vivaient les conquérants romains à l'époque du Bas-Empire. Enfin, la maquette grandeur nature de la villa *(se visite à certains horaires seulement, se renseigner)* à deux pas du musée.

LE CHÂTEAU DE COCA

Coca, petit bourg isolé sur les hautes terres castillanes, révèle pourtant une vieille et longue histoire ! Ptolémée cite déjà « Cauca » dans ses chroniques et l'empereur romain Théodose le Grand y serait né. À la Renaissance, un certain Gaspar Pérez de Guzmán, duc de Medina-Sidonia, y aurait été enfermé après s'être proclamé roi d'Andalousie...

Aujourd'hui, agriculture et élevage donnent à cette Vieille-Castille une relative prospérité. Ses paysages aux vastes horizons

THÉODOSE ? À PETITE DOSE

Empereur romain du IVᵉ s apr. J.-C., converti au christianisme, Théodose Iᵉʳ serait né en 347 à Coca. Il fut proclamé empereur à Rome en 379. À sa mort, en 395, l'Empire romain éclata en 2 parties : l'empire d'Occident (Rome) et celui d'Orient (Byzance). Théodose est fêté comme un saint, mais ce converti fut un conservateur intolérant : il interdit les rites païens, supprima les Jeux olympiques et imposa la peine de mort pour les homosexuels...

évoquent une terre aussi austère que nourricière, fière et détachée du vacarme du monde.

➤ **Accès** : *à env 50 km au nord de **Ségovie** par la CL 605, via Santa María la Real de Nieva. De ce village, il reste encore 21 km par une petite route de campagne. Compter 45 mn env. En venant de la nationale **Madrid-Valladolid** (N 601), au niveau de Puras, prendre à droite une route secondaire en direction de Coca (panneau). Coca se trouve à 14 km à l'est de Puras.*

🍴🧗 ⬅ **Castillo de Coca :** 617-57-35-54. ● castillodecoca.com ● *Lun-ven (sauf 1ᵉʳ mar du mois) 10h30-13h, 16h30-18h ; w-e et j. fériés 11h-13h, 16h30-19h. Fermé certains j. fériés et en janv. Entrée : 2,75 € ; réduc. CB refusées. Feuillet explicatif en français.*

C'est pour elle que l'on vient à Coca ! Cette imposante forteresse du XVᵉ est le ***plus important témoignage d'architecture militaire de style mudéjar en Espagne.*** Les architectes de cette forteresse étaient chrétiens (c'était après 1492) mais leur art s'inspirait directement du savoir-faire musulman. Avec son allure et ses courbes orientales, ses couleurs ocre, ses douves profondes et son rempart extérieur jalonné d'ouvrages défensifs, voilà un château formé de 4 puissantes tours. Une solide herse défend toujours l'entrée du donjon. La propriétaire (la *casa de Alba,* dirigée par l'excentrique et richissime duchesse d'Albe jusqu'à son décès récent) a loué l'édifice (jusqu'en 2054 !) à une école d'agriculture. Une partie des bâtiments abrite donc des salles de cours pour la formation des gardes forestiers (dommage, ces fenêtres en PVC qui habillent la cour intérieure).

Depuis la chapelle, on monte à la *Torre del Homenaje* où l'on s'arrête pour observer *azulejos sevillanos* et *toledanos,* armes du XVIᵉ et XVIIᵉ s, fenêtre mudéjare, pilastre en marbre... Depuis le donjon, beau panorama. On descend ensuite par la *Torre de Pedro Mata.* Au coucher du soleil, toute la construction s'embrase.

LEÓN

(24000)   127 800 hab.

> ● Plan *p. 266-267*

Capitale de la province du même nom, León est une ville à taille humaine et au noble passé. Flâner dans les ruelles piétonnes du centre historique donne l'occasion d'en admirer les joyaux romans et gothiques, dont les fleurons sont la superbe cathédrale et le cloître de San Isidoro. En soirée, direction le *barrio húmedo* pour une virée nocturne placée sous le signe des charcutailles locales et du gouleyant vin de terroir. Déjà le *Codex Calixtinus,* l'ancêtre du *Routard* rédigé par un moine en 1130, le disait tout net : « La cité royale de León possède toutes sortes de félicités. » Et il est vrai qu'il fait bon y séjourner.

Arriver – Quitter

LA CASTILLE-LEÓN

En train

🚉 **Estación RENFE** *(plan A3) : avda de Palencia, s/n.* ☎ 912-320-320. ● renfe.com ●
➤ **Madrid :** env 12 trains/j. Durée : 2h10-3h30.
➤ **Burgos :** 1 train la nuit, 1 le mat et 2 l'ap-m. Durée : 2h.
➤ **Palencia :** env 13 trains/j. Durée : env 40 mn.
➤ **Valladolid :** env 14 trains/j. Durée : 1h10-2h20.
➤ **Bilbao :** 1 train/j. en fin de journée. Durée : env 4h45.
➤ **Oviedo :** 4-5 trains/j. Durée : env 2h20.
➤ **Vigo :** 4-6 trains/j. Durée : 5h40-7h.
➤ **Barcelone :** 2-7 trains/j. Durée : 6h15-8h30.
➤ **Astorga :** 4-7 trains/j. Durée : 30-45 mn.

En bus

🚌 **Estación Autobuses** *(plan A3) : avda Ingeniero Sáenz de Miera.* ☎ 987-21-10-00. *Consigne manuelle (jetons vendus en sem au point info).* **Point info** *et bus urbains pour le centre-ville. Alsa-Enatcar (*☎ 902-42-22-42 ; ● alsa. es ●) *couvre le León et une bonne partie des villes espagnoles. Empresa Vivas (*☎ 987-25-25-60 ; ● autocares vivas.es ●) *dessert également Zamora et Salamanque.*

➤ **Astorga :** en saison, env 1 bus/h avec *Alsa.* 7-8 le w.-e. Hors saison, 1 bus/j. Durée : env 50 mn.
➤ **Sahagún :** 1-2 bus/j. avec *Alsa.* Aucun sam. Durée : 1h.
➤ **Burgos :** 3-4 bus/j. avec *Alsa.* Durée : 2h-3h15.
➤ **Madrid :** 9-11 bus/j. avec *Alsa.* Durée : 3h30-4h30.
➤ **Valladolid :** 7-10 bus/j. avec *Alsa.* Durée : 1h15-2h.
➤ **Salamanque via Zamora :** en sem, 6-9 bus/j. et 4-5 bus/j. le w.-e. avec *Empresa Vivas.* Durée : 2h30.
➤ **Barcelone :** 1 bus/j., 1/nuit avec *Alsa.* Durée : 10h15-11h.
➤ **Oviedo :** 10-11 bus/j. avec *Alsa.* Durée : 1h30.
➤ Bus depuis **Toulouse** et **Paris** avec *Eurolines,* ainsi que de **Marseille** et une vingtaine d'autres villes françaises.

En avion

✈ **Aéroport :** *à Virgen del Camino, à 6 km à l'ouest du centre par la N 120.* ☎ 987-87-77-00 ou 902-40-47-04 *(Aena).* ● aena.es ● En taxi : env 15 €. Sinon, possibilité de gagner *Virgen del Camino* en bus (bus A1 ttes les 30 mn), puis de rejoindre l'aéroport... à pied (à 15 mn).
➤ Quelques (rares) vols avec *Air Nostrum,* la filiale régionale d'*Iberia,* pour **Barcelone** et les **Baléares.**

LA CASTILLE-LEÓN

BENAVENTE, VIGO, ASTORGA

↑ MUSAC

A

B

Av. de los Peregrinos

Av. de los Reyes Leoneses

Echevarria

R.-M. del Labra

Luis S. Carmona

Bilbao

Avenida

Convento de San Marcos
🏛 18

Avenida de Suero de Quiñones

Calle de Renueva

1

PLAZA DE SAN MARCOS

Badajoz

Rodriguez

Juan

del

del Valle

Madrazo

Ramiro Valbuena

Padre

La

Gran

Via

de

Santa Clara

Samprio

San

Marcos

Julio del Campo

Lope

de Isla

Calle

de la

Juan

Lucas

PIAZZA DE COLÓN

Rosa

PLAZA DE LA INMACULADA

Gran Via de San Marcos

Condesa

C. de

P. Arintero

Alcazar

Agustin

Alfonso V

G. y Carasco

Ordoño II

2

Paseo

de la

Rio Bernesga

Salamanca

Calle

de

Colón

Roma

de

de Toledo

J.-L. Segura

Carmen

Lorenzana

Sagasta

Av. de Astorga

Avenida

P

Avenida

Villafranca

C. Cortés

C. del Burgo

Fuero

Nuev

GLORIETA GUZMÁN EL BUENO

Avenida

de

la

PLAZA DE LAS CORTES LEONESA

Av. de Palencia

Avenida Paseo de la Facultad de Veterinaria

M. Lafuente

Alfonso IX

Osorio

Republica

Argentina

3

Paseo del Ingeniero Saenz de Miera

Sanchez el Gordo

Bern

del

Carpio

Stanislao

Conde de Guilen

Benavente

Lancia

PLAZA FERNANDO de MERINO

Avenida

Luis de Sosa

Covadonga

A. Valbuena

Torriano

Zones piétonnes

0   100   200 m

A

B

LA CASTILLE-LEÓN

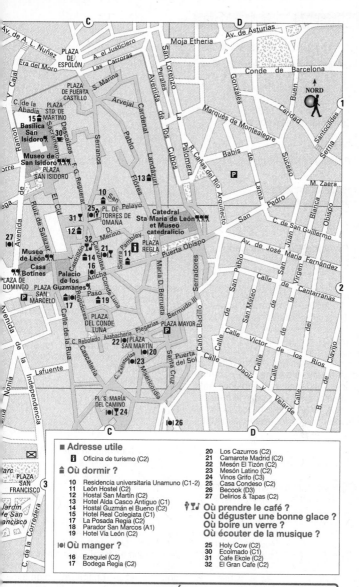

■ **Adresse utile**

🛈 Oficina de turismo (C2)

🛏 **Où dormir ?**

10 Residencia universitaria Unamuno (C1-2)
11 León Hostel (C2)
12 Hostal San Martín (C2)
13 Hotel Alda Casco Antiguo (C1)
14 Hostal Guzmán el Bueno (C2)
15 Hotel Real Colegiata (C1)
17 La Posada Regia (C2)
18 Parador San Marcos (A1)
19 Hotel Vía León (C2)

🍴 **Où manger ?**

16 Ezequiel (C2)
17 Bodega Regia (C2)

20 Los Cazurros (C2)
21 Camarote Madrid (C2)
22 Mesón El Tizón (C2)
23 Mesón Latino (C2)
24 Vinos Grifo (C3)
25 Casa Condeso (C2)
27 Delirios & Tapas (C2)

🍴☕🍷♪ **Où prendre le café ?**
Où déguster une bonne glace ?
Où boire un verre ?
Où écouter de la musique ?

25 Holy Cow (C2)
30 Ecolmado (C1)
31 Cafe Ekole (C2)
32 El Gran Cafe (C2)

LEÓN

LA CASTILLE-LEÓN

Adresses et infos utiles

Informations touristiques

🛈 **Oficina de turismo** (plan C2) : pl. de la Regla, 3. ☎ 987-23-70-82. ● leon. es ● En face de la cathédrale. L'été, lun-sam 9h30-14h, 17h-20h (16h-19h de mi-sept à juin) ; dim 9h30-17h. Peu de documentation mais bon accueil.

Divers

🅿 **Parkings :** sous la pl. San Marcelo (plan C2), qui jouxte la pl. Santo Domingo, avda de Ordoño II (plan B2), sous la pl. Mayor (plan C-D2) et pl. San Pedro (le moins cher, plan D1), derrière la cathédrale. Les chanceux trouveront une place gratuite dans le quartier résidentiel derrière la cathédrale (plan D2).

– **Marché :** mer et sam mat, sur la pl. Mayor.

Où dormir ?

Camping

⛺ **Camping Ciudad de León :** ctra N 601 Golpejar – Las Lomas, km 2, 24195 **Golpejar de la Sobarriba.** ☎ 987-26-90-86. ● campingleon@ yahoo.es ● campingleon.com ● ♿ À 5 km sur la route de Valladolid (N 601), à Valdelafuente, prendre au rond-point la direction Golpejar de la Sobarriba et suivre la petite route pdt 2 km. Ouv juin-sept. Env 22 € pour 2 avec tente et voiture. À proximité d'un lotissement moderne, un camping d'une soixantaine d'emplacements bien ombragés. On y parle le français. Piscine, jeux et petit bassin pour les enfants, bar, resto, laverie, supérette, location de vélos.

Auberges de jeunesse

🏠 **Residencia universitaria Unamuno** (plan C1-2, **10**) : c/ de San Pelayo, 15, 24003. ☎ 987-23-30-10. 🖥 601-37-74-23. ● albergue@residenciaunamuno. com ● residenciaunamuno.com ● Fait office d'auberge de jeunesse (privée) l'été (juil-août). Double 15 €/pers, dortoir 3-4 lits 13 €/pers, petit déj 2,50 €. Carte FUAJ obligatoire. Chambres fonctionnelles de 1 à 4 lits, toutes avec salle de bains privée. Laverie, salles TV et un calme jardinet. Idéalement située à deux pas de la cathédrale, des restos et des bars.

🏠 **León Hostel** (plan C2, **11**) : c/ Ancha, 8, 24003. ☎ 987-07-99-07. ● info@leonhostel.es ● leonhostel.es ● Au 3ᵉ étage (ascenseur). Réception tlj 10h-18h. Dortoirs 4-6 lits 14-17 €/pers, doubles 33-40 €. Réduc de 10 % sur les doubles oct-avr sur présentation de ce guide. Agréable AJ privée d'une vingtaine de places, à la fois calme et formidablement située. Dans ce bel appartement rehaussé de couleurs vives, les chambrettes privées et les petits dortoirs partagent des sanitaires propres et tous les équipements nécessaires : cuisine, laverie, salon TV, infos touristiques... Super accueil.

De bon marché à prix moyens (30-65 €)

🏠 **Hostal San Martín** (plan C2, **12**) : pl. Torres de Omaña, 1-2, 24003. ☎ 987-87-51-87. ● sanmartinhos tal@hotmail.com ● sanmartinhos tales.com ● Au 2ᵉ étage. Doubles sans ou avec sdb 28-48 €, familiales aussi. Sur une mignonne place dans une vénérable demeure pleine d'histoire. Une adresse aux allures de pension de famille, simple et parfaitement tenue, dotée d'un salon commun et de chambres soignées et lumineuses, toutes différentes. La patronne, adorable, acceptera de vous en montrer plusieurs. Une adresse que l'on indique avec plaisir, et l'un de nos meilleurs rapports qualité-prix-accueil.

🏠 **Hotel Alda Casco Antiguo** (plan

C1, **13**) : c/ Cardenal Landázuri, 11, 24003. ☎ 987-07-40-00. ● cascoan tiguo@aldahotels.com ● aldacas coantiguo.es ● *Doubles avec sdb 36-52 €, petit déj 5 €.* Occupant un immeuble du XIXᵉ s rénové, ce petit hôtel de chaîne propose 4 catégories de chambres, toutes modernes et plaisamment décorées, climatisées et très bien tenues. Au sous-sol, la cuisine et la laverie côtoient des vestiges de muraille romaine. Accueil pro. Un excellent rapport qualité-prix-situation, juste à deux pas de la cathédrale.

🛏 **Hotel Vía León** *(plan C2, **19**)* : c/ El Paso, 5, 24003. ☎ 987-03-54-81. ● info@hotelvialeon.com ● hotelvialeon.com ● *Fermé déc-fév. Doubles 55-65 € ; petit déj 6 €.* Dans une ruelle piétonne, en plein centre mais au calme, un petit hôtel cosy à la façade ocre ornée d'un blason. Entièrement rénové (mais sans ascenseur). Les parties communes sont agrémentées de tableaux de différents styles sur le thème du *camino,* que l'on retrouve jusque dans les chambres. Ces dernières sont colorées, confortables et de bon volume. Accueil gentil comme tout.

🛏 **Hostal Guzmán el Bueno** *(plan C2, **14**)* : c/ López Castrillón (trav. del Cid), 6, 24003. ☎ 987-23-64-12. ● hostalguzman@hotmail.com ● hos talguzman.es ● ♿ *Doubles 50-65 €, familiales aussi.* En plein centre (double vitrage), un petit hôtel sans prétention mais efficace, au cadre soigné, bien tenu, bref, qui tient la route. Excellent accueil d'une dame chouchoutant ses hôtes comme ses petits-enfants.

De prix moyens à plus chic (60-130 €)

🛏 **Hotel Real Colegiata** *(plan C1, **15**)* : pl. de Santo Martino, 5, 24003. ☎ 987-87-50-88. ● reservas@hotel realcolegiata.es ● hotelrealcolegiata. es ● *Doubles standard 75-112 €, supérieures plus chères ; petit déj inclus. Parking gratuit.* Si vous aimez les cadres historiques, cet hôtel de 46 chambres est fait pour vous : il occupe une partie de la collégiale de San Isidro (XIᵉ s), où voisinent le musée du même nom, le panthéon royal et la basilique... Pas mal ! Les chambres les plus récentes, sobrement contemporaines, bénéficient d'un confort optimal et d'une vue sur le cloître. Les plus petites occupent d'anciennes cellules monacales mais ne sont guère moins confortables. Service à la hauteur des lieux. Bon resto sur place.

🛏 **La Posada Regia** *(plan C2, **17**)* : c/ Regidores, 9-11, 24003. ☎ 987-21-31-73. ● posada@regialeon.com ● regialeon.com ● ♿ *Doubles 50-130 €, petit déj-buffet 8 €. Parking 13 €. Petit déj offert hors saison sur présentation de ce guide.* Une demeure médiévale (XIVᵉ s), avec ses défauts et qualités : les antiques parquets grincent, l'insonorisation est discutable... Mais quelle atmosphère ! Bois, brique et pierres apparentes, auxquels s'ajoutent de beaux meubles en font une adresse de charme à 1 000 lieues des standards ! Excellent resto également, voir « Où manger ? ». Accueil tout à la fois pro, chaleureux et francophone.

Très chic (plus de 120 €)

🛏 **Parador San Marcos** *(plan A1, **18**)* : pl. de San Marcos, 7, 24001. ☎ 987-23-73-00. ● leon@parador. es ● parador.es ● ♿ *Doubles 120-215 €, petit déj inclus. Parking gratuit. Attention, fermé pour restauration jusqu'au printemps 2020.* Occupant une partie du monastère, c'est l'un des plus luxueux *paradores* de Castille. Ah ! se promener de nuit dans le cloître Renaissance ou contempler les beaux jardins du balcon de sa chambre... Somptueux buffet au petit déj. À l'entrée, un des bars les plus monumentaux qu'on connaisse ! On peut y voir encore des meurtrières (qui permettent d'ailleurs de mesurer la largeur des murs). Pour la petite histoire, l'édifice servait de prison au XVIIᵉ s, et la suite la plus luxueuse n'est autre que l'ancienne salle de torture. Faites de beaux rêves !

LA CASTILLE-LEÓN

LA CASTILLE-LEÓN

Où manger ?

Dans cette région d'élevage, les restos proposent une cuisine essentiellement terrienne. León est la capitale espagnole de la *cecina*, un jambon sec de bœuf protégé par une appellation.

Tapas

|●| ↑ **Los Cazurros** (plan C2, **20**) : pl. San Martín, 5. ☎ 987-25-22-33. ● info@loscazurros.es ● Tlj. Raciones 6,50-11 €. Comme les locaux, on est tombés sous le charme de ce bar à tapas à l'ambiance chaleureuse. Le décor moderne de bois clair change des tavernes confites dans l'obscurité, et permet de réunir toutes les générations autour de savoureuses planches de charcuterie, croquettes, *tortillas* et autres *empanadillas* servies avec gentillesse. À arroser d'un bon vin à la ficelle, bien sûr ! Petite terrasse sur la place.

|●| **Ezequiel** (plan C2, **16**) : c/ Ancha, 20. ☎ 987-00-19-61. ● calleancha@ restauranteezequiel.com ● Tlj. Raciones et plats 10-24 €. Menus midi 15-18 €. Incontournable pour boucler une tournée de tapas digne de ce nom. On vient surtout y déguster (et acheter, au comptoir d'épicerie) les charcuteries fabriquées par la maison : *cecina*, *morcilla*, *chorizo* et *salchichón* transporteront les amateurs au firmament. Pour s'asseoir, 2 *comedores* au fond de la salle et au sous-sol, mais il faudra auparavant se frayer un chemin à travers le bar, toujours très fréquenté. Vibrante ambiance à l'heure de l'apéro !

|●| ↑ **Camarote Madrid** (plan C2, **21**) : c/ Cervantes, 8. ☎ 987-23-21-21. ● info@camarotemadrid.com ● Tlj. Raciones 10-22 €. L'une des *cervecerías* les plus populaires de la ville, axée sur le thème de la tauromachie avec des affiches et photos de corridas. Atmosphère animée. Le comptoir en U marbre et bois accueille de goûteuses tapas : croquettes, *tortillas*, *molleja*, tripes, etc. Lieu réputé pour ses vins fins autant que pour ses bières à la pression (dont la glaciale *Cruzcampo* à - 2 °C !).

|●| Pour grignoter tapas et *raciones* devant une *caña* ou un vin au verre, pensez aussi aux **Mesón El Tizón, Mesón Latino** ou à la **Casa Condeso** (voir plus loin).

De prix moyens à plus chic (15-35 €)

|●| ↑ **Mesón El Tizón** (plan C2, **22**) : pl. San Martín, 1. ☎ 987-25-60-49. Tlj sauf dim soir et lun. Plats et raciones 6,50-18 €. Les jambons *bellota* pendent au-dessus du vieux comptoir de bois. Salle intime au fond, ou quelques tables en terrasse, pour déguster les spécialités du coin : *embutidos*, *almejas*, *navajas*, escargots, poivrons farcis aux gambas, etc. Un vieux de la vieille qui compte de nombreux fidèles.

|●| ↑ **Mesón Latino** (plan C2, **23**) : pl. San Martín, 10. ☎ 987-26-21-09. ● restaurantebarlatino@gmail.com ● Tlj. Menu 15 €, raciones 7-17 €. Une adresse plébiscitée par les gens du coin. Pour ses bonnes tapas côté bar, mais également pour ses plats classiques et généreux (*cocido leonés*, *bacalao pilpil*, *merluza a la plancha*) et ses juteuses grillades au feu de bois. De quoi passer une bonne soirée, d'autant qu'on est servi par une équipe sympa.

|●| ☺ ↑ **Vinos Grifo** (plan C3, **24**) : pl. Santa María del Camino. ☎ 987-17-74-28. ● info@vinosgrifo.com ● Tlj. Menu midi et soir en sem 12,50 € (25 € w-e), plato combinado 9 €, plats 12-24 €. Apéritif maison offert sur présentation de ce guide. Sur cette adorable place pavée (appelée également plaza del Grano), une belle *vinoteca* proposant plus de 40 vins au verre affichés au tableau noir. Décor de vieilles gravures et photos, comptoir de marbre, hautes tables. Petite cuisine de brasserie réalisée avec cœur, tapas faites à la demande, salades élaborées, *cecina*, *cabrito*, *bacalao*, tarte aux 3 fromages où n'interviennent que de bons produits. Aux beaux jours, l'une des plus agréables terrasses qui soient, dans un environnement pittoresque.

|●| ↑ Casa Condeso *(plan C2, 25)* **:** *pl. Torres de Omaña, 5.* ☎ *987-17-06-13.* ● *info@casacondeso.es* ● *Tlj. Menus midi 15-17 €, plats 14-20 €.* D'abord, il y a la 1re salle pour les excellentes tapas et *raciones,* ainsi que la terrasse sur une charmante placette. Beaucoup de monde, comme d'hab... Et puis il y a cette salle tout au fond, avec juste quelques gourmets, comme d'hab... Bon, d'accord, déco incertaine, genre contemporain un poil clinquant ! Mais c'est servi généreusement, avec le sourire.

|●| Becook *(plan D3, 26)* **:** *c/ Cantareros, 2.* ☎ *987-01-68-08.* ● *info@restaurantebecook.es* ● *Tlj sauf dim-lun: Résa conseillée le w-e. Plats 10-16 € (aussi en ½ ración).* À la porte de la vieille ville, à l'écart du flot touristique, un resto bien dans l'air du temps proposant une cuisine fusion qui détonne. Inspiré par la gastronomie japonaise, le chef revisite les classiques locaux que l'on redécouvre sous un jour nouveau. Avec quelques incursions vers la cuisine moléculaire et un dressage élaboré, ses plats sont aussi beaux que bons. On conseille les ½ *raciones* pour en goûter plusieurs. Cadre moderne, sobre, avec cuisine ouverte.

|●| Delirios & Tapas *(plan C2, 27)* **:** *c/ Ramón y Cajal, 5.* ☎ *987-23-76-99.*

● *info@restaurantedelirios.com* ● *Tlj sauf dim soir et lun (fermé dim-lun juil-sept). Congés : 1re quinzaine de juil. Menus midi en sem 19 €, puis 29-39 €.* Une table de haut vol pour un voyage culinaire tout en surprises. Le chef concocte une cuisine créative, inventive, jouant sur les associations de saveurs, de textures et de couleurs. Du grand art ! Le 1er menu en 5 plats *(delirios),* servi le midi en semaine, est à prix imbattable. Service sur des tables hautes le long d'un bar ou dans une belle salle sur l'arrière, à la déco très contemporaine. Chaque plat est présenté et expliqué comme il se doit, dans une atmosphère sympa et détendue.

|●| ↑ Bodega Regia *(plan C2, 17)* **:** *c/ Regidores, 9-11.* ☎ *987-21-31-73.* ● *posada@regialeon.com* ● *Tlj sauf lun soir, mar soir et dim. Menu midi env 18 €, puis menus dégustation 40-50 €.* Dans une belle maison du XIVe s, une table de qualité connue de longue date. Bonnes spécialités régionales, comme la *bacalao a la bodega,* l'agneau de lait, la perdrix, la *tarta con castañas y chocolate,* servis dans une salle à manger rustique. Petite terrasse en été. Service stylé. Belle carte des vins, dont l'excellent *palacio de canedo* (Bierzo).

Où prendre le café ?
Où déguster une bonne glace ?

☕ Ecolmado *(plan C1, 30)* **:** *c/ Sacramento, 8.* ☎ *987-07-37-38. Lun-ven 9h15-17h ; sam 10h-19h. Fermé dim. Congés : fin juin-début juil.* Ce minuscule café-épicerie vend des produits bio et équitables, parmi lesquels des cafés de grande qualité, des jus de fruits et légumes fraîchement pressés, des pâtisseries, du vin et des bières artisanales. Joli décor naturel (murs d'adobe), où le mobilier est fait en matériaux recyclés. Un petit cocon écoresponsable tenu avec amabilité par Pablo, qui parle le français.

🍦 Holy Cow *(plan C2, 25)* **:** *c/ Serranos, 2 (angle Torres de Omaña).* 🖥 *638-83-55-88. Tlj sauf mer 10h-13h, 16h-22h. Congés : nov-fév.* Belle sélection de glaces et sorbets (fruits des bois, caramel blanc, *apple crumble* et... *holy cow...*), ainsi que crêpes, gaufres, salades, quiches et jus de fruits frais.

Où boire un verre ? Où écouter de la musique ?

Autour de la plaza San Martín *(plan C2),* dans le fameux *barrio húmedo,* « quartier humide » (ainsi baptisé en raison des quantités de bière et de vin qui y coulent !), vous aurez l'embarras du choix. Pas mal de beaux cafés en terrasse, pubs et bars à cocktails également autour de la *plaza Mayor (plan*

LA CASTILLE-LEÓN

C-D2). Dans la rue principale de León, *calle Ancha (plan C2)*, plusieurs cafés élégants font le plein à l'heure du *paseo* et des *churros*.

♟ ↑ Cafe Ekole *(plan C2, 31) : pl. de Torres de Omaña.* ☎ 987-22-57-02. ● *cafe.ekole@gmail.com* ● *Tlj 12h30-2h.* A conservé sa vénérable enseigne et son comptoir en bois. Agréable bar à cocktails composé de 3 petites salles chaleureuses et d'une adorable courette couverte de verdure. Grande sélection de cafés, infusions et cocktails avec ou sans alcool.

♟ ♪ El Gran Cafe *(plan C2, 32) : c/ Cervantes, 9.* ☎ 987-27-23-01. Programmation sur Facebook. ● *elgrancafeleon@gmail.com* ● *Tlj 16h (15h w-e)-4h.* Bar à la déco moderne mais un peu dans la pénombre. Ce qui attire les foules ici, ce sont les concerts de jazz, blues, rock et soul réguliers. *Jam session* le mardi.

À voir

♟♟♟ Catedral Santa María de León *(plan C-D2) :* ☎ 987-87-57-70. ● *catedraldeleon.org* ● ♿ *Mai-sept : lun-ven 9h30-13h30, 16h-20h ; sam 9h30-12h, 14h-18h ; dim et j. fériés 9h30-11h, 14h-20h (en mai seulement 9h30-14h) ; le reste de l'année, lun-sam 9h30-13h30, 16h-19h ; dim 9h30-14h. Entrée : 6 € (audioguide inclus) ; réduc ; gratuit - de 12 ans et pour ts dim 10h30-13h30 (juin-sept) et mar 17h30-19h (oct-mai). Billet combiné avec le musée et le cloître : 9 €.*

Chef-d'œuvre de l'art gothique, aux très belles proportions. Elle fut bâtie sur les mêmes plans (en modèle réduit) que la cathédrale de Reims. Sa construction débuta en 1205, et elle fut restaurée au XIXe s. Admirer le triple portail sculpté de la façade principale et l'énorme rosace. La cathédrale abrite d'ailleurs *la plus importante surface de vitraux au monde*, juste après Chartres : 31 hautes baies, 64 fenêtres, 3 rosaces sur... 1 800 m² de surface. Ce sont de véritables mosaïques de couleurs, la plupart des XIIIe-XVe s. À ce sujet, vous pouvez toujours acheter le *Guide de la cathédrale* pour comprendre l'histoire racontée par les vitraux, difficilement déchiffrable sans cela.

– *Visite de l'intérieur :* chœur éblouissant avec son immense grille, chef-d'œuvre du fer forgé et des stalles du XVe s de toute beauté, en noyer ciselé et de style gothique flamand. Grand retable du chœur composé de tableaux de *Nicolás Francés* avec, au centre, une statue de l'Assomption de la Vierge du XVIIIe s. À l'entrée du chœur, un *imposant jubé de pierre sculptée* (de gauche à droite, la Naissance de la Vierge, l'Annonciation, la Nativité...). Derrière le chœur, le seul tombeau royal de la cathédrale, orné de scènes de la Passion polychromes du XIIIe s. Prendre le temps car quasi toutes les chapelles présentent un intérêt. Dans la 1re à droite du chœur (San José), retable entièrement doré et beau baptistère en pierre. Voir la *chapelle du Calvaire* (1524), avec sa remarquable *Crucifixion* du XVIe s. Ne pas manquer également la grande *chapelle de la Vierge du Chemin*. Avec les 3 longs baldaquins sculptés du chœur, bel exemple de gothique tardif (1504).

♟♟♟ Museo catedralicio y claustro *(musée de la Cathédrale et cloître ; plan C-D2) :* ☎ 987-87-57-67. *Juin-sept : tlj 9h30-13h30, 16h-20h. Hors saison : lun-sam 9h30-13h30, 16h-19h ; dim 9h30-14h. Dernière entrée 1h avt. Visites guidées à 11h30 et 17h sauf sam ap-m et dim (en espagnol seulement). Entrée : 5 € (2 € pour le cloître seul). Billet combiné avec la cathédrale : 9 €.*

Avec ses voûtes extraordinairement ornementées et ses clés de voûte sophistiquées, le cloître est un chef-d'œuvre de la Renaissance espagnole. Au musée, collections d'une exceptionnelle richesse.

– *Rez-de-chaussée :* dans une salle aux larges arcades ogivales, quelques superbes pièces, une sainte Catherine polychrome tenant sa roue de martyre (élégance, douceur et richesse du vêtement) et une *Vierge à l'Enfant* du XIIIe s.

– *1er étage :* d'abord, ce *sublime escalier Renaissance* pour y accéder et, à l'arrivée, de beaux exemples de l'École bourguignonne, un *remarquable triptyque* de l'école d'Amberès (les Rois mages) et, à côté, l'incroyable martyre de saint Érasme. Puis on se perd dans de petites salles pleines de merveilles : délicats crucifix en ivoire ciselé, une *Immaculée Conception* de l'école italienne d'une finesse absolue (XVIIIᵉ s) et des reliquaires. Salle avec l'imposante chasse en argent de San Froilán, bible de l'an 920 et nombres d'ostensoirs, ciboires, couronnes...

– *2ᵉ étage* : **festival de bas-reliefs et de statues,** dont l'admirable *Christ sur la Croix* de *Juan de Juni* (Jean de Joigny, encore un Bourguignon), dans une contorsion inhabituelle !

– *Retour dans le cloître :* une lourde porte à droite avant la sortie, si elle est fermée, demander qu'on l'ouvre. Admirer cet **incroyable meuble mudéjar** rescapé du XIIIᵉ s et l'insolite *Santiago de Matamores*. Pittoresque armoire d'apothicaire, expo de chasubles variées, notamment celle dite de « pluie », en soie brodée d'or du XVIIᵉ s, tissus anciens... À l'étage, une galerie de peinture moderne.

🏛🏛 **Museo de León** *(plan C2)* : pl. de Santo Domingo, 8. ☎ 987-23-64-05.
● museodeleon.com ● *Mar-sam 10h-14h, 17h-20h (16h-19h oct-juin) ; dim et j. fériés 10h-14h. Fermé dim ap-m et lun. Visite guidée gratuite tlj à 12h30. Entrée : 1 € ; réduc ; gratuit étudiants, - de 18 ans, + de 65 ans et pour ts le w-e.*
Habilement mises en valeur par une muséographie moderne et séduisante, les collections riches et variées offrent sur 5 niveaux un panorama complet de l'histoire régionale de l'Antiquité à nos jours.

1ᵉʳ étage
– *Préhistoire :* intéressante petite métallurgie : fers de hache ou de serpe et leurs moules en pierre ou argile. Vestiges de poterie et objets en corne de cerf. **Un chef-d'œuvre : l'idole de Tabuyo** (symbole d'un guerrier gravé sur une stèle, 1800 av. J.-C.). Outils du bronze (2300-700 av. J.-C.).
– *Période romaine :* bijoux raffinés et poterie filigranée. Une pièce : un édit d'Auguste sur une fine plaque de bronze (15 apr. J.-C.). Borne miliaire de l'empereur Claude marquant le territoire conquis (54 apr. J.-C.). Vestiges de fresques, petits verres irisés, reconstitution de tombe en terre cuite, mosaïques dont le gracieux *Hillas et les Nymphes...*

2ᵉ étage
– *Moyen Âge :* admirable christ en ivoire ciselé du XIᵉ s, épitaphes juives et musulmanes, calvaire polychrome du XIIᵉ s (Vierge et saint Jean). Émouvant retable de saint Marcel, dans sa rustique simplicité (un des 1ᵉʳˢ de la période gothique en Espagne). Marcel, centurion décapité à Tanger en 298 apr. J.-C., ainsi que ses 12 fils et sainte Nonia, sa femme... Salle dédiée au pèlerinage de Saint-Jacques de Compostelle.
– *Le Nouveau Monde :* le bas Moyen Âge. Puis peinture religieuse et début de la période contemporaine. Intéressant *Bannissement des anges rebelles* et *Saint Joseph* polychrome du XVIIᵉ s (beau travail sur les drapés). Écritoire ciselée du XVIIᵉ s. Pathétique pietà en terre cuite polychrome de 1540 (élégance, harmonie des corps allongés). Petite section sur le patrimoine ethnographique (habits de fête des paysans au XIXᵉ s).

3ᵉ étage
– *Visage d'une cité :* histoire de la fondation de la ville avec grand écran tactile interactif pour repérer les bâtiments de constructions romaines, médiévales et modernes.

Rez-de-chaussée
Expos temporaires.

Sous-sol
Vestiges lapidaires, céramiques et riche section sur les monnaies.

🏛🏛 **Convento de San Marcos** *(plan A1)* : pl. de San Marcos. ☎ 987-24-50-61. **Attention, fermé pour restauration jusqu'au printemps 2020.** Impossible de rater cet ancien couvent érigé au XVIᵉ s, dont la longue et imposante façade s'étend sur une centaine de mètres, harmonieux festival de médaillons, niches, balcons ciselés et crêtes gothiques. Une partie est occupée par le *parador,* mais l'*église,* 2 salles (abritant sépultures et tableaux religieux), et surtout le formidable *cloître Renaissance* sont accessibles gratuitement au public. Bouche bée devant le magnifique plafond à nervures et ses multiples clés de voûte, ainsi que face au décor platéresque de la dernière salle, aux superbes stalles et à tant d'autres choses (ah ! ce *Christ de Carrizo* en ivoire du XIᵉ s !).

Basílica San Isidoro (plan C1) : pl. de San Isidoro (logique !). Tlj 7h-22h30. GRATUIT. Érigée par Ferdinand Iᵉʳ (1063) et ses successeurs, elle mêle les styles roman, gothique et Renaissance. Superbement éclairée le soir. Admirer le portail, surmonté d'animaux sculptés, d'une balustrade ajourée et d'un fronton richement ornementé (et couronnant le tout, saint Isidore à cheval). À l'intérieur, c'est *du plus pur roman,* atmosphère assez sombre. Plan harmonieux à 3 nefs, voûte en berceau et colonnes cannelées à chapiteaux

LE SAINT-GRAAL EN ESPAGNE ?

Ce calice qui aurait contenu le sang du Christ fait partie des grands mythes de la chrétienté. On prétend qu'une copie est exposée au musée de la basilique San Isidro (l'original est protégé par une vitre à l'épreuve des balles). La coupe est ornée d'or et de pierres précieuses. Himmler la recherchait vainement. En effet, cet allumé nazi croyait qu'elle donnait la vie éternelle. Ben voyons ! Cela dit, un autre calice, en Espagne, revendique le titre de Saint-Graal : à la cathédrale de Valence...

floraux ou historiés. Belle tribune à larges arcades de pierre. Austère retable décoré de 24 tableaux, *Le Panthéon des Rois.*

Museo de San Isidoro (plan C1) : pl. de San Isidoro, 4 ; à côté de la basilique (entrée sur la gauche). ☎ 987-87-61-61. ● reservas@museosanisidorode leon.com ● museosanisidorodeleon.com ● Mai-fin juil : lun-sam 10h-14h, 16h-19h (20h ven-sam) ; dim 10h-15h. Fin juil-fin sept : lun-sam 9h-21h, dim 9h-15h. Le reste de l'année : lun-sam 10h-14h, 16h-19h ; dim 10h-14h. Entrée : 5 €, gratuit - de 12 ans. Visite guidée obligatoire en espagnol (45 mn, ttes les 30 mn-1h) ou en anglais (à 17h). *Résa indispensable (nombre limité de pers) sur le site ou par mail.*

– *Panteón de Reyes (Panthéon des Rois) :* abrite les dépouilles de nombreuses personnalités de la famille royale de León. 11 rois, 14 reines, plus les infants... À ne pas manquer, ne serait-ce que pour les *superbes fresques du XIIᵉ s* (à peine restaurées), qui lui valent l'appellation de « chapelle Sixtine de l'art roman ». C'est dire ! Remarquer le *Christ entouré des évangélistes,* le *Massacre des innocents,* ou, plus rare, le calendrier agricole dont les scènes s'échelonnent sur un arc en plein cintre (celui à gauche du chœur, le plus proche de la baie). Les chapiteaux sont de toute beauté, comme ceux figurant la guérison du lépreux et la résurrection de Lazare. Juste avant de sortir, celui du *jugement de Salomon* (ange qui retient le glaive).

– Dans le *cloître* (des XIᵉ et XIIIᵉ s), minimusée lapidaire. Sous une arcade, la *tour du Coq,* girouette en cuivre (recouvert d'or) du Xᵉ s, la figure caractéristique de la ville avec les tours de la cathédrale.

– À l'étage, le *trésor,* qui porte bien son nom : d'abord la chapelle au plafond voûté d'ogives en étoile, enrichi des médaillons en relief polychrome des évangélistes. Ensuite, la grande salle voûtée en pierre sans ouvertures. *Riche collection d'orfèvrerie religieuse et tissus orientaux du Xᵉ s.* Dans la bibliothèque, festival de clés et miniclés de voûte. Bibles du XIIᵉ s et *codice* wisigothique-mozarabe du IXᵉ s avec de belles miniatures. Retour à la salle des reliquaires pour la *chasse en or des reliques de saint Isidore,* aux flancs décorés de scènes bibliques (1063), calice en or orné d'agates et de pierres précieuses de la même époque.

Jolie Vierge romane du XIIᵉ s. Précieux tissus, et même une étole tissée par la reine Éléonore Plantagenêt (1197). Un calice d'argent doré et une croix de procession, petits chefs-d'œuvre d'orfèvrerie du XVIᵉ s, nous achèvent.

🎥🎥 *Museo Gaudí – Casa Botines (plan C2) :* pl. San Marcelo, 5. ☎ 987-29-27-08. ● casabotines.es ● *Tlj sauf mer mat et dim ap-m 11h-14h, 17h-21h (16h-20h hors saison). Entrée : 8 € ; entrée « premium » (avec visite guidée des étages supérieurs) : 12 € ; réduc. Visites guidées de l'entrée « premium » (espagnol seulement) à 12h30 (11h30 sam, 12h dim) et 18h30, également visite théâtralisée sur résa sam 12h15.*

Édifice néogothique, construit fin XIXᵉ s par *Antonio Gaudí* et l'une de ses 3 grandes réalisations hors de Catalogne. L'extérieur, massif et austère, peut étonner. Soucieux d'intégrer l'édifice au patrimoine léonais, Gaudí a adapté son style à l'histoire locale, d'où cette allure médiévale. Façade de granit flanquée d'échauguettes, douves... Mais à l'intérieur, la lumière abonde, pénétrant par un puits de lumière et de hautes fenêtres, se réfléchissant dans les boiseries claires.

Le bâtiment accueillait initialement des magasins et bureaux dans sa partie basse et des appartements privés aux étages. Le délai de construction rapide (10 mois) et le choix de couler des fondations en pilotis métalliques éveillèrent les doutes des médisants quant à la solidité du bâtiment. Cependant, après vérification des ingénieurs, Gaudí fut conforté dans son génie de l'architecture, non mais ! Occupée par une banque à partir de 1930, la Casa Botines n'a ouvert ses portes aux visiteurs qu'en 2017.

On vous recommande fortement de vous connecter avec votre smartphone sur le site en ligne d'audioguidage ● audio.casabotines.es ● (code d'accès à demander au guichet), sans quoi l'expo de photos, maquettes et reconstitutions de décors du rez-de-chaussée vous paraîtront bien floues pour les visites libres. Les étages supérieurs s'attachent, eux, à reconstituer le cadre de vie à la charnière des XIXᵉ et XXᵉ s : répliques de mobilier original dans les salons et bureaux, toiles modernistes et impressionnistes, ainsi qu'une synthèse de la vie et de l'œuvre de Gaudí. Quelques amusants effets numériques interactifs sur grand écran ponctuent le parcours. Au 3ᵉ étage, salles d'expos de peintures de la collection privée de la banque (avec des Goya et quelques Dalí). Au dernier étage (accessible seulement en visite guidée), la salle de réunion de l'ancienne banque et l'accès au *torreón*, la tour panoramique. Expo temporaire du sous-sol.

🎥 *Palacio de los Guzmanes (plan C2) :* pl. San Marcelo, 6. ☎ 987-29-22-04. Fermé lun-mar. Visites guidées obligatoires ttes les 45 mn-1h : mer 10h30-12h45 (visite courte 20 mn), mer ap-m et jeu-dim 10h30-12h30, 17h15-19h15 – 17h seulement en hiver (visite complète 40 mn). Entrée : 2 € (visite courte) ; 3 € (visite complète). C'est dans ce palais Renaissance du XVIᵉ s que fut élaborée la Constitution démocratique la plus ancienne d'Europe. Dans la cour, de style plateresque, observer le blason de la famille Guzmán sur le puits et sur le bâtiment : un panier rempli de serpents. Drôle de symbole pour une famille si catholique, non ?

🎥 *MUSAC (hors plan par A1) :* avda Reyes Leoneses, 24. ☎ 987-09-00-00. ● musac.es ● *Un peu excentré, accès par les bus nᵒˢ 7, 11 et 12. Mar-ven 11h-14h, 17h-20h ; w-e 11h-15h, 17h-21h. Fermé lun. Entrée : 3 € ; réduc.* Un musée d'art contemporain installé dans de surprenants édifices entièrement revêtus de vitres multicolores. Des expos temporaires de qualité présentent des artistes d'avant-garde espagnols et internationaux.

➤ Le *chemin de Saint-Jacques* traverse León. On peut le suivre *à partir de l'iglesia Santa Ana (hors plan par C3)* et le long des rues Barahona, Puerta Moneda, Herreros, Rúa, *jusqu'à la calle Ancha puis la cathédrale (plan C-D2).* On recommande fortement de faire une halte sur la place la plus romantique et la plus rurale de la ville : la *plaza Santa María del Camino* (appelée aussi *plaza de Grano ; plan C3).* Accessible par de petites ruelles discrètes, cette belle place

LA CASTILLE-LEÓN

pavée est bordée de maisons basses sur arcades de pierre ou piliers en bois, dans des teintes ocre dorées au soleil couchant. L'impression délicieuse de se trouver dans une carte postale d'antan !

Fêtes et manifestations

– **Las Cabezadas :** *dernier dim d'avr.* Sous le cloître de San Isidoro, les conseillers municipaux de la ville de León et les autorités ecclésiastiques se livrent à un concours de révérences en souvenir de leur ancienne rivalité...
– **Fêtes de San Juan et San Pedro :** *autour du 24 juin, pdt env 1 sem.*
– **Fête de San Froilán :** *5 oct, pdt env 1 sem.* Nombreux défilés.

DANS LES ENVIRONS DE LEÓN

🎑 **Sahagún** (24320) **:** *à env 60 km sur la route de Burgos, par A 60 et A 231.* Sahagún est la 1re étape sur le *camino de Santiago* dans la province de León. Quelques jolies *églises* comme celle de *San Tirso.* Voir aussi la chapelle funéraire de la *iglesia de la Peregrina,* avec ses détails de décoration mudéjare. Ravissant petit centre historique, où l'on trouve quelques hôtels et restos.

🏠 **Hostal La Bastide du Chemin :** *c/ Arco, 66.* ☎ *987-78-11-83.* 📱 *690-76-80-40.* ● *labastideduchemin@gmail.com* ● *labastideduchemin.com* ● *Double avec sdb 50 € ; dortoir env 20 €/pers.* Face à l'*iglesia de la Trinidad,* dans une antique maison restaurée, à l'architecture singulière. Les chambres sont petites mais très bien tenues, offrant un peu plus de confort (et d'intimité) que les auberges de pèlerin. Et un dortoir de 4 lits pour les voyageurs solo. Petit bar à la réception. Accueil sympathique.

🍴 **Restaurante Luis :** *pl. Mayor, 4.* ☎ *987-78-20-58.* ● *restauranteluis@hotmail.com* ● *Menu pèlerin 9 € servi midi et soir, menus 16-45 €.* Un classique qui dispense une cuisine de qualité à tous les prix, depuis les tapas au comptoir, en passant par la pitance du pèlerin jusqu'au menu dégustation qui nous fait la totale. Service efficace et accueil chaleureux.

🎑 **Villas romanas :** ☎ *979-11-99-97.* ● *villaromanalaolmeda.com* ●
– **La Tejada :** *Quintanilla de la Cueza, Cervatos de la Cueza. Sur la N-120, km 214. À env 25 km à l'est de Sahagún. Mars-nov : tlj sauf lun 10h30-14h30, 17h-20h (16h-18h oct et mars). Entrée : 3 € ; réduc ; gratuit - de 12 ans et le mar ap-m.* Elle fut occupée du Ier au Ve s apr. J.-C. Son originalité ? Le système de chauffage au sol (l'hypocauste) qui laissa entendre qu'il s'agissait de thermes destinés aux voyageurs qui empruntaient la voie romaine de la *Quintanilla.*
– **La Olmeda :** *à Pedrosa de la Vega. À env 36 km au nord-est de Sahagún. Tlj sauf lun 10h30-18h30. Entrée : 5 € ; réduc ; gratuit - de 12 ans et le mar ap-m.* La villa originale daterait de la fin du Ier s. On visite sa reproduction, du IVe s. Cette résidence faisait plus de 3 000 m², avec 4 400 m² de bains en plus. Mosaïques fabuleuses, en très bon état de conservation. L'ancien jardin central accueille aujourd'hui divers événements culturels.

ASTORGA (24700)

● Plan *p. 279*

Petite ville paisible bordée de remparts, à 45 km à l'ouest de León, très fréquentée par les « groupies » de Gaudí et les pèlerins de Compostelle (le *camino de Santiago* traverse la ville). Ne pas manquer le *Palais épiscopal,* rebaptisé « palacio

Gaudí », l'un des délires du célèbre architecte. À part ça, sachez que les spécialités locales sont les *mantecadas* (sortes de quatre-quarts bien moelleux) et le *cocido maragato* (un genre de pot-au-feu cuisiné avec au moins 7 viandes, du chou, des pommes de terre et des pois chiches).

Arriver – Quitter

 Estación RENFE (hors plan par B1) : ☎ 912-320-320. ● renfe. com ●

 Estació Autobuses (plan A1) : ☎ 987-61-91-00.
➢ *León :* bus ttes les heures lun-ven, seulement 6 bus/j. le w-e avec *Alsa* (● alsa.es ●). Durée : 45 mn-1h. Et 4-7 trains/j. (durée : 35 mn env).
➢ *Salamanque et Zamora :* 1 seul bus direct/j. avec *Alsa* (le mat lun-sam, en fin d'ap-m dim), sinon changer à *León.* Trajet : Salamanque 2h40, Zamora 1h50. Pas de train.
➢ *Galice :* avec *Alsa,* 5-7 liaisons/j. avec Santiago (5h de trajet) et A Coruña (4h30 de trajet) ; 9 bus/j. de/ vers Lugo (trajet 2h15-3h).
➢ *Madrid (Chamartín) via Valladolid et Ávila :* 4-6 trains/j. dont 1 direct et 1 de nuit, sinon changement à León ou Palencia. Trajet : 3h10-4h30. En bus : 5-7 bus/j. ; 4 bus rallient directement l'aéroport de Madrid.

Adresse et infos utiles

 Oficina de turismo (plan A1) : pl. Eduardo de Castro, 5 ; face au palacio Gaudí. ☎ 987-61-82-22. ● turismoas torga.es ● Tlj (sauf lun et dim ap-m en hiver) 10h-14h, 16h30-19h (16h-18h30 l'hiver). Accueil pro et souriant.
– Grands *parkings gratuits* au pied de la muraille nord *(plan B1)* et sud *(plan B2).*

Où dormir ? Où manger ? Où boire un verre ?

 |●| *Hotel-restaurante La Peseta* *(plan B2, 11)* : pl. San Bartolomé, 3. ☎ 987-61-72-75. ● info@restaurante lapeseta.com ● restaurantelapeseta. com ● Derrière la pl. de España. *Fermé le soir dim et mar. Congés :* 10 j. en juin. Doubles 53-63 €, petit déj 5,50 €. Plats 13-22 €. 5 générations d'hospitalité (depuis 1871) et toujours cette même générosité et l'envie de bien faire. Des chambres spacieuses et de bon confort, rénovées dans un style contemporain sobre. Et un resto sympa, avec l'incontournable *cocido maragato* servi dans une salle plaisante, mêlant bois et brique, où l'on s'amuse des anecdotes manuscrites de clients aux murs. Accueil chaleureux et francophone.
 Casa de Tepa (plan B1, 12) : c/ San tiago, 2. ☎ 987-60-32-99. ● casade tepa@casadetepa.com ● casadetepa. com ● Doubles 82-108 €, suites ; petit déj 11 €. Parking 11 € (peu de places). Secrète, cette belle demeure du XVIIIe s

défendue par une porte épaisse propose un point de chute idéal pour les amoureux. Car derrière les murs austères, on découvre un patio adorable avec fontaine, arbres en pot et un mobilier de jardin cosy pour siroter un cocktail au calme. À moins de préférer s'installer sur la galerie, à l'étage ou dans l'un des salons cossus. Quant aux chambres, toutes différentes, elles sont joliment meublées et très douillettes. Accueil élégant.
 Hotel-Spa Vía de la Plata (plan B2, 13) : c/ Padres Redentoristas, 5. ☎ 987-61-90-00. ● info@hotelviade laplata.es ● hotelviadelaplata.es ● Doubles 70-105 €, petit déj inclus. Spa en sus. Parking gratuit. Édifice massif de pierre et brique au cadre intérieur design et lumineux, construit récemment sur les structures d'un ancien monastère. Chambres alliant le charme d'un décor raffiné à un confort total. En prime, l'un des spas et centres de remise en forme les plus complets

de la province (hydrothérapie, sauna finlandais, bain turc et même douche écossaise !). Accueil pro.

l●l **Serrano** *(plan A1, 14)* **:** c/ Portería, 2. ☎ 987-61-78-66. ● serrano@restauranteserrano.es ● Tlj sauf lun. Congés : 2de quinzaine de juin. Plats 14-25 €. Salle chaleureuse, poutres apparentes, murs peints à l'éponge et décorés d'objets familiers, clientèle d'habitués, familiale et cossue... Le resto de référence ! On n'est pas déçu, cuisine de pro, des recettes traditionnelles bien troussées (beaucoup de champignons, dont le chef raffole !), accueil et service dynamiques. Quelques spécialités : ragoût de perdrix sauce aux cèpes et foie de canard, *garbanzos con pulpo* (pois chiches au poulpe), *cordero lechal* (agneau de lait)... Tout est bon !

l●l **Las Termas** *(plan A-B1, 15)* **:** c/ Santiago, 1. ☎ 987-60-22-12. ● info@restaurantelastermas.com ● Tlj sauf lun (excepté en août) 13h-16h (fermé le soir). Congés : 2de quinzaine de juin. Plats 8,50-20 €. Le must pour goûter au solide *cocido maragato,* tous les locaux le garantissent ! Il est élaboré ici avec 11 viandes différentes ! Suivis de pois chiches exceptionnels et d'une soupe, bien sûr. Le chef et sa fille vous diront que servis dans le sens inverse vous ne pourriez pas finir la viande. Autant dire qu'une sieste est à prévoir pour finir l'après-midi. Pour les moins courageux, le *congrio al ajo* et l'entrecôte *a la plancha* sont excellents et plus légers. Accueil des plus chaleureux. Une table incontournable.

l●l **Casa Maragata** *(plan A1, 16)* **:** c/ Húsar Tiburcio, 2. ☎ 987-61-88-80. ● info@casamaragata.com ● Tlj sauf lun 13h-16h15 (fermé le soir). Congés : 2de quinzaine de juin. Menu unique 24 €. Cette auberge rustique est une autre valeur sûre pour faire bombance du fameux *cocido maragato.* Délicieux, mais bougrement robuste et archicopieux : il n'en faut pas plus pour attirer les familles le week-end (résa impérative). Et ensuite, hardi petit pour l'indispensable balade digestive ! Accueil charmant.

▼ ↑ Pour boire un verre, tout le monde se retrouve sur la *plaza de España (plan B2).* Face à la superbe mairie, les terrasses invitent à se poser et laisser le temps filer...

À voir

🎭🎭 Palacio Gaudí (Palacio episcopal) et museo de los Caminos *(plan A-B1)* **:** face à l'office de tourisme. ☎ 987-61-68-82. ● palaciodegaudi.es ● ♿ Tlj 10h-14h, 16h-20h (10h30-14h, 16h-18h30 l'hiver). Entrée : 5 €, audioguide 1 €. Visite guidée tlj à 9h30 et 17h (en espagnol seulement, incluse dans l'entrée). Gaudí démarre la construction du palais en 1889, l'architecte Ricardo Garcia Guereta le termine en 1913. L'édifice reproduit les lignes d'un château médiéval (pierre de granit, tours, créneaux), dans une version nettement plus sophistiquée. À l'intérieur, dans le hall et les salles attenantes, belle série de retables gothiques, Vierges et saints de bois polychrome, croix de procession en argent massif... À l'étage, le clou de la visite, la *chapelle* décorée d'une profusion de vitraux, faïences et briques vernissées du plus bel effet. Elle est encadrée de 2 fresques murales de 35 m² chacune ! En face, vaste salle à manger lumineuse tout en vitraux. Le 2d étage présente des expositions temporaires. Enfin, au sous-sol, exposition lapidaire, sarcophages et fragments de mosaïques romaines. Un bien beau palais !

🎭🎭 Catedral y Museo catedralicio *(plan A1)* **:** accès par le musée. ☎ 987-61-58-20. ● catedralastorga.com ● Tlj 10h-20h30 (10h30-18h en hiver). Dernière entrée 45 mn avt fermeture. Entrée : 5 € ; réduc ; gratuit - de 12 ans et pour ts dim 10h-11h15 (cathédrale seulement) ; audioguide inclus.
La construction de la cathédrale, commencée en 1471, ne s'achève qu'au XVIIIe s. **Magnifiques façades baroque et Renaissance.** À l'intérieur, imposants piliers cannelés sur arcades semi-brisées, et impressionnante grille fermant le chœur.

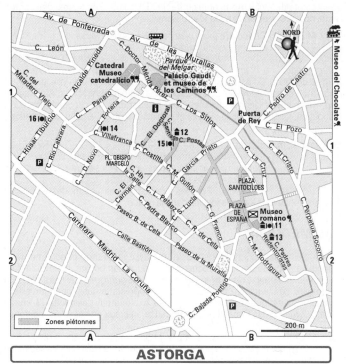

ASTORGA

LA CASTILLE-LEÓN

■	**Adresse utile**		La Peseta (B2)

	🛈 Oficina de turismo (A1)	**12** Casa de Tepa (B1)

13 Hotel-Spa Vía de la Plata (B2)

🛏 |●| **Où dormir ? Où manger ?**

14 Serrano (A1)

15 Las Termas (A-B1)

11 Hotel-restaurante

16 Casa Maragata (A1)

Retable monumental composé de tableaux de la Passion et remarquable ensemble de **stalles ciselées.** Tout autour de la nef, abondance de retables sculptés et dorés.

– **Le musée :** assez vaste, intéressante muséographie. Hors de question de tout décrire, mais quelques pièces quand même : ravissant petit calvaire en émail de Limoges, statues polychromes du XIIe s, croix de procession en argent ciselé (1592), manuscrits, livres d'heures. Salle ethnographique avec costumes traditionnels et bijoux en argent doré, dont une belle couronne de la Vierge. 4 panneaux racontant vie, tentation, tourments et mort de san Antonio Abad (XVIe s). Têtes des rois d'Israël joliment sculptées (1550). Dans la chapelle Sainte-Marine, intéressants tableaux du XVe s et 4 enfeus (gisants encastrés dans une niche).

– **Galerie du cloître :** collection lapidaire, livre des cantiques, beau sarcophage paléochrétien en marbre orné de 6 scènes (dont la *Résurrection de Lazare,* l'*Arrestation de Pierre,* la *Multiplication des pains* et le *Sacrifice d'Abraham...*). À l'étage, orgie de chasubles brodées, mitres et livres enluminés, belle chaire en bois sculpté du XVIᵉ s. Admirable coffre du XIIIᵉ s illustré de figures des apôtres. Sur le couvercle, épisode de la vie du Christ.

🍴 🏃 *Museo del Chocolate* (hors plan par B1) : avda de la Estación, 16. ☎ 987-61-62-20. ● museochocolateastorga.com ● À 300 m de la puerta de Rey. Mar-sam 10h30-14h, 16h30-19h ; dim 10h30-14h. Fermé dim ap-m et lun. Entrée : 2,50 € ; réduc ; gratuit - de 10 ans. Billet combiné avec le Museo romano : 4 € ; réduc. Du XVIIᵉ au début du XXᵉ s, l'industrie du chocolat fut cruciale pour la ville, qui compta jusqu'à 51 chocolateries en 1925. Expo sur l'histoire du cacao d'Amérique du Sud, machines anciennes utilisées pour l'élaboration du chocolat, film sur sa fabrication, jusqu'aux objets dérivés et publicités vintage. À la fin, dégustation et boutique.

🍴 *Museo romano* (plan B2) : pl. de San Bartolomé, 2. ☎ 987-61-69-37. Juil-août, tlj sauf lun 10h-14h, 16h30-19h ; le reste de l'année, tlj sauf dim ap-m et lun 10h-14h, 16h-18h. Entrée : 3 €. Billet combiné avec le museo del Chocolate : 4 € ; réduc. Propose des visites guidées de la Ruta romana dans la ville à 11h, plus à 17h juin-sept (1 € en plus). Pour les inconditionnels, une modeste collection d'objets découverts lors des fouilles dans la région.

LAS MÉDULAS

◎ En pleine nature apparaît soudain un paysage étrange et superbe, tel un amphithéâtre piqué de pitons rocheux d'un rouge flamboyant, incroyable décor de pierres sculptées. *Un site surprenant et magnifique,* d'ailleurs classé au Patrimoine de l'humanité par l'Unesco, qui représente aussi une merveilleuse revanche esthétique de la nature sur une exploitation désinvolte et brutale. Késako ? Au Iᵉʳ s, les Romains trouvent de l'or au creux de ces jolies montagnes du Bierzo. Ils mettent en place un mégasystème de galeries afin d'extraire le minerai. Cette exploitation devient la plus importante de l'empire et dure près de 200 ans. La nature a ensuite repris ses droits, recouvrant les monts de sédiments, érodant les roches et harmonisant le paysage. Le résultat tient de la magie. À *Las Médulas,* 2 grottes se visitent : la Cuevona et la Encantada. Compter environ 1h30 de balade pour voir les 2. Aller aussi jusqu'à *Orellán,* village voisin d'où l'on a une vue sublime depuis le mirador. Parking gratuit, puis 800 m à pied jusqu'au mirador. En contrebas de ce dernier, une galerie romaine où il fait noir comme dans un four conduit à une sortie au cœur de la falaise, autre point de vue tout aussi formidable (accès tlj sauf mar : avr-oct 11h-14h, 16h-19h ; nov-mars 11-14h, 16h-17h ; env 3 €, réduc).

Comment y aller ?

D'Astorga, à env 95 km, prendre la N VI vers Lugo ou l'A 6, sortie « Las Médulas ». Pour revenir sur Astorga, on vous suggère les petites routes. Prendre la N 536 vers Ponferrada (à la sortie de Carucedo, devant le lac). Traverser Ponferrada en passant devant le château, puis poursuivre en direction de Molinaseca par la LE 142. Superbe route qui serpente dans les montagnes, traversant de bien mignons villages et hameaux, où l'on croise quelques pèlerins sur le chemin de Saint-Jacques.

En bus c'est vraiment galère : León-Ponferrada, Ponferrada-Carucedo, puis encore 6 km à pied... ça use, ça use !

Adresses utiles

🏨 *Casa del parque :* à *Carucedo,* sur la N 536 juste avt Las Médulas, près du lac. ☎ 987-42-06-22. ● patrimonio natural.org ● Juin-sept : ouv mar-dim

11h-14h, 16h30-19h, fermé lun sauf juil-août ; oct-mai : fermé lun-jeu et dim ap-m. Expo *(1 €)* sur l'histoire du site et ses conséquences sur l'environnement. On peut s'y procurer des cartes de rando ou opter pour une balade commentée.

🚹 *Centro de visitantes :* au bout du village de *Las Médulas.* ☎ 987-42-07-08. 🖥 619-25-83-55. ● *turismo delbierzo.es* ● *En saison, tlj 11h-14h ; 16h-19h (20h juil-août) ; l'hiver, tlj 11h-14h, 15h-17h30.* Organise une balade guidée de 2h (2 fois/j.) dans le cirque de las Valiñas (avec découverte des mines à ciel ouvert, des galeries souterraines...). Guide francophone possible sur résa. Excellent accueil.

🚹 *Oficina de turismo y Aula Arqueológica de Las Medulas :* en arrivant à Las Médulas. ☎ 987-42-28-48. ● *ieb. org.es* ● *Avr-oct : tlj 10h-14h, 15h30-19h (20h juil-août). Nov-mars : tlj 10h-12h, plus sam 13h30-18h.* Petit plan gratuit du parc. Sur place, petit Musée archéologique *(entrée : 2 €, réduc)* avec maquettes en relief et vidéos sur l'exploitation minière romaine.

Où dormir ? Où manger ?

Une poignée d'auberges à Las Médulas et dans les alentours.

🏠 I●I *Casa rural O Palleiro d'O Pe d'O Forno :* c/ San Pablo, 2, 24444 *Orellán.* 🖥 649-71-14-39. ● *info@opal leiro.com* ● *opalleiro.com* ● *À 6 km à l'est du village de Las Médulas. Resto tlj sur résa seulement. Double 56 €. Menus 16-22 €. Digestif offert sur présentation de ce guide.* Une maison rurale aux chambres confortables et fort bien tenues, avec fresques colorées aux murs et salles de bains neuves. Isabelle, d'origine bourguignonne, connaît très bien sa région d'adoption et vous orientera pour les visites. Au resto, cuisine régionale, avec quelques suggestions françaises. La salle à manger, dans un ancien grenier, bénéficie d'une belle vue sur les montagnes.

I●I 🍷 ☂ *Mesón Durandarte :* c/ General, 10, 24442 Las Médulas. 🖥 630-52-90-37. *Au centre du village. Tlj en saison. Menus 11,50-15 €.* Classique auberge tout en pierre, avec son bar sombre et sa terrasse hyperagréable installée dans le jardin. Le menu local permet de goûter au *caldo berciano* (un ragoût très nourrissant).

LA CASTILLE-LEÓN

ZAMORA (49000) 63 200 hab.

● Plan *p. 282-283*

À environ 140 km au sud de León sur la route de Salamanque, Zamora est baignée par le *Duero* qui coule au pied des rochers taillés en à-pic sur lesquels est juché son centre historique. Par sa position stratégique, Zamora connut ses heures de gloire au XII⁰ s. Il subsiste quantité de traces de ce passé prestigieux, à l'image des nombreuses églises romanes, de quelques pans de murailles et des vestiges du *castillo.*

Arriver – Quitter

En train

🚈 *Estación RENFE (hors plan par D1) :* ctra de la Estación. ☎ 912-320-320. ● *renfe.com* ● *À 15 mn à pied de la pl. Mayor ou bus n° 3 depuis la pl. Sagasto.*
➤ *Madrid :* 4-7 trains/j. Durée : 1h30.
➤ *Valladolid :* de Zamora, 1 train,

282 |

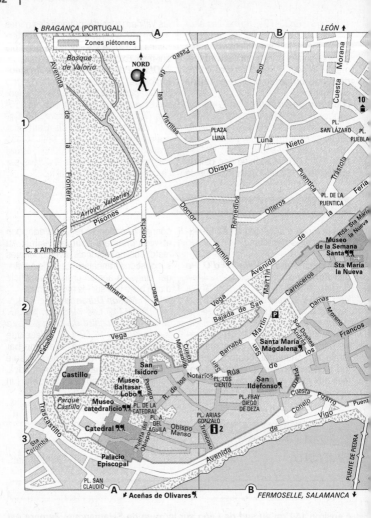

LA CASTILLE-LEÓN

■ **Adresses utiles**

ℹ **1** Oficina regional de turismo (D1)
ℹ **2** Oficina municipal de turismo (B3)
ℹ **3** Oficina provincial de turismo (C2)

🏠 **Où dormir ?**

10 Residencia juvenil Doña Urraca (B1)
11 Hostal Chiqui (D1)
12 Hostal Don Rodrigo (C1)
13 Hotel Trefacio (D1)

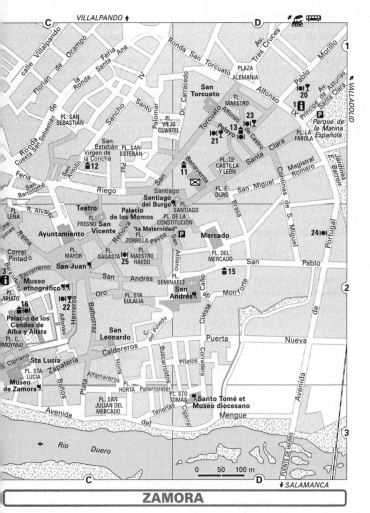

LA CASTILLE-LEÓN

ZAMORA

15 Hotel Horus (D2)
16 Parador de Zamora (C2)

|●| ▼ Où manger ?
Où boire un verre ?
20 El Portón (D1)

21 Patanegra (D1)
22 Los Abuelos 1 (C2)
23 Bar El Lobo (D1)
24 Casa Mariano (D2)
25 La Oronja (C2)

vers 8h30. De Valladolid, vers 17h30. Durée : env 1h30.

➤ **Puebla de Sanabria :** 3-5 trains/j. ; 1h30 de trajet.

➤ **Lugo, A Coruña, Santiago :** 1-3 trains/j. ; env 4h-4h30 de trajet jusqu'à Santiago.

En bus

🚌 **Estación Autobuses** (hors plan par D1) : avda de Alfonso Peña. ☎ 980-52-12-81. À 500 m de la gare RENFE.

➤ **Puebla de Sanabria :** 2 bus/j. lun-ven, et 1 bus/j. le w-e. Avec Empresa Vivas (☎ 980-52-00-57 ; ● autocares vivas.es ●).

➤ **León :** 8 bus/j. (4 le w-e) avec Empresa Vivas.

➤ **Madrid et Salamanque :** avec Auto-Res (☎ 912-722-832 ; ● avan zabus.com ●) et Zamora Salamanca

(☎ 980-52-17-63 ; ● zamorasala manca.es ●). Pour Madrid, 5-7 bus/j., env 3h15 de trajet. Pour Salamanca, min 1 bus/h (trajet env 1h).

➤ **Valladolid :** 1 bus/h avec La Regional (☎ 983-308-088 ; ● autocareslare gional.com ●). Durée : env 1h30.

➤ **Astorga, Saragosse (et Barcelone) :** 1-2 bus/j. avec Alsa (● alsa.es ●).

➤ **Palencia :** 2-3 bus/j. avec Alsa. Durée : env 2h15.

➤ **Burgos :** 2-3 bus/j. avec Alsa et Enatcar. Durée : 3h-4h.

➤ **Oviedo** (Asturies) : 3-4 bus/j. avec Alsa. Durée : env 3h30.

➤ **Lugo, A Coruña, Santiago** (Galice) : 1-3 bus/j. avec Alsa-Dainco. Env 5-6h de trajet jusqu'à Santiago. Préférer le train.

➤ Malgré la proximité du **Portugal,** pas de bus direct : passer par Salamanque.

Adresses utiles

🛈 **Oficina regional de turismo** (plan D1, **1**) : avda Príncipe de Asturias, 1. ☎ 980-53-18-45. ● turismocastil layleon.com ● turismoenzamora.es ● Lun-sam 9h30-14h, 17h-20h (16h-19h en hiver) ; dim 9h30-17h. Infos sur les visites guidées de la ville. Disponible et de très bon conseil sur toute la région.

🛈 **Oficina municipal de turismo** (plan B3, **2**) : pl. de Arias Gonzalo, 6. ☎ 980-53-36-94. ● turismo-zamora.com ●

Proche de la cathédrale. Tlj 10h-14h, 17h-20h (16h-19h30 l'hiver). Fermé dim ap-m oct-mai. Intéressant livret en français sur les églises de la ville.

🛈 **Oficina provincial de turismo** (plan C2, **3**) : pl. de Viriato, s/n. ☎ 980-53-64-95. ● turismoenzamora.es ● Face au parador. Tlj 10h-14h, 16h30-20h30 (16h-19h l'hiver). Pour des informations sur la province de Zamora, notamment sur le parc naturel du lac de Sanabria.

Où dormir ?

Auberge de jeunesse

🛏 **Residencia juvenil Doña Urraca** (plan B1, **10**) : c/ Villalpando, 7, 49005. ☎ 980-51-26-71. ● donaurraca-ij@ jcyl.es ● reaj.com ● ♿ Tte l'année sauf Semaine sainte, août et 15 sept-déc. Env 8,50 €/pers pour les - de 30 ans et 11,60 € pour les plus âgés, petit déj inclus. ½ pens respectivement 12,50 € et 17,50 €. Carte FUAJ obligatoire (non vendue sur place). Dans un grand bâtiment en béton au pied de la vieille ville, des chambres à 2-3 lits simples, fonctionnelles et impeccables (bureau, armoire), avec salle de bains privée,

plus quelques chambres individuelles. Salle commune avec TV.

De bon marché à prix moyens (40-60 €)

Zamora offre un choix très limité pour se loger correctement à prix doux.

🛏 **Hostal Chiqui** (plan D1, **11**) : c/ Benavente, 2, 49014. ☎ 980-53-14-80. ● info@hostalchiqui.es ● hos talchiqui.es ● Au 2e étage. Doubles 42-55 €. Pas de petit déj. Rénové dans un esprit vintage, clair et cosy, cet établissement judicieusement situé dans la zone piétonne abrite des chambres pimpantes, confortables, meublées au goût du jour. Ensemble tenu avec soin et accueil souriant. Une bonne affaire.

🏠 **Hostal Don Rodrigo** (plan C1, **12**) : c/ Virgen de la Concha, 5, 49006. ☎ 980-53-51-23. ● info@hostaldon rodrigo.es ● hostaldonrodrigo.es ● Doubles 45-50 €. Pas de petit déj. Parking 10 €. Discrètement niché dans une ruelle tranquille à proximité du centre, ce joli petit hôtel propose des chambres douillettes et plaisantes, avec clim et minibar. On apprécie l'atmosphère calme des lieux, le bel effort de déco, l'entretien impeccable et l'accueil gentil comme tout.

🏠 |●| **Hotel Trefacio** (plan D1, **13**) : c/ Alfonso de Castro, 7, 49014. ☎ 980-50-91-04. ● hotel@hoteltrefacio.com ● hoteltrefacio.com ● Doubles 56-68 €. Parking 13,50 €. Très bien situé, cet hôtel propose 2 types de chambre : des supérieures, refaites au goût du jour, de bon confort, avec clim, douche à l'italienne et touches de couleurs agréables, et des standards, à l'ancienne, assez étriquées, très simples mais qui feront l'affaire pour une nuit de passage. Accueil attentionné. Agréable resto avec menu copieux midi et soir (11 € en sem, 15 € le w-e).

Chic (60-90 €)

🏠 **Hotel Horus** (plan D2, **15**) : pl. del Mercado, 20, 49003. ☎ 980-50-82-82.

● direccion@sercotelhoruszamora.com ● sercotelhoruszamora.com ● Doubles 60-100 €, petit déj 8 €. Parking 11 €. Un hôtel à la façade élégante, installé dans un beau palais, face au marché. Chambres de bon confort, hautes de plafond, de style très classique avec du mobilier marqueté, plutôt spacieuses dès les 1ers prix. Des supérieures également, romantiques et mansardées. Beau salon cossu et impressionnant escalier aux rampes en fer forgé dominé par de grands vitraux. Accueil doux.

De plus chic à très chic (de 90 à plus de 120 €)

🏠 |●| **Parador de Zamora** (plan C2, **16**) : pl. de Viríato, 1, 49001. ☎ 980-51-44-97. ● zamora@parador.es ● parador.es ● Doubles 90-190 €, petit déj 17 €. Promos fréquentes et intéressantes. Menu 36 €. Dans un palais du XVIe s, construit sur les ruines d'une forteresse romaine et restauré avec goût autour d'un superbe cloître Renaissance. Tout le confort, évidemment, et beaucoup de cachet pour les chambres de la partie ancienne. Celles de l'aile récente sont plus ordinaires, mais sont impeccables et profitent d'une vue agréable sur les environs. Belle salle à manger et superbe piscine entourée de gazon et dominant la ville. Bon accueil polyglotte.

LA CASTILLE-LEÓN

Où manger ? Où boire un verre ?

Dans **Herreros** (plan C2), petite ruelle tortueuse qui part de la plaza Mayor, s'aligne une kyrielle de bars à tapas et à copas qui rivalisent d'animation en soirée, mais notre secteur de bar à tapas préféré est **entre la plaza de Castilla y León et la plaza Maestro** (plan D1).

Tapas

|●| 🍷 **El Portón** (plan D1, **20**) : c/ Morillo, 4. ☎ 980-16-14-75. Tlj. Raciones env 7-15 €, menus midi sem 14-17 €. L'un de nos bars à tapas

favoris, vibrant d'animation et de musique. Un peu à l'écart des sentiers touristiques, le lieu est bien connu des Zamoranos qui viennent y lever le coude en s'enfilant des tapas de qualité : anchois, encornets, petits poissons en friture, couteaux, ventrèche... En prime, un très joli choix de vins au verre pour trinquer avec ses voisins de comptoir !

|●| 🍷 **Patanegra** (plan D1, **21**) : c/ Pelayo, 48. ☎ 980-98-25-74. ● restaurante_patanegra@hotmail.com ● Tlj sauf lun. Congés : 2de quinzaine de juil. Tapas 3 €, raciones 8-18 € ; menus midi 14-18 €, plats 13-20 €.

LA CASTILLE-LEÓN

Cadre contemporain sur 2 niveaux, bar à tapas à l'étage, resto au sous-sol. Une adresse fameuse pour ses tapas de compète, maintes fois primées, concoctées avec inspiration par une cheffe formée en Rhône-Alpes (francophone, elle adore raconter sa cuisine). Bon choix de *raciones* également, toujours cuisinés à la commande. Copieux menus, côté resto, où la viande *a la plancha* est à l'honneur.

|●| ▼ Los Abuelos 1 *(plan C2, 22)* : c/ Herreros, 4. ☎ 980-53-46-14. *Tlj. Raciones 5-10 €.* Le bon vieux bar à tapas traditionnel qui depuis 50 ans régale locaux et touristes de *mollejas, chipirones, calamares, panceta, mejillones*... à consommer au bar, sur un tonneau, ou dans l'arrière-salle bien dans son jus. L'affluence assure la fraîcheur des produits.

|●| ▼ ↑ Bar El Lobo *(plan D1, 23)* : c/ Horno de San Torcuato, 1. ☎ 980-53-41-65. *Tlj.* Pittoresque : recroquevillé dans une maisonnette improbable, ce minuscule bistrot tapissé d'azulejos est connu pour ses brochettes de porc qu'on avale au comptoir ou en terrasse. Simple, bon, et typique !

Prix moyens (15-25 €)

|●| Pour un bon repas assis, on conseille vivement d'aller s'attabler dans la salle au cadre agréable de *Patanegra* ou d'*El Portón* (voir ci-dessus).

|●| Casa Mariano *(plan D2, 24)* : avda de Portugal, 28. ☎ 980-53-44-87. ● info@asadorcasamariano.com ● *Tlj sauf dim soir (fermé le soir dim-mer hors saison). Menu sem 15 €, plats 18-26 €.* Plaisante salle à la blancheur immaculée rehaussée de lampes de couleur. Sur toute une longueur, elle s'appuie sur la muraille du XIIᵉ s. Tables bien espacées. Grand spécialiste des grillades au feu de bois, notamment le *chuletón de carne roja* de 1,1 kg (pour 2, bien entendu !). Délicieux *cocido* le mercredi. Signalons le remarquable rapport qualité-prix du petit menu. Service stylé, serveurs à l'ancienne (costar noir et nœud pap'), mais atmosphère relax.

|●| La Oronja *(plan C2, 25)* : c/ Santa Clara, 2. ☎ 980-53-23-38. ● lao ronja@gmail.com ● *Au 1ᵉʳ étage. Tlj sauf mar. Résa conseillée. Menus midi sem 14,50 €, le soir 21 € ; plats 12,50-18,50 €.* À l'étage d'un beau palais au cœur de la ville, ce resto gastronomique propose le midi un menu au rapport qualité-prix exceptionnel ! Des plats peu copieux mais raffinés, servis dans un cadre élégant. Le bouche à oreille filant bon train, les fins gourmets locaux s'y retrouvent en nombre et le lieu est souvent complet (et donc assez bruyant !). On peut cependant se rabattre sur les tapas au *gastrobar*, déjà divinement bonnes et présentées avec panache.

À voir

– Les vestiges du **Castillo** *(plan A2)* se visitent gratuitement *(tlj sauf lun 10h-14h, 17h-20h).* Les murs ayant été restaurés, on peut monter au sommet de la tour pour apprécier le paysage, sinon rien de particulier à voir à l'intérieur.

⚜⚜ Catedral et Museo catedralicio *(plan A3)* : sur la place éponyme ! ☎ 980-53-06-44. ● catedraldezamora.wordpress.com ● *Tlj 10h-20h (10h-14h, 16h30-19h en hiver). Entrée : 5 €, audioguide inclus ; réduc ; gratuit - de 12 ans et pour ts dim après 17h (sauf dim férié). Le billet inclut le Museo diocesano (voir plus loin).* Construite au XIIᵉ s, de style roman et coiffée d'un curieux dôme à écailles d'inspiration byzantine. La coupole dispense une extraordinaire luminosité qui vient compenser le manque d'espace intérieur. Toutes les chapelles présentent un décor différent. Dans le chœur, magnifiques stalles sculptées ; on remarque, sur les accoudoirs, des scènes symboliques, profanes et croustillantes, voire hardies... Remarquable porte d'accès au cloître (en chêne brillamment ciselé, de style Renaissance). À l'opposé du chœur, chapelle avec d'intéressantes fresques (audessus, scène de la Passion) et un beau triptyque sur le côté.

Dans le musée attenant, collection d'orfèvrerie et de peinture religieuse, incroyable char de procession en bois doré, magnifique custode.

À l'étage, ne pas rater le clou de l'expo : une précieuse série de **tapisseries flamandes** des XVe et XVIIe s dont la richesse artistique et l'état de préservation forcent l'admiration. Celles sur la *Guerre de Troie* livrent un luxe remarquable de détails. Fascinante *Histoire d'Hannibal* (Bruxelles XVIe s) aux si vives couleurs, *Couronnement de Tarquinio Prisco* (Arras XVe s), aux teintes flamboyantes, très impressionnante par sa taille : 4 m par 8,50 m !

🎭🎭 **Museo Etnográfico de Castilla y León** *(plan C2)* **:** c/ del Sacramento, s/n. ☎ 980-53-17-08. ● museo-etnografico.com ● ♿ Mar-dim 10h-14h, 17h-20h. Fermé lun. Entrée : 3 € ; réduc ; gratuit - de 12 ans, + de 65 ans et pour ts dim ap-m, mar-jeu 19h-20h. Application audioguide à télécharger sur son smartphone. Abrité dans une élégante architecture contemporaine. Seule une partie de la collection (qui compte plus de 10 000 objets) est exposée, mais la sélection investit déjà 3 vastes niveaux. Muséographie interactive et intelligente. Quantité d'objets décrivent, suggèrent, montrent ce qu'est ou fut la vie quotidienne en Castille-León... Les thématiques : au *3e étage* (appelé « Symbole et Fonction »), la mythologie et la religion, les rapports de la vie et de la mort, l'architecture de terre crue, le travail de terre cuite. Au *2e étage* (« l'Âme et le Corps ») : les mythes et leur interprétation, l'éducation, la loi, l'écriture, la musique, le corps... Insolite collection de bonnets d'enfants, amulettes, costumes paysans, jouets, un rare pilori, poids et mesures... *1er étage* (« Forme et Esthétique ») : les couleurs du monde paysan. Charrette décorée, délicates cuillères ciselées et peintes, meubles sculptés, broderies, cornes gravées, objets pastoraux... Au passage, on aura noté que même un banal rabot de menuisier peut devenir un objet d'art ! Enfin, au *rez-de-chaussée* (« le Temps et les Rites ») : tout sur les traditions, les croyances, fêtes religieuses ou profanes... à travers masques et costumes de fête, et même un corbillard de campagne...

🎭🎭 **Museo de la Semana Santa** *(musée de la Semaine sainte ; plan B2)* **:** pl. Santa María la Nueva, à côté de l'église Santa María. ☎ 980-53-22-95. ● semana santadezamora.com ● Mar-sam 10h-14h, 17h-20h ; dim et j. fériés 10h-14h. Fermé lun. Entrée : 4 €, audioguide inclus ; réduc. Voici une importante et magnifique collection de *pasos* (XIXe-XXe s), ces **chars processionnels** dont les groupes sculptés (la Cène, la Crucifixion, le Jugement...) sont criants de vérité, car grandeur nature. Les plus lourds nécessitent 42 porteurs. Et lors de la Semaine sainte, tout ce beau monde sort défiler en ville...

🎭 **Museo Baltasar Lobo** *(plan A2-3)* **:** Casa de los Gigantes, pl. de la Catedral. 🏛 616-92-95-77. ● fundacionbaltasarlobo.com ● ♿ Mar-dim 10h30-14h, 17h-20h (en hiver : 10h-14h, 16h-18h30). Fermé lun. GRATUIT. Collection du sculpteur Baltasar Lobo, originaire de Zamora. Réfugié en France lors de la guerre civile, il y restera jusqu'à sa mort, en 1993. Il réalisa plusieurs expositions à Paris avec Picasso, Matisse, Utrillo en 1945, et repose au cimetière du Montparnasse. Certaines œuvres sont également plantées dans les jardins autour du Castillo.

🎭 **Museo de Zamora** *(plan C2-3)* **:** pl. Santa Lucía, 2. ☎ 980-51-61-50. ♿ Mar-sam 10h-14h, 17h-20h (16h-19h en hiver), dim 10h-14h. Fermé dim ap-m et lun. Entrée : 1 € ; gratuit - de 18 ans, + de 65 ans et pour ts le w-e.
Le classique musée régional, intéressant et offrant une séduisante muséographie. Mais saluons d'abord l'harmonieuse intégration des ruines d'une église dans l'architecture contemporaine.
– **Dans la section préhistorique et romaine,** grande qualité des pièces présentées. Beau pavement en mosaïque d'une villa romaine, tombe en terre cuite, bornes milliaires dédiées à Néron. Superbe *trésor de Arrabalde*. Belle collection de stèles funéraires.
– *1er étage, époque médiévale et contemporaine :* céramiques, statuaire religieuse polychrome et tableaux du XVe s dont une émouvante *Descente de Croix*

LA CASTILLE-LEÓN

hispano-flamande. Intéressante section de beaux-arts, où les peintres du cru sont à l'honneur. On remarquera *Mariposas nocturnas* de Carlos Verger y Fioretti (1920). Excellent travail sur la lumière et... l'ennui !

🏃 ***Aceñas de Olivares*** *(les moulins d'Olivares, hors plan par A3) :* pl. de San Claudio, s/n. Tlj sauf lun, 10h30-14h, 17h-20h. GRATUIT. Une curiosité que ces 3 anciens moulins en bordure du Douro, au mécanisme à maillet, foulon ou pressoir fraîchement remis en état de marche. Utilisant la force hydraulique du courant, le 1er servait à moudre la farine, le 2e à forger des métaux lourds, le 3e à tisser du lin ou de la laine. C'est aussi, et surtout, un agréable but de promenade le long des berges du fleuve.

➤ Étonnante concentration d'**églises romanes** pour une si petite agglomération ! Elles sont classées en 3 groupes. Dans le 1er *(en été : ouv mar-sam 10h-14h, 17h30-20h et dim mat ; fermé lun ou mar en alternance chaque année et dim ap-m),* on trouve *San Juan, Santa María Magdalena* et *Santa María la Nueva.* Dans le 2e groupe *(mêmes horaires mais fermé lun si le groupe 1 est ouv, sinon mar), Santiago del Burgo, San Andrés, San Cipriano* et *San Ildefonso.* Et dans le 3e *(tlj sauf lun ou mar en été, fermé lun-jeu et dim ap-m hors saison), Santa María de la Horta, San Claudio de Olivares, Santiago de los Caballeros* et *San Isidoro.* Détails à l'office de tourisme (qui organise des visites guidées) ou sur le site ● romanico zamora.es ●

Voici les plus remarquables :

🏃 ***Iglesia Santiago del Burgo*** *(plan C-D1-2) :* pl. Santiago. 3 nefs très étroites, ouvertures minimum (plutôt des meurtrières). Retable doré assez simple et, à droite du chœur, intéressant triptyque en relief (scène de bain, belle composition).

🏃 ***Iglesia Santa María Magdalena*** *(plan B2) :* c/ Sor Dositea Andrés. Peut-être le plus beau porche roman de la ville. 5 voussures au décor végétal et une série de têtes grimaçantes. Chapiteaux historiés et monstres des XIIe-XIIIe s. Au-dessus, ravissante rose ciselée. À l'intérieur, une seule nef, chœur en cul-de-four et gisant de Marie Madeleine, surmonté d'un baldaquin de pierre, sur colonnes ornées d'animaux fantastiques. Intéressant travail sur le drapé.

🏃 ***Iglesia San Juan*** *(plan C2) :* pl. Mayor. Très bien restaurée, possède un superbe portail sculpté à décor végétal. Au-dessus, rosace en pierre. À l'intérieur, architecture inhabituelle : 2 larges arcades couvrent la longueur de la nef, chœur fort peu profond, rythmé par 3 arches et 3 beaux autels baroques. Retable central présentant des scènes sculptées de la Passion. *Vierge de la Soledad,* en robe noire, très vénérée.

🏃 ***Iglesia San Andrés*** *(plan C-D2) :* pl. Seminario. Curieusement, elle présente 2 chœurs jumeaux. C'est *Antonio de Sotelo* (compagnon de Cortés au Mexique) qui finança sa construction. Vu qu'il payait, pas de raison de se gêner : un chœur pour la paroisse, l'autre pour sa chapelle privée ! Ornés de 2 riches retables de 2 périodes différentes du baroque : à gauche, XVIIIe s, à droite, XVIIe s. Sur le côté du chœur, 2 beaux tombeaux style Renaissance.

🏃 ***Iglesia San Ildefonso*** *(plan B2) :* pl. San Ildefonso. Pour ses fresques des XIVe et XVIe s, et le tombeau de 1530. Grand retable doré de style classique précédé d'un autel en argent.

🏃 Enfin, les amateurs d'art religieux jetteront un œil au petit **Museo diocesano** *(Musée diocésain ; plan D3)* dans l'*iglesia Santo Tomé* : pl. Santo Tomás. ☎ 980-53-19-33. Lun-sam 10h-14h, 17h-20h ; dim 10h-14h. Entrée : 5 € *(même billet que la cathédrale) ; réduc ; gratuit - de 12 ans et pour ts lun après 17h (sauf j. fériés).* Cette mini-église abrite un florilège de l'art chrétien de la région : toiles du XVIe au XVIIIe s, orfèvrerie, série de chapiteaux romans provenant d'églises de Zamora, Vierges de bois polychrome...

Fête

– **Semana Santa :** *processions à l'aube du Vendredi saint.* L'une des plus belles de Castille, célébrée durant 10 jours.

LE PARC NATUREL DU LAC DE SANABRIA

● Plan *p. 291*

Situé au sud-ouest d'Astorga en direction du Portugal, le parc naturel de Sanabria couvre plus de 22 000 ha. Belles balades à effectuer autour du lac de Sanabria, l'un des plus grands d'Espagne, perché à 1 000 m d'altitude. On s'y promène à travers bois, cascades et canyons, avant d'y faire trempette (plusieurs plages agréables, avec des *chiringuitos* pour boire un verre ou déjeuner). Faune très riche : aigles, loups, chevreuils, loutres...

🏛 **Casa del parque :** *à env 7 km au nord de Puebla de Sanabria en direction du lac, sur la droite à la sortie d'El Puente.* ☎ 980-62-18-72. ● patrimonionatural.org ● *Tlj juil-août 10h-14h, 17h-21h ; le reste de l'année : ouv ven-dim seulement, 10h-14h, 16h-18h. Entrée : 1 €.* Belle expo sur la faune, la flore, la géologie et la culture régionale. Vend également des cartes de rando *(0,50 €)* où figure un réseau de 11 chemins qui relient les petits villages au sein du parc (de 6 à 24 km, soit 1h30 à 10h de marche). Excellent accueil et plein de bons conseils de visite. Prêt (gratuit) de véhicules électriques (voitures et vélos) sur résa 48 h avant sur ● *patrimonio natural.org/moveletur* ●

Arriver – Quitter

C'est à **Puebla de Sanabria** que se trouvent les gares ferroviaire et routière.

En train

🚆 **Estación RENFE :** ☎ 912-320-320. ● renfe.com ● *À 1 km du centre historique, sur la route d'Ungilde.*
➤ **Zamora :** 3-5 trains/j. dans les 2 sens ; env 1h20-2h de trajet.
➤ **Valladolid :** 1 train/j. (3h de trajet).
➤ **Madrid :** 2-4 trains/j. Durée : 3h.
➤ 1 liaison/j. également pour **A Coruña, Ferrol, Lugo, Vigo, Pontevedra** et **Santiago.**

En bus

🚌 **Estación Autobus :** ☎ 980-62-01-91. *L'arrêt se trouve c/ Arrabal au pied de la vieille ville pour Zamora, ou sur la N 525 pour les autres destinations.*
➤ 1-2 bus tlj pour **Zamora** (avec *Empresa Vivas*), **A Coruña, Vigo** (avec *Dainco* et *Mobelia*) et **Madrid** (avec *Avanza Bus*).

PUEBLA DE SANABRIA (49300)

À une quinzaine de kilomètres du lac de Sanabria, un superbe village médiéval aux rues pentues, qui somnole sous l'œil placide de son gros château. Quand arrive l'été, ses 1 500 habitants voient soudain débarquer une ribambelle de vacanciers, car le village a été déclaré Monument historique.

LA CASTILLE-LEÓN

LA CASTILLE-LEÓN

Adresse utile

🖪 **Oficina de turismo :** dans le castillo. ☎ 980-62-07-34. ● pueblasanabria. com ● En été, tlj 11h-14h, 17h-22h (16h-20h en hiver). Fermé 8-9 sept. Dépliant gratuit du parc avec les chemins de rando.

Où dormir ? Où manger ?

Camping

⚊ I●I **Camping Isla de Puebla :** Pago de Barregas, Camino de Valcuevo. ☎ 980-62-00-52. ● c.isladepuebla@hotmail. com ● campingzamora.es ● À 300 m du village : tourner au niveau de la poste, puis descendre. Ouv mars-sept. Env 19 € pour 2 avec tente et voiture. Bungalows 4-5 pers 80-90 € (3 nuitées demandées en été). Vaste camping arboré et agréable, proche de la rivière Tera. Piscine (en été), épicerie et resto-bar dans un ancien moulin. Aire de jeux pour enfants. Sanitaires convenables. Bon accueil.

Prix moyens (45-60 €)

🖪 I●I **Hostal Carlos V :** avda Braganza, 6. ☎ 980-62-01-61. ● info@hostalcarlosv.es ● hostalcarlosv.es ● Au pied de la vieille ville. Doubles 57-59 €. Plats 8-15 €. Chambres simples et propres de bon rapport qualité-prix. Certaines disposent d'une terrasse (supplément !). Très agréable cafétéria au rez-de-chaussée qui sert petit déj, tapas, pizzas, salades et platos combinados. Accueil sympa.

De chic à très chic (de 60 à plus de 120 €)

🖪 **Posada de las Misas :** pl. Mayor, 13. ☎ 980-62-03-58. 🖩 639-66-50-66. ● posadadelasmisas@gmail.com ● posadadelasmisas.com/marco.php ● Doubles 75-120 €, suites. Demeure du XVe s pas mal modifiée au long des siècles (notamment les belles fenêtres-miradors en avancée). 9 chambres et 5 suites toutes différentes, parfois pas bien grandes, parfois mansardées, mais toujours au top du confort. Nos préférées ? Les nos 10 et 11 avec terrasse sur les toits et vue extra sur la rivière et la vallée. Adresse charmante à l'accueil courtois.

🖪 I●I **La Posada de Puebla de Sanabria :** pl. Mayor, 3. ☎ 980-62-03-47. 🖩 620-15-45-91. ● patriciapubladesanabria@hotmail.com ● laposadadelavilla.com ● Resto fermé mer. Double 70 €, petit déj inclus. Plats 7-14 €. Tout en haut de la vieille ville. Derrière une façade abondamment fleurie, 3 chambres seulement, très correctes, murs de pierres sèches, poutres apparentes et balcon en bois. Bonne cuisine de famille (menu en français) dans un cadre aussi chaleureux que l'accueil : spécialités de veau, truite, champignons... Terroir, quoi !

🖪 I●I **Posada real La Cartería :** c/ Rúa, 16. ☎ 980-62-03-12. 🖩 667-67-55-55. ● posadareallacarteria@gmail.com ● lacarteria.com ● Dans la rue qui monte vers la pl. Mayor (plus bas que la Posada de las Misas, même maison). Doubles 90-135 €, suites jusqu'à 150 €. À signaler : le tarif basse saison est appliqué en sem en juil. Au resto, plats 9-15 €. Sur présentation de ce guide, 10 % de réduc sur le prix des doubles si résa en direct. Une rénovation réussie pour cette demeure du XVIIIe s, qui a su associer le charme des vieilles pierres aux joies du confort moderne (il y a même une salle de gym !). Seulement 3 chambres et 5 suites, toutes très élégantes. En bas, bar à tapas et ministro (3 tables), tout aussi jolis. Table réputée, cuisine servie dans de petits salons romantiques. Beaucoup de champignons dans les recettes...

I●I ↑ **Mesón Abelardo :** c/ Negrilla, 6. ☎ 980-62-02-68. ● info@mesonabelardo.com ● En bas du village, dans une ruelle qui part à gauche de la pharmacie (arrêt du bus). Tlj sauf mer. Raciones 5,50-16 €. Resto-bar à tapas apprécié pour sa cuisine familiale de qualité constante, notamment son excellent poulpe (le meilleur de la région, dit-on !). Petite salle à côté du bar ou terrasse sur le toit en été avec vue sur la rivière et la campagne.

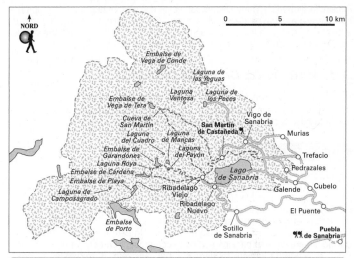

LE PARC NATUREL DU LAC DE SANABRIA

LA CASTILLE-LEÓN

À voir

🍴 Castillo de los Condes de Benavente : *mêmes horaires que l'office de tourisme. Entrée : 3 € ; réduc ; inclus l'entrée du museo de Gigantes (ouv tlj en été, le w-e seulement le reste de l'année).* Parfaitement restauré, ce puissant château du XVe s accueille l'écomusée de Sanabria et des expos sur la région. Mais la visite vaut surtout pour la balade sur les chemins de ronde et la très jolie vue depuis la terrasse du donjon. À deux pas, le *museo de Gigantes* héberge les fameux géants de sortie chaque année pour la *fiesta de Nuestra Señora de las Victorias,* début septembre.

🍴 Iglesia de Nuestra Señora del Azogue : *pl. Mayor, près du château. En été, tlj sauf lun 11h-14h, 17h-20h (18h ou 19h en hiver) ; fermé lun-jeu le reste de l'année.* Église romane du XIIe s surmontée d'un clocheton du XVIIIe s. Porche rustique avec 4 statues bien usées, qui proviennent probablement d'un sanctuaire antérieur (à gauche, les apôtres, à droite Adam et Ève ?). Intérieur baroque un peu décevant.
À côté, la *ermita de San Cayetano,* élégante chapelle baroque du XVIIe s avec un petit campanile et un fronton sculpté d'armoiries.
De l'autre côté de la place, l'*ayuntamiento* (mairie) de style baroque « primitif ». Architecture sur arcades austère et équilibrée. Toute la place présente un ensemble très harmonieux (de nuit, c'est magique !).

À faire dans les environs

🍴 🥾 Centro del Lobo iberico *(centre du loup ibérique) :* à **Robledo,** *après Ungilde (à env 10 km au sud-est de Puebla).* ☎ 980-56-76-38. 📱 608-37-39-62. ● centrodellobo.es ● *Ouv été et vac scol, tlj sauf lun 10h-14h, 16h-20h ; hors saison : ouv ven-dim seulement. Entrée : 6 € (visite guidée 8 €) ; réduc ; gratuit - de 7 ans.* Cette région abrite la plus grande population de loups ibériques d'Europe. La partie muséale présente l'animal sous toutes les coutures, y compris son importance dans les traditions anciennes et ses relations avec le monde pastoral (plusieurs films de 10 mn). Dehors, un vaste enclos forestier abrite 8 loups que l'on tente d'apercevoir depuis 3 miradors. Rien de garanti : il faut s'armer de patience et, tant qu'à faire, d'un peu de chance. Les meilleurs moments sont les sessions de nourrissage (le matin et le soir, mais les horaires fluctuent).

SAN MARTÍN DE CASTAÑEDA (49361)

Perché à 1 200 m d'altitude, à 18 km de Puebla de Sanabria, l'endroit vaut le détour pour son joli monastère cistercien du XIIᵉ s. Au-dessus du village point de vue grandiose sur le lac et les montagnes environnantes.

Adresses utiles

fi *Centro de interpretación : dans le monastère.* ☎ 980-62-20-94. *Fin juin-sept : tlj 10h-14h, 16h-20h. D'oct à mi-juin : ven-dim seulement 10h-14h, 16h-18h. Infos et cartes sur les balades.* Intéressante expo *(1 €) sur l'histoire du monastère animée par des écrans vidéo et effets de lumière modernes inattendus dans ce cadre. Quelques objets d'art religieux, des sarcophages médiévaux et à l'étage, chasubles et section ethnologique illustré de nombreuses photos anciennes.*

– Sanabria Lake : ctra Laguna de los Peces, km 3, 49361 Vigo de Sanabria. ☎ 980-04-60-36. ● *sanabrialake.com* ● *Tlj 10h-14h30, 16h-19h30 (en continu le w-e). Circuits accrobranches 13,50-22 €. Un centre sportif flambant neuf comprenant un hôtel et un restaurant-bar au sein d'un vaste parcours d'accrobranche avec nombreuses tyroliennes pour tout âge. Donne de bons conseils sur les randos, trails et balades à VTT... Location de matériel. Équipe jeune et motivée.*

Où dormir ?
Où manger à San Martín et dans les environs ?

Camping

⋇ *Camping El Folgoso : Lago de Sanabria, 49361 Vigo de Sanabria ; sur la route entre Puente et San Martín.* ☎ 980-62-67-74. ● *elfolgosocamping.1@gmail.com* ● *campingfolgoso.com* ● *Ouv mars-sept, fermé hors saison. Env 25,50 € pour 2 avec voiture et tente (19 € en laissant sa voiture au parking à l'entrée). Bungalow en toile 5 pers 50 € (3 nuitées min en été). Cadre enchanteur : tout près du lac (baignade possible), au sein d'une belle pinède. Équipements basiques : sanitaires corrects, resto, aire de jeux pour enfants. Accueil sympa.*

De bon marché
à prix moyens (25-65 €)

🏠 I●I *Albergue juvenil San Martín de Castañeda : ctra Lago de Sanabria.* ☎ 980-62-20-53. ● *smartincastaneda-ij@jcyl.es* ● *reaj.com* ● *À droite avt l'entrée du village. Fermé oct-mars. Réception 12h-14h, 18h-20h. Carte FUAJ obligatoire (vendue sur place). Env 8,50 €/pers pour les - de 30 ans, 11,60 € pour les autres, avec petit déj. ½ pens possible (ajouter 4,50-6 €). Une grosse AJ de 70 places posée dans un environnement magnifique. Ambiance très colo avec surtout des groupes. Chambres de 2 ou 4 personnes, certaines avec douches et w-c privés. Vaste salle commune, terrain de basket et piscine (payante). Essayer d'avoir une chambre avec vue sur le lac.*

🏠 I●I ⌁ *Hotel-restaurante Don Pepe : ctra Ribadelago, 49362 Ribadelago Nuevo.* ☎ 980-62-67-47. ● *reservas@donpepesanabria.com* ● *donpepesanabria.com* ● *Après l'embarcadère du bateau de promenade. Fermé déc-mars. Doubles 60-65 €, petit déj inclus. Menu déj 15 € (hors boisson), plats 7-15 €.*

Face au lac, mais séparé par la route, un petit hôtel-resto familial bien au calme. Plutôt anonymes, les chambres sont pourtant très correctes et bien équipées, presque toutes offrant une belle vue sur le lac. Bon petit resto proposant des plats goûteux (*pulpo a la sanabresa, chuleta,* truites...) servis dans la véranda ou en terrasse. Accueil tout en gentillesse.

|●| ⬀ *La Terraza :* route principale, au centre de San Martín. ☎ 980-62-20-93. Fermé lun soir, et de mi-sept à mi-oct. Plats 11-17 €. Un bon petit resto dont les spécialités sont le poulpe et le *chuletón.* Cuisine réputée à prix doux. Terrasse et salle profitant d'une vue plaisante.

Chic (60-90 €)

🏠 |●| *El Sendero del Agua :* barrio Seco, 8, 49359 *Trefacio.* ☎ 980-05-70-17. 🖥 666-46-22-14. ● elsende rodelagua@gmail.com ● elsenderode lagua.es ● Resto tlj sur résa. Double 84 €, petit déj inclus. Plats 12-16 €. Au cœur du calme village de Trefacio, une *casa rural* en vieille pierre, restaurée avec goût et décorée de tableaux du proprio. Réparties sur 2 ailes, les 8 chambres sont pourvues d'un confortable coin salon. Elles sont mansardées, spacieuses, style contemporain, avec lit en mezzanine pour certaines. Au centre, le resto *El Cuelmo* (ouvert aussi aux non-résidents) dont la baie vitrée donne sur la rivière. On s'y régale des petits plats de Marga, concoctés avec soin, à base de produits de qualité. Une petite taverne pour l'apéro complète cette belle adresse.

À faire dans les environs

➤ *Randonnées* de tous niveaux de village en village, *balades équestres* (● sana briacaballo.com ●), *accrobranche, baignade dans le lac, farniente sur les petites plages...* Pour plus d'infos, se renseigner auprès de l'agence *Sanabria Lake* (voir plus haut dans « Adresses utiles ») ou à la *Casa del parque.*

➤ 🏍🏍 ⇐ Ne surtout pas manquer la superbe balade en voiture qui conduit à la *laguna de los Peces* (1 870 m d'altitude). Pour rejoindre ce site sublime, dépasser le village de San Martín de Castañeda et poursuivre la route escarpée sur 8 km dans un paysage de plus en plus sauvage.

➤ 🚶 *Promenade en bateau sur le lac de Sanabria :* embarcadère et billetterie à *Ribadelago* (à env 23 km de Puebla). ● europarques.com ● Mars-oct, départ tlj sauf mer à 12h ; autre sortie à 17h Semaine sainte, w-e et en août. Fermé déc-fév. Billet : 18 €/pers ; - de 10 ans 9 € ; achat possible en ligne. Une balade de 1h à 1h30 en catamaran écologique (solaire et éolien), assortie de commentaires sur le monde subaquatique glaciaire, que l'on observe en temps réel grâce à une caméra immergée.

SALAMANQUE (SALAMANCA)

(37000)   145 000 hab.

● Plan p. 296-297

◎ N'y allons pas par quatre chemins : Salamanque est tout simplement l'une des plus belles villes du pays. Une sorte de petite Rome authentiquement espagnole, perchée à 800 m d'altitude sur ce haut plateau castillan battu par les vents froids de l'hiver et réchauffé par l'ardeur du soleil

LA CASTILLE-LEÓN

estival. Mai et juin, septembre et octobre sont les plus beaux mois pour se promener dans son cœur historique, largement piéton.

Le grand écrivain Miguel de Unamuno, longtemps recteur de l'université de Salamanque, disait à son sujet : « C'est une ville ouverte et joyeuse. Le soleil a doré les pierres de ses tours, de ses temples et palais, cette pierre douce et tendre qui, en s'oxydant, prend une couleur ardente d'or vieux. Lorsque le soleil se couche, c'est une fête pour les yeux... » Une fête qui se prolonge dans les monastères enserrant des cloîtres aux chapiteaux historiés, dans les collèges, églises romanes et jusqu'à la grandiose double cathédrale. Le foisonnement des façades plateresques, des détails sculptés, est stupéfiant. On comprend que Salamanque ait été inscrite au Patrimoine mondial par l'Unesco. 8 siècles de savoir et d'échanges. Loin de se reposer sur son prestigieux passé, Salamanque reste une ville universitaire vivante, jeune et très animée (1/5 de sa population est étudiante), avec à la clé une vie trépidante, de jour comme de nuit...

UN PEU D'HISTOIRE

« Roma la chica » : la petite Rome hispanique

Libérée de l'emprise maure dès 1085, l'ancienne Helmantica se repeuple tout au long des XIIe et XIIIe s sous l'égide des ordres militaires et du clergé. Un 1er événement, en 1218, marque son émergence politique : la **fondation d'une université,** la 1re du royaume et la 4e d'Europe. Professeurs et étudiants bénéficient de privilèges royaux.

L'apogée de Salamanque coïncide avec le XVIe s, le **fameux Siècle d'or espagnol.** Charles Quint et Philippe II dominent l'Europe et le Nouveau Monde fraîchement conquis. Salmantin de renom, Juan Vázquez de Coronado explore et conquiert une partie de l'Amérique centrale. Il a de qui tenir ! Son père Francisco (salmantin lui aussi) a déjà exploré une grande partie du sud-ouest des États-Unis actuels, et est le 1er Européen à avoir vu le grand canyon du Colorado... Au XVIe s, donc, la ville se couvre de nouveaux collèges, séminaires et palais – souvent d'inspiration italienne, Renaissance oblige. Les grandes familles impliquées dans la conquête du Nouveau Monde ont un pied-à-terre à Salamanque, même si leurs affaires se font à Séville. La période voit aussi la construction de la nouvelle cathédrale, accolée à l'ancienne, de plusieurs couvents et des Escuelas Menores.

Parenthèse napoléonienne

Envoyé par Napoléon conquérir le Portugal, Junot s'empare de Salamanque en chemin, le 12 novembre 1807. Moins de 5 ans plus tard et malgré la fortification des couvents, le 21 juillet 1812, les troupes napoléoniennes sont battues par les Anglo-Espagnols commandés par Wellington à la bataille des Arapiles. Lord Wellington, triomphant, est fait vicomte de Talavera et duc de Ciudad Rodrigo. Le héros britannique, admiré des Espagnols, possède aujourd'hui son médaillon sculpté sur les arcades de la plaza Mayor (c'est le seul étranger à être ainsi honoré).

Salamanque à l'heure de la jeunesse européenne... et japonaise

Salamanque a retrouvé aujourd'hui sa place prestigieuse dans l'Europe universitaire et intellectuelle. Environ 5 000 jeunes de nombreux pays viennent chaque année y étudier grâce au programme Erasmus. La réputation de la ville dépasse même le cadre européen : au Japon, on considère que Salamanque est la ville d'Espagne où l'on parle le meilleur *castellano*... Elle serait parallèlement en tête des sondages pour sa qualité de vie. Point trop grande, point trop chère, exempte des problèmes urbains (pollution, embouteillages, stress, insécurité), *elle affirme une douceur de vivre indéniable.*

Arriver – Quitter

En bus

🚌 **Estación Autobuses** *(hors plan par A1) :* avda Filiberto Villalobos, 71-85. ☎ 923-23-67-17. ● estacio nautobusessalamanca.es ● À env 1 km de la pl. Mayor (bus nº 4, ou nº 13 pour la pl. de España). Consignes automatiques (au niveau des quais).

– *Auto-Res* (☎ 902-02-09-99 ou 923-23-22-66 ; ● avanzabus.com ●) dessert les destinations suivantes (horaires précis sur leur site internet) :
➤ *Ávila :* 4-6 départs/j. Durée : 1h30.
➤ *Madrid (estación del Sur) :* 1-2 bus/h. Les *express* mettent 2h30. 5-8 bus/j. desservent l'aéroport Barajas. Bien pratique !
➤ *Ségovie :* 1-2 bus/j. Trajet : 2h30-3h (via Ávila).
➤ *Valladolid :* 8 bus/j. (4 sam et 6 dim). Durée : 1h15-1h40.

– Avec d'autres compagnies :
➤ *Alba de Tormes :* env 15 bus/j. en sem, 5-6 le w-e avec *Moga* (☎ 923-24-46-41 ; ● mogacar.com ●).
➤ *Burgos :* 2-4 bus/j. avec *Alsa* (☎ 902-42-22-42 ; ● alsa.es ●). Trajet : 3h-3h30.
➤ *Ciudad Rodrigo :* env 10 bus/j. en sem, 6 le sam, 4 le dim avec *El Pilar* (☎ 923-22-26-08 ; ● elpilar-arribesbus. com ●). Trajet : env 1h10.
➤ *Zamora :* env 15-18 bus/j. en sem (dont la moitié d'*express*), 6-9 le w-e avec *Zamora Salamanca* (☎ 980-52-17-63 ; ● zamorasalamanca.es ●).
➤ *La Alberca (Peña de Francia) :* lun-ven, bus à 13h30 et 18h, sam 14h, dim 10h avec *Cosme* (☎ 923-12-08-00 ; ● autocarescosme.com ●).
➤ *Pour le Portugal :* 1 bus/j. avec *Alsa* pour *Lisbonne,* 1 autre (parfois de nuit) pour *Porto.* Le 1er passe par Coimbra et continue sur Faro et le 2d passe par Ciudad Rodrigo. Trajet : 5h30 pour Lisbonne, 4h15-5h pour Porto.

En train

Le train est globalement plus pratique que le bus pour les villes citées ci-après.

🚆 **Estación RENFE** *(hors plan par C1) :* paseo de la Estación. ☎ 912-320-320. ● renfe.com ● À 1 km de la pl. Mayor. Attention ! il y a 2 arrêts à Salamanque ; le plus proche du centre est « Salamanca la Alamedilla », mais on ne peut ni y embarquer ni y acheter son billet, juste y descendre depuis Madrid. Sinon, de la gare principale, bus nº 1 vers la pl. Mayor, ttes les 15-20 mn lun-ven, 20-30 mn w-e et j. fériés (ou 20-25 mn à pied). Le nº 11 emprunte les boulevards qui ceinturent le centre historique.
➤ *Ávila :* 7-8 trains/j. Env 1h-1h10 de trajet.
➤ *Burgos :* 7 trains/j., certains avec changement à Valladolid. Trajet : 2h15-5h.
➤ *Madrid (Chamartín) :* 10 trains/j. Trajet : 1h40-3h15.
➤ *Valladolid et Palencia :* 7 trains/j. pour Valladolid, dont 1 poursuit vers Palencia (vers 14h). Trajet : 1h-1h30 jusqu'à Valladolid et env 2h15 pour Palencia.
➤ *Portugal :* pour *Lisbonne,* 1 départ vers 1h. Trajet : 7h30.
➤ Trains pour *Vitoria-Gasteiz* et *Irún-Hendaye* également.

En avion

✈ **Aeropuerto de Matacán** *(hors plan par B3) :* à env 15 km de la ville, sur la route d'Ávila (N 501). Par l'autoroute, sortie A 50. ☎ 923-32-96-06. ● aena. es ● Ce petit aéroport desservi par *Air Nostrum* (● airnostrum.es ●) : vols vers Barcelone et Palma. Quelques destinations espagnoles s'ajoutent en été. Liaisons en bus avec la gare routière, en fonction des vols. *Tarif : 3 €. En taxi, compter env 25 €.*

LA CASTILLE-LEÓN

◼ **Adresses utiles**

🛈 Oficinas de turismo (B2)
1 Avis (C2)
2 Europcar et Hertz (hors plan par C1)
3 Bikecicletas Salamanca (A2)

🛏 **Où dormir ?**

10 Erasmus Home-International Hostel (B2)
11 Albergue juvenil Salamanca (C3)
12 Albergue juvenil Lazarillo de Tormes (hors plan par A3)
13 Revolutum Hostel (B2)
14 Sweet Home (B2)
15 Hostal Escala Luna (B2)
16 Pensión Estefanía (B2)
17 Pensión Salamanca (B2)
18 Hostería Sara (B2)
19 Alda Plaza Mayor (B2)
20 Hostal Concejo (B2)
21 Hostal Plaza Mayor (B2)
22 Casa Vallejo (B2)
23 Salamanca Suites (B-C1)
24 Pensión Los Angeles (B2)
25 Hostal Barcelona (A1)
26 Salamanca Suite Studios (B2)
28 Microtel Placentinos (A2)
29 NH Puerta de la Catedral (A3)
30 Hotel Rector (B3)

🍴 **Où manger ?**

40 Café Real (B2)
41 Cuzco Bodega (B2)
42 Corte y Cata (B2)
43 Azogue Viejo (B1-2)
44 Tapas 2.0 (B2)
45 La Cocina de Toño (C2)
46 Taberna Galatea (B2)
47 Las Caballerizas (B3)
48 Atelier Clandestino (A2)
49 Viandas de Salamanca (B2)
50 Mandala (A2)
51 Delicatessen (B2)
52 269 Gastro Vegan (B1)
53 Isidro (B-C2)
54 Valencia (B1)
55 El Alquimista (C2)
56 Restaurant Lis (B3)
57 Rio de la Plata (B2)

☕ **Où déguster un café, un chocolat ou une douceur ?**

60 Café Novelty (B2)
61 Chocolatería Valor (B2)

🍸 **Où boire un verre ? Où sortir ?**

63 Vinodiario Vinoteca y degustación (B3)
64 Gastrobar La Tentazión (B2)
65 Tio Vivo (B2)
66 Capitán Haddock (B1)
67 Café Niebla (B1)
68 Pub O'Hara (B2)
69 Hernández y Fernández (B1-2)
70 Erasmus Bruin Café (B2)
71 La Chupitería et Capitolium (B2)
72 La Imprenta (B2)
73 Potemkim et Bender (B2)

🍸 **Où danser ?**

74 Gatsby (B1)
75 Camelot (B1)
76 La Hacienda (B2)

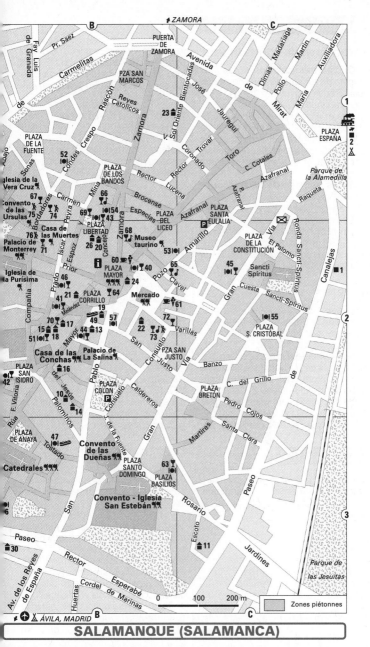

SALAMANQUE (SALAMANCA)

↑ ZAMORA

PUERTA DE ZAMORA

Fray Luis de Granada

Pr. Sáez

Carmelitas

PZA SAN MARCOS

Avenida

Reyes Católicos

23

Rascón

Madariaga

Martín

Auxiliadora

Dimas

Pollo

María

Mirat

PLAZA ESPAÑA

PLAZA DE LA FUENTE

Sonas

Condes

Crespo

Zamora

PLAZA DE LOS BANDOS

52

Rector

Lucena

Brocense

José

Bientocadas

V. Sol Oriente

Coronado

Trovar

Jáuregui

Toro

C. Cotales

Azafranal

Parque de la Alamedilla

Raqueta

Iglesia de la Vera Cruz

67

Convento de las Úrsulas

75

Bordadores

Carmen

74

66

69

154

43

Especias

PLAZA DEL LICEO

Azafranal

PLAZA SANTA EULALIA

El Palomo

Sancti-Spíritus

Canalejas

Palacio de Monterrey

76

71

PLAZA LIBERTAD

Iscar

Espoz

Casa de las Muertes

26

20

68

Museo taurino

53

PLAZA DE LA CONSTITUCIÓN

45

Sancti Spíritus

1

Iglesia de la Purísima

Prado

46

Prior

60

PLAZA MAYOR

40

65

Pozo

Clavel

Gran

Cuesta

Sancti-Spíritus

Compañía

41

21

18

Meléndez

PLAZA CORRILLO

64

24

Mercado

61

72

Varillas

55

PLAZA S. CRISTÓBAL

70

17

19

57

49

22

73

15

51

18

44

13

Mayor

San

Consuelo

PZA SAN JUSTO

Banzo

C. del Grillo

Casa de las Conchas

16

Palacio de La Salina

Vía Justo

PLAZA BRETÓN

PLAZA SAN ISIDRO

42

Rúa

F. Vitoria

del Jesús

Pablo

Consuelo

Caldereros

Pedro Cojos

de

PLAZA COLÓN

10

14

Palominos

Gran

Santa Clara

Mártires

PLAZA DE ANAYA

47

Tostado

Convento de las Dueñas

PLAZA SANTO DOMINGO

63

PLAZA BASILIOS

Catedrales

6

San

Convento - Iglesia San Esteban

Rosario

Paseo

30

Paseo

Av. de los Reyes de España

Rector

Esperabé

Cordel de Marinas

Huertas

Escoio

11

Jardines

Parque de las Jesuitas

↓ ✈ ▲ ÁVILA, MADRID

0   100   200 m

Zones piétonnes

B   C

Adresses et infos utiles

Informations touristiques

🛈 *Oficina municipal de turismo et oficina de turismo de Castille y León* (plan B2) : pl. Mayor, 32. ☎ 923-21-83-42. ● turismocastillayleon.com ● salamanca.es ● Lun-ven 9h-19h, sam 10h-19h, dim 10h-14h. Plan gratuit, agenda culturel et nombreuses infos sur la ville et le reste de la province. Personnel compétent et très aimable, souvent francophone.

– *Visites guidées de Salamanque :* infos et départs à l'office de tourisme. Tte l'année, jusqu'à 2-3 visites guidées le mat, plus certains ap-m (les horaires fluctuent selon les saisons). Coût : env 8 € (2h30), entrée des monuments non incluse. Également une visite nocturne ven-sam à 20h (10 €).

Divers

🚕 *Taxis :* ☎ 923-25-00-00.
✚ *Hospital Universitario* (plan A1) : paseo de San Vicente, 58. ☎ 923-29-11-00. Urgences : ☎ 112.
🅿 *Stationnement :* aucun parking gratuit dans le centre historique (en bonne partie piéton), et les parkings couverts sont plutôt chers. En revanche, certaines zones sont gratuites (lignes blanches au sol) : autour de la gare routière *(hors plan par A1),* derrière la gare ferroviaire *(hors plan par C1),* au-delà du paseo de Canalejas *(plan C2-3),* le long de la Vaguada de la Palma *(plan A2)* et du paseo San Gregorio *(plan A3).*

Location de voitures et de vélos

■ *Hertz* (hors plan par C1, 2) : centro comercial Vialia, paseo de la Estación (dans la gare). ☎ 923-24-31-34. Lun-ven 9h-13h30, 16h-19h, plus sam 9h30-12h. Fermé sam ap-m et dim.
■ *Avis* (plan C2, 1) : paseo Canalejas, 49. ☎ 923-26-97-53. Lun-sam mat 9h-13h30, 16h-19h. Fermé sam ap-m et dim.
■ *Europcar* (hors plan par C1, 2) : paseo de la Estación, 133-135. ☎ 923-25-02-70. À 50 m à droite en sortant de la gare. Lun-ven 9h-13h30, 16h30-20h, plus sam 9h-13h. Fermé sam ap-m et dim.
■ *Bikecicletas Salamanca* (plan A2, 3) : c/ Traviesa, 18. ☎ 923-21-69-40. 🖀 699-21-09-39. ● bikecicletas salamanca.com ● Tlj sauf dim ap-m 9h30-14h, 17h-20h30. Compter 5 €/h (15 €/4h, 22 €/j.). Également tandems, VTT (BTT en espagnol) et tous les accessoires. Excellent matériel, de vrais pros ! Organise aussi des balades guidées (durée : 2h ; 10-20 €).

Où dormir ?

Ce ne sont pas les options qui manquent à Salamanque. Néanmoins, songez à réserver, notamment le week-end.

Campings

⛺ *Don Quijote* (hors plan par C1) : ctra de Aldealengua, **Cabrerizos**, 37193. ☎ 923-20-90-52. ● info@campingdon quijote.com ● campingdonquijotesala manca.com ● À 6 km de Salamanque, sur la SA 804 (sortie est de la ville par la pl. España). Bus n° 27 de Gran Vía, ttes les 30 mn, arrêt à 900 m du camping. Ouv mars-oct. Env 19 € pour 2 avec tente et voiture. Bungalows bien équipés (sdb, TV, cuisine, frigo, terrasse) 55 € pour 2, 70 € pour 4 ; 2 nuits min le w-e et en été. Agréable site en bord de rivière offrant de l'espace et du calme, sur des emplacements ombragés et délimités par des haies. On est loin des usines à camping-cars espagnoles ! Sanitaires très bien tenus. Piscine gratuite, grand resto-bar, épicerie. Accueil courtois et efficace.

⛺ *Camping Regio* (hors plan par B3) : à **Santa Marta de Tormes**, 37900. ☎ 923-13-88-88. ● recepcion@cam pingregio.com ● campingregio.com ● À 6 km de Salamanque, direction Ávila par la N 501. Bus n° 20 ttes les heures

(6h40-22h30 de Salamanque, 1er départ plus tardif le w-e), arrêt « Regio ». Réception à l'hôtel du même nom (sauf en juil-août). Compter 18,50 € pour 2 avec tente et voiture. Bungalow 5 pers 90-130 €. Dans l'enceinte d'un grand complexe, avec les défauts et les qualités d'un camping très organisé. Terrain gazonné et raisonnablement ombragé, parfait en mi-saison, mais un peu envahi en été. On s'installe où on veut. Beaux bungalows et bonnes infrastructures : bar, resto avec terrasse, épicerie, court de tennis, piscine *(de juin à mi-sept)* avec bassin enfants, sanitaires nombreux et impeccables, etc. Supermarchés à proximité.

Auberges de jeunesse

🛏 *Erasmus Home-International Hostel* (plan B2, **10**) : c/ Jesús, 18, 37008. ☎ 923-71-02-57. ● info@erasmushome.com ● erasmushome. com ● ♿ Nuits 20-27 €/pers en dortoir, doubles avec sdb 40-60 € ; réduc au petit déj à l'Erasmus Café. Une petite AJ privée super bien placée, au calme et de bon confort, offrant des chambres spacieuses pour 4 à 8 personnes (et 1 double) toutes refaites à neuf, avec lits superposés et *lockers*. Salon commun et terrasse colorés au rez-de-chaussée, cuisine et laverie en sous-sol. En prime, un accueil vraiment sympa. Le week-end, réserver !

🛏 *Albergue juvenil Salamanca* (plan C3, **11**) : c/ Escoto, 13, 37008. ☎ 923-26-91-41. ● info@alberguesalamanca.com ● alberguesalamanca. com ● À 10 mn à pied de la pl. Mayor. Réception 10h-14h, 16h-20h. Nuitée 14 €/pers, petit déj 3 €. Une AJ très bien située (rue tranquille et proche de l'animation) et tenue par une équipe accueillante. Toutefois, ceux qui cherchent un peu d'intimité passeront leur chemin car l'offre se réduit à des dortoirs (mixtes) de 10 à 20 lits, certains au sous-sol. Laverie et garage à vélos.

🛏 *Albergue juvenil Lazarillo de Tormes* (hors plan par A3, **12**) : c/ Lagar, 1, 37008. ☎ 923-19-42-49. ● info@alberguesalamancamunicipal.com ● alberguesalamancamunicipal.com ● À 25 mn du centre à pied ou bus n°s 1,

5, 8 et 11. Bus de nuit jusqu'à 3h30, taxi du centre 6,50 €. Ouv 24h/24. Nuitées 14 € - de 30 ans, sinon 17 €, petit déj inclus. ½ pens et pens complète possibles. Parking 3 €, mais on peut se garer dans la rue. Local à vélos 1,50 €. Ce grand bâtiment fonctionnel de brique rouge abrite 3 chambres doubles et des dortoirs colorés de 4 et 10 places avec salle de bains, pour un total de 165 lits. Le tout est impeccable et bien équipé (machines à laver, salle TV, casiers – sans cadenas –, etc.), mais excentré et sans âme. Accueil toutefois dynamique et souriant. Bon, plutôt pour les groupes quand même.
– Le *Revolutum Hostel* (plan B2, **13**) propose également des hébergements en dortoir (voir plus bas). Le top !

De bon marché à prix moyens (30-60 €)

🛏 *Revolutum Hostel* (plan B2, **13**) : c/ Sanchez Barbero, 7, 37001. ☎ 923-21-76-56. ● info@revolutumhostel.com ● revolutumhostel.com ● Doubles avec sdb 45-55 €, lits en dortoir (1-5 pers) 20-24 € ; petit déj-buffet compris. Installé dans une noble demeure de pierre. Drôle d'ovni que ce *Revolutum*... Est-ce un bar-lounge comme l'entrée le laisse imaginer, avec son coin *chill out* très tendance ? Est-ce une AJ, avec sa cuisine Inox noire et ses petits dortoirs aux lits superposés sur fond de codes-barres ou de cœurs géants ? Un hôtel design avec ses doubles décorées de fresques Renaissance au plafond ? C'est un peu tout cela et c'est surtout un ancien petit hôtel entièrement balayé par un grand vent de modernité.

🛏 *Sweet Home* (plan B2, **14**) : c/ Jesús, 24, 37008. ☎ 923-26-54-61. ● info@alojamientosweethomesalamanca.com ● alojamientosweethomesalamanca.com ● Doubles 40-50 €, familiales 3-5 lits, petit déj inclus. Un *hostal* ravissant qui abrite des chambres confortables avec ou sans salle de bains. Cadre soigné, où les poutres et gros murs de pierre alternent avec des couleurs vives et actuelles. Ce sont aussi les espaces communs qui nous plaisent, notamment le salon TV au

LA CASTILLE-LEÓN

LA CASTILLE-LEÓN

beau plancher, l'agréable courette et la cuisine bien équipée. Situé dans une rue calme et pourtant centrale. Super accueil.

■ *Hostal Escala Luna* (plan B2, 15) : c/ Meléndez, 13, 37002. ☎ 923-21-87-49. ● info@escalaluna.com ● hostalescalalunasalamanca.com ● *Congés : 15 déc-15 janv. Au 1er étage. Doubles avec sdb 38-60 €, triples aussi.* Ultracentral, cet *hostal* rénové abrite des chambres sympa et colorées, toutes de taille et de style différent. Amusant espace commun embelli de cartes et de globes terrestres avec des valises en guise de tables. Accueil aimable.

■ *Pensión Estefanía* (plan B2, 16) : c/ Jesús, 3-5, 37002. ☎ 923-21-73-72. 🖩 620-90-90-72. ● info@pensioneste fania.es ● *Réception au 1er étage. Doubles 35-40 €, triple aussi. CB refusées.* Parfaitement située, cette pension sans prétention propose de petites chambres sans chichis à la déco datée mais à la tenue impeccable, avec douche et lavabo (w-c communs ou privés). Pas de charme particulier, mais des tarifs attractifs en plein centre et un accueil aimable.

■ *Pensión Salamanca* (plan B2, 17) : c/ Meléndez, 1, 37002. ☎ 923-21-43-33. 🖩 601-06-98-68. ● info@pensionsalamanca.com ● pension salamanca.com ● *Près de la pl. Mayor, au 2e étage. Doubles 35-55 €, avec lavabo ou sdb, familiales aussi.* Dans un immeuble biscornu et étriqué, sur 2 étages, des petites chambres coquettes qui sentent le propre, les moins chères avec sanitaires communs. Accueil adorable d'un jeune couple. Un peu bruyant cependant côté rue (malgré le double vitrage).

■ *Hostería Sara* (plan B2, 18) : c/ Meléndez, 11, 37002. ☎ 923-15-74-93 ou 923-17-71-93 (call center). ● info@hostalsara.org ● hostalsara.org ● *Doubles 35-60 €.* Pas d'accueil ici, tout se passe par téléphone ou par mail ! Des chambres à la déco classique mais sans défaut, avec tout le confort de base, situées dans une rue piétonne vivante. Certaines disposent d'une cuisine et/ou d'un petit balcon pour profiter de l'animation côté rue. Double vitrage partout.

De prix moyens à chic (35-70 €)

■ *Hostal Concejo* (plan B2, 20) : pl. de la Libertad, 1, 37002. ☎ 923-21-47-37. ● hconsejo@gmail.com ● hostalconcejo.com ● *Doubles 39-69 €. Parking 8 €.* À 100 m de la plaza Mayor, sur une jolie place plantée de cyprès et de palmiers. Cet hôtel de 4 étages tiré à autant d'épingles offre des chambres coquettes, colorées et de bon confort (clim, sèche-cheveux). Chacune est agencée différemment, la plupart avec balcons en fer donnant sur la place. Celles d'angle, nos 104-204-304, disposent même de 2 fenêtres. Une très bonne adresse.

■ *Alda Plaza Mayor* (plan B2, 19) : c/ Quintana, 6, 37002. ☎ 923-26-14-73 ou 923-70-00-05 (call center). ● aldaplazamayor@aldahotels.com ● aldaplazamayor.es ● *Doubles 33-70 € (voire 85 € en cas d'affluence), petit déj 5 €.* Représentant de la nouvelle génération de chaînes hôtelières espagnoles, ce boutique-hôtel aligne de belles chambres assez spacieuses pour le quartier (on ne peut plus central), confortables et décorées au goût du jour : mobilier de bois clair, plancher stratifié... Certaines possèdent un balcon face à la plaza Corrillo. Accueil enjoué d'un staff sympa comme tout. Une bonne affaire.

■ *Hostal Plaza Mayor* (plan B2, 21) : pl. del Corrillo, 20, 37002. ☎ 923-26-20-20 ou 🖩 601-16-81-44. ● reservas@hostal-plazamayor.es ● hostalplaza mayor.es ● *Doubles 40-65 €. Garage privé proche 18 €.* Stratégiquement dressé à l'orée de la plaza Mayor, cet avenant *hostal* respire le propre. Les chambres, d'un classicisme de bon aloi, ne sont pas immenses, mais le confort est là : double vitrage, minifrigo, clim, sèche-cheveux... La plupart sont intérieures ou donnent sur un patio, et donc bien calmes. Accueil cordial.

■ *Casa Vallejo* (plan B2, 22) : c/ San Juan de la Cruz, 3, 37001. ☎ 923-28-04-21. ● info@hosteriacasaval lejo.com ● hosteriacasavallejo.com ● *Doubles 35-72 € (jusqu'à 120 € ponts* fériés ou Semaine sainte). À un jet de pierre de la plaza Mayor, l'établissement est très apprécié pour ses chambres parquetées et de bon confort (clim, minibar), avec salles de bains carrelées de faïence. Ne ratez pas non plus le bar à tapas de la maison, excellent, envahi par les habitués les soirs de fin de semaine et égayé par la bonne humeur du personnel. Un conseil néanmoins si vous avez le sommeil léger : évitez les chambres côté rue, surtout au 1er étage...

â **Salamanca Suites** *(plan B-C1, 23)* : c/ del Sol Oriente, 11, 37002. ☎ 923-21-10-79. ● *reservas@salamanca suites.com* ● *salamancasuites.com* ● Réception 10h-14h, sinon voir à l'Hostal Santel San Marcos *(pl. San Marcos, à 5 mn à pied, même proprio)*. Doubles 40-65 €. Des prix attractifs, une situation centrale et des chambres aux lignes modernes, le tout installé dans une rue piétonne, aux 2e et 3e étages d'un appartement reconverti. Au total, 7 chambres (dont 1 quadruple) impeccables, à la déco très contemporaine. Certes, ce ne sont pas des « suites » au sens strict et certaines manquent d'espace, mais 2 d'entre elles s'élargissent d'un balcon.

â **Pensión Los Angeles** *(plan B2, 24)* : pl. Mayor, 10, 37002. ☎ 923-21-81-66. ● *info@pensionlosangeles. com* ● *pensionlosangeles.com* ● Au 3e étage. Doubles 30-100 € *(sans ou avec douche)* ; familiales. Appart 6-8 pers 100-200 €. Sur présentation de ce guide, réduc de 10 % sur le prix des doubles. 12 chambres dont 4 avec salle de bains. On vous signale cette adresse surtout pour ses chambres qui donnent sur la plaza Mayor, un privilège incomparable. Les autres ont moins d'intérêt (si ce n'est peut-être, pour les fauchés, les chambres sans sanitaires). Accueil francophone gentil comme tout.

â **Hostal Barcelona** *(plan A1, 25)* : paseo San Vincente, 20, 37007. ☎ 923-26-45-28. ● *silmoshostalbar celona@gmail.com* ● *hostalbarcelona. es* ● Au 1er étage. Doubles 40-70 € *(voire 90 € si forte affluence)*. Dans un immeuble récent sans charme, en bordure du boulevard circulaire de la vieille ville, des chambres confortables,

refaites dans un style contemporain, avec des tons en vogue (gris, noir, blanc). L'ensemble est bien tenu, et le double vitrage prémunit contre le bruit de l'avenue très passante. Accueil pro. Une adresse de dépannage si les autres sont complètes.

Chic (60-90 €)

â **Salamanca Suite Studios** *(plan B2, 26)* : pl. de la Libertad, 4, 37002. ☎ 923-27-24-65. &. ● *info@suites tudios.com* ● *salamancasuitestudios. com* ● Doubles 59-85 €, petit déj 8,50 €. Min 2 nuits le w-e. En retrait de la plaza Mayor, sur une place adorable et calme, des studios et appartements pour 2-4 personnes de très grand confort. Bien pensés, suréquipés, spacieux, colorés, de style très contemporain, avec terrasse pour certains, les atouts sont indéniables et la réussite totale. Accueil gentil et très pro. L'un de nos meilleurs plans à Salamanque.

â **Microtel Placentinos** *(plan A2, 28)* : c/ Placentinos, 9, 37008. ☎ 923-28-15-31. ● *reservas@microtelpla centinos.com* ● *microtelplacentinos. com* ● Doubles 60-95 €, petit déj inclus. Micro et mimi à croquer, cet hôtel de poche au charme certain occupe une demeure de caractère, dans une rue paisible de la vieille ville. Ses chambres sont séduisantes (pierres apparentes, poutres et jolis meubles) et les parties communes invitent à la détente. On pense notamment au jacuzzi (en été seulement) dans la courette, parfait après une journée de trek urbain ! Accueil irréprochable.

De chic à très chic (de 80 à plus de 120 €)

â **NH Puerta de la Catedral** *(plan A3, 29)* : pl. Juan XXIII, 5, 37008. ☎ 923-28-08-29. ● *nhpuertadelacatedral@nh-hotels.com* ● *nh-hotels.fr* ● Doubles 79-159 € *(bien plus lors des ponts et fêtes)*, petits déj 15-19 €. Parking 19 €. Difficile d'imaginer meilleure situation : l'hôtel se trouve face à la vieille cathédrale, en plein centre historique piéton. Certaines chambres de l'étage (les *premiums*) ont même un balcon et/ou une vue directe sur les balustres et les flèches de l'édifice ! Les prestations sont à la hauteur de l'excellente réputation des *NH*, avec des chambres douillettes, modernes et spacieuses. Un choix sans pareil dans cette catégorie.

🏠 **Hotel Rector** *(plan B3, 30)* : paseo Rector Esperabé, 10, 37008. ☎ 923-21-84-82. ● info@hotelrector.com ● hotelrector.com ● Doubles 165-187 €, suites ; petit déj 14 €. Voici une adresse exclusive, un hôtel à la fois très classe et discret, fréquenté d'ailleurs par des grands d'Espagne (dont nous tairons les noms !). Le lobby déjà, garni de livres d'art et de gros canapés, où flottent de doux airs de musique, donne le ton. Puis viennent les chambres, impeccables et de grand confort, avec superbe literie (oreillers en plume d'oie), plancher chauffant, bureau marqueté en bois d'olivier... Accueil très pro et calme olympien.

Où manger ?

Vu le grand nombre d'étudiants à Salamanque, aucun problème pour manger pas cher, les petites cantines ne manquent pas, pas plus d'ailleurs que les bars à tapas, dont certains valent vraiment le détour. Également de bons restos en bonne et due forme.

Tapas

🍽 🍷 🐟 **Café Real** *(plan B2, 40)* : pl. Mayor, 7. ☎ 923-05-06-70. Tlj 8h-1h. Bocadillos et media raciones 4-8 €. Cadre façon auberge de campagne (murs de brique rouge à colombages). Tapas et *bocadillos* appétissants et régulièrement renouvelés, à déguster perché sur un tabouret ou en terrasse sur la plaza Mayor (avec supplément). Le soir, des grappes de fêtards bourdonnent sous le grand lustre en fer forgé très *Folie des grandeurs*... Pas mal aussi pour le petit déj, avec des croissants et autres *tostadas*. Service routinier.

🍽 🍷 🐟 **Cuzco Bodega** *(plan B2, 41)* : c/ Juan del Rey, 5. ☎ 923-62-24-58. ● cuzcobodega@hotmail.es ● Tlj (sauf mar midi) 13h-16h, 20h-minuit. Congés : 1re quinzaine de juil. Tapas 3-5 €. Petit et bondé la plupart du temps, on vous conseille d'arriver à l'ouverture ! Il faut dire que les tapas, à manger au comptoir ou en terrasse sur le trottoir, sont vraiment bonnes, qu'il s'agisse de la petite carte fixe (chèvre aux oignons caramélisés, porc sauce cèpes, « tripes de ma mère », miniburgers de boudin ou de queue de *toro*...), ou des suggestions du chef à bon prix.

moment. Service courtois et souriant malgré l'affluence.

🍽 🍷 🐟 **Corte y Cata** *(plan B2, 42)* : c/ Serranos, 1. ☎ 923-05-53-42. ● reservas@corteycata.es ● Tlj. Tapas gourmet de saison 4-6 €, raciones 11-18 € ; menu déj sem 17 € ; plats 16-23 €. Posé à un angle stratégique, un resto-bar d'allure très contemporaine, un brin chic. Les tapas et *raciones* se dégustent au bar ou sur des tables hautes. De grande qualité, elles sont goûteuses, copieuses, dressées avec soin et à base de bons produits de saison (*pulpo, micuit de pato, chipirones, langostinos...*). Pour un repas assis, en terrasse dans la ruelle piétonne ou en salle à l'étage, les suggestions à la carte sont tout aussi convaincantes et le menu déjeuner offre un bon panel du savoir-faire du chef à bon prix.

🍽 🍷 🐟 **Azogue Viejo** *(plan B1-2, 43)* : pl. de la Libertad, 11. ☎ 923-62-04-00. ● azogueviejo@gmail.com ● Tlj. Tapas et raciones 4-14 €, menu déj 16 € (22 € w-e) ; plats 12-21 €. Sur notre place préférée à Salamanque, 2 salles mitoyennes. D'un côté un élégant bar à tapas, de l'autre un resto chic de style très contemporain. Ils partagent une grande terrasse et l'on peut piocher dans la carte de l'un ou de l'autre selon ses envies. Lotte *a la salsa de lima, taco de bacalao, chipirones relleno con arroz negro* pour les tapas, *sepia a la brasa, arroz,* viande ibérique cuite à basse température pour les plats. Original, créatif, délicieux, accueil impeccable, cet *Azogue Viejo* a tout bon !

|●| ♈ ⬆ **Tapas 2.0** *(plan B2,* **44**) *:* c/ Felipe Espino, 10. ☎ 923-21-64-48. Tlj sauf mar soir-mer. Tapas 3,50-6,50 €, raciones 7-15 €. Une jolie adresse populaire installée en terrasse dans une petite ruelle en pente. Tapas copieuses (certaines remplissent une assiette !), classiques mais bonnes et vraiment pas chères. Bon choix avec notamment : risotto de cèpes, *callos, pulpo,* gambas aux fèves, excellentes *patatas bravas...* Fort de son succès la maison a ouvert un *Tapas 3.0* dans la rue suivante *(c/ Sanchez Barbero, 9)* à l'ambition plus gastro, et donc bien plus onéreux.

|●| ♈ **La Cocina de Toño** *(plan C2,* **45**) *:* Gran Vía, 20. ☎ 923-26-39-77. ● lacocinadetono@hotmail.com ● Fermé dim soir-lun. Menus mar-ven 17 € (sans boisson), sinon 38 € ; plats et raciones à partager 13-22 €. Cadre intime et chaleureux. On se hisse sur un tabouret, côté bar, pour picorer d'excellents tapas et *pintxos* préparés à la commande. Si la faim s'accentue, on peut craquer pour les *raciones a compartir,* avec ces poulpes et *chipirones* croustillants à souhait, ou ces *tacos de bacalao al pil-pil.* Tout est beau et bon. Côté resto (chic), les viandards s'offriront un *chuletón de buey* : 1,3 kg de côte de bœuf (à 46 €) !

|●| ♈ ⬆ **Taberna Galatea** *(plan B2,* **46**) *:* c/ del Prado, 11. ▤ 659-36-86-63. Fermé mar. Tapas 3-4 €, raciones 8-10 €. Un endroit pour les blasés des tapas courantes. Au choix : crevettes à la mangue, kangourou aux pétales de rose, burger de crocodile, *paraguas de setas...* Tout est élaboré à la commande. Quelques tables sur le trottoir.

Très bon marché (moins de 8 €)

|●| 🥢 **Las Caballerizas** *(plan B3,* **47**) *:* c/ Tostado, 3. ☎ 923-29-45-00. Lun-ven 8h30-22h, sam 10h-15h. Fermé dim. Platos combinados, tortillas, sandwichs 2-8 €. Cafétéria universitaire bien connue des étudiants de philo... mais aussi des touristes malins, qui profitent de formules copieuses et sans prétention à prix cassés. Dans

une cave voûtée (anciennes écuries du XVᵉ s), on longe le bar souvent pris d'assaut pour atteindre les quelques tables dressées au fond, dans l'obscurité. Convivial, frais (gros débit quotidien) et atypique !

|●| **Atelier Clandestino** *(plan A2,* **48**) *:* c/ Placentinos, 2. ☎ 923-49-43-53. ● ateliersalamanca@gmail.com ● Lun-ven 9h30-16h30. Fermé le soir et w-e. Congés : août. Menu déj 5,50 €. Ce petit comptoir végétarien propose chaque jour une formule complète pour un déjeuner à bon compte et sain (genre houmous, *pimientos rellenos, ensalada de quinoa, salmorejo,* lasagnes végétales... avec une part de tarte et un jus de fruits frais). À consommer debout au comptoir ou, comme la clientèle étudiante, emportez tout ça et filez vers le jardin de la cathédrale.

🥢 **Viandas de Salamanca** *(plan B2,* **49**) *:* pl. de Corrillo, 10. ☎ 923-21-65-39. Tlj 9h30-21h30. Sandwich 3,50 €. Bien connu des amateurs de charcuterie ibérique vendue sous vide (l'enseigne compte nombre de boutiques franchisées en Espagne), on peut y acheter à emporter de délicieux sandwichs au *jamón ibérico* et cornets de *salchichón* et chorizo à prix d'amis.

Bon marché (8-15 €)

|●| 🥤 **Mandala** *(plan A2,* **50**) *:* c/ Serranos, 9-11. ☎ 923-12-33-42. Tlj 8h-23h (9h-1h w-e). Menu midi et soir 13 € (15 € w-e). Spécialisé avant tout dans les jus de fruits pressés (plus de 50 sortes !) et les *batidos* (milk-shakes), ce lieu adorable fait à la fois salon de thé, bar et restaurant. Le menu, renouvelé chaque jour, est d'un rapport qualité-prix épatant : cuisine fraîche et savoureuse avec plein d'options végétariennes ou légères (ça change !). Pour le goûter ou le petit déj, vitrine remplie de superbes gâteaux et desserts maison. Le décor est au diapason : apaisant, aéré et coloré (en revanche, pas de terrasse). Service souriant et performant.

|●| ♈ ⬆ **Delicatessen** *(plan B2,* **51**) *:* c/ Meléndez, 25. ☎ 923-28-03-09. ● delicatessensalamanca@hotmail. com ● Tlj 10h-2h. Menu déj 13 € (vin

compris), 15 € w-e ; plats 10-17 €. Hommage au film de Caro et Jeunet avec ce cochon sur le mur d'entrée... Le design intérieur est contemporain : long bar en acier prolongé d'un tableau noir avec la description des différentes parties du cochon ! On s'installe en terrasse dans la rue piétonne ou dans un patio à l'arrière, entre les palmes et sous une coupole métallique surprenante. Au menu, une cuisine simple mais d'un bon rapport qualité-prix : salades, copieux *platos combinados*, pâtes, risottos, etc. Bien aussi pour boire un verre à toute heure.

|●| ***269 Gastro Vegan*** *(plan B1, 52)* : c/ Condes de Crespo Rascón, 11. ☎ 923-01-12-69. *Tlj sauf dim soir et mer. Menu midi 12,50 €, plats 5-14 €.* Jolie salle aux couleurs de la nature, car ici, la cuisine est 100 % végane. Ce qui oblige à se montrer créatif et à respecter les ingrédients afin de valoriser leur goût naturel. Pari réussi : même les aficionados du (calorique) régime castillan feront volontiers une entorse à leurs principes pour déguster ces burgers d'avoine, de seitan ou de tofu, ou encore ces poivrons farcis aux algues... Service adorable.

De prix moyens à plus chic (15-35 €)

|●| ♈ ♈ ***Corte y Cata*** *(plan B2, 42)* et ***Azogue Viejo*** *(plan B1-2, 43)* : outre leurs excellentes tapas et *raciones* (voir « Tapas » plus haut), ces 2 très belles adresses sont aussi de bons restos pour manger assis en salle ou en terrasse.

|●| ♈ ***Isidro*** *(plan B-C2, 53)* : c/ Pozo Amarillo, 19. ☎ 923-26-28-48. *Fermé dim soir, plus lun hors saison. Menu en sem 15 €, plats 14-27 €. Digestif offert sur présentation de ce guide.* Une valeur sûre que ce resto de quartier à la déco moderne et soignée, apprécié pour son *menú de la casa* servi promptement et efficacement. Spécialités d'agneau et de cochon de lait, mais aussi de bons produits de la mer, comme les *almejas* (palourdes) ou la *sopa de mariscos*, en copieuses portions. Formidable accueil.

|●| ♈ ***Valencia*** *(plan B1, 54)* : c/ Concejo, 15. ☎ 923-21-78-68. ● *info@restaurantevalencia.com* ● ♿ *À gauche dans le callejón de la Bomba. Sept-mai : fermé lun-mar ; juin-août : fermé dim-lun. Congés : 1re quinzaine de juil et de nov. Menu déj en sem 18 €, plats 15-22 €. Verre de pedro ximenez offert sur présentation de ce guide.* On retrouve l'organisation spatiale traditionnelle : le bar à tapas, salle fiévreuse et bourrée à craquer à l'heure du *tapeo* avec ses murs de céramique et ses photos de corridas et toreros ; la salle de resto chaleureuse, colorée et plus sage ; enfin la cour intérieure, bien agréable en été. Cette auberge rustique, attirant une clientèle plutôt chic et décontractée, propose une superbe cuisine castillane : *perdiz* (perdrix), *capón* (chapon), *carrillada de ternera*, *tostón* (cochon de lait), etc. Que des produits maison, un professionnalisme réjouissant avec une touche de créativité et, en prime, un accueil délicieux et francophone de la patronne (mais vous serez fort bien reçu aussi par le chef !).

|●| ***El Alquimista*** *(plan C2, 55)* : pl. de San Cristóbal, 6. ☎ 923-21-54-93. ● *info@elalquimistarestaurante. es* ● ♿ *Tlj sauf mar soir-mer 13h45-15h30, 21h-23h. Congés : 15 j. mi-juil. Menu midi en sem 17,50 €, menu dégustation 38 €, plats 14,50-20 €.* Ce petit resto dissimulé sur une place résidentielle mérite le détour pour le savoir-faire de son jeune chef et de sa compagne, formés dans les meilleurs établissements espagnols. Leur cuisine permet de redécouvrir les classiques du terroir sous un jour nouveau, à coup de petites touches inventives bien balancées. Intéressant choix de desserts aussi. Prix modérés eu égard à la qualité des mets ! Service attentif et aimable. Cadre contemporain bien plaisant. Une très bonne adresse.

|●| ♈ ***Restaurant Lis*** *(plan B3, 56)* : c/ Gibraltar, 18. ☎ 923-21-62-60. ● *info@restaurantelis.es* ● ♿ *Tlj sauf dim soir-lun. Résa conseillée. Menus 32-38 €, plats 13-18 € (+ 10 % en terrasse). Digestif offert sur présentation de ce guide.* Juste à côté du musée d'Art nouveau, sur une place à l'écart du tapage des rues piétonnes... avec une terrasse offrant (en saison) une vue imprenable sur les cathédrales ! À l'intérieur, salle contemporaine plutôt sobre. On découvre ici une cuisine traditionnelle finement revisitée, semée d'élans créatifs et de saveurs nouvelles. Goûter à la délicieuse *crema de gambitas al ajillo*, au *duo de morecha* (filet et joue de bœuf), aux *albondigas de rape y gamba* (boulettes de lotte et crevette)... Bel accueil.

|●| **Rio de la Plata** *(plan B2, 57)* : pl. del Peso, 1. ☎ 923-21-90-05. ● info@ restauranteriodelaplata.es ● Tlj sauf lun 13h30-16h, 21h-minuit. Plats du jour 11-13 € mer-ven, cocido 22 € mar ; sinon plats 11-25 €. Une institution salmantine, confite dans la tradition. On aime bien ces 2 salles aux blanches voûtes et lambris de bois clair. Au fond, celle du resto, intime, jouit d'une atmosphère tout à la fois conformiste et déliée. Service à l'ancienne, avec vieux garçons parfois bougons à veste blanche... Orson Welles et Hemingway honorèrent de leur présence les lieux, et c'était la table de la célèbre duchesse d'Albe ! Cuisine *casera* des plus authentiques, savoureuse et généreuse. Grand choix de poissons, fruits de mer, rognons, cervelle, ragoût de lapin... Pas si cher que ça, compte tenu de la qualité.

Où déguster un café, un chocolat ou une douceur ?

🍷 🍴 ☂ **Café Novelty** *(plan B2, 60)* : pl. Mayor, 2. ☎ 923-21-99-90. ● cafe@ cafenovelty.com ● Tlj 8h-1h30. L'une des plus anciennes terrasses de la *plaza* (1905) et une salle rétro, accueillante, au sol en damier noir et blanc. Trônant sur sa chaise, une statue en bronze de l'écrivain Gonzalo Torrente Ballester... Très bonnes glaces artisanales (22 saveurs) : goûter notamment le *sorbete de manzana verde*, l'*avellana* (noisette) *con granillo* ou encore la *leche merengada*, typique du coin. Idéal pour profiter de l'animation constante de la place, et ce dès le matin (on sert le petit déj). Possibilité également d'y manger.

🍷 🍴 **Chocolatería Valor** *(plan B2, 61)* : pl. del Mercado, 15. ● ruthvalor@ me.com ● Tlj 8h-22h. Si vous aimez déguster le chocolat à la cuillère, onctueux et bien épais, c'est l'endroit. Avec, bien évidemment, des *churros* (maison) légers et croustillants à tremper dedans ! Également des gâteaux, profiteroles, truffes et autres bonbons fourrés... Bon choix de glaces aussi.

Où boire un verre ? Où sortir ?

En période scolaire, la ville appartient aux étudiants. L'atmosphère le week-end est alors indescriptible, et même en semaine, Salamanque dort peu ! Des tombereaux de jeunes se déversent dans les bars, tavernes, *bodegas*, discos.

Bar à vins et à cocktails

🍷 |●| ☂ **Vinodiario Vinoteca y degustación** *(plan B3, 63)* : pl. de los Basilios, 1. ☎ 923-61-49-25. ● vinodiario@ gmail.com ● Tlj 12h-17h, 20h-0h30. Très agréable terrasse sur la placette, ou salle contemporaine particulièrement sobre. *Blancos, tintos, rosados, dulces y generosos...* grand choix de vins au verre. Pas en reste pour les bières non plus. On peut picorer tapas, *tostas*, salades, burgers et assortiments de charcuterie ou de fromage. Accueil jovial.

🍷 ☂ **Gastrobar La Tentazión** *(plan B2, 64)* : pl. Mayor, 18. 🖩 679-77-37-89. ● barlatentazion@gmail.com ● Tlj jusqu'à 1h (2h30 w-e). Cadre design, murs blancs, lumières bleutées, terrasse bien en vue sur la *plaza*, et une autre plus ensoleillée à l'arrière. Vaste choix de vins, mais éviter la cuvée du patron, assez râpeuse... Quant aux

LA CASTILLE-LEÓN

tapas, elles sont chères et pas terribles : allez manger ailleurs, d'autant
que les tarifs, plaza Mayor oblige, sont
un peu... « mayorés » !

Pour démarrer...
ou finir la soirée
(en dansant ou non)

♥ ♪ *Tio Vivo* (plan B2, 65) : c/ Clavel,
3-5. ☎ 923-21-57-68. ● tiovivo@tiovi
vosalamanca.com ● tiovivosalamanca.
com ● Tlj sauf lun 15h30-3h30 (4h30
ven-sam). Le *Tio Vivo*, c'est avant tout
un décor de carrousel du bon vieux
temps et de petits soldats de plomb,
qui fait naître chez les âmes romantiques un accès de nostalgie. Mais si
l'on s'octroie la chance de retomber
en enfance, c'est ici sans ses limitations : les *cañas* valsent, et les rythmes
s'emballent, passé 22h30, de *música
en vivo* en fin de semaine. Le temps n'a
alors plus de prise, *ya sólo se disfruta
de la noche...*
♥ ♪ ♠ *Capitán Haddock* (plan B1,
66) : c/ Consejo, 13-15. ☎ 923-21-01-
71. Facebook. Tlj 15h30-3h (4h w-e).
Au fond d'une courette, quelques
tables dehors invitent à prendre le
café (ici excellent !). À l'intérieur, plutôt sombre, gros murs de pierre, bouteilles retenues dans les rets d'un
filet de pêche et statue à l'effigie du
capitaine (hips !) Haddock semblent
indiquer un repaire de loups de mer
qui savent lever le coude... car c'est
aussi, et surtout, un sympathique
bar de *copas* ! Clientèle éclectique
qui apprécie l'atmosphère tranquille,
l'accueil chaleureux et les rythmes jazz,
blues, boléro ou bossa nova (hors vendredi et samedi après minuit, où c'est
soirée DJ !).
♥ *Café Niebla* (plan B1, 67) : c/ Bordadores,14. ☎ 923-21-45-30. ● nie
blabar1985@gmail.com ● Tlj 15h-2h
(3h w-e). On adore ce café-bar qui
commence à s'animer tout doucement
à l'heure de l'apéro et où l'effervescence va crescendo à mesure que
la nuit avance. Le décor n'y est pas
étranger : ses sofas et fauteuils club,
sa musique rétro, ses objets chinés
et photos érotiques d'antan donnent
à l'endroit un côté brocante chic et

canaille très en vogue. Entre le staff,
la clientèle décontractés et la qualité
réputée des cocktails, voilà de quoi
faire une virée nocturne pas prise
de tête.
♥ ♪ ♠ *Pub O'Hara* (plan B2, 68) :
c/ Zamora, 14. ☎ 923-21-03-97.
● oharas.salamanca@gmail.com ●
Tlj 10h-3h (4h30 w-e). Un des pubs
irlandais les plus cool de la ville. Le
look respecte les canons du genre :
vieux comptoir de bois patiné, vénérable cheminée, il y fait sombre... ne
manque plus que le parfum acre de la
tourbe. La sangria y est aussi bonne
que la *Guinness*, c'est dire ! Musique
live tous les dimanches dès 23h.
Terrasse.
♥ ♠ *Hernández y Fernández* (plan
B1-2, 69) : pl. de la Libertad, 10.
☎ 923-99-12-28. Tlj 15h-1h30
(2h30 jeu-sam). On aime bien le côté
ludique et baroque de ce bar. Les
patrons se comparent aux Dupont et
Dupond, et rendent hommage à Tin-
tin. Abondance de lustres en cristal,
bougies sur les tables dans 2 petites
salles en brique et pierre sèche à
l'atmosphère tamisée, projection de
films comiques sur les murs (Bus-
ter Keaton, Laurel et Hardy...). Et
une courette au fond toute garnie
de plantes, avec un puits au milieu.
Terrasse sur l'une des places les plus
sympa de la ville.

Bars d'étudiants

♥ *Erasmus Bruin Café* (plan B2,
70) : c/ Meléndez, 7. ☎ 923-26-57-
42. ● info@erasmuscafe.com ● eras
mushome.com ● Tlj 9h-2h. Pendant
l'année scolaire, un haut lieu de rencontres du monde étudiant pour descendre une mousse et échanger. Un
monde fou certains soirs : on parle
à tue-tête et on s'esclaffe debout au
coude à coude autour du long comptoir en bois de ce bar-resto décoré
comme un recoin du quartier chaud
d'Amsterdam, en terrasse dans la
rue piétonne ou dans le *biergarten*
attenant.
♥ ♠ *La Chupitería* (plan B2, 71) :
pl. Monterrey, 5. Facebook. Tlj 22h-
3h (5h ven-sam). Les étudiants ne
viennent pas ici pour le décor, mais

pour les *chupitos,* ces petits verres de liqueur qu'on descend cul sec. Et Dieu sait qu'il en pleut, des *chupitos* (essayez le *diablo rojo* – ou *verde* –, aromatisé au cannabis !), autour du bar baignant dans une lumière bleutée... Fond musical à la page mâtiné de rock et de musique latino, plus ou moins inspiré. Les amateurs de chichas vont au **Capitolium** *(tlj 17h-3h),* de l'autre côté de la place, un bar qui se la joue oriental avec tapis au plafond, mais il y a aussi une terrasse !

♥ *La Imprenta (plan B2, 72) :* c/ Varillas, 11. ☏ 654-71-16-35. *Tlj 21h-3h30 (4h30 jeu-sam).* Peut-être le bar le plus destroy de la ville. À partir de 23h-minuit (surtout le week-end) abonde une foule compacte et bohème d'étudiants réjouis, dans une atmosphère indescriptible. Les vieux classiques du rock espagnol y défilent en boucle. Pour 5 €, vous avez droit au *vampiro,* l'énorme et diabolique cocktail maison (de couleur rouge fluo). On ne vous garantit pas que vous sortirez sur vos 2 pieds.

Bars musicaux et salle de concerts

♥ ♪ ⚥ **Potemkim** *(plan B2, 73) :* c/ Consuelo, 4. ● info@salapotem kim.com ● Facebook ● Jeu-sam minuit-6h30. Fermé dim-mer. Entrée : 12-15 € en général pour les concerts, sinon 5 €. Le haut lieu des concerts (pendant l'année universitaire surtout) rock, garage, soul et indie (alternatifs, en gros) de la ville, à l'atmosphère un tantinet grunge, très fréquenté par les étudiants. S'il n'y a pas de concert, c'est soirée DJ. Se remplit alors surtout après la fermeture des bars, vers 3h ou 4h.

♥ ♪ Le **Pub O'Hara** (voir plus haut) propose aussi du live le dimanche à partir de 23h30, ainsi que le **Tio Vivo** du jeudi au dimanche à partir de 22h30.

Où danser ?

On peut guincher dans la plupart des bars précédemment cités, mais les lieux indiqués ci-après sont spécifiquement conçus pour se déhancher.

♥ ⚥ ↑ **Gatsby** *(plan B1, 74) :* c/ Bordadores, 16. ☎ 923-21-73-62. ● gatsby barsalamanca@gmail.com ● Tlj 16h-3h (4h30 ven-sam). Un classique du circuit nocturne, spécialisé dans les cocktails (tarifs modiques) et *chupitos.* 2 bars un peu sombres à la déco kitsch : masques exotiques, fétiches, gnomes, poupées, monstres et sorcières... et 2 écrans géants pour les retransmissions sportives. Belle terrasse dans la rue piétonne, prisée à l'heure de l'apéro.

⚥ ↑ **Camelot** *(plan B1, 75) :* c/ Bordadores, 3. ☎ 923-21-90-91. ● info@ camelot.es ● camelot.es ● Tlj 19h-4h30 (6h30 w-e). Partageant la même placette piétonne que *Gatsby,* le *Camelot* la joue médiéval, avec ses murs en pierre de taille, ses tables rondes et ses étendards : vous êtes ici dans une ancienne chapelle ! Toutefois, pas de chants religieux dans les haut-parleurs : on y débite une musique plutôt commerciale... Les réfractaires se réfugient sur l'étroite terrasse, mais attention aux oreilles, les baffles beuglent sévère... Concerts (hors été surtout) et fiestas épisodiques. Entrée gratuite, mais boissons pas données.

⚥ **La Hacienda** *(plan B2, 76) :* c/ Bordadores, 3. ☎ 923-60-09-74. ● laha ciendasalamanca@gmail.com ● Tlj 23h30-5h30 (6h30 w-e). Public plutôt jeune. Blindé en fin de semaine, l'une de celles qui bougent le plus ! Excellents DJs.

♥ ⚥ **Bender** *(plan B2, 73) :* c/ Varillas, 2. ☎ 923-26-96-48. Tlj 23h-4h30 (5h30 sam). Impossible à rater, avec ses murs tagués aux couleurs de la série *Futurama* (l'autre dessin animé culte du créateur des *Simpsons*). Le décor intérieur baigne lui aussi dans cet univers déjanté, mêlant comique et science-fiction, pour le plus grand plaisir d'une clientèle festive et fofolle qui vient se trémousser sur les rythmes rock et indé. Consos plutôt bon marché, staff sympa et décontracté.

LA CASTILLE-LEÓN

À voir

Comme dans beaucoup de villes espagnoles, que ceux qui ont une voiture la laissent au parking (ou au garage) ! Salamanque se découvre d'autant mieux à pied qu'une bonne partie du centre est réservée aux piétons.

Autour de la plaza Mayor *(plan B2)*

C'est le quartier le plus vivant de la ville ancienne, noyé sous les cafés, bars, restos et boutiques.

ᔫᔫᔫ **Plaza Mayor** *(plan B2)* : construite sur les plans de Churriguera à partir de 1729 en hommage au roi Philippe V, c'est probablement la plus belle place d'Espagne, chef-d'œuvre d'unité du style baroque. Ses *galeries à arcades* ornées d'une soixantaine de médaillons sculptés revêtent cette majestueuse teinte dorée caractéristique de Salamanque, et que l'on doit aux propriétés de la *piedra franca de Villamayor* (une pierre extraite dans la région), qui jaunit en s'oxydant. Au nord se dresse l'*hôtel de ville (ayuntamiento),* avec sa tour d'horloge. Vivante à toute heure du jour et de la nuit (elle est alors superbement illuminée), l'esplanade est, aux beaux jours, envahie de terrasses.

PEOPLE

Les médaillons sculptés de la plaza Mayor forment le « Quien es quien » *de Salamanque, son* Who's Who. *Ils rendent hommage à la monarchie espagnole, aux conquistadors et aux personnalités originaires de Salamanque. On y trouve le Cid, Christophe Colomb, Hernán Cortés, Francisco Pizarro, Cervantes... mais aussi sainte Thérèse d'Ávila et lord Wellington, vainqueur des troupes napoléoniennes en Espagne (c'est d'ailleurs le seul étranger à être honoré ainsi). Sans oublier, dans l'angle (au-dessus du* Café Real*), le médaillon que fit apposer Franco, en hommage à lui-même... Une honte !*

ᔫᔫ **Mercado** *(plan B2)* : passer sous les arcades de la pl. Mayor, vous y êtes. *Tlj sauf dim, 8h-14h plus 16h-20h (mais quelques étals seulement).* Il est bien beau ce marché, et encore plus depuis sa restauration, avec ses étals croulant sous les fruits et légumes savamment empilés, les fromages, la charcuterie (on y vend de l'excellent *jamón ibérico* !), les poissons et fruits de mer. Idéal pour faire quelques emplettes avant de repartir.

ᔫ **Museo taurino** *(plan B2)* : c/ Dr Piñuela, 5. ☎ 923-21-94-25. ● *museotaurino salamanca.es* ● *Mar-sam 10h30-13h30, 17h30-20h ; dim et j. fériés 10h30-13h30. Fermé lun. Entrée : 3 € ; réduc. Dépliant en français.* Trophées, costumes, vieilles affiches, photos, vidéos de corridas, peintures, sculptures en hommage aux gloires locales de la scène taurine et à l'élevage des taureaux. Le tout dans des salles à la muséographie moderne. Intéressant.

Autour de la rúa Mayor *(plan A3-B2)*

ᔫᔫ **Casa de las Conchas** *(plan B2)* : c/ Compañía. ☎ 923-26-93-17. *Lun-ven 9h-21h ; w-e et j. fériés 10h-14h, 17h-20h. GRATUIT.* En vous dirigeant vers les cathédrales par la rúa Mayor, vous passerez devant cette emblématique *casa,* qui abrite la bibliothèque, juste en face de la *Clerecía.* La façade de cet édifice gothique du XVᵉ s est rehaussée de quelque 366 coquilles (et quelques blasons). Magnifique patio, accessible par la c/ Compañía. Tous les styles s'y mêlent, des influences mudéjares aux arcs mixtilignes en forme de parenthèses couchées, typiques de Salamanque. L'escalier vaut aussi le coup d'œil. Expos temporaires de photos à l'étage.

✯✯ Clerecía y universidad pontificia *(Université pontificale, plan A-B2) :* *c/ Compañía, 5. ☎ 923-27-71-74. Visites guidées obligatoires (en espagnol) ttes les 15 mn : lun-ven 10h30-12h45, 17h-18h30 ; le w-e 10h30-13h30, 17h-19h15. Nov-fév : tlj sauf dim ap-m et lun 10h30-12h45 (13h30 w-e), 16h-17h30. Entrée : 3 €. Brochure en français. En revanche, visite libre des **tours de la Clerecía** : tlj 10h-19h15 (17h15 déc-fév, dernière admission). Entrée : 3,75 € (billet combiné avec l'université : 6 €). Audioguide 3 €.* Dressée face à la *casa de las Conchas,* l'Université pontificale de Salamanque occupe l'ancien collège des jésuites, dont la construction débuta en 1617. Tout est d'un baroque pur et affirmé : les 2 tours, l'*aula magna* (amphithéâtre), l'escalier noble, le patio des étudiants, l'impressionnant cloître des Études aux colonnes colossales (Woody Allen y a donné un concert de clarinette), taillées dans une belle pierre ocre et tendre... Bibliothèque et salles de cours (en activité) se disséminent tout autour. Des tours, bien sûr, panorama spectaculaire sur la ville.

✯ Palacio de La Salina *(plan B2) : c/ San Pablo, 24. ☎ 923-29-31-00. Tlj 10h-20h (21h ven-sam). GRATUIT.* Attaché à la puissante famille des Fonseca, cet élégant palais de 1538 fut utilisé comme entrepôt de sel jusqu'à la fin du XIXe s. Il est conçu autour d'un patio irrégulier à arcades, dominé par une loggia aux parapets appuyés sur de gigantesques corbeaux de style baroque (probablement des caricatures de nobles locaux), et affiche un style plateresque enlevé. Méticuleusement restauré, il abrite aujourd'hui la *Diputación provincial.*

Le quartier des cathédrales et de l'Université (plan A-B3)

Monumental, le quartier abrite **les plus grands et les plus beaux édifices de Salamanque, reflets du Siècle d'or.** Il est presque entièrement piéton : un vrai bonheur !

✯✯✯ Les cathédrales *(plan A-B3) : il y en a 2, accolées, la « vieille » et la « nouvelle » ! ☎ 923-21-74-76. ● catedralsalamanca.org ● Les 2 se visitent tlj 10h-20h (18h oct-mars). Dernière admission 45 mn avt. Entrée : 6 € pour les 2 cathédrales ; réduc : gratuit - de 7 ans. Audioguide en français inclus (quand il en reste !).* Exceptionnellement, on ne détruisit pas l'ancienne cathédrale lors de la construction de la nouvelle ! Résultat : 2 édifices mitoyens, aux styles radicalement différents.

Catedral nueva
Commencée en 1513 dans un style gothique, à une époque où l'Europe s'en détachait, sa construction dura plus de 2 siècles. L'édifice impressionne par son volume et son aspect colossal, apothéose du catholicisme triomphateur de la Reconquête : énormes piliers cannelés, jeu de nervures des voûtes, monumentale coupole très ornementée, magnifique balustrade ajourée tout autour... Le pompon, ce sont quand même les arêtes dorées sur fond bleu et le festival de clés de voûte au-dessus de l'autel. On y remarque de belles stalles avec leur pesant d'angelots, des orgues d'un baroque très chargé et, derrière le chœur, la **chapelle du Cristo de las Batallas,** au style churrigueresque achevé (incroyable travail de ciselage), avec une statue du Christ du XIe s enchâssée dans l'autel. Impressionnante **capilla dorada** regroupant tout le *Who's Who* biblique, sans oublier la faucheuse drapée dans un suaire et saint Pierre assis sur son trône. Toutefois, c'est la **décoration extérieure,** plateresque, qui retient le plus l'attention : façades, portails, niches, arêtes, voussures, encadrements de fenêtres, flèches, foisonnent d'une ornementation mêlant motifs végétaux et bas-reliefs enlevés – à l'instar des remarquables

scènes de la *Nativité*, de l'*Adoration des Mages* et de la *Crucifixion* sur le portail ouest. Côté plaza de Anaya, l'*Entrée à Jérusalem le jour des Rameaux*, quoique fort réussie, se fait voler la vedette par de drôles de motifs... Lors de la rénovation de la partie basse de la porte des Rameaux, en 1992, les tailleurs de pierre ont introduit, à 3 m du sol à gauche, parmi les feuillages de la voussure un... astronaute et un diable mangeant un cornet de glace !

Catedral vieja

On y accède de l'intérieur de la nouvelle cathédrale – dont la construction a exigé d'abattre le transept gauche. Tout le reste est intact. Remontant au milieu du XIIe s, le bâtiment, largement roman, révèle par endroits l'émergence du gothique. De l'extérieur, on reconnaît son emblématique tour-lanterne, appelée « tour du Coq », au toit en écailles. Cette influence byzantine semble être due à des artisans mozarabes. À l'entrée, sur la droite, la *capilla San Martín* conserve de superbes peintures murales à la

ARRÊTE TON CHAR !

Très longtemps, la catedral vieja *accueillit les soutenances de maîtrise. Les étudiants se préparaient traditionnellement dans la chapelle de Santa Bárbara – une situation à l'origine de l'expression* estar en capilla, *qui signifie, en gros, « se retrouver au bord du gouffre »... Les lauréats se voyaient remettre leur diplôme dans le cloître, et les recalés étaient invités à s'éclipser discrètement par une porte dérobée, surnommée la « porte des Chars ».*

détrempe (1262) aux couleurs étonnamment vives. Mais le regard se porte vite sur le centre de toutes les attentions : la statue du XIIe s de la Vierge de la Vega, patronne de Salamanque. Le *retable* attribué à Nicolás Florentino (vers 1445), composé de 53 panneaux aux couleurs éclatantes contant la vie du Christ, est sans conteste le chef-d'œuvre du lieu.

Ne pas manquer non plus, avant d'entrer dans le cloître, ces enfeus aux lions ayant conservé leur superbe décoration polychrome. Le *cloître*, au déambulatoire vitré, est entouré de plusieurs chapelles et de la salle capitulaire, où se trouve un passionnant petit...

... musée d'Art religieux : d'abord, la chapelle de *San Salvador,* dont les délicates nervures entremêlées de la coupole dessinent une étoile et s'appuient sur des corbeaux à têtes de personnages. Voisine, la *capilla Santa Bárbara* propose un beau retable racontant le martyre de Santa Bárbara. Puis la *salle capitulaire,* où se trouve le musée proprement dit et où l'on peut admirer le retable de Santa Catalina, chef-d'œuvre de Francisco Gallego. Détailler la merveilleuse pietà à droite... Puis la vivacité des couleurs, le remarquable travail sur les plissés dans le martyre de santa Catalina (la roue avec les lames)... Toujours dans la *chapelle Santa Catalina,* la *Virgen Abridera* en bois avec représentation des apôtres (il n'en existe que 3 exemplaires dans toute la péninsule) et à l'étage, une salle consacrée à l'évolution de la nouvelle cathédrale. Enfin, la *capilla de Anaya,* qui renferme le tombeau en albâtre de l'archevêque don Diego de Anaya, aux sculptures d'une finesse époustouflante. Superbe grille en fer forgé avec frise d'animaux fantastiques. Dans la même pièce, l'orgue médiéval, en bois peint, est l'un des plus vieux d'Europe.

↯ Les tours

Accès au pied de la tour, sur la pl. Juan XXIII. ☎ 923-26-67-01. ● ieronimus.es ● Tlj 10h-20h (19h janv-fév). Dernière admission 1h avt. Entrée : 3,75 € ; réduc ; gratuit dim 17h-19h. Visites guidées nocturnes fin avr-début déc, ven-sam (ven seulement mai-juin et nov) entre 20h30 et 23h (jusqu'à 4 visites en été). Visite : 6 €, 2h. Attention, places limitées donc résa obligatoire ! Une grimpette qui vaut la peine. La 1re tour accueille une expo retraçant la construction des cathédrales, pas essentielle, mais ce qui motive vraiment la visite, c'est l'accès aux galeries donnant sur l'intérieur des 2 édifices. Un point de vue aussi original que fascinant. On parvient ensuite à la 2ᵈᵉ tour, qui abrite la salle du mécanisme de l'horloge et, plus haut, celle des cloches. Accès en prime aux terrasses d'où l'on domine la ville.

🎌🎌🎌 **Universidad** (université ; plan A-B2-3) : entrée c/ Libreros. ☎ 923-29-44-00. Lun-sam 10h-20h (19h de mi-sept à mars) ; dim et j. fériés 10h-14h. Dernière admission 30 mn avt. Entrée : 10 € ; réduc ; gratuit - de 12 ans. Audioguide 2 €, sinon dépliant en français gratuit et panneaux d'info.

Fondée en 1218, c'est l'une des plus anciennes et célèbres universités au monde. Dès l'origine, elle s'affirma comme le bastion de l'étude du droit, plutôt que de la théologie et de la philosophie comme à la Sorbonne. Christophe Colomb vint demander conseil à ses astronomes avant sa tentative de découverte des Indes par la route de l'Ouest.

L'essentiel des bâtiments date des XVᵉ et XVIᵉ s et s'articule autour d'une placette (à laquelle on accède par la calle Libreros) où se dresse la statue de l'humaniste Fray Luis de León. Face à elle, le portail des *Escuelas Mayores* (1529), par lequel on entre dans l'université, est un chef-d'œuvre platéresque. On reste fasciné par cette dentelle de pierre, d'où émergent des médaillons des Rois catholiques et les armoiries de Charles Quint. Une tradition veut que les étudiants cherchent la **petite grenouille** qui se cache sur la façade, **gage de réussite aux examens...** mais on dit aussi que seuls ceux qui ont le vice chevillé au corps parviennent à la trouver ! Un coup de pouce : elle se tient sur une tête de mort, sur le pilier de droite. Bonne chasse !

À l'intérieur de l'université, les **salles de cours** s'ordonnent autour d'un patio. Celle où enseignait Fray Luis de León a conservé décor et ameublement du XVIᵉ s, notamment les bancs étroits et rugueux des étudiants. Dans la **salle des Actes** (*Paraninfo*), décorée de tapisseries de Bruxelles, on peut voir, sous le dais, un étendard offert par le prince Jean, le fils des Rois catholiques. La **chapelle**, toute tendue de velours rouge, avec son riche autel baroque, sert actuellement au mariage des ex-étudiants (liste d'attente de 1 an !).

On rejoint l'étage par un splendide escalier de pierre sculptée, dont les scènes représentent les vertus à acquérir pour accéder au savoir. Là-haut, le saint des saints : la **bibliothèque** (on la voit depuis une cage vitrée), où s'alignent 60 000 livres du XVIᵉ s à 1830 – dont 485 incunables et 2 800 manuscrits. L'université de Salamanque fut la 1ʳᵉ d'Europe à en avoir une. Les globes terrestres furent acquis à Paris au XVIIIᵉ s par l'écrivain salmantin Diego de Torres Villarroel – qui les déclara au comptable de l'université comme des « livres ronds » pour qu'il accepte de les payer !

🎌🎌 **Escuelas Menores** (plan A2-3) : au fond de la placette de las Escuelas Mayores, à gauche du museo de Salamanca. Lun-sam 10h-14h, 16h-20h (19h oct-mars) ; dim 10h-14h. GRATUIT.

Partie intégrante de l'université, les *Escuelas Menores* doivent leur nom au fait qu'elles accueillaient les études pré-universitaires. Un autre splendide portail platéresque s'ouvre sur un patio aux allures de cloître avec des arcs mixtilignes (brisés), typiquement salmantins.

Entre autres salles (occupées par des expos temporaires), celle où est conservé, plongé dans l'obscurité, l'extraordinaire **Cielo de Salamanca**, peint en 1473 par Fernando Gallego. Sur fond vert, étoiles et constellations se mêlent à des représentations du zodiaque – indication qu'astronomie et astrologie allaient jadis de pair. Ce *Ciel zodiacal*, dont un 1/3 seulement a été préservé (de la Vierge au Sagittaire), figurait auparavant dans la chapelle de l'université, l'ancienne bibliothèque.

🎌 **Museo de Salamanca** (plan A2) : patio de las Escuelas Mayores. ☎ 923-21-22-35. Mar-sam 10h-14h, 16h-19h (17h-20h juil-sept) ; dim et j. fériés 10h-14h. Fermé lun. Entrée : 1 € ; réduc ; gratuit - de 18 ans, + de 65 ans, étudiants et pour ts le w-e.

Beaux-arts et archéologie sont les thèmes de ce petit musée, installé dans le joli **palacio Abarca-Alcaraz**, datant de l'époque des Rois catholiques. Autour de

LA CASTILLE-LEÓN

l'élégant patio intérieur à 2 niveaux d'arcades, des collections locales d'éléments lapidaires, de mobilier et de peinture du XVIe au XXe s. Dans le patio, quelques « pièces » comme cette borne milliaire romaine en l'honneur de l'empereur Néron sur la célèbre vía de la Plata, et une autre dédiée à César. Fragment de sarcophage de belle facture (stigmatisation de saint François). Dans les salles de peinture, ravissante *Sainte Ursule et les Onze Mille Vierges,* une *Déposition* de Luis Moralès et un triptyque attribué à l'école de Jean de Bourgogne. Plus loin, un élégant portrait d'Anne d'Autriche, une *Élévation de la Croix* du XVIIIe s, un pathétique *Christ aux Liens* et le *Miracle de Saint Toribio* (évêque de Lima) du XVIIIe s.

– *1er étage :* séduisant *Archange Saint-Michel terrassant Lucifer* en argent (et détails renforcés en or), 2 *Angeles arcabuceros* (des anges armés !) de l'école de Cuzco (XVIIIe s). Côté toiles modernes, *Segoviano* de Ignacio Zuloaga et un beau *Portrait de D. Miguel de Unamuno* par Juan Echevarría... Dans le tableau *Les Chats,* noter ce coup de pinceau assez insolite !

🥄 *Casa-museo Unamuno* (plan A3) : c/ Libreros, 25 ; à côté de l'université. ☎ 923-29-44-00. ● unamuno.usal.es ● Visite libre mais à heures fixes, lun-ven à 10h, 11h, 12h et 13h. Fermé w-e. Entrée : 4 € ; réduc ; gratuit - de 12 ans. Application audioguide à télécharger sur son smartphone.

LA COCOTTE DU PHILOSOPHE

Parmi les souvenirs exposés, des... cocottes en papier et des animaux en origami (dont une grenouille !). Les mauvaises langues disent que Miguel de Unamuno les confectionnait quand il recevait des visites ennuyeuses.

Miguel de Unamuno fut recteur de l'université de Salamanque pendant plus de 20 ans, mais surtout l'un des écrivains espagnols les plus réputés de l'entre-deux-guerres. Opposé à la dictature de Primo de Rivera, il fut déporté aux Canaries, s'évada puis rentra dans son pays en 1930 pour proclamer lui-même la république à la mairie de Salamanque. Ce pur intellectuel fut l'ami des grands esprits de son temps et laissa une œuvre pleine de moralité, entre existentialisme, interrogation mystique et engagement personnel. Le beau titre de son plus fameux ouvrage sonne comme une profession de foi : *Le Sentiment tragique de la vie.*

La maison-musée occupe un palais du XVe s connu sous le nom de *Casa de los doctores de la reina.* On visite au rez-de-chaussée l'immense salon de réception et, à l'étage, son bureau, une belle bibliothèque et sa chambre à coucher.

🥄 *Monumenta Salmanticae* (plan A3) : c/ de Veracruz. Mar-sam 10h-14h, 17h-19h30 (16h30-18h nov-avr) ; dim et j. fériés 10h-14h. Fermé dim ap-m et lun. GRATUIT. Installé dans l'église San Millán, ce modeste centre d'interprétation présente un panorama de l'architecture de Salamanque au travers de techniques modernes. Maquette interactive et écrans tactiles restituent les grands monuments en 3D ou sur 360°. Vous y verrez aussi de vieilles séquences de films montrant la ville dans les années 1920-1940.

🥄🥄 *Casa Lis – Museo de Art nouveau y Art decó* (plan A3) : c/ Gibraltar, 14. ☎ 923-12-14-25. ● museocasalis.org ● Tlj 11h-20h (de mi-nov à mi-mars, mar-ven 11h-14h, 16h-19h ; fermé lun) ; w-e et j. fériés 11h-20h. Entrée : 4 € ; réduc ; gratuit - de 14 ans et pour ts jeu 11h-14h.

Ce bijou de maison, merveilleusement restauré, a été construit au début du XXe s pour un industriel amateur d'Art nouveau. Lever le nez une fois l'entrée franchie, pour admirer la superbe verrière colorée. Il s'agit aujourd'hui d'un musée d'objets et de sculptures surtout, où les juxtapositions hardies s'imposent d'emblée. Autour du patio, plusieurs salles : porcelaines, flacons de parfum, émaux, bronzes, verres... Sans oublier des sculptures chryséléphantines kitsch à souhait et une petite salle coquine de « beautés au bain ». *Salle VI,* étonnante collection des danseuses de Demetre Chiparus, d'une grâce et préciosité infinies (notamment la *Dourga*). Dans les autres salles, des F. Preiss, des Paul Philippe également de très grande qualité.

Au 1ᵉʳ étage, éventails, bijoux, tableaux de Celso Lagar, amusante présentation de cartes postales anciennes et très riche collection de poupées en porcelaine (hommage à Paris, aussi, qui fut la capitale de la poupée au XIXᵉ s). Intéressante *salle XIX,* avec des vases et lampes en verre soufflé d'Émile Gallé. Belle section meubles Art nouveau et une *Maya Goyesca* (1955) de Picasso. Agréable cafétéria, de même style que la maison... Un musée vraiment exceptionnel !

Aux marges du quartier de l'Université

🦃 *Puente Romano (plan A3) :* franchissant le Tormes, le pont (piéton) relie le cœur historique de Salamanque aux quartiers sud. Les 2/3 de ses piles sont originales, les autres ont été relevées au XVIIᵉ s. La balade est sympa, surtout si on la prolonge le long du *río,* bordé de part et d'autre par de vastes espaces verts. 2 musées voisinent, rive nord : l'un dans un vieux moulin (gratuit), l'autre consacré à l'histoire de l'automobile *(tlj sauf lun 10h-14h, 17h-20h ; 4 €).*

🦃🦃 *Convento de las Dueñas (plan B3) :* pl. del Concilio de Trento. ☎ 923-21-54-42. *Lun-sam 10h30-12h45, 16h30-19h15 (17h15 l'hiver). Fermé dim et j. fériés. Entrée : 2 €.*
Voici l'un des plus attrayants cloîtres de la ville. Du XVIᵉ s, il prend une étrange forme trapézoïdale et arbore un style Renaissance d'une élégance exquise, renforcée par la beauté de ses arcades salmantines aux arcs polis. La galerie supérieure est ornée de riches chapiteaux représentant visages grimaçants, corps torturés surgissant de la pierre et animaux fantastiques considérés comme le clou de la visite.
Ce couvent abrite la sépulture de la *Santa Negrita,* la 1ʳᵉ religieuse noire d'Espagne. Fille présumée de roi, elle fut embarquée comme esclave avant d'entrer au couvent où elle vécut jusqu'à sa mort en 1748. Pas d'historique, mais on trouvera son portrait dans une petite salle à l'étage.
Les sœurs dominicaines (elles sont une trentaine) vendent de bons gâteaux à la sortie. Goûter à leur spécialité, les *amarguillos,* de succulents macarons.

🦃🦃 *Convento y iglesia San Estebán (plan B3) :* ☎ 923-21-50-00. *Tlj : 10h-14h, 16h-20h (18h l'hiver). Dernière entrée 45 mn avt. Musée fermé dim ap-m et lun. Entrée : 3,50 € ; réduc ; gratuit - de 10 ans. Feuillet explicatif en français.*
Le monastère de San Estebán a joué un rôle important dans l'histoire de l'Espagne. Christophe Colomb y vint en 1486 ou 1487 consulter les moines dominicains (les plus savants de leur temps) avant de se lancer dans sa grande entreprise transatlantique. Il reconnut plus tard leur rôle, assurant que le frère Diego de Deza était à l'origine de la découverte des « Indes ». Dès 1509, le couvent envoya des émissaires au Nouveau Monde. C'est d'ailleurs ici que, en 1522, Fray Bartolomé de Las Casas reçut l'habit dominicain. Il fut le 1ᵉʳ à se dresser face aux brutalités des conquistadors et à défendre les droits des Amérindiens. À partir de 1586, l'ordre tenta d'évangéliser les Philippines, la Chine, le Japon, le Vietnam, et ce jusqu'au XIXᵉ s. Les nombreux objets exotiques rapportés par les religieux, exposés dans la galerie supérieure du cloître, en témoignent.
L'ensemble formé par le monastère et l'église est l'un des plus impressionnants de Salamanque. Tout, ici, est monumental : la *façade plateresque* entièrement sculptée, les nefs, la sacristie, les livres de messe, le cloître des Rois aussi – gothique à l'intérieur, plateresque à l'extérieur. Des miroirs permettent d'apprécier la beauté de ses voûtes. Dans l'église, on reste bouche bée face au *retable,* du plus pur style baroque, de Churriguera (1693). On raconte qu'il nécessita près de 4 000 pins pour sa réalisation. En effet, il ne mesure pas moins de 14 m de large pour... 27 m de haut !
Un sompteux *escalier de pierre* Renaissance (1553-1556) mène au *coro* (la tribune) dominé par de belles stalles, pour une fois d'un style sobre. C'est également un poste d'observation idéal pour admirer le fameux retable. Le *musée d'Art*

religieux, installé dans l'ancienne bibliothèque, abrite quant à lui de superbes statues en ivoire du Christ, et d'autres en bois (dont un saint Jacques du XIIᵉ s), ainsi que des reliquaires marquetés, des vêtements liturgiques, des bibles anciennes et une *Vierge à l'Enfant* de Rubens.

Autour de la calle Bordadores *(plan A-B1-2)*

À l'ouest de la plaza Mayor, ce quartier largement piéton et très animé de nuit (nombreux bars festifs) regroupe plusieurs édifices secondaires dignes d'intérêt.

🗨🗨 *Palacio de Monterrey (plan B2) :* pl. de Monterrey. ☎ 923-21-83-42. *Visites guidées (sur résa seulement à l'office de tourisme) tlj à 10h30, 11h30, 12h30, 13h30, 17h et 18h (plus 19h en été). Visite : 5 € ; réduc.*
L'un des plus somptueux palais de la ville. Construit en 1539 pour don Alonso de Acevedo y Zúñiga, 3ᵉ comte de Monterrey, il n'a rien à envier à certains palais royaux ou autres *alcázares.* Il est remarquable par sa taille et sa tour-mirador terminée par une superbe loggia. L'ossature de ses parapets est formée par une ronde de personnages entrelacés. Le palais appartient aujourd'hui au fils aîné de la regrettée duchesse d'Albe, qui était l'une des plus riches (et excentriques) femmes d'Espagne. À l'intérieur, des tableaux de la collection privée de la maison d'Albe (José de Ribera, Carreño de Miranda, Titien...), des objets en porcelaine, des azulejos de Talavera de la Reina, des draperies représentant des blasons, des bustes des membres de la famille et des meubles marquetés sous des plafonds à caissons de style mudéjar.

🗨 *Iglesia y convento de la Purísima (plan B2) :* pl. de las Agustinas, face au palacio de Monterrey. *Ouv pdt la messe : lun, mer, ven et sam à 20h (19h oct-mai), plus dim à 12h.* Construction du XVIIᵉ s, assez froide, avec une nette influence italienne. Au-dessus de l'autel, une admirable *Immaculée Conception* de José de Ribera.

🗨 Tout près, au nᵒ 6 de la c/ Bordadores, la *Casa de las Muertes (maison des Morts ; plan B2),* du XVIᵉ s, doit son nom aux têtes de mort qui ornementent sa façade plateresque. Au nᵒ 4 de cette rue vécut et mourut Miguel de Unamuno. À deux pas, le *Convento de las Ursulas (plan B1)* qui fut longtemps occupé par de sœurs dominicaines, aujourd'hui fermé. Et à côté, l'*iglesia de la Vera Cruz* qui révèle un retable churrigueresque et une déco baroque exubérante *(ouv seulement pdt la Semaine sainte).* Certaines religieuses y chantent sacrément faux !

🗨 *Colegio Arzobispo Fonseca ou collège des Irlandais (plan A1-2) :* pl. Fonseca. ☎ 923-29-45-70. *Tlj 10h-13h30, 16h-19h. Entrée : 2 € ; GRATUIT avec le ticket d'entrée de l'université.* Comme son ancien nom l'indique, ce beau palais a accueilli des étudiants irlandais aux XIXᵉ et XXᵉ s. Bâti entre 1518 et 1558, il conserve un cloître Renaissance tout simple et une salle d'exposition de montres anciennes. Dans la chapelle, très dépouillée, au plafond à voûtes nervurées, un retable peint et sculpté par le grand maître Berruguete. À noter, le cadre magnifique de la *cafétéria du collège (à gauche en entrant ; tlj 11h-18h),* qui constitue un point de chute impeccable pour une pause-café dans de confortables fauteuils club ! Cheminée monumentale, plafond superbe, calme absolu...

ALBA DE TORMES   (37800)   5 230 hab.

À 19 km au sud-est de Salamanque, sur la route d'Ávila. C'est ici que se trouvent le tombeau et les reliques de sainte Thérèse d'Ávila, qui repose au couvent des carmélites. L'évêque ayant demandé une autopsie de la sainte 9 ans après sa mort, on en profita pour prélever son cœur, qui, chose assez inhabituelle, est aujourd'hui exposé dans un musée...

Arriver – Quitter

➢ *Salamanque :* env 15 bus/j. en sem avec *Moga (*☎ *923-24-46-41,* ● *mogacar.com* ●*)*, 6 seulement le sam, 5 le dim.

Adresse utile

🏠 *Oficina de turismo :* castillo de los Duques de Alba, c/ Castillo. ☎ 923-37-06-46. ● albadetormes.com ● Tlj 10h-20h (en hiver 10h-14h, 16h-19h30 en sem, en continu le w-e). Bonnes infos et plan de la ville. Très serviable.

Où manger ? Où boire un verre ?

🍽 🍷 *Casa Fidel :* pl. Mayor, 16. ☎ 923-30-02-42. ● fidevaliente@gmail.com ● Près de l'église San Juan. Tlj (sauf jeu en hiver) 9h-23h. Tapas env 1,50 €. Un bistrot photogénique (belle devanture en bois) à l'allure de brocante, avec ses vieilles photos, radios anciennes et autres antiquités. Idéal pour grignoter quelques tapas et se désaltérer avant ou après les visites.

À voir

🎨🎨 *Iglesia San Juan :* pl. Mayor. Au-dessus du Museo carmelitano. Mar-dim 11h-14h, 16h30-19h (16h-18h30 en hiver). Fermé lun. Entrée : 1 €. Rarissime en son genre, cette ravissante église du XIIe s, magnifiquement restaurée, mêle les styles mudéjar et roman. Nef unique à 2 arches, qui donne une impression d'espace. Dans le chœur, un véritable chef-d'œuvre : une *Assemblée des apôtres* en pierre polychrome du XIIe s, de style romano-byzantin.

🎨🎨 *Iglesia de la Anunciación et Museo carmelitano :* dans l'église du convento Carmelitas, pl. Santa Teresa, 4, et musée « Carmus » derrière, par la ruelle piétonne. ☎ 628-00-16-60. ● carmelitasalba.org ● Tlj 10h30 (11h lun)-13h30, 16h-19h (18h30 lun ; 18h en hiver et fermé lun ap-m). Chambre de sainte Thérèse d'Ávila : 1 € ; chambre et musée : 3 € (audioguide inclus). C'est dans le très riche et superbe musée d'art religieux que l'on verra les fameuses *reliques de sainte Thérèse* (le bras et le cœur, conservés dans 2 vitrines différentes, derrière l'autel). La chambre où elle mourut est dans l'église (on a d'ailleurs reconstitué la scène). Le tombeau est au centre du retable.

🎨 *Castillo Duques de Alba :* tlj 10h-14h, 16h-20h ; en continu le w-e (ferme à 19h30 avr-mai, 18h30 l'hiver). Entrée : 3 € ; réduc. Gratuit - de 6 ans et pour ts lun 10h-12h (sauf j. fériés). Construit aux XVe et XVIe s, ce puissant château n'a conservé qu'un donjon massif, parfaitement restauré, qui domine les vestiges des fondations. Du sommet, on peut d'ailleurs se faire une idée de la taille et de la disposition des bâtiments en observant leur tracé. À l'intérieur, gravures, objets trouvés lors des fouilles et des fresques recouvrant la coupole qui faisait autrefois office de théâtre.

CIUDAD RODRIGO (37500) 12 900 hab.

┌─────────────────────────────────┐
│ ● Plan *p. 317* │
└─────────────────────────────────┘

À 90 km de Salamanque, sur la route du Portugal, par la N 620 ou la E 80. Une mignonne petite ville, accueillante et paisible, qui échappe aux hordes de touristes. Le vieux centre est ceinturé de remparts, et ses nombreux vestiges des XVᵉ et XVIᵉ s lui donnent une cohérence et un charme bien particuliers.

Arriver – Quitter

Estación RENFE (hors plan par B1) : paseo de la Estación. ☎ 912-320-320. ● renfe.com ● Assez éloignée, au nordest de la ville. 1 seul train/j., qui assure la ligne **Lisbonne-Hendaye,** via (entre autres) Ciudad Rodrigo (arrêt en pleine nuit !), Salamanque, Valladolid et Burgos. **Estación Autobuses** (hors plan par B1) : campo de Toledo. ☎ 923-46-02-17. À 300 m de l'office de tourisme. Horaires et fréquences plus pratiques qu'avec le train. Avec **Salamanque,** env 10 liaisons/j. en sem, 4-6 le w-e ; 1h10 de trajet (El Pilar : ☎ 923-46-10-31 ; ● elpilar-arribesbus.com ●).

Adresse utile

Oficina de turismo (plan B2) : pl. Mayor, 27. ☎ 664-34-65-80. ● turismociudadrodrigo.com ● À côté de la mairie. Tlj sauf dim ap-m 10h-14h, 16h30-18h30 (16h-18h l'hiver). Bonne doc et infos pertinentes. Sur résa, visite guidée de la ville avr-oct, tlj à 12h (7 €).

Où dormir ? Où manger ? Où boire un verre ?

Camping

Camping La Pesquera (plan A2) : ctra Cáceres-Arrabal. ☎ 923-48-13-48. ᐧ 620-00-22-19. ● campinglapesquera@hotmail.com ● campinglapesquera.es ● Après le pont, à la sortie de la ville, en direction de Cáceres. Fermé 15 déc-15 janv. Env 14 € pour 2 avec tente et voiture. Au bord de la rivière, un camping tout simple, calme et ombragé. Commodités bien entretenues, bar, épicerie et aire de jeux pour enfants. Attention, beaucoup de mouches en été.

De bon marché à prix moyens (env 45-65 € pour dormir ; 10-25 € pour manger)

Hostal Puerta del Sol (plan B1-2, 10) : rúa del Sol, 33. ☎ 923-46-06-71. ● reservas@hostalesenciudadrodrigo.com ● hostalesenciudadrodrigo.com ● Doubles 45-65 €, petit déj inclus. En plein centre-ville, un établissement coquet refait à neuf dans un style moderne, fonctionnel et coloré. Des chambres impeccables et de bon confort (clim, jolies salles de bains). Ascenseur. Super accueil.

La Paloma (plan B2, 11) : c/ Paloma, 3. ☎ 923-46-24-41. Tlj sauf lun. Menu midi 10 €, plats 5-17 €. Au sein d'une élégante demeure de pierre, l'un des meilleurs endroits de la ville (et l'un des moins chers) pour les petits plats traditionnels avec surtout de la viande (lomo de cerdo, carne de morucha a la plancha), tapas et raciones aussi. Cadre chaleureux bien qu'un peu sombre.

Tamborino II (plan A2, 12) : c/ General Pando, 3. ☎ 923-48-18-68. Tlj. Menus 14-38 €, plats 13-20 €. Cadre très ordinaire, accueil discret pour une cuisine de famille copieuse faisant la part belle aux produits du terroir. Bonnes viandes (chuletón, solomillo...).

La Pulperia de Evaristo (plan B2, 13) : c/ Correo Viejo, 7. ☎ 923-48-06-15. Tlj sauf mer. Fermé 15 j. fin juin. Raciones 7-15 €. Petite pulperia conviviale à la déco férocement marine, avec une agréable terrasse dans l'étroite ruelle. Faire son choix parmi les livraisons du jour exposées en vitrine réfrigérée : palourdes, gambas, poulpe,

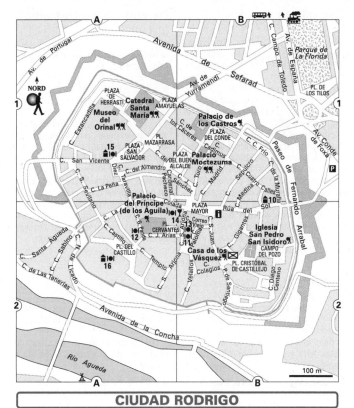

CIUDAD RODRIGO

■ Adresse utile

　🛈 Oficina de turismo (B2)

🏠 |O| Où dormir ? Où manger ?
　🍷 Où boire un verre ?

　10 Hostal Puerta del Sol (B1-2)

11 La Paloma (B2)
12 Tamborino II (A2)
13 La Pulperia de Evaristo (B2)
14 El Sanatorio (A-B2)
15 Hotel Conde Rodrigo I (A1)
16 Parador de Ciudad Rodrigo (A2)

LA CASTILLE-LEÓN

pétoncles, couteaux, huîtres... Propose également quelques plats cuisinés (notamment un *arroz de mariscos*) et des poissons frits. Service efficace et sympa.

🍷 |O| 🔺 *El Sanatorio (plan A-B2, 14) :* pl. Mayor, 12. ☎ 923-46-00-24. *Tlj. Menu 10,50 €, plats 5-15 €.* Un vieux bar à tapas aux murs tapissés de photos du carnaval annuel de Ciudad Rodrigo, des années 1940 à nos jours. Sympa pour boire un verre en terrasse ou sur son long comptoir de bois verni, dans une ambiance assez animée en soirée. Rien d'un sanatorium, donc ! Sert également un bonne petite cuisine bistrotière pas chère.

Chic (60-90 €)

🛏 |●| ↑ *Hotel Conde Rodrigo I* (plan A1, **15**) : pl. de San Salvador, 7-9. ☎ 923-46-14-04. ● hola@hotel conderodrigouno.com ● hotelconde rodrigouno.com ● Doubles 56-89 €. Menu sem 13,50 €, plats 9,50-13,50 €. Parking 7,50 €. Hôtel aménagé dans un beau palais du XVIᵉ s, en bordure d'une place ombragée, à 50 m de la cathédrale. Chambres confortables (clim, minibar), joliment meublées et décorées avec goût. Côté resto, *La Veinte* propose dans un cadre contemporain des plats locaux avec des suggestions italiennes (dont pâtes et pizzas). Bar *Entrecopas* très sympa également. Terrasse romantique sur rue le soir. Accueil parfait. Possède une annexe un peu plus luxueuse hors de la ville.

De plus chic à très chic (de 90 à plus de 120 €)

🛏 |●| *Parador de Ciudad Rodrigo* (plan A2, **16**) : pl. del Castillo, 1. ☎ 923-46-01-50 ou 902-54-79-79 (résas). ● ciudadrodrigo@parador.es ● para dor.es ● ♿ Doubles 105-200 €, petit déj 16 €. Menu 34 € (vin inclus), plats 18-23 €. Parking gratuit. Superbe *parador* installé dans un château du XIVᵉ s, au point culminant de la ville. Adossé aux remparts, il bénéficie d'un panorama imprenable. Beau donjon crénelé, grosses murailles de pierre et armures en déco. Belles chambres confortables et aménagées avec goût dans un esprit rustique et cosy : clim, minibar, coffre, etc. C'est également une excellente table, dans un cadre de charme.

À voir

🎯🎯 Les *rues* et *places* aux façades élégantes, ornées de blasons ; les *palais,* tels celui de *Los Castros* (ou *de Montarco*), du XVIᵉ s, avec sa belle porte décentrée, encadrée d'un *alfiz* et flanquée de 2 colonnes torses, ou à côté l'imposante façade du *palacio Moctezuma* (ou *de los Cornejo*), qui abrite la *Casa de la cultura.* Voir également l'*ayuntamiento* (hôtel de ville, sur la belle et très vivante plaza Mayor), avec sa double galerie à arcades et son campanile.

🎯🎯 *Catedral Santa María* (plan A1) : ☎ 923-48-14-24. ● catedralciudadrodrigo. com ● Accès par le musée, sur la gauche. Lun-sam 11h30 (11h musée)-14h, 16h-19h (18h l'hiver) ; dim 12h-14h, 16h-18h. Fermé lun ap-m. Entrée (cathédrale, musée et cloître) : 3 € ; réduc ; gratuit - de 12 ans, et pour ts dim après 16h (sauf Semaine sainte et ponts fériés).
Édifiée du XIIᵉ s, s'y mêlent les styles roman, gothique et platesresque. Accès par un *cloître* de style gothique flamboyant, où l'on peut s'amuser à détailler les scènes cocasses représentées sur certains chapiteaux et au pied des piliers (Ève tirant la barbiche d'Adam, un p'tit bonhomme les fesses à l'air, une femme avec un énorme matou sur elle, etc.). Amusant. Dans la nef centrale, belles *stalles* de 1502 en gothique fleuri, aux accoudoirs ornés de monstres fantasmagoriques. Jeter un œil sur la 6ᵉ stalle de gauche, le personnage semble se « soulager » ! Le grand orgue est l'œuvre de l'immense Churriguera. Dans la nef de droite, intéressante *Déposition* en albâtre (noter la coiffe moderne de Jean). Dans les 2 chapelles du fond, jolis retables baroques. Puis aller tout au fond, sous la tour, pour tomber en extase devant le *pórtico del Perdón,* superbe portail du XIIIᵉ s illustrant plus de 400 scènes bibliques. Sur le tympan, beau couronnement de la Vierge surmontant la Cène. Sur la colonne centrale, une Vierge à l'Enfant d'une grande finesse et, de chaque côté, des apôtres au visage si expressif qu'on en devinerait presque leurs pensées...
– *Museo diocesano :* au rdc. Vénérables évangiles, orfèvrerie religieuse, reliquaires, custodes du XVIᵉ s, superbes croix de procession en argent, divers vestiges lapidaires. À l'étage : belle série de Vierges à l'Enfant assez rustiques, crucifix d'ivoire et toiles religieuses.
– Possibilité également de visiter la *tour* : sam et dim à 13h15. Entrée : env 2 €. Une curiosité dans son genre. Accolée au XVIIIᵉ s à l'édifice antérieur, elle renferme

la rosace d'origine dans l'une de ses salles. Assez chic comme lucarne ! En passant, on jette un coup d'œil à une belle maquette de la cathédrale, à une vidéo, puis, après 138 marches, on atteint le clocher : vue panoramique sur la ville.

🐾 **Correos** *(la poste ; plan B2) :* installés dans la **casa de los Vásquez,** un palais gothique du XVIᵉ s *(ouv lun-ven 8h30-14h30, sam 9h30-13h ; fermé dim).* L'endroit vaut le coup d'œil pour ses plafonds de bois, ses fers forgés et céramiques. Il y a partout des panneaux « Réservé aux employés et aux clients » : apparemment, les employés en ont marre des visiteurs !

🐾 **Iglesia San Pedro y San Isidoro** *(plan B2) : ouv jeu-ven et ponts fériés 11h-14h, 16h-19h ; plus juil-sept tlj sauf lun pour la messe de 19h15.* Style romano-mudéjar pour le portail et l'abside (XIIᵉ s), plutôt gothique pour le reste.

🐾 **Palacio del Príncipe** *(ou de los Águila ; plan A2) : c/ Juan Arias, 2.* ☎ 923-46-30-22. *Ouv mar-dim mat 10h30 (10h w-e)-14h, 16h-18h. Fermé dim ap-m et lun. GRATUIT.* Très beau palais du XVIᵉ s, précédé d'un ravissant patio à double galerie finement ouvragée. Outre des expos temporaires intéressantes à l'étage, il accueille au rez-de-chaussée une expo sur la guerre de l'Indépendance présentant 82 gravures de Goya, qui s'était mué en reporter de guerre pour l'occasion.

🐾🐾 **Museo del Orinal** *(musée du Pot de chambre ; plan A1) : pl. Herrasti (à côté de la cathédrale).* 🖥 *676-09-96-19.* ● *museodelorinal.es* ● *Juil-oct, tlj sauf dim ap-m, 11h-14h, 17h-20h ; nov-juin, tlj sauf jeu, 11h-14h plus 16h-19h sam et lun. Entrée : 2 € ; réduc ; gratuit - de 10 ans.* L'un des musées les plus insolites qu'on connaisse, le musée du Pot de chambre : 1 300 pièces originales provenant de 27 pays (du XIIᵉ au XXᵉ s). Superbes chaises percées antiques dont une équipée d'une chasse d'eau primitive, pistolets et bassins d'hôpitaux, pots de voyage... Un « colonial » du XIXᵉ s en argent massif, un en bronze dessiné par Gaudí, un autre en céramique de Limoges du XVIIIᵉ s. Si vous comprenez l'espagnol, le maître des lieux vous livrera un cours passionnant sur le sujet !

À faire

➤ ⚐ Balade agréable de 2 km le long des **remparts** *(plan A-B1).* Le chemin de ronde permet d'admirer des bastions et fossés habilement restaurés, à la grande capacité d'évocation. Pour glaner un panorama d'anthologie, grimper en haut du donjon du **castillo** *(parador, plan A2),* accessible aux non-résidents *(tlj 10h-20h ; 1,50 €).*

➤ **Turismoactiva :** *finca Alameda Vieja, 7.* 🖥 *622-43-07-47.* ● *turismoactiva@gmail.com* ● *turismoactiva.com* ● *Tte l'année. Compter 20-40 € pour 2-4 h, selon l'activité.* Jorge Gonzáles Manzano et son équipe proposent une foule d'activités nature, sportives et d'aventures dans les environs de Ciudad Rodrigo, ainsi que dans la sierra de la Peña de Francia et jusqu'à celle de Gredos. Selon les saisons, les sorties sont riches et variées : escalade, descente en rappel, tyrolienne, canoë, rafting, canyoning, *paddle,* trekking, tir à l'arc, et même des balades à raquettes sur la neige et des cueillettes de champignons. Location de VTT également.

Fêtes et manifestations

– **Carnaval del Toro :** *pdt les 5 j. qui précèdent le mercredi des Cendres.* ● *carnavaldeltoro.es* ● L'un des plus anciens d'Espagne : les preuves de son existence remontent au XVᵉ s. Une fête originale et unique, à mi-chemin entre le carnaval et la fête taurine. Les gens se déguisent, il y a des cortèges de chars et des danses. Sur la plaza Mayor, on assiste à des corridas amateurs et au lâcher de taureaux dans les ruelles.

– Feria de teatro : 5 j. fin août. ● feriadeteatro.es ● Du théâtre partout et à toute heure : dans les rues, les patios, le cloître... et même dans le théâtre ! C'est l'un des plus grands rendez-vous espagnols de spectacle vivant : près de 35 000 festivaliers y affluent chaque année.

LA SIERRA DE LA PEÑA DE FRANCIA

Au sud-est de Ciudad Rodrigo, direction Bejar (SA 220). La région vit encore dans un isolement qui lui a permis de conserver de très beaux paysages, des villages anciens et un mode de vie traditionnel. Le revers de ce bel isolement, c'est la quasi-impossibilité d'explorer la région sans véhicule.

– Dans chaque village, une borne avec un écran tactile indique ttes les infos touristiques sur la sierra.

¶¶ ⇐ *Monasterio Nuestra Señora de la Peña de Francia :* point culminant du massif (1 732 m), que l'on atteint au départ d'El Casarito (proche de La Alberca), par une route pittoresque en lacet qui escalade abruptement la montagne 12 km durant (accès également possible par la belle route de montagne passant par Monsagro en venant de Ciudad Rodrigo). Peu à peu, les arbres cèdent la place à un paysage rocailleux, où abondent les rapaces. Panorama splendide qui englobe toute la sierra depuis le mirador au pied du monastère. Beaucoup de monde en saison.

≙ |●| ♈ On peut boire un verre, manger et même dormir à la *Hospedería del Santuario Peña de Francia :* face au monastère, 37621 *El Cabaco.* ☎ 923-16-40-00. ● info@hospederiapenadefrancia.com ● hospederiapenadefrancia.com ● &. *Ouv de mi-mars à nov. Doubles avec sdb 35-66 €. Menu 16,50 €.* Le site est grandiose et il plaira beaucoup aux contemplatifs. Longue et solide bâtisse de pierre avec des chambres un brin monacales mais modernisées avec parquet stratifié, gros murs épais et vue panoramique pour la moitié d'entre elles (les autres donnent sur le monastère). Cuisine correcte et bon accueil.

LA ALBERCA (37624)

¶¶ L'un des plus séduisants villages de Castille, classé tout entier Monument historique. Éminemment touristique, mais si agréable à visiter ! Maisons aux belles pierres et fins colombages, balcons en bois fleuris, rues méchamment pavées (gare aux talons !) et, surtout, une adorable petite plaza Mayor avec ses galeries à colonnes, ses fleurs qui dégoulinent des fenêtres et ses cafés (notre préféré, *El Soportal,* avec une belle terrasse, pour goûter aux spécialités régionales). Le 15 août (fête de l'Assomption), grandes fêtes populaires réunissant tout le village. Climat frais, grâce à l'altitude. Le village est par ailleurs

LES ÂMES SE FONT SONNER LES CLOCHES

La Alberca perpétue une tradition unique et fortement empreinte de mysticisme, dont les origines remonteraient au XVIᵉ s : la Moza de Animas (la « servante des âmes »). Tous les jours de l'année, au coucher de soleil, un petit groupe de femmes déambule dans les ruelles du village, selon un parcours bien établi, agitant une clochette et récitant des psalmodies, pour honorer les âmes défuntes. Selon la légende, une fois le rituel fut oublié... Ni une ni deux, les âmes piégées au Purgatoire se manifestèrent en déchaînant les éléments ! Depuis lors, personne n'ose déroger à la tradition...

situé au cœur d'un vaste parc naturel *(parque natural Las Batuecas-Sierra de Francia)*, connu pour ses forêts de chênes et de châtaigniers, ainsi que pour sa faune (bouquetins, aigles, vautours). Ne pas hésiter à glaner des idées de rando (le GR 10 traverse la sierra, mais il existe aussi 28 autres sentiers !) et autres activités à la *Casa del parque,* à la sortie du village : ☎ 923-41-54-21 ; ● *patrimo nionatural.org* ● ; juil-août, tlj sauf lun 10h-14h, plus ven-sam 16h-19h ; le reste de l'année, ven-sam 10h-14h, 16h-18h ; dim 10h-14h ; fermé janv. Expo *(1 €)* assez bien faite sur le parc. Prêt (gratuit) de vélos électriques sur résa 48h avant sur le site ● *patrimonionatural.org/moveletur* ●

➢ *Pour s'y rendre (arrêt pl. San Antonio, à l'entrée du village) :* avec *Cosme* (☎ 923-12-08-00. ● *autocarescosme.com* ●), 2 bus/j. lun-ven depuis et pour *Salamanque,* seulement 1 bus le w-e. Et 1 liaison avec *Béjar (lun et ven)* et *Ciudad Rodrigo (mar et jeu)* par la *Viagon* (☎ 923-44-93-37 ; ● *autocaresviagon.com* ●).

Adresse et info utiles

🏢 *Oficina de turismo :* pl. Mayor, 11 *(dans l'ancienne prison !).* ☎ 923-41-50-36. ● *laalberca.com* ● Tlj sauf dim ap-m et lun 10h (10h30 le w-e)-14h, 16h30-18h30. Plan du village, liste des hébergements et bons conseils de visites.

– Parking gratuit à 300 m du centre sur la route de Salamanque et sur le boulevard circulaire du village en allant vers la *Casa del parque,* sinon payant *(3,50 €/j.).*

Où dormir ? Où manger ?

Campings

⛺ *Sierra de Francia :* ctra Salamanca-La Alberca, 37659 **El Casarito.** ☎ 923-45-40-81. ● *info@campingsier radefrancia.com* ● *campingsierrade francia.com* ● ♿ À 5 km de La Alberca sur la route de Ciudad Rodrigo, au pied de la Peña de Francía. De Pâques à mi-sept. Env 20-22 € pour 2 avec tente et voiture. Grandes tentes 5 pers et bungalows 6 pers 60-95 €. Dans le parc de Batuecas, un magnifique camping planté de grands arbres. De l'herbe partout, belle piscine *(juil-août),* aire de jeux pour les enfants, épicerie, bar, resto... Un bel endroit pour visiter la région en toute tranquillité, et l'accueil y est excellent.

⛺ 🏠 *Camping Al-Bereka :* ctra Salamanca-La Alberca, km 75,6 (Prado Cabo). ☎ 923-41-51-95. ● *turismo@ albereka.com* ● *albereka.com* ● À 2,5 km de La Alberca. Camping ouv de mi-mars à mi-oct, bungalows et apparts tte l'année. Env 20 € pour 2 avec tente et voiture. Bungalows 3-4 pers 70-110 € ; apparts 2-6 pers 65-110 €. Casa rural 125-140 €.

En contrebas de la route (et suffisamment à l'écart), un grand complexe calme et arboré, proposant des hébergements variés. Piscine en été (2 bassins), bar. Bon accueil.

De bon marché à prix moyens (40-55 € pour dormir)

🏠 🍴 ☂ *Hostal San Blas :* avda Las Batuecas, 27. ☎ 923-41-53-22 ou 29. ● *info@hostalsanblas.es* ● *hostal sanblas.es* ● Double avec sdb 40 €. Stationnement gratuit. Dans une maison style « chalet de montagne », des chambres à l'ancienne, très correctes et spacieuses, d'un rapport qualité-prix dur à battre. Bar à tapas à l'entrée, et terrasse devant la maison.

🏠 *Hotel Antiguas Eras :* avda Las Batuecas, 27-29. ☎ 923-41-51-13. ● *hotel@antiguaseras.com* ● *anti guaseras.com* ● ♿ Doubles 50-55 €, petit déj inclus. Stationnement gratuit. Grosse maison bâtie dans le style régional, abritant un sympathique 3-étoiles familial. La salle de réception est à l'image des chambres, claire avec un plancher verni et de grandes fenêtres. Les chambres sont simples, spacieuses et fort bien tenues, avec balcon donnant sur un paisible jardin à l'arrière.

🛏 |●| 🠕 **Hostal La Alberca :** pl. San Antonio, 2. ☎ 923-41-51-16. 🖥 659-39-00-98. ● laalbercahostal@gmail.com ● Pas de réception, appelez : le proprio n'est pas loin ! Double avec sdb 40 €. Au resto (fermé mer sauf été), plats et raciones 8-22 €. Au début de la rue principale. Petit *hostal* à l'architecture traditionnelle à colombages, très bien tenu. Chambres claires à la déco sommaire, certaines avec un balcon. Le resto du rez-de-chaussée, *La Cantina de Elias* (gestion différente), sert une cuisine régionale soignée. Terrasse sur la placette.

|●| **El Encuentro :** c/ Tablao, 8. ☎ 923-41-53-10. Légèrement en retrait dans le bas de la pl. Mayor. Tlj sauf mer. Menus (midi et soir) 12-15 € (vin compris), raciones 6-11 €, plats 10-16 €. Resto rustique et classe à la fois, avec son bar d'habitués en bas et son élégante salle de resto à l'étage, entre pierre, bois et brique. On y déguste une cuisine riche, maîtrisée et savoureuse qui met à l'honneur les spécialités locales : joue de porc au vin, ragoût d'agneau, *alubias* (haricots blancs) marinés 24h à l'avance dans un bouillon de cochon... Service parfait et souriant.

Chic (min 70 € pour dormir)

🛏 |●| **Hotel-restaurante Doña Teresa :** ctra Mogarraz, s/n. ☎ 923-41-53-08. ● contacto@hoteldeteresa.com ● hoteldeteresa.com ● Face à l'entrée haute du village. Doubles 70-110 €, petits déj 7-10 €. Menu (midi et soir) 20 €, plats 14-30 €. Parking gratuit. Belle auberge en pierre à colombages, classée 4-étoiles. Piscine (malheureusement située à 1,5 km, dans le centre thermal, l'autre version luxe de l'hôtel !). Sauna et salle de fitness (payants). Chambres douillettes, dans un style rustique soigné, certaines avec balcon ou terrasse. Salle à manger également rustique où l'on sert une bonne cuisine traditionnelle. Service impeccable.

MIRANDA DEL CASTAÑAR (37660)

À 16 km de La Alberca.

🏃 Isolé à l'est de la sierra, un village perché très pittoresque, avec ses étroites venelles et ses maisons à blasons. Laisser sa voiture avant la forteresse sous peine de rester bloqué dans les ruelles (parking sur la grande place qui sert aussi pour les corridas, avec ses murs de pierre protecteurs percés d'étroites embrasures). Quelques restos aux terrasses ensoleillées, mais peu d'hébergements en dehors des *casas rurales*.

Où dormir ? Où manger ? Où boire un verre ?

⛺ **El Burro Blanco :** à env 1 km de l'entrée du village, par un chemin sur la gauche. 🖥 626-22-76-46. ● camping.elburroblanco@gmail.com ● elburroblanco.net ● Ouv mai-sept. Env 22 € pour 2 avec tente et voiture. Face à la montagne, camping bercé par la nature, et baignant dans un calme olympien (et réciproquement). Les amoureux d'espace auront du choix au moment de planter leurs sardines : on s'installe où l'on veut au gré des 25 ha d'un superbe site arboré, de seulement 30 emplacements ! L'accueillant couple de proprio hollandais tient à l'esprit de camping à l'ancienne, sans superflu : douches chaudes dans un bloc sanitaire sommaire, w-c chimiques, bar-snack et salon avec cheminée. Pas de gros camping-car admis. Le pied !

🛏 **Posada Miranda :** c/ Arrabal, 11. ☎ 923-43-29-62. ● posadamiranda@posadamiranda.es ● posadamiranda.es ● ♿ Traverser le village à pied et prendre la c/ Los Tigres à droite après l'église. Doubles 80-85 €, petit déj-buffet inclus. Menu 18 €. Dans une demeure de pierre lumineuse et brillamment restaurée, voici un petit établissement tenu avec sérieux et amabilité. Déco moderne sobre et très bon confort (clim, sèche-cheveux...). Fait également resto. En prime, une vue jouissive sur les alentours depuis la terrasse-mirador !

IOI Y ↑ Las Petronilas : c/ Llanitos, 3, à l'entrée du village, sur la droite. 📟 691-58-13-00. *Fermé mar sauf en août. Menu 11 € en sem, plats 12-19 €.*

Café-resto depuis 1864, il a fait sa mue en un resto au cadre contemporain dernier cri ! De la salle, cependant, c'est toujours une vue extraordinaire sur les toits du village et les collines boisées. La terrasse, quant à elle, donne sur les remparts et la ruelle pavée. Bonne cuisine, goûter au *suprema de bacalao a la plancha* et au fondant *cabrito cuchifrito*.

À voir

⚑ ⊛ Bodega la Muralla : pl. Iglesia, 14. ☎ 923-43-22-05. 📟 690-62-57-35. ● bodegalamuralla.es ● *Ouv tlj en saison 10h30-14h30, 16h30-20h30. GRATUIT.* Visite très agréable commentée par une passionnée qui a restauré, avec son mari, cette magnifique cave de 250 ans d'âge où le vin se foulait aux pieds. La muraille de granit, de 3 m d'épaisseur, a été percée pour insérer des tuyaux et vendre le vin directement dans la rue en contrebas. Le 1er distributeur automatique !

SAN MARTÍN DEL CASTAÑAR (37659)

À 11 km de La Alberca.
Encore un village montagnard authentique, avec ses maisons blotties les unes contre les autres, ses placettes pavées, ses lavoirs et fontaines, où le temps semble avoir suspendu son vol. Environ 300 habitants, pas de boutiques de souvenirs et des touristes rares. C'était la résidence d'été des évêques de Salamanque. On y accède par une route en lacet à travers une forêt et une étrange lande couverte de bruyères et de rochers plats.

Où dormir ? Où manger ? Où boire un verre ?

🏠 IOI Y La Posada de San Martín : c/ Larga, 1. ☎ 923-43-70-26. 📟 647-76-29-00. ● info@posadadesanmartin. es ● *À deux pas de la pl. Mayor (fléché). Résa conseillée. Doubles avec sdb 55 €, petit déj inclus. Menu 17 €, raciones également.* Grosse maison médiévale avec son imposante porte en bois, autrefois demeure de famille noble, puis résidence de l'évêque. Cadre magnifiquement restauré de poutres épaisses, pierre, cheminée, escalier ciré qui craque. Beaucoup de cachet, mon tout un peu de guingois, sur plusieurs niveaux. À peine 11 chambres petites mais vraiment très jolies (certaines avec lit à baldaquin, d'autres avec balcon), confortables et bien tenues. L'une d'elles propose même un lit très haut, copie de celui des nobles jadis.

🏠 IOI ↑ El Mesón de San Martín : pl. Mayor. ☎ 923-43-74-54 (resto). ☎ 923-43-73-26 (chambres). ● casas@ruralbuenaventura.com ● ruralbuenaventura.com ● *Studios et apparts 2-4 pers 50-60 €, petit déj inclus. Menus 12-18 €.* Face à la fontaine du village, un petit resto pittoresque avec sa jolie terrasse et sa salle en vieille pierre. Bonne cuisine locale, sincère et copieuse : *chutillas de cordero, carne de ternera, guiso de rabo...* L'adorable propriétaire et sa fille proposent également des studios et appartements tout neufs aménagés dans des maisonnettes récentes, à deux pas, juste après l'église. Tous sont de bon confort, décorés au goût du jour, avec cuisine et terrasse. Un bon plan en famille !

LA CASTILLE-LEÓN

Petite balade villageoise

🏃 Ravissement que de flâner dans le village à l'affût de tous les détails et clins d'œil architecturaux ! Adorable *plaza Mayor* et sa grande fontaine-abreuvoir, en face sur la gauche un hall entre 2 maisons, supporté par des colonnes de pierre (l'une porte un curieux visage sculpté). Une petite dame y expose quelques objets d'antan, travaille dans son atelier de taille de bijoux et fait même point infos ! En continuant la rue vers l'église, on note des linteaux gravés de noms des familles, parfois avec symboles religieux. Au n° 8, ravissant porche roman ourlé de perles. Charmante place de l'église, avec sa petite boulangerie (bons gâteaux et *dulces*). Auvent à colonnes de pierre et campanile trinitaire. Murs extérieurs et nef du XIIIᵉ s. À gauche du porche, stèle romaine. Grimper ensuite jusqu'aux *ruines du castillo* du XVᵉ s, dont l'enceinte abrite un cimetière mimi tout plein et une expo sur la biosphère (gratuite, mais passable) composée de panneaux et de vidéos. Mieux vaut monter en haut de la *Torre Nueva* pour embrasser d'un œil d'aigle le large panorama environnant. Devant le château se trouve l'une des plus anciennes *plazas de toros* d'Espagne, qui a conservé un aspect très primitif malgré sa restauration. Retour plaza Mayor, prendre la ruelle de la posada San Martín. Arrivé au bout, un mignon pont médiéval en dos d'âne mène à un jardin bordé d'une rivière, composant une scène férocement bucolique.

ÁVILA   (05000)   60 000 hab.

> ● Plan *p. 326-327*

◎ **Capitale provinciale la plus haute d'Espagne (1 127 m), où les vents soufflent puissamment et où la neige tombe jusqu'au printemps, Ávila de los Caballeros est aussi la ville natale de sainte Thérèse d'Ávila. 2,5 km de murailles du XIIIᵉ s entrecoupées de 88 tours saillantes, 9 portes robustes, 2 poternes : la ville évoque presque une forteresse spirituelle et ascétique qui serait en état de siège permanent. Le centre historique s'étend sur 33 ha. L'Unesco a d'ailleurs classé Ávila au Patrimoine mondial de l'humanité en 1985.**

UN PEU D'HISTOIRE

Le comte Ramón de Borgogno (Raymond de Bourgogne) épouse la fille du roi Alfonso VI. Une fois l'alliance scellée, son beau-père lui demande de s'occuper d'Ávila, reprise aux Maures en 1090 par les rois chrétiens. La tâche est immense. Il s'agit, en pleine *Reconquista,* de repeupler la ville et d'y installer les populations de pionniers. Au fil des siècles, la forteresse des chevaliers (elle s'appelle aussi Ávila de los Caballeros) s'enrichit d'églises, de monastères, de palais somptueux arborant écus et blasons. Les grandes familles (les Águila, les Dávila) tiennent fermement sa destinée en main...
Quand Philippe II déplace la capitale de Valladolid vers Madrid, la noblesse locale abandonne ses palais d'Ávila pour suivre la Cour. De chevaleresque, Ávila devient alors ascétique, spirituelle et mystique... grâce à Teresa Sánchez de Cepeda y Ahumada, plus connue sous le nom de *sainte Thérèse d'Ávila*

(1515-1582). Elle a des origines juives par son grand-père (des *conversos*) mais, par miracle, elle échappe à l'Inquisition...

Idéaliste mais les pieds sur terre, mystique illuminée et austère mais également femme d'action, Teresa réforma l'ordre du Carmel en imposant des règles strictes, fonda près d'une trentaine de monastères en Espagne, écrivit des livres dans une langue magnifique, avant de mourir d'épuisement. Cette figure majeure de la spiritualité chrétienne fut la 1re femme déclarée docteur de l'Église !

Héroïque et idéaliste comme Don Quichotte, pratique comme le bon Sancho Panza, Teresa est la sainte patronne de l'Espagne, mais aussi des écrivains espagnols et des joueurs d'échecs. Son influence fut considérable. Les jansénistes de Port-Royal lui doivent beaucoup ainsi que Fénelon. Même

HUGO À ÁVILA

Non, ce n'est pas de Victor Hugo qu'il s'agit, mais de son père, le général Hugo qui, en 1808, fut gouverneur d'Ávila, lors de la campagne napoléonienne en Espagne. Il fortifia la ville, ferma des brèches et des portes.

le poète Verlaine, en voie de conversion après sa relation passionnelle avec Rimbaud, avoue dans un de ses livres qu'elle est l'archétype de la « femme de génie »... Ses détracteurs disent, en revanche, qu'elle était hystérique et frappadingue...

LA CASTILLE-LEÓN

Arriver – Quitter

En train

🚆 **Estación RENFE** *(hors plan par C1) :* paseo de la Estación. ☎ 912-320-320. ● renfe.com ● À env 1 km à l'est des remparts.

➢ *Madrid :* 12-17 trains/j. Trajet : 1h30-1h50.

➢ *Salamanque :* 8 trains/j. Trajet : env 1h10.

En bus

🚌 **Estación Autobuses** *(hors plan par C1) :* avda Juan Carlos I, s/n. ☎ 920-22-01-54. À côté de la gare ferroviaire.

➢ *Madrid (estación del Sur) :* 12 bus/j. (6-7 le w-e), avec *Jiménez Dorado* (● jimenezdorado.com ●). Trajet : 1h20.

➢ *Ségovie :* 4 bus/j. (2 le w-e) avec *Avanza* (● avanzabus.com ●). Trajet : env 1h.

➢ *Salamanque :* 4-6 bus/j. avec *Avanza.* Trajet : 1h30.

Adresses et info utiles

🛈 *Oficina de turismo de Castilla y León (plan C1, 1) :* casa de las Carnicerías, c/ San Segundo, 17. ☎ 920-21-13-87. ● turismocastillayleon. com ● Lun-sam 9h30-14h, 16h-19h (17h-20h de juil à mi-sept) ; dim 9h30-17h. Plan et infos sur la ville et la région. C'est l'un des points d'accès à la muraille (lire plus loin la rubrique « À voir »).

🛈 *Centro de visitantes (plan C1, 2) :* avda de Madrid, 39. ☎ 920-35-00-00 (ext 370). ● avilaturismo.com ● Tlj

9h-20h (18h en hiver). Infos sur la ville uniquement (donne aussi un plan, différent !). Vend la *VisitAvila Card (15 €, 29 € pour une famille avec enfants de - de 12 ans ; valide 48h),* qui donne accès à tous les principaux musées et monuments, et organise des visites guidées du centre historique.

– Voir aussi ● muralladeavila.com ●

🚕 *Taxis :* ☎ 920-35-35-45. ● radio taxiavila.es ●

🅿 *Stationnement :* outre un parking gratuit à 15 mn à pied au nord-ouest

LA CASTILLE-LEÓN

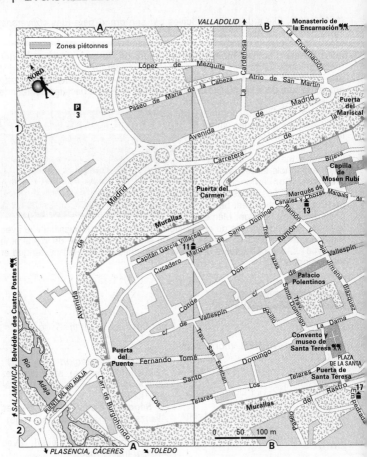

des remparts *(plan A1, 3)*, on peut se garer librement dans la plupart des rues au sud et au nord de la vieille ville (à l'est en revanche, en direction de la gare, c'est moins évident). Les horodateurs de la vieille ville ne

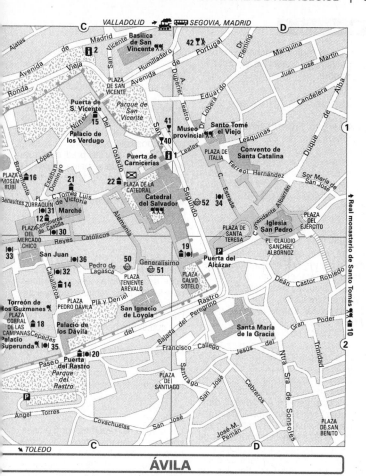

ÁVILA

	Où manger ?
	19 Hostería Las Cancelas (D2)
	20 La Bruja (C2)
	30 Mesón de Gredos (C1)
	31 El Rincón (C1)
	32 Soul Kitchen (C2)
	33 La Escalera (C2)
	34 Bococo (D1)
	35 Mesón del Rastro (C2)
	36 Los Candiles (C2)

Où boire un verre ?

40 La Bodeguita
de San Segundo (C1)
41 Cáramel (C1)
42 Café Teatro Delicatessen (D1)

Où acheter de bons produits ?

50 Mantequerías Irande (C2)
51 La Flor de Castilla (C2)
52 Chuchi Pasteles (D1)

coûtent pas cher *(0,60 €/h)* mais le stationnement est limité à 2h au même endroit. Sinon, 2 parkings souterrains assez onéreux *(18 €/j.)* pl. de Santa Teresa *(plan D2)* et parque del Rastro *(plan C2).*

LA CASTILLE-LEÓN

Où dormir ?

Pas de camping proche. Réservation vivement conseillée en août et en octobre.

Auberges de jeunesse

🏠 **Albergue juvenil Arturo Duperier** (hors plan par D2, **10**) : avda de la Juventud, s/n, 05003. ☎ 920-22-17-16. ● duperier-ij@jcyl.es ● Après le monasterio de Santo Tomás, sur la droite, dans un complexe sportif (bus n° 3). Carte FUAJ obligatoire. Ouv seulement juil-août. Nuitée 8,50 € pour les - de 30 ans, et 11,60 € pour les autres, avec petit déj. L'AJ est ouverte (aux voyageurs) seulement en été, mais on la mentionne quand même car les prix sont vraiment bas. Hébergement en chambre double (lits superposés) avec salle de bains. Piscine juste à côté.

🏠 **Hostel La Sandalia** (plan A-B2, **11**) : c/ Marqués de Santo Domingo, 8, 05001. ☎ 920-40-97-34. 📱 722-15-96-61. ● lasandaliahostel@gmail.com ● lasandalia.es ● Réception 10h-15h, 17h-22h. Lits 22-26 € ; doubles sans ou avec sdb 35-60 €. Pas de petit déj, mais café ou thé offert. Une perle d'AJ privée : dans un quartier résidentiel hypertranquille, cette maison à l'ambiance zen propose 20 places en chambres de 1 à 4 lits (sanitaires communs nickel) et 1 « suite » avec salle de bains privée. L'ensemble est étincelant de propreté et joliment décoré à grand renfort de couleurs vives. Spacieuses parties communes qui invitent à la convivialité : salon parfumé, patio à l'arrière, cuisine suréquipée. Le tout bonifié par l'accueil adorable de Belen, qui donne d'excellents conseils de visite.

De bon marché à prix moyens (max 60 €)

🏠 **Hostal Le Vintage** (plan C1, **12**) : c/ Comuneros de Castilla, 3, 05001. ☎ 920-25-14-75. ● levintageavila@gmail.com ● levintagehostal.com ●

Doubles 35-60 €, familiale avec terrasse ; petit déj 4,50 €. L'un des hostales les plus courus de la ville, rénové dans un style fort tendance : peintures faussement délavées, têtes de lit en palettes de récup... Résultat : des chambres ravissantes, claires et dotées d'un confort très correct. Et puis impossible de trouver plus central ! D'où un peu de bruit côté rue, les soirs de fin de semaine, mais rien de trop méchant (double vitrage). Accueil cool.

🏠 **Hostal Don Diego** (plan B1, **13**) : c/ del Marqués de Canales y Chozas, 5, 05001. ☎ 920-25-54-75. ● hostaldondiego@hotmail.com ● hostaldondiego.es ● Doubles 27-50 €, petit déj 3,50 €. Garage 10 €. Dans une rue paisible, cet hostal bon marché propose des chambres assez agréables pour le prix, avec ventilo. Cuisine équipée, vue sur la rue ou sur un patio à l'arrière. Loin d'être le grand luxe, mais une option très honnête pour les petits budgets.

🏠 **Hostal Bellas** (plan C2, **14**) : c/ Caballeros, 19, 05001. ☎ 920-21-29-10. ● hostalbellas@gmail.com ● hostalbellas.es ● Réception au 1er étage (fermée dim ap-m hors saison). Doubles avec sdb 37-55 €. Petit déj offert sur présentation de ce guide. Les chambres, réparties sur 2 étages, sont classiques mais agréables et très propres, avec sol carrelé et chauffage. Les nos 302, 305 et 309 ont un bout de vue. Accueil familial charmant. Une bonne adresse, en toute simplicité.

De prix moyens à chic (45-80 €)

🏠 **Arco San Vicente** (plan C1, **15**) : c/ López Nuñez, 6, 05001. ☎ 920-22-24-98. ● info@arcosanvicente.com ● arcosanvicente.com ● Doubles 45-80 €. Juste à côté de la belle porte Saint-Vincent, un petit hôtel de charme à prix doux. Les chambres, aux touches de bleu et beige, sont un peu petites pour certaines mais impeccables, dotées de ciel de lit pour la plupart. On aime bien la n° 109 (un peu plus chère) qui fait l'angle, avec vue sur la muraille. Celles du 2e étage sont mansardées et quelques-unes ont une terrasse. Resto au rez-de-chaussée. Accueil très aimable.

🛏 *Hotel Palacio de Monjaraz* (plan C1, 16) : c/ Bracamonte, 6, 05001. ☎ 920-33-20-70. • palaciodemon jaraz@gmail.com • palaciodemonjaraz. com • Doubles 50-78 €, familiales ; petit déj inclus. Parking (4 places). Dans un charmant palais du XVIe s aux vieilles poutres et pierres apparentes, des chambres douillettes avec parquet ou tomettes, meublées à l'ancienne dans le style castillan (et même un lit à baldaquin pour certaines) et salles de bains ornées d'azulejos. D'autres sont plus standard mais tout aussi confortables. Des familiales en duplex également. Accueil aux petits soins.

🛏 *Hotel-cafetería Puerta de la Santa* (plan B2, 17) : c/ Empedrada, 1, 05002. ☎ 920-25-35-01. • reservas@hotel puertadelasanta.com • hotelpuertade lasanta.com • Doubles 45-65 €, familiales ; petit déj 5 €. À l'extérieur de la muraille sud, au pied de la puerta del Rastro. Récent et moderne, ce petit hôtel abrite des chambrettes de bon confort, décorées avec sobriété. Cafétéria pour le petit déj notamment.

🛏 *Hotel El Rastro* (plan C2, 18) : c/ Cepedas, s/n, 05001. ☎ 920-35-22-25. • elrastroavila@gmail.com • elras troavila.com • ♿ Doubles 45-65 €, pas de petit déj. Dans l'ancien palais du duc de Tamames (XVIe s), des chambres de style plutôt rustique, avec parquet, murs mêlant briquette et vieille pierre, le tout bien adapté au confort moderne. Vue sur la charmante plaza Corral de las Campanas. Proche de tout et très calme la nuit.

Chic (60-90 €)

🛏 *Hostería Las Cancelas* (plan D2, 19) : c/ Cruz Vieja, 6, 05001. ☎ 920-21-22-49. • reservas@lascancelas.com • lascancelas.com • Double 80 €, petit déj 6 €. Dans une demeure du XVe s qui abrite un bon resto (voir la rubrique « Où manger ? »), des chambres très spacieuses, décorées avec goût (style

ancien avec sol en terre cuite), dont la plupart donnent sur les remparts. Celles du 2e étage sont mansardées et possèdent une douche à l'italienne neuve, tandis que la n° 202 affiche une mappemonde murale ! Rien à redire pour le prix demandé. Excellent accueil.

🛏 *Hotel Las Leyendas* (plan C2, 20) : c/ Francisco Gallego, 3, 05002. ☎ 920-35-20-42. • hotel@lasleyendas.es • lasleyendas.es • Doubles 49-89 €, petit déj env 6 €. Cet agréable 3-étoiles se serre au pied même des murailles, avec un accès direct au paseo del Rastro (dans sa section piétonne) depuis le resto. Occupant un édifice ancien, les chambres, certaines aux murs en pierre ou brique, ont été entièrement modernisées. Bon confort (clim, belle salle de bains) et accueil serviable.

De chic à plus chic (60-120 €)

🛏 *El Encanto* (plan C1, 21) : c/ Tómas Luis de Victoria, 7, 05001. ☎ 920-33-78-05. • info@hotelelencanto.es • hotelelencanto.es • Doubles 60-120 €, petit déj 9 €. Nous voici à nouveau dans un palais du XVIe s habilement restauré, avec ce mélange habituel de cachet ancien et de confort moderne. Des chambres spacieuses dont 4 avec balcon sur rue, les autres donnant sur un patio intérieur. Tons clairs, plancher, lignes pures, sanitaires rutilants tout carrelés de noir. Très bien dans cette catégorie.

🛏 *Palacio de los Velada* (plan C1, 22) : pl. de la Catedral, 10, 05001. ☎ 920-25-51-00. • reservas.avila@hoteles velada.com • hotelesvelada.com • ♿ Doubles 62-132 €, petit déj 10 €. Parking 18 €. Un impressionnant palais du XVIe s (encore !) conçu autour d'un superbe et immense patio à double galerie, surmonté d'une étonnante verrière. Chambres de belles tailles, arrangées avec classe et équipées du meilleur confort (clim, coffre, minibar). On peut aussi profiter du patio pour un repas ou juste y prendre un verre. Des promos fréquentes (voir leur site) en font une très bonne affaire.

LA CASTILLE-LEÓN

Où manger ?

El chuletón de Ávila est la grande spécialité de la ville. C'est une côte de bœuf de 300 g minimum, souvent de 500 voire 750 g, grillée bien comme il faut. Elle est servie dans la plupart des restaurants. La viande est de 1re qualité car les vaches vivent en plein air dans les fermes du plateau castillan et se nourrissent sainement. Cette viande presque « bio » bénéficie du label « Carne de Ávila » : pour les carnivores mystiques ! Autre spécialité présente sur tous les menus : les *judías del barco* (haricots blancs IGP), servis en entrée.

Tapas

I●I Mesón de Gredos (plan C1, 30) : c/ de Comuneros de Castilla, 2. ☎ 920-21-17-58. Tlj sauf dim. Tapas 2-3 €, menus 17-38 €. CB refusées. Un bistrot très à l'ancienne, avec bouquets d'ail et grappes de piments suspendus au plafond. Pour grignoter des tapas au comptoir, c'est l'un des meilleurs choix de la ville. On peut aussi s'asseoir à l'étage et commander un menu (copieux !).

I●I El Rincón (plan C1, 31) : c/ pl. Zurraquin, 4. ☎ 920-25-18-66. Tlj sauf lun. Raciones 8-14 €, menus 12-18 €. CB refusées. Niché dans un recoin à deux pas de la place principale, un vibrant bar à tapas apprécié des locaux. Dans une ambiance populaire, autour d'un grand comptoir en zinc ou attablé devant la télé, on picore des *raciones* variées et peu chères : excellent jambon, délicieux anchois marinés, mais aussi moules, *orejas, gambas, navajas...* Salle à l'étage pour un menu.

Prix moyens (15-25 €)

I●I Soul Kitchen (plan C2, 32) : c/ Caballeros, 13. ☎ 920-21-34-83. ● soulkitchenavila@gmail.com ● Fermé lun soir-mar. Menu midi 11,50 €, plats 6,50-24 €. Sans doute l'endroit le plus tendance d'Ávila ! Atmosphère jazzy et pas mal de monde dans un espace à la déco bohème-chic, complété d'une salle plus formelle à l'étage. Carte assez courte affichant de petits plats goûteux et plutôt décalés (pour Ávila), avec notamment un beau choix de burgers (au poulet, à la « vieille vache » avec shiitakés confits, aux légumes avec crème de fromage...) en plus des suggestions toujours originales à l'ardoise. Des *ramens* et des *gyozas* également, le chef a voyagé ! Service enjoué et dynamique. Une adresse difficile à ignorer !

I●I ↑ La Escalera (plan C2, 33) : c/ Martín Carramolino, 4. ☎ 920-21-11-74. ● escaleradesanjuan@hotmail.es ● Tlj sauf lun. Menu déj 20 €, vin et café compris ; plats 10-18,50 €. Une belle trouvaille que ce discret resto de la vieille ville, dont la carte propose peu d'options, mais bien maîtrisées. Le menu existe en 2 versions : castillan (avec entrecôte) ou portugais (avec *bacalao*). Dans les 2 cas, cuisine copieuse et joliment tournée, avec des garnitures originales. Salle en sous-sol et petit bar pour *tapear* ; mais on préfère la miniterrasse au pied des arcades de l'ancienne place du marché. Service gentil et attentif.

I●I ↑ Hostería Las Cancelas (plan D2, 19) : le resto de l'hôtel du même nom (voir plus haut). Tlj. Menu déj en sem 20 €, plats 16-25 €. Vieille *posada* à l'intérieur élégant. Cela dit, aux beaux jours, on optera plutôt pour la terrasse en bordure d'un jardinet de la cathédrale. Cuisine surtout orientée vers les grands classiques de la boucherie castillane : *solomillo, chuletón de ternera,* mais aussi perdrix, canard, queue de taureau, agneau de lait... Très longue carte de vins. Une bien bonne table !

I●I ↑ La Bruja (plan C2, 20) : c'est le resto de l'hôtel Las Leyendas, voir plus haut. Accès par le paseo, au pied de la muraille. Tlj. Menu 16 €, plats 18-25 €. Un bon resto de cuisine locale dans une jolie salle de style rustico-chic, ou sur la terrasse donnant sur la muraille. Plats soignés, comme le *chuletón* de « vieille vache » ! Sinon, tapas, *raciones* et salades moins chères.

I●I Bococo (plan D1, 34) : c/ Estrada, 11. ☎ 920-22-36-46. ♿ Tlj. Résa indispensable le w-e. Menu 29 € (midi et soir, boisson incluse), plats 15-19 €. À deux pas de la *puerta de Carnicerías*, mais à l'écart du flot touristique, un resto au nom rigolo qui marche fort chez les autochtones. On y sert une cuisine locale revisitée fort convaincante, avec quelques touches détonnantes comme cette éponge de tomate (si, si !) qui accompagne le cochon de lait laqué. Salle à la déco contemporaine sobre organisée autour d'un patio vitré à colonnades. Service et accueil impeccable.

|●| ↑ Mesón del Rastro *(plan C2, 35)* **:** *pl. del Rastro, 1.* ☎ *920-21-12-18.* ● *elrastroavila@gmail.com* ● ♿ *Tlj. Menu 20 €, plats 9-24 €.* Sur une petite place face au palais de Los Dávila, une vieille auberge espagnole. On y sert une cuisine régionale très classique dans une salle à l'ancienne avec poutres, têtes de cerf et vieux lustres, mais on préférera s'installer sur la jolie terrasse. Spécialités : *judías* (haricots), *cordero* (agneau) et *cochinillo* (cochon de lait).

|●| Los Candiles *(plan C2, 36)* **:** *c/ Pedro de Lagasca, 5.* ☎ *920-21-31-02. Fermé dim soir-lun. Menus 29-34 €, plats 10-24 €.* Toujours dans le classique avec cette table fort appréciée des locaux. Sans relever du prodige, la tambouille *(merluza a la casuela, cochinillo, chuletón...)* est bonne et tient bien au corps. Tenu par une équipe accueillante. Pas de musique, l'ambiance émane du seul brouhaha de la clientèle !

Où boire un verre ?

La vie nocturne d'Ávila ne soutient évidemment pas la comparaison avec celle de Salamanque. Néanmoins, la calle *San Segundo (plan D1)* connaît un peu d'animation avec ses quelques bars-restos en terrasse alignés les uns à côté des autres.

♀ ↑ La Bodeguita de San Segundo *(plan C1, 40)* **:** *c/ San Segundo, 19.* ☎ *920-25-73-09. Tlj sauf mar, 11h-1h du mat.* Le vin est logiquement à l'honneur dans cette *bodeguita* (petite cave). On peut en goûter plusieurs *a la copa* (au verre) : *rioja, ribera de duero, rueda, jerez,* etc. Goûteuses tapas de jambon et fromage pour parfaire la dégustation, ainsi que des plats plus consistants. Ambiance assurée le week-end.

♀ ↑ Cáramel *(plan C1, 41)* **:** *c/ San Segundo, 40.* ☎ *920-25-29-94. Tlj (sauf lun en hiver) 11h-2h (4h w-e).* Une terrasse très appréciée à l'heure de l'*aperitivo* pour ses cocktails variés. À accompagner de tapas à prix unique *(1,50 €),* mais ne pas s'attendre à plus qu'ils ne coûtent. Patio climatisé sur l'arrière. Convivial et sympa.

♀ ♪ Café Teatro Delicatessen *(plan D1, 42)* **:** *avda de Portugal, 9.* ☎ *920-33-73-84. Programmation sur Facebook. Tlj 18h-2h30 (4h jeu-sam), mais ne pas venir avt minuit. Fermé 10 j. en août.* Un lieu protéiforme, sans doute le plus original d'Ávila, qui retient l'attention par son décor déjanté, et ce dès l'entrée avec ce salon à l'envers ! Long bar face à des reconstitutions de façades de boutiques d'antan et salle tout au fond pour danser au son des *DJ set,* avec fréquemment de la *música en vivo.*

Où acheter de bons produits ?

❀ Mantequerías Irande *(plan C2, 50)* **:** *pl. del Teniente Arévalo, 2.* ☎ *920-22-93-56. Tlj (sauf lun en hiver) 10h-14h, 16h-20h.* Une belle boutique regorgeant de produits alimentaires : jambons, chorizo, fromages, vins, huiles, mais aussi du chocolat *a la piedra* (broyé à la meule !), des pâtisseries *(mantecados caseros, perrunillas de manteca)* et les fameux *yemas,* ces petits jaunes d'œufs confits et recouverts de sucre glace.

❀ La Flor de Castilla *(plan C2, 51)* **:** *pl. José Tomé, 4.* ☎ *920-21-11-58. Tlj 8h30 (9h sam-dim)-22h (23h ven-sam).* Une pâtisserie-salon de thé couplée à

LA CASTILLE-LEÓN

LA CASTILLE-LEÓN

une épicerie fine où l'on vend des produits tentants, comme des *yemas* aux multiples arômes !

⊛ **Chuchi Pasteles** *(plan D1, 52) :* c/ San Segundo, 24. ☎ 920-25-08-78.

Tlj sauf dim ap-m 10h30-14h15, 17h-20h30. Une confiserie rutilante comme une bijouterie, considérée comme l'une des meilleures pour s'approvisionner en *yemas.*

À voir

¶¶ Le plus beau point de vue sur la ville s'offre du **belvédère des Cuatro Postes** *(hors plan par A2),* à l'ouest des remparts, au tout début de la route de Salamanque. Y aller de préférence en fin de journée, lorsque les derniers rayons du soleil embrasent la cité.

¶¶¶ **La découverte des remparts :** il est possible de parcourir 2 sections du chemin de ronde de la muraille *(muralla).* 2 accès principaux : la *puerta del Alcázar (plan D2)* pour la petite section ; et la *puerta de Carnicerías* (où se trouve l'office de tourisme ; *plan C1)* pour la grande section courant jusqu'à la *puerta del Puente (plan A2).* ☎ 920-35-40-00 (ext 380-382). *Tlj (sauf lun nov-mars) 10h-20h (21h juil-août, 18h nov-mars). Dernier accès 45 mn avt. Entrée pour les 2 sections : 5 € ; réduc ;*

UN AVENTURIER AUX DENTS LONGUES

Aux portes d'Ávila, l'église du petit couvent de Nuestra Señora de Sonsoles conserve un étrange souvenir : un caïman empaillé de 6 pieds de long. C'est un conquistador local, parti chercher fortune aux Amériques au XVIᵉ s, qui le tua après avoir failli succomber à son attaque... Il crédita Notre-Dame de Sonsoles du miracle et lui offrit la bestiole en ex-voto !

gratuit - de 12 ans et pour ts mar 14h-16h (sauf j. fériés). Audioguide fourni. Visite nocturne « théâtralisée » juil-août, jeu-ven, vers 21h30 (résa très conseillée). Tarif : 6 € ; réduc. Les murailles ont été élevées à partir de la fin du XIᵉ s, dans le sillage de la reconquête de la ville. Elles forment une couronne parfaite de 2,5 km surmontée de 2 500 créneaux et comprennent 88 tours très rapprochées. La plus célèbre est le *cimorro,* depuis l'abside même de la cathédrale. 9 portes percent les remparts, dont celles de San Vicente et de l'Alcázar. Du chemin de ronde, la vue sur la ville est spectaculaire, en particulier sur la basilique romane de San Vicente.

¶¶¶ **Catedral del Salvador** *(plan C-D1) :* pl. de la Catedral. ☎ 920-21-16-41. ● catedralavila.es ● *Tlj. Juil-août : 10h (11h45 dim)-21h. Avr-juin et sept-oct : 10h (11h45 dim)-20h (21h sam, 19h30 dim). Nov-mars : 10h-18h (19h sam, 17h30 dim). Dernière entrée 30 mn avt. Entrée : 6 € (avec audioguide) ; réduc ; musée d'Art religieux et cloître inclus. Gratuit - de 12 ans et pour ts en pré-ouverture mar-mer 8h30-9h30 (sauf j. fériés), sans audioguide du coup. Visite guidée de la tour (à horaires variables) : 2 € de plus.*
Peut-être le plus bel exemple de cathédrale-forteresse d'Europe. Construite du XIᵉ au XVIᵉ s, d'où les différences de style visibles lorsqu'on lève la tête. Aspect assez austère ; vous noterez son chevet fortifié *(cimorro),* partie intégrante de la muraille qui prouve sa fonction défensive. À l'intérieur, belles stalles de bois dans le chœur et retable de Pedro Berruguete. Derrière le maître-autel, splendide sculpture platéresque du **Sepulcro del Tostado,** considéré comme le chef-d'œuvre des lieux. Admirer la minutie du détail, le réalisme du manteau d'Alonso de Madrigal, qui fût évêque de la ville au XVᵉ s... On le voit ici écrivant presque aveugle et fatigué. De fait, c'était un grand érudit qui écrivit 3 lettres par jour durant toute sa vie.

Remarquer les nuances claires et sombres des pierres de la nef absidiale, résultat de l'utilisation de la pierre jaspée (qui s'oxyde par endroits) extraite d'une carrière proche d'Ávila.

On accède ensuite au *musée d'Art religieux,* où sont conservées de fort belles pièces, certaines très anciennes : collection de livres de cantiques enluminés, triptyque du XVᵉ s et un étonnant crucifix en ivoire du XIIᵉ s. Mais la pièce la plus remarquable est la *custodia,* un ostensoir en argent massif mesurant 1,75 m de haut, pour un poids de 99 kg. Avec celui de la cathédrale de Tolède, c'est l'ostensoir le plus luxueux au monde ! Enfin, le *cloître* recèle la sépulture d'Adolfo Suárez, le président qui mena la transition démocratique du pays après la mort de Franco.

🎭🎭 *Basílica de San Vicente (plan C1) :* pl. de San Vicente, 1. ☎ 920-25-52-30. ● basilicasanvicente.es ● Avr-oct, lun-sam 10h-18h30, dim et j. fériés 16h-18h. Nov-mars, lun-sam 10h-13h30, 16h-18h30 ; dim 16h-18h. Entrée : 3 € (audioguide inclus) ; réduc. Visites suspendues pdt les offices. Elle fut édifiée au XIIᵉ s à l'emplacement supposé du martyre des saints enfants : Vincent, Sabine et Cristeta. Bel exemple de transition du roman au gothique. Harmonieuse architecture extérieure. Remarquable portail de la façade principale dont les statues des saints, fort peu figées, semblent même s'animer. À l'intérieur, sous l'arc droit du transept se tient l'époustouflant *Sepulcro de los Mártires,* un monument funéraire à la gloire des martyrs. Noter la violence et le réalisme des scènes polychromes de mise à mort : écartèlement, têtes écrasées... Y est représenté un juif qui, après avoir profané le tombeau, est attaqué par un serpent. Converti au christianisme (un *converso*), c'est lui qui aurait financé la construction de la basilique... Belle crypte sous l'abside (accessible par le transept gauche) où l'on admire la sainte patronne d'Ávila, la *Virgen de la Soterraña,* sous une demi-coupole entièrement couverte de feuilles d'or.

🎭🎭 *Convento, iglesia y museo de Santa Teresa (plan B2) :* pl. de la Santa. ☎ 920-21-10-30. ● museosantateresa.com ● Église : tlj 9h30-13h (11h30 dim), 15h30-19h30. GRATUIT. Musée : voir plus bas. Couvent fermé au public.

Des pèlerins du monde entier viennent ici au fil des saisons. L'église occupe l'emplacement de la maison natale de sainte Thérèse d'Ávila. À l'intérieur, à gauche du chœur, la chapelle *(capilla natal)* se trouve à l'endroit même où était la chambre de la sainte. Voir aussi le petit patio intérieur couvert de lierre où Teresa enfant jouait.

MYSTIQUE SOUS SURVEILLANCE

Les mystiques et autres alumbrados *(illuminés) étaient suspects aux yeux de l'Inquisition, car ils parlaient directement à Dieu, sans passer par la sainte Église. Santa Teresa n'y coupa pas : on scrutait ses activités, analysait ses paroles et ses écrits. Et pour « aggraver » son cas, Teresa descendait, elle aussi, de* conversos *: son grand-père avait été chaisier à la synagogue de Tolède. Elle s'inspira d'ailleurs de la mystique juive, du Talmud et de la Bible. Mais, femme prudente, elle échappa habilement à l'Inquisition.*

Quand l'ordre du Carmel acquiert en 1629 la maison, celle-ci était en semi-ruine. Elle fut complètement détruite pour laisser place à l'église actuelle. Anecdote : les troupes napoléoniennes occupèrent les lieux entre 1809 et 1814. Après la mystique, la logistique ! La sainte a dû se retourner dans son sépulcre (elle n'est pas enterrée à Ávila mais à Alba de Tormes où elle est décédée, près de Salamanque)...

À droite de l'église conventuelle, sur la place, un petit édifice abrite la *sala de Reliquias (salle des Reliques ; mêmes horaires ; GRATUIT).* Derrière des vitres, quelques reliques de santa Teresa : le crucifix qu'elle portait pour fonder ses couvents, sa fameuse cane utilisée dans ses derniers jours, son chapelet, une semelle de sa sandale et... l'un de ses doigts (annulaire) !

Situé dans les sous-sols de l'église, le *musée* est accessible par la c/ Intendente Aizpuru : *entrée sur le côté gauche de l'église ; tlj sauf lun, 10h-14h, 16h-19h (10h-13h30, 15h30-17h30 nov-mars). Entrée : 2 €.* On peut y voir une riche collection de peintures et d'ouvrages relatifs à la vie et à l'œuvre de sainte Thérèse dans de très belles et mystérieuses salles voûtées, notamment des fac-similés de ses manuscrits et des exemplaires de ses livres dans différentes langues. Reproduction de sa cellule du monastère de San José de Ávila. Nombreux tableaux et statues la glorifiant. Le tout au rythme de chants monastiques conférant paix et sérénité au lieu.

🏃 *Palacio Superunda* (plan C2) : pl. Corral de las Campanas. ☎ 920-35-40-00 (ext 385). Tlj (sauf lun en hiver) 10h-20h (18h nov-mars). Dernière admission 45 mn avt. Entrée : 3 €, audioguide inclus ; réduc, gratuit - de 12 ans et pour ts mar 14h-16h (sauf j. fériés). Un beau palais Renaissance restauré et qui abrite des toiles du peintre italien Guido Caprotti. Ce dernier passa une bonne partie de sa vie à Ávila... qu'il découvrit par hasard, suite à un arrêt impromptu de son train qui l'emmenait de Paris à Madrid en 1916. Bref, il s'installa ici, dans cet édifice qui lui servit de domicile et d'atelier, pour y développer une œuvre mêlant portraits, paysages et scènes de vie tant d'Espagne que du nouveau monde (Mexique), où il voyagea également.

SANTA TERESA, UN SACRÉ PUZZLE

La tradition l'exigeait : des parties du corps d'un saint étaient extraites pour être présentées comme reliques. Si la dépouille de Thérèse d'Ávila est à l'église d'Alba de Tormes, on trouvera son bras gauche et son cœur dans des reliquaires au musée d'à côté, son pied droit et une partie de sa mandibule supérieure à Rome, sa main gauche à Lisbonne, son œil et sa main droite à Ronda et ses doigts dispersés en divers lieux d'Espagne, dont un annulaire au couvent de Santa Teresa à Ávila. Mais où sont passés les orteils ?

🏃 *Torreón de los Guzmanes* (plan C2) : pl. Corral de las Campanas. ☎ 920-35-71-02. Mar-dim mat 11h-14h, 17h-20h. Fermé dim ap-m et lun. GRATUIT. Installée au rez-de-chaussée d'un beau palais du XVIe s dominé par une tour d'angle crénelée, une intéressante expo sur la culture Vetton. Cette peuplade guerrière celto-lusitanienne de l'âge de fer (du Ve au Ier s av. J.-C.), dont le territoire englobait les provinces actuelles de Salamanque et d'Ávila, s'éteignit avec la conquête des Romains. On découvre leurs particularités en matière d'agriculture, de tissage, travail du fer et particulièrement du granit appelé *verracos.* Ces sculptures en forme de taureau ou de cochon, dont certaines atteignent jusqu'à 2,5 m de longueur, sont présentes en nombre dans les petits sites archéologiques de la région : on peut d'ailleurs en voir une à Ávila, sur la plaza de Calvo Sotelo *(plan D2).* Une curiosité.

🏃🏃 *Museo provincial* (plan D1) : pl. de Nalvillos, 3. ☎ 920-21-10-03. Mar-sam 10h-14h, 17h-20h (16h-19h en hiver) ; dim 10h-14h. Fermé lun. Entrée : 1 € ; gratuit - de 18 ans, + de 65 ans et pour ts le w-e. Installé dans la *casa de los Deanes* (belle demeure castillane de granit du XVIe s), il est à la fois musée d'Archéologie (produits des fouilles régionales), d'Art populaire (reconstitutions d'intérieurs traditionnels, outils agricoles d'antan) et des Beaux-Arts (surtout des œuvres religieuses). À noter que, pour la section archéologique, les grosses « pièces » sont exposées dans l'ancienne *église Santo Tomé,* à côté, et qui se visite gratos (mêmes horaires) : belle mosaïque romaine du IVe s, restes d'un cimetière mudéjar, tombeau surmonté d'un beau gisant de marbre...

Hors de la vieille ville

🏃🏃 *Real monasterio de Santo Tomás* (hors plan par D2) : pl. de Granada, 1. ☎ 920-22-04-00. ● monasteriosantotomas.com ● À env 15-20 mn à pied.

De l'église San Pedro, prendre le paseo Santo Tomás (sinon bus nᵒˢ 2 et 6 de San Vincente). Tlj 10h30-14h, 15h30-19h30 (10h30-21h en juil-août). Dernière entrée 1h avt. Entrée église + chœur + cloître + musée : 4 € (audioguide inclus).

Fondé au XVᵉ s, ce vaste monastère abrite 3 cloîtres d'une sobriété confinant à l'austérité : celui des Novices, celui du Silence (de style gothique), celui des Rois (édifié par les Rois catholiques comme palais d'été). Dans l'église, un **retable considéré comme la pièce maîtresse de l'œuvre de Pedro Berruguete** et à la croisée du transept, le tombeau du prince Jean, fils unique (mort à 19 ans) des Rois catholiques Isabelle de Castille et Ferdinand d'Aragon. Son tombeau, richement orné et sculpté, a une forme insolite, une sorte de tronc pyramidal coupé. Un escalier mène à la tribune du chœur (splendides stalles sculptées).

– On accède au **musée d'Art extrême-oriental** par le cloître des Rois. Installé dans les anciennes dépendances du palais d'été d'Isabelle la Catholique, il abrite une belle collection de bronzes chinois et de porcelaines, dont 3 bouddhas du XVᵉ s. L'œuvre maîtresse *Lao-Tse y el Taoismo* est une magnifique représentation du panthéon taoïste du XVIIIᵉ s en bois laqué et doré, en forme d'arbre, avec une vingtaine de personnages sculptés dans des grottes stylisées. Les 1ᵉʳˢ dominicains arrivèrent à Canton en Chine en 1556, pour évangéliser l'empire du Milieu, puis vinrent les augustins et les jésuites. Les œuvres exposées furent rapportées par des missionnaires dominicains qui en 1722 avaient déjà 37 églises en Chine ! Certaines pièces sont uniques comme cette incroyable collection de 16 assiettes en porcelaine chinoise illustrant des épisodes de l'Évangile, où Jésus arbore un costume et des traits chinois...

Également 2 salles de *ciencas naturales* qui présentent des animaux naturalisés du monde entier.

🎎 **Monasterio de la Encarnación** *(hors plan par B1)* **:** *paseo de la Encarnación.* ☎ 920-21-12-12. À 10 mn à pied des remparts. Tlj. Mai-sept : 9h30 (10h le w-e)-13h, 16h-19h. Oct-avr : lun-ven 9h30-13h30, 15h30-18h ; w-e et j. fériés 10h-13h, 16h-18h. Entrée : 2 €. Monastère où sainte Thérèse vécut durant 30 ans. Le musée restitue assez bien l'ambiance de l'époque. La 1ʳᵉ salle présente l'entrée du couvent telle qu'elle était en 1535 lorsque Thérèse y entra après son noviciat ; à l'étage, la salle 2 reconstitue une cellule de carmélite, étonnamment vaste (noter la décoration chiadée des poutres : les sœurs avaient du temps à revendre !) ; la salle 3 expose des objets personnels de la sainte (lettres manuscrites, jarre pour la toilette, coussin brodé) et permet de jeter un œil sur sa cellule, fermée par une grille. Tirez la cloche pour ressortir (sous peine de rester cloîtré vous aussi !) et demandez à voir les *locutorios* (parloirs) avec leurs minuscules fenêtres. Le reste du couvent, occupé par une trentaine de carmélites, ne se visite pas.

Fête et manifestation

– **Journées médiévales :** *1ᵉʳ w-e de sept.* Défilés, concerts, grand marché, animations de rue, etc.
– **Fête de... Sainte-Thérèse :** *1 sem de festivités autour du 12 oct, jour de la Sainte-Thérèse.* Très populaire (on s'en doute !). Feux d'artifice, concerts, personnages masqués sur échasses qui parcourent la ville, etc.

LA SIERRA DE GREDOS

À environ 80 km au sud-ouest d'Ávila, le parc régional Sierra de Gredos couvre plus de 86 000 ha entre la Castille-León et la Castille-La Manche.

Splendide paysage de montagne que l'érosion glaciaire a constellé de lacs d'altitude, vallées escarpées, gorges et moraines. Le tout sous l'œil dominateur du pic Almanzor (2 592 m), dont la silhouette trône au milieu d'un vaste cirque glaciaire. Aigles royaux, vautours, loutres et bouquetins peuplent ce charmant tableau. Évidemment, plein de possibilités de randonnées pédestres, équestres et une multitude d'activités sportives. Un coin qu'adoreront les amoureux de grand air.

Comment s'y rendre ?

– **En bus :** 1 liaison/j. lun-ven seulement de/vers **Ávila** avec *Muñoz Travel* (☎ 920-25-17-30) ; 1 liaison tlj en juil-août, sinon le w-e seulement le reste de l'année de/vers **Madrid** avec *Cevesa* (☎ 915-39-31-32). Mieux vaut être véhiculé !

NAVARREDONDA DE GREDOS (05635)

Sur le versant nord du massif, accessible facilement par l'AV 941. Certaines de nos adresses sont situées à Hoyos del Espino, le village voisin, à 3 km.

Adresses utiles

❚ *Casa del parque :* ctra de la Plataforma, à **Hoyos del Espino**. ☎ 920-34-90-46. ● *patrimonionatural.org* ● *Juil-août, tlj sauf lun 9h-15h ; juin, tlj sauf dim ap-m et lun, 9h-14h, 16h-18h ; mai et sept, mer-dim 10h-14h ; fermé lun-mer le reste de l'année, et janv-fév.* Infos complètes sur les activités possibles dans la région. Cartes de randonnée en vente *(0,50 €)*. Petite expo gratuite et bien faite sur la formation géologique de la sierra et ses espèces endémiques. Prêt (gratuit) de vélos électriques sur résa 48h avant sur le site ● *patrimonionatural.org/moveletur* ●

– *Gredos Tormes :* ctra de la Plataforma, à **Hoyos del Espino**. ☎ 920-34-83-85. 🖵 689-49-49-29. ● *gredos tormes.com* ● *Tlj 10h-14h, 16h-20h30 (18h en hiver).* Agence pro et dynamique spécialisée dans les activités sportives : escalade, rafting, canoë, VTT, tir à l'arc, équitation, alpinisme... Loue tout le matos nécessaire. Gère aussi un parcours dans les arbres, à côté de la *casa del parque*. Le patron est francophone et super sympa.
– Voir également le site ● *gredostu rismo.com* ●, qui détaille toutes les curiosités de la région et livre un petit agenda culturel.

Où dormir ? Où manger ?

Campings

⋇ *Camping Gredos :* ctra de la Plataforma, 05634 **Hoyos del Espino**. ☎ 920-20-75-85. 🖵 615-66-08-97. ● *informacion@elcampingdegredos. com* ● *elcampingdegredos.com* ● *Au rond-point central du village, tourner à la station-service et descendre jusqu'au fond du vallon. Ouv de la Semaine sainte à mi-oct.* Env 16,50 € pour 2 avec véhicule et tente. Superbe terrain, à l'écart de la route et au milieu des pins. Pas d'emplacements délimités et pas de locatifs, en revanche pas mal de monde en été. Sanitaires récents, petit bar-cafétéria, épicerie, location de vélos, jeux pour enfants, et juste à côté, une piscine naturelle et la rivière pour se baigner. Accueil décontracté. Bref, un camping où l'on a envie de passer ses vacances.
⋇ *Camping Navagredos :* ctra de Navatormes. 🖵 625-89-31-30. ● *info@ navagredos.com* ● *navagredos. com* ● *Descendre pdt 2,5 km depuis la*

station-service de Navarredonda. *Ouv avr-sept. Env 16 € pour 2 avec tente et voiture. Seulement 1 mobile home 4 pers 65 €.* Un site idyllique, posé entre une dense pinède et des prés à vaches. Point de goudron, on se pose sur d'épaisses pelouses ombragées par de grands pins, dans une ambiance peinarde et familiale. Il ne reste qu'à profiter de la nature enchanteresse et du panorama grandiose ! Resto-bar, barbecues, sanitaires très corrects et accueil super sympa.

De bon marché à prix moyens

🛏 |●| *Albergue Juvenil Navarredonda de Gredos : ctra AV 941, km 10,5.* ☎ 920-34-80-05. ● albngredos@jcyl.es ● juventud.jcyl.es ● *Tt près du parador. Ouv d'avr à mi-oct. Env 8,50 € pour les - de 30 ans et 11,60 € pour les plus vieux (largement majoritaires ici !), petit déj inclus. Compter 6,50-8,50 € en plus pour la ½ pens. Carte FUAJ obligatoire, en vente sur place.* Une AJ de 61 places, impeccable et idéalement située. La plupart des chambres (1 à 4 lits) disposent de sanitaires complets et bénéficient d'une vue géniale sur la sierra, aussi belle que depuis le *parador,* en version moins coûteuse ! Pas de cuisine, mais des repas servis à heures fixes dans une salle de resto panoramique. En plus, vaste piscine en juillet-août *(payante : 1-2 € pour les résidents ou non).*

🛏 |●| *Hostal Almanzor : ctra AV 941, km 11.* ☎ 920-34-80-10. ● reservas@hostalalmanzor.com ● hostalalmanzor.com ● *À la sortie du village vers le parador. Tte l'année, mais w-e seulement déc-Pâques. Resto le soir seulement. Doubles 58-68 €. Menu 23 €, plats 12-15 €.* Voilà un hôtel que l'on affectionne particulièrement ! Les parties communes sont recouvertes de magnifiques photos d'oiseaux des environs prises par le patron, un ornithologue averti. Des portraits de volatiles que l'on retrouve aussi dans les chambres, charmantes et confortables, toutes de style différent, avec grande terrasse commune et vue panoramique sur la sierra. Celles sur l'arrière, économiques et plus petites, sont habillées de papier

peint à motif... d'oiseaux. Il y a même un observatoire aménagé dans une pièce au sous-sol pour suivre la centaine d'espèces qui batifolent dans un point d'eau du jardin. Bon resto sur place et accueil vraiment adorable.

|●| ↑ *La Galana : ctra de la Plataforma, 05634 Hoyos del Espino.* ☎ 920-34-91-79. ● lagalanagredos@hotmail.com ● *Juste à côté de l'agence Gredos Tormes (même proprio). Tlj de mi-juin à mi-sept, w-e et ponts seulement le reste de l'année. Plats et pizzas 7,50-13,50 €.* Dans un petit chalet, un resto-bar convivial où se retrouvent les sportifs et randonneurs après l'effort. Quelques petits plats peu onéreux à base de produits locaux (viandes et truites), mais ce sont les pizzas fines et croustillantes, cuites au feu de bois, qui font le carton. Celle au *jamón iberico* est bien bonne.

|●| *El Rincón de Gredos : ctra Venta del Obispo-Barco de Ávila, km 12.* ☎ 920-34-82-45. ▤ 670-53-61-02. *À la sortie du village, en allant vers le parador. Tlj sauf dim soir-lun en été, ouv seulement ven-dim midi en hiver. Résa vivement conseillée. Plats 10-23 €.* Dans une plaisante demeure à colombages, en surplomb de la route. Généreuse cuisine régionale à partir de bons produits locaux : croquettes, canard, *chuletón...* Que des petits plats maison soigneusement mitonnés, et servis avec gentillesse.

De chic à plus chic

🛏 |●| *El Milano Real : c/ Toleo, 2, 05634 Hoyos del Espino.* ☎ 920-34-91-08. ● info@elmilanoreal.com ● elmilanoreal.com ● *Doubles 66-88 €, petit déj 12 €. Menu 36 €, plats 11,50-25 €.* Hôtel chic perché sur les hauteurs du village d'où, tel un milan royal, on scrute les cimes enneigées de la sierra. Décor contemporain très classe dans les chambres comme dans les parties communes : salons cossus, jardin avec bassin, bibliothèque à dispo, et même une lunette astronomique ! Chauffage, mais pas de clim. Spa attenant. Resto de qualité, hélas pas donné. On peut se rattraper sur le petit déj *degustación,* vraiment extra !

LA CASTILLE-LEÓN

⌂ |●| **Parador de Gredos :** ctra AV 941, km 10. ☎ 920-34-80-48. ● gredos@parador.es ● parador.es ● ♨. Resto fermé lun. Doubles 70-130 €, petit déj 16 €. Menus 22-40 €, plats 12-25 €. Au bord de la route, entouré d'une luxuriante pinède, ce para-dor fut le 1er d'Espagne à ouvrir ses portes, en 1928, sur initiative du roi Alphonse XIII. Déco stylée : murs de pierre, parquet et meubles castillans. Chambres douillettes, certaines avec terrasse pour jouir d'un panorama splendide sur la sierra. Resto de bonne cuisine régionale (menus d'un rapport qualité-prix remarquable).

À faire

➢ **Randonnées** de tous niveaux, **balades équestres, VTT, escalade, rafting, tir à l'arc...** difficile de s'ennuyer en été ! Et l'hiver, **ski de fond, raquettes** et **alpinisme** prennent le relais... Pour plus d'infos et pour louer des équipements, se renseigner auprès de l'agence Gredos Tormes (voir plus haut dans « Adresses utiles ») ou à la Casa del parque, qui donne des contacts sérieux. Pour l'alpinisme, s'adresser au refugio Laguna Grande (☎ 920-20-75-76 ; ● refugiolagunagrande gredos.es ●), qui travaille avec des guides de montagne.

➢ 2 superbes excursions permettent de découvrir les alentours du pic Almanzor : le sentier de la **Laguna Grande** (14 km, 5h de marche A/R, difficulté moyenne) menant à ce lac perché à 1 935 m d'altitude, et le sentier des **Cinco Lagunas** (22 km, 10h de marche A/R, possible dans la journée en été, sinon prévoir 2 jours de marche assez dure ; on dort en chemin dans l'un des 3 refuges gardés, en refuge libre ou en bivouac), qui sillonne des paysages somptueux entrecoupés de 5 lacs glaciaires à plus de 2 000 m d'altitude.

LA CASTILLE-
LA MANCHE

● Carte p. 341

Étendue sur les hauts plateaux de la Meseta, au sud de Madrid, la communauté autonome de Castille-La Manche déroule une belle plaine frangée de sierras. Peu peuplée (2 millions d'habitants pour 79 463 km²), la région est profondément agricole. Blé, vigne, oliviers : la trilogie méditerranéenne y résume encore largement le quotidien, entre troupeaux de moutons, champs printaniers de coquelicots et survols des cigognes. C'est une Méditerranée continentale toutefois, où les étés caniculaires succèdent aux hivers froids. Une terre d'élection des moulins à

vent, que vint combattre Don Quichotte, et des *castillos* en pagaille, hissés sur les crêtes et les pitons, gardiens de l'ancienne frontière entre royaumes chrétiens et musulmans. Tolède fut la 1re, en 1085, à être reconquise. Bientôt (en 1212), la mère de toutes les batailles, à Las Navas de Tolosa, allait ouvrir la voie de l'Andalousie aux armées chrétiennes.

TOLÈDE (TOLEDO)   (45000)   84 300 hab.

● Plan p. 344-345

◈ « Tolède est une merveille de situation, d'aspect et de lumière... Elle a des souvenirs à occuper un historien pendant 10 ans et un chroniqueur toute sa vie », disait Alexandre Dumas, qui y passa en 1846. Haut perchée sur son promontoire de granit chapeauté par la silhouette de l'Alcázar et cernée par les eaux du Tage, Tolède exerce dès le 1er regard un fort pouvoir de séduction. Capitale de la *Castilla y Mancha,* elle est tout entière classée Patrimoine mondial de l'humanité. Un hommage à son architecture, aux trésors artistiques de ses églises et de ses musées, où s'affirme si souvent la patte maniériste du Greco. Un symbole, un souvenir aussi : celui d'une cité bimillénaire, florissante, où s'affirma possible, à un moment, la coexistence pacifique entre les grandes religions monothéistes. Dans le sillage de la Reconquête au XIe s, islam, judaïsme et christianisme cohabitèrent un temps sans heurts, mêlant leurs influences jusque dans la pierre de celle que l'on a baptisée « ville des 3 cultures ».

Vos gambettes seront mises à rude épreuve par les rues pentues et les escaliers, mais c'est à ce prix que vous découvrirez Tolède. Qu'importent les foules de visiteurs et les magasins de souvenirs, c'est l'une des plus belles promenades médiévales de Castille.

UN PEU D'HISTOIRE

Tolède des origines

« Lorsque Dieu fit le Soleil, dit une vieille tradition, il le plaça sur Tolède, dont Adam fut le 1er roi. » Une hypothèse avance que la cité aurait été fondée par une communauté juive chassée de Mésopotamie par Nabuchodonosor... D'où le nom de Tolède qui viendrait de *Toledoth,* mot hébreu signifiant « générations », « parce que les 12 tribus avaient contribué à la bâtir et à la peupler », affirme Théophile Gautier. Conquise par les Romains en 192 av. J.-C., la ville, rebaptisée *Toletum,* devint un bastion au cœur de l'Hispanie, entre Méditerranée et Atlantique. Un grand aqueduc enjamba bientôt le Tage (sans doute à 70 m au-dessus des eaux), un énorme cirque, un amphithéâtre, des murailles furent bâtis.
Prise par les Alains, puis par les Wisigoths, Tolède fut faite capitale d'un nouvel empire uni à la Gaule narbonnaise. Il allait vivre un siècle et demi (570-711) et compter 24 rois.

Tolède arabe (711-1085)

Pendant plus de 3 siècles, la ville fut une dépendance (agitée et turbulente) du califat de Cordoue. En 807, le gouverneur Amru Ben Yusuf fit édifier l'Alcázar au sommet de la colline. Des mosquées sortirent de terre, et la culture arabo-andalouse s'imposa à la société tolédane. Musulmans, juifs et mozarabes (chrétiens vivant sous domination musulmane) cohabitaient dans des quartiers séparés. ***Riche de ses 3 cultures, Tolède devint un important centre culturel.*** La ville accueillit les plus grands savants arabes du Moyen Âge : Ibn Wafid, médecin et botaniste, ou Azarquiel, mathématicien, astronome et inventeur de la clepsydre (l'horloge à eau). Cet âge d'or de Tolède arabe se termina le 25 mai 1085 avec l'invasion des troupes chrétiennes.

Tolède chrétienne, capitale d'Espagne (1085-1560)

Poste avancé des royaumes de Castille, d'Aragon et de Navarre dans leur longue lutte pour la *Reconquista,* Tolède se retrouva aux marges des terres musulmanes. Tout au long des XIIe et XIIIe s, les combats se poursuivirent. Les rois chrétiens s'émerveillèrent néanmoins de la beauté des villes prises. Le style mudéjar, d'inspiration arabe, magnifia les monuments de Tolède.

En 1479, la ville devint le bastion des Rois catholiques Ferdinand et Isabelle, qui, suite à un vœu, fondèrent le couvent de San Juan de los Reyes. Leur fille Jeanne la Folle *(Juana la Loca)* naquit à Tolède. 6 ans plus tard, l'Inquisition dressait ses 1ers bûchers et, en 1492, au moment où Christophe Colomb découvre le Nouveau Monde, le roi d'Espagne signait le décret d'expulsion des

LA CLÉ DE L'EXIL

On dit qu'aujourd'hui encore, si vous rencontrez un juif séfarade d'ascendance tolédane, il peut vous montrer la clé de l'ancienne maison familiale de Tolède. Ses ancêtres, expulsés en 1492, l'emportèrent après avoir fermé la porte et se la transmirent pieusement de génération en génération !

juifs du pays. Tolède se vida de sa riche et laborieuse population juive comme elle s'était vidée de ses intellectuels et savants arabes.
Tolède devint la capitale de l'empereur Charles Quint, qui dominait l'Europe et le Nouveau Monde depuis son palais de l'Alcázar. Mais son fils Philippe II, n'appréciant pas la ville, décida en 1560 de transférer la capitale du royaume à Madrid. Ce fut le début d'un long déclin pour la ville.

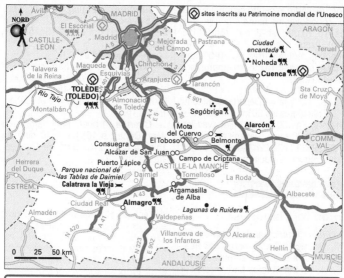

LA CASTILLE-LA MANCHE

Décadence et renouveau

En juin 1840, Théophile Gautier, passant à Tolède, s'émerveillait tristement de cette grosse bourgade appauvrie et dépeuplée, aux monuments en ruine. Alexandre Dumas lui reconnaissait la « majesté des grandes villes mortes ou mourantes »... Le romantisme triomphant avait découvert Tolède et le Greco, si longtemps oublié, retrouva des admirateurs.

Lors de la guerre civile d'Espagne (1936-1939), la cité fut le théâtre de violents combats et l'Alcázar, pris pour cible. Finalement, le classement de la ville au Patrimoine mondial de l'humanité par l'Unesco en 1986 lui redonna une nouvelle vie.

Arriver – Quitter

En dehors de quelques bus locaux, il est obligatoire de passer par Madrid pour toutes les « grosses » destinations.

En train

🚆 *Estación RENFE (hors plan par F1) : paseo de la Rosa.* ☎ 912-320-320. ● renfe.com ● Le bâtiment lui-même, de style néomudéjar, vaut le coup d'œil pour ses vitraux, son plafond à caissons, ses murs couverts d'azulejos et sa tour-minaret. Guichet de l'*office de tourisme municipal* sur le quai *(tlj 9h30-15h).* Bus nᵒˢ 5, 6.1, 6.2 et 9.4, ttes les 15-30 mn pour rejoindre la pl. Zocodover *(billet : 1,40 €).* À pied,

c'est un peu loin et ça grimpe...

➢ *Madrid (Atocha) :* depuis Madrid, 1 train/h en sem, ttes les 2h le w-e, 6h50 (8h50 le w-e)-21h50 ; depuis Tolède, même fréquence 9h25-21h30. Trajet : 35 mn. Résa obligatoire. Il est plus que conseillé de prendre son A/R à l'avance, car beaucoup de trains pour Madrid sont complets en fin de journée.

En bus

🚌 *Estación Autobuses (hors plan par E1) : avda Castilla-La Mancha, au nord-est.* ☎ 925-33-04-40. *Horaires des bus sur* ● toledo.es ● Consignes automatiques. Bus nᵒ 5 *(billet à bord)* pour rejoindre le centre historique et la pl. Zocodover, en haut de la ville, ttes les 15-30 mn, 7h-23h45 (8h-22h15 dim). Aussi avec le n° 12, mais fréquences réduites (ttes les 30-60 mn). À pied, compter 15 mn, en empruntant les escalators.

➢ *Madrid :* avec *Alsa* (☎ 902-42-22-42 ; ● alsa.es ●). Départs de Madrid *(pl. Elíptica)* ttes les 30 mn, 6h-22h (w-e 8h-21h). Env 50 mn de trajet avec les directs, 1h30 sinon. Départs de Tolède : 5h15-22h30 (6h30-22h30 sam, 8h-23h30 dim). Fréquence réduite en été.

➢ *Aranjuez :* 2 bus/j. lun-ven vers 8h15 avec *Aisa* (☎ 902-19-87-88 ; ● aisa-grupo.com ●), et 15h15 avec *Rubiocar* (☎ 969-29-85-20 ; ● rubiocar. com ●). Trajet : 45 mn.

➢ *Consuegra :* avec *Samar* (☎ 925-22-12-17 ; ● samar.es ●), 7-8 bus/j. en sem, 9h15-21h (6h45-18h25 dans l'autre sens), 3-4 bus le w-e et j. fériés. Trajet : 1h30.

➢ *Cuenca :* 1 bus/j. sauf sam, avec *Aisa*. Départ à 16h15 (9h30 dim) de Tolède, 6h (16h45 dim) de Cuenca. Trajet : 2h.

Adresses utiles

Infos touristiques

🄸 *Oficina municipal de turismo (plan D3, 1) :* pl. del Consistorio, 1. ☎ 925-25-40-30. ● toledo-turismo.com ● Tlj 10h-18h. Plan et infos en français sur la ville. Également une liste des hébergements avec leurs tarifs.

🄸 *Oficina de turismo de Castilla-La Mancha (plan E2, 2) :* pl. de Zocodover, 6. ☎ 925-26-76-70. ● turismo castillalamancha.es ● Lun-sam 9h-18h, dim 10h-15h. Idem, plan et infos sur la ville, et sur toute la communauté de Castilla-La Mancha. Également un bureau dans la ville basse, face à la Puerta Bisagra *(plan D1 ; lun-sam 10h-18h, dim 10h-14h).*

Visites guidées

◼ *Consorcio de Toledo (plan D2, 3) :* pl. Amador de los Ríos. ☎ 925-25-30-80. ● consorciotoledo.org ● Mar-sam 10h-14h, 17h-21h (16h-20h hors été) ; dim 10h-14h. Fermé lun. Résa obligatoire. Cet organisme municipal propose des visites guidées gratuites (en espagnol seulement) des bâtiments et sites archéologiques les moins connus de la ville, inaccessibles autrement. Son bureau est installé dans d'anciens thermes romains *(qui se visitent gratuitement).* Parmi les sites au programme : les légendaires grottes d'Hercule, la « maison du Juif » avec ses remarquables stucs et son *mikvé* (bain rituel), une cave islamique conservant des fresques figuratives,

des églises, cloîtres, vestiges antiques, etc. *Les visites ont lieu mar-dim mat à 11h et 17h (19h en été). Chaque lieu est en général accessible 1 fois/sem (voir planning sur le site). Compter 45 mn à 1h.* Propose également une découverte de la vieille ville en 1h30 le dim à 11h.

◼ *Entorno Toledo (plan D3, 4) :* cuesta de la Ciudad, 5. 📱 652-80-38-93. ● entornotoledo.com ● Tlj 10h-14h, 18h-22h (20h hors été). Résa obligatoire. Billet : 15 €/pers (gratuit - de 13 ans). Durée : env 2h. Min 2 pers. Petite organisation touristique dirigée et animée par des guides non officiels, certains d'entre eux chercheurs, professeurs ou historiens. Outre la brève visite des souterrains de la ville *(15 mn ; 5 €),* propose plusieurs visites guidées (en espagnol seulement) de Tolède sur des thèmes variés : « Les 3 cultures », « Tolède magique », « El Greco », « Quartier juif », « Légendes et anecdotes » *(départs à 12h, 17h, 19h, 21h et 22h).*

◼ *Toledo Guide :* 📱 649-22-35-93. ● toledoguide.net ● Visite guidée de 1h30 : 70 € ; pour 3h : 120 € *(prix pour le groupe entier).* María, qui parle très bien le français, concocte des parcours sur mesure pour de petits groupes : à partir de 4 personnes, c'est plus rentable qu'une visite publique. Programmes à la carte, en fonction des centres d'intérêt de chacun.

■ **Voilà Toledo :** 📠 650-21-62-91. ● voilatoledo.com ● Visite guidée jeu-sam à 11h et 13h, dim à 11h ; compter 12-17 €/pers. Petite agence qui organise des tours de la ville en français, ainsi que des itinéraires personnalisés pour de petits groupes.

Transports urbains

■ **Bus urbains** (plan E2) **:** la pl. Zoco-dover est le point de convergence de la plupart des lignes. Parcours et horaires sur ● unauto.es ●

🚕 **Taxis :** dans la ville haute, devant l'entrée du museo de l'Alcázar, et aussi devant la gare ferroviaire. ☎ 925-25-50-50 ou 925-22-70-70.

🅿 **Stationnement :** grands parkings couverts à proximité de l'Alcázar et au palacio de congresos, par exemple, mais les tarifs sont élevés (13-16 €/j.).

Même topo dans les rues du centre. Mieux vaut se garer extra-muros si l'on n'a pas peur de marcher un peu (mais APRÈS avoir déposé les bagages à l'hôtel !). On peut laisser la voiture gratuitement dans l'immense parking gardé situé en face de la gare routière (hors plan par E1, **6**), puis gagner à pied le centre historique en prenant le chapelet d'escalators depuis la c/ Gerardo Lobo (plan E1). Autre option entre le rond-point de la gare routière et la gare, passé le Tage, ou encore au bout de l'avda Carlos III (hors plan par B1, **7**).

Urgences

➕ **Hospital Virgen de la Salud** (hors plan par C1) **:** avda de Barber, 30. ☎ 925-26-92-00. Au nord-ouest du centre.

LA CASTILLE-LA MANCHE

■ **Adresses utiles**

🛈 1 Oficina municipal de turismo (D3)
🛈 2 Oficina de turismo de Castilla-La Mancha (E2)
   3 Consorcio de Toledo (D2)
   4 Entorno Toledo (D3)
🅿 6 et 7 Parkings gratuits (hors plan par E1 et B1)

⚓🛏 **Où dormir ?**

  10 Camping El Greco (hors plan par A2)
  11 Albergue juvenil Los Pascuales (E3)
  12 Albergue juvenil San Servando (hors plan par F1)
  13 Oasis Hostels (D2)
  14 La Posada de Manolo (D-E3)
  15 Hostal Casa de Cisneros (D3)
  16 Posada de Zocodover (D2)
  17 Hostal La Campana (C3)
  18 Hotel Santa Isabel (D3)
  19 Hostal Alfonso XII (C3)
  20 Hostal Santo Tomé (C3)
  21 Hostal Palacios (C2)
  22 Hotel Pintor El Greco (C3)
  23 Hacienda del Cardenal (C1)
  24 Casona de la Reyna (C4)
  25 La Almunia de San Miguel (E3)
  26 Hotel Medina (E1)
  27 Antídoto Rooms (E2)
  28 Casa de los Mozárabes (D2)
  29 Parador de Toledo (hors plan par A4 ou F4)

🍴 **Où manger ?**

  40 Bar Ludeña (E2)
  41 Korokke (C2)
  42 Cuchara de Palo (E2)
  43 Cervecería El Trébol (E2)
  44 Madre Tierra (E3)
  45 Comes (D-E2)
  46 Nuevo Almacén (E2)
  47 Alfileritos 24 (D2)
  48 El Botero (D3)
  49 La Cave (E2)
  50 El Peñon (E1)
  51 La Abadía (D2)
  52 Mesón La Orza (C3)
  53 La Ermita.(hors plan par E4)

🍰 **Où s'offrir une douceur ?**

  60 Confitería Santo Tomé et El Café de las Monjas (C3)
  61 Masamadre (D2)

🍸 **Où boire un verre ?**

  70 Virtudes Café-bar (E3)
  71 Bibula (E2)
  72 Botanic Bar Legendario (D2)
  73 Terraza del Miradero (E1)
  74 Cervecería Picasso (hors plan par C1)

🍸🎵 **Où écouter de la musique ?**
💃 **Où danser ?**

  80 Círculo de Arte (D2)
  81 Sala Pícaro (D2)
  82 Los Clásicos (C3)
  83 La Venta del Alma (A4)

⚙ **Achats**

  100 Viandas de Salamanca (D-E2)
  101 Casa Cuartero (D2)
  102 La Casa del Mazapán (D2)
  103 La Encina de Ortega (D2)

LA CASTILLE-LA MANCHE

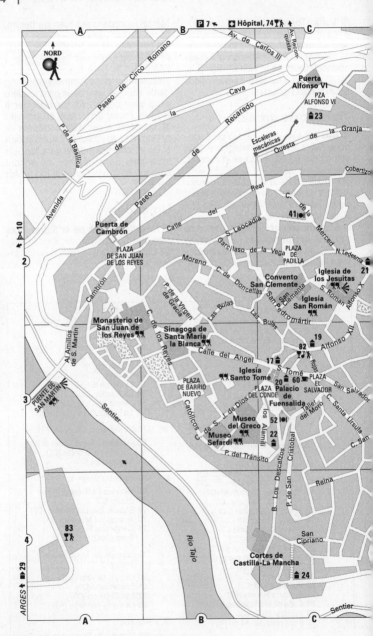

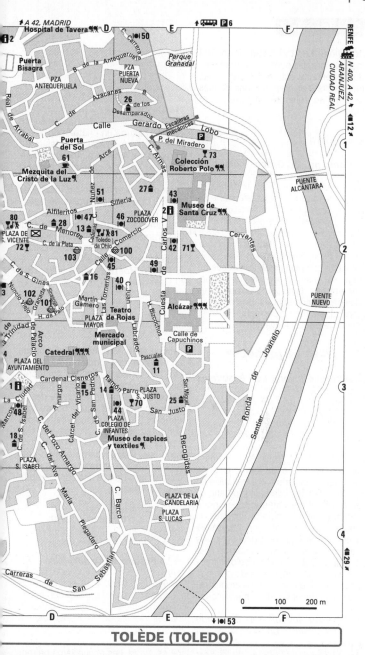

LA CASTILLE-LA MANCHE

TOLÈDE (TOLEDO)

Où dormir ?

Attention ! Les tarifs sont fortement majorés lors des ponts et, surtout, lors de la Semaine sainte. En outre, pas mal d'adresses prennent des congés la semaine suivante, histoire de se reposer !

Camping

⚊ **Camping El Greco** *(hors plan par A2, 10)* : ctra C 4000, km 0,7, 45004. ☎ 925-22-00-90. ● info@campingelgreco.es ● campingelgreco.es ● Bus n° 72 de la pl. Zocodover ou de la puerta Bisagra, ttes les heures, 8h-21h. ♿ À 3 km de Tolède. Compter 22-28 € pour 2 avec tente et voiture ; bungalows 2 pers 50-65 €, 5 pers 100-130 €. Ce vaste camping, juste au-dessus du Tage, est le seul aux portes de Tolède. Les emplacements sont bien ombragés et séparés par des haies. Bon entretien général, sanitaires corrects. Resto et immense piscine (payante).

Auberges de jeunesse

⚊ **Albergue juvenil Los Pascuales** *(plan E3, 11)* : cuesta de los Pascuales, 8, 45001. ☎ 925-28-24-22. ▤ 649-61-46-16. ● reservas@alberguelospascuales.com ● alberguelospascuales.com ● *Réception 8h30-20h30. Env 14-16 €/pers en dortoirs 2-6 pers, petit déj (léger) inclus.* Petite AJ facilement accessible (juste en contrebas de l'Alcázar). Dans une ruelle tranquille du quartier des Templiers, le plus ancien de la ville. Petit immeuble de brique abritant une vingtaine de lits (superposés) sur 2 étages, en chambres avec clim et casiers. Également une double. Sanitaires communs pour tout le monde. Laverie, local vélo, micro-ondes à dispo (mais pas de cuisine). Le tout est bien tenu. Peu d'ambiance, mais au moins c'est calme. Accueil cordial.

⚊ **Albergue juvenil San Servando** *(hors plan par F1, 12)* : cuesta de San Servando, s/n, 45006. ☎ 925-22-45-54. Résas lun-ven 9h-14h au ☎ 925-22-16-76. ● alberguesclm@jccm.

es ● juventud.jccm.es/sanservando ● ♿ À moins de 1 km de la gare, bus n° 11. *Réception 8h-21h. Résa conseillée (surtout w-e). Nuit 14 € pour les - de 30 ans (sinon env 3 € de plus), 17 € avec le petit déj (et 21 € en ½ pens). Carte FUAJ obligatoire.* Cette AJ de charme occupe un château du XIVᵉ s perché face à Tolède, au-dessus du vieux pont d'Alcántara. Ancienne poudrière au XIXᵉ s, le château échappa à la démolition et fut le 1ᵉʳ déclaré Monument national en 1874. Oui, vous avez bien lu ! Depuis les jardins, le panorama est superbe. 27 chambres de 2 (lits jumeaux), et 10 chambres de 4 lits (superposés)... avec salle de bains privative s'il vous plaît. Repas possibles (à heures fixes). Piscine en été.

⚊ **Oasis Hostels** *(plan D2, 13)* : c/ Cadenas, 5, 45001. ☎ 925-22-76-50. ● toledo@hosteloasis.com ● hosteloasis.com ● *Nuitée en dortoirs de 4 pers 16-18 € en sem, 20-36 € le w-e. Doubles 56-72 € en sem, 60-80 € le w-e. Ttes les chambres avec sdb.* Un hybride entre AJ et hôtel, qui propose un hébergement moderne et de qualité, tant en dortoirs qu'en chambres privées. Équipements récents, mélange réussi de charme ancien et de design contemporain, bref, tout à fait au goût du jour ! En prime, une belle terrasse sur le toit prolongée d'une petite cuisine et d'un salon d'où l'on jouit d'une belle vue. Pas de petit déj mais café très accueillant et pas cher *(La Pepa)* juste en bas. Une de nos adresses préférées à Tolède.

De prix moyens à chic (45-90 €)

⚊ **La Posada de Manolo** *(plan D-E3, 14)* : c/ Sixto Ramón Parro, 8, 45001. ☎ 925-28-22-50. ● toledo@laposadademanolo.com ● laposadademanolo.com ● *Fermé 2ᵈᵉˢ quinzaines de juil et de déc. Doubles 66-90 € : petit déj 4 €. Réduc pour parking proche. Réduc de 10 % sur les doubles sur présentation de ce guide.* Les accueillants patrons ont aménagé cette vieille demeure aux murs de pierre en hommage aux 3 cultures de la Tolède médiévale. Chaque chambre est décorée en harmonie avec le thème. Toutes possèdent un joli mobilier, une salle de bains habillée de faïence ou de carreaux de terre cuite. Parmi les plus chères, une chambre arbore un plafond ouvragé, une autre donne sur un patio intérieur privé. Le petit déj se prend sur l'une des 2 terrasses communes, avec vue sur les toits de Tolède et sa cathédrale. L'un de nos chouchous à Tolède !

Hostal Casa de Cisneros (plan D3, **15**) : c/ Cisneros, 12, 45002. ☎ 925-22-88-28. ● info@hospederiacasade cisneros.com ● hospederiacasadecis neros.com ● Doubles 54-68 €, petit déj 8 €. Parking 15 €. Beaucoup de cachet dans cette maison médiévale qui trouverait ses origines... au XIe s ! Bien sûr, cet ancien palais arabe offre désormais tout le confort attendu à notre époque. Les chambres, sur 3 niveaux (sans ascenseur), sont de taille modeste : on n'allait quand même pas repousser les murs ! Joli décor parsemé d'antiquités, mobilier de style, et même un sol en vitrail dans la salle de petit déj. Cerise sur le gâteau : une terrasse sur le toit. Voilà un rapport qualité-prix remarquable, assorti d'un accueil soigné.

Posada de Zocodover (plan D2, **16**) : c/ Cordonerías, 6, 45001. ☎ 925-25-58-14. 🖵 680-10-36-60. ● info@ laposadadezocodover.es ● laposa dadezocodover.com ● Doubles 50-75 € (2-3 nuits min en été). Parking 14 €. À un jet de pierre de la plaza Zocodover, ce petit hostal familial abrite 7 chambres impeccables aux tonalités de blanc et de bleu, avec sol en terre cuite, lits en fer forgé et, dans certaines, des poutres apparentes. Celles qui donnent sur la rue commerçante sont bien insonorisées. Un poil de charme à prix démocratiques, l'accueil souriant en prime.

Hostal La Campana (plan C3, **17**) : c/ La Campana, 10-12, 45002. ☎ 925-22-16-59. 🖵 695-33-03-18. ● info@hostalcampana.com ● hos talcampana.com ● Doubles 45-60 €, petit déj inclus. Ce petit hostal rénové, niché à l'orée du quartier juif, dispose de chambres bien tenues avec clim.

Pas bien grandes, non, mais agréables et plutôt coquettes pour le prix. Une petite adresse qu'on aime bien, et on n'est pas les seuls (résa très conseillée). Bon accueil.

Hotel Santa Isabel (plan D3, **18**) : c/ Santa Isabel, 24, 45002. ☎ 925-25-31-20. ● info@hotelsantaisabelto ledo.es ● hotelsantaisabeltoledo.es ● ♿ Doubles 49-90 €. Parking 12 €. Petit déj offert sur présentation de ce guide. La demeure date de 1388, mais les chambres n'ont rien de médiéval... Plus ou moins spacieuses mais toutes confortables et calmes, avec clim et bonne literie. Les plus chères ont un balcon, comme les nos 214 et 302, avec vue sur les toits et la cathédrale. Cafétéria et superbe terrasse perchée sur les toits. Une très bonne affaire.

Hostal Alfonso XII (plan C3, **19**) : c/ Alfonso XII, 18, 45002. ☎ 925-25-25-09. ● info@hostal-alfonso12. com ● Doubles 45-70 € (2 nuits min le w-e). Petit hôtel au caractère intimiste, très bien situé et tenu par des gens accueillants. À peine 6 chambres, petites mais mignonnes, toutes avec clim et poutres apparentes. Salles de bains impeccables (mais petites là encore !).

Hostal Santo Tomé (plan C3, **20**) : c/ Santo Tomé, 13, 45002. ☎ 925-22-17-12. ● info@hostalsantotome.com ● hostalsantotome.com ● Doubles 59-75 €. Parking privé proche 14 €. On entre par la boutique de souvenirs, où officient l'accueillant Juan Carlos et sa femme. Au-dessus, une dizaine de chambres avec clim (dont quelques familiales et 2 avec balcon sur la rue), sans charme particulier mais très propres et plutôt spacieuses (pour Tolède).

Hostal Palacios (plan C2, **21**) : c/ Navarro Ledesma, 1, 45001. ☎ 925-28-00-83. ● info@hostalpalacios.net ● hostalpalacios.net ● Doubles 50-65 €. Ce vieil hostal, remarquable par ses bow-windows d'angle, s'est offert une nouvelle jeunesse avec la réfection de ses chambres dans un style contemporain net et sans bavure. Cela dit, elles souffrent un peu du bruit le matin côté rue, à cause des livreurs. Accueil charmant. Fait resto (guère convaincant).

De chic à très chic (de 60 à plus de 120 €)

⌂ *Hotel Pintor El Greco* (plan C3, *22*) : c/ Alamillos del Tránsito, 13, 45002. ☎ 925-28-51-91. ● info@hotelpintorel greco.com ● hotelpintorelgreco.com ● Doubles standard 70-175 €, petit déj inclus ou non selon l'offre. Garage 25 €. Situé en bas de la vieille ville, dans l'ancien quartier juif, ce luxueux hôtel abrite de belles chambres, chaleureusement meublées dans un style rustique chic très tendance. Beau patio et salon, terrasse et bar sympa (mélange de moderne et d'ancien, comme le reste). Les prestations sont excellentes et l'accueil, francophone, très pro. Beau petit déj-buffet. Quartier calme la nuit. Que désirer de plus ?

⌂ *Hacienda del Cardenal* (plan C1, *23*) : paseo de Recaredo, 24, 45004. ☎ 925-22-49-00. ● hotel@hacienda delcardenal.com ● haciendadelcar denal.com ● Doubles 70-135 €, petit déj 9 €. Parking 17 €, mais parking gratuit pas très loin. Le site séduit d'emblée : un ancien palais intégré aux murailles de la ville, avec un jardin rafraîchissant planté d'arbres vénérables, où glougloutent des fontaines. Certes, l'intérieur accuse un peu le poids des ans, mais les chambres, de conception classique, sont bien tenues et de bon confort. Les plus chères bénéficient d'un salon et d'une terrasse. Ascenseur et disponible.

⌂ *Casona de la Reyna* (plan C4, *24*) : carreras de San Sebastián, 26, 45002. ☎ 925-28-20-52. ● info@casonadela reyna.com ● casonadelareyna.com ● ♨ Doubles 50-130 €, petit déj 6,50 €. Parking 15 €. Installé en contrebas de la vieille ville, juste au-dessus du Tage, ce 3-étoiles impeccable dispose de chambres confortables, d'allure classique et gentiment surannée. Le petit déj-buffet est bien garni et l'accueil pro. Les chanceux trouveront peut-être une place pour se garer juste devant : c'est l'un des derniers endroits de Tolède où elles restent gratuites ! Sinon, il y a un parking souterrain payant. Le centre est à moins de 10 mn de grimpette.

⌂ *La Almunia de San Miguel* (plan E3, *25*) : c/ San Miguel, 12, 45001.

☎ 925-25-77-72. ▯ 619-08-33-54. ● toledo@almuniadesanmiguel.com ● almuniadesanmiguel.com ● Doubles 90-130 €, petit déj compris. Dans une ruelle en pente très calme, une demeure ancienne de caractère, au patio couvert soutenu par d'élégantes colonnes de pierre. Les 7 chambres sont douillettes, avec leur mobilier chiné, leurs lits en bois sculpté et leurs salles de bains en marbre ou avec douche vitrée. Agréable petit salon et terrasse au dernier étage donnant sur les toits de la ville et la cathédrale. Le petit déj se prend dans une ancienne citerne voûtée du XIIIe s.

⌂ *Hotel Medina* (plan E1, *26*) : bajada de los Desamparados, 2, 45003. ☎ 925-69-99-99. ● correo@hotelme dina.com ● hotelmedina.com ● Doubles 55-130 € ; petit déj 7,50 €. Parking 14 €, ou gratuit à 10 mn de marche. Agrippé entre ville haute et ville basse, un hôtel calme et sans esbroufe, au personnel accueillant. Ici, l'ascenseur ne monte pas vers les chambres, il y descend ! Passé les couloirs lambrissés, on découvre des chambres confortables, avec une touche actuelle dans la déco. Certaines donnent sur le nord de la vieille ville, le Tage et l'*Hospital de Talavera*. Même vue ravissante depuis le balcon où l'on prend son petit déj. Bref, une affaire intéressante, sauf pendant les grands week-ends d'été !

⌂ *Antídoto Rooms* (plan E2, *27*) : c/ Recoletos, 2, 45001. ☎ 925-28-51-91. ▯ 689-76-66-05. ● reservas@ hotelpintorelgreco.com ● antido torooms.com ● Doubles standard 70-170 € avec petit déj ou non selon offre. Parking 14 €. Une demeure du XVIe s ayant opéré une fusion audacieuse entre passé et modernité. Patio relooké sous verrière, espaces communs design, intégrant vénérables poutres, balustrades et témoignages architecturaux centenaires. Chambres d'une sobriété raffinée, d'un blanc immaculé, tout confort et lumineuses à souhait. Les plus chères avec terrasse. Ascenseur. Pas vraiment d'accueil, si ce n'est une borne automatique pour s'enregistrer. On peut aussi s'adresser à l'hôtel *Pintor El Greco* (cité plus haut) : les proprios sont les mêmes.

🏠 *Casa de los Mozárabes* (plan D2, **28**) : callejón de Menores, 10, 45001. 📠 689-76-66-05. ● casadelosmozarabes@gmail.com ● casadelosmozarabes.com ● *Pas de réception, résa par mail ou tél. Apparts 2-6 pers 85-225 €. Min 2 nuits le w-e. Parking 14 €.* Pourquoi louer une chambre d'hôtel quand on peut jouir de tout un appartement dans un bâtiment du XVIe s, joliment réhabilité ? Les colombages, les arcades et les poutres ont été conservés, tout le reste a été modernisé, sur des notes plutôt sobres et élégantes. Autour d'un patio, les 6 apparts disposent chacun d'un salon, d'une cuisine et de 1 à 3 chambres. Certains avec vue superbe. Petit espace commun en sous-sol avec billard. Une super solution pour les familles ou les groupes d'amis.

🏠 *Parador de Toledo* (hors plan par A4 ou F4, **29**) : cerro del Emperador, 45002. ☎ 925-22-18-50. ● toledo@parador.es ● 🚹 *À env 4 km du centre. Doubles standard 105-170 €,* superior *avec vue jusqu'à 240 € ; petit déj 19 €.* Et si vous vous réveilliez sur une colline verdoyante, avec Tolède presque à vos pieds ? À moins de préférer, de votre lit, la vue sur la très belle piscine (en saison) et la campagne alentour. De toute façon, la chambre sera grande, parfaitement équipée, et vous pourrez lézarder sur une terrasse privée. Le panorama depuis les terrasses du resto ou de la caféteria n'est pas moins éblouissant, avec la cathédrale illuminée (le week-end)... Pour une escapade en amoureux.

Où manger ?

Tapas

🍴 *Bar Ludeña* (plan E2, **40**) : pl. de Magdalena, 10. ☎ 925-22-33-84. *Tlj. Menus déj 12-14,50 €, raciones 8-16 €.* Ce fameux bar à tapas à l'ancienne serait l'inventeur d'une spécialité que l'on retrouve maintenant sur d'autres cartes à Tolède, les *carcamusas* : un ragoût de porc au poivron, à la tomate, au chorizo et aux petits pois. Autre spécialité : les *chipirones* dans leur encre. À grignoter debout, entre le comptoir et le vieux juke-box, ou sur la microterrasse ombragée à l'arrière.

🍴 *Korokke* (plan C2, **41**) : pl. Capuchinas, 2. ☎ 925-25-59-14. ● cantharelluskorokke@yahoo.es ● *Tlj sauf mer. Tapas et raciones 2-17 €.* Ce petit *gastrobar* à tapas, niché à l'écart de la foule face au joli couvent des Capucines, mise sur les bons vins et les produits nobles : fromages et jambons AOC, et même caviar... Mais la grande spécialité, ce sont les croquettes, exquises et originales : bleu-poire, gorgonzola-épinards, à l'encre de seiche... Rien de tel que les croquettes de qualité pour une bonne vitalité, un regard vif et un pelage soyeux ! On grignote debout au comptoir ou dehors, sur l'une des 2 tables hautes. Accueil adorable.

🍴 *Cuchara de Palo* (plan E2, **42**) : c/ Travesia de Santa Fe, 1. ☎ 925-22-46-06. *En contrebas de la pl. Zocodover. Tlj. Menu midi en sem 11 €, raciones 8-13 €.* Bar à tapas moderne, recommandé pour ses savoureuses assiettes de charcuterie (pâté de perdrix, saucisson de sanglier...), ses ailes de poulet croustillantes, ses légumes frits et autres suggestions terre-mer. Salle au cadre contemporain et belle terrasse dans la rue piétonne.

🍴 *Cerveceria El Trébol* (plan E2, **43**) : c/ Santa Fe, 1. ☎ 925-28-12-97. *Tlj 9h (11h le w-e)-minuit (1h le w-e). Tapas et pulgas 3,50-7,50 €.* Brasserie très populaire planquée dans une impasse, et dotée d'une tranquille terrasse au pied d'un élégant palais de brique... La bière y est bien tirée et les *raciones* bonnes et pas chères. Ah ! et les *pulgas*, ici, n'ont rien à voir avec des puces (oui, celles qui grattent) : ce sont de minisandwichs !

De bon marché à prix moyens (moins de 25 €)

🍴 *Madre Tierra* (plan E3, **44**) : bajada de la Tripería, 2. ☎ 925-22-35-71. ● info@restaurantemadretierra.com ● *Tlj sauf lun soir-mar. Plats 10-13 €.*

Resto végétarien installé dans une vaste salle en sous-sol avec arcades et piliers de brique. Les produits bio et bien frais combleront les amateurs de légumes grillés, soupes, fromages chauds, *pasteles*, lasagnes et autres sushis végétaux. Glaces artisanales pour ceux qui ont encore de la place.

|●| ↑ **Comes** (plan D-E2, 45) : c/ Sierpe, 4. ☎ 925-25-75-60. ● info@ comesentoledo.com ● Tlj 10h-minuit (11h-1h w-e). Menus midi 9,50 € en sem et 12,50 € le w-e ; sinon tapas et plats 5-15 €. Petite pizzeria au cadre coloré un poil décalé, où vous trouverez aussi un bon choix de salades, pâtes et burgers. On s'installe à l'intérieur, dans une ambiance de bar, en mezzanine ou dehors sur la placette. Service décontracté. Un bon rapport qualité-prix.

|●| ↑ **Nuevo Almacén** (plan E2, 46) : c/ Nueva, 7. ☎ 925-28-39-37. ● info@ nuevoalmacen.es ● Tlj 8h (9h30 le w-e)-minuit. Petits déj, tapas et sandwichs 2,50-10 €, plats 10-22 €. L'endroit représente la nouvelle génération des bars-restos espagnols branchés avec ses tables hautes, sa grande table commune et son cadre moderne. On vient y grignoter à toute heure dans une ambiance animée (parfois même bruyante). Globalement, la qualité des en-cas est au rendez-vous. Les plats les plus chers, en revanche, déçoivent un peu. Autre adresse : avda de América (hors plan par C1), à côté de la festive pl. de Cuba.

De prix moyens à plus chic (15-35 €)

|●| **Alfileritos 24** (plan D2, 47) : c/ Alfileritos, 24. ☎ 925-23-96-25. ● info@ alfileritos24.com ● ♿ Tlj. Menus en sem 12 € (taverne) ou 20 € (resto). Plats 16-22 €. L'atmosphère est à l'image de la cuisine : la tradition y côtoie la modernité, les classiques *manchegos* sont revisités, les murs en pierre et colonnes patinées du palais du XIVe s intègrent une déco tendance aux luminaires oblongs. Au choix, version taverne en bas ou resto à l'étage, autour d'un patio couvert et lumineux, avec des recoins plus intimes. Les

chefs sont créatifs, le service attentionné et la note justifiée.

|●| **El Botero** (plan D3, 48) : c/ de la Ciudad, 5. ☎ 925-28-09-67. ● reservas@tabernabotero.com ● Tlj sauf lun soir-mar. Formule midi 18 € en sem, 22 € le w-e ; menu dégustation 55 € le soir ; plats et raciones 10-22 €. En apparence, un simple bar à tapas à l'ancienne, son vieux plancher, ses boiseries patinées, tables de marbre et photos sépia. En grattant un peu, on découvre une table de délicieuse cuisine *manchega* revisitée, créative, influencée par l'Asie et la Méditerranée. De belles réussites aussi bien côté terre (*empanadillas* de côtelettes au curry, lasagnes de *rabo de toro*) que côté mer (*takoyaki* de poulpe, confit de morue) : ça change et ça stimule les papilles ! Le menu du midi vaut le coup ; le soir en revanche, mieux vaut prévoir un assortiment de tapas au bar, moins onéreux qu'un dîner dans la salle à l'étage.

|●| **La Cave** (plan E2, 49) : callejón del Lucio, 3. ☎ 925-21-23-62. ● reservas@ restaurantelacave.com ● Tlj. Menu en sem env 16 € ; tapas, raciones, burgers et tablas 4-12 €, plats 16-20 €. Caché dans une étroite ruelle du centre, ce resto réserve de jolies surprises. L'accueil d'abord, fort agréable, puis le cadre (heureux mariage, là encore, d'ancien et de contemporain) et, enfin, la cuisine, inventive et soignée. Au choix, carte de tapas et *raciones* (servis à la *tapería*, face aux fourneaux) ou plats plus élaborés au resto en sous-sol, aménagé autour d'une antique citerne utilisée en cave à vin.

|●| ↑ **El Peñon** (plan E1, 50) : c/ Carrera, 31. ☎ 925-21-33-22. ● info@ restauranteelpenontoledo.es ● Ouv le midi lun-sam et le soir jeu-ven. Fermé dim. Résa conseillée le soir. Menu en sem 14 € ; plats 9-21 €. Sise tout en bas de la vieille ville, voici une taverne qui échappe aux touristes et qui attire plutôt les Tolédan(e)s pour sa goûteuse cuisine traditionnelle modernisée. Une sélection qualitative de produits du terroir, des viandes tendres et de bons légumes grillés, agrémentée par un excellent accueil : autant de raisons de marcher un peu (10 mn de la pl. Zocodover par les escalators).

I●I *La Abadía* (plan D2, **51**) : pl. San Nicolás, 3. ☎ 925-25-11-40. ● abadia@grupovivetoledo.com ● Tlj. Menus en sem 12 €, 22 € w-e ; raciones et plats 7-20 €. Du vieux palais du XVIᵉ s, il reste le portail. Un bar-resto convivial s'y est niché, où l'on peut déguster, assis dans des salles voûtées, les tapas et *raciones* de la maison (assortiments possibles), à la présentation très soignée. Côté resto, copieuses *parrilladas*.

Très chic (plus de 35 €)

I●I ↑ **Mesón La Orza** (plan C3, **52**) : c/ Descalzos, 5. ☎ 925-22-30-11. ● restaurantelaorza@hotmail.com ● Ⅹ Tlj sauf dim soir. Résa conseillée. Plats 19-22 € ; repas min 50 €. Au cœur de l'ancien quartier juif, une très agréable terrasse ombragée dans une rue pavée, sous le halo des réverbères le soir. À l'intérieur, cadre rustique élégant pour une cuisine traditionnelle raffinée. Délicieuses mais très onéreuses entrées et belle sélection de viandes et poissons : agneau rôti au miel, cerf braisé, joue de morue, etc. Jolie carte des vins. L'un des meilleurs restos de la vieille ville mais qui ne fait pas l'unanimité au vu des tarifs pratiqués.

I●I *La Ermita* (hors plan par E4, **53**) : ermita de Nuestra Señora del Valle, ctra de Circumvalación. ☎ 925-25-31-93. ● laermitatoledo@gmail.com ● Tlj sauf dim soir-lun. Résa obligatoire. Menu dégustation 45 €, plats 20-23 €. Pour venir jusqu'ici, il vous faudra quitter la vieille ville... pour mieux l'admirer, surtout si vous réussissez à obtenir une table face aux baies vitrées de ce vieil ermitage réhabilité. On y déguste, dans un cadre contemporain de bon goût, une cuisine créative de saison. Un lieu classique des Tolédans pour les demandes en mariage... Si vous êtes en voiture, n'arrivez pas trop tard, surtout en fin de semaine : vous auriez du mal à vous garer.

Où s'offrir une douceur ?

☕ *Confitería Santo Tomé* (plan C3, **60**) : c/ Santo Tomé, 3. ☎ 925-22-37-63. ● santotome@mazapan.com ● Tlj 9h-21h. Autres adresses, dont 1 sous les arcades de la pl. Zocodover. Une prestigieuse pâtisserie-confiserie établie depuis 1856. Son alléchante vitrine est dominée par une reproduction du portail du museo de Santa Cruz en pâte d'amandes ! Spécialités de *mazapánes*, bien sûr, vendues uniquement à emporter. Presque en face, au nº 4, une autre bonne pâtisserie permet de consommer sur place : **El Café de las Monjas** (☎ 925-21-34-24 ; ● info@elcafedelasmonjas.com ● ; tlj 9h-21h). Ce salon de thé propose toutes sortes de gâteaux (goûter la *tarta de mazapán*), viennoiseries, *churros con chocolate* et *empanadas* pour caler un creux.

☕ ↑ *Masamadre* (plan D1, **61**) : callejón de San José, 17. ☎ 925-71-22-98. ● masamadre.toledo@gmail.com ● Mar-ven 8h30-17h (16h juin, 15h juil), w-e 9h-14h. Fermé lun et août. Boulangerie artisanale réputée pour ses pains, viennoiseries et biscuits en tout genre. Les palmiers au chocolat sont très demandés, à juste titre ! Quelques tartes salées et *empanadas* pour l'en-cas du midi. À emporter ou à déguster sur place, dans un mignon petit patio intérieur.
– Les pâtisseries tolédanes sont également confectionnées et vendues dans 8 **couvents** situés en ville (liste à l'office de tourisme) : à chacun sa spécialité, mais là encore, vous n'échapperez pas aux 1 001 formes de *mazapán* !

Où boire un verre ?

🍷 ↑ *Virtudes Café-bar* (plan E3, **70**) : pl. San Justo, 9. ● info@aptcvirtudes.com ● Fermé dim-lun. Sur l'une des places les plus villageoises de la ville. À l'ombre des arbres, une terrasse invite à boire une bière ou un verre de vin, éventuellement accompagné de *pintxos*. Une halte paisible, romantique, hors du temps (et du tourisme de masse) dans le ravissant quartier des Templiers.

LA CASTILLE-LA MANCHE

LA CASTILLE-LA MANCHE

🍴 ↑ Bibula (plan E2, 71) : pl. Santiago de los Caballeros, 2, dans un renfoncement de la c/ Cervantes, en face du musée Santa Cruz. Tlj 9h-minuit (sauf lun en hiver). Bar à la belle façade de bois sculpté et vaste terrasse ombragée, à l'écart du trafic et rafraîchie en été par des brumisateurs. Rien d'exceptionnel en soi, mais les terrasses tranquilles sont finalement assez rares à Tolède. Parfait pour l'apéro. Service au bar.

🍴 Botanic Bar Legendario (plan D2, 72) : c/ La Plata, 2 (entrée par pl. San Vicente, 4). ● barlegendariotoledo@ gmail.com ● Tlj sauf lun 12h-minuit (2h30 ven-sam). Ce café-club détonne par ses ambiances très différentes. Il y a d'un côté le bar classique avec son vénérable plafond à caissons ; le coin tropical avec sa fontaine sous verrière ; le recoin aux voûtes en brique, avec ses fauteuils Stark illuminés de l'intérieur et un coin bibliothèque orné de dessus de tonneaux. Surprenant !

🍴 ↑ ← Terraza del Miradero (plan E1, 73) : paseo del Miradero. Tlj 11h-1h (2h ven-sam). Ce café-bar à cocktails déploie sa terrasse sur une grande esplanade panoramique avec vue sur le Tage et la partie nord de la vieille ville. Une bénédiction à l'heure de l'apéro ou pour une fin de soirée romantique ! Bonne nouvelle : les prix restent très abordables pour ce genre d'endroit.

🍴 ↑ Cervecería Picasso (hors plan par C1, 74) : avda América, 1. À 50 m de la pl. de Cuba, barrio Santa Teresa. Tlj 12h-1h30 (2h30 ven-sam). Un bar à bières plein à craquer en fin de semaine. Écrans géants et tapa gratuite avec chaque conso. Plein d'autres troquets du même tonneau dans ce quartier qui bouge pas mal.
– Sinon, voir plus haut nos adresses de bars à tapas.

Où écouter de la musique ? Où danser ?

Sous ses aspects de ville bien sage, Tolède réserve de bonnes surprises nocturnes. Outre les adresses intramuros, la jeunesse se retrouve dans le quartier de **Santa Teresa** (hors plan par C1), qui fourmille de cervecerías, pubs, bars et boîtes. De la puerta Alfonso VI (plan C1), prendre l'avda de la Reconquista puis la 1re à gauche, l'avda de América et continuer jusqu'à la pl. de Cuba (5e à droite). Vous y êtes !

🍴 ♪ ✗ Círculo de Arte (plan D2, 80) : pl. San Vincente, 2. ☎ 925-21-29-81. ● info@circuloartetoledo.org ● circuloartetoledo.org ● Ouv 16h30-4h en sem (6h le w-e). Entrée souvent gratuite (5-15 € pour certains concerts). Vous entrez ici dans une église mudéjare du XIIe s, avec une acoustique de folie. Parfait pour les concerts de rock (le w-e en période scolaire), lorsque les groupes s'installent devant l'ancien autel... Dire que l'Inquisition siégeait autrefois dans l'édifice d'à côté ! En fin de semaine, le lieu se transforme en discothèque vers minuit. Également du théâtre, des expos, des conférences, bref, un lieu unique en son genre.

🍴 ♪ ✗ Sala Pícaro (plan D2, 81) : c/ Cadenas, 6. ☎ 925-22-13-01. ● picarotoledo.com ● Tlj sauf dim 21h (16h sam)-4h (6h ven-sam). Sa salle sur 3 niveaux crée un espace aéré et convivial. On y vient pour s'enfiévrer au rythme d'une musique variée : rock et pop dominent, avec des sessions plus électro et R'n'B. Fréquents concerts, en général jeudi et vendredi, et DJ le samedi. Bonne ambiance.

🍴 ♪ ✗ Los Clásicos (plan C3, 82) : c/ Rojas, 5. ☎ 925-22-91-60. ● eventos@grupocinconotas.com ● losclasicostoledo.com ● Jeu-sam 21h-6h. Fermé dim-mer. Entrée concert : 6-15 €. L'entrée ressemble à celle d'une boîte de nuit et, si le plafond a conservé ses poutres d'antan, le lieu est résolument actuel (atmosphère sombre et éclairage fluo). Des concerts en période scolaire (vendredi et samedi), sinon c'est DJ ou toute autre animation qui fait bouger l'assemblée.

🍴 ✗ La Venta del Alma (plan A4, 83) : ctra de Piedrabuena, 25. ☎ 925-25-42-45. ● ventadelalma@hotmail.es ● À 15-20 mn à pied de la vieille ville, accès facile par le pont de San Martín. Tlj sauf lun 15h30-2h (6h ven-sam). La *venta,* c'est un ancien relais du XVIIIe s où s'arrêtaient les chevaux transportant le charbon. Il a conservé des salles à la déco un peu don quichottesque.

En fin de semaine, l'endroit se mue en boîte avec plusieurs bars et 2 courettes fleuries pour tenir le rythme de la fiesta jusqu'au matin.

Achats

🏵 *Viandas de Salamanca (plan D-E2, 100) :* c/ Comercio, 34. ☎ 925-22-51-75. *Tlj 9h30 (10h30 dim)-21h30 (22h30 ven-sam).* Stratégiquement placée dans la rue piétonne la plus fréquentée du centre, cette boutique franchisée de qualité regorge de bons produits locaux tels que charcuterie et fromage (sous vide), vin et huiles d'olive. Vend également de délicieux sandwichs au *jamón de bellota* à dévorer dès la porte passée !

🏵 *Casa Cuartero (plan D2, 101) :* c/ Hombre de Palo, 5. ☎ 925-22-26-14. ● *info@casacuartero.com* ● *Lun-sam 10h-14h (15h sam), 17h (16h sam)-20h. Fermé dim.* Une maison fondée en 1920 où trouver les spécialités culinaires de Tolède et de la région : *mazapán, yemas* (jaune d'œuf confit), *toche de cabra* (fromage de chèvre à manger à la petite cuillère) en saison, fromage au vin (violet !), pâtés variés, safran, huile, charcuterie et petits vins de derrière les fagots. Jolies présentations pour les cadeaux.

🏵 *La Encina de Ortega (plan D2, 103) :* c/ La Plata, 22. ☎ 925-10-20-72. ● *info@laencinadeortega.com* ● *Tlj sauf dim 9h30-14h30, 17h-20h.* Cette épicerie fine se distingue par la grande qualité de ses produits. Le choix est large et met l'eau à la bouche : charcuterie, fromage, anchois, foie gras, conserves originales, vin, café, confitures... Pas donné mais les fins gourmets apprécieront et les conseils prodigués sont avisés.

🏵 *La Casa del Mazapán (plan D2, 102) :* c/ Nuncio Viejo, 2. *Tlj 10h-20h sauf mar.* Une des meilleures boutiques pour acheter ses boîtes de *mazapán* de fabrication artisanale. D'autres douceurs de la région également, et même du safran.

🏵 Enfin, dans cette ville longtemps réputée pour la qualité de son acier, innombrables magasins de *couteaux* ouvragés (appelés ici *damasquinos*) et de fausses épées médiévales.

À voir

La *pulsera turística,* pour 10 €, donne accès à 7 édifices payants : *iglesia de Santo Tomé, sinagoga de Santa María la Blanca, monasterio de San Juan de los Reyes, mezquita del Cristo de la Luz, iglesia de los Jesuitas, iglesia del Salvador* et *Real colegio de Doncellas Nobles.* Il s'agit d'un bracelet plastifié vendu dans chacun des sites concernés. Il est valable tant qu'on ne le retire pas, et passe même sous la douche !

Quartier de l'Alcázar et de la cathédrale

🎭🎭🎭 *Catedral (plan D3) :* ☎ 925-22-22-41. ● *catedralprimada.es* ● *Lun-sam 10h-18h30, dim 14h-18h30. Dernier billet 30 mn avt. Horaires raccourcis lors des fêtes religieuses. Tarif : 10 € (12,50 € avec la montée à la tour – sauf dim, et l'entrée au musée des Tapis et Textiles), audioguide inclus ; réduc. Tenue décente exigée.* Commencée en 1227 sur l'emplacement d'une ancienne église wisigothique (transformée en mosquée), sa construction nécessita plus de 2 siècles. Le style évolua donc largement, passant du gothique français primitif au gothique espagnol le plus achevé. Coiffé par une superbe tour-clocher (accessible à certaines heures à raison de 120 personnes maximum par jour) culminant à 116 m de haut, l'édifice présente sur sa façade un portail central intéressant *(puerta del Perdón)* avec une profusion de statues. Juste au-dessus figure une inhabituelle

LA CASTILLE-LA MANCHE

représentation de la Cène. L'intérieur est plus impressionnant encore, avec des voûtes immenses et une nef étirée sur 120 m de long et 60 m de large.

– *Le chœur :* la magnifique grille (1541) demanda 7 ans de travail. Comme l'artiste avait largement dépassé les délais, il demanda une rallonge financière qui lui fut refusée, et il mourut dans la misère... La partie supérieure des splendides stalles du XVe s raconte la conquête de Grenade. C'est un témoignage exceptionnel, où l'on identifie les protagonistes, les lieux, les armes, les vêtements, les tactiques guerrières... Les fauteuils demandèrent eux-mêmes 6 ans pour être sculptés (1489). Remarquer les curieuses postures des animaux qui ornent les rampes d'escaliers. Les miséricordes (supports décorés des sièges abattables) présentent également leur lot de scènes burlesques, voire grivoises ou même obscènes... Au registre supérieur, superbes bas-reliefs en albâtre dus à Alonso Berruguete (le fils de Pedro). Jolie et douce Vierge blanche, sculpture française du XVIe s.

– Dans le *sanctuaire* (ou *capilla Mayor*), derrière la puissante grille Renaissance, se dresse un gigantesque retable de style gothique flamboyant, dégoulinant d'or et recouvert d'une multitude de personnages sculptés polychromes. Superbe ! On reconnaît bien le bœuf de la Nativité, et, sur la gauche, Véronique essuyant le visage du Christ. Au sommet, le calvaire sur fond de ciel étoilé.

– Dans le *déambulatoire,* à l'arrière de la *capilla Mayor,* noter cette pièce rapportée baroque complètement incongrue ! C'est le *Transparente,* un retable de marbre foisonnant représentant *L'Apothéose du Saint-Sacrement de l'Eucharistie.* Œuvre de Narciso Tomé (disciple de Churriguera) qui y travailla 11 ans avec tous ses enfants (de 1721 à 1732). Pour éclairer cette prouesse architecturale, l'architecte perça la voûte d'un oculus (fenêtre ovale) destiné à permettre le passage de la lumière. Très étonnant et longtemps controversé !

– La *salle capitulaire* est précédée d'une antichambre mêlant influences mudéjare, gothique tardif et Renaissance, symbolique de la fusion de ce que fut l'art de Tolède ; les actes y sont conservés depuis des siècles dans de grandes armoires en bois sombre. On les imagine grincer à souhait... celle de gauche date de 1550, celle de droite de 1780. La salle capitulaire présente dans sa partie supérieure des fresques narrant la vie de la Vierge et la Passion du Christ. Dans la scène du *Jugement dernier,* un rat-démon géant tire une vilaine pécheresse par les cheveux... À hauteur d'œil, tous les portraits des évêques du Ier au XVe s, peints par Jean de Bourgogne. Il avait sans doute employé le même modèle, car ils se ressemblent tous ! À gauche du trône épiscopal, celui du cardinal Cisneros lui-même (constructeur de la salle). La série est complétée en dessous par la représentation plus récente des cardinaux de 1521 à nos jours.

– Dans la *chapelle axiale San Ildefonso,* un gisant réalisé par Vasco de Zarza en 1515.

– Parmi les *chapelles latérales,* celle des *rois nouveaux* abrite des gisants de la fin du XIVe s et du début du XVe s, ainsi qu'une bible de Saint Louis de 1226. Quant à la *chapelle mozarabe,* elle n'est ouverte que pour la célébration du culte en rite hispano-mozarabe le matin à 9h. Elle abrite, derrière une trompe-l'œil gothique en forme de portail, des fresques illustrant la prise d'Oran en 1509.

– *La sacristie :* un musée d'art à elle toute seule ! Probablement la sacristie *la plus riche d'Espagne* : œuvres de Titien *(Paul III, Christ crucifié),* de Van Dyck *(La Sagrada Familia),* Raphaël *(La Vierge),* le Caravage *(Saint Jean-Baptiste),* Goya, Luis de Morales... Et puis surtout une vingtaine de *peintures du Greco* (série d'apôtres), dont le célèbre *Expolio,* au-dessus de l'autel, décrivant ce moment où le Christ est dévêtu avant d'être crucifié. Il a été peint in situ entre 1577 et 1579. Que tout cela ne vous empêche pas d'admirer la fresque de la voûte, évoquant un épisode de la vie de la Vierge.

– *Le cloître :* de la fin du XIVe s et du début du XVe s. Les fresques de Pedro Berruguete ont malheureusement disparu, victimes de l'humidité. Les actuelles, représentant la vie des saints tolédans, sont du XVIIIe s. Sur le flanc ouest, la *capilla San Blas* (vers 1400) conserve des fresques d'influence italienne joliment restaurées, ainsi que 2 beaux gisants.

– *Le trésor :* il se résume en fait à une seule œuvre, abritée sous un beau plafond mudéjar. Une custode processionnelle en or et argent du XVIᵉ s incroyablement ouvragée, haute de 2,50 m, pesant près de 180 kg et composée de plus de 500 pièces. Elle aurait été fondue, dit-on, avec le 1ᵉʳ or ramené d'Amérique.

🎦 *Museo de Tapices y Textiles de la catedral* (plan D-E3) : pl. Colegio de Infantes. ☎ 925-22-22-41. ♿ Tlj sauf dim mat 10h-14h, 15h-18h. Entrée : 2 € (inclus dans le billet combiné de la cathédrale et de la tour-clocher). Pour les passionnés, la cathédrale a rénové l'ancien *Colegio de Infantes,* pour y exposer de façon permanente ses plus belles *tapisseries,* confectionnées en Flandres entre les XVᵉ et XVIIᵉ s. Les thèmes sont surtout bibliques, du roi Salomon à Moïse en passant par Alexandre le Grand. Également des chasubles, de l'orfèvrerie et autres ornements liturgiques. En fin de visite, imposant monument corinthien de *Jueves Santo,* composé de 16 colonnes supportant un dôme en marbre du XIXᵉ s.

🎦🎦🎦 *Alcázar – Museo del Ejército* (musée de l'Armée ; plan E2-3) : c/ Unión (entrée par c/ de la Paz). ☎ 925-23-88-00. ● museo.ejercito.es ● ♿ Tlj 10h-17h sauf lun. Dernière entrée 30 mn avt. Entrée : 5 € (9 € avec audioguide) ; réduc ; gratuit dim.
Oppidum romain, palais wisigoth, forteresse arabe, résidence de Charles Quint se sont succédé tout au long de l'histoire sur ce site dominant majestueusement la ville. Rebâti au XVIᵉ s, avec des murs massifs et 4 tours d'angle identiques, l'Alcázar fut encore incendié à plusieurs reprises, la dernière au tout début de la guerre civile, lorsque les militaires s'y retranchèrent, provoquant un siège de 2 mois. Au sortir du conflit, il n'en restait rien, ou presque. Symbole, pour les franquistes, de la résistance de l'Occident chrétien face aux barbares rouges, le monument conserva jusqu'à il y a peu des plaques commémoratives offertes par les régimes fascistes et autres dictatures de par le monde...
L'édifice, entièrement restauré, se compose de 2 parties. L'une, moderne, regroupe centre d'accueil, archives, cafétéria et expos temporaires. Elle englobe d'impressionnantes citernes romaines et donne accès à la 2ᵈᵉ partie, historique, où se trouve le *musée.* Un musée immense, d'une extraordinaire richesse, où l'on ne peut pas tout voir sans friser l'overdose ! Ses collections ont été divisées en 2 sections : l'une thématique (T1 et T2), l'autre historique (H1 et H2). Vous y découvrirez sur 4 étages quantité d'uniformes, médailles, un vaste ensemble d'armures pour hommes et chevaux, des armes du monde entier rapportées par des officiers atteints de collectionnite aiguë, ou encore des reconstitutions de batailles célèbres à l'aide de régiments entiers de soldats de plomb. La partie historique présente en détail la moindre guerre passée de la grande Espagne, y compris bien sûr la période d'après 1936 (entre autres pièces, une pèlerine de Franco). Une visite à ne pas manquer.

🎦🎦 *Museo de Santa Cruz* (plan E2) : c/ Cervantes, 3. ☎ 925-22-14-02. De la pl. Zocodover, prendre le passage à arcades. Lun-sam 10h-18h, dim 9h-15h ; fermé certains j. fériés. Entrée : 4 € ; réduc ; gratuit mer 16h-18h et dim mat.
Consacré à l'art du Siècle d'or espagnol (du XVᵉ au XVIIᵉ s), ce très intéressant musée occupe un ancien hôpital édifié en forme de croix. On y accède par un magnifique portail sculpté plateresque. La découverte de la *grandiose salle principale,* organisée par thématiques, est, à elle seule, assez époustouflante : 4 grands espaces, soit les 4 branches du plan en croix du bâtiment, sous un plafond à caissons de bois sculpté. Les expos changent régulièrement, mais on devrait retrouver quelques œuvres phares, notamment de beaux retables primitifs, dont la *Dormición de la Virgen* de Castañeda, un immense triptyque de Francisco de Comontes (années 1530), un remarquable *Apôtres* de Nicolás Francés (XVᵉ s), une intéressante collection de Luis Tristán, ainsi que des tapisseries de Bruxelles et de belles sculptures polychromes. Le clou de la visite reste la série d'*œuvres du Greco,* dont la sublime *Assomption de la Vierge* et la non moins fameuse *Inmaculada Concepción.* Des œuvres de son atelier également.

LA CASTILLE-LA MANCHE

Passez par le *cloître* et sa collection lapidaire (stèles, sarcophages et une belle mosaïque romaine) pour voir la riche collection de céramiques ibériques, de tous les genres et tous les styles : azulejos de Valence, faïences d'Aragon, carreaux de Séville, grandes jarres (noter les *jarro bola,* ornées de maisons presque cubistes !).

🍴🚶 ⟵ *Iglesia de San Ildefonso o de los Jesuitas (plan C2) : pl. Padre Juan de Mariana, 1.* ☎ 925-25-15-07. Tlj 10h-18h45 (17h45 oct-mars). Entrée : 3 € (inclus dans la pulsera turística) ; réduc. Bel édifice religieux, tout blanc et au maître-autel peint en trompe l'œil, mais sans génie particulier. Tout l'intérêt réside dans les tours jumelles, auxquelles on accède par un escalier. De là-haut, vue imprenable : on domine la ville, on voit la cathédrale, l'Alcázar, les nombreuses églises, couvents, palais et l'incroyable labyrinthe de ruelles et de placettes. Meilleure lumière en fin d'après-midi pour les photos. Avant de repartir, jeter quand même un coup d'œil à la chapelle octogonale sur la droite, pour son reliquaire aux crânes et aux os partiellement habillés... Plutôt macabre, il faut bien l'avouer.

🍴🚶 *Iglesia San Román – Museo de los Concilios y de la Cultura visigoda (église Saint-Romain, musée des Conciles et de la Culture wisigothe ; plan C2) : c/ San Román.* ☎ 925-22-78-72. Mar-sam 10h-14h, 16h-18h ; dim 9h-15h. Fermé lun. Dernière entrée 15 mn avt. Entrée : 1 € ; gratuit mer dès 16h et dim mat. Voici un édifice qui a connu une longue destinée... L'église wisigothe d'origine, qui remonterait au VIIe s, a été transformée en mosquée après la conquête arabe, d'où les belles voûtes en fer à cheval et inscriptions qui lui confèrent un style mudéjar. Redevenue église au XIIe s, elle a été décorée de *superbes fresques romanes (XIIIe s)* à l'état de conservation assez remarquable. On y distingue saints, apôtres et évêques, dont certains ont le visage effacé, ainsi qu'une série de scènes bibliques importantes : la Résurrection, le Paradis, etc. Le lieu, désacralisé, est devenu musée, mais l'intérêt réside surtout dans le bâtiment. À voir néanmoins : les restes archéologiques wisigoths issus des fouilles effectuées dans la province (orfèvrerie, pièces de monnaie, pilastres, frises...), ainsi que les 1ers symboles chrétiens de la péninsule gravés dans la pierre. La montée en haut de la tour est désormais interdite pour raisons de sécurité.

🍴🚶 *Colección Roberto Polo (plan E1-2) : paseo del Miradero, 3.* 📱 686-20-86-90. ● coleccionrobertopolo.es ● ♿ Lun-sam 10h-18h, dim 10h-15h. Entrée : 4 € ; réduc ; gratuit - de 16 ans et + de 65 ans. Une *collection d'Art contemporain abritée dans un ancien couvent* (celui de Santa Fe) : voilà un cadre inhabituel pour un tel musée ! Les fondations encore visibles d'un palais musulman du Xe s attestent de l'origine du bâtiment, où l'on admire aussi des arcs sculptés, de superbes fresques du XIe s (chapelle de Belén), un plafond peint du XVe s, un escalier Renaissance, ou encore les immenses volumes d'une église aux murs immaculés rehaussés d'œuvres à visée métaphysique. Porté par une véritable réflexion, le dialogue se noue avec cohérence entre le contenant et le contenu. Un contenu de grande qualité, rassemblé par l'artiste et mécène cubain Roberto Polo, considéré comme un précurseur du marché moderne de l'art. Tous les courants sont abordés : surréalisme, minimalisme, abstraction... On découvre les œuvres de *plus de 160 artistes,* des plus connus (Pechstein, Kandinsky, Max Ernst, Man Ray) aux plus confidentiels. Quelques raretés, comme l'unique tableau d'Honoré Daumier en Espagne. Une visite surprenante, qui pourra également intéresser ceux que l'art contemporain rebute en temps normal !

L'ancien quartier juif de Tolède

Baptisé *Judería,* ce quartier est l'un des plus charmants de Tolède, et sans nul doute le plus calme ! Il s'étend dans la partie sud-ouest de la vieille ville, entre la puerta de Cambrón, le Tage et l'église Santo Tomé. Après la conquête arabe, un mur fut construit en 820 pour le délimiter. Dans la réalité, les juifs n'étaient pas obligés d'y vivre, et beaucoup de commerçants exerçaient leurs activités en dehors. La calle de los Reyes Católicos, la calle del Ángel et le paseo del Transito marquent les axes majeurs du quartier, qui compta jusqu'à 10 synagogues. On y trouvait aussi des bains rituels (au moins 8). Certains ont été retrouvés, d'autres non.

🎥🎥 *Iglesia Santo Tomé* (église Saint-Thomas ; plan C3) **:** pl. del Conde, 1. ☎ 925-25-60-98. ● santotome.org ● Tlj sauf certains j. fériés 10h-18h45 (17h45 de mi-oct à fév). Entrée : 3 € (inclus dans la pulsera turística). Audioguide : 1 €. On la visite surtout pour voir *l'œuvre la plus célèbre du Greco* : L'Enterrement du comte d'Orgaz (El Entierro del Señor de Orgaz), conservée dans l'antichambre de l'église. Dans cette toile, datant de 1587-1588, le Greco s'est lui-même représenté : il regarde le public dans les yeux (5e personnage à droite du père franciscain, coiffé d'une capuche). Quant au comte d'Orgaz, son âme s'élève vers un Christ bienveillant qui, reconnaissant de la piété du comte, s'apprête à l'accueillir en son royaume.

🎥🎥 *Museo del Greco* (plan B3) **:** paseo del Tránsito. ☎ 925-99-09-80. ● museogreco.es ● ♿ Mar-sam 9h30-19h30 (18h nov-fév), dim et j. fériés 10h-15h. Fermé lun et certains j. fériés. Dernière entrée 15 mn avt. Tarif : 3 € ; réduc ; gratuit - de 18 ans, + de 65 ans ; et pour ts le sam après 14h et le dim. Visite guidée de 1h gratuite mar-ven à 11h et 12h30 ainsi que mer à 17h. Billet

UN ARTISTE BIEN ORGANISÉ

Le Greco fut l'un des 1ers à utiliser son talent et son atelier selon une organisation digne d'une PME prospère. Ses élèves préparaient les œuvres bien à l'avance. Certaines étaient pratiquement similaires (plein de saint François, très à la mode). Il avait inventé l'art à la chaîne.

combiné avec la Sinagoga del Transito (valable 5 j.) : 5 €.

Le musée est installé dans une demeure tolédane rénovée du XVIe s, avec son agréable patio, ses caves voûtées et sa galerie en étage. Elle était, dit-on, reliée à la maison où vécut le Greco... Au fil des salles, on découvre un bel ensemble de toiles maniéristes et baroques des XVIe et XVIIe s (quelques œuvres intéressantes comme le Couronnement du Christ par le Maestro de la Sisla ou la Sainte Famille de Raimundo de Madrazo), mais le clou de la visite, bien sûr, sont les *œuvres du Greco* lui-même, reconnaissables entre toutes à l'expressivité des visages allongés et aux coups de pinceau caractéristiques, ombre contre lumière, couleurs pures et éclatantes, tout cela contribuant à la dramatisation et à la divinisation du portrait. On commence par un Christ lumineux entouré par les 12 apôtres – l'un après l'autre –, jusqu'aux Larmes de saint Pierre qui eut beaucoup de succès à l'époque (on en trouve de nombreuses copies de par le monde). En contrepoint, un autre Larmes de saint Pierre par Zurbarán. Voir cette copie d'un plan de Tolède (l'original est conservé au Prado) – vraie carte postale de l'époque – dans lequel l'artiste a représenté son fils. À la mort de son père, celui-ci reprit l'atelier, histoire de finir les commandes avant de se consacrer à son vrai métier : l'architecture ! Pour finir, un portrait par le Greco d'Antonio de Covarrubias, un juge de ses meilleurs amis qui l'aida à s'introduire dans la bonne société tolédane.

Retour au rez-de-chaussée avec 2 superbes statues de la Vierge, un grand saint Bernard sous un plafond mudéjar coloré et des toiles attribuées à l'atelier et aux « disciples » du Maître. En particulier **Luis Tristán,** dont on peut admirer les œuvres au musée de Santa Cruz et qui assimila le mieux les acquis du Greco. Son Christ en Croix sur fond de ciel tourmenté se révèle sublime, tout comme son Saint Jérôme pénitent baigné de lumière. Pour son Pedro de Alcantara, contrairement au Greco, il utilisa des couleurs chaudes, illuminant les mains et le visage de ce réformateur franciscain. Très beau Saint Louis, une copie de celui exposé au Louvre. Pour couronner le tout, pause bien méritée dans l'agréable jardin en terrasses semé de bancs.

%% Sinagoga del Tránsito – Museo Sefardí (synagogue – Musée séfarade ; plan B3) : c/ Samuel Leví, à côté du musée du Greco. ☎ 925-22-36-65. ● museose fardi.mcu.es ● ఉ Mar-sam 9h30-19h30 (18h nov-fév), dim et j. fériés 10h-15h. Fermé lun et certains j. fériés. Entrée : 3 € ; réduc ; gratuit pour les + de 65 ans, et pour ts le sam après 14h et le dim. Audioguide 2 €. Billet combiné avec le museo del Greco (valable 5 j.) : 5 €. Fiche d'infos en français dans chaque salle. L'une des dernières synagogues de Tolède, qui en compta jusqu'à 10, a été transformée en Musée séfarade. Bâtie en 1355-1357 par le trésorier du roi Pedro Ier, avec un spectaculaire plafond en bois sculpté de 18 m de haut, figurant un ciel étoilé, et d'élégantes fenêtres à arc (représentant Jérusalem), elle a été transformée en église après l'expulsion des juifs d'Espagne en 1492. C'est un très bel exemple d'art mudéjar tolédan, qui donne aussi l'occasion de faire plus ample connaissance avec la culture juive en général, et celle des séfarades en particulier. Au 1er étage, dans la galerie des femmes, vidéos sur les mariages et les fêtes, chaise de circoncision et instruments, vêtements rituels, objets cultuels, bijoux, objets d'art… Dans le *jardin de la memoria*, quelques tombes juives médiévales.

%% Sinagoga de Santa María la Blanca (synagogue Sainte-Marie-la-Blanche ; plan B3) : c/ Reyes Católicos, 4. ☎ 925-22-72-57. Tlj 10h-18h45 (17h45 de mi-oct à fév). Fermé certains j. fériés. Entrée : 3 € (inclus dans la pulsera turística). Probablement édifiée à la fin XIIe s, elle devint la synagogue principale de la ville. Des pogroms endeuillèrent néanmoins la communauté à la fin du XIVe s, et la synagogue fut transformée en église au début du XVe s. Sa remarquable architecture mudéjare évoque une mosquée : 5 nefs délimitées par des arcs en fer à cheval, des chapiteaux végétaux et des frises géométriques d'une grande complexité, rappelant les filigranes orientaux.

%% Iglesia y monasterio de San Juan de los Reyes (Saint-Jean-des-Rois ; plan A-B2-3) : c/ Reyes Católicos, 17. ☎ 925-22-38-02. ● sanjuandelosreyes. org ● Tlj 10h-18h45 (17h45 de mi-oct à fév). Dernière admission 30 mn avt. Entrée : 3 € (inclus dans la pulsera turística). Audioguide gratuit à télécharger sur smartphone.

COUP(S) DE BALAI

C'est aux abords de la puerta del Cambrón que vivait Inés del Pozo, réputée meilleure sorcière de Tolède. Elle avait pour talent de guérir l'impuissance et de rendre aux femmes l'amant perdu. Un métier à risques, qui finit par lui valoir une condamnation sévère à 200 coups de fouet et 10 ans d'exil…

En 1476, les Rois catholiques, Ferdinand et Isabelle, sortent vainqueurs de la bataille de Toro, livrée dans le cadre de la guerre de Succession de Castille. Pour commémorer l'événement, ils font édifier un grand monastère franciscain et en confient la réalisation à l'architecte Juan Guas – fils d'un tailleur de pierre breton, tout juste promu maître des chantiers royaux. Ce sera son chef-d'œuvre, réalisé dans un style gothique flamboyant magnifié par des influences mudéjares et Renaissance.

Comment imaginer que derrière la sobriété de la façade se cache un ensemble d'une telle beauté ? D'abord l'*église,* précédée d'une porte en gothique fleuri, au tympan peint très bien conservé. Conçu comme un seul vaisseau sans transept (long de 50 m), l'édifice présente un ensemble remarquable de sculptures, notamment les armoiries royales de chaque côté du chœur et les tribunes l'encadrant, sur fond d'aigles géants. Les balcons finement travaillés portent les initiales du roi Ferdinand et d'Isabelle la Catholique. Avant la prise de Grenade, ils pensaient faire de ce lieu leur mausolée. Un escalier mène au *cloître,* du plus pur style gothique flamboyant : ses baies ogivales très ornementées, véritable résille de pierre, s'ouvrent sur un jardin touffu fleurant bon l'oranger. Noter les superbes plafonds à caissons de facture… mudéjare (oui, encore… la ville en regorge !). Belle série de gargouilles : tantôt animaux familiers (chats, chiens, aigles), tantôt animaux monstrueux, tantôt personnages populaires.

🏃🏃 ⟵ *Puente de San Martín (plan A3) : en contrebas de San Juan de los Reyes.* Ce superbe pont en pierre des XIIe-XIVe s franchit le Tage en 5 grands bonds – 40 m au maximum, un exploit pour l'époque ! Il s'est vu adjoindre 2 tours-portes massives. Rendu aux piétons, il mène à la rive gauche, d'où se révèle le soir un panorama imprenable sur la vieille ville dorée. Les plus hardis traverseront le fleuve en **tyrolienne**, à côté du pont côté vieille ville (● flytoledo.com ● ; *tlj 11h-20h – 18h30 en hiver ; compter 10 €).* Et pour les moins téméraires, au pied du pont, beau départ de balade sur une promenade aménagée le long du Tage, jusqu'au *puente d'Alcántara.*

Au nord de la vieille ville

🏃 *Mezquita del Cristo de la Luz (plan D1) : c/ Cristo de la Luz, s/n.* ☎ 925-25-41-91. *Lun-ven 10h-14h, 15h30-18h45 ; le w-e 10h-18h45. Ferme 1h plus tôt de mi-oct à fév. Entrée : 3 € (inclus dans la* pulsera turística*).* Ce tout petit édifice millénaire évoque la splendeur perdue d'Al-Andalous. Les férus d'architecture noteront les coupoles de formes et profondeurs différentes, inspirées de la mosquée de Cordoue. Petit jardin.

🏃🏃 *Museo Duque de Lerma – Hospital de Tavera (hôpital de Tavera ou de San Juan Bautista ; hors plan par D1) : avda Duque de Lerma, 2.* ☎ 925-22-04-51. ● fundacionmedinaceli.org ● *Hors les murs, à 5 mn à pied de la puerta Bisagra, juste après le parc. Tlj sauf dim ap-m 10h-14h, 15h-18h. Dernière admission 30 mn avt. Entrée : 4 € (patio, église et sacristie) ou 6 € avec la visite guidée (en espagnol et anglais, compter 1h).* Datant de 1541, le bâtiment possède un beau patio double à galerie menant à l'église de l'ancien hôpital. À droite de l'autel, 1re œuvre majeure signée El Greco : un *Baptême du Christ,* grand par la taille comme par la beauté, dont l'histoire reste auréolée de mystère. Destinée à intégrer un retable dédié à saint Jean-Baptiste, cette toile a été commandée (et chèrement payée) par l'hôpital. El Greco serait mort avant d'avoir livré le travail, et un procès aurait obligé le fils du peintre (ou des élèves de son atelier) à finir. Certains pensent que le tableau avait bel et bien été achevé par El Greco, le reste n'étant que querelles juridiques sur fond de non-respect des délais. Dans la sacristie, on admire l'une des dernières œuvres du Greco, un *Saint Pierre en larmes* sur lequel on distingue la signature du maître, en alphabet grec (dans le coin en bas à gauche). Voir aussi cette *Sainte Famille avec sainte Anne* aux traits si gracieux. Au centre de la sacristie, l'une des 2 sculptures authentifiées laissées par l'artiste : un sobre *Christ ressuscité* de bois polychrome. La visite guidée donne accès en plus à la pharmacie de l'hôpital, restée dans son jus depuis le XVIIe s, ainsi qu'aux salons, à la bibliothèque et à la salle à manger du bâtiment principal, devenu palais au Siècle d'or. Au passage, on pourra apprécier du mobilier castillan d'époque, des tapisseries de Bruxelles et quelques œuvres mineures de Zurbarán, Van Dyck et de l'école du Caravage.

Fêtes et spectacles

– *Corpus Christi : en 2020, le 11 juin ; et en 2021, le 3 juin.* C'est la Fête-Dieu. Elle tombe toujours le jeudi suivant la Trinité, soit 60 jours après Pâques. Tolède accueille *la plus grande procession d'Espagne* à l'occasion de cette fête célébrée dans tout le pays. Les rues sont alors richement décorées, les blasons sortis de leurs placards, et le pavé est saupoudré (et parfumé) de thym.
– *Puy du Fou España : à env 10 km au sud-ouest de Tolède.* ☎ 925-63-01-35. *Horaires sur* ● puydufouespana.com ● *Billet 24 € (31 € sur place) ; gratuit - de 5 ans.* Le célèbre parc vendéen a fait un émule à Tolède avec ce site inauguré en 2019. Le 1er spectacle nocturne, intitulé *Sueño de Toledo,* retrace en son et lumière 1 500 ans d'histoire espagnole (durée 1h10). Un 2e spectacle est en préparation pour 2021, accompagné de shows diurnes et de villages « d'époque » avec artisans et animaux.

LA CASTILLE-LA MANCHE

LA ROUTE DE DON QUICHOTTE

Grâce à **Don Quichotte** et à son serviteur **Sancho Panza**, *La Manche (La Mancha)* figure parmi les régions espagnoles les plus connues au monde. L'ouvrage de Miguel de Cervantes Saavedra, *El Ingenioso Hidalgo Don Quixote de la Mancha,* publié pour la 1re fois en 1605, serait en effet le livre le plus édité et traduit après la Bible ! C'est au sud-est de Tolède, au cœur de cette campagne austère et battue par les vents, que l'écrivain a planté le décor de son célèbre roman. Pour les passionnés, cet itinéraire propose une promenade à la recherche des fantômes du « chevalier à la Triste Figure ». Mieux vaut toutefois disposer de son propre véhicule, car très peu de villages sont reliés entre eux par les transports en commun. On peut aussi se contenter d'admirer au passage quelques moulins avant de pousser jusqu'à Almagro ou Cuenca.

Don Quichotte : chef-d'œuvre de la littérature universelle

Cervantes raconte avec un humour décapant les aventures d'un vieux gentilhomme originaire de la Manche, don **Alonso Quijano** (Don Quichotte), qui rêve de ressusciter l'ordre oublié de la chevalerie errante. Inspiré par la lecture des romans de chevalerie, il abandonne sa vie solitaire pour arpenter les chemins de la région, monté sur un cheval efflanqué du nom de Rossinante. Il est suivi par une petite mule chevauchée par **Sancho Panza,** un brave

CERVANTES, AVENTURIER DÉPRESSIF

Soldat, il fut emprisonné par les « Barbaresques » à Alger. Pendant ses 5 ans de captivité, il tenta de s'évader 4 fois. Ensuite, il devint collecteur des impôts, puis fut à nouveau jeté en prison suite à la faillite d'une banque. C'est là qu'il imagina les aventures d'un chevalier errant et mélancolique, Don Quichotte, qui lui ressemblait sacrément.

paysan, rustique mais dévoué, qui lui sert d'écuyer.

Grand, sec, visage austère, allure ascétique, l'hidalgo, parodie de moine-soldat, est caparaçonné comme un chevalier d'autrefois. Son regard halluciné révèle une intense quête intérieure, portée par une exigence éthique. Le but de son aventure ? « Venger les offenses, redresser les torts, réparer les injustices, corriger les abus, acquitter les dettes, défaire les griefs, soutenir les demoiselles, vaincre les méchants et terrasser les géants. »

Sancho n'est pas du tout dans les mêmes dispositions d'esprit. Courtaud et rondouillard, pratique et de bon sens, il ne songe qu'à bien manger, bien boire, bien dormir. Pour stimuler sa bravoure, Don Quichotte lui promet le titre de gouverneur des îles conquises. Mais pour Sancho, la fortune, c'est un peu d'argent, vivre peinard, éviter les ennuis. Aussi mal assorti soit-il, voilà toutefois notre duo aventureux lancé à travers les paysages rudes du plateau castillan. De village en château, d'auberge en hôtellerie, ils cheminent, cahin-caha. L'idéalisme, la générosité et la douce folie de l'un contrebalancés par le réalisme terre à terre de l'autre. Indissociables.

L'idéal de Don Quichotte est alimenté par une mystique amoureuse. Il dédie, en effet, la moindre de ses actions à une jeune fille qu'il n'a jamais vue, mais à laquelle il voue un amour sans bornes : une jeune fermière nommée **Dulcinée,** qui habite le village d'El Toboso. Existe-t-elle seulement ?

Don Quichotte ne voit pas la réalité, il la rêve. Et finit par croire à ses visions. Il confond de paisibles moulins à vent avec des géants menaçants. Et tente de les terrasser, plantant sa lance dans la toile de leurs ailes tournoyantes... Ailleurs, c'est un banal troupeau de moutons qui se transforme en redoutable armée. Sus aux moutons ! Chaque embûche, chaque péripétie prend une dimension carnavalesque. En bref, on a affaire à une œuvre très originale (surtout pour l'époque !), qui tranche par son côté picaresque et sa critique, implicite, de la société d'alors et de ses prétentions, avec en prime une vraie dimension philosophique. Certains en ont même fait le « 1er roman moderne ».

Sur les traces de Cervantes...

Fils de médecin, Miguel de Cervantes naît probablement le 29 septembre 1547 à Alcalá de Henares, à 30 km au nord-est de Madrid. On sait peu de choses de sa jeunesse, si ce n'est qu'il s'installe dans la capitale en 1566, fréquente les théâtres et publie 3 poèmes. Il s'exile peu après en Italie, sans doute à la suite d'un duel, et devient soldat. Il prend part à la bataille de Lépante (1571) contre les Turcs, au cours de laquelle il perd l'usage de sa main gauche, puis à d'autres campagnes militaires. En 1575, il est fait prisonnier par les « Barbaresques » et reste 5 années dans les geôles algéroises d'où il tente de s'évader (sans succès) à 4 reprises, avant qu'une rançon ne soit finalement payée. De retour au pays, il épouse en 1584 Catalina de Salazar y Palacios. Il a 37 ans, elle vient d'en avoir 15...
L'union est malheureuse, semble-t-il.
Intendant de l'Invincible Armada, puis collecteur d'impôts, il voyage régulièrement entre Madrid et l'Andalousie – traversant au passage l'austère Manche.
Don Quichotte, publié en 1605, est finalement son 1er succès littéraire, à l'âge de 57 ans ! Le voilà consacré. En 1613, il publie un recueil de 12 récits, les *Nouvelles exemplaires,* qui explorent plusieurs genres littéraires. La même année, une suite apocryphe de *Don Quichotte* paraît, sans doute concoctée par son ennemi intime, Lope de Vega, ou par certains de ses proches (Cervantes y est copieusement critiqué). La véritable 2de partie de *Don Quichotte* sort en 1615. L'écrivain meurt l'année suivante, à Madrid, à l'âge de 68 ans.

... et de Don Quichotte

Calle de Don Quijote, calle de Sancho Panza, calle de Dulcinea... Dans toute l'Espagne, des rues rendent hommage aux héros de Cervantes. Dans la Manche, plusieurs villages se disputent l'honneur d'avoir été le théâtre d'épisodes du livre. Et on finit presque par croire que le preux hidalgo a existé ; la limite entre rêve et réalité s'estompe.
Le village d'*El Toboso* n'est qu'un gros bourg agricole, mais il fait un peu figure de capitale quichottesque. Le *Centro cervantino* y collectionne les éditions rares, une statue de l'hidalgo agenouillé devant Dulcinée se dresse sur la place centrale, et une maison du XVIIe s s'y prétend celle de la jeune femme... Cervantes mentionne très souvent le lieu dans son livre. Il l'avait prédit : « El Toboso sera fameux et renommé pour les siècles. »
À *Mota del Cuervo,* à *Campo de Criptana* et plus encore à *Consuegra,* plus à l'ouest, de nombreux moulins à vent ont été restaurés. À *Puerto Lápice,* modeste village, Don Quichotte et Sancho Panza font escale dans une auberge que le vieil hidalgo prend pour un château. L'auberge est toujours là, à moins qu'elle ne soit apparue plus tard...
À *Argamasilla de Alba,* une maison abrite la cueva de Medrano. Certains affirment que ce lieu obscur aurait servi de cachot à Cervantes entre 1600 et 1603, lors de sa 2e détention, après la prison de la calle Sierpes à Séville. Si la geôle ne donne pas le talent, au moins le détenu y aurait eu le temps d'écrire.
D'autres lieux apparaissent au fil des 1 200 pages du livre, preuves que l'auteur connaissait parfaitement la région : *sierra Morena,* les *lagunes de Ruidera* (aujourd'hui parc naturel)... Est citée aussi la charmante ville d'*Almagro,* où Cervantes fit jouer certaines de ses comédies. Un théâtre à ciel ouvert du XVIIe s, enchâssé comme un bijou secret sur le flanc de la vieille *plaza* à arcades, y entretient l'illusion d'un lien avec Don Quichotte.

LA CASTILLE-LA MANCHE

CONSUEGRA (45700)

À 65 km env au sud-est de Tolède.

Petite ville endormie au pied d'une grosse colline, sur laquelle trônent les restes d'un château fort entouré de *moulins* joliment restaurés, baptisés pour la plupart de noms tirés du roman de Cervantes. Belle vue sur la plaine environnante. Consuegra est connue également pour sa production de safran.

Arriver – Quitter

En bus

➤ *Madrid :* 6-7 bus/j. en sem (4-5 le w-e) avec *Samar* (☎ 902-25-70-25 ;

● *samar.es* ●). Trajet : env 2h30.
➤ *Tolède :* avec *Samar*, 7-8 bus/j. en sem, 3-4 le w-e. Trajet : 1h-1h20.

Adresse utile

🏫 Le 1er moulin abrite un *oficina de turismo* : ☎ 925-47-57-31. ● *consuegra.es* ● Tlj 9h-19h (18h oct-mai). À l'étage, le mécanisme

du moulin en état de fonctionnement (entrée : 1,50 € ; ou inclus dans le billet d'accès au château, sauf le w-e).

Où manger dans le village ?

🍽 *Gaudy Tapería :* c/ Plus Ultra, 7. 📱 665-67-48-97. ● *taperiagaudy@ hotmail.com* ● Tlj sauf le soir lun-mer. Tapas 1,50-3 €, menu en sem 16 €. Dans le centre du village, une bonne option si vous êtes dans le coin et que

vous cherchez un endroit sympa (et plutôt bon !) où casser une graine. Tapas soignées à consommer au comptoir ou dans une salle moderne à la déco « gaudiesque ». Le soir, sert des pizzas et des plats plus consistants côté resto.

À voir

🥾 ← *Le château :* tlj 10h-14h (10h30-14h30 w-e), 15h30-19h (18h l'hiver). Prix variable selon j. : 4-7 € (incluant ou non la visite du moulin). Du XIIIe s (voire du XIe s), il a été restauré par l'Union européenne. Pas mal de salles à visiter à l'intérieur, plus ou moins meublées. Vaut surtout le coup pour son architecture et son superbe panorama sur les moulins.

PUERTO LÁPICE

À 20 km au sud de Consuegra.

Puerto Lápice était naguère un passage obligé pour les voyageurs à cheval. Théophile Gautier y fit étape en 1840 et Alexandre Dumas 6 ans plus tard. Et c'est dans l'auberge de Puerto Lápice, qu'il confondit avec un château, que Don Quichotte aurait été fait chevalier par le tavernier qu'il avait pris pour un grand seigneur. Là commence l'action du livre. La *Venta del Quijote* (tlj 9h-18h ; menu 24 €, plats 10-25 €) est aujourd'hui une auberge très (trop ?) touristique, mais l'endroit, avec son cachet ancien et son joli patio pavé, où trônent une statue de Don Quichotte et une vieille charrette, reste une halte pleine de charme. Ne pas manquer, dans la salle de la *bodega,* les immenses jarres à vin. À l'étage, le petit musée (gratuit) consacré à l'illustre chevalier abrite, entre autres, une reconstitution du bureau d'Alonso Quijano (l'autre petit nom de Don Quichotte) et, vous l'aviez pressenti, une boutique.

CAMPO DE CRIPTANA

À 8 km d'Alcázar de San Juan et 32 km de Puerto Lápice (en direction de Cuenca).
Petite bourgade adossée à une colline où se dressent des moulins à vent. Vue
très étendue sur le plateau de la Manche. Certains prétendent qu'il aurait inspiré
Cervantes.

Adresse utile

■ Oficina de turismo : *il y en a 2, l'un à côté des moulins (le principal, ☎ 926-56-39-31), l'autre dans un des moulins (l'annexe, ☎ 926-56-22-31).* ● *tierrade gigantes.es* ● *Tlj 10h-14h, 16h30-19h (16h-18h30 l'hiver).*

À voir

♛♛ *Los Molinos :* *sur le plateau dominant le village. Mêmes horaires que l'office du tourisme. Entrée : 2 € par moulin ou 5 € pour le musée et ts les moulins.* L'endroit a du caractère, avec sa dizaine de moulins fièrement campés en plein vent. 3 d'entre eux (à la toiture en bois sombre) datent du XVIe s et sont en état de marche, les autres ont été construits dans les années 1960 et 1970. On peut entrer dans celui qui fait face à l'annexe de l'office de tourisme (où on prend le billet) pour voir la machinerie (plus ou moins d'origine). Un autre (le *Molino Culebro*) accueille une expo consacrée à l'**actrice Sara Montiel,** native des lieux.

♛♛ ⇐ À une poignée de kilomètres de là, juste au sud de la petite ville d'*Alcázar de San Juan,* se dressent **4 autres moulins** sur une butte, là encore avec vue étendue sur la plaine de la Manche. Vaut la photo.

EL TOBOSO

Ce gros bourg agricole a conservé un certain cachet. Nous sommes ici au cœur de l'univers imaginaire de Cervantes.
■ Oficina de turismo : *au Centro cervantino (voir ci-après).*

À voir

♛♛ *Centro cervantino :* *c/ Daoíz y Velarde, 3. ☎ 925-56-82-26. À côté de l'église. Tlj sauf dim ap-m et lun 10h-14h, 16h-18h30. Entrée : 2 € ; réduc.* La Bibliothèque cervantine expose plus de 600 éditions originales de *Don Quichotte,* dans plus de 70 langues (dont l'espéranto, le tamoul et l'amharique – la langue de l'Éthiopie !). Certaines sont aussi anciennes que rares comme celle, au sous-sol, qui mesure 2,4 m de long (c'est la plus grande édition au monde). D'autres sont signées par des personnalités, selon une coutume établie par le maire d'El Toboso en 1927. Parmi eux : Reagan, Mussolini, Lech Walesa, le shah d'Iran, François Mitterrand, Nelson Mandela, Fidel Castro et... Rafael Nadal. On y trouve aussi un *Libro verde de la Revolución* signé par Kadhafi et *Das Nibelungen Lied* paraphé par... Adolf Hitler ! Et puis, dans un coin, une copie manuscrite de *Don Quichotte,* illustrée en 1926 par les détenus de la prison d'Ocaña.

♛ *Casa-museo de Dulcinea :* *c/ Don Quijote, 1. ☎ 925-19-72-88. Mar-sam 10h-14h, 15h-18h30 ; dim 10h-14h. Fermé lun. Entrée : 3 € ; réduc ; gratuit mer après 15h et dim.* La petite histoire affirme qu'un aïeul de Cervantes aurait vécu à El Toboso, et que Cervantes lui-même y aurait été poignardé par un chevalier dans le *callejón* de Mejía. Mais la légende la plus tenace concerne une certaine Ana,

LA CASTILLE-LA MANCHE

qui aurait habité cette ancienne ferme et aurait inspiré le personnage de Dulcinée (contraction supposée de *dulce Ana*, douce Anne). L'intérieur, avec sa cuisine, son salon et ses chambres, a été meublé comme à l'époque. Amusante chaise percée (une imitation). Beau moulin à meule de pierre et, dans la cour, gros pressoir avec une poutre de plus de 12 m !

🏃 *Iglesia parroquial de San Antonio Abad :* pl. Juan Carlos I. ☎ 925-19-73-85. *Ouv en théorie mar-sam 11h-13h30, 16h-18h30. Fermé dim-lun (sauf offices). Entrée : 2 € (audioguide inclus) ; réduc.* Presque aussi large que longue, elle est remarquable par ses piliers massifs séparant les 3 nefs et ses jolies voûtes nervurées. On la surnomme la « catedral de la Mancha ».

MOTA DEL CUERVO

À 15 km à l'est d'El Toboso, sur la route de Cuenca.
Ce bourg agricole n'aurait guère d'intérêt s'il n'était dominé par une brochette de 7 moulins blancs posés sur une crête. Pour s'y rendre en voiture, suivre la direction Belmonte, c'est à 2 km à l'est. À pied, suivre le fléchage violet « Molinos de Vento » sur 1 km. Tous portent un nom, mais un seul moulin est d'origine : *El Gigante* (1752). Les autres ont été reconstruits il y a quelques décennies par divers pays, dont l'Irak (le moulin en question fut, paraît-il, inauguré par le beau-frère de Saddam Hussein !).
El Gigante accueille un *oficina de turismo* (☎ 967-18-06-19 ; ● motadelcuervo. es ● ; *mar-sam 10h-14h, 16h-20h – 18h l'hiver –, dim 10h-14h, fermé lun*) et fait fonctionner son mécanisme chaque samedi de 10h à 14h avec, à la clé, une démonstration *(entrée : 1 €)* de la mouture du grain comme autrefois. Également une boutique de potier installée dans le moulin *El Goethe* et un modeste *Museo manchego* dans le moulin *El Piqueras* (*accès libre ; expo d'outils agricoles*).

BELMONTE (16640 ; 2 400 hab.)

À 17 km à l'est de Mota del Cuervo et 100 km de Cuenca et Albacete.
Belmonte est un vieux village fortifié au centre bien préservé, semé de maisons anciennes. Son principal atout est cependant juste en dehors : un imposant château du XVᵉ s, très restauré, mais parmi les plus beaux de Castille.

Adresse utile

🛈 *Oficina de turismo :* pl. Mayor, 1. ☎ 967-17-00-08. ● descubriendo. es/belmonte ● *Dans l'*ayuntamiento (mairie). *Mar-ven 9h30-14h30, w-e et j. fériés 10h-13h30. Fermé lun.*

Où dormir ? Où manger ? Où boire un verre ?

🏠 🍴 *La Muralla :* c/ de la Osa de la Vega, 1. ☎ 967-17-10-45. ● reserva@ lamurallabelmonte.com ● lamuralla belmonte.com ● *Double 40 € (50 € en août et 1re quinzaine de sept). Menus 12-14 €.* Dans le centre, une pension-resto simple, pas chère et de qualité ! Les 7 chambres (dont 2 avec petit balcon et vue sur le château), dans les tons rose saumon, sont modestes mais bien équipées (clim) et impeccables. Au resto, essayez le *lomo de orza con pimiento* (de fines petites tranches de porc mariné) ou les croquettes maison, vous nous en direz des nouvelles ! Même le vin au verre est excellent. Accueil et service au diapason.

🏠 *Casona La Beltraneja :* c/ Sureda, 8. ☎ 967-17-98-78. 🖥 618-30-26-84.

• casona@casonalabeltraneja.es •
Doubles avec petit déj 60-100 €. Une
adresse de charme en plein centre,
dans une vaste demeure de pierre du
XVIIe s habilement restaurée. Chambres spacieuses, confortables et bien
tenues, aménagées dans un joli style
rustique et distribuées autour d'un
patio couvert. L'endroit est animé par
un personnel charmant. Bar-cafétéria
avec terrasse sur place.

|●| ♥ *La Alacena de Belmonte :*
c/ de San Juan del Castillo, 35.

🗖 617-58-31-16. • info@alacenade
belmonte.es • *Tlj sauf lun. Plats et
raciones 6-16 €.* On ne s'attend pas à
trouver dans ce village d'un grand classicisme une adresse aussi « urbaine » !
Il s'agit d'un petit *gastrobar* au décor
actuel, proposant de bonnes spécialités *manchegas* revisitées, sous forme
de *raciones* ou de plats à la présentation originale. Pour l'apéro, vaste choix
de bières artisanales et de vins locaux.
Accueil soigné d'un jeune couple qui
mène bien sa barque.

À voir

🎥🎥🎥 ← *Castillo de Belmonte :* sur la colline. 🗖 678-64-64-86. • castillodebel
monte.com • *Mar-dim (plus lun en août) 10h-14h, 16h30-20h30 (15h30-18h30 de
mi-sept à fév, 16h-19h mars-avr). Fermé lun, et l'ap-m en sem janv-fév. Dernière
entrée 45 mn avt (mais prévoir env 1h30 pour tt voir). Entrée : 9 €, audioguide en
français (soporifique) inclus ; réduc. Ajouter 1 € en août, car les visites sont alors
théâtralisées. Expo d'engins de siège (« Trebuchet Park ») en sus : 3 €.*
Restauré en 2010, ce château massif aux dimensions colossales est sans conteste
le plus beau de la région (du pays disent les gérants du site !). Il fut construit dans
la 2de moitié du XVe s par don Juan Pacheco, marquis de Villena, puis abandonné
pendant 2 siècles, et restauré au XIXe s par l'héritière de la maison de Villena...
l'impératrice Eugénie de Montijo, épouse de Napoléon III, rien que ça. C'est
à cette époque que les 2 ailes furent chacune fermée par une façade en brique.
À nouveau délaissé après la chute de l'Empire en 1870, il retrouva une gloire éphémère en 1961 lorsque les cinéastes de Hollywood y tournèrent *Le Cid,* avec Charl-
ton Heston et Sophia Loren. Aujourd'hui, il appartient encore aux descendants des
Villena et d'Eugénie de Montijo.
L'accès se fait par une unique porte gothique, débouchant sur la cour centrale.
À gauche, exposition et vidéo détaillent l'histoire des lieux. De l'autre côté, un
fort bel escalier en bois conduit aux étages. Le 1er restitue les salles dans leur
apparence du XVe s : mobilier et costumes, superbes plafonds à caissons, moulures et portes gothiques d'excellente facture. Immense *salle de gouvernement*
(147 m²) à l'étonnant plafond construit selon la technique des chevrons et join-
tures. Puis la très artistique *salle des Ambassadeurs,* coiffée d'une coupole
octogonale de bois et dont les fenêtres sont encadrées de bas-reliefs incroyablement ouvragés. Au 2e, on retrouve l'aménagement des chambres tel qu'il
existait au XIXe s. Très beaux plafonds d'inspiration mudéjare (chambre, cabinet)
et riche ameublement de style Louis XV. On accède ensuite au chemin de ronde,
pour une vue imprenable sur la plaine de Castille. En redescendant, jeter encore
un œil à la petite armurerie (ancien cachot niché à la base du donjon). Café et
boutique sur place.

🎥🎥 *Colegiata de San Bartolomé :* au sommet du bourg. ☎ 967-17-02-08. *Tlj
sauf dim mat et lun 11h-14h, 16h30-19h30 (16h-18h30 nov-mars). Entrée : 2,50 €.*
Cette imposante église des XVe-XVIIIe s, à la belle pierre ocre, conserve le plus
vieux chœur historié d'Espagne, célèbre pour ses stalles de bois ciselé (1452). Ce
fut en fait le chœur de la cathédrale de Cuenca jusqu'au XVIIIe s, avant d'être jugé
trop petit pour cette dernière et transféré ici. Plusieurs chapelles abritées derrière
de superbes grilles de fer forgé. Belles voûtes, impressionnant retable churrigueresque et nombreuses œuvres couvrant une large période, du gothique au rococo
en passant par le Renaissance et le baroque.

ARGAMASILLA DE ALBA (13710)

À 128 km au sud-est de Tolède.

Au dire des cervantistes locaux, Argamasilla serait le lieu de naissance du livre, puisqu'il abrite l'étrange prison où Cervantes aurait créé son personnage.

À voir

🛈 🍴 **Casa de Medrano** (*centre culturel – office de tourisme*) : *c/ Cervantes, 7.* ☎ *926-52-32-34.* ● *argamasilladealba.es* ● *Dans le centre (fléché). Mar-sam 10h-14h, 17h-20h (16h-19h en hiver) ; dim 10h-14h. Fermé lun. Entrée : 2 €. Visite guidée en castillan 3,50 €, église incluse.* Ce centre culturel doublé d'un office de tourisme abrite le siège de l'association des cervantistes. Dans la cour intérieure, un escalier plonge dans la cave, où Cervantes aurait été détenu entre 1600 et 1603, et aurait entamé l'écriture de son *Don Quichotte.* On n'y voit qu'une vieille table de bois massif, une paillasse et une épée. Ambiance lugubre garantie !

🍴 **Iglesia de San Juan Bautista :** *sur l'av. principale. Tlj 11h-12h, 19h-21h (18h-20h l'hiver).* Cette bâtisse du XVIᵉ s, aux puissantes colonnes et aux élégantes voûtes gothiques, conserve, dans le transept gauche, un tableau de 1601 attribué à un élève du Greco. Plus qu'un chef-d'œuvre, c'est une pièce considérable dans l'histoire littéraire car il représente un certain don Pacheco, chevalier atteint d'une maladie mentale, qui aurait servi de modèle à Cervantes pour son Don Quichotte... La barbe, la maigreur, la noblesse de l'allure, le regard fiévreux : tout y est !

LE SUD DE LA MANCHE

ALMAGRO (13270)

● Plan *p. 369*

Cette séduisante et paisible bourgade de 8 900 habitants, située à une grosse vingtaine de kilomètres à l'est de Ciudad Real, fut du XIIIᵉ au XVᵉ s le siège de *l'ordre de Calatrava* – le 1ᵉʳ d'Espagne. Composé de moines-soldats cisterciens, il a été fondé au XIIᵉ s, en pleine Reconquête, pour stabiliser la frontière face aux incursions mauresques. Almagro est aussi la ville natale de **Diego de Almagro,** découvreur du Chili et rival de Francisco Pizarro (finalement éliminé par Diego junior, le fils de Diego !).

Joliment préservé, le **centre historique exsude la puissance du Siècle d'or.** Nombre de ses palais mudéjars et platéresques ont été élevés par des familles allemandes arrivées dans le sillage de Charles Quint (elles ont aussi introduit la dentelle). La *plaza Mayor* est l'une des plus originales de Castille, avec ses portiques soutenant une suite ininterrompue de maisons en bois toutes identiques. C'est dans ce cadre enchanteur que, tous les ans, en juillet, se déroule un festival de Théâtre classique.

ALMODÓVAR, À BOUT DE SOUFFLE

Pour réaliser Volver, *Almodóvar a tourné dans le cimetière de Granátula de Calatrava (à 10 km au sud d'Almagro) et dans les environs de Calzada de Calatrava, son village natal, 15 km plus au sud. Mais le vent féroce de la Manche qui souffle dans le film était en panne cet été-là, et le cinéaste a dû s'équiper de puissantes souffleries pour compenser...*

Almagro s'inscrit aussi dans l'histoire contemporaine grâce à **Pedro Almodóvar, natif de la région,** qui y a tourné en 2005 le très acclamé *Volver*. Le réalisateur et l'actrice vedette, Penélope Cruz, ont logé à l'hôtel *Casa del Rector,* où vous pouvez demander à occuper leurs chambres ! À moins que vous ne préfériez vous installer dans l'une des maisons apparaissant dans le film, au n° 10 de la calle Federico Relimpio, devenue elle aussi un hôtel charmant (la *Casa Grande*)...

Adresses utiles

⊟ Oficina de turismo *(plan B1) : Ejido de Calatrava, 1.* ☎ *926-86-07-17.* ● *ciudad-almagro.com* ● *Tlj sauf dim ap-m et lun 10h-14h, 17h-20h (18h-21h en juil, 16h-19h oct-mars). Ferme 1h plus tôt le sam ap-m, tte l'année.* Très compétent. Plan de la ville et infos complètes sur celle-ci et ses environs.

■ Alarcos Turismo *(plan B2, 2) : c/ Mayor de Carnicerías, 5.* ☎ *926-26-13-82.* ● *visitasalmagro.es* ● *Visites guidées (en espagnol) de la ville, à 11h l'année et 17h (oct-mai), 18h (juin, août et sept) ou 18h30 (juil) ; durée : env 2h. Tarif : 14 € (inclut les entrées aux sites) ; gratuit - de 12 ans.*

Où dormir ?

Camping

⋇ Los Arenales *(hors plan par B2, 10) : carril de Atilano, s/n, à 1,2 km du centre.* ▯ *606-99-54-32.* ● *info@campinglosarenales.com* ● *campinglosarenales.com* ● ♿ *Env 19-24 € pour 2 avec tente et voiture. Bungalows 2-5 pers 50-108 €.* Un vaste camping familial plutôt tranquille (la plupart du temps). Les parcelles sont bien ombragées et délimitées par des haies. Sanitaires corrects. 2 piscines (dont 1 pour bambins), laverie et bar-resto.

Bon marché (moins de 45 €)

🛏 Hostal San Bartolomé *(plan A1, 11) : c/ San Bartolomé, 12.* ▯ *656-86-97-99.* ● *info@hostalsanbartolome.com* ● *hostalsanbartolome.com* ● *Réception 12h30-14h30, 18h-22h30 (dim seulement sur résa), sinon contacter le proprio au restaurant situé pl. Mayor, 16. Fermé déc-fév. Doubles avec sdb 35-45 €.* Les chambres de ce modeste petit hôtel sont disposées autour d'un adorable patio à colonnes de pierre et aux murs bleu et blanc. Toutes différentes, elles n'ont pas de charme particulier mais sont climatisées et très correctes pour une nuit de passage. Bon accueil.

De chic à très chic (min 70 €)

🛏 Casa Grande *(plan B2, 12) : c/ Don Federico Relimpio, 10.* ▯ *671-49-62-88.* ● *info@casagrandealmagro.com* ● *casagrandealmagro.com* ● ♿ *Fermé janv. Doubles 75-90 €, bon petit déj inclus. Réduc de 10 % sur les doubles sur présentation de ce guide.* Apparaissant dans le film *Volver* d'Almodóvar, la maison a été rachetée après le tournage (par l'actuel propriétaire, grâce à l'intervention de Pedro !) et transformée en véritable hôtel de charme, avec 2 patios (l'un avec piscine), d'élégantes parties communes et des chambres nickel et agréables. Toutes différentes, elles ont conservé leurs poutres et sont très bien équipées. Un rapport qualité-prix impeccable et un accueil au top.

🛏 Hostería de Almagro Valdeolivo *(plan B2, 13) : c/ Dominicas, 17.* ☎ *926-26-13-66.* ● *valdeolivo@outlook.es* ● *valdeolivo.com* ● *Congés : janv. Doubles 70-90 €, petit déj 9,50 €. Piscine (payante : 5 €). Sur présentation de ce guide, réduc de 5 % sur les doubles en basse et moyenne saisons, à partir de 2 nuits.* Connu comme la *Casa de los Encajeros* (la maison des dentelliers, fin XVIIIe s), ce petit hôtel de charme, tenu par le jovial Teófilo et sa femme, abrite 8 chambres agréables et équipées de tout le confort. Excellent petit déj avec œufs de ferme, jambon, fromage artisanal et... *torreja*, une sorte de pain perdu au lait de chèvre, délicieux !

🏠 *La Casa del Rector* (plan A2, **14**) : c/ Pedro Oviedo, 8. ☎ 926-26-12-59. ● recepcion@lacasadelrector.com ● lacasadelrector.com ● Doubles 70-190 € ; petit déj 11 €. Les fans de Penélope Cruz et de Pedro Almodóvar logeront dans cette demeure du XVIII e s que les 2 vedettes avaient choisie lors du tournage de *Volver* en 2005. Avec le *Parador de Almagro*, c'est l'adresse la plus chic de la ville. Quelle surprise lorsqu'on passe du patio central, rustique avec ses poutres et antiquités, aux patios suivants, ultradesign et arty, avec expo-vente de toiles contemporaines ! Plusieurs types de chambre : design tendance zen pour certaines, ou plus rustiques (les plus chères en fait, car plus grandes). Mais elles sont toutes suréquipées, brillamment décorées et tout confort ! Accueil pro. Le lieu, d'ailleurs, continue à accueillir les célébrités de passage.

🏠 ●| *Parador de Almagro* (plan A2, **15**) : ronda de San Francisco, 31. ☎ 926-86-01-00. ● almagro@parador.es ● parador.es ● Doubles standard 90-210 €, petit déj 16 €. Dans un monastère franciscain du XVI e siècle, dont le cloître et l'église ont été conservés. Les chambres, au sol en terre cuite et murs couverts d'azulejos, distillent une douce atmosphère de sérénité. Le lieu est aussi réputé pour son resto (voir « Où manger ? » ci-après). Piscine en saison.

Où manger ? Où boire un verre ?

Pour manger sans se ruiner, direction les bars de la plaza Mayor. L'animation y est souvent au rendez-vous, la vue sur l'esplanade vaut le déplacement, et la plupart des établissements disposent d'une terrasse.

Tapas

●| ♟ ↑ *Txoko del Bacco* (plan A-B2, **20**) : pl. Mayor, 46. ☎ 610-09-79-16. ● luisalolabacco@gmail.com ● Tlj 9h30-minuit, mais tapas servies seulement après 18h. Caché sous les arcades de la place, ce petit bar à tapas ne paie pas de mine, mais il est connu pour ses *raciones manchegas* de bonne facture. Une spécialité, les *torreznos* : il s'agit de cubes de lard frit, aussi bons pour la ligne que les grattons lyonnais... Également des *asadillos*, salades *pipirranas* et tous les classiques du coin. Au fond du bar, on peut s'asseoir au frais dans une salle toute blanche et climatisée. Accueil très attentionné.

●| ♟ ↑ *El Gordo* (plan B2, **21**) : pl. Mayor, 12. ☎ 653-98-81-62. Tlj sauf mar 9h-23h. Tapas et raciones 2-12 €. Des bars qui bordent la place, c'est l'un des plus animés. Rien d'inouï gustativement parlant, mais les prix sont plus que raisonnables et le choix de tapas et *raciones* (au comptoir ou à table) étendu : *migas del pastor*, *boquerones* (anchois) *en vinagre*, *pollo escabechado*, *callos* (tripes) maison, *pisto manchego*...

●| ♟ ↑ *Patio de Ezequiel* (plan A-B2, **22**) : c/ San Agustín, 7. ☎ 926-09-72-03. Tlj sauf lun. Formule 8 tapas à 16 € ; raciones 10-18 €. On apprécie surtout ce lieu pour son cadre : un patio tranquille rafraîchi par une fontaine encadrée de 2 beaux palmiers. Idéal pour boire un verre accompagné de bonnes tapas typiques de la région. Également des grillades.

De bon marché à prix moyens (moins de 25 €)

●| *Abrasador* (plan B1, **23**) : c/ de San Agustín, 18. ☎ 926-88-26-56. Tlj sauf dim soir 11h30-16h, 20h30-23h. Menu le midi 15 €, le soir 25 € ; plats 10-20 €. Cette taverne chaleureuse, qui abrite une agréable salle avec cheminée, propose des plats typiquement *manchegos,* notamment

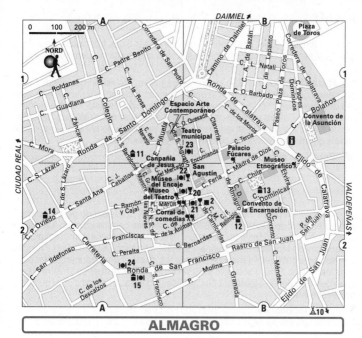

ALMAGRO

■ **Adresses utiles**

  🛈 Oficina de turismo (B1)
  2 Alarcos Turismo (B2)

⚑ ♜ **Où dormir ?**

  10 Los Arenales (hors plan par B2)
  11 Hostal San Bartolomé (A1)
  12 Casa Grande (B2)
  13 Hostería de Almagro Valdeolivo (B2)

14 La Casa del Rector (A2)
15 Parador de Almagro (A2)

|●| ♟ **Où manger ?**
  Où boire un verre ?

  15 Restaurant du Parador (A2)
  20 Txoco del Bacco (A-B2)
  21 El Gordo (B2)
  22 Patio de Ezequiel (A-B2)
  23 Abrasador (B1)
  24 La Muralla (A2)

des viandes de qualité élevées dans la province. Un lieu tout à fait recommandable.

|●| *La Muralla (plan A2, 24) :* ronda de San Francisco, 34. ☎ 926-86-10-10. ● restaurante.muralla@gmail.com ● Tlj sauf mer soir et lun. Menus 12 € en sem, 20 € le w-e ; plats 10-20 €. Passé le bar, on pénètre dans un patio couvert avec fontaine, sol de pierres jointoyées et chaises en fer forgé. Cuisine locale honnête, faisant la part belle au gibier du coin. Les menus sont une bonne affaire. Service très aimable.

Très chic (plus de 35 €)

|●| ♊ *Restaurant du Parador (plan A2, 15) :* voir plus haut « Où dormir ? ». Menu et carte env 40 €, plats et racio-nes 13-24 €. Si vous cherchez un resto un peu chic, c'est sans doute le plus recommandable de la ville. On s'installe dans une grande salle ou, plus sympa, dans le patio en été. La carte est courte et saisonnière, mais on y trouve à l'année quelques spécialités régionales comme les *migas de pastor* (base de pain) et les *gachas manchegas* (sorte de bouillie).

À voir

Le *bono turístico* (billet combiné) permet de visiter 6 des principaux sites de la ville. Il est vendu à l'office de tourisme et dans chaque site concerné *(9 € ; réduc ; compter 12 € avec la visite théâtralisée du Corral de comedias).*

🎬👫 *Plaza Mayor (plan A-B2) :* longue et irrégulière, elle est bordée par de belles galeries en bois du XVIᵉ s, vitrées et peintes en vert, reposant sur plus de 80 colonnes de pierre. Aux 1ᵉʳ et 2ᵉ étages se trouvent des appartements. Fondée au XIIIᵉ s par l'ordre de Calatrava, la place servait aux exercices militaires, puis accueillit, vers le XVIᵉ s, les corridas et les marchés. Elle reste aujourd'hui le cœur de la vie sociale d'Almagro. Nombreux bars et commerces tout autour.

🎬👫 *Corral de comedias (plan A2) :* pl. Mayor. ☎ 926-86-15-39. ● ciudad-almagro.com ● Tlj 10h-14h (12h30 w-e), 17h-20h avr-sept (18h-21h juil, 16h-19h oct-mars). Ferme 1h-1h30 plus tôt l'ap-m ven et sam, sauf juil. Entrée : 4 €, audioguide en français inclus ; réduc ; 7 € pour la visite théâtralisée (en été mer-sam vers 19h et le w-e à 13h ; mars et oct-déc, ven-sam à 18h et w-e à 13h ; rien en juil et de mi-déc à fév). Étonnant théâtre à ciel ouvert du XVIIᵉ s, *le seul du genre existant encore en Europe.* Construit en 1628, il se présente comme un patio flanqué de galeries de bois. Les loges, qui dominent directement la scène, fermaient à clé et chaque grande famille avait la sienne ! Le théâtre fut fermé au XVIIIᵉ s pour raisons de « salubrité publique » (absence de toilettes, rixes) et devint auberge. Restauré dans les années 1950, il accueille en juillet un important festival de Théâtre classique, mais on y donne également des représentations au printemps et à l'automne (voir le site internet).

🎬 *Museo nacional del Teatro (plan A2) :* c/ Gran Maestre, 2, à l'angle de la pl. Mayor. ☎ 926-26-10-14. ● museoteatro.mcu.es ● Mar-sam 10h (10h30 sam)-14h, 16h-18h30 (17h-19h30 juil-août) ; dim 10h30-14h. Fermé lun. Dernière entrée 30 mn avt. Entrée : 3 € ; réduc ; gratuit - de 18 ans, + de 65 ans et pour ts sam ap-m et dim. Objets, costumes, maquettes et illustrations (peintures notamment) liés au théâtre. Collections très bien présentées. Plutôt pour les *aficionados* toutefois.

🎬 *Palacio Fúcares (plan B1) :* c/ Arzobispo Cañizares, 6. ☎ 926-26-13-76. Mar-sam 10h-14h, 17h-20h (18h-21h juil et 16h-19h oct-mars). Dim tte l'année 11h-14h. Fermé lun. Entrée : 2 €. Imposant palais de style Renaissance construit au début du XVIᵉ s par les Függer (*Fúcares* en espagnol), une famille de riches banquiers originaires d'Augsbourg installés à Almagro pour gérer les mines de mercure d'Almadén. L'édifice servit d'ailleurs d'entrepôt *(almacén)* pour ledit métal. Bien vite, les Függer embellissent la ville, y introduisent la tradition de la dentelle et développent la banque moderne en Espagne. Le palais abrite aujourd'hui un centre d'activités (avec des expos temporaires), et on visite essentiellement le patio central en brique, très sobre.

🎬 *Museo etnográfico (plan B1-2) :* c/ Chile, 6. ☎ 657-01-00-77. ● museodealmagro.com ● Mar-ven 17h-20h (16h-19h oct-mars) et sam 10h-14h, 17h-20h (16h-19h oct-mars) ; fermé lun ; et juil-août lun-sam 10h-14h, 18h-21h ; dim tte l'année 11h-14h. Entrée : 5 €. Une modeste façade qui, pourtant, dissimule une bonne trentaine de pièces recelant un riche bric-à-brac d'objets liés aux activités quotidiennes et métiers du passé. La visite, en espagnol, se fait obligatoirement avec le proprio.

– *À voir encore,* pour les passionnés (ou ceux qui ont acheté le *bono turístico*) : le *museo del Encaje* (musée de la Dentelle ; *plan A2* ; mar-sam 10h-14h, 17h-20h – jusqu'à 21h juil, 18h ou 19h oct-mars – et dim 11h-14h ; entrée : 2 € ; fermé lun), le *convento de la Asunción de Monjas Calatrava* (pour son cloître Renaissance ; *plan B1* ; mêmes horaires et tarifs que le musée de la Dentelle), le *teatro municipal* (*plan A-B1* ; mêmes horaires et tarifs), le *convento de la Encarnación* (*plan B2*) et l'*iglesia* de *San Agustín* (*plan B2* ; mêmes horaires et tarifs que le musée de la Dentelle), baroque.

CALATRAVA LA VIEJA

✖✖ *À env 26 km au nord-ouest d'Almagro (bien indiqué).* Plantés au milieu d'une zone semi-désertique, les vestiges d'un important **Castillo** : ☎ 926-69-06-54. ● *cas tillodecalatrava.com ● Juil-août : ouv mar-jeu 10h-14h ; ven-dim 10h-14h, 17h-20h30. Avr-mai et sept, jeu-dim 10h-14h, 16h-20h ; oct-mars, ven-dim 10h30-14h, 16h-18h. Fermé lun, et en sem hors saison. Entrée 4 € ; réduc. Visite guidée (payante) 1-2 fois/j.*
L'origine de cette forteresse remonte aux Omeyyades (VIIIe s). Reprise en 1147 par Alfonso VII, qui la confie aux Templiers, elle changera encore plusieurs fois de mains jusqu'à sa conquête définitive par les chrétiens en 1212. Il faut dire que cette vaste structure, autrefois ceinte de remparts, revêtait une importance stratégique de 1er plan, car elle permettait de contrôler la route Tolède-Cordoue. Le gain de cette place forte fut donc un fait majeur de la *Reconquista,* et c'est d'ailleurs pour la défendre que fut créé le fameux **ordre militaire de Calatrava.** Abandonné après le XVe s, le site reste en bonne partie enterré. Des bénévoles restaurent petit à petit les bâtiments qui subsistent : une église abritant une expo, des tours massives, des citernes, un chemin de ronde accidenté... Le château et ses dépendances agricoles étaient alimentés en eau par un système hydraulique perfectionné relié au río Guadiana (dont le lit s'est depuis déplacé). Si le sujet vous intéresse et que vous comprenez l'espagnol, on vous recommande la visite guidée (les panneaux présents sur le site sont assez insuffisants).

LE PARC NATIONAL DE LAS TABLAS DE DAIMIEL

Situé à environ 35 km au nord d'Almagro et 11 km à l'ouest de Daimiel. Occupant une cuvette marécageuse où se mêlent eau douce et eau saumâtre, Las Tablas de Daimiel forment **une enclave verdoyante inattendue,** abreuvée par une nappe phréatique sous-jacente et par le confluent des ríos Guadiana et Cigüela. La zone humide protégée, désignée Réserve de la biosphère par l'Unesco, couvre 3 030 ha de lacs et une mosaïque d'îlots, à explorer au gré de 3 sentiers aménagés. On y observe une riche avifaune (on peut louer des jumelles dans la boutique en face du *centro de visitantes*). Les oiseaux migrateurs qui y séjournent en été viennent d'Afrique, tandis que ceux qu'on y croise en hiver descendent du nord de l'Europe. Venir de préférence tôt le matin ou en fin d'après-midi.
– **Oficina de turismo :** *au bout de la route.* ☎ 926-26-06-39. ● *daimiel.es/daimiel/ turismo ● Tlj sauf dim ap-m et lun 9h-13h30, 18h-20h.* Bonnes infos sur les visites à faire aux alentours. Liste d'hébergements dans le coin.
– **Centro de visitantes :** *au bout de la route.* ☎ 926-69-31-18. ● *lastablasde daimiel.com ● Tlj 9h-21h été (19h hiver).* Dépliant gratuit avec plan du parc et des sentiers. Dioramas et panneaux illustrés sur la faune, la flore et les problèmes de surexploitation de l'eau.
– **Sentiers de randonnée :** 3 sentiers, balisés par des couleurs, permettent de découvrir le parc. Le plus complet et le plus intéressant est le jaune, ou *sendero de la Isla del Pan* (boucle de 2,5 km), avec ses passerelles surélevées traversant les marais. Sinon, il y a le rouge (*Laguna permanente,* 1,6 km) et le bleu (*Torre de Prado Ancho,* 3 km).

LE PARC NATUREL DES LAGUNAS DE RUIDERA

Enfin **une oasis de fraîcheur** au cœur de l'été castillan ! Voici une étrangeté géographique qui détonne radicalement avec la plaine de Montiel, ses oliveraies et ses champs de vigne. Le parc naturel, étendu sur plus de 3 700 ha, protège **un ensemble de 15 lacs se déversant en cascade les uns dans les autres** – sur une distance de 25 km et une dénivelée totale de 120 m. Plusieurs sentiers permettent de découvrir ce site exceptionnel, qu'il est aussi possible d'explorer en kayak, en paddle-board ou à VTT. Et surtout **7 belles zones de baignade** dans une eau tour à tour translucide et turquoise : difficile de résister à l'envie de piquer une tête !

LA CASTILLE-LA MANCHE

LA CASTILLE-LA MANCHE

Adresses et infos utiles

🛈 *Centro de interpretación del parque :* *avda Castilla-La Mancha, au carrefour de* **Ruidera.** ☎ 926-52-81-16. ● lagunasderuidera.net ● *Dim-mar 10h-14h, mer-sam 10h-14h, 16h-19h. Fermé lun (sauf juil-août) et de déc à mi-mars.* Ruidera est un village de 600 habitants, agréable et commerçant, au centre du parc. Infos sur les balades, locations de VTT, activités, campings, logements et restos.

⚐ 🏠 *Pour loger :* petit camping tranquille et bien tenu *(Los Molinos ;* ☎ 926-52-80-89 ; ● campinglosmo linos@hotmail.com ●*)* près du *centro de interpretación,* auberge de jeunesse et *casas rurales* au bord de la lagune de Ruidera, et pas mal d'*hostales* avec restaurants à Ruidera et Ossa de Montiel.

🏠 🍴 *Hotel Rural Albamanjon :* *laguna San Pedro, à* **Ossa de Montiel** *; sur la rive nord.* ☎ 926-69-90-48. ● hotel@albamanjon.net ● albamanjon.net ● *Doubles 120-200 € avec petit déj ; 2 nuits min le w-e. Menu ½ pens 29 € ; plats 10-25 €.* Une imposante bâtisse couverte de végétation et de carreaux de faïence, plantée en surplomb du lac. On la repère de loin grâce à son beau moulin (qui abrite 1 suite). Les chambres dévoilent un style rustique bien léché, un très bon confort et bénéficient pour la plupart d'une vue sur le lac et d'une terrasse privée. Bonne cuisine régionale servie au resto. Location de vélos et, juste en face, un embarcadère pour aller se balader en kayak.

🍴 🌳 *Asador La Granja :* camino Baños de las Mulas, à **Ossa de Montiel** *; sur la rive sud.* ☎ 926-69-00-77. *Tlj de fin mars à mi-oct. Résa indispensable le w-e. Plats 9-20 €.* Un resto de grillades en plein air, niché dans la boucle d'un ruisseau, à l'ombre d'une épaisse frondaison. L'endroit est réputé pour ses délicieuses viandes au feu de bois : *chuletón,* poulet, cochon de lait... Avec des patates rôties, un petit *vino de la casa* et le clapotis de l'eau vive, c'est le bonheur ! Le service est efficace et les prix avantageux.

À voir. À faire

🦇 *Cueva de Montesinos (grotte de Montesinos) :* à env 8 km de Ruidera, après la lagune, en direction d'Ossa de Montiel. 🖷 684-02-93-44 (pour les visites) ou ☎ 967-37-76-70. ● cuevademontesinos.es ● *Visite guidée (env 1h) sur rdv, mar-dim 10h-14h, 16h30-20h30. Tarif : 6 € ; réduc.* Panneau explicatif dans l'aire d'accueil (libre), près d'une sculpture métallique représentant Don Quichotte sur Rossinante et Sancho Panza sur sa mule. En marchant environ 250 m depuis le parking, on accède à l'entrée de la grotte, dans un paysage de garrigue et d'oliviers. Profonde de 18 m, habitée par 4 espèces de chauves-souris (toutes menacées), parcourue par une nappe d'eau, la grotte – haut lieu littéraire – intéressera surtout les lecteurs de Cervantes.

– *Activités sportives :* le meilleur moyen de découvrir les lacs est de louer un kayak ou un *paddle.* Plusieurs loueurs sur les rives, notamment *Natur-Sport (rive nord de la laguna San Pedro ;* 🖷 676-39-53-07) ou sur la plage de la laguna Santos Morcillo. *Compter 12-15 €/h selon durée de loc.* Parcours libre ou guidé. Également des embarcations à pédales à louer près des zones de baignade. À Ruidera, s'informer auprès des agences *RuiderActiva (avda Castilla-La Mancha, 61 ;* 🖷 610-39-69-89 ; ● ruideractiva.com ●) ou *Aguas de Ruidera (avda Castilla-La Mancha, 17 ;* 🖷 655-96-67-94 ; ● lagunasderuideraac tiva.com ●), qui proposent des circuits à cheval, à vélo, en kayak ou en *paddle,* des sorties spéléo et même de la plongée.

ALARCÓN   (16214)   150 hab.

Nid d'aigle surplombant les eaux turquoise d'un lac artificiel, cerné par une double enceinte, le petit village perché d'Alarcón, à 83 km au sud-ouest de Cuenca, semble sortir d'un riche chapitre de l'Espagne médiévale. Il est dominé par la silhouette du château, devenu *parador*. Charmante promenade dans les ruelles bordées de vieilles maisons, de demeures élégantes *(Portada del Palacio de los Castañeda)* et d'églises patinées par le temps *(iglesia Santa María, iglesia Santa Trinidad)*. De quoi faire une escale ô combien calme et romantique pour la nuit.

Adresses utiles

Oficina de turismo : c/ Posadas, 6. ☎ 969-33-03-01. À 100 m de la pl. del Infante Don Juan Manuel. Tlj sauf lun 10h-14h (13h dim). Infos sur le patrimoine et les randonnées pédestres (sentier de las Hoces de Alarcón, boucle de 8 km, 2h30 ; sentier GR 64). Plan payant.
Alarkum : c/ Dr Agustín Tortosa, 4. ☎ 969-33-03-23. 📱 630-56-52-58.

● descubrealarcon.es ● Visites guidées d'Alarcón (offres sur Internet ; résa conseillée), tlj sauf lun à 12h et 17h l'été (12h et 16h30 l'hiver) – ou sur demande pour plus de 10 pers. Prix : 15 €/pers, tarif dégressif ; réduc étudiant ; gratuit - de 12 ans. Durée : 2h. On peut s'adresser à eux si l'office de tourisme est fermé.

Où dormir ? Où manger ?

Prix moyens

Mesón Don Julián : pl. de la Autonomía, 1. ☎ 969-33-03-00. ● mesondonjulian2010@hotmail.com ● Double 50 € avec petit déj. Menu midi 15 €, plats et raciones 8-20 €. Près du château-*parador*, 3 chambres, simples mais propres et climatisées, à l'étage d'un resto-bar à tapas correct (grillades, poisson...). Bon accueil.
Hostal Don Juan : c/ Marqués de Villena, 4 ; réception au Bar Patronio, sur la plaza (à 2 pas). 📱 679-28-49-22 ou 618-87-58-93. ● bhalles@hotmail.com ● hostaldonjuan.es ● Double 60 € avec petit déj (servi au Bar Patronio). Niché dans une ruelle on ne peut plus tranquille, le petit hôtel propose 5 chambres vastes, impeccables et joliment arrangées, dans un style un peu rustique, avec ventilo. Celles sous les toits, avec Velux, sont un peu plus chaleureuses. Une adresse agréable.
La Cabaña de Alarcón : c/ Alvaro de Lara, 50. ☎ 969-33-03-73. Tlj sauf 1 j. de fermeture variable

selon humeur. Menus 18-25 €, plats et raciones 7-16 €. L'une des meilleures tables de la région ! On y déguste une cuisine régionale et de saison, aussi savoureuse que généreuse. Les classiques *morteruelo* (hachis de gibier), *ajo cocido* ou *perdiz escabechada* sont revisités juste ce qu'il faut. Le 1er menu est très bien balancé. L'excellent menu dégustation permet de goûter à tout, à condition d'avoir un gros appétit ! La salle, bien dressée et décorée d'objets d'art, ouvre ses baies vitrées sur d'apaisantes collines couvertes de pins et de rocaille. Également une terrasse ensoleillée à l'étage supérieur. Ajoutons à cela une qualité d'accueil et un service épatants, et l'on obtient un rapport qualité-prix exceptionnel !

De plus chic à très chic (plus de 90 €)

Hotel Hierbaluisa : c/ Alvaro de Lara, 6. 📱 609-15-11-72. ● reservas@hotelhierbaluisa.com ● hotelhierbaluisa.

com ● *Sur la place de l'office de tourisme. Double 100 € avec petit déj.* Une demeure ancienne rénovée dans un esprit artistique. Ce n'est pas vraiment un hôtel, plutôt une maison d'hôtes haut de gamme, composée de 6 chambres très soignées et confortables, avec matériaux de qualité et draps de coton égyptien. Chaleureux accueil du couple de proprios (leurs enfants ont assuré la décoration intérieure). Joli salon pour les hôtes, où déguster le délicieux petit déj à base de produits maison (pain, gâteaux, confitures, jus frais). Bref, un vrai cocon où l'on se sent vite comme chez soi !

🏠 |●| ⬆ **Parador de Alarcón :** *avda Amigos de los Castillos, 3.*

☎ *969-33-03-15.* ● *alarcon@parador. es* ● *parador.es* ● *Doubles 160-255 €, petit déj inclus. Plats et raciones 12-28 €, menus 30-45 €.* Dans la noble lignée des *paradores* : un château médiéval inexpugnable (d'origine arabe), cerné de murailles et coiffé d'un donjon. Les chambres, avec plancher, mobilier ancien, salle de bains ouverte et tout le confort, donnent sur la galerie ou sur la fosse qui borde le village (et, au-delà, la plaine). Fait aussi resto (cuisine assez originale mais chère), dans l'ancienne salle de garde aux gros murs de pierre et hauts plafonds voûtés, ou dans le patio. Les prix nous semblent toutefois un peu excessifs.

À voir

🏛 **Iglesia de San Juan Bautista :** *pl. del Infante Don Juan Manuel.* ● *murala larcon.org* ● *Ouv seulement ven-dim 11h30-14h, 18h-20h30 (16h-18h30 oct-mai ; fermé lun-jeu). Fermé janv-fév. Entrée : 3 €.* L'église, abandonnée, a été confiée au peintre Jesús Mateo, qui l'a revêtue de fresques aux dominantes rouges et noires, à travers lesquelles se lit l'influence manifeste de Picasso et de Miró. Un travail de 6 années, en partie soutenu par l'Unesco.

CUENCA

(16000)   54 900 hab.

● Plan p. 376-377

◈ **La vieille ville, classée au Patrimoine mondial de l'humanité par l'Unesco, est bâtie sur un promontoire dominant les gorges du Júcar et du Huécar : belle surprise, ce site !** Là sont groupées les principales curiosités et attractions, parmi lesquelles les *casas colgadas,* étonnantes maisons suspendues au bord du vide. On l'aura compris, leur fonction était défensive, mais il s'agissait aussi d'éviter les crues, tout en bénéficiant de la présence de l'eau. L'accès à la vieille ville, escarpé, constitue une balade agréable. Sinon, il existe des bus (n°s 1 et 2) qui sillonnent la partie basse de Cuenca avant de grimper. Outre palais, églises, escaliers et passages discrets, vous y découvrirez plusieurs musées d'Art moderne. Une spécialité de la ville depuis que le peintre Fernando Zóbel inaugura en 1966 le museo de Arte abstracto español.

UN PEU D'HISTOIRE

Une 1re forteresse maure est fondée en ces lieux au VIIIe s. Tombée dans l'escarcelle chrétienne en 1177, la cité se voit dotée de lois très bénéfiques pour promouvoir son repeuplement. Dès le début, l'élevage s'impose comme ressource principale, celui de moutons notamment. Grâce à toute cette laine, l'industrie textile prospère aux XVe et XVIe s, favorisant une importante croissance démographique.

Incidemment, Cuenca est la ville natale du conquistador Andrés Hurtado de Mendoza, qui devient vice-roi du Pérou. C'est lui qui, le 12 avril 1557, rebaptise la vieille cité inca de Tomebamba du nom de Cuenca... aujourd'hui 3e ville de l'Équateur.

Arriver – Quitter

En bus

Estación Autobuses *(plan A3) :* c/ Fermín Caballero, 20. ☎ 969-22-70-87. *Consigne 6h-21h.*

➤ **Madrid** *(estación del Sur ; 168 km) :* 7-9 bus/j. avec la C\ie *Auto-Res (Avanzabus ;* ☎ 912-72-28-32 ; ● *avanzabus. com* ●). À peu près le même prix que les trains lents (et plus rapide que ces derniers), mais beaucoup moins cher que les *AVE.* Durée : 2h-2h30.

➤ **Valencia** *(199 km) :* 1 bus/j. sauf sam, vers 8h30 (16h30 dim), avec la C\ie *Monbus* (☎ 902-29-29-00 ; ● *monbus.es* ●). Durée : env 3h45.

➤ **Teruel** *(149 km) :* 1 bus/j. avec la C\ie *Samar* (● *samar.es* ●), lun-sam vers 8h30, dim vers 11h30. Durée : 3h. Continue vers Barcelone (9h-9h30 de trajet).

En train

La ville est desservie par 2 gares.

Estación AVE Fernando Zóbel *(hors plan par A3) :* à 7 km au sud de Cuenca, sur la N 320. ☎ 912-320-320. ● *renfe.com* ● Paumée en pleine cambrousse, cette gare ultramoderne a été conçue pour les *AVE, Alvia* et *Intercity.* Pour rejoindre la gare routière au centre-ville, bus n° 12 (départ en fonction des horaires des trains).

➤ **Madrid :** env 15 trains/j. (10 le w-e). Trajet : 55 mn-1h10.

➤ **Valencia :** 6-7 trains/j. Durée : env 1h.

➤ **Alicante :** 6-7 trains/j. Trajet : env 1h30.

➤ **Toledo :** 2-4 trains/j. avec changement à Madrid. Durée : 2-3h.

➤ **Sevilla :** 1 train direct/j. (sauf sam). Trajet : 3h. Sinon via Madrid.

➤ **Barcelona :** 1 train/j. (sauf sam). Trajet : 4h30.

Estación RENFE *(plan A3) :* c/ Mariano Catalina. ☎ 912-320-320 *(n° national).* ● *renfe.com* ● Seulement pour les trains régionaux. La billetterie ouvre 30 mn avt chaque départ, et impossible d'y acheter son billet à l'avance.

➤ **Madrid :** 3 trains/j. (2 le sam). Trajet : 3h-3h30. Beaucoup plus long donc, mais beaucoup moins cher que l'*AVE* !

➤ **Valencia :** 2-3 trains/j. (durée : env 4h).

Adresses et infos utiles

Oficina municipal de turismo *(plan C1, 1) :* pl. Mayor, 1. ☎ 969-24-10-51. ● *cuenca.es* ● Tlj 10h-14h, 17h-20h (16h30-19h30 oct-mai). Plan de la ville et bonne doc, avec en prime souvent quelqu'un qui parle le français. Donne des infos de qualité sur toute la province. Voir également le site de l'office provincial ● *descubrecuenca.com* ●

Stationnement : places gratuites tout en haut de la vieille ville *(plan C1, 3).* Attention, les lignes vertes sont réservées aux résidents. Dans la ville basse, les rues sont payantes *(tlj sauf dim 9h-14h, 17h-20h)* mais pas chères *(0,65 €/h).*

Taxis : ☎ 969-23-33-43.

Où dormir ?

Camping

Camping-caravaning Cuenca *(hors plan par C1, 10) :* ctra Cuenca-Tragacete, km 8, 16147. ☎ 969-23-16-56. ● *info@campingcuenca.com* ● *campingcuenca.com* ● À 8 km de Cuenca. Ouv de mars à mi-oct, fermé

LA CASTILLE-LA MANCHE

LA CASTILLE-LA MANCHE

■ **Adresses utiles**

🏠 1 Oficina municipal de turismo (C1)
ℹ️ 3 Parking gratuit (C1)

🛏️ **Où dormir ?**

10 Camping-Caravaning Cuenca
   (hors plan par C1)
11 Posada Huécar (B2)
12 Posada Tintes (B2)
13 Hostal Tabanqueta (C1)
14 Hostal Gaudí (B2)
15 Posada de San José (C1)
16 Hostal San Pedro (C1)
17 Parador de Cuenca (C1)

🍴 **Où manger ?**

20 Bodeguilla de Basilio (B2)
21 La Tasca del Arte (A-B2)
22 Mesón Darling (B2)
23 Romera Bistrot (B2)
24 Olea Comedor (A2-3)
25 Asador de Antonio (A2)
26 La Venta (A2)
27 El Secreto de la Catedral (C1)

🍷 **Où boire un verre ?**

30 La Edad de Oro (C1)
31 Taberna Jovi (C1)

🛍️ **Achats**

40 El Convento (C1)

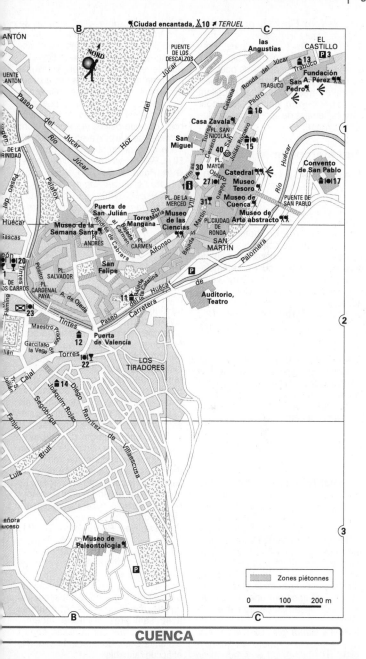

⚑Ciudad encantada, ⚔10 ↗ TERUEL

ANTÓN

B

C

NORD

PUENTE
DE LOS
DESCALZOS

las
Angustias

EL
CASTILLO
P 3

UENTE
ANTÓN

Ronda del Júcar

13
Trabuco

San A. Pérez

PL.
TRABUCO

Fundación
San
Pedro

Paseo del Río Júcar

Catalina

Pedro

16

Río Júcar

Hoz del Júcar

Casa Zavala

Torres Cevero

PL. SAN
NICOLÁS

Julián Romero

15

Convento
de San Pablo

17

. DE LA
RINIDAD

San
Miguel

40

30

PL.
MAYOR
Obispo

Catedral

Río Huécar

Armas

San

Valero

27

Museo
Tesoro

Paseo del

Palafox

Puerta de
San Julián

Sta.
María

27

Museo de
Cuenca

PUENTE DE
SAN PABLO

Huécar

Torre
Mangana

San Andrés de Cabrera

Batalla
al Carmen

31

PL. DE LA
MERCED

VIII

Museo de
las
Ciencias

Bajada S. Martín

PL.CIUDAD
DE
RONDA

Museo de
Arte abstracto

Gascas

Museo de la
Semana Santa

PL.
ANDRÉS

PL.
CARMEN

Alfonso

SAN
MARTÍN

León

20

Tintes

1

PL.
SALVADOR

San
Felipe

Palomera

Carretera

23

PL.
CARDENAL
PAYA

A. de Ojeda

Posito Piñero

Bajada del Carmen

Paseo del

11

Bajada Sta. Catalina

Huécar

P

de

Auditorio,
Teatro

L. DE
OS CARROS

Tintes

Maestro

Garcilaso de
la Vega

12

Puerta
de Valencia

Torres

22

LOS
TIRADORES

T. S.
Julián

T. S.
Julián

Cajal

14 Diego

Ramírez de

Villaescusa

Joaquim Rojas

Segobriga

Fanjul

Brull

Luis

eñora
uceso

Museo de
Paleontología

P

| Zones piétonnes |

0   100   200 m

B

C

LA CASTILLE-LA MANCHE

1

2

3

CUENCA

hors saison. Env 23 € pour 2 avec tente et voiture. Bungalows en rondins 77 € pour 2 (99-121 € 4-6 pers). Près de 1 500 emplacements mais assez d'espace (23 ha) et de calme pour être à l'aise. Emplacements bien ombragés, sanitaires très corrects et excellent accueil. Bar-resto, épicerie, jeux pour enfants, terrains de sport et une grande piscine ronde.

Bon marché (max 45 €)

🛏 *Posada Huécar (plan B2, 11) : paseo del Huécar, 3, 16001.* ☎ 969-21-42-01. ● *posadahuecar@hotmail. com* ● *posadahuecar.com* ● *Doubles 40-45 €. Parking 12 €.* Posé au pied de la vieille ville, cet hôtel dispose d'une vingtaine de chambres fort bien tenues, dotées d'un certain charme avec leur sol en terre cuite et leur mobilier rustique. Pas de petit déj mais café et pâtisseries offerts au salon. Accueil adorable.

🛏 *Posada Tintes (plan B2, 12) : c/ Tintes, 7, 16001.* ☎ 969-21-23-98. ● *posadatintes@hotmail.com* ● *posa datintes.com* ● *Double avec sdb 35 €.* Des chambrettes simples mais pas désagréables, avec double vitrage. Pas de clim. Certaines ont une jolie vue sur la rivière. On entre par le resto au rez-de-chaussée. Une option correcte pour les petits budgets.

De prix moyens à chic (45-90 €)

🛏 *Hostal Tabanqueta (plan C1, 13) : c/ del Trabuco, 13, 16001.* ☎ 969-21-12-90. 📱 630-69-05-70. ● *info@hostal tabanqueta.com* ● *hostaltabanqueta. com* ● *Doubles 45-55 €.* En haut de la vieille ville, des chambres tout confort rénovées dans un style élégant, toutes avec parquet flottant, belle salle de bains moderne, et la clim pour les chambres côté rue (plus exposées au soleil). Certaines ont une vue sur les gorges du Júcar. Un lieu agréable, très calme.

🛏 *Hostal Gaudí (plan B2, 14) : c/ Joaquín Rojas, 1, 16002.* ☎ 969-69-29-96. 📱 618-07-07-06. ● *info@dormiren cuenca.com* ● *dormirencuenca.com* ●

Doubles avec sdb 42-90 €, petit déj en sus. Immanquable, le *Gaudí,* avec sa déco de tessons de céramiques caractéristique (*trencadí,* pour les intimes !)... Pour le reste, c'est un bête immeuble moderne en brique, dans un quartier résidentiel assez central et calme. On s'y gare sans trop de peine, la puerta de Valencia n'est qu'à 3 mn, et les chambres, quoique petites et inégales, sont correctes pour le prix, avec clim et bonne literie. Certaines sont dans une annexe à 50 m. Petit déj servi dans un café proche.

🛏 🍽 *Posada de San José (plan C1, 15) : c/ Julián Romero, 4, 16001.* ☎ 969-21-13-00. ● *info@posada sanjose.com* ● *posadasanjose.com* ● *Doubles avec lavabo 35-50 €, avec sdb 75-97 € ; petit déj 9 €. Resto ts les soirs 19h30-22h30 et sam-dim 13h-15h30 (résa conseillée) ; fermé janv. Plats 13-25 €.* Agrippé à la falaise, surplombant la vallée encaissée du río Huécar, cet hôtel au cachet indéniable est installé dans un vieux palais du XVIIe s. Sa particularité, outre son style un peu monacal, est de proposer aussi bien de petites chambres économiques (avec lavabo) que d'autres de bon confort. Du coup, la taille et l'agencement varient largement. Certaines chambres bénéficient d'un balcon ou d'une terrasse dominant le jardin et la vallée. Pas de clim, mais pas nécessaire non plus, vu l'épaisseur des murs. Notre préférée est la no 33, une chambre d'angle avec 2 petites terrasses. Coup de chapeau à Jennifer, la dynamique maîtresse de maison, une Canadienne devenue espagnole (et qui parle le français). Le soir, le resto maison mérite le détour pour sa cuisine *casera* d'excellente réputation.

🛏 *Hostal San Pedro (plan C1, 16) : c/ San Pedro, 34, 16001.* ☎ 969-23-45-43. 📱 628-40-76-01. ● *hostalsan pedrocuenca@gmail.com* ● *hostal sanpedro.es* ● *Doubles 65-70 €. Pas de petit déj.* Au cœur de la vieille ville, 8 chambres à la déco plutôt sobre (sol carrelé, meubles en bois et poutres), avec sanitaires et literie récents. Le plus : la vue sur la vallée depuis 5 d'entre elles. Bonne tenue générale et accueil aimable.

De plus chic à très chic (de 90 à plus de 120 €)

🛏 |●| *Parador de Cuenca (plan C1, 17)* : subida a San Pablo, 16001. ☎ 969-23-23-20. ● cuenca@parador. es ● parador.es ● Doubles standard 110-255 €, petit déj 19 €. Plats et raciones 13-25 €, menu 42 €. Installé dans l'ancien couvent dominicain San Pablo (fin XVIe s), l'hôtel est perché sur un promontoire du val de Huécar, un peu plus bas que celui qui abrite la vieille ville. Accès par un pont piéton vertigineux enjambant la gorge. Chambres confortables de style classique. Agréable cloître et grande salle de resto au superbe plafond en bois. Piscine. Même si vous n'y logez pas, allez boire un verre au bar pour profiter de la vue.

Où manger ?

Tapas

|●| ⛾ *Bodeguilla de Basilio (plan B2, 20)* : c/ Fray Luis de León, 3. 🗊 646-26-20-23. ● la.bodeguilla@hotmail.com ● À partir de 13h et 20h. Fermé dim soir-lun. Tapas et raciones 3-13 €. Sur présentation de ce guide, 1 bouteille de vin de la Bodeguilla offerte pour 1 repas côté resto. La *bodeguilla*, c'est une *bodega* en petit, un antre chaleureux où se répandent les bouteilles, les vieilles photos de Cuenca et la bonne humeur. Chez *Basilio*, chaque *caña*, chaque *copa* est accompagnée d'une tapa généreuse et différente à chaque tournée... 3 verres et vous avez mangé ! C'est aussi un resto, naturellement plus cher que le bar.

|●| ⛾ 🕈 *La Tasca del Arte (plan A-B2, 21)* : c/ Fray Luis de León, 9. 🗊 616-40-90-84. ● ole@la-tasca-del-arte. es ● Mer-dim 12h-17h, 19h30-tard. Fermé lun-mar. Tapas 1,50-4,50 €, plats 7-17 €. Le bar qui plaît tout de suite ! Dédié au flamenco, il propose des tapas exquises et inventives : brochette de poulet au caramel d'orange, *empanada* poireau-crevettes, tempura d'aubergine au miel... La liste est longue et change selon l'humeur du chef. Parfait aussi pour boire un verre : le vin est excellent et, du jeudi au samedi, des spectacles de flamenco mettent le feu à la taverne dès 21h. Service preste et souriant. Un lieu à découvrir !

|●| ⛾ *Mesón Darling (plan B2, 22)* : c/ Torres, 7. ☎ 969-22-27-18. Tlj sauf lun 10h (14h w-e)-16h, 19h30-23h30. Raciones 5-13 €. Un bar à tapas aux airs mi-traditionnels (vieilles photos du coin aux murs), mi-revisités, dans une salle classique et plaisante. Bon choix de *raciones* et *bocadillos*. Parmi les spécialités : la cervelle aux gambas. Sinon, visez un peu, sur le bar, cette drôle d'aiguière à robinet en forme de jambon !

De bon marché à prix moyens (jusqu'à 25 €)

|●| *Romera Bistrot (plan B2, 23)* : c/ Tintes, 19. 🗊 626-08-78-32. Tlj sauf mer et le soir dim-mar. Résa conseillé soir et w-e. Menu midi 18 €, plats 12-18 €. Fraîchement débarqué sur la scène culinaire de Cuenca, un bistrot de cuisine régionale revisitée sous influence asiatique (curry, *teriyaki*...). Le menu est bluffant : depuis les amuse-gueules jusqu'au dessert, on se régale ! Vous remarquerez que le patron est passionné de cyclisme : un vélo est posé sur le comptoir, un autre suspendu au mur... Service aux petits soins.

|●| *Olea Comedor (plan A2-3, 24)* : avda Castilla La Mancha, 3. 🗊 628-85-97-42. Mer-sam 13h30-15h30, 21h-23h et dim midi ; fermé dim soir-mar. Plats 7-17 €. Petit coup de cœur pour ce resto bien dans l'air du temps, qui mitonne une cuisine fusion aux accents créatifs. Une surprise pour les papilles que ces associations audacieuses : calamar aux fraises, risotto au wasabi, tartare de thon aux framboises... La plupart des plats peuvent se décliner en ½ portions : ça permet d'en goûter plus ! Le décor moderne tendance zen et l'accueil très souriant sont au diapason.

LA CASTILLE-LA MANCHE

De prix moyens à plus chic (15-35 €)

I●I *Asador de Antonio* (plan A2, 25) : avda Castilla La Mancha, 3. ☎ 969-22-20-10. Tlj sauf dim soir-lun. Menu midi 12,50 €, soir 30 € ; plats 12-22 €. Archiclassique dans la cuisine comme dans le décor, voilà une bonne table pour découvrir la gastronomie régionale. Au menu, des spécialités *manchegas* copieuses et bien exécutées, du cochon de lait à la perdrix escabèche en passant par les grillades de bœuf, poisson au four et pieds de cochon. Belle carte de vins locaux pour faire couler tout ça. Le cadre est cohérent (poutres, sol de terre cuite, nappes blanches) et le service assure.

I●I *La Venta* (plan A2, 26) : c/ Colón, 61. ☎ 969-21-29-11. Tlj 13h30-16h, et jeu-sam 21h-minuit. Menus 12-25 €, plats 8-25 €. Un resto moderne et soigné, décoré de belles photos noir et blanc de la ville, avec des tables en bois joliment dressées et des chaises garnies de coussins confortables. La cuisine, castillane revisitée et appréciée des gens du coin, vaut le détour !

I●I ↑ *El Secreto de la Catedral* (plan C1, 27) : c/ Obispo Valero, 4. 🖬 627-63-74-74. Tlj 10h-minuit sauf mar soir-mer. Menu en sem 12 €, plats 13-20 €. Si tous les restos de la plaza Mayor sont touristiques, celui-ci se défend plutôt bien et ses horaires sont pratiques. À la carte : jambonneau dans son jus, millefeuille de bœuf, sanglier aux fruits rouges ou simples légumes grillés... le tout servi en terrasse face à un flanc de la cathédrale. Petite salle aussi à l'étage, qui mêle harmonieusement le moderne et l'ancien.

– Pour un repas plus chic, penser aux restos de la *Posada de San José* et du *Parador* (voir plus haut).

Où boire un verre ?

En soirée, la ville « nouvelle » bouge plus que le cœur historique, même si ce dernier s'anime aussi l'été autour de la plaza Mayor. C'est surtout dans la petite *calle San Francisco* (plan A2-3) que la vie nocturne bat son plein : s'y alignent *cervecerías* et bars à tapas avec terrasse sur la rue piétonne. De l'animation aussi du côté des bars de la *calle Fray Luis de León* (plan A-B2).

Y *La Edad de Oro* (plan C1, 30) : pl. Mayor. ● info@laedaddeorocuenca. com ● Tlj 16h (12h w-e)-2h. En plus de nombreux cocktails et de marques de gin rares, on y trouve 260 sortes de genièvres, à siroter sur l'un des tabourets du petit balcon donnant sur le... vide. Petite tapa servie avec la boisson. Bande son plutôt rock.

Y *Taberna Jovi* (plan C1, 31) : c/ Colmillo, 10. ● santijovi@hotmail.es ● Dans une ruelle de la vieille ville, en contrebas de la pl. Mayor. Tlj sauf mar 19h (18h30 l'hiver)-2h (3h ven-sam). Un bar animé, à l'ambiance de pub irlandais, avec des fauteuils en cuir dans lesquels on s'affale volontiers, des boiseries foncées, des tableaux de chevaux et une pompe à *Guinness* qui ne chôme guère. Cocktails et café *irlandes* également. Gentil fond musical.

Y Dans la ville basse, on ne saurait trop vous recommander la *Tasca del Arte* (voir plus haut « Où manger ? »), surtout en fin de semaine pour ses soirées flamenco endiablées. Plus tranquille, la *Bodeguilla de Basilio* (idem, voir « Où manger ? ») vaut aussi le détour.

Achats

⊛ *El Convento* (plan C1, 40) : c/ San Pedro, 6. ☎ 969-21-29-59. Tlj 11h-20h (21h sam, 19h30 dim). Une belle boutique au cœur de la vieille ville offrant un grand choix de produits locaux : *queso manchego*, miel, safran, pâtés, vin, huile et charcuterie.

À voir

Dans la vieille ville, escaliers, ruelles et passages s'imbriquent à tel point qu'aucune carte ne parvient à en restituer l'intégralité. En montant, n'hésitez pas à passer par la jolie calle Julian Romero, au-dessus de la cathédrale. Mais pour le point de vue emblématique, rien ne vaut de traverser le Huécar par le vertigineux *puente de San Pablo,* jusqu'au *parador.* Beau panorama aussi depuis le parking du *castillo (plan C1, 3).*

– La ligne de bus nᵒ 2 *(ttes les 30 mn, 7h45-21h15 ; w-e 1 bus/h, 9h-21h)* permet de s'épargner la grimpette entre le centre moderne et la plaza Mayor. Sinon, compter 20-25 mn de marche sur un parcours assez agréable.

🏃🏃 ⇐ *Catedral (plan C1) :* pl. Mayor. ☎ 969-22-46-26. ● catedralcuenca.es ● *Juin-oct : tlj 10h-19h30. Oct-mai : lun-ven 10h-14h, 16h-17h ; sam 10h-18h ; dim 10h-17h. Dernière entrée 30 mn avt. Entrée : 4,80 €, audioguide en français inclus ; 6,30 € avec le Triforium, 8 € avec le Museo Tesoro et le Triforium. Visite nocturne intéressante en été, jeu-sam à 21h : 9 €.* Tous les styles se mêlent dans ce drôle de bâtiment, du roman tardif à l'imposante façade néogothique du XXᵉ s, remodelée après la chute d'une des tours en 1902... On dirait un peu la basilique de Lisieux inachevée. À l'intérieur, les chapelles latérales, des XVIᵉ et XVIIᵉ s, sont d'une grande richesse. Si vous suivez l'ordre de l'audioguide, arrêtez-vous d'abord devant la chapelle des Apôtres (nᵒ 3), pour admirer son magnifique portail Renaissance, son harmonieuse voûte en croisée d'ogives et ses colonnes semées de chimères et de grotesques. Pas moins de 3 chapelles sont dédiées à saint Julien ! L'une contient des reliquaires (nᵒ 7), une autre est fermée par une grille dorée monumentale (nᵒ 18) et la dernière, néoclassique, alterne les marbres de couleurs différentes. À remarquer aussi : le chœur ancien (bel ensemble de stalles) ; l'impressionnant grande sacristie aux armoires sculptées (nᵒ 20) ; le formidable portail Renaissance de la salle capitulaire (nᵒ 22) et son plafond à caissons de 1512, bleu, vert et rose bonbon (!) ; et encore la chapelle Muñoz (nᵒ 32), au portail polylobé mi-gothique mi-plateresque, et le grand arc Renaissance (nᵒ 33), du Français Étienne Jamet (espagnolisé Esteban Jamete), qui s'ouvre sur le cloître. Ce portail est considéré comme l'un des fleurons de la Renaissance espagnole. Ne manquez pas de sortir du cloître pour aller embrasser la vue spectaculaire sur toute la vallée et le haut de la vieille ville.

🏃 *Museo Tesoro (plan C1) :* c/ Obispo Valero, 3. ☎ 969-22-42-10. *Mêmes horaires que la cathédrale. Entrée : 3,50 € (ou 8 € avec la cathédrale et le Triforium) ; réduc.* Installé dans l'élégant Palais épiscopal, le musée rassemble de bien beaux objets : tapisseries, christ du XIIᵉ s, superbes portes mudéjares, statuaire médiévale, ensemble de peintures attribuées à Juan de Borgoña, 2 El Greco et, au sous-sol (protégé par des portes blindées !), tout un tas de précieux ostensoirs, calices et autres objets liturgiques. Noter la croix en cuivre du XIIIᵉ s et la crosse ouvragée de saint Julien, en bronze doré et émaux de Limoges (datant de 1200 environ).

🏃 *Museo de Cuenca (plan C1) :* c/ Obispo Valero, 12. ☎ 969-21-30-69. *Tlj sauf dim ap-m et lun 10h-14h, 17h-19h (16h-19h de mi-sept à mi-juin). Entrée : 3 € ; réduc. Gratuit sam mat, dim mat et mer ap-m.* Consacré à la préhistoire, à l'époque romaine et au Moyen Âge, ce musée assez vieillot empile un grand nombre de vestiges provenant des sites de Segóbriga, Valeria et Ercávica. La section romaine ne manque pas d'intérêt. À noter, salle 15 : le « trésor de Cuenca », découvert enterré dans une jarre en 2009 : 247 monnaies en or et une en bronze datant de 1785 à 1861. L'équivalent de la rente annuelle d'un riche aristocrate ! Explications en espagnol seulement.

🏃🏃 *Museo de Arte abstracto (plan C1) :* Casas Colgadas. ☎ 969-21-29-83. ● march.es ● *Mar-sam 11h-14h, 16h-18h (20h sam) ; dim 11h-14h30. Fermé lun. GRATUIT.* Le musée occupe les 2 *casas colgadas,* « maisons suspendues », emblématiques de Cuenca, construites au XVIᵉ s en surplomb de la vallée du Huécar. La visite vaut donc autant pour leur découverte que pour l'expo elle-même. Au gré du dédale de petites pièces, entre coins et rabicoins, toits de tuiles et points de vue stupéfiants sur le vallon, on parcourt une importante collection de peintures et sculptures abstraites des années 1950-1960 : Tàpies, Manrique, Manuel Rivera, Gustavo Torner, Zóbel bien sûr (l'initiateur du musée), mais aussi Antonio Saura, avec une remarquable *Brigitte Bardot*... Toujours une expo temporaire en prime.

🗡 *Casa Zavala* (plan C1) : pl. de San Nicolas. ☎ 969-23-60-54. *Mar-sam 11h-14h, 17h-20h ; dim et j. fériés 10h-15h. Fermé lun. Entrée gratuite ou payante selon expo.* Salle d'expo liée à la Fondation Antonio Saura. Mort à Cuenca, où il avait installé son atelier, il est reconnu comme l'un des artistes abstraits espagnols les plus importants de sa génération. Le lieu accueille des expos temporaires d'art très (très) contemporain.

🗡 ← *Iglesia de San Pedro* (plan C1) : c/ San Pedro. *Mar-sam 11h-14h, 17h-20h (16h-19h l'hiver) ; dim et j. fériés 11h-14h. Fermé lun. Entrée : 1 €.* Consacrée en 1177 dans le sillage de la Reconquête de la ville, l'église fut reconstruite au XVIIIᵉ s sur un plan octogonal, dans un style néoclassique froid et pompeux. Reste tout de même la *capilla San Marcos,* avec son splendide plafond mi-mudéjar mi-baroque (1604), même si les statues qui la « meublent » sont très récentes. Accès possible à la tour par un étroit escalier en colimaçon. Jolie vue, mais ne pas grimper à 12h (ou dimanche 10h30-11h)... On se retrouve le nez (et les oreilles...) dans les cloches !

🗡🗡 ← *Fundación Antonio Pérez* (plan C1) : ronda de Julián Romero, 20. ☎ 969-23-06-19. ● *fundacionantonioperez.com* ● *Tlj 11h-14h, 17h-20h. Entrée : 2 € ; réduc. Gratuit mer ap-m.* C'est le musée à privilégier pour une vue d'ensemble de l'art moderne (et contemporain) espagnol. On y découvre sur 4 niveaux une grande variété d'artistes des années 1950 à nos jours utilisant tous les médiums : peinture, sculpture, dessin, photo, encre sur papier, carnets de croquis, collages, montages, compressions... En prime, les œuvres d'Antonio Pérez lui-même, notamment ses intrigants « objets trouvés », qui sont autant de clins d'œil ou d'hommages à d'autres artistes. Comme le musée d'Art abstrait, la fondation occupe un bâtiment ancien (couvent des carmélites), ce qui lui vaut un très bel espace et une succession de petites pièces biscornues. Superbes points de vue sur le val de Huécar et le couvent de San Pablo.

🗡 *Museo de la Semana Santa* (plan B2) : c/ Andrés de Cabrera, 13. ☎ 969-22-19-56. ● *msscuenca.org* ● *Jeu-sam 11h-14h, 16h30-19h30 ; dim et j. fériés 11h-14h. Fermé lun-mer. Congés : août. Visite guidée obligatoire, la dernière 30 mn avt fermeture. Entrée : 3 € ; réduc.* Moderne et bien présenté, le musée, plongé dans le noir, fait appel aux techniques audiovisuelles et aux rythmes lancinants des *hermandades* (confréries) pour vous immerger dans l'ambiance de la Pâque à Cuenca. Une Pâque réputée pour son austérité – prégnante. On peut aussi y voir toutes sortes d'objets liés à la Semaine sainte. Seulement en espagnol.

🗡🗡 🕴 *Museo de las Ciencias* (plan B-C1-2) : pl. de la Merced, 1. ☎ 969-24-03-20. *Mar-sam 10h-14h, 16h-19h ; dim 10h-14h. Fermé lun. Entrée : 5 € ; réduc ; gratuit pour les - de 18 ans et pour ts le mer. Billet combiné avec le museo de Paleontología 7 €. Explications en espagnol et en anglais.* Curieux de trouver un tel musée dans une petite ville d'histoire comme Cuenca... car il s'agit d'un vrai musée des sciences, pas bien grand mais qui propose les traditionnelles expériences interactives de physique et des sections dédiées à l'astronomie, la conquête spatiale, la géologie ou l'énergie. À l'entrée, un gigantesque mécanisme avec horloges évoquant le passage du temps depuis les origines du cosmos. Plus loin, un simulateur de séismes (effets impressionnants !), la reconstitution grandeur nature (mais modifiée) d'une partie de la SSI ou encore celle du robot *Spirit* envoyé sur Mars. Également un planétarium *(spectacle ttes les heures 10h30-13h30, 16h30-18h30 ; inclus dans le prix),* le seul de Castilla-La Mancha. Un musée vraiment bien conçu, qui intéressera les curieux de tout âge.

🦴 🚶 *Museo de Paleontología (plan B3) :* c/ Río Grítos, 5, cerro Molina. ☎ 969-27-17-00. Mar-sam 10h-14h, 16h-19h ; dim 10h-14h. Fermé lun. Entrée : 5 € ; réduc. Billet combiné avec le museo de las Ciencias 7 €. Musée flambant neuf à la présentation moderne et attractive, posé sur une colline livrant de jolies vues sur le vieux Cuenca. Pourquoi un musée de paléontologie ici ? Parce que la région est un vrai gisement de fossiles, avec des sites d'importance mondiale comme Las Hoyas ou Lo Hueco. Au menu donc, des fossiles, de dinosaures bien sûr (accompagnés de reconstitutions), mais aussi de plantes, crustacés, poissons, amphibiens, reptiles, oiseaux ou mammifères. Petite section sur les 1ers humains. Ce musée étant plutôt conçu pour les enfants et les néophytes, son approche un peu superficielle peinera à convaincre un spécialiste du sujet.

Fêtes

– La *Semaine sainte* ne manque pas d'intérêt. Temps forts le Vendredi saint à 5h (procession du chemin du Calvaire) ! Puis à 11h et à 20h pour l'enterrement, le Christ gisant et la Vierge de la Soledad. Et, enfin, le dimanche pour la Résurrection.
– *Festival de Musique religieuse :* lors de la Semaine sainte. De grandes formations européennes se produisent dans la cathédrale et à l'auditorium. Infos : ● smrcuenca.es ●
– *San Mateo :* 18-21 sept. En souvenir de la reconquête de la ville par Alfonso VIII en 1177. L'occasion de lâcher les taureaux sur la plaza Mayor ! Parades, concerts et feux d'artifice.

DANS LES ENVIRONS DE CUENCA

Plusieurs agences proposent des excursions vers les principaux sites de la province, renseignements à l'office de tourisme.

🦴 *La Ciudad encantada (la Ville enchantée) :* à 36 km au nord-est de Cuenca, direction Tragacete. 🖥 634-90-99-52. ● ciudadencantada.es ● Tlj de 10h au coucher du soleil. S'y rendre en voiture ou via agence. Dernière entrée 1h30 avt fermeture. Entrée : 5 € ; gratuit - de 8 ans. Guidage (le w-e) en castillan 1 € en sus. CB refusées. En pleine *serrania* de Cuenca, au relief typiquement karstique, un sentier de 3 km traverse un site parsemé d'énormes rochers aux formes bizarroïdes. Beaucoup ont été gratifiés de noms d'animaux. Des panneaux détaillent leur histoire géologique et les légendes qui leur sont associées. Attention, balade très prisée le week-end ! Dans le même genre, l'affluence en moins, les *callejones de las Majadas* (site ouvert et gratuit à 60 km de Cuenca) constitue une sorte d'ensemble de ruelles rocheuses naturelles, spectaculaire également.

🦴 *Segóbriga (Ségobrige) :* à 80 km à l'ouest de Cuenca, en direction d'Aranjuez et Tolède. 🖥 629-75-22-57. ● segobriga.org ● Sortie n° 104 sur l'autoroute A 3. Tlj sauf lun 10h-19h30 (18h oct-mars). Dernière entrée 45 mn avt. Entrée : 6 € ; réduc ; gratuit - de 8 ans et pour ts mar et ven 16h-18h. On y découvre les ruines (maigrichonnes, il faut le dire) de l'une des plus importantes villes romaines du centre de l'Espagne. Elle connut son apogée au Ier s, grâce à l'exploitation d'un cristal translucide très apprécié dans l'empire. Parmi les ruines, les mieux conservées sont celles de l'amphithéâtre. Vidéo d'introduction de 13 mn (sous-titrée en anglais) et petit musée (statues, poteries, bijoux).

🦴🦴 *Villa romana de Noheda :* à Villar de Domingo García. ☎ 925-24-74-00. ● cultura.castillalamancha.es ● À 25 km au nord-ouest de Cuenca par la N 320. Tlj sauf dim ap-m 9h-13h, 18h-20h. *Sur résa* par e-mail auprès de l'office provincial ● red.arqueologica.CLM@tragsa.es ● GRATUIT (pour l'instant). Découvert en 1984 par un paysan qui labourait son champ, le site a ouvert au public en 2019, alors

LA CASTILLE-LA MANCHE

même que les fouilles battaient leur plein : une manière pour les visiteurs d'assister en direct à l'avancement des recherches ! Ce très fastueux domaine agricole daterait de l'époque romaine tardive (IVe s apr. J.-C.). Il appartenait de toute évidence à une famille richissime : nombreuses dépendances, thermes privés agrémentés de cascades monumentales, emploi d'une trentaine de marbres différents importés des quatre coins de l'empire... Mais le clou de la visite, c'est la salle de réception *(triclinium),* dont le sol arbore *la plus vaste mosaïque figurative mise au jour dans le monde romain* : 290 m^2 ! Dans un état de conservation remarquable et d'une grande finesse d'exécution, elle dépeint notamment l'enlèvement d'Hélène, le jugement de Pâris, un cortège dionysiaque... Sur le domaine, plus de 500 fragments de statues ont été retrouvés. Et dire que les archéologues estiment avoir encore 95 % du site à explorer !

Randonnées et activités sportives

Cuenca est le point de départ de nombreuses randonnées à pied, à VTT et à cheval, dans les environs immédiats de la ville ou vers la ventana del Diablo (plus au nord). Les meilleures saisons restent le printemps et l'automne, l'été se révélant torride. L'office de tourisme fournit un feuillet explicatif détaillant les distances et niveaux de difficulté, et donne aussi des contacts pour les autres types d'activité possibles dans le coin (escalade, kayak, canyoning sur le Júcar...). Il existe en librairie un guide en espagnol (*Senderos de Cuenca,* 12 €) répertoriant les balades dans la province. Plein d'infos également sur le site : ● *senderosdecuenca.org* ●

L'ESTRÉMADURE

● Carte p. 387

S'il est une région injustement méconnue, c'est bien l'Estrémadure. On la traverse souvent rapidement pour atteindre l'Andalousie ou le Portugal, se privant d'un chapelet de merveilles. Les routards en quête d'authenticité vivront des moments uniques en se baladant dans les ruelles médiévales de ses villes fortifiées et dans ses villages agricoles à l'allure parfois austère, mais jamais triste.

La vie s'organise autour des 2 fleuves, le Tage et le Guadiana. Ils découpent d'est en ouest des sierras aux reliefs variés, propices aux cultures céréalières, vergers, vignobles et oliveraies. Mais l'une des richesses principales est l'élevage de porcs, grassement nourris dans des forêts de chênes-lièges à perte de vue, pour satisfaire les papilles des amateurs du fameux *jamón ibérico*. Le patrimoine extrémègne doit beaucoup à toute une bande de conquistadors originaires de la région : Hernán Cortés, Francisco Pizarro, Núñez de Balboa, Hernando de Soto, Francisco de Orellana... L'extraordinaire architecture de villes superbement préservées, comme *Cáceres, Trujillo* ou *Plasencia,* témoigne avec éloquence qu'ils ne rentraient pas les mains vides ! Et c'est au monastère de Yuste que l'empereur Charles Quint finit ses jours. Cette région aux traditions fortes se modernise. Un réseau routier impeccable, des universités et des investissements dans les énergies renouvelables prouvent son dynamisme. Enfin, sachez que si en plein été le soleil cogne sans nuance, les sites intéressants se situent tous entre 200 et 650 m au-dessus de la fournaise des plaines : déjà plus frais ! Pas surprenant que les cigognes adorent s'arrêter dans la région...

PLASENCIA   (10600)   40 700 hab.

● Plan p. 389

Fondée au XIIᵉ s par le roi Alphonse VIII « pour plaire aux dieux et aux hommes », Plasencia se trouve naturellement encadrée par la sierra de Gredos et le río Jerte. Mais la vieille ville est aussi ceinte par un mur qui s'imbrique par endroits dans l'architecture des maisons. Dans le dédale des ruelles, demeures seigneuriales et majestueux édifices Renaissance se dévoilent par petites touches. Comme dans la plupart des villes d'Estrémadure, de février à juillet, le moindre décroché de toit est squatté par les cigognes qui, à l'heure de la sieste, paraissent être les seules âmes qui vivent. Enfin, chaque mardi matin depuis le XIIᵉ s se tient un marché animé et plein de bons produits sur la plaza Mayor.

L'ESTRÉMADURE

Arriver – Quitter

En train

🚆 **Estación RENFE** (hors plan par A2) : avda Ambroz. ☎ 912-320-320 (n° national). ● renfe.com ● Au nord-ouest du centre en direction de Cáceres.

➤ Dessert ttes les villes importantes, sauf Salamanque.

➤ **Madrid :** 3-4 trains/j. Trajet : env 3h.

➤ **Cáceres :** 4 trains/j. en sem, 2/j. le w-e. Trajet : env 1h15.

En bus

🚌 **Estación Autobuses** (hors plan par B2) : c/ Tornavacas, entre le puente Nuevo (pont Neuf) et le puente A. Suáres. ☎ 927-41-45-50. Tlj 6h (8h30 sam, 10h30 dim)-21h30 (19h30 sam, 21h15 dim). Consigne à bagages.

➤ **Madrid :** 3 départs/j. (2 le w-e). Trajet : 4h. Arrivée à la estación del Sur (Ⓜ Méndez Álvaro) ou bien à la gare routière Conde de Casal. Cevesa (☎ 902-39-31-32 ; ● cevesa.es ● ; achat des billets dans le bus) et Mirat (☎ 927-42-36-43 ; ● mirat-transportes.es ●).

➤ **Cáceres :** 4 départs/j. (2 départs le w-e) avec Cevesa. Trajet : 1h15. Le billet s'achète dans le bus.

➤ **Badajoz :** 2 départs/j. Trajet : 2h40-3h30. Alsa (☎ 902-42-22-42 ; ● alsa.es ●).

➤ **Salamanque :** 8 départs/j. avec Alsa. Trajet : 2h-2h30.

➤ **Trujillo :** 1 bus vers 13h30 lun et ven avec Emiz (● emiz.es ●). Trajet : env 1h30.

Adresse utile

🛈 **Oficina municipal de turismo** (plan B2) : c/ Santa Clara, 4 ; à 50 m de la pl. de la Catedral. ☎ 927-42-38-43.

● plasencia.es ● Tlj 9h (10h dim et j. fériés)-14h, 16h-19h. Quelques infos sur la ville et bon plan gratuit.

Où dormir ?

Campings

⛺ **La Chopera** (hors plan par B2, **10**) : sur la N 110, km 401. ☎ 927-41-66-60. ● lachopera@campinglachopera.com ● campinglachopera.com ● À 3 km en direction d'Ávila. Env 20 € pour 2 avec tente et voiture (16 € en hiver). Bungalows 3-6 pers 66-83 € en saison. Sous les peupliers au bord d'une belle rivière. Grande piscine, bar-resto, supermarché et pêche à la ligne. Ambiance bon enfant.

⛺ **Camping Monfragüe** (hors plan par B2, **11**) : ctra C 524 Plasencia-Trujillo, km 9. ☎ 927-45-92-33. ● campingmonfrague@hotmail.com ● campingmonfrague.es ● ♿ À env 10 km, sur la route de Trujillo et à 8 km de l'entrée du parc et 14 km de Villarreal de San Carlos. Env 17 € pour 2 avec tente et voiture. Bungalow 4 pers 90 € en été. Camping de 1re catégorie, bien organisé et aux emplacements bien

ombragés. Vaste bar-resto sur terrasse, piscine. Départ de balades à pied et... à vélo (en location), en direction du parc et de ses merveilles.

Prix moyens (35-60 €)

🏨 **Hostal La Muralla** (plan A1, **12**) : c/ Berrozana, 6. ☎ 927-41-38-74. ● info@hostallamuralla.es ● hostallamuralla.es ● À 5 mn à pied de la pl. Mayor. Doubles 39-43 € selon saison. Dans une maison aux balcons en fer forgé, des chambres simples, agréables et propres, avec clim, tenues avec amour par une dame et sa belle-fille. Excellent rapport qualité-prix.

🏨 **Hotel Rincón Extremeño** (plan B1, **13**) : c/ Vidrieras, 8. ☎ 927-41-11-50. ● recepcion@hotelrincon.com ● hotelrincon.com ● Double 46 €, petit déj inclus. Dans une ruelle étroite en plein centre historique, un petit hôtel d'une vingtaine de petites chambres propres et colorées

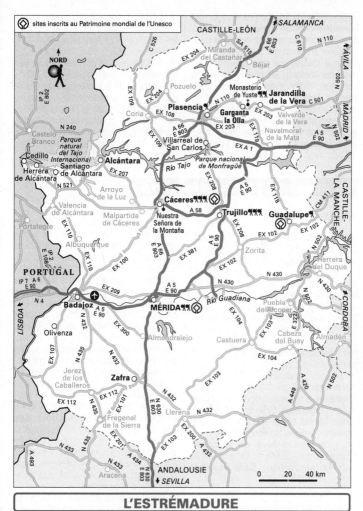

L'ESTRÉMADURE

Map labels: sites inscrits au Patrimoine mondial de l'Unesco — CASTILLE-LEÓN — SALAMANCA — NORD — Miranda del Castañar — Béjar — Pozuelo — Monasterio de Yuste — Jarandilla de la Vera — Plasencia — Garganta la Olla — Valverde de la Vera — Navalmoral de la Mata — Coria — Villarreal de San Carlos — MADRID — ÁVILA — Castelo Branco — Parque natural del Tajo Internacional — Cedillo — Herrera de Alcántara — Santiago de Alcántara — Alcántara — Río Tajo — Parque nacional de Monfragüe — CASTILLE-LA MANCHE — Arroyo de la Luz — Cáceres — Guadalupe — Valencia de Alcántara — Malpartida de Cáceres — Nuestra Señora de la Montaña — Trujillo — Portalegre — Albuquerque — Zorita — Herrera del Duque — PORTUGAL — LISBOA — Badajoz — MÉRIDA — Río Guadiana — Puebla de Alcocer — CORDOBA — Almadén — Olivenza — Almendralejo — Castuera — Cabeza del Buey — Jerez de los Caballeros — Zafra — Llerena — Fregenal de la Sierra — ANDALOUSIE — SEVILLA — Aracena — 0 20 40 km — L'ESTRÉMADURE

mais un brin démodées. Bon resto (voir « Où manger ? Où boire un verre ? »).

Hotel Dora (plan B1, **14**) : ronda del Salvador, 37. ☎ 927-41-10-34. ● info@hotelenplasencia.es ● hotelenplasencia.es ● Doubles 45-59 € selon saison. Un hôtel récent, simple et propret, face à une porte d'entrée de la vieille ville. Chambres d'une neutralité absolue mais impeccables, avec clim. Accueil charmant de la patronne.

Plus chic et au-delà (de 90 à plus de 120 €)

Parador de Plasencia (plan A2, **15**) : pl. San Vicente Ferrer. ☎ 927-42-58-70. ● plasencia@parador.es ● parador.es ● & Doubles 95-140 € selon confort et saison ; petit déj inclus. Côté resto, menu 42 €, plats 16-28 €. Parking souterrain 13 €. Dans l'ancien couvent de San Vicente Ferrer, près du palais des marquis de Mirabel, ce *parador* est considéré comme l'un des plus beaux. Il mérite vraiment la visite, au moins pour l'escalier en pierre qui surplombe le bar. Dans le cloître, une jolie collection de meubles anciens ; les chambres sont à l'unisson, toutes avec coin salon. Jolie piscine dans le jardin. Et pourquoi ne pas aller admirer les azulejos de l'ancien réfectoire en dégustant le copieux buffet du *desayuno* (ouvert aux non-résidents) ? ⌂ |●| *Palacio Carvajal Girón (plan B2, 16) :* pl. de Ansano, 1. ☎ 927-42-63-26.

● recepcion@palaciocarvajalgiron.com ● palaciocarvajalgiron.com ● ♿ *Doubles 95-145 € selon saison, petits déj 7-13 €. Côté resto, menu 35 €, plats 17-22 €. Parking sur résa 18 €.* Hôtel de luxe installé dans un vénérable palais du XVIe s qui appartenait à la prestigieuse famille de Carvajal. L'agencement contemporain met en valeur la beauté de l'édifice. Résultat : du charme et un confort sans faille. Piscine intérieure et extérieure. Accueil attentionné. Resto haut de gamme.

Où manger ? Où boire un verre ?

Tapas

|●| 🍷 *La Pitarra del Gordo (plan B2, 20) :* pl. Mayor, 8. ☎ 927-41-45-05. ● info@lapitarradelgordo.es ● *Tlj. Tapas 1,30 €, assortiment 12 tapas env 14,50 €.* Pour son assortiment de tapas, ses jambons et chorizos pendus au plafond, dans la grande tradition. Pas cher et sympa. C'est aussi l'occasion de goûter au *vino de pitarra,* ce petit vin domestique de l'année.

|●| 🍷 *Tentempié (plan B2, 23) :* c/ Santa María, 11. ☎ 927-41-73-64. *Tlj sauf dim. Tapas gourmet 3,50-7 €.* Un *gastrobar* branché qui marche fort. Tapas originales, fameuses *croquetas del chef* et *hamburguesitas.* Salle conviviale avec tables hautes et canapés, ainsi qu'une agréable terrasse face au marché.

🍷 De nombreux *bars en terrasse* entourent la *plaza Mayor.* On a un faible pour le sympathique *Café Español (plan B1, 22 ;* ☎ 927-41-21-10 ; ● evmespanol@hotmail.com ●).

De bon marché à prix moyens (8-25 €)

|●| *Casa Juan (plan A2, 21) :* c/ Arenillas, 2. ☎ 927-42-40-42. 🖥 655-58-51-46. ● juan@restaurantecasajuan.

com ● *Tlj. Congés : 15-30 janv. Plats 15-18 €. Digestif offert sur présentation de ce guide.* L'une des bonnes tables de la ville, à prix pourtant abordables. En entrant, on croit arriver dans une maison particulière avec sa salle décorée de meubles et d'objets de famille. Elle se prolonge par une terrasse fleurie, idéale pour prendre le frais en soirée. Le patron, francophone, propose une excellente cuisine de terroir avec un zeste d'inventivité. Outre les classiques, on retrouve cochon de lait, perdrix, palourdes ou turbot. Un régal !

|●| *Succo (plan B1, 24) :* c/ Vidrieras, 7. ☎ 927-41-29-32. ● reservas@restaurantesucco.es ● *Tlj sauf dim soir. Menu déj en sem 15 €, plats 15-22 €.* Un cadre moderne, un peu froid, avec une partie bar aux allures de snack et une salle dans le fond, aveugle : on aime ou pas. En revanche, l'assiette est convaincante, et on se régale d'une cuisine espagnole revisitée aux tonalités bien d'aujourd'hui.

|●| *Restaurante Rincón Extremeño (plan B1, 13) :* voir « Où dormir ? ». *Tlj. Menus 14-16 €, plats 8-16 €.* Passé le bar, on entre dans une salle avenante, avec photos au mur, nappes blanches... et télé, évidemment ! Cuisine très classique mais correcte et généreusement servie.

À voir

Perdez-vous dans la vieille ville, plan de l'office de tourisme en main pour vous aider à identifier églises, palais et couvents. La liste suivante n'est pas exhaustive, loin s'en faut.

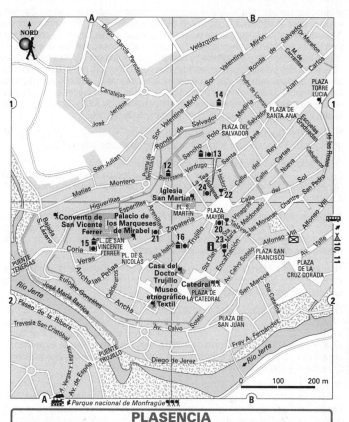

PLASENCIA

🏹🏹 **Catedral** *(plan B2) :* pl. de la Catedral. ☎ 927-42-44-06. *Tlj sauf lun (excepté lors des ponts) 11h-14h, 17h-20h (16h-19h l'hiver). Entrée : 4 €, audioguide en français inclus.* Superbe et d'un caractère tout à fait particulier, puisqu'elle réunit 2 édifices d'époque et de style différent. La partie ancienne, construite aux XIIIe et XIVe s, est romano-gothique, avec un beau dôme byzantin. La « nouvelle » cathédrale, datant du XVe s, fut bâtie à l'emplacement du chevet de l'ancienne et enrichie par les talents réunis des plus grands architectes d'alors. De cette époque date la délirante façade nord de style plateresque. Ensemble vraiment impressionnant de beauté et de puissance. La voûte, très aérienne, présente un incroyable lacis de nervures dorées. Dans le chœur trônent, derrière une grille, les stalles incrustées de marqueterie ; y figurent non seulement les Rois catholiques, mais aussi des personnages grotesques que l'on n'aperçoit, hélas, que de loin. En plissant bien les yeux, on distingue des scènes pas très... catholiques ! Superbe cloître entouré de stèles et de sarcophages sculptés. Belles pièces en argent dans la salle du trésor et intéressante collection de tableaux du XVIᵉ s dans la salle capitulaire et de statues en bois polychromes dans celle d'à côté.

🕯 *Casa del Doctor Trujillo* (plan A-B2) : en face de la cathédrale. Joli palais gothique du XVᵉ s, abritant aujourd'hui le *palais de justice* (pas de visite).

🕯 *Palacio de los Marqueses de Mirabel* (plan A2) : pl. San Nicolás, près du parador : sonnez ! Il faut pénétrer dans cette superbe résidence seigneuriale Renaissance (XIIIᵉ et XIVᵉ s, remaniée au XVᵉ s), pour admirer le magnifique patio à 2 étages.

🕯 *Iglesia del Convento de San Vicente Ferrer* (plan A2) : pl. San Vicente Ferrer. Tlj sauf lun 11h-14h, 17h30-20h30. Entrée : 2 €. C'est l'église du couvent qui abrite le *parador*. À l'intérieur est exposée une trentaine de très beaux *pasos* (autels) utilisés lors des processions de la Semaine sainte.

🕯 *Iglesia San Martín* (plan B1-2) : pl. San Martín. Dans cette petite église du XIIIᵉ s, un superbe retable de Luis de Morales à ne pas manquer. Malheureusement, elle est souvent fermée.

🕯 *Museo etnográfico Textil* (plan A2) : pl. del Marqués de la Puebla. Mer-sam 11h (10h sam)-14h, 17h-20h ; dim et j. fériés 10h-14h (l'été seulement lun-sam 9h30-14h30). Fermé lun-mar. GRATUIT. Cet ancien hôpital provincial datant du XVIᵉ s abrite sur 3 étages près de 3 000 pièces manufacturées en laine et en lin : superbes couvertures, draps, broderies et costumes hauts en couleur retracent la richesse des arts textiles régionaux au cours des siècles.

🕯 *Torre Lucía* (plan B1) : pl. Torre Lucía. Mar-sam 10h-14h, 17h-20h (16h-19h l'hiver) ; dim 10h-14h. Fermé lun. GRATUIT. Cette imposante tour défensive à l'angle nord-est des fortifications de la ville a été récemment restaurée et abrite un petit centre d'interprétation qui relate son évolution du XVIIᵉ s à nos jours. Une partie du chemin de ronde est accessible. Belle vue du mirador.

DANS LES ENVIRONS DE PLASENCIA

🕯🕯🕯 *Le parc national de Monfragüe* : à 24 km au sud : suivre l'EX 208 (C 524) en direction de Trujillo, jusqu'à Villarreal de San Carlos. ☎ 927-19-91-34. ● reser vasparquesnacionales.es ● ou ● parquedemonfrague.com ● (site commercial). Accès gratuit. Pour s'y rendre en bus : départ de Plasencia à 13h30 en sem seulement avec Emiz, retour de Villarreal de San Carlos seulement le mat en sem à 8h45 (il faut donc dormir sur place, pas pratique !). Point d'info sur le parc à **Villarreal de San Carlos** (tlj 9h30-19h30 l'été, 18h l'hiver ; ouv à 9h le w-e). Superbe réserve naturelle de 18 000 ha traversée par le Tage et érigée au rang de parc national en 2007. Les ornithologues du monde entier viennent y observer une variété impressionnante d'espèces, comme les vautours fauves, les aigles impériaux ou encore les cigognes noires nichant dans les falaises qui surplombent le Tage. 3 randonnées magnifiques à faire dans la partie ouverte au public, avec ou sans guide, au départ de *Villarreal de San Carlos* (durée : 2h30-5h).
L'itinéraire rouge, le plus fameux, passe par *el Fuente del Francés* et *el Salto del Gitano* pour atteindre *el Castillo de Monfragüe* qui domine le Tage ; un bus gratuit

assure également la liaison *(ttes les heures sauf lun 10h30-18h30)* avec arrêt à ces points remarquables. Également des randos de divers niveaux à faire dans les environs, certaines nécessitent une autorisation (gratuite) de l'administration du parc ; elles sont détaillées dans la brochure offerte par le centre d'info, qui vous renseignera aussi sur les guides officiels, les randos équestres et sur les chambres d'hôtes de la région.

🛏 🍴 **Casa rural Monfragüe Paqui et Casa rural El Cabrerín :** *dans le village de* **Villarreal de San Carlos,** *10695.* ☎ *927-19-90-02.* ● *casarural@ elcabrerin.com* ● *elcabrerin.com* ● *et* ● *monfraguerural.com* ● *Double 60 € avec petit déj. Menus 10 € en sem, 15 €* le w-e. La *Casa Paqui,* seul resto du village, propose 7 chambres à l'étage et 4 autres dans son gîte rural au bout de la ruelle. De petits nids accueillants pour les amoureux de la nature. Calme, grand air et petits zoiseaux ! Location de vélos pour partir en balade.

JARANDILLA DE LA VERA   (10450)   3 080 hab.

Situé à 55 km à l'est de Plasencia, dans la vallée verte et fertile de la Vera, ce gros bourg affairé est une étape pour visiter le monastère de Yuste, à 12 km à peine. Un robuste château du XVe s abrite le *parador.* Le microclimat légèrement humide entretenu par le río Tiétar permet de cultiver oranges, citrons, cerises, ainsi que les poivrons dont on tire le fameux *pimentón de la Vera* (un paprika AOC), considéré par certains comme le nec plus ultra du condiment.

Arriver - Quitter

Pas de gare routière. Arrêt de bus à côté de la banque *Santander,* dans l'avenue principale *(avda de Soledad Vega Ortiz).* Les billets s'achètent à bord.
➢ **Madrid :** 1-2 départs/j., dans les 2 sens. Trajet : env 3h30. *Samar* (☎ *902-25-70-25 ;* ● *samar.es* ●).
➢ **Plasencia :** 3 liaisons/j. en sem, dans les 2 sens. Pas de bus le w-e. Trajet : env 1h. *Mirat* (☎ *927-23-48-63 ;* ● *mirat-transportes.es* ●).

Adresse utile

🅸 **Oficina de turismo :** *avda de Soledad Vega Ortiz, dans un kiosque en contrebas du parador.* ☎ *927-56-04-60.* ● *jarandilladelavera. es* ● *Mar-sam 10h-14h, 16h30-19h30 ; dim 10h-14h. Fermé lun.*

Où dormir ? Où manger ?

Campings

⛺ **Camping Yuste :** *à* **Aldeanueva de la Vera,** *à env 2 km du centre, sur la route de Yuste.* ☎ *927-57-25-22.* ● *campingyuste@gmail.com* ● ⚒ *Ouv mars-sept. Env 20 € pour 2 avec tente et voiture.* Camping un brin vieillot mais très calme et nature, sans bungalows ni mobile homes, pour une fois. Jolis emplacements herbeux et ombragés. Sanitaires corrects, resto, piscine. Le patron est très accueillant.
⛺ **Camping Jaranda :** *ctra EX 203, km 47. À la sortie de la ville, sur la route de Yuste.* ☎ *927-56-04-54.* ● *info@ campingjaranda.es* ● *campingjaranda.es* ● *Ouv de mi-mars à mi-sept. Env 20 € pour 2 avec tente et voiture.*

Bungalows 3-6 pers 65-95 €/j. selon confort et saison. Très agréable camping, arboré et situé près de la rivière, dans une belle nature. Sanitaires impeccables. Piscine, bar, resto, épicerie et animations en saison. Quand il y a assez d'eau, possibilité de se baigner dans 2 piscines naturelles creusées dans les rochers.

De prix moyens à très chic

🏠 *Hotel rural Don Juan de Austria :* avda de Soledad Vega Ortiz, 101. ☎ 927-56-02-06. ● hotel@don juandeaustria.com ● hoteldonjuan deaustria.com ● 🍴 En contrebas du parador. Doubles 55-90 €, petit déj compris. Un réel effort sur la déco, des salles de bains modernes et la clim. Sauna et spa. Préférer une chambre sur l'arrière pour une jolie vue sur la ville et la vallée du Tiétar. Une option tout à fait convenable.

🏠 ⦿ *Parador de Jarandilla :* avda García Prieto, 1. ☎ 927-56-01-17. ● jarandilla@parador.es ● parador.es ● 🍴 Doubles 80-200 € selon saison, petit déj inclus. Menus 29-40 €, plats 19 €. Parking gratuit. Installé dans un château fortifié du XVᵉ s, où Charles Quint passa 1 an avant de se retirer au monastère de Yuste. Superbe architecture mi-gothique mi-plateresque, entourant un élégant patio. Si vous demandez à dormir dans la chambre du fameux Charles Quint, le personnel vous répondra que toutes les *habitaciones* sont identiques... ce qui est vrai. À défaut, demandez-en une donnant sur les montagnes. Piscine (en été) dans un jardin idyllique. Si vous n'y dormez pas, allez au moins y boire un verre. C'est, de loin, ce qu'il y a de plus intéressant en ville.

⦿ *Puta Parió II Restaurante :* c/ Pizarro, 9. ☎ 927-56-03-92. ● puta pariojarandilla@gmail.com ● 🍴 Près de la pl. de la Constitución, dans le bas du village. Fermé lun, sauf en été. Congés : 2 sem fin sept. Menu 9 €, plats 7-16 €. Dans une vieille demeure où vécut naguère le majordome de Charles Quint. Cuisine à partir de bons produits locaux. On s'installe dans l'une des 3 sympathiques salles... avec ou sans tête de taureau au mur ! Une des meilleures adresses de la région et accueil aussi délicieux que les plats.

À voir

🗝 *Iglesia Santa María de la Torre :* pl. de la Constitución. Ouv seulement mar, jeu et ven pour la messe de 20h (19h en hiver). Cette ancienne forteresse, bâtie au XIIᵉ s et transformée en église aux XIVᵉ et XVᵉ, présente l'un des rares exemples de contreforts suspendus. À l'intérieur, retable de Gaspar de Loaysa.

GARGANTA LA OLLA   (10412)   1 020 hab.

Un superbe village à classer parmi les bijoux de la région. Il est situé à 6 km du monastère de Yuste par la route Ex-203, ou à 5 km via une petite route panoramique que l'on vous conseille : la vue est saisissante ! Garganta la Olla est un bon point de chute pour visiter la vallée de la Vera. Plus authentique que Jarandilla, il compte de nombreux restos et boutiques de spécialités

LES FAUSSES FUNÉRAILLES DE CHARLES QUINT

L'empereur organisa la répétition de son propre enterrement. Il s'allongea même dans le cercueil. Les grands d'Espagne l'aspergèrent d'eau bénite. Il fut si mouillé qu'il attrapa froid. Le coup fut fatal puisqu'il mourut quelques jours après.

régionales (charcuterie, miel, liqueurs). On peut flâner à loisir de ruelle en placette, à la découverte des vieilles maisons de granit ornées d'encorbellements en bois, ou bien de ces maisons médiévales en torchis et colombages, nettement moins bien préservées mais pleines de charme.

🛈 Petite *oficina de turismo :* au coin de la pl. principale. ☎ 927-17-96-99. ● gar gantalaolla.es ● Seulement mer-dim, 10h-14h.

Où dormir ? Où manger ?

🏠 |●| Casa Rural Parada Real : c/ Chorrillo, 28. 🖥 603-66-49-29. ● paradareal28@gmail.com ● casaru ralparadareal.com ● Tlj sauf dim soir. Doubles 45-50 € selon saison, petit déj inclus. Menus 13 € en sem, 15 € le w-e. L'option la plus agréable pour séjourner ici. Chambres impeccables, toutes refaites, avec clim et jolie salle de bains. Bonne table côté resto, très populaire. Plats copieux à base de bons produits locaux. Accueil chaleureux.

|●| La Vera : c/ Toril, 5, sur la pl. centrale. ☎ 927-17-96-32. ● rtvera@ yahoo.es ● Accès par l'arrière. Tlj (sauf lun en hiver). Menus 13 € en sem, 15 €

le w-e. Bonnes viandes cuites à la braise, charcuterie et fromages locaux servis dans un cadre plaisant, avec vue plongeante sur la place.

|●| La Cueva : c/ Rodeo, 20. ☎ 927-17-97-12. ● barlacueva1960@gmail. com ● Dans une rue qui descend depuis la pl. centrale. Tlj (sauf mar en hiver). Fermé 15-30 sept. Plats 12-14 €. Sur présentation de ce guide, apéritif maison offert et visite d'une cave historique du XVIe s sous le bar. Furieusement typique et assez brut de décoffrage. Spécialités de *cochinillo* (cochon de lait) et de *cabrito* (chevreau). Patrons très sympa.

À voir. À faire

🦌 Iglesia San Lorenzo : sur les hauteurs du village. Ouv seulement pour la messe de 18h : dommage. Une belle église du XVe s, de plan carré, flanquée d'un clocher carré lui aussi.

🦌 Les vestiges d'un *tribunal de la Inquisición* abritent un petit musée (c/ Toril, 10 ; 🖥 679-08-51-91 ; visite guidée tlj en été 11h-14h, 16h-20h ; en hiver, ouv ven-dim mat 11h-14h, 16h-18h ; fermé lun-jeu ; entrée : 4 €, réduc). Évocation de la chasse aux hérétiques à travers la visite de salles de tortures souterraines et glauques. Sordide !

🦌 Le coin est particulièrement apprécié pour ses *gargantas,* des cascades formant des pisci-

MAISON DE POUPÉES !

Avant de se retirer dans le monastère de Yuste, Charles Quint fit construire à Garganta la Olla une maison close pour ses chevaliers, la casa de las Muñecas, reconnaissable à sa façade bleue (c/ del Chorrillo, 3). Cette couleur pétante permettait de la distinguer des maisons « respectables »... On peut encore voir une femme sculptée dans le granit, à gauche de la porte. L'ancêtre de la publicité, en quelque sorte.

nes naturelles propices à une baignade rafraîchissante. La plus grande est la *garganta Mayor* (logique !), à 1 km au-dessus du village par la petite route goudronnée pour Yuste.

À voir dans les environs

🦌 Monasterio de Yuste : ☎ 927-17-21-97. ● patrimonionacional.es ● ♿ Tlj sauf lun : avr-sept 10h-20h ; oct-mars 10h-18h. Pdt la messe dim (10h-11h), pas de visite de

L'ESTRÉMADURE

l'église. Fermeture de la billetterie 1h avt. Entrée : 7 € ; réduc ; gratuit mer-jeu 15h-18h (17h-20h en été) pour les ressortissants de l'UE. Visite guidée (en espagnol seulement) 4 €. Audioguide 3 €. Ce monastère du XVᵉ s, à la beauté sobre et austère, a été bien restauré et appartient désormais au Patrimoine national. Ce fut la dernière demeure de Charles Quint. Les appartements de l'empereur se composent de 4 pièces, dont la chambre où il mourut en 1558. On l'imagine bien passer ses derniers jours, brûlant de fièvre, entre son lit (qui donne directement sur l'autel de l'église contiguë), la salle d'audience et sa chaise de lecture inclinable, donnant quant à elle sur le jardin. Le souverain des *Deux Mondes* accédait à la terrasse à cheval par une rampe conçue à cet effet. Dans la sacristie, petite expo de peinture baroque et de reliquaires du XVIIᵉ s. D'autres parties du monastère se visitent : les 2 cloîtres, l'un gothique et l'autre plateresque, sont surmontés d'une galerie à arcades, le réfectoire et enfin la crypte, où se trouve le cercueil provisoire de l'empereur. Sa dépouille fut ensuite transférée à l'*Escorial*.
– Du parking, départ de la petite route qui mène à Garganta la Olla à travers les collines.

CÁCERES   (10000)   95 800 hab.

• Plan p. 395

◉ Classée depuis 1986 par l'Unesco au Patrimoine de l'humanité pour son exceptionnelle richesse monumentale romano-arabo-chrétienne, Cáceres est la ville la plus visitée d'Estrémadure. Encerclée de remparts almohades, la vieille ville regorge de palais, manoirs et églises, datant essentiellement des XVᵉ et XVIᵉ s. Beauté, harmonie, sobriété et puissance se dégagent des pierres ocre. Revers de la médaille, la vieille ville est un peu fossilisée : elle n'abrite presque aucun commerce et très peu de gens y vivent. Les touristes sont donc seuls au monde ! La vie quotidienne se déroule plutôt hors remparts, autour de l'incontournable *plaza Mayor* et des artères modernes et commerçantes de la ville nouvelle, qu'il faut traverser avant d'apercevoir enfin la vieille ville.

Arriver – Quitter

En train

🚉 *Estación RENFE (hors plan par A2) :* avda de Alemania. ☎ 912-320-320. ● renfe.com ● *À l'ouest de la ville.*

➤ *Plasencia :* 4 trains/j. (3 le w-e). Trajet : 1h-1h10.
➤ *Badajoz :* 6 trains/j. (4 le w-e). Trajet : 1h40-2h.
➤ *Mérida :* 6 trains/j. (4 le w-e). Trajet : 1h.
➤ *Madrid :* 5 trains/j. (4 le w-e). Trajet : 3h20-4h30.

En bus

🚌 *Estación Autobuses (hors plan par A2) :* ctra Gijón-Sevilla, en face de la gare ferroviaire. Pour les horaires :

☎ 927-23-25-50. Consignes et cafétéria.

➤ *Plasencia :* 4 bus/j. (2 le w-e). Trajet : 1h15. *Cevesa* (☎ 902-39-31-32 ; ● cevesa.es ●).
➤ *Badajoz :* env 6 bus/j. pdt l'année scol (3-5 bus le w-e), 3 bus/j. en juil-août (2 seulement sam-dim). Trajet : env 1h15. *Auto-Res* (☎ 902-02-00-52 ; ● avanzabus.com ●).
➤ *Mérida :* 2 départs/j. (1 seulement le dim) avec *Leda* (● leda.es ●). Trajet : 1h.
➤ *Madrid :* 6-8 bus/j. Trajet : env 3h45 en *express*, 4-5h avec les autres. *Auto-Res.*
➤ *Trujillo :* env 6 bus/j. en sem (4-5 bus le w-e) avec *Auto-Res* et *Mirat*. Trajet : 45 mn.

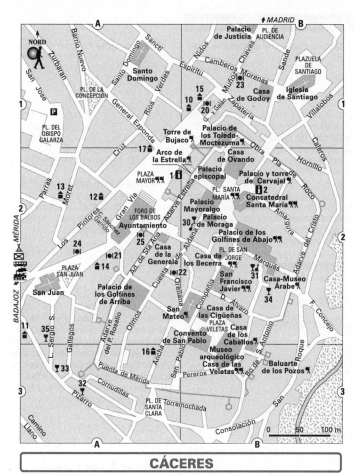

CÁCERES

L'ESTRÉMADURE

■ **Adresses utiles**

🛈 1 Oficina municipal de turismo (A-B2)
🛈 2 Oficina de turismo de la provincia de Cáceres (B2)

🏠 **Où dormir ?**

10 Pensión Carretero (B1)
11 Hotel Don Carlos (A2)
12 Hotel Iberia Plaza Mayor (A2)
13 Hotel Alfonso IX (A2)
14 NH Palacio de Oquendo (A2)
15 Hotel La Bohème (B1)
16 Parador (A3)
17 Hotel Casa Don Fernando (A1-2)

|●| **Où manger ?**

20 Alboroque (B1)
21 Mesón San Juan (A2)
22 La Cacharrería (A2)
23 Restaurante Madruelo (B1)
24 El Figón de Eustaquio (A2)
25 Bouquet (A2)

🍷♪ **Où boire un verre ?**
Où écouter de la musique ?

30 El Corral de las Cigüeñas (B2)
31 La Taberna Lancelot (B2)
32 Capitán Haddock (A3)
33 Habana Café (A3)
34 Los Siete Jardines (B2)
35 La Traviata (A2)

Adresses et infos utiles

◙ Oficina municipal de turismo (plan A-B2, **1**) **:** pl. Mayor, 9. ☎ 927-01-08-34. ▤ 617-36-17-45. ● cacereshistorica.caceres.es ● ayto-caceres.es/turismo ● Tlj 10h-14h, 17h30-20h30 (16h30-19h30 en hiver). Serviable et pas mal documenté. Carte gratuite pour situer les principaux monuments.

◙ Oficina de turismo de la provincia de Cáceres (plan B2, **2**) **:** au rdc du palacio de Carvajal ; c/ Amargura, 1. ☎ 927-25-55-97. Lun-ven 8h-20h45 ; sam 10h-13h45, 17h-19h45 ; dim et j. fériés 10h-13h45. Infos précises sur toute la province de Cáceres et plus particulièrement sur le parque nacional de Monfragüe et le parque natural del Tajo Internacional.

– Visites guidées : départ du bureau des guides, à droite de l'office de tourisme de la pl. Mayor. ☎ 927-21-72-37. ▤ 649-41-36-50 (María-Jésus, francophone). Tours en espagnol 3 fois/j. à 11h, 12h30 et 17h (19h mai-sept) ; dim seulement le mat. Groupes de 4 pers min. Tarif : 6 €/pers. Durée : 2h. Visite en français sur résa : 100 € pour le groupe (10 pers max).

@ La plaza Mayor est en zone de wifi gratuit.

◙ Parking public payant (plan A1) **:** pl. del Obispo Galarza ; 12,50 €/j. CB refusées. Très central. La plupart des hôtels ont des accords avec ce parking (donc des tarifs spéciaux).

Où dormir ?

Camping

⋇ Camping Ciudad de Cáceres : ctra National 630, km 549,5, en direction de Plasencia (indiqué), 10005. ☎ 927-23-31-00. ● reservas@campingcaceres.com ● campingcaceres.com ● À env 4 km au nord-ouest de la ville par la Ronda Norte ou l'avda Ruta de la Plata du centre-ville. Un bus fréquent (L5) conduit en 15 mn à l'arrêt « Multiples » proche de la poste, liaisons avec la gare par la ligne « RC ». Env 27 € pour 2 avec tente et voiture. Bungalows 2 pers 30-45 €, 4 pers 65-80 €. Cafétéria, resto. Réduc de 10 % sur le tarif des parcelles sur présentation de ce guide. Dans une zone commerciale peu avenante, à côté du stade de foot, ce camping est néanmoins le mieux aménagé de la région. Chaque emplacement dispose de sanitaires privés avec toilettes, lavabo et douche chaude. Un confort rare et bien appréciable pour un prix très raisonnable. Et, comble du luxe, une grande piscine l'été et un spa.

Bon marché (30-45 €)

▣ Pensión Carretero (plan B1, **10**) **:** pl. Mayor, 22, 10003. ☎ 927-24-74-82. ● info@pensioncarretero.com ● pensioncarretero.com ● Doubles 35-40 € selon saison, la plupart avec douche et w-c sur le palier. Dans une vieille maison à arcades de granit, cette accueillante pension abrite une douzaine de chambres très simples, certaines avec un petit balcon en fer forgé donnant sur la place. Déco désuète mais l'ensemble est impeccablement entretenu par une mamie joviale et dynamique.

De prix moyens à plus chic (45-120 €)

▣ Hotel La Bohème (plan B1, **15**) **:** pl. Mayor, s/n, 10003. ☎ 927-21-73-51. ● contacto@hotellaboheme.com ● hotellaboheme.com ● Doubles 60-90 € selon saison et confort, petit déj inclus. Un vrai coup de cœur pour cet hôtel intimiste tenu par Rosa et Santiago, un couple franco-espagnol très accueillant et de bon conseil. Les 6 chambres à la déco arabisante et personnalisée sont très confortables et soignées dans le moindre détail. Elles donnent sur la place ou un patio sur l'arrière, la plus belle possède une terrasse privative. Fait également salon de thé (ouvert à tous) avec gâteaux maison.

▣ Hotel Don Carlos (plan A2, **11**) **:** c/ Donoso Cortés, 13-15 (c/ Pizarro),

10003. ☎ 927-22-55-27. ● hotel@ hoteldoncarloscaceres.com ● hotel doncarloscaceres.com ● ⚀ Doubles 48-75 € selon saison. Parking 10 €. Petit déj offert sur présentation de ce guide. Un hôtel plein de charme, installé dans une maison du XIXᵉ s en plein centre, avec des chambres nettes et sans bavure, décorées de meubles anciens. Elles sont toutes différentes et confortables. Élégante salle voûtée pour le petit déj. Accueil pro et souriant. Une excellente adresse.

▣ **Hotel Iberia Plaza Mayor** *(plan A2, 12)* : c/ Pintores, 2, 10003. ☎ 927-24-76-34. ● iberia@iberiahotel.com ● iberiahotel.com ● Congés : janv. Doubles 50-75 € selon confort et saison, petit déj inclus. Un élégant escalier et des couloirs chargés d'œuvres d'art annoncent la couleur. Ce charmant hôtel propose un petit luxe très agréable. Essayez de voir plusieurs chambres avant de vous décider, elles sont toutes différentes. Une adresse légitimement courue et calme malgré sa situation.

▣ **Hotel Alfonso IX** *(plan A2, 13)* : c/ Moret, 20, 10003. ☎ 927-24-64-00 ou 04. ● info@hotelalfonsoix.com ● hotelalfonsoix.com ● Doubles 45-68 € selon saison, apparts avec cuisine 60-100 €. Petit déj 6 €. Un grand hôtel sur 3 étages. Chambres relativement petites, avec belle salle de bains. Classique et confortable. Propose également de très beaux appartements, bien équipés, à la déco contemporaine, dans la calle Parras, juste derrière. Bon accueil.

▣ **Hotel Casa Don Fernando** *(plan A1-2, 17)* : pl. Mayor, 30, 10003. ☎ 927-21-42-79. ● casadonfernando@sohohoteles.com ● sohohoteles.com ● Doubles 60-200 € selon saison, petit déj-buffet 9 €. Dans une belle bâtisse sur la place Mayor, un boutique-hôtel de grand confort, aux chambres spacieuses, de style très contemporain. Excellent petit déj et service irréprochable.

▣ **NH Palacio de Oquendo** *(plan A2, 14)* : pl. San Juan, 11, 10003. ☎ 927-21-58-00. ● nhpalaciodeoquendo@nh-hotels.com ● nh-hotels.com ● Excellente situation près de la pl. Mayor, sur une jolie place arborée. Doubles 75-140 € selon saison, petit déj 18 €. Ce palais du XVIᵉ s transformé en hôtel 4 étoiles propose des chambres à prix étonnamment doux. Décoration soignée, bon confort et calme garanti, la plupart des chambres donnant sur un patio. Le resto est en harmonie, excellent et abordable *(menus 20-29 €)*.

De plus chic à très chic (min 90 €)

▣ **Parador** *(plan A3, 16)* : c/ Ancha, 6, 10003. ☎ 927-21-17-59. ● caceres@parador.es ● parador.es ● Dans le centre historique. Doubles 95-230 €, petit déj 19 €. Parking gratuit. Une petite merveille du genre, dans le palacio del Comendador de Alcuéscar (XIVᵉ-XVIIIᵉ s) modernisé dans un style très contemporain. Évidemment, tout le confort raffiné attendu avec moult terrasses et patios, mais certaines chambres donnent sur un mur.

L'ESTRÉMADURE

Où manger ?

Tapas

|●| **Alboroque** *(plan B1, 20)* : pl. del Duque, 10. ☎ 927-04-44-85. ● taperiaalboroque@gmail.com ● Fermé mar-mer (sauf si pont ou fêtes). Tapas 5-8 €. Dans un recoin de la plaza Mayor, un resto de tapas créatives de haute volée. Cadre dépouillé et neutre, la déco est dans l'assiette avec des tapas au dressage bluffant. Des harmonies de saveurs qui explosent en bouche. Certaines tapas sont généreusement servies, notamment celles cuisinées au wok, qui remplissent une assiette !

|●| **La Cacharrería** *(plan A2, 22)* : c/ Orellana, 1. ☎ 615-21-27-50 (pas de résa). Fermé mar-mer. Tapas 4,50 €. Au cœur de la vieille ville, une tapería installée dans une demeure ancienne aux allures de musée. Pas de groupe ici, on se régale tranquillou de belles assiettes de tapas gourmets au dressage superbe.

|●| **Mesón San Juan** *(plan A2, 21)* : pl. San Juan, 3. ☎ 678-64-54-79. ● reservas@mesonsanjuan.com ● Fermé dim (sauf si pont ou fêtes). Menus 14-26 €,

plats et raciones 10-19 €. Jambons d'Estrémadure délicieux, bons fromages de Cáceres, tapas goûteuses. Une bonne adresse pour grignoter debout au bar, assis à l'étage ou mieux encore, en terrasse.

De prix moyens à chic (15-35 €)

I●I ***Restaurante Madruelo*** (plan B1, 23) : c/ Camberos, 2. ☎ 927-24-36-76. ● madruelo@madruelo.com ● Tlj sauf le soir dim-mar. Fermé 1re quinzaine de juil et 2de quinzaine de janv. Menu 30 € (36 € avec accord des vins) ; plats 16-20 €. Tenue par un chef jovial et passionné, une grande table dont la cuisine trouve l'équilibre parfait entre créativité et tradition. Des plats savoureux, à base de produits locaux de qualité, dressés avec panache. Un sans-faute !

I●I ***Bouquet*** (plan A2, 25) : pl. Publio Hurtado, 1. ☎ 927-21-42-18.

● reservas@taperiarestaurantebouquet. es ● En retrait de la pl. Mayor, au pied de la tour crénelée, derrière la mairie. Tlj sauf dim soir et lun hors saison. Plats 13-21 €. Décidément, que de bonnes tables à Cáceres ! Celle-ci est un brin cachée, mais réserve son lot de surprises. 2 salles au cadre dépouillé et moderne et une belle terrasse aux beaux jours. Le chef revisite avec talent et créativité les grands classiques de la cuisine espagnole. Le rapport qualité-prix est extra.

I●I ***El Figón de Eustaquio*** (plan A2, 24) : pl. San Juan, 12-14. ☎ 927-24-43-62. ● reservas@elfigondeeustaquio. com ● ♿ Tlj. Congés : 1re quinzaine de juil. Menus sem 19 €, sinon 27 € ; plats 12-24 €. Plusieurs salles sobres et classes. Bien connu, ce resto classique propose un grand choix de plats extrêmègnes cuisinés avec soin. Goûter aux spécialités comme les différentes préparations de perdrix, l'agneau grillé (un régal !), les poissons...

Où boire un verre ? Où écouter de la musique ?

Comme toujours, beaucoup de choix sur la **plaza Mayor** (plan A-B1-2). Y aller à l'intuition selon votre humeur et l'ensoleillement des terrasses.

♟ ***Los Siete Jardines*** (plan B2, 34) : c/ Rincón de la Monja, 9. ☎ 927-21-73-36. ● leandrolorrio@gmail.com ● Tlj sauf lun en hiver et à la mi-saison. Tenu par le directeur du conservatoire situé en face, le L7J est le lieu idéal pour une pause au calme entre 2 visites. Salle moderne avec expo d'art contemporain et piano à queue en mezzanine pour des concerts impromptus, mais surtout un délicieux petit jardin sur l'arrière d'où la vue est superbe. On peut aussi y grignoter salades, tostas, tapas, tablas et quelques douceurs.

♟♪ ***El Corral de las Cigüeñas*** (plan B2, 30) : cuesta de Aldana, 6. ☎ 927-21-64-25. ● info@elcorralcc.com ● elcorralcc. com ● Lun-ven 8h-13h, puis 18h jusque tard le w-e. À l'intérieur des remparts, dans un adorable patio, on y prend un petit déj le matin avec les locaux. Le soir, du jeudi au dimanche, changement d'ambiance : le lieu se transforme en bar

festif où des groupes et artistes de qualité viennent se donner en concert. Voir la programmation sur le site pour ne pas manquer ces soirées-là !

♟♪ ***La Taberna Lancelot*** (plan B2, 31) : c/ Rincón de la Monja, 2. 🖥 669-33-87-52. ● georges_vaughan@yahoo. com ● À côté de la casa-museo árabe. Tlj sauf mar 19h30-2h30. Congés : 2 sem en été. Le propriétaire anglais a fait de cet endroit un bistrot de caractère, mi-spanish mi-british, entre taverne et pub. Concert de musique tradi ou celtique les jeudi et vendredi.

♟ Mais la vie nocturne se passe surtout dans les bars de la c/ Pizarro et de la c/ Sergio Sánchez (plan A2-3) à 5 mn de la plaza Mayor. Citons le **Capitán Haddock** (plan A3, 32) pour sa déco qui ravira les tintinophiles (fermé dim-ven en juil-août), le **Habana Café** (plan A3, 33) pour son ambiance branchée et son salon en arrière salle ou surtout **La Traviata** (plan A2, 35), notre préféré, avec ses salles littéraires et cosy en fin de journée qui deviennent festives en soirées, débordant sur sa terrasse et sous son gros palmier.

À voir

La vieille ville, où ne résident en fait que 380 personnes, abrite quantité de *palais édifiés aux XVᵉ et XVIᵉ s* par les familles qui se sont illustrées lors de la *Reconquista*, puis la conquête des Amériques. À l'origine, ces palais comprenaient de hautes tours fortifiées qu'Isabelle la Catholique, craignant la puissance de la noblesse, fit raser, à quelques exceptions près, en 1477. Cáceres est si riche que chaque – ou presque – bâtiment mériterait d'être mentionné. Impossible ! Voici donc les plus importants, sachant que plusieurs d'entre eux ne s'apprécient que de l'extérieur. Un conseil, revenez faire la visite de nuit, elle est encore plus magique à la lueur orangée des réverbères... et dans le silence !

🎄🎄 *Plaza Mayor (plan A-B1-2) :* commençons par l'extérieur de la ville ancienne, car c'est par là que vous arriverez. Les arcades, au pied de ses bâtiments du XVIᵉ s, grouillent d'activité : restos, bars, hôtels et magasins rappellent que cette place était déjà l'épicentre de la ville au XIIIᵉ s, lorsque marchés et foires s'y déroulaient.

🎄 *Arco de la Estrella (plan B2) :* la porte d'entrée principale de la vieille ville, percée au XVIIIᵉ s par M. L. Churriguera. Remarquer comme l'arche est biseautée : c'était pour permettre aux carrioles de tourner sur la gauche.

🎄 *Torre de Bujaco (plan B1-2) : à gauche de l'arco de la Estrella. Mar-dim 10h-14h, 16h30-19h30 (17h30-20h30 en été). Fermé lun. Entrée : 2,50 €.* Cette tour almohade du XIIᵉ s abrite un petit centre d'interprétation sur l'histoire de la ville. Très succinct : la dépense n'est pas indispensable, malgré une vue intéressante depuis le haut de la tour sur la plaza Mayor et un bout de remparts.

🎄🎄 *Plaza Santa María (plan B2) :* le centre névralgique de la ville intra-muros. Son découpage irrégulier, marqué par des bâtiments majestueux et austères, contribue à sa beauté et à son originalité. Avant d'y arriver, on longe, sur la gauche, le *palacio episcopal* du XVIᵉ s (mais certaines parties datent du XIIIᵉ s) dont le portail d'entrée est orné de 2 créatures symboliques représentant à gauche l'ancien monde et à droite le nouveau avec le portrait d'une femme aztèque. Sur la droite, le *palacio Mayoralgo,* l'un des plus anciens, érigé au XIVᵉ s autour d'une jolie cour de style mudéjar, voisine le *palacio de la Moraga* qui abrite le centre provincial d'artisanat *(fermé dim ap-m et lun).* Comme nous, vous remarquerez au centre de la place les orteils étincelants de la *statue de san Pedro,* lustrés par ses fidèles (ça porte chance, paraît-il !).

🎄🎄 *Concatedral Santa María (église-cathédrale ; plan B2) : sur la place du même nom.* 🏛 660-79-91-94. *Mai-sept : lun-sam 10h-21h ; dim 10h-12h30, 14h-19h. Oct-avr : lun-sam 10h-19h (20h mars-avr) ; dim 10h-12h30, 14h-18h. Entrée : 4 € ; réduc.* Édifice romano-gothique à 3 nefs des XVᵉ et XVIᵉ s, probablement construit sur les fondations d'une église plus ancienne. Retable baroque en cèdre assez époustouflant. Remarquez que les bancs sont chauffés électriquement dans la chapelle ! Petite expo d'orfèvrerie religieuse dans la sacristie. Même si elle n'est pas bien haute, la tour offre une belle vue sur les villes ancienne et moderne.

🎄 *Palacio de los Toledo-Moctezuma (plan B1-2) : à l'angle nord-ouest. Ne se visite pas, mais on peut entrer librement dans le patio le mat.* Abrite aujourd'hui les Archives historiques, prolongé d'un bâtiment moderne. Ce palais est un beau symbole du métissage entre l'Espagne et l'Amérique. Il fut construit au XVIᵉ s par Juan Cano de Moctezuma, fils métis de Juan Cano de Saavedra (officier espagnol d'Hernán Cortés, conquistador du Mexique) et d'Isabel de Moctezuma (née à Mexico en 1510), fille de l'empereur aztèque Moctezuma.

🎄 *Palacio y torre de Carvajal (plan B2) : c/ Amargura, 1, près de la pl. Santa María.* ☎ 927-25-55-97. *Lun-ven 8h-20h45 ; sam 10h-13h45, 17h-19h45 ; dim et j. fériés 10h-13h45. Accès libre au rdc et au jardin. Visite de la tour à 10h, 11h30,*

L'ESTRÉMADURE

13h, 17h et 18h30. GRATUIT. Palais du XVᵉ s ayant appartenu à la puissante famille de Carvajal, dont l'un des aïeux, Gaspar de Carvajal (né à Trujillo vers 1504), fut un chroniqueur de la *Conquista* du Pérou. Il perdit un œil en descendant l'Amazone avec Orellana lors de la première expédition jamais réalisée sur ce fleuve. Quant au palais, il fut incendié au XIXᵉ s, et abrite désormais l'administration du tourisme régional. On visite une cour à colonnade dotée d'un espace multimédia vantant les attraits de la province, ainsi qu'un petit jardin où trône un étonnant figuier pluricentenaire.

🎥🎥 *Palacio de los Golfines de Abajo (plan B2) :* pl. Santa María. ☎ 927-21-80-51. ● palaciogolfinesdeabajo.com ● *Tlj sauf lun. Visites guidées seulement, tte les heures mar-dim 10h-13h, 17h-19h (16h30-18h30 en hiver). Durée : 1h. Entrée : 2,50 € ; réduc.* Un des plus grands et beaux palais de Cáceres, mêlant les styles gothique, mudéjar et platéresque. C'est ici que les Rois catholiques élisaient domicile lors de leurs séjours dans la ville. Au rez-de-chaussée, 4 salons somptueusement meublés (tapisseries du XVIIᵉ s, sculptures, objets décoratifs...), salle d'armes bien restaurée avec armoiries et galeries de portraits d'illustres, et à l'étage, salle de reliquaires, salle de chasse, boudoir à *la française* et salle de documentation. Pour info, il existe aussi un palais du haut : le *palacio de los Golfines de Arriba (plan A2),* où Franco avait installé son QG juste avant de s'auto-proclamer *generalísimo.*

🎥🎥 *Plaza de San Jorge (plan B2) :* surplombée par l'église *San Francisco Javier,* rendue célèbre par son apparition dans *1492 : Christophe Colomb* de Ridley Scott avec Depardieu et plus récemment dans la saison 7 de *Game of Thrones.* Au centre de la place, une statue de san Jorge (le saint patron de la ville), terrassant le dragon. Lui aussi bénéficie de la ferveur populaire, puisque ses orteils sont aussi luisants que ceux de san Pedro ! Sur la droite, la **casa de los Becerra** abrite d'importantes expositions temporaires de la fondation MCCB (☎ 927-22-36-11 ; *tlj sauf dim ap-m 10h30-14h, 17h30-20h30 ; fermé juil-août ; hall en accès libre ; 2,50 € pour l'expo à l'étage).*

🎥🎥 *Iglesia San Francisco Javier (plan B2) :* pl. de San Forge. *Tlj 10h-14h, 17h-20h (16h30-19h30 en hiver). Entrée : 1 €.* Édifiée au XVIIIᵉ s par les jésuites, quelques années avant qu'ils ne soient expulsés d'Espagne. Retable baroque kitschissime, tout en dorure. Expo d'icônes dans la sacristie et de crèches du monde entier à l'étage, accessible par un escalier métallique en colimaçon. Possibilité de grimper au sommet des 2 tours pour prendre de la hauteur.

🎥 *Casa-museo árabe Yusuf Al-Borch (plan B2) :* cuesta de Marqués, 4. 📟 606-07-81-78. *Tlj 10h30-14h, 17h-19h30. Entrée : 1,50 € ; réduc.* Cette charmante maison ancienne, rénovée avec le souci du détail historique, abrite un petit musée privé qui restitue l'habitat traditionnel arabe en Estrémadure. La cuisine, le salon, le jardin et le hammam évoquent un univers où le raffinement côtoyait le pratique. La plupart des objets présentés furent trouvés sur place.

🎥 *Iglesia San Mateo (plan A-B2) :* ouv seulement lors des messes *(sam à 20h, dim à 12h et 20h).* Rebâtie au XVIᵉ s sur les fondations d'une ancienne mosquée, sur la partie la plus haute de la ville. Gothique et dépouillée, hormis le retable baroque nettement moins épuré. En face, au **convento de San Pablo,** on pourra acheter de délicieux gâteaux aux sœurs *(tlj 9h-13h, 16h-18h45 ; sonnez à la porte tournante dans le corridor).*

🎥🎥 *Museo arqueológico (plan B2-3) :* pl. de las Veletas, 1. ☎ 927-01-08-77. *Mar-ven 9h30 (10h sam)-14h30, 16h-20h ; dim 10h-15h. Fermé lun. Gratuit pour les citoyens de l'UE, sinon 1,20 €.* Dans la *casa de las Veletas* (maison des Girouettes), une superbe maison du XVIIIᵉ s construite sur l'ancien *alcázar* arabe. Abrite une belle collection de stèles de l'âge du bronze, des mosaïques romaines des IIᵉ et IIIᵉ s et le résultat des fouilles archéo de la région. À l'étage, intéressante et riche section ethnographique. La partie la plus captivante est l'impressionnante citerne souterraine almohade *(aljibe)* plantée de colonnes et d'arcades. D'époque arabe (IXe-XIe s), elle servait de réservoir d'eau douce et continue, un millénaire après, de recueillir les eaux de pluie qui ruissellent de la toiture.

🏃 *Casa de los Caballos (plan B2-3) :* en contrebas de la casa de las Veletas, à laquelle elle est reliée par une passerelle. *Mêmes horaires que le Museo arqueológico. GRATUIT.* Abrite le *musée des Beaux-Arts* réunissant des œuvres du XVe s à nos jours dont quelques Picasso, Miró et un christ du Greco.

🏃 *Barrio de San Antonio (plan B2-3) :* jolie balade à faire dans cet ancien quartier juif *(judería),* derrière le *parador.* Contraste radical entre l'austérité noble du quartier « historique » et la blancheur souriante de ce coin populaire. Au passage, on pourra faire une pause au petit musée juif *Baluarte de los Pozos (même horaires et prix que la Torre de Bujaco),* qui donne quelques informations sur la présence du judaïsme dans la région avant la migration vers le Portugal à la Renaissance. La visite est également intéressante pour la collection de maquettes de monuments emblématiques de la ville, à l'étage.

– Et aussi, *de nombreux autres palais* : *casa de Ovando* (XVe-XVIe s), *casa de los Solís, palacio de los Abrantes, casa de Godoy...* sans oublier l'*Iglesia de Santiago* à la porte nord de la vieille ville, étape importante des pèlerins de Saint-Jacques-de-Compostelle.

ALCÁNTARA ET LE PARQUE NATURAL DEL TAJO INTERNACIONAL

À environ 65 km au nord-ouest de Cáceres, Alcántara, fondée par les Arabes sur les ruines d'une ville romaine, est célèbre pour son pont romain (*el-Kantara* signifie « le pont » en arabe) qui relie l'Espagne au Portugal au-dessus du Tage.
C'est aussi et surtout la porte d'entrée du *parque natural del Tajo Internacional,* qui, comme le *parque nacional de Monfragüe,* est un véritable paradis pour l'observation des oiseaux depuis les miradors de ses nombreux sentiers de randonnée ou à bord d'un petit bateau de croisière sur le fleuve.

L'ESTRÉMADURE

Arriver – Quitter

À Alcántara, pas de gare routière. Arrêt de bus à la porte de la vieille ville. Les billets s'achètent à bord.
➤ *Cáceres :* 1 bus/j. en sem à 8h15 (3 seulement pendant les vac scol),

aucun le w-e, avec *Mirat.* Trajet : env 1h. Pas de transport public pour le reste du parc naturel. Un véhicule est indispensable pour rejoindre Cedillo, d'où partent les bateaux de croisière sur le Tage.

Adresses utiles

🏠 *Oficina municipal de turismo :* avda Mérida, 21, à **Alcántara.** ☎ 927-39-08-63. ● turismoalcantara.es ● À l'entrée de la ville. Tlj 10h-14h, 17h-19h30 (16h-19h en hiver). Infos et plan détaillé de la ville. Dépliants des sentiers pédestres du *parque natural del Tajo.* Vente de billets du bateau

de croisière sur le Tage. Personnel compétent et motivé.
🏠 *Centro de interpretación del parque natural del Tajo Internacional :* c/ Cuatro Calles, 2, à **Alcántara.** ☎ 927-39-01-32. ● turismotajoin ternacional.com ● Dans la vieille ville, presque sur la pl. de España. Oct-juin,

tlj 9h-14h30, 17h-19h (16h-18h en hiver) ; juil-sept, tlj 9h-15h seulement. Également une **antenne à Santiago de Alcántara,** *village au cœur du parc (pl. Santo Domingo,* ☎ *927-59-23-11 ; ouv mar-dim mat 10h-14h, 17h30-19h30 – 16h-18h en hiver ; fermé lun).* Toutes les infos pour partir à la découverte du parc naturel du Tage (plan détaillé, cartes des 10 sentiers de rando et du GR 113...). Centre d'interprétation à l'étage (panneaux d'infos sur la géologie, la faune, la flore, vidéos...).

Où dormir ? Où manger à Alcántara et dans le parc naturel du Tage ?

🏠 |●| *Complejo Rural El Buraco :* sur la CC 37, km 7 (avt d'arriver au village), 10510 **Santiago de Alcántara.** ☎ 927-49-12-71. ● ruralburaco@gmail.com ● complejoruralelburaco.com ● Maisonnette 3-4 pers 50 €. Plats 8-15 €. Au cœur du parc, dans sa partie la plus belle, un accueillant petit complexe rural d'une vingtaine de petites maisons rondes sur un vaste espace herbeux. Impeccables, elles sont de bon confort (cuisine, salon avec cheminée, clim, canapé-lit d'appoint, terrasse...). Bon resto et cafétéria dans le bâtiment principal. Idéal pour un départ en balade sur l'un des 3 sentiers de rando dans la sierra de San Pedro. Également un petit centre d'interprétation des mégalithes sur place.

🏠 |●| *Hospedería Conventual de Alcántara :* ctra Iberdrola, s/n, 10980 **Alcántara.** ☎ 927-39-06-38. ● recepcion-alcantara@hospederiasdeextremadura.es ● hospederiasdeextremadura.es ● À droite dans la descente vers le pont romain. Doubles 75-135 € selon saison, petit déj 9 €. Menus 15-37 €, plats 15-24 €. Cet ancien monastère, transformé en hôtel de luxe, est posé sur une colline face à la vieille ville d'Alcántara. Les chambres, sobres, confortables et très spacieuses, sont organisées autour d'un calme patio. Bon resto *Kantara,* installé dans l'ancien moulin à farine. Belle piscine et spa également. Une adresse de charme bien que l'on déplore un personnel peu formé et pas vraiment chaleureux.

À voir. À faire

🏛 *La vieille ville d'Alcántara :* ce calme village fortifié de 1 700 habitants vaut le détour principalement pour son fameux **pont Romain,** daté du IIe s. D'une longueur de 194 m pour une hauteur de 61 m, il présente un arc de triomphe en son centre. En aval, départ de balade sympa en bordure du Tage. En amont, le barrage et la centrale électrique sont nettement moins séduisants. Le village lui-même comporte un patrimoine architectural intéressant parmi lequel on retiendra l'ancien quartier juif, l'église de Santa María de Almocóvar (XVIIIe s) et le superbe **convento de San Benito** du XVIe s *(visite gratuite ttes les heures 10h15-13h15, 17h-19h).* Chaque été durant la 1re quinzaine d'août, un important festival de théâtre classique s'y tient.

🏛🏛 *Parque natural del Tajo Internacional :* accès gratuit. Longtemps lieu de passage de contrebandiers, le parc international fut créé en 2013 pour unir un vaste espace préservé, déclaré parc naturel en 2006, qui s'étend sur les 2 pays, de part et d'autre du Tage. Côté espagnol, le parc longe le fleuve d'Alcántara à Cedillo, village au bout d'un coude de terre, sorte d'enclave dans le territoire portugais. D'une surface totale de 25 088 ha où se mêlent forêts exubérantes, terres agricoles et relief escarpé, le parc est un paradis pour l'observation des oiseaux. Des espèces rares et protégées, en nombre impressionnant, avec notamment des cigognes noires, aigles impériaux, aigles de Bonelli et vautours percnoptères, attirent ornithologues professionnels et amateurs. Le secteur recèle également plus d'une centaine de dolmens et menhirs à découvrir sur les 11 sentiers balisés de randonnée.

🎯🎯 Balade en bateau sur le Tage : avec la Cie **Barco del Tajo.** 📱 680-55-41-46. ● barcodeltajo.com ● Tte l'année. Résa sur le site internet, aux offices de tourisme, au complejo Rural El Buraco ou au kiosque de Cedillo (départ seulement si 24 pers inscrites). *Départ de* **Cedillo,** *à 80 km à l'ouest d'Alcántara (EX 117 puis N 521 puis EX 374. Tarif : 15 €/pers ; réduc ; famille 44 € (2 adultes et 2 enfants).* Une croisière commentée d'environ 2 h pour 22 km de balade entre Cedillo et Herrera de Alcántara, en remontant le Tage. On peut observer un bon nombre de cigognes noires de mars à octobre. La compagnie propose également une croisière sur la rivière Alagón, au nord d'Alcántara (hors du parc naturel du Tage, avec présence de nombreux oiseaux également).

TRUJILLO

(10200)   9 500 hab.

● Plan *p. 405*

Distantes de 50 km, Trujillo et Cáceres ont en commun une beauté architecturale extraordinaire, mais Trujillo dégage, à notre avis, plus de charme. Déjà, elle jouit d'une situation plus pittoresque, puisqu'elle est perchée sur un piton rocheux au-dessus du plateau d'Estrémadure. Ensuite, la balade dans la vieille ville constitue une formidable remontée dans le temps : les pierres racontent les origines romaines, l'occupation arabe et les heures de panache des conquistadors nés à Trujillo et partis en nombre vers le Nouveau Monde. Près de 587 personnes suivirent ces chefs d'expédition dans leurs périples. À l'époque, c'était une incroyable aventure ! Le conquérant du Pérou *Francisco Pizarro* domine la place, faisant oublier d'autres fils chéris de la ville, comme *Francisco de Orellana* (1511-1545) qui fut le 1er à descendre l'Amazone en 1542 : il venait de boucler un périlleux voyage de 4 800 km à travers l'une des zones les plus hostiles du globe ! Lors de sa 2de expédition, 3 ans plus tard, il succomba sous les flèches empoisonnées des Indiens. En tout cas, quand ils revenaient vivants au pays, ces aventuriers enrichissaient la ville de palais. Autre résultat de cette épopée du XVIe s : 21 villes dans le monde portent aujourd'hui le nom de Trujillo.

L'ESTRÉMADURE

Arriver – Quitter

En bus

🚌 **Estación Autobuses** *(hors plan par B2) : au bout de l'avda Miajadas.* ☎ 927-32-12-02.
➤ **Cáceres :** env 8 bus/j. en sem (5-6 bus le w-e) avec *Auto-Res* et *Mirat.* Trajet : 45 mn.
➤ **Madrid :** env 1 bus/h, dans les

2 sens avec *Auto-Res.* Trajet : 3h-3h30. Il s'agit de la ligne Mérida-Madrid.
➤ **Guadalupe :** 2 bus/j. lun-ven (1 le dim). Trajet : 1h10. *Mirat.*
➤ **Badajoz via Mérida :** env 8 bus/j. avec *Auto-Res.* Trajet : env 2h.
➤ **Plasencia :** 1 bus vers 7h45 lun et ven avec *Emiz.* Trajet : env 1h30.

Adresses et infos utiles

🏢 **Oficina de turismo** *(plan B1) : pl. Mayor.* ☎ 927-32-26-77. ● turismotrujillo.com ● *En été, tlj 10h-13h30, 17h-20h (16h-19h en hiver).* Dépliant gratuit,

accompagné d'un plan détaillé. Visites guidées en castillan seulement *(tlj à 11h et 17h30 ; 7,50 €).* Location de *Segway.*
■ **Argent :** *plusieurs banques et*

distributeurs sur Encarnación (plan B2), à 5 mn à pied de la pl. Mayor.

@ La plaza Mayor est en zone de wifi gratuit.

▣ *Parking (plan A2) :* paseo Ruiz de Mendoza, à 5 mn à pied de la pl.

Mayor ; 9 €/j. Sinon, on peut se garer dans les rues de la ville basse. Inutile d'essayer de circuler en voiture dans le centre. Tout se visite à pied, et il est impossible de s'y garer.

Où dormir ?

Enfin une ville où la concurrence profite au client : on peut loger dans de vrais palais à des prix tout à fait abordables. Attention, les tarifs augmentent lors de la Semaine sainte, de la fête d'El Chíviri et de celle du Fromage en mai.

Prix moyens (35-50 €)

🛏 *Hostal Mesón Plaza (plan B2, 11) :* c/ San Miguel, 19. ☎ 927-09-71-32. ● info@hostalplazatrujillo.com ● hostalplazatrujillo.com ● Face au convento de San Miguel. Doubles 40-55 € selon saison. Une jolie maison ancienne, avec ses petits balcons mignons en fer forgé dominant une placette tranquille. Chambres assez spacieuses, bien tenues et confortables (clim). Une adresse sans prétention mais plutôt plaisante. Fait aussi bar-resto, avec quelques tables en terrasse.

🛏 *Pensión Plaza Mayor (plan B1, 12) :* pl. Mayor, 6. ☎ 927-32-23-13. ▤ 649-02-36-03. ● trujilloplazamayor@gmail.com ● Au-dessus du resto Bizcocho. S'il n'y a pers, s'adresser à Margarita, qui tient la boutique d'artisanat sur la pl. Mayor, à côté de l'office de tourisme. Doubles 35-45 € selon saison et vue. Confort suffisant, mobilier en pin, très propre. Vue imprenable sur la place pour les chambres de devant, ou sur un ancien palais à l'arrière.

🛏 *Hostal La Cadena (plan A-B1, 13) :* pl. Mayor, 5. ☎ 927-32-14-63. ● mesonlacadena@yahoo.es ● mesonhostallacadena.es ● Double 50 €. Réduc de 10 % sur les doubles sur présentation de ce guide. Dans la Casa de los Chaves-Orellana (XVIe s) donnant sur la place. Chambres simples et classiques, mais impeccables. Vue superbe sur la place pour les chambres nos 206-208, proposées au même prix. À des tarifs pareils, c'est une excellente affaire ! Bon resto.

🛏 *Mesón Hueso (plan B2, 20) :* c/ del Arquillo, 4. ☎ 927-32-28-20. ● reserva@hostalhueso.com ● hostalhueso.com ● Doubles 40-45 € selon saison. Dans une ruelle calme, à deux pas de la plaza Mayor, 9 chambres sobres et impeccablement tenues à l'étage du (bon) resto du même nom (voir « Où manger ? » plus loin).

De prix moyens à plus chic (50-120 €)

🛏 *Posada Dos Orillas (plan A1-2, 15) :* c/ Cambrones, 6. ☎ 927-65-90-79. ● posadadosorillas@gmail.com ● dosorillas.com ● Doubles 65-75 € selon saison et confort. Hôtel de charme dans une des ruelles de la partie haute de la vieille ville. Au XVIe s, cette fière demeure fut le 1er atelier de lin et de soie où l'on confectionnait les costumes de la noblesse. Intérieur décoré avec beaucoup de caractère, en relation avec l'histoire de la ville et de la conquête du Nouveau Monde. Chaque chambre porte le nom d'un pays d'Amérique où l'on trouve une ville nommée Trujillo.

🛏 *Palacio de Santa Marta (plan B1, 16) :* c/ Ballesteros, 6. ☎ 927-65-91-90. ● reservas@eurostarspalaciosantamarta.com ● eurostarspalaciosantamarta.com ● ♿ Doubles 60-125 € selon saison, petit déj-buffet 8 €. Voici un hôtel qui rivalise de charme avec le *parador*, mais aux prix nettement plus attractifs. Demeure superbe du XVIe s là aussi, aménagée dans un style résolument contemporain. Réussite esthétique totale ! On attendrait peut-être des chambres plus spacieuses, mais elles sont confortables et élégantes. Sur le toit, une piscinette et une belle terrasse face au clocher de l'église San Martín... la classe !

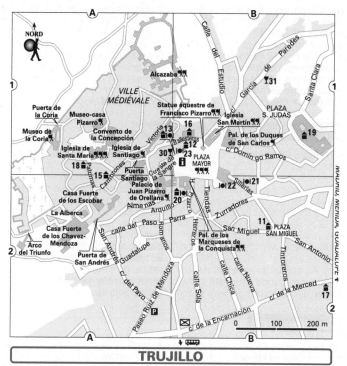

TRUJILLO

🏠 **Hotel Victoria** (plan B2, 17) : pl. del Campillo, 22. ☎ 927-32-18-19. ● info@hotelvictoriatrujillo.es ● hotelvictoriatrujillo.es ● ♿ Dans la rue principale de la ville basse. Doubles 55-100 € selon saison. Une maison de maître du XIXᵉ s, style victorien revisité par Hollywood. Grandes chambres cossues distribuées autour d'un superbe patio intérieur sous verrière. Ambiance vanille-chantilly très rigolote. Derrière, resto dans un jardin bien agréable.

Très chic (plus de 120 €)

🏠 **Hotel Casa de Orellana** (plan A1, 18) : c/ Palomas, 5-7. ☎ 927-65-92-65. ● hotel@casadeorellana.com ● casadeorellana.com ● Près de l'église Santa María. Doubles avec petit déj 120-130 €. L'occasion ou jamais de séjourner dans la demeure natale d'un légendaire routard : Francisco de Orellana. C'est dans ce palais du XVᵉ s qu'il est né et qu'il a grandi jusqu'à son départ pour l'Amérique. Seulement 5 chambres, élégantes, de bon confort et toutes différentes, dans un quartier où le calme est garanti. Et le plaisir de pouvoir vadrouiller dans les salons chargés d'histoire ou de piquer une tête dans la belle piscine. Voilà ce qu'on appelle une adresse de charme !

■ **Parador** (plan B1, **19**) : c/ Santa Beatriz de Silva, 1. ☎ 927-32-13-50. ● trujillo@parador.es ● parador.es ● Doubles 75-170 € selon saison, petit déj 16 € (accessible aux non-résidents). Dans un ancien couvent du XVIᵉ s. Ne vous privez pas de la visite du petit cloître. Cela dit, on trouve ce parador un peu moins charmant que ses confrères de la région.

Où dormir dans les environs ?

■ |●| **Finca Santa Marta** : Pago de San Clemente, s/n, 10200 Trujillo. ☎ 927-31-92-03. 📱 658-91-43-55. ● info@ fincasantamarta.es ● fincasantamarta. es ● À 14 km de Trujillo et 1 km de San Clemente, sur la route de Guadalupe (EX 208), au km 89 (panneau qu'on ne voit qu'en venant de Trujillo). Doubles 75-85 € selon saison et confort, petit déj inclus. Dîner (délicieux !) sur résa 30 €. Au milieu des vignes et des oliviers, une grande propriété transformée en hôtel rural par Henri, ancien diplomate franco-hollandais, et Marta, son épouse espagnole. Les chambres les plus vastes se trouvent dans la maison principale, les autres sont isolées dans les dépendances. Mais dans les 2 cas, elles sont bourrées de charme et toutes personnalisées, dans un style rustique très étudié. Jardin avec piscine, patio planté d'orangers et belles balades à faire dans le coin. Au printemps, on y croise des ornithologues venus observer les cigognes. Un petit coin de paradis...

Où manger ?

Plusieurs restos en terrasse et bars à tapas sur la plaza Mayor (plan B1). Vous pouvez essayer **La Cadena** (menus 12-16 €), **La Victoria** ou **Hermanos Marcello** pour un repas correct, copieux et économique.

Prix moyens (12-25 €)

|●| **El 7 de Sillerías** (plan B2, **21**) : c/ Sillerías, 7. ☎ 927-32-18-56. ● info@ el7desillerias.es ● Tlj. Plats 12-20 €. Notre cantine à Trujillo ! Des viandes et poissons savoureux, cuisinés avec soin et servis généreusement, d'un rapport qualité-prix exceptionnel. Ça se passe dans 2 belles salles mêlant vieilles pierres et touches contemporaines, ou en terrasse dans une calme cour aux beaux jours. Service efficace et attentif. Une adresse à ne pas manquer.

|●| **Mesón Hueso** (plan B2, **20**) : c/ del Arquillo, 4. ☎ 927-32-28-20. ● reserva@ hostalhueso.com ● Tlj. Menus 12 € en sem, puis 16-25 €. Ce joli resto-bar draine une foule d'habitués venus se régaler d'excellentes raciones de fromage et de charcuterie, et de plats locaux typiques. Les produits de qualité et la jovialité du patron y sont sans doute pour quelque chose ! Bref, une bonne petite adresse pas trop touristique.

Plus chic et au-delà (min 25 €)

|●| **Mesón Asador Corral del Rey** (plan B2, **22**) : plazuela Corral del Rey, 2. ☎ 927-32-30-71. ● info@corraldel reytrujillo.com ● ♿ Dans un renfoncement de la place. Tlj sauf mer soir et dim soir (seulement dim l'été). Congés : 1 sem en fév et 3 sem en juil. Menus 25-36 €, plats 13-28 €. Le chef Antonio Sánchez s'est installé dans les dépendances de cet ancien palais : 3 petites salles de style rustique sous de belles voûtes en brique pour la dernière. Cuisine à base de bons produits frais et spécialités extrémègnes. Service impeccable, carte plus vite fournie.

|●| **Restaurante Bizcocho** (plan B1, **23**) : pl. Mayor, 11. ☎ 927-32-20-17. ● reservas@salonesbizcocho.com ●

Dans une des maisons anciennes sous les arcades. Tlj. Menu 30 €, plats 19-29 €. Cadre élégant : jolis meubles, tables dressées avec soin, éclairage tamisé. La cuisine est assortie, goûteuse, imaginative et rend hommage à la qualité des produits du coin. Une valeur sûre.

Où boire un verre ?

❢ *Gloss Lounge Gin Club (plan A-B1, 30) : pl. Mayor, 4.* ☎ 927-77-45-69. *Tlj jusque tard.* Surplombant la place de sa belle terrasse, un bar à vins original qui propose également une carte de cocktails au choix incroyable de plus de 80 marques de gin différent. Tapas, *tostas* et crème de fromage pour accompagner le breuvage. Salons cosy pour se réfugier aux 1ers frimas.

❢ *La Abadía (plan B1, 31) : c/ García de Paredes, 20.* ☎ 927-32-20-36. *Le w-e seulement, après 23h.* Pour ceux qui vivent la nuit (et ils sont nombreux dans ce pays !). 3 niveaux, des bars extraordinaires et des musiques différentes à tous les étages. Beaucoup de va-et-vient sous les ogives de cette ancienne chapelle prolongée d'un jardin en terrasses donnant sur le château. Clientèle de tout âge pour un lieu incontournable.

À voir

Nous sommes face au même embarras qu'à Cáceres : beaucoup à voir, impossible de tout raconter.

La ville médiévale

C'est entre ces épaisses murailles que l'histoire de Trujillo commence, aux IXe et Xe s, sous l'impulsion des Maures. L'entrée de la ville close se fait par la *puerta de Santiago,* au bout de la c/ Ballesteros.

🏛 *Iglesia de Santiago (plan A1) : pl. de Santiago. Tlj 10h-14h, 17h30-20h (16h30-19h l'hiver). Entrée : 1,50 €.* Commencée au XIIIe s sur une base romane, puis remaniée au XVIIe s avec l'élargissement à 3 nefs au lieu de 1. À l'intérieur, voir la statue du *Cristo de las aguas* du XIVe s, les frises au charbon de la sacristie et la chambre du sacristain à l'étage. Un mini-escalier en colimaçon mène en haut du clocher, d'où l'on jouit d'une belle vue sur la plaza Mayor.

🏛🏛 *Alcazaba (la forteresse arabe ; plan A-B1) : tlj 10h-14h, 17h30-20h (16h30-19h l'hiver). Entrée : 1,50 €.* Perchée en haut de la colline, la vue de son chemin de ronde s'étend sur toute la ville et sur la campagne alentour jusqu'à la sierra de Gredos. Beau portail surmonté de la patronne de Trujillo, Notre-Dame de la Victoire. Cet ouvrage défensif de l'époque arabe joua un rôle stratégique évident : il était complété par 2 km d'épaisses murailles crénelées, jalonnées de 20 tours carrées et de 7 portes. À l'intérieur, on peut descendre voir la citerne arabe, bien préservée.

🏛🏛🏛 *Iglesia de Santa María (plan A1) : c/ Santa María. Tlj 10h30-14h, 16h-19h30. Entrée : 2 € ; audioguide 1 €.*
Le contraste entre le style roman épuré du XIIIe s et le précieux retable gothique de la fin du XVe est digne d'éveiller les sensibilités mystiques ou esthétiques les plus récalcitrantes ! Ce retable constitué de 25 panneaux à l'huile sur bois est un chef-d'œuvre de Fernando Gallego, l'un des maîtres du style hispano-flamand : admirer le minutieux réalisme des vêtements et des paysages d'arrière-plan. Superbe chœur de style plateresque et voûté en croisée d'ogives impressionnante. Dans le *coro alto,* on peut s'asseoir sur les bancs de pierre où siégeait le Conseil de la ville lors des célébrations, et sur lesquels s'assirent les Rois catholiques. Modeste trésor exposé dans la sacristie.

L'ESTRÉMADURE

Remarquer que cette église comporte 2 tours : l'une possède un clocher, l'autre, de style roman, fut commencée en 1550 mais achevée seulement au XVIIIᵉ s. Magnifique vue panoramique du faîte de chacune d'elles ! Une visite à ne pas manquer.

⚔ Museo-casa Pizarro *(plan A1) :* calleja de los Mártires. Tlj 10h-14h, 17h30-20h (16h30-19h l'hiver). Entrée : 1,50 €. Légitime hommage de la ville à son enfant le plus célèbre, installé dans la maison de son père. Au rez-de-chaussée, reproduction de la demeure d'un gentilhomme espagnol du XVᵉ s. À l'étage, expo retraçant la vie de Pizarro, la conquête du Pérou et le mode de vie des Incas, qu'il soumit.

⚔ Museo de la Coria *(plan A1) :* c/ Puerta de la Coria. ☎ 927-32-18-98. Dans l'ancien convento de la Coria (XVᵉ s). Bien fléché. Ouv seulement w-e et j. fériés 11h30-14h, mais accès libre au patio du couvent. GRATUIT. Siège de la

> ## PIZARRO : HÉROS OU BOURREAU ?
>
> *Convié à une entrevue pacifique, l'empereur inca Atahualpa tomba dans un traquenard : les Espagnols exigèrent qu'il se convertisse au christianisme. Comme prévu, Atahualpa refusa net. Pizarro le fit alors prisonnier et ordonna le massacre de sa suite désarmée. L'Inca proposa de verser plusieurs tonnes d'or en échange de sa libération. La rançon payée, Pizarro trahit de nouveau sa parole et le fit exécuter au terme d'un procès expéditif. Atahualpa restait le dernier obstacle à franchir pour asseoir la domination espagnole sur les richesses du Pérou...*

fondation Xavier de Salas qui étudie les relations entre l'Estrémadure et les Amériques. Il fut restauré à partir des années 1980 alors qu'il était presque totalement en ruine. Dans les quelques salles, des panneaux expliquent la découverte du Nouveau Monde, la culture des Mayas, Aztèques et Incas, les personnalités marquantes de la *Conquista.*

⚔ ➤ Du *convento de la Coria,* on vous recommande de passer la porte pour une courte et jolie promenade sur un sentier longeant la muraille et contournant le cimetière. Rentrer dans la ville close par l'**Arco del Triunfo,** où fut tournée une séquence de *Game of Thrones* en 2016. De là continuer vers la **puerta de San Andrés** *(plan A2)* pour voir la **Alberca,** une citerne d'eau de 14 m de profondeur utilisée comme bain public du temps des Romains, puis réserve d'eau de la ville jusqu'au milieu du XXᵉ s. Au passage, remarquez les nombreuses **casas Fuerte** *(plan A2).* Ces maisons fortes placées le long des remparts avaient une double vocation : héberger leurs riches propriétaires mais aussi participer à la défense de la ville médiévale. Revenir à la plaza Mayor par le beau **chemin de ronde de las Almenas.**

La ville Renaissance

Trop à l'étroit entre les remparts de la ville médiévale, les familles nobles enrichies par la conquête du Nouveau Monde firent bâtir, au cours du XVIᵉ s, de somptueux palais tout autour de la majestueuse plaza Mayor. Les pauvres, chassés de cette partie basse, récupérèrent les maisons abandonnées de la partie haute !

⚔⚔⚔ Plaza Mayor *(plan B1) :* voici l'une des plus belles places d'Espagne, un pur chef-d'œuvre orchestré autour de la **statue équestre de Francisco Pizarro** *(plan B1),* le conquérant du Pérou (1478-1541) – une sacrée brute aussi –, figé dans une pose altière, panache au vent. Ce bronze de 6,5 t fut offert en 1927 par un New-Yorkais fan du conquistador. Une statue identique se trouve à Lima, où Pizarro fut assassiné par son rival Diego de Almagro. Les arcades de la place abritaient commerçants et artisans, tandis que la noblesse faisait peu à peu ériger des palais et édifices publics autour de ce centre névralgique conçu dans le plus pur style Renaissance.

🎥🎥 *Iglesia San Martín (plan B1) :* pl. Mayor. Tlj 10h-14h, 17h30-20h (16h30-19h l'hiver). Entrée : 1,50 €. Elle date du XIV⁰ s, mais son aspect actuel résulte de l'agrandissement entrepris au XVI⁰ s. Les œuvres exposées à l'intérieur sont d'époque baroque, la pièce la plus ancienne est une vierge de bois polychrome du XIII⁰ s. Noter aussi la voûte nervurée et le lustre monumental. Cette église reçut les visites de Charles Quint et de Philippe II.

🎥🎥 *Palacio de los Marqueses de la Conquista (plan B1-2) : sur la pl. Mayor. Ne se visite pas.* Cet imposant palais, non restauré pour des raisons de désaccord entre les héritiers, présente en façade le blason de la famille Pizarro : 2 ours agrippés à un pin. C'est Hernando Pizarro (environ 1500-1578), marquis de la Conquista et petit frère de Francisco, qui le fit construire et l'habita. Il est le seul conquistador de Trujillo à être revenu vivant dans son village natal. Ironie de l'histoire : il est mort de vieillesse et dans son lit, ce qui est étonnant quand on connaît sa vie aventureuse ! Son visage et celui de sa jeune épouse Francisca (la fille métisse de son frère Francisco !) sont immortalisés de part et d'autre du balcon d'angle du 1ᵉʳ étage. Au-dessus, un bas-relief retrace les épisodes de la *Conquista,* l'empereur inca Atahualpa est représenté en bas, les mains plongées dans des caisses d'or. Sur la corniche supérieure, les statuettes de 12 musiciens. Enfin, remarquer la taille des fenêtres, qui diminue d'étage en étage : une astuce optique destinée à accentuer l'impression de hauteur du bâtiment.

🎥 *Palacio de los Duques de San Carlos (plan B1) :* pl. Mayor. Ne se visite pas. Fleuron Renaissance de la ville, ce beau palais du XVI⁰ s abritait jusqu'à peu des religieuses cloîtrées.

🎥 *Palacio de Juan Pizarro de Orellana (plan A2) : Cañón de la Cárcel, ruelle qui monte depuis la pl. Mayor.* ☎ 927-32-11-58. *Pour accéder au patio, sonnez. Don aux œuvres des sœurs bienvenu.* Construit au XVI⁰ s sur les restes d'une maison forte dont les 2 tours sont les seuls vestiges, le palais se distingue par sa façade majestueuse surmontée d'une galerie à colonnes. Il a appartenu à la puissante famille de Orellana-Pizarro, la lignée descendante d'Hernando Pizarro. Occupé aujourd'hui par une congrégation de sœurs, seul le joli patio à arcades se visite. Sur la balustrade, noter les blasons des 2 familles. Cervantes y séjourna en 1583. Il y aurait écrit les *Travaux de Persilès et de Sigismonde,* dans lequel il mentionne ses hôtes.

GUADALUPE   (10140)   2 000 hab.

On ne peut être que troublé devant l'importance, voire le gigantisme, de ce monastère-forteresse planté à 650 m d'altitude, dans la belle région de la sierra d'Altamira, à 80 km de Trujillo. Autour, le village médiéval paraît d'une douceur bucolique, avec ses maisons blanches à arcades et balcons dégoulinants de fleurs. Voilà des siècles que la Vierge de Guadalupe, patronne de la région et reine « des Espagnes » *(reina de las Españas),* voit s'agenouiller à ses pieds des milliers de pèlerins qui affluent pour la procession du 8 septembre, mais aussi de jeunes mariés (car la Vierge noire porterait chance aux unions célébrées dans sa basilique) et pas mal de touristes. Mais au-delà de la place principale bordée de boutiques de bondieuseries et d'artisanat local, l'ambiance redevient tout à fait tranquille.

L'ESTRÉMADURE

Arriver – Quitter

En bus

🚌 **Parada de autobus** (arrêt de bus) : c/ Huerta del Hospital, à proximité de la pl. de Santa María de Guadalupe.
➤ **Trujillo et Cáceres :** 2 bus/j. lun-ven

(1 bus le dim). Trajet : 1h30 pour Trujillo, 2h30 pour Cáceres. Mirat (☎ 927-23-33-54 ; ● mirat-transportes.es ●).
➤ **Madrid :** 2 bus/j. (seulement 1 le dim). Trajet : env 4h. Samar (☎ 902-25-70-25 ; ● samar.es ●).

Adresses utiles

🛈 **Oficina de turismo :** pl. de Santa María de Guadalupe, devant la basilique. ☎ 927-15-41-28. ● guadalupeturismoblog.wordpress.com ● Tlj 10h-14h, 16h-20h (18h en hiver).

Très serviable et bien documenté.
✉ **Correos** (poste) : avda Conde de Barcelona, 1. Dans l'hôtel de ville (ayuntamiento).

Où dormir ? Où manger ?

Camping

⛺ 🍴 **Las Villuercas-Guadalupe, Complejo Siloe :** ctra de Villanueva, huerta del Río, 2. ☎ 927-36-71-39. À 2 km de la ville en direction de Mérida. Fermé de mi-déc à la Semaine sainte. Env 11 € pour 2 avec tente et voiture. Apparts 2-4 pers 32-50 €. Menu 8 €. Au bord de la route (certes peu passante), un camping simple fait de petits emplacements sous les peupliers. Également des appartements dans un grand bâtiment en brique. Grande piscine, tennis et bar-resto, le tout dans une ambiance bon enfant.

Prix moyens

🏨 **Hostal Alba Taruta :** c/ Chorro Gordo, 2. 📱 670-44-91-76. ● isa_taruta@hotmail.com ● hostalalbataruta.com ● À 100 m derrière l'office de tourisme. Doubles 45-65 € selon saison. Petit cadeau de bienvenue offert sur présentation de ce guide. Dans une vieille maison de ce village de carte postale, des chambres pas bien grandes mais impeccables et tranquilles. Nos préférées donnent sur la sierra. Également des familiales.
🏨 🍴 **Posada del Rincón :** pl. Santa María de Guadalupe, 11. ☎ 927-36-71-14. 📱 687-94-94-36. ● recepcion@posadadelrincon.com ● posadadelrincon.com ● Sur la place, face à la

basilique. Double 60 €. Resto fermé théoriquement mar fév-juin. Menus 17 € en sem, puis 22 €. Apéritif maison, digestif et café offerts sur présentation de ce guide. Une entrée discrète cache ce bel hôtel à la déco très soignée. Des chambres impeccables, néorurales, où la vieille pierre, le fer forgé et le confort moderne font bon ménage. Elles s'organisent autour d'un calme patio. Côté resto, large choix pour tous budgets, et une cuisine de qualité à base de bons produits. Bon accueil. Une bonne adresse à tous points de vue.
🍴 **Alfonso XI :** avda Alfonso el Onceno, 21. ☎ 927-15-41-84. ● hotelrestaurantealfonsoonceno@gmail.com ● À 100 m de l'entrée du monastère. Tlj. Menus 12-22 €. Dans une salle rustique avec vue sur la vallée ou en terrasse sur rue, une cuisine régionale très honnête. Service aimable et efficace.

De chic à très chic

🏨 🍴 **Hospedería del Real Monasterio :** pl. Juan Carlos I. ☎ 927-36-70-00. ● hospederia@monasterioguadalupe.com ● hospederiaguadalupe.es ● ♿ Resto fermé mar en hiver. Congés : 10 janv-10 fév. Doubles 75-85 €, des familiales aussi. Petit déj 8 €. Menu 18 € midi et soir, plats 13-28 €. Parking gratuit. Les moines franciscains, propriétaires du monastère, ont transformé l'ancienne pharmacie en hôtel.

Les chambres s'ordonnent autour d'un remarquable cloître gothique. De style dépouillé, elles sont superbes, spacieuses, patinées par le temps et donnent pour la plupart sur les montagnes. Bon resto à l'ambiance magique le soir dans le délicieux cloître. Une adresse exceptionnelle, à tarifs plus abordables que ceux du *parador*.

🏠 🍴 ***Parador de Guadalupe :*** *c/ Marqués de la Romana, 12, 10140.* ☎ *927-36-70-75.* • *guada lupe@parador.es* • *parador.es* • *Au-dessus de la basilique. Selon saison*

et confort, doubles 95-170 €, petit déj 17 €. Menus 23 € le midi en sem, puis 30-35 €. Parking 12 €. Installé dans l'ancien hôpital du monastère, destiné à accueillir les pèlerins fatigués. Tout y est magnifique, jusqu'à la vue depuis les chambres, côté monastère, ou côté montagne. Jolie piscine dans le jardin. Cuisine plutôt raffinée dans un cadre assorti. L'été, les tables sont installées sur la terrasse éclairée aux flambeaux : la classe ! Un beau *parador,* moins clinquant que d'autres dans la région.

À voir

⊙ 🎋🎋🎋 ***Real monasterio de Santa María de Guadalupe :*** ☎ *927-36-70-00. Tlj 9h30-13h, 15h30-18h. Entrée : 5 € ; réduc. Durée de la visite guidée (obligatoire et en espagnol seulement) : env 1h.*

Il faut attendre qu'un groupe de 20-30 personnes se forme, ce qui peut aller très vite. Si vous ne comprenez pas l'espagnol, investissez dans la brochure en français *(2 €)* pour comprendre cette explosion de joyaux.

Baroque en diable et majestueux pour certains, prétentieux et indécent pour d'autres. L'architecture en elle-même est déjà fascinante, ***œuvre gothico-mudéjare magnifique.*** Tout a commencé en 1330, quand le roi Alphonse XI ordonna d'édifier une église plus importante que celle qui existait déjà, pour fêter sa victoire sur les Arabes. Il voulait aussi honorer le site où un berger avait trouvé, 20 ans plus tôt, la statue de la Vierge. L'ordre hiéronymite s'installa ensuite pour 4 siècles, et les pèlerinages commencèrent. Les franciscains prirent le relais en 1908 et restaurèrent l'édifice. Quel paradoxe de voir qu'un ordre mendiant se retrouver à la tête de tant de richesses ! Aujourd'hui, seule une poignée de franciscains vit encore au monastère.

La visite commence par un ***cloître absolument magnifique,*** planté en son centre d'un pavillon gothico-mudéjar du XVe s. Ensuite, on traverse un chapelet de salles plus extravagantes les unes que les autres, où sont exposés des vêtements liturgiques somptueux, de précieux objets de culte, notamment des bibles calligraphiées de 1 mètre de hauteur, et des toiles de maîtres, dont plusieurs Zurbarán, 1 Goya, 2 Rubens et 3 El Greco (*Saint Pierre, Saint André* et une *Ascension de la Vierge*) que le peintre avait offerts à la paroisse de *Tavalera la Vieja,* où il venait passer ses vacances. Quant à la sacristie, le dressing-room des moines, elle est souvent désignée comme « la chapelle Sixtine d'Estrémadure » tant sa voûte couverte de fresques impressionne. Sur chaque mur, de grands tableaux de Zurbarán. Vient le *trésor,* pas franchement modeste, comprenant une couronne de la Vierge en filigrane d'or et incrustations de pierres précieuses ou un brocart cousu de plus de 200 000 perles. Le tout financé grâce aux dons des fidèles. Ah, les braves gens ! Bref, au moment où l'on commence à se sentir submergé par cette escalade vertigineuse, un moine franciscain prend la relève pour le clou de la visite : la statue de la Vierge noire, cérémonieusement dévoilée devant un auditoire transi. Une prière collective est alors de rigueur... si on le souhaite !

🎋 ***Basílica :*** *rattachée au monastère, mais visite libre et indépendante. Tlj 9h-20h30 (19h30 en hiver).* Si vous la voyez après avoir visité le monastère, elle vous paraîtra bien sobre... comme quoi, tout est relatif. Essentiellement gothique, avec quelques curieuses touches mudéjares, elle fut érigée au XIVe s et enrichie au fil du temps. La monumentale grille bordant les 3 nefs fut forgée au XVIe s ; les stalles baroques du chœur, en bois de noyer, datent du XVIIIe s.

L'ESTRÉMADURE

MÉRIDA

(06800)

59 200 hab.

● Plan p. 413

◎ Au bord du fleuve Guadiana, dans une plaine fertile, Mérida est une sorte d'Arles hispanique ou de Nîmes extrémègne ! Une ville où l'on ne peut pas creuser le sol sans trouver des vestiges d'époque romaine. Les amateurs d'archéologie seront donc comblés : le théâtre romain est le plus beau d'Espagne et le musée une pure merveille.

La ville, active et moderne, vit essentiellement de la fonction publique et du tourisme. Ici, l'archéologie fait partie de la vie des habitants, et un archéologue est aussi utile qu'un plombier.

UN PEU D'HISTOIRE

Fondée par les légions de l'empereur Auguste en l'an 25 avant notre ère, la ville était une étape centrale sur la fameuse « route de l'Argent » *(vía de la Plata)*. Elle devint la capitale de la *Lusitania,* très vaste province romaine qui englobait une partie du sud de la péninsule Ibérique (dont le Portugal actuel). C'était une sorte de petite Rome dotée de prestigieux monuments : cirque, théâtre, amphithéâtre, forum, thermes. De nombreux édifices éparpillés dans la ville contemporaine ont toujours la même fonction 2 000 ans plus tard, comme le pont romain (toujours vaillant !) et le théâtre. Cette richesse archéologique lui valut d'être classée au Patrimoine de l'humanité par l'Unesco en 1993.

Arriver – Quitter

En train

🚆 **Estación RENFE** *(plan B1) :* c/ Carderos. ☎ 912-320-320. ● renfe.com ●
➤ **Madrid :** 5-6 trains/j. Trajet : 4h30-5h30.
➤ **Cáceres :** 4-5 trains/j. Trajet : 1h.
➤ **Badajoz :** 7 trains/j. (5 le w-e). Trajet : 45 mn.
➤ **Zafra :** 2-3 trains/j. Trajet : env 50 mn.
➤ **Séville :** 1 seul train/j. vers 8h. Trajet : 3h40. Mieux vaut prendre le bus.

En bus

🚌 **Estación Autobuses** *(hors plan par A1) :* polígono Nueva Ciudad,

avda La Libertad. ☎ 924-37-14-04. À 15-20 mn du centre à pied, de l'autre côté du nouveau pont Lusitania.
➤ **Madrid :** 6-7 bus/j. Trajet : env 4h. Auto-Res *(*☎ 902-02-00-52 *; ● avanzabus.com ●).*
➤ **Badajoz :** 9 bus/j. (2 le w-e). Trajet : 1h. Leda *(● leda.es ●).*
➤ **Cáceres :** 2 bus/j. (1 le w-e). Trajet : 1h. Leda.
➤ **Séville :** 9 bus/j. (8 le w-e). Trajet : 2h30-3h. Alsa *(*☎ 902-42-22-42 *; ● alsa.es ●)* et Leda.
➤ **Zafra :** mêmes bus que pour Séville. Trajet : 50 mn-1h. Leda.
➤ **Lisbonne :** 2 bus/j. Trajet : 3h. Auto-Res.

Adresses et info utiles

🛈 **Oficina municipal de turismo** *(plan A2) :* puerta de la Villa, Santa Eulalia, 62. ☎ 924-38-01-91. | ● turismomerida.org ● Lun-mer 9h-21h ; jeu-dim 9h30-14h, 17h30-20h30. Carte et dépliant détaillé

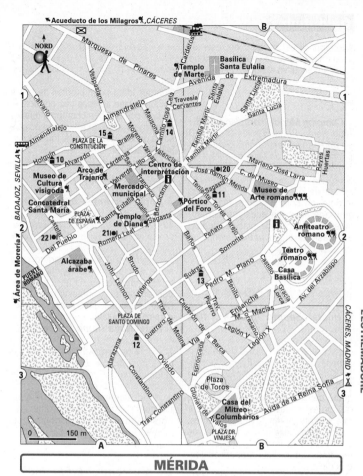

MÉRIDA

L'ESTRÉMADURE

avec tous les sites et monuments de la ville. **Annexe à l'entrée de l'amphithéâtre** (paseo Sáenz de Buruaga ; plan B2 ; mêmes horaires que l'amphithéâtre).

■ **Festival de Théâtre classique :** ts les étés, juil-août, dans le théâtre romain. Billetterie à l'office de tourisme. Infos : ☎ 924-00-94-80. ● festivalde merida.es ●

Où dormir ?

Attention ! Il est prudent de réserver pendant le festival de Théâtre classique se tenant en juillet et août.

Camping

⚊ *Camping Mérida* (hors plan par B3) : avda Reina Sofía. ☎ 924-30-34-53. ● campingmerida@hotmail.com ● Sur la ctra N V (route de Madrid), à 3 km du centre. Pas d'accès en bus. Env 18 € pour 2 avec tente et voiture. Bungalows climatisés 2-4 pers 50-75 €. Site pas terrible, en bord de route, mais bien ombragé sous les eucalyptus. Sanitaires nickel, grande piscine, snackbar basique et un patron sympa et francophone.

De bon marché à prix moyens (30-60 €)

🏠 *Hostal Senero* (plan A1, 10) : c/ Holguín, 12. ☎ 924-31-72-07. ● hostalsenero@gmail.com ● hostalsenero.com ● À 5 mn à pied de la pl. de España. Fermé 21 déc-8 janv. Doubles 36-44 € selon saison. Parking 9 € (à 200 m). Dans une rue paisible, une petite pension de famille toute simple où l'on est accueilli avec une chaleur rare. Les chambres, toutes différentes, avec clim et salle de bains nickel, ne sont pas bien grandes mais joliment décorées. Le meilleur rapport qualité-prix de la ville.

🏠 *Hostal Emeritae* (plan B2, 11) : c/ Sagasta, 40. ☎ 924-30-31-83. ● info@hostalemeritae.com ● hostalemeritae.com ● Dans le centre. Doubles 45-60 € selon saison (+ 20 € avec terrasse privée), des familiales également. Pas de petit déj. Parking 10 €. Un vrai coup de cœur pour cet *hostal* très moderne, décoré d'œuvres d'art contemporain. Autour d'un calme patio, des chambres confortables et élégantes, avec terrasse privative pour les plus chères. Excellent accueil pour parfaire l'ensemble.

🏠 *Hotel Lusitania* (plan A3, 12) : c/ Oviedo, 12. ☎ 924-31-61-12. ● info@hotellusitania.es ● hotellusitania.

es ● Près de la c/ John Lennon. Doubles 40-70 € selon saison, des familiales aussi ; petit déj en sus. Parking payant (gratuit si résa directe sur leur site). Quartier idéal pour profiter de la vie nocturne. Une adresse très correcte et de bon confort, des chambres refaites récemment avec un effort appréciable sur la déco. Côté propreté, tout est nickel. Bel accueil.

Chic (60-90 €)

🏠 *Hotel Cervantes* (plan A1, 14) : c/ Camilo José Cela, 10. ☎ 924-31-49-61. ● info@hotelcervantesmerida.com ● hotelcervantesmerida.com ● Dans le centre. Doubles 55-75 € selon saison. Parking 10 €. Un grand classique aux chambres fonctionnelles, toutes identiques, d'un style très conventionnel. Double vitrage, clim. Déco vaguement antique à la réception et dans les couloirs.

🏠 *Hotel Nova Roma* (plan B2, 13) : c/ Suárez Somonte, 42. ☎ 924-31-12-61. ● reservas@novaroma.com ● novaroma.com ● Doubles 65-95 € selon saison. Parking payant mais stationnement gratuit c/ Benito Toresano. Idéalement situé entre le quartier commerçant et le site romain, un hôtel moderne de bon confort, au calme. Buffet bien garni pour le petit déj. Accueil pro.

De plus chic à très chic (de 90 à plus de 120 €)

🏠 *Parador de Mérida* (plan A1, 15) : pl. de la Constitución, 3 (et c/ Almendralejo, 56). ☎ 924-31-38-00. ● merida@parador.es ● parador.es ● ♿ Doubles 85-160 €, petit déj 18 €. Promos en fonction de l'affluence. Parking payant. Ancien couvent du XVIIIe s construit sur les ruines d'un temple romain, ce *parador* n'est pas notre préféré, bien qu'il ait du caractère. Les chambres voûtées donnent sur un patio, d'autres sur le jardin ou le parking. Piscine extérieure et sauna.

Où manger ? Où acheter de bons produits ?

De prix moyens à chic (15-35 €)

|●| **Tabula Calda** (plan A2, **21**) : c/ Romero Leal, 11. ☎ 924-30-49-50. ● reservas@tabulacalda.com ● Proche de la pl. de España. Tlj. Menus 13,50 € en sem, puis 25 € ; plats 12-20 €. D'abord un cadre superbe avec plusieurs salles cosy, certaines avec de jolies fresques, et un beau patio fleuri où glougloute une fontaine. Ensuite une cuisine traditionnelle de qualité, à base de produits locaux de saison, sélectionnés de préférence en circuit court (kilométro 0). Enfin, un accueil doux, un service attentionné et une addition raisonnable. Que désirer de plus ?

|●| **Restaurante Rex Numitor** (plan A2, **22**) : c/ Castelar, 1. 🏛 615-39-61-69. Dans une rue piétonne proche de la pl. de España. Tlj. Plats 14-20 €. La table gourmet de la ville, maintes fois récompensée. Une carte courte pour garantir la fraîcheur des produits, et des plats réfléchis, maîtrisés et raffinés. Du beau travail, tant dans l'harmonie des saveurs que dans le dressage. Gardez une place pour le dessert, notamment pour les milhojas de pistachos, une tuerie ! Cadre élégant avec beaucoup d'espace entre les tables et service aux petits soins. On adore !

Où boire un verre ?

🍸 En journée, les Emeritense (habitants de Mérida) flânent autour de l'agréable **plaza de España,** entourée de cafés-restos. C'est le moment de tester le vin de la région, le lar de barros. Sinon, pour plus de tranquillité, essayez les cafés installés sur les **terrasses panoramiques autour du temple de Diane.**
– La vie nocturne se concentre dans la **calle John Lennon** (plan A2) et dans les ruelles adjacentes. Beaucoup de monde le week-end mais peu d'animation en semaine : Mérida est une petite ville.

L'ESTRÉMADURE

À voir

– **Pour visiter les vestiges archéologiques :** ☎ 924-00-49-08. Il faut acheter un billet groupé, la entrada conjunta (15 €, réduc ; ● consorciomerida.org ●). Ce billet n'inclut pas le museo nacional de Arte romano, mais donne accès aux sites suivants : teatro romano y anfiteatro, casa del Mitreo-Columbarios, Alcazaba árabe, cripta funeraria de la basílica Santa Eulalia, circo romano et área arqueológico de Morería. Il s'achète à l'entrée de n'importe lequel de ces monuments et sera poinçonné à chaque visite. Sites ouv tlj 9h-21h (18h30 oct-mars) ; sauf l'área arqueológico de Morería : lun-ven 9h-15h, 17h-19h (16h-18h oct-mars) ; w-e 9h-15h.

🏛 **Plaza de España** (plan A2) : le cœur de la vieille ville bat au rythme de cette place agréable, bordée de vieux immeubles de styles et d'époques différents, dont l'Hotel Mérida Palace (installé dans un palais historique) et la silhouette un peu écrasée de la concatedral Santa María (XIIIe s). Au centre, une fontaine à angelots glougloute sous les palmiers et les orangers.

🏛🏛 **Teatro romano y anfiteatro** (plan B2) : c/ José Ramón Mélida. Voir horaires et billet plus haut. Ce théâtre de 6 000 places, construit par le consul Agrippa en l'an 15 av. J.-C., ne semble pas avoir été trop perturbé par ces 20 siècles passés. Les gradins en hémicycle, face à une jolie scène encadrée de colonnades et de quelques statues, accueillent encore tous les étés des milliers de visiteurs pour le festival de Théâtre classique. L'amphithéâtre, quant à lui, ne reçoit plus de spectateurs, les courses de chars s'étant considérablement démodées ces derniers temps ! Nettement plus délabré que le théâtre, il est quand même impressionnant de penser que quelque 15 000 personnes assistaient ici aux tendres (tu parles, César !) jeux du cirque, comme les combats de gladiateurs et de fauves.

🏃🏃🏃 *Museo nacional de Arte romano* *(musée d'Art romain ; plan B2) :* c/ José Ramón Mélida ; face au site archéologique. ☎ 924-31-16-90. ● museoarteromano.mcu.es ● ♿ *Mar-sam 9h30-20h (18h30 oct-mars), dim 10h-15h. Fermé lun, 1er janv, 1er mai, 24, 25 et 31 déc et quelques fêtes locales. Entrée : 3 € ; réduc ; gratuit - de 18 ans et + de 65 ans, et pour ts sam ap-m et dim. Fiches explicatives en français dans chaque salle.* Ce bâtiment moderne, qui fait penser à une basilique de brique ocre, présente sur 3 étages la plus riche collection d'art romain du pays. Lors de sa construction en 1985, on découvrit des villas romaines alimentées par un système hydraulique très astucieux pour l'époque (on peut les voir en partie dans la crypte). C'est un vrai bonheur de découvrir, dans ces vastes salles éclairées par le toit, les statues, bronzes, bijoux, poteries, fresques aux couleurs presque intactes et surtout les extraordinaires mosaïques dont les plus grandes sont exposées sur les murs : un magnifique enlèvement d'Europe, une très belle chasse au sanglier ou encore ces scènes du Nil où l'on reconnaît notamment les Muses et les Saisons. Un des musées les plus visités d'Espagne, après le Guggenheim et le Prado.

🏃 *Alcazaba árabe* *(plan A2) : voir billet et horaires plus haut.* L'une des plus anciennes forteresses arabes, construite au IXe s pour défendre le pont romain de 792 m qui enjambe le Guadiana. Il reste quelques murs d'enceinte – sur lesquels on peut se promener –, mais surtout une citerne arabe bien préservée. Les spécialistes remarqueront les éléments romains et wisigoths en marbre. Agréable balade à faire également sur les berges aménagées du bras mort du fleuve en contrebas.

🏃 *Museo de Cultura visigoda* *(collection d'art wisigoth ; plan A2) :* c/ Santa Julia, dans le convento Santa Clara, derrière la concatedral. *Mêmes horaires que le museo nacional de Arte romano. GRATUIT.* Dans l'église de ce couvent, des stèles et piliers sculptés. Surtout pour les passionnés.

🏃 On peut observer un morceau du *décumanus,* l'axe majeur de la ville romaine, en haut de la calle Santa Eulalia. Étonnant : cette rue principale n'a pas changé de tracé depuis 2 000 ans, et déploie toujours la même ardeur commerçante. Un *centro de interpretación* très moderne *(plan A1-2 ; tlj sauf mar-mer 10h-14h, 18h-20h ; GRATUIT)* permet de glaner des explications sur le passé romain de la ville. Tout au fond, on trouve aussi une ancienne citerne reconvertie en lieu de culte secret par les 1ers chrétiens, à une époque (le début du IVe s) où ils étaient persécutés par les Romains. Un monogramme dessiné sur un mur atteste de l'usage religieux de cette cavité. C'est l'un des très rares exemples de lieux de réunion clandestins de cette époque.

🏃 En 2004, un chantier entre le pont romain et le pont de Lusitania a mis au jour une vaste zone de vestiges des différentes cultures qui se sont succédé à Mérida : cette *zone archéologique de la Morería* (au-dessus de laquelle un bâtiment administratif moderne se dresse !) comprend entre autres des restes de murailles, de maisons romaines et une nécropole (wisigothe et arabe).

🏃 Plusieurs autres monuments, parsemés ici et là, se visitent gratuitement : le majestueux *temple de Diane* *(plan A2)* datant des Ier et IIe s), l'*acueducto de los Milagros* *(aqueduc ; hors plan par A1),* le *temple de Marte* *(temple de Mars ; plan B1)* à l'entrée de la basílica Santa Eulalia, le *pórtico del Foro* *(portique du Forum ; plan A-B2)* ou l'*arco de Trajano* *(arc de Trajan ; plan A2).*

BADAJOZ   (06000)   150 000 hab.

● Plan p. 418-419

Ville frontière avec le Portugal, capitale de la plus grande province d'Espagne et ville la plus peuplée d'Estrémadure, Badajoz ne renferme pas le même patrimoine architectural que ses voisines, mais son histoire est tout aussi ancienne et quelques vestiges sont là pour le prouver. La réhabilitation du vieux quartier mauresque autour de l'*Alcazaba* est une réussite. On découvre également beaucoup de portes d'églises à pousser et 3 beaux musées qui, à eux seuls, valent une halte. Hors les murs du vieux quartier, on découvre d'agréables avenues qui témoignent du dynamisme de cette ville universitaire.
– Depuis 1815, important carnaval sur 4 jours fin février. Un musée (gratuit) lui est d'ailleurs consacré.

UN PEU D'HISTOIRE

Depuis sa création par les Maures aux alentours de l'an 1000, la ville a connu une succession de sévères conflits et d'invasions entre Portugais et Castillans... jusqu'aux soldats de Napoléon qui déferlèrent en 1810. Pendant la guerre civile, ses arènes ont vu tomber des centaines de républicains.

Arriver – Quitter

En voiture

➤ *Pour le Portugal :* l'autoroute Madrid-Lisbonne passe la frontière Espagne-Portugal à moins de 10 km de Badajoz. Mais sans conteste, la plus belle route est la régionale EX 110 qui part de Badajoz, passe par *Alburquerque* (dominé par un beau château médiéval) et rejoint *Valencia de Alcántara* (81 km au nord de Badajoz). De là, passer la frontière et gagner la sierra de São Mamede et les belles villes portugaises de *Marvão* et de *Castelo de Vide* (notre préférée !).

En train

🚆 *Estación RENFE* (hors plan par A1) : avda Carolina Coronado, à env 2 km du centre. ☎ 912-320-320. ● renfe.com ● Plusieurs bus pour s'y rendre (nos 2 et 18, entre autres).
➤ *Cáceres :* 1-2 directs/j., d'autres avec changement à Mérida. Trajet : env 1h40.
➤ *Madrid :* 5-7 trains/j. (directs ou indirects). Trajet : 5h-6h (8h30 avec le *regional*).
➤ *Mérida :* 6 départs/j. (4-5 le w-e). Env 45 mn de trajet.

En bus

🚌 *Estación Autobuses* (hors plan par B3) : c/ José Rebollo López, dans le prolongement de l'avda Europa. ☎ 924-25-86-61.
➤ *Cáceres :* env 6 bus/j. pdt l'année scol, 3-4/j. w-e et vac scol avec *Auto-Res*. Trajet : 1h15.
➤ *Plasencia :* 2 départs/j. avec *Alsa*. Trajet : 3h-3h30.
➤ *Madrid :* 8-9 bus/j. dont 4 *express* avec *Auto-Res*. Trajet : 4h30-6h.
➤ *Mérida :* 8 bus/j. (3 le w-e) avec *Leda*. Trajet : 50 mn-1h.
➤ *Séville :* 8 bus/j. (6 le w-e) avec *Leda*. Env 3h de trajet.
➤ *Zafra :* 7-8 départs/j. (5-7 le w-e) avec *Leda*. Trajet : env 1h10.
➤ *Lisbonne :* 2-3 départs/j. avec *Auto-Res*. S'arrêtent à Setúbal. Durée : 2h-2h30.

L'ESTRÉMADURE

- ■ **Adresses utiles**

- **1** Oficina municipal de turismo (B1)
- **2** Oficina municipal de turismo (B2)

- 🛏 **Où dormir ?**

- **10** Hostal Pintor (B2)
- **11** Hotel Cervantes (C2)
- **12** Hotel San Marcos (B2)
- **13** Hotel Zurbarán (A2)

- |●| **Où manger ?**
- 🍷 **Où boire un verre ?**

- **20** Cocina Portuguesa (B2)
- **21** La Corchuela (B2)
- **22** La Casona Alta (B1)
- **23** La Casona Baja (B2)
- **24** El Paso del Agua (B2)
- **25** Mesón El Chozo Extremeño (B2)

Adresses utiles

🛈 **Oficina municipal de turismo** (*plan B1, 1*) **:** *pl. de San José, 18 ; à deux pas de la pl. Alta.* ☎ *924-* 20-13-69. ● *turismo.aytobadajoz. es* ● *Tlj 10h-14h, 17h-19h30.* Installé dans une belle *casa mudejar.*

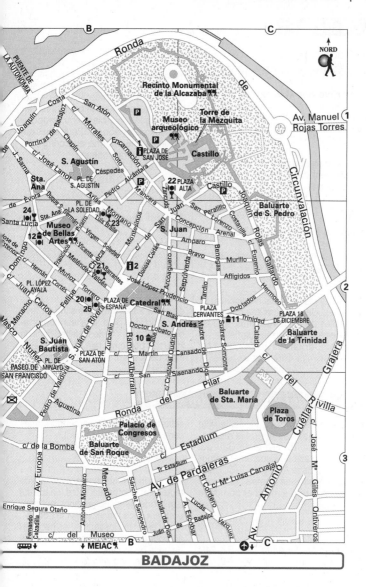

BADAJOZ

Plein de bonnes infos et excellent accueil. Dépliants très bien faits pour une visite thématique de la ville (places et édifices, églises et couvents, Alcazaba et fortifications, musées...). **Autre bureau** (plan B2, **2**) : *paseo de San Juan, près de la cathédrale.* ☎ 924-22-49-81. *Mêmes horaires.*
– Voir aussi ● *turismo.badajoz.es* ● pour les infos sur toute la province.

Où dormir ?

De bon marché
à prix moyens (40-60 €)

🏠 |O| *Hotel San Marcos* (plan B2, **12**) : c/ Meléndez Valdés, 53, 06002. ☎ 924-22-95-18. ● reservas@hotelsanmarcos. es ● hotelsanmarcos.es ● *Doubles avec sdb et clim 40-50 € selon saison, petits déj 4-8 €. Garage 12 €.* Un excellent accueil et un bon petit confort dans cet hôtel récent aux couleurs pimpantes. Autres atouts : la situation très centrale et l'accueil francophone. Bon resto, *Doña Purita (menu 10 € en sem, plats 14-19 €).*

🏠 *Hostal Pintor* (plan B2, **10**) : c/ del Arco Agüero, 26, 06002. ☎ 924-22-42-28. ● info@hostalpintor.com ● hostalpintor.com ● *À 2 mn de la pl. de España. Doubles avec sdb et clim env 50 €. Parking payant à proximité.* Un petit hôtel discret mais impeccable et pas cher. Gentilles petites chambres aux salles de bains rutilantes. Impossible de se garer dans le quartier.

🏠 *Hotel Cervantes* (plan C2, **11**) : c/ Trinidad, 2, 06002. ☎ 924-22-37-10. *Sur la pl. Cervantes, proche de la* cathédrale. ● hotelcervantesbadajoz@gmail.com ● *Doubles avec sdb 40-45 €. Stationnement gratuit sur la place, ou parking payant proche.* Belle maison ancienne à la façade superbe et au joli hall décoré d'azulejos. L'hôtel, un peu fatigué mais bien tenu, propose des chambres sobres. Pour ceux qui privilégient le charme au confort. La patronne est francophone.

De chic à plus chic
(min 60 €)

🏠 *Hotel Zurbarán* (plan A2, **13**) : c/ Gómez de Solis, 1, 06001. ☎ 924-00-14-00. ● reservas@granhotelzurbaranbadajoz.com ● granhotelzurabaranbadajoz.com ● *Doubles 60-100 €, jusqu'à 150 € en hte saison, petit déj 10 €. Stationnement gratuit dans la rue ou garage payant.* Hôtel de chaîne d'aspect imposant, mais situé en face d'un agréable parc. Intérieur confortable et chambres toutes refaites dans un style très contemporain. Piscine et spa. Pour ceux qui privilégient le confort au charme !

Où manger ? Où boire un verre ?

Les restos et bars de la vieille ville sont concentrés autour de la rue piétonne Muñoz Torrero *(plan B2)*, qui part de la plaza de España, et autour de la belle plaza Alta *(plan B-C1)*, aux façades peintes en trompe l'œil. Vous n'aurez pas trop à marcher pour faire votre choix.

Tapas

|O| ⅌ *El Paso del Agua* (plan B2, **24**) : c/ Santa Lucía, 2. ☎ 924-10-87-93. *Tlj. Menu déj 15 €. Tapas 4-5 €, raciones et plats 12-20 €.* Le gastro-créatif du quartier. Des tapas raffinées et surprenantes, aux associations audacieuses comme le foie gras et saumon sur fromage de chèvre ou la brochette de thon à la sauce olive. Un bar à tapas convivial au rez-de-chaussée qui fait également resto à l'étage, dans une salle aux allures de cathédrale (mais carte beaucoup plus chère !).

|O| ⅌ *La Corchuela* (plan B2, **21**) : c/ Meléndez Valdés, 12. ☎ 924-22-00-81. *Tlj sauf dim. Tapas env 3 €, raciones 4-17 €.* Un bar *muy típico*, avec tête de taureau et photos aux murs, chapelets d'ail et de piments, jambons qui pendouillent, gros tonneaux sur le trottoir... tout y est ! Une institution, les habitués au coude à coude autour de tapas et de bons petits vins.

|O| ⅌ *La Casona Alta* (plan B1, **22**) : pl. Alta, s/n. ☎ 924-24-73-95. *Tlj 8h-1h. Tapas 2-4 €, plats chauds 9-18 €.* Bar à tapas avenant et décontracté, doté d'une vaste salle boisée et d'une agréable terrasse sur la place. Bonne ambiance le soir pour prendre un verre. Il existe aussi *Casona Baja*, un peu plus bas *(pl. de la Soledad ; plan B2, **23**)*, même déco et même carte.

De bon marché à prix moyens (8-25 €)

|●| **Mesón El Chozo Extremeño** (plan B2, 25) : c/ Muñoz Torrero, 3. ☐ 695-88-58-44. • julizapardiello@gmail.com • Tlj. Plats 8-13 €. Une petite adresse pleine d'authenticité pour déguster de bons plats locaux, généreusement servis. Les gens d'ici y viennent en famille tant pour son large choix que pour ses prix tenus. Propose tapas et raciones également.

|●| **Cocina Portuguesa** (plan B2, 20) : c/Muñoz Torrero, 7. ☎ 924-22-41-50. • cocinaportuguesa@gmail.com • Tlj sauf dim. Fermé de fin juil à mi-août. Menu midi en sem 10 €, plats 8-19 €. Bon choix de plats appétissants et généreux (bacalao, palourdes, langoustines, viande a la plancha, etc.). Beaucoup d'ambiance, en salle comme en terrasse dans la rue.

À voir

Une bonne nouvelle : tous les musées sont gratuits !

🎥🎥 **Alcazaba et Museo arqueológico** (plan B-C1) : la belle forteresse arabe qui domine la ville offre, de son chemin de ronde entièrement restauré, une vue panoramique exceptionnelle sur la vieille ville et ses ponts. À l'intérieur, domine la tour de la mezquita, intégrée à l'hôpital militaire du XIIIe s, aujourd'hui bibliothèque de l'université mitoyenne, une casa fuerte du XVe s, les ruines de l'ermitage du château (dont il ne reste rien), et le **Museo arqueológico,** installé dans un palais du XVIe s (☎ 924-00-19-08 ; • museoarqueologicobadajoz.gobex.es • ; mar-dim 9h (10h dim)-15h ; fermé lun et certains j. fériés ; parking gratuit). Autour d'un patio décoré d'une mosaïque romaine, 3 niveaux où sont exposées des pièces de grande qualité allant de la préhistoire au XVIe s, en passant par l'architecture wisigothe et la période islamique. Dans la galerie supérieure, ne pas manquer les émouvantes stèles de l'âge de bronze, gravées autour du VIIIe s av. J.-C., dont certaines exhibent un guerrier armé d'une lance ou d'une épée.

🎥🎥 **Museo de Bellas Artes** (musée des Beaux-Arts – MUBA ; plan B2) : c/ Duque de San Germán, 3. ☎ 924-21-24-69. • muba.badajoz.es • Mar-ven 10h-14h, 17h-19h (18h-20h en été) ; le w-e 10h-14h. Fermé lun. GRATUIT. Dépliant en français. Dans un ancien palais, agrandi d'une annexe moderne et lumineuse, une riche et intéressante collection de peintures et sculptures d'artistes en majorité extré-mègnes, pour la plupart des XIXe et XXe s. On a bien aimé, notamment, les œuvres orientalistes un peu folles d'Antonio Juez, né à Badajoz. Un autre bâtiment, au fond de la cour, présente une section d'œuvres religieuses des XVIIe et XVIIIe s, parmi lesquelles on pourra voir un tableau de Zurbarán et du Caravage, ainsi que 3 œuvres de Goya et une galerie de portraits des rois d'Espagne.

🎥🎥 **Catedral** (plan B2) : pl. de España. ☎ 924-23-90-27. Mar-sam 11h-13h, 17h-19h30 (18h30-20h en été). Fermé dim-lun. Visite guidée (obligatoire) incluant cathédrale, musée et cloître : 4 €. En accès libre pour les fidèles : mar-sam 9h-11h. Fondée vers 1230 mais achevée au XVIIIe s, elle arbore une tour crénelée digne d'une forteresse. À l'intérieur, triple nef à puissante croisée d'ogives. Belle collection de tapisseries flamandes du XVIe s représentant la vie d'Ulysse. Elles ont été achetées pour orner la salle capitulaire. On peut s'étonner de l'origine païenne des thèmes abordés, mais finalement les scènes dépeintes coïncident avec les valeurs chrétiennes : qui mieux que la très patiente Pénélope pourrait incarner la fidélité conjugale ? Le musée abrite quelques œuvres de Luis de Morales, peintre local du XVIe s, surnommé El Divino.

🎥 **MEIAC** (musée d'Art contemporain ; hors plan par B3) : c/ del Museo, s/n. ☎ 924-01-30-60. • meiac.es • Mar-sam et j. fériés 10h-14h, 17h30-20h ; dim 10h-14h. Fermé lun. GRATUIT. Installé dans la tour centrale de l'ancien pénitencier, dont l'architecture a été revue de façon très moderne. Intéressantes collections d'artistes tourmentés d'origine espagnole et portugaise. Expositions temporaires aux étages.

L'ESTRÉMADURE

DANS LES ENVIRONS DE BADAJOZ

OLIVENZA

À 25 km vers le sud par la régionale EX 107, on longe la raya (la frontière) par une jolie route champêtre.
De belles choses à voir dans cette petite cité aux maisons blanches, qui a appartenu au Portugal pendant 5 siècles.

❁ *Museo etnográfico :* dans le château dont la tour domine la ville. ☎ 924-49-02-22. ● museodeolivenza.com ● ♿ Mar-sam 10h30-14h, 17h-20h (16h-19h en hiver) ; dim 10h-14h15. Fermé lun et certains j. fériés. Entrée : 2,50 € ; réduc. Les nombreux visiteurs extrémègnes y retrouvent avec émotion leurs souvenirs et leurs racines (l'épicier, le pressoir, le barbier, le tailleur, l'école, la chambre d'enfant, etc.).

À QUI APPARTIENT OLIVENZA ?

Chose étonnante, il reste une frontière disputée au sein de l'Union européenne : le Portugal revendique la commune d'Olivenza, administrée par l'Espagne. Prise par les troupes espagnoles en 1801, lors de la guerre des Oranges, la ville n'a jamais été rétrocédée. L'affaire est complexe, car plusieurs traités se sont superposés, rendant difficile tout arbitrage juridique. Ce conflit est devenu anecdotique depuis la création de l'espace européen de Schengen, et pourtant certains groupes nationalistes remettent de temps à autre un peu d'huile sur le feu...

❁❁ *Iglesia de la Magdalena :* à côté de l'ayuntamiento (mairie). Mar-sam 10h-13h30, 16h-18h (17h-19h en été) ; dim et j. fériés 10h-13h30. Fermé lun. Elle date du XVIe s et vaut le coup d'œil pour ses retables baroques, son arbre de Jessé, sa chapelle tapissée d'azulejos et ses superbes colonnes torsadées de style manuélin. À propos de ce style, développé sous le roi portugais Manuel Ier et très rare en Espagne, voir en face la porte de l'*ayuntamiento* (pl. de la Constitución). C'est l'exemple le plus frappant qui soit : nœuds marins et coquillages rappellent le glorieux passé maritime des voisins portugais. Un peu plus loin, dans le centre piéton, voir également l'intérieur recouvert d'azulejos du XVIe s de la *capilla del Espíritu Santo.*

🛏 🍴 *Restaurante-Hostal Dosca :* pl. de la Constitución, 15. ☎ 924-49-10-65. Tlj. Double env 50 €. Grosses salades et plats 7-16 €. À côté de la belle église de la Magdalena, un petit resto où il est agréable de se poser en terrasse pour apprécier de bons et copieux plats, cuisinés sans originalité mais avec soin. La bonne adresse où les familles se retrouvent le dimanche (bruyant en salle !).

Propose également 7 chambres à l'étage pour qui veut prolonger l'escale.
☞ 🍷 La petite promenade dans les ruelles piétonnes vous mènera comme par enchantement devant la *casa Fuentes* (c/ Moreno Nieto, 11 ; tlj 9h-21h), une des meilleures pâtisseries de la région. Puis, au bout de cette ruelle, la plaza de España et sa flopée de cafés en terrasse pour boire un verre.

ZAFRA
(06300) 16 500 hab.

Située à 64 km au sud de Badajoz et à 135 km au nord de Séville, Zafra arbore déjà le visage pétillant de l'Andalousie. Très jolie, éclatante de blancheur, elle offre de belles balades dans ses ruelles bordées de maisons aux murs chaulés, dont certaines abritent de discrets couvents, d'autres d'anciens palais Renaissance ou mudéjars fastueux. Ses 2 *plazas* rivalisent de beauté, enrichissant cette étape agréable.

Arriver – Quitter

En train

🚆 **Estación RENFE :** avda de la Estación, à l'est de la ville. ☎ 912-320-320. ● renfe.com ●

➤ **Mérida :** 2-3 trains/j. Trajet : 50 mn.

➤ **Séville :** 1 train/j. Trajet : 2h50. Mieux vaut prendre le bus.

En bus

🚌 **Estación Autobuses :** ctra Badajoz-Granada. ☎ 924-55-39-07.

➤ **Séville :** 7-8 bus/j. (4 le sam) avec Leda (● leda.es ●). Trajet : 1h30-2h.

➤ **Mérida :** 9-10 bus/j. (6 le sam) avec Leda. Trajet : 1h10.

➤ **Badajoz :** 8-9 bus/j. (6-7 le w-e) avec Leda. Trajet : env 1h.

➤ **Madrid :** 3-4 bus/j. avec Suroestebus (● avanzabus.com ●). Trajet : env 5h30.

Adresses utiles

🛈 **Oficina de turismo :** pl. de España, 8b. ☎ 924-55-10-36. ● visitazafra. com ● Lun-ven 10h-14h, 17h30-19h30 (16h30-18h30 en hiver) ; le w-e 10h-14h. Bon accueil en français et plein de documentation sur la région.

✉ **Correos** (poste) **:** pl. de España, 8.

Où dormir ?

Attention ! La semaine qui précède le 1er octobre, lors de la *feria San Miguel* (gigantesque fête de l'élevage et corridas) : les hôtels sont pris d'assaut et triplent leurs prix.

Prix moyens (45-60 €)

🏠 **Hotel Plaza Grande :** c/ Pasteleros, 2. ☎ 924-56-31-63. ● info@hotelpla zagrande.es ● hotelplazagrande.es ● ♿ Double env 50 €, petit déj inclus. Dans une vieille maison de la jolie plaza Grande, un petit hôtel aux chambres confortables (clim) et rénovées avec goût, avec ou sans balcon. Accueil charmant et très pro pour parfaire l'ensemble. Bar-resto sous de jolies voûtes.

🏠 **Hostal Carmen :** avda de la Estación, 9. ☎ 924-55-14-39. ● info@ hostalcarmen.com ● hostalcarmen. com ● ♿ Derrière le parque de la Paz, à 5 mn de la vieille ville. Double avec sdb et clim 46 €. Autour d'un patio, une petite dizaine de chambres classiques et impeccables. Parking facile dans la rue, et resto. Accueil très sympa.

De chic à très chic (de 80 à plus de 120 €)

🏠 **Parador Duques de Feria :** pl. Corazón de María, 7. ☎ 924-55-45-40. ● zafra@parador.es ● parador.es ● ♿ Doubles 80-140 € selon saison (jusqu'à 165 € en très hte saison), petit déj 16 €. Impressionnant, dans un château du XVe s où Hernán Cortés, originaire de Medellín, séjourna avant d'aller conquérir le Mexique. Chambres joliment décorées, confortables comme il se doit, et piscine (aux beaux jours) abritée par les tours crénelées. Vaste et élégant patio Renaissance, resto... la totale, quoi !

L'ESTRÉMADURE

Où manger ? Où boire un verre ?

|●| **La Bodega-Bar El Taxi :** c/ Cestería, 1. ☎ 924-55-06-40. De la pl. Chica, passer sous l'arc de Jerez, prendre à droite jusqu'à une place en triangle, c'est au fond à gauche. Fermé mer. Raciones 5,50-6,50 €, côtelette d'agneau 2 €/pièce ! Aucune concession touristique, du brut de

brut. D'imposantes jarres de part et d'autre d'un vieux local éclairé par des néons, quelques tables et la télé dans un coin. Les habitués viennent pour les *raciones* délicieuses et généreusement servies. Toutes sortes de viandes cuites à la braise (le poulet est à tomber !), mais il faut surtout goûter les rognons et les *chocos* (poulpe)... on en salive encore ! Le tout accompagné d'un petit *vino de la tierra*, évidemment. Mémorable !

|●| ▼ *La Tertulia :* pl. Chica, 10. ▤ 619- 165-076. ● *latertulia@hotmail.es* ● *Fermé mar soir-mer. Plats et raciones 9-15 €. Digestif offert sur présentation de ce guide.* Joli resto-bar décoré de photos et de cartes postales. Plaisante cuisine à base de tapas et de petits plats soignés ; bonne ambiance pour bavarder autour d'un verre. Quelques tables sous les arcades, à la fraîche.

▼ Plusieurs *bars* animés sur les superbes *plazas Grande* et *Chica*, à découvrir selon les heures et les envies.

À voir

🏃🏃 *Plaza Grande et plaza Chica :* 2 petits bijoux reliés par un porche passant sous l'une des belles maisons à arcades qui entourent chaque place. La *Chica* fut longtemps un souk arabe important. La *Grande* est plus belle encore, avec un décrochement planté de palmiers.

🏃🏃 *Parroquia de La Candelaria :* c/ Tetuán, à deux pas de la pl. Grande. Mar-sam 10h30-13h, 17h-19h (16h-20h en été) ; dim et j. fériés 10h30-11h30. Fermé lun. Derrière sa sobre façade, cette église du XVIe s cache quelques trésors. Un beau travail en croisée d'ogives compose une voûte harmonieuse et les retables, de différentes époques, sont superbes. Ne pas manquer celui de los Remedios (à droite de l'autel, prévoir une pièce de 1 € pour l'éclairage) où l'on découvre des tableaux de Zurbarán encadrant un christ vêtu de blanc, les mains liées.

🏃 *Museo Santa Clara :* c/ de Sevilla, 34. ☎ 924-55-14-87. ● *museozafra.es* ● ♿. Dans la rue piétonne commerçante entre la pl. Grande et la pl. de España. En été, mar-dim 10h-14h. Le reste de l'année, mar-sam 11h-14h, 17-19h ; dim 11h-14h. Fermé lun tte l'année. GRATUIT. La visite de ce couvent des XVe-XVIe s permet de découvrir la vie des sœurs clarisses, un ordre fondé par sainte Claire d'Assise au XIIIe s et qui forme la branche féminine de l'Ordre franciscain. Fastueuse chapelle, parloir qui permettait aux nonnes de communiquer avec l'extérieur, cellule (digne d'une cellule de prison) et expo de reliquaires, chasubles brodées, orfèvrerie et peintures religieuses. Les sœurs vendent des gâteaux sur place.

L'ARAGON

● Carte p. 426-427

Situé entre le Pays basque et la Catalogne dans sa partie nord, l'Aragon (47 700 km^2, un peu plus étendu que la région Midi-Pyrénées) descend jusqu'à la hauteur de Madrid. Ses 3 provinces, Huesca, Saragosse et Teruel, présentent toutes un intérêt différent ainsi que de superbes paysages d'une très grande variété. Au nord, Huesca marque la porte d'entrée des Pyrénées (le pic d'Aneto culmine à 3 408 m) avec ses parcs naturels emblématiques : la sierra de Guara et le parc national d'Ordesa et du Mont-Perdu (Monte Perdido), terrains d'aventure pour

les amateurs de sports de pleine nature (escalade, canyonisme, vol libre ou randonnée). Un environnement de montagnes et de vallées encaissées, où l'eau et les siècles ont puissamment tailladé la roche pour donner naissance à de magnifiques et profonds canyons.

Capitale de l'Aragon, Saragosse est isolée dans la plaine de l'Èbre. Avec ses monuments, ses parcs à thème et, aux alentours, plusieurs petits villages chargés d'histoire où prédomine le style mudéjar (classé Patrimoine de l'humanité par l'Unesco), cette grande ville dynamique a décidé de jouer la carte culturelle et environnementale.

Plus au sud, l'âpre Teruel déroule une remarquable architecture mudéjare. Elle est aussi connue pour son excellent jambon. Des sierras boisées d'Albarracín aux plateaux balayés par les vents du Matarraña, les centres d'interprétation en rapport avec la géologie et les grandes périodes de l'histoire de notre planète ont fleuri un peu partout. Ici, le dépaysement est garanti, les espaces vierges raviront les randonneurs.

LES SPORTS NATURE

Dans tout l'Aragon, les grands espaces et les parcs naturels, Ordesa et Guara dans le Nord, ou la région de Villarluengo dans le Maestrazgo ou encore de Valderrobres dans le Matarraña, offrent un cadre splendide et idéal pour la pratique des activités de plein air...

Le canyonisme

Ce n'est pas un hasard si le mot *canyon* est d'origine espagnole. Et quand bien même « la grimpe » lui ravit aujourd'hui la préférence des vacanciers, cette activité marche fort dans les parcs d'Ordesa et de Guara. Il y a une vingtaine d'années, on pouvait même dire que la sierra de Guara était « la Mecque » du canyonisme. Aujourd'hui, compte tenu du nombre d'accidents (dus la plupart du temps à une pratique sans encadrement et sous-expérimentée), la législation s'est durcie. **Casque et combinaison isothermes sont devenus obligatoires (fréquents contrôles des gardes forestiers).** Quant à la pratique proprement dite, mieux vaut savoir désescalader et manipuler des cordes, sous peine de rester coincé à mi-paroi.

L'ARAGON

Vitoria
LA RIOJA
Pamplona
Vallée d'Hecho
Hecho
Ansó
Vallée d'Ansó
Lac de Yesa
Estella
P. la Reina de Jaca
Navardún
S. C. de la Seros
Sos del Rey Católico
Murillo de Gállego
Riglos
Logroño
Olite
NAVARRE
Tafalla
Santo Domingo de la Calzada
Uncastillo
Agüero
Sarsamarcuello
Ayerbe
Sádaba
Bardenas Reales
Ejea de los Caballeros
Tudela
Tauste
Tarazona
Río Gállego
SARAGOSSE (ZARAGOZA)
CASTILLE-LEÓN
Soria
Jalón
Río
Almazán
Fuendetodos
Belchite
N. S. del Pueyo
Catalayud
Cariñena
Santa María de Huerta
Nuévalos
Monasterio de Piedra
Daroca
ARAGON
Sigüenza
Alcolea del Pinar
Laguna de Gallocanta
Calamocha
Molina de Aragón
Montalbán
MADRID
Utrillas
CASTILLE-LA MANCHE
Pitarque
Peracense
Les Monts Universels
Albarracín
Los Pinares de Rodeno
Teruel
Mora de Rubielos
Cañaveras
Rubielos de Mora
Cuenca
VALENCIA

Saragosse — Lieux traités
Tauste — Adresses et lieux dans les environs
Campo — Repères

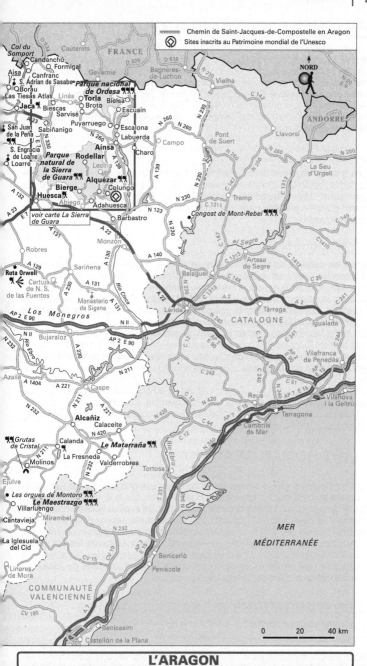

Mais à l'instar de la majorité des pratiques de plein air, la bête noire, c'est la météo ! Renseignez-vous sérieusement avant de partir ! Dilettantes, faites appel à des professionnels. À tout prendre, les débutants trouveront autant de plaisir à randonner au fond des gorges en alternant la marche et la baignade. Un peu moins sensationnel, mais on est sûr de s'amuser. ***Dans tous les cas, ne jamais partir si l'orage menace, ni sans avoir signalé le canyon que vous comptez suivre.*** Côté pratique, on trouve des cartes et topos expliquant les sentiers d'approche et le niveau de difficulté rencontré, ainsi que tout le matériel nécessaire (harnais, combis, cordes) à louer pratiquement dans tous les villages de la région.

Le VTT

Les grands espaces et les nombreux chemins balisés attirent à juste titre les adeptes de la *bicicleta todo terreno* (*BTT* ; notre VTT) ou *de montaña* (de montagne). Mais attention aux dénivelées ! Location sur place possible, mais plutôt dans les grandes villes. Les meilleurs spots : Alquézar, Albarracín et tout le Maestrazgo.

La randonnée pédestre

Entre les sentiers de grande randonnée (GR), le chemin de Saint-Jacques-de-Compostelle, les *Vías verdes* et les différents parcours à vocation sportive, environnementale ou culturelle, il n'y a que l'embarras du choix. Depuis quelques années, du parc d'Ordesa aux confins du Maestrazgo, l'Aragon a multiplié les initiatives. Les sentiers sont la plupart du temps bien balisés et l'on trouve des topoguides dans la plupart des offices de tourisme.
En outre, les éditions Prames publient un catalogue regroupant l'ensemble de ces sentiers (dont les GR), avec un descriptif allégé. Impératif ensuite d'acheter le topoguide détaillé correspondant, vendu séparément. ***Red de senderos de Aragón*** (attention pas de remise à jour depuis 2002) *: GR. PR et Topoguías, éditions Prames, camino de los Molinos, 32, 50015 Zaragoza.* ☎ *976-10-61-70.* ● *prames. com* ●. Voir aussi ● *senderosfam.es* ●, le site de la Fédération de randonnée d'Aragon. Exclusivement en espagnol mais très bien fait, il permet de rechercher des itinéraires selon la durée, la dénivelée ou la distance, entre autres critères, et d'accéder à une fiche assez détaillée.

L'ART ROMAN ARAGONAIS

Les amateurs de vieilles pierres seront comblés. Les plus beaux sites romans se trouvent au nord, dans la province de Huesca, là où, dès le XIe s, se sont installés les 1ers architectes en provenance de Lombardie. De la plus modeste des églises (Santa Cruz de la Serós) à l'imposant château de Loarre, l'appareillage de grosses pierres (Sos del Rey Católico), les tours-clochers lombardes (églises du Serrablo), les cloîtres (San Juan de la Peña), les fresques (Roda de Isábena), les chapiteaux (Alquézar) expriment un art roman populaire où les sirènes, les monstres et le diable sont bien présents. Le mobilier précieux est à l'abri au ***musée de Jaca*** et au ***musée national d'Art de Catalogne,*** à Barcelone.

LES ITINÉRAIRES DE SAINT-JACQUES-DE-COMPOSTELLE EN ARAGON

Tous les chemins mènent à Compostelle ! Le sentier GR 653, peu connu, suit le piémont espagnol des Pyrénées, du col du Somport à la Navarre. C'est le prolongement naturel du chemin d'Arles et de la *Via Tolosana*. Plus au sud, toujours d'est en ouest, on trouve le chemin de l'Èbre qui passe par Saragosse, et encore plus au sud, le Valencien, qui permet de gagner Soria, via Teruel et Calatayud. L'office aragonais de tourisme met en ligne un petit guide (en PDF, à télécharger) en français : il reprend tous les sites dignes d'intérêt parcourus par ces différents itinéraires.

GASTRONOMIE ARAGONAISE

La cuisine aragonaise enracinée dans le terroir tire profit des richesses agricoles de la région. Parmi les spécialités et les produits d'appellation d'origine (DO) citons le *jambon de Teruel, l'agneau de lait d'Aragon, l'huile d'olive* du Bas-Aragon et de la Sierra del Moncayo, les *oignons de Fuentes de Ebro* (il est doux et n'irrite pas les yeux quand on le coupe), la *pêche (melocoton) de Calanda* (fruit sucré au goût unique). La *bourrache,* une plante qui donne des fleurs saines et nutritives, est cultivée dans les champs de la vallée de l'Èbre. On accommode ses feuilles avec des cèpes ou de la viande. L'Aragon est le 1er producteur mondial d'une variété de *truffe noire,* récoltée dans la région de Huesca et à Sarrión au sud des monts du Maestrazgo. La région de Jiloca (province de Teruel) s'est spécialisée dans la culture du *safran,* surnommé « l'or rouge » de l'Aragon. Les Pyrénées aragonaises et la province de Teruel élaborent de savoureux *fromages* (130 variétés au total).
– *Bon à savoir :* le *label C'Alial* permet d'identifier 36 produits de qualité, transformés ou non (viandes, saucisse, légumes, miel, huile d'olive, fruits, fromages, pain, pâtisseries...) et produits en Aragon.
– Au *chapitre des vins* (rouges et blancs), on dénombre 4 appellations d'origine : le *Somontano* (région de Barbastro), le *Cariñena* (sud de Saragosse), le *Campo de Borja* (nord-ouest de Saragosse) et le *Calatayud* (sud de Saragosse). Il existe un label « Œnotourisme Aragón » et des routes des vins du Somontano, du Campo de Cariñena et du grenache (Campo de Borja).

Comment y aller ?

Par la route, depuis la France

4 routes traversent les Pyrénées vers l'Aragon : le col de la Pierre-Saint-Martin (vallée de Barétous), le tunnel du Somport (vallée d'Aspe), le col du Pourtalet (vallée d'Ossau), le tunnel de Bielsa (vallée de Saint-Lary-Soulan).

Attention, seul le tunnel du Somport est ouvert toute l'année et encore, il n'est pas rare qu'il soit fermé pour des problèmes techniques.
Les routes sont en bon état en Aragon. Ne vous étonnez donc pas de rouler sur de véritables « autoroutes » en pleine nature.
– *Carte :* Michelin n° 574 (1/400 000).

LE CENTRE : LA PROVINCE DE SARAGOSSE

Le centre de l'Aragon est un bassin alluvionnaire occupé par des terres maraîchères, des fermes solaires, des champs d'éoliennes et des vignobles entrecoupés de voies de circulation. Transition entre les Pyrénées et les sierras ibériques de Teruel, c'est un large couloir de communication entre l'Est et l'Ouest. Baignée par le río Ebro (l'Èbre), Zaragoza (Saragosse) en est le poumon économique. La région fut témoin de quelques tragiques affrontements pendant la guerre civile, dont il reste encore des traces aujourd'hui à Belchite (village détruit, toujours en ruine) et alentour.

ARAGON

SARAGOSSE (ZARAGOZA)   (50000)   682 000 hab.

● Plan p. 432-433

Capitale de l'Aragon depuis le XIIe s, Saragosse est la 5e ville d'Espagne. Son passé lui confère le titre de « ville des 4 cultures » puisqu'elle fut tour à tour occupée par les Ibères, les Romains, les musulmans et les chrétiens. Aujourd'hui encore, les styles d'architecture s'y mélangent dans une étrange harmonie de styles.

Métropole active du bassin de l'Èbre, la cité connaît un important développement depuis les années 1970, notamment grâce à l'électronique et aux laboratoires de recherche scientifique. Saragosse est une grande ville chargée d'histoire mais ouverte sur le futur. Son riche patrimoine compte plusieurs monuments inscrits au Patrimoine mondial de l'Unesco au titre de « l'Art mudéjar d'Aragon ». Longtemps considérée comme la belle inconnue d'Espagne, Saragosse est aujourd'hui une très agréable étape pour entrer en Aragon, et réserve de belles surprises.

UN PEU D'HISTOIRE

Celtibère, romaine, wisigothe, musulmane, et chrétienne

Située au confluent de l'Èbre et du Gállego, l'antique *Salduba* des Ibères devient en 14 av. J.-C. une colonie militaire romaine sous le nom de *Cæsaraugusta,* en l'honneur de son fondateur l'empereur **Auguste.** De l'époque romaine, il reste quelques vestiges : le musée souterrain du forum romain, le port fluvial, les thermes publics (musée) et les restes du théâtre. Après les Romains, les Wisigoths la renomment **Cesaragos.** À partir de 714, les Maures venus d'Andalousie prennent la ville et l'embellissent durant 4 siècles. Au XIe s, elle se nomme **Medina Albaida Saraqusta,** et devient la capitale d'un important *taifa* d'Al-Andalus, suite au démantèlement du califat de Cordoue. Le palais de l'Aljafería témoigne du rayonnement de la ville à *l'époque islamique.*

Saragosse : capitale du royaume d'Aragon

Reprise par les catholiques en 1118, la cité devient **capitale du royaume d'Aragon** en 1205 et se dote, à l'image des pays pyrénéens, de *fueros* (franchises) démocratiques. Conséquence heureuse, la ville protège ses maçons musulmans, virtuoses dans l'art d'assembler la briquette, ce qui a pour effet une expansion de *l'art mudéjar.* La ville connaît une longue période de prospérité qui dure jusqu'à la fin du XVe s. En 1479, le roi Ferdinand d'Aragon épouse Isabelle de Castille dite « la Catholique ». Ce mariage célébré à Valladolid consacre *l'union des 2 grands royaumes d'Aragon et de*

> ### SARAGOSSE FRANCOPHOBE À CAUSE DE NAPOLÉON
>
> *Lors du siège de Saragosse en janvier-février 1809, les hommes de Napoléon ne montrèrent aucune limite dans la violence et la férocité. Des toiles de maître volées dans les églises et les monastères servirent de toiles de tente pour héberger les soldats. Des moines espagnols désespérés les attaquaient à coup de crucifix. Les troupes françaises ont laissé une si affreuse image à Saragosse que la France a longtemps été détestée. Dans le patois du paysan aragonais au XIXe s, les Français étaient désignés sous le nom de gavacho, qui est aussi le mot désignant le cochon dont on fait le jambon.*

Castille et jette ainsi les bases de la future monarchie espagnole. Saragosse cesse d'être la résidence des rois. Mais le nouveau siège du pouvoir est transféré en Castille (Burgos), puis à Tolède et enfin à Madrid. En 1604, un voyageur français compare Saragosse à Toulouse et note que près de 10 000 Français y habitent ! D'autres voyageurs de cette époque disent que la ville est opulente, la plus propre d'Espagne, et la plus riche, « où les clochers sont plus nombreux que les hommes », et les environs fertiles grâce à l'Èbre.

Le pire arrive de France au début du XIXe s. Du 28 décembre 1808 au 21 février 1809 les troupes napoléoniennes assiègent Saragosse (voir encadré). Les habitants résistent mais beaucoup périssent (environ 54 000) dans les combats. La ville reçoit le titre de « *Siempre heroíca* ».

Une apparition de la Vierge Marie

Une part de la notoriété de la ville vient de ce que le 2 janvier de l'an 39 apr. J.-C. la Vierge Marie serait apparue ici sur un pilier, alors qu'elle vivait à Éphèse (Turquie actuelle) en compagnie de l'apôtre saint Jean. Ce don d'ubiquité est appelé aussi « phénomène de bilocation ». Elle serait apparue une autre fois à l'apôtre saint Jacques le Majeur (celui de Compostelle), qui prêcha en Espagne, selon la légende. C'est à lui que la Vierge aurait demandé de construire une basilique autour dudit pilier.

Depuis, la *Virgen del Pilar* est l'incarnation même de l'hispanité (fêtée le 12 octobre), et la foule s'y presse. Enfin, la ville aura encore maille à partir avec nombre d'envahisseurs, notamment au seuil du XIXe s quand les troupes napoléoniennes la mettront à feu et à sang en 1809.

Francisco de Goya

C'est *l'enfant du pays,* et vous retrouverez sa trace un peu partout en ville. Né à Fuendetodos en 1746 (voir « Dans les environs de Saragosse »), Francisco de Goya y Lucientes se forme d'abord à Saragosse, puis à Madrid avant de partir en Italie où le néoclassicisme lui fait une forte impression. À son retour, il se voit confier la décoration d'une voûte de la basilique du Pilar (prélude à d'autres commandes pour la basilique). Devenu *peintre de cour à Madrid* à la fin des années 1770, il se lance aussi dans la gravure, domaine qui assoira sa notoriété.

L'univers du Goya graveur est sombre et parfois mâtiné de fantastique. Y apparaissent ses obsessions, ses fantasmes et ses démons : la bêtise, l'égoïsme et la cruauté humaines, l'horreur des guerres. Le regard de l'artiste sur la société de son époque dans des séries comme *Les Désastres de la guerre* ou *Les Caprices* est *satirique, ironique, mais aussi plein de fantaisie.* La tauromachie est aussi l'un de ses sujets de prédilection. Fuyant l'absolutisme de Ferdinand VII et l'Inquisition, il s'exile à Bordeaux en 1824, où il meurt en 1828, sourd (depuis longtemps) et quasi aveugle.

Outre les peintures et les gravures conservées dans les musées, Goya a laissé de belles œuvres en Aragon même : à Saragosse (peintures murales) dans la basilique Nuestra Señora del Pilar, dans la Cartuja del Aula Dei (monastère aux environs de Saragosse), dans les églises de Calatayud et de Remolinos (peintures), à Muel dans l'Ermita N.S. de la Fuente.

Arriver – Quitter

En avion

✈ *L'aéroport* (hors plan par A1) : à env 10 km au sud-ouest de la ville. ☎ 976-71-23-00. ● aena.es ● Petit office de tourisme (ouv en fonction des vols).

Vols pour et depuis quelques villes espagnoles et européennes, notamment avec les compagnies low-cost (dont *Ryanair* pour Bruxelles et Paris, *Volotea*...). Location de voitures (*Avis, Hertz, Europcar*...).

L'ARAGON

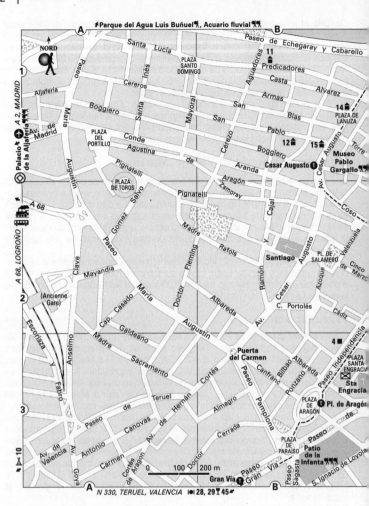

L'ARAGON

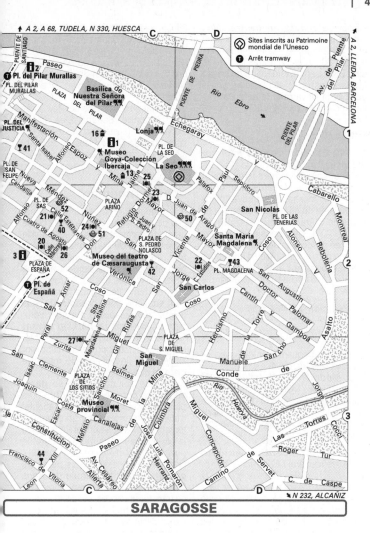

SARAGOSSE

L'ARAGON

– Pour *se rendre au centre-ville* : navettes 6h15-23h15 depuis l'aéroport et 5h30-22h30 depuis le centre-ville, ttes les 30 mn en sem, ttes les heures dim. Billet : env 2 € (départs du paseo María Agustín, 7, et plusieurs arrêts dont avda Navarra et la gare Delicias Intermodal). En taxi, env 30 €.

En train et bus

🚉 🚌 *Estación Delicias Intermodal* (hors plan par A2) : avda Navarra, 80. Elle regroupe la gare ferroviaire et la gare routière. Moderne, bien organisée, et immense. On y trouve l'office de tourisme de Saragosse et l'office de tourisme d'Aragon *(mêmes horaires : tlj 10h-20h),* des consignes et des agences de location de voitures. Sinon, chaque gare a son bureau d'info et ses guichets propres.
➤ Bus n⁰ˢ 51 ou 34 pour rejoindre le centre-ville.

🚉 *Estación RENFE* : ☎ 912-320-320. ● renfe.com ● Guichets 8h-21h (6h-22h30 pour les trains partant dans l'heure) ; consigne 7h-23h.
➤ Liaisons fréquentes en *AVE* avec les grandes villes du pays.
Pour *Madrid :* env 20 train/j., 7h05-22h43, durée : 1h20-1h30.
Pour *Barcelone* (env 1h45). Et quelques trains/j. pour *Huesca* (1h), *Canfranc* (4h), *Teruel* (2h30) et *Valencia* (env 5h).

🚌 *Estación Central Autobuses* (gare routière) : au niveau inférieur. ☎ 976-70-05-99. Bureau d'info, tlj 8h-21h : s'y rendre pour savoir vers quelle compagnie se diriger, ça évite d'attendre inutilement aux guichets. ● estacion-zaragoza.es ● Toutes les compagnies y sont regroupées (y compris *Eurolines* pour la France, le Maroc, l'Italie...). Les horaires d'ouverture des guichets varient pour chacune d'entre elles.
➤ Plusieurs bus/j. de/vers *Huesca* (durée : 1h) et *Jaca* (durée : 2h30) avec la Cⁱᵉ *Alosa* (☎ 912-72-28-32 ; ● alosa. avanzabus.com ●).
➤ *Madrid :* env 15 bus/j., 4h50-23h20 ; durée : 4h, certains directs pour l'aéroport de Madrid-Barajas.
➤ *Barcelone :* env 15 bus/j., 7h35-

23h35, avec la Cⁱᵉ *Alsa* (☎ 902-42-22-42 ; ● alsa.es ●). Durée : 3h30-4h.
➤ *Teruel :* env 5 bus/j. avec *Jiménez* (☎ 902-20-27-87 ; ● autobusesjimenez.com ●). Durée : 2h-3h30.
➤ *Valencia :* 5 bus/j. avec *Jiménez.* Durée : 4h.
➤ Les *Cinco Villas* (Sos del Rey Católico, Uncastillo, Sádaba, Ejea de los Caballeros et Tauste) sont desservies par la compagnie *Cinco Villas* (☎ 976-33-33-71 ; ● autobusescincovillas.com ●).

Circulation et stationnement

À Saragosse, le plus difficile n'est pas de circuler en voiture, mais de se garer, notamment dans le centre-ville où *les places de stationnement sont très rares.* Celles que vous dégoterez peut-être sont généralement à durée limitée (les lignes bleues) ou réservées aux résidents (les lignes jaunes). Le plus souvent, par conséquent, vous devrez vous résoudre à ranger votre petit bolide dans un *parking payant* (cher, env 20 €/24h) près du centre historique ; les hôtels du centre disposent en général d'un tarif négocié, mais cela reste un budget (min 15 €/j.).
Éventuellement solution : aller *se garer de l'autre côté du fleuve Èbre.* Les plus chanceux (et les plus patients) trouveront parfois à se garer gratuitement dans le quartier del Rabal, entre le puente de Piedra *(plan C-D1)* et le puente de la Unión *(hors plan par D1).* On peut aussi essayer les *parkings gratuits* autour du parque del Agua *(hors plan par A1)* et revenir à pied ou en tram (pour l'accès, se reporter à ces sites dans la rubrique « À voir »).
– *Bon à savoir :* la municipalité incite les gens à renoncer à la voiture et à lui préférer le vélo (avec un réseau de belles pistes qui permet de rouler en sécurité même – et surtout – hors du centre historique) ou en transports en commun, avec un bon réseau de bus et une ligne de tram. Cette dernière traverse la ville du nord au sud, du parque Goya au quartier de Valdespartera (celui du camping – qui n'est malheureusement pas desservi directement par le tram, il faut changer de monture pour rejoindre le centre-ville).

Adresses et infos utiles

Infos touristiques

– *Un numéro de tél unique pour ts les offices de tourisme de Saragosse, en castillan, anglais, français et italien :* ☎ 976-20-12-00 ; nov-mars : tlj 10h-20h.

🛈 **Oficina de turismo de Zaragoza** (plan C1, **1**) : pl. del Pilar, un cube de verre fumé. ● zaragoza.es ● Tlj 10h-20h. Visites guidées et thématiques de la ville, en espagnol, ts les w-e : 5,50 € (supplément pour l'accès à certains sites) ; réduc.

🛈 **Oficina de turismo de Zaragoza** (plan C1, **2**) : torreón de la Zuda, glorieta de Pío XII, avda César Augusto. Près de la cathédrale. Lun-sam 10h-14h, 16h30-20h ; dim 10h-14h.

🛈 **Oficina de turismo de Aragón** (plan C2, **3**) : pl. de España, 1. ☎ 976-28-21-81. ● turismodearagon.com ● Tlj 10h-20h. Une mine d'infos sur tout l'Aragon, avec beaucoup de documentation (parfois en français) et un accueil francophone.

Urgences

■ **Pompiers :** ☎ 080.
■ **Police municipale :** avda de la Policía Local, 2. ☎ 092. Pour les agressions et les vols.
➕ **Urgences médicales :** ☎ 080. Ou **Hospital Universitario Miguel Servet**, paseo Isabel la Católica, ☎ 976-76-55-00 ; **Hospital Clínico Universitario Lozano Blesa**, avda San Juan Bosco, 15. ☎ 976-76-57-00.

Transports urbains

■ **Bus urbains – Cie Tuzsa** (plan B3, **4**) : kiosque d'info, centro comercial El Caracol, paseo Independencia, 24-26, niveau - 1. ☎ 902-39-20-08. ● zaragoza. avanzagrupo.com ● Lun-ven 9h30-14h, 17h-20h. Fermé w-e. Billet : 1,35 € ; carte 6 voyages : 5 € (7 € avec l'achat de la carte, la 1re fois, car 2 € de caution qu'on récupère en la rendant). Possibilité d'acheter le billet à bord du bus.

■ **Tramway** (Tranvía Zaragoza) : ☎ 900-920-700. ● tranviasdezara goza.es ● Fonctionne tlj 5h-minuit (plus de trams le w-e et en juil-août). Mêmes tarifs et mêmes cartes que le bus. Les billets ne s'achètent pas à bord, mais à chaque arrêt (distributeur : espèces et CB). Attention, les billets à l'unité ne sont valables que pour un seul trajet et n'autorisent pas les transferts, contrairement aux cartes qui autorisent des trajets de 1h, transfert compris.

■ **Bizi :** le *Vélib'* de Saragosse. Sur Internet ● bizizaragoza.com ●, une carte de paiement, et c'est parti pour 3 j. de loc pour env 5,28 € ! Les 30 premières mn sont gratuites, puis env 0,52 € par tranche de 30 mn supplémentaires jusqu'à 2h. Idéal pour découvrir cette grande ville parcourue de belles pistes cyclables.

🚕 **Taxis : Radio-taxi Aragón**, ☎ 976-38-38-38. **Radio-taxi Zaragoza**, ☎ 976-42-42-42. **Auto Taxi Coopérative**, ☎ 976-75-75-75.

Où dormir ?

– **Bon à savoir :** il est conseillé de réserver son logement lors des fêtes les plus importantes, à savoir la Semaine sainte (*Semana Santa*, une semaine avant Pâques), la fête de Saint-Georges le 23 avril (San Jorge est le patron de l'Aragon), et *las Fiestas del Pilar* (2e semaine d'octobre). Les prix des chambres peuvent doubler !

Camping

⚠ 🏠 **Camping Ciudad de Zaragoza** (hors plan par A3, **10**) : c/ San Juan Bautista de la Salle, 50012. ☎ 876-24-14-95. 📠 693-64-31-57. ● info@camping zaragoza.com ● campingzaragoza.com ● À env 7 km au sud-ouest du centre-ville, dans un nouveau quartier, en direction de Madrid par la nationale. Ouv tte l'année. Pour 2 avec tente et voiture, 21-28 € selon saison ; 16-20 €/pers côté auberge ; bungalows 4-5 places 60-100 €. Un camping aux normes européennes, très bien équipé, avec de l'espace, et des emplacements assez grands pour les campeurs. Il y a une partie ombragée et une autre sans (les arbustes sont trop jeunes).

L'ARAGON

Le camping abrite aussi une auberge de jeunesse avec des dortoirs de 4 et 6 lits superposés et salles de bains communes. Également 55 bungalows avec kitchenette. Nombreux services (belles piscines, boutique, immenses pelouses, resto et grands terrains de jeux pour enfants...). Ceux qui ont un vélo pourront rejoindre aisément le centre relié par une piste cyclable.

Auberge de jeunesse (max 20 €)

🛏 *Zaragoza Be Hostel (La Posada del Comendador ; plan B1, 11) :* c/ Predicadores, 70, 50003. ☎ 976-28-20-43. ● info@alberguezaragoza.com ● beho stels.com/zaragoza/ ● *Depuis la gare, bus n° 34. Réception 24h/24. Résa conseillée. Lits en dortoir 16-18 €/pers ; double env 35 €, petit déj inclus mais pas les draps.* Une AJ aménagée dans un *palacio* datant de 1470 où habitait naguère le Grand Inquisiteur (brrr !). Intérieur bien restauré, modernisé et adapté aux besoins des voyageurs. Accueil jeune et efficace, ambiance agréable et musicale. Dans les étages, dortoirs bien tenus de 4, 8 et 10 lits avec sanitaires à l'extérieur. Ils ont la clim mais les lits superposés gagneraient à avoir un rideau, une lampe et une prise électrique proche. Et aussi une dizaine de chambres doubles, impeccables. Cuisine à disposition. Tous les dimanches *jam session,* et poésie les mercredi, dans la cave joliment voûtée *(La Boveda del Albergue).* Soirées ouvertes à tous, y compris aux gens de l'extérieur.

Prix moyens (40-80 €)

🛏 *Hotel Paris (plan B1, 12) :* c/ San Pablo, 19, 50003. ☎ 976-45-63-25. ● reservas@hotelpariscentro.es ● hotel pariscentro.es ● *Doubles 40-50 €. Triple aussi.* Dans une rue piétonne (et calme) voici un immeuble de 1820 avec une certaine personnalité dans le style et la déco. Hall d'entrée et salon éclairés par 2 énormes lustres, faïences bleu et jaune, meubles et peintures anciennes, un charme suranné et de bon aloi. Chambres sur 6 étages de style classique, sans

caractère particulier mais propres et avec clim. Au rez-de-chaussée, le bar *Paris* pour boire un verre.

🛏 *Hotel Hispania (plan B1, 14) :* avda César Augusto, 95-103, 50003. ☎ 976-28-49-28. ● reservas@hotel hispania.com ● hotelhispania.com ● ♿ *Doubles avec sdb 46-60 €. Parking en sous-sol 15 €.* Face au Mercado Lanuza. Sa situation centrale, l'accueil jovial et les chambres confortables (avec clim) de style classique et fonctionnelles sont les points forts de cet hôtel. Les plus calmes donnent sur la calle Las Armas, sur le flanc de l'immeuble. En demander une au 5e étage (plus claires). Petit déj servi dans la *bodega* du sous-sol.

🛏 *Hotel Avenida (plan B1, 15) :* avda César Augusto, 55, 50003. ☎ 976-49-93-00. ● info@hotelavenida-zaragoza. com ● hotelavenida-zaragoza.com ● *Doubles 60-70 €, petit déj inclus. Parking 15 €.* Si la réception et les espaces communs sont plutôt élégants, la déco des chambres (clim partout) est dépouillée, presque minimaliste. Point de surcharge ici, ni de fioritures, mais c'est net et confortable. Il y a aussi une chambre simple disposant d'une petite terrasse. Bien que donnant sur une rue passante, les chambres sont calmes car bien isolées. Très bon petit déj.

De prix moyens à plus chic (45-120 €)

🛏 *Hotel Sauce (plan C1, 13) :* c/ Espoz y Mina, 33, 50003. ☎ 976-20-50-50. ● hotelsauce@hotelsauce.com ● hotel sauce.com ● ♿ *Ouv tte l'année. Selon saison, doubles avec sdb 50-90 €, petit déj 8 €. Parking env 15 €. Café offert sur présentation de ce guide.* Près du fameux quartier El Tubo, réputé pour ses bars à tapas. Hôtel à taille humaine, de 6 étages, avec une quarantaine de jolies chambres tout confort (clim), habillées de couleurs fraîches et parfaitement tenues. Elles donnent sur la rue (parfois bruyante mais double vitrage) pour la plupart. En demander une dans les étages élevés ou bien sur l'arrière. Vraiment un bel endroit, coquet et accueillant. Petite cafétéria. Accueil francophone.

⌂ *Hotel Pilar Plaza* (plan C1, *16*) : pl. del Pilar, 11, 50003. ☎ 976-39-42-50. ● administracion@hotelpilar plaza.com ● hotelpilarplaza.com ● Doubles 55-119 € selon vue, petit déj 9 €. Parking env 15 €. Stratégiquement situé, face à la basilique N. S. del Pilar, un bel immeuble ancien entièrement réaménagé dans l'esprit *design hotel* : lobby noir, chambres impeccables et tout confort (clim). De gros lustres, noirs encore, tranchent avec la blancheur des lieux. De belles suites et tout pour se faire du bien : spa, jacuzzi, massage... Accueil professionnel.

Où manger ?

– *Bon à savoir :* Saragosse fut la 1re ville d'Espagne à lancer des concours de tapas. Respect !

De bon marché à prix moyens (8-25 €)

|●| *Mercado gastronómico Puerta Cinegia* (plan C2, *20*) : c/ Coso, 35, côté nord de la pl. de España. ● puertacinegiagastronomica.es ● Au 1er étage d'un immeuble commercial. Tlj 12h-minuit. Bocadillos, *sandwichs*, tapas et pintxos 4-6 €. Plats et raciones 8-15 €. Une statue (en résine) de 7 m de haut de l'empereur Auguste domine ce grand *food court* qui abrite 15 éventaires et stands de cuisine et 2 bars. Toujours bourdonnant de vie, l'endroit propose un choix important de mets à déguster. Pour la paella, c'est le *Bulebar*. *Doña Casta* est spécialisé dans les croquettes, *La Molletería* dans les *embutidos* (saucisses), *Jijonenca* dans les crêpes, les jus et les glaces, *Beher* dans le jambon, et *La Flor de la Sierra* dans les sardines et les *patatas asadas*... *La Cervecería* est un bar ovale, où 2 grandes cuves renferment et servent une exquise bière artisanale.

|●| *Bodegas Almau* (plan C2, *21*) : c/ Estébanes, 10. ☎ 976-29-98-34. ● bodegasalmau@gmail.com ● Lun-sam 10h30-16h, 19h-minuit ; dim 12h-16h. Au cœur du quartier El Tubo, un bar à tapas tenu par la même famille depuis 1870, avec sa façade en céramiques blanches et noires, ses vieux tonneaux de vin de Malaga, de Xérès et de moscatel, son intérieur patiné et son ambiance conviviale. On se tient au coude à coude près du bar dans une salle aux murs couverts de bouteilles de vin. Une de nos adresses préférées dans cette ruelle. En face, la *Casa de las Migas* possède un petit jardin et une terrasse.

|●| *Bar Estudios* (plan D2, *22*) : c/ Estudios, 15-17. ☎ 976-29-93-09. Mar-ven 18h-1h ; w-e 12h-15h30, 18h-1h. Fermé lun. Repas env 15 €, vin compris. Petite salle avec ses jambons accrochés au-dessus du comptoir et une ribambelle de fromages présentés sur des étagères. Des fromages de toutes origines et de toutes sortes. On ne s'assied pas, on mange debout. Aux avant-postes, des serveurs enjoués s'activent à trancher ces victuailles pour les servir sur un plateau. C'est simple, copieusement servi. Pour ceux qui savent encore manger avec les doigts !

|●| *Casa Domino* (plan C2, *23*) : pl. Sta Marta. ☎ 976-39-80-51. Tlj sauf lun : mar-jeu 19h30-23h45 ; ven 12h30-00h30 ; w-e 12h45-15h, 19h30-00h30 (23h45 dim). Sur une petite place animée le soir, un bar-resto au décor de vieux bistrot patiné, avec un sol en damier noir et blanc, et des jambons pendouillant au-dessus du comptoir. Tout est frais et savoureux. *Raciones*, *montaditos*... Spécialités : *migas con chorizo picante* et artichauts à l'huile de truffe *(alcachofas con aceite de trufa)*. Très bon accueil. Certains soirs on a compté 8 serveurs dans cette petite salle, autant dire que le service est bien assuré !

|●| *La Republicana* (plan C2, *24*) : c/ Méndez Núñez, 38. ☎ 976-39-65-09. ● larepublicana.es@gmail.com ● Tlj sauf dim (sf soir) 9h-minuit (1h ven-sam). Formule tapas 14 €, menu le midi 10 €, à la carte env 16 €. Au cœur du quartier effervescent El Tubo, un bar à tapas

L'ARAGON

avec une salle en bois brut, vieilles réclames sur les murs, un piano usé, un bar en albâtre et des nappes à carreaux. C'est charmant et accueillant. Un lieu bondé de monde à l'heure de l'apéro.

De plus chic à très chic (min 25 €)

|●| ↑ **Tragantua** (plan C1-2, **25**) : pl. Santa Marta. ☎ 976-29-91-74. ● reservas@grupoloscabezudos. es ● Tlj tte l'année y compris pdt la Semana Santa, 12h45-16h, 20h-23h30. Fermé 2de quinzaine de juin. Plats 9-18 €, carte min 30 € (pas de menu). Produits de la mer et poisson plus chers et servis au poids (par 100 g). Digestif offert sur présentation de ce guide. Excellente adresse aux beaux jours, avec sa terrasse ensoleillée. Carte très variée avec beaucoup de produits de la mer (l'Atlantique n'est pas si loin) : coquillages, coques, huîtres, langoustines, poissons, homard... Spécialité de supions sautés aux poivrons ou calamars frits, champignons (setas) et bonne cuisine aragonaise. Accueil souriant.

|●| **Casa Lac** (plan C2, **26**) : c/ Mártires, 12. ☎ 976-39-61-96. ● info@ restaurantecasalac.es ● Tlj sauf lun, 12h-16h, 20h-minuit. Formules dégustation tapas 8 €, raciones 11-18 € ; repas min 30 €. Un des plus anciens restos de la ville, fondé en 1825 par la famille Lac, d'origine française (ils débutèrent avec une pâtisserie). Comme bien souvent, il y a 2 parties : une partie tapas avec quelques tables dans la rue ou autour du bar, et une autre resto (à la déco soignée et ancienne). Cuisine fine et inventive, réalisée par un chef inspiré et passionné. Les tapas font la part belle aux légumes, sans négliger pour autant la viande. Savoureux dessert maison : la torrija (le pain perdu) accompagnée de sa petite glace à la vanille.

|●| **El Asador de Aranda** (plan C2-3, **27**) : c/ Arquitecto Magdalena, 6. ☎ 976-22-64-17. ● zaragoza@asa dordearanda.com ● Ouv jusqu'à minuit. Fermé dim soir et août. Ouv pdt la Semana Santa. Menu asador 36 €, plats 15-23 €. Appartient à une chaîne qui compte une quinzaine de restos en Espagne. Cela n'empêche pas la qualité de la cuisine. Salle à manger à l'ancienne (boiseries, céramiques et tableaux), on préfère le rez-de-chaussée en raison de son ambiance chaleureuse. La spécialité de la maison, c'est l'agneau de lait grillé (un plat emblématique de l'Aragon). Il n'y a guère que ça à la carte. Assiette copieuse avec ¼ de gigot d'agneau pour une personne. Pour un grand repas entre « carnivores » de bonne compagnie.

|●| ↑ **El Chalet** (hors plan par B3, **28**) : c/ Santa Teresa de Jesús, 25. ☎ 976-56-91-04. ● info@elchale trestaurante.es ● Derrière la pl. San Francisco. Tlj midi et soir sauf dim soir-lun (juil-août, fermé dim et lun). Congés : Semaine sainte et 2de quinzaine d'août. Le mer (midi et soir) menu spécial à 33 €, sinon menus jusqu'à 50 €. Carte 40-45 €. Café offert sur présentation de ce guide. Ici, il faut sonner à la porte et c'est parfois Angel Conde, le chef, qui accueille en personne. Dans un décor feutré, intime, élégant, idéal pour un dîner en tête à tête, il propose une exquise cuisine du marché à base de produits régionaux. La carte est superbe et variée, les plats sont finement préparés et présentés. Spécialité : les raviolis de centollo (farcis à l'araignée de mer). Une très agréable terrasse sur l'arrière aux beaux jours, complètement coupée du monde, contribue au plaisir de s'attabler ici.

|●| **La Bodega de Chema** (hors plan par B3, **29**) : c/ Félix Latassa, 34. ☎ 976-55-50-14. ● contacto@labo degadechema.es ● À deux pas de la pl. San Francisco. Fermé dim soir et lun soir. Carte 25-35 €, menus 26-38 €. Restaurant discret à l'écart du centre ancien, qui maintient sa bonne réputation sans courir après le bling-bling. Salle à la déco sobre, mobilier en bois, tables nappées... Toute la ville s'y presse pour son fameux chevreau (cabrito asado) cuit dans son jus et servi avec des pommes de terre, mais quelles patates !

Où boire un verre ? Où sortir ?

❡ Le jour, l'activité s'étend sur le Coso, le paseo de la Independencia et les rues Alfonso Iᵉʳᵒ et Don Jaime, où se concentrent la majorité des enseignes commerciales. Beaucoup de citadins déambulent en fin d'après-midi sur la plaza del Pilar *(plan C1)*, la place « m'as-tu-vu » de Saragosse.

Le soir et la nuit, plusieurs quartiers pullulent de bars qui s'animent franchement le week-end. Les bars et les restos du quartier **El Tubo** *(plan C2, 40)* sont élus par les amateurs d'ambiance intimiste des ruelles anciennes, très animées à l'heure des tapas. Il y a aussi le **Casco Viejo,** le vieux quartier du centre, dans calle Mayor et surtout autour de la **calle El Temple** et la **calle Contamina,** non loin du marché couvert *(plan C1, 41)*. Les 18-30 ans plus chics et branchés vont dans la **Zona** : plusieurs bars jouent à touche-touche dans ce quartier, bordé au nord par le paseo de la Constitución *(plan C3, 44)*. Aux beaux jours, les étudiants affectionnent les terrasses des cafés de la plaza San Francisco de Asis, à deux pas de l'*université (hors plan par B3, 45)*.

❡ *Café Nolasco (plan C2, 42) :* c/ San Jorge, 18. ☎ 876-01-72-82. *Lun-sam 8h-23h (mer minuit, jeu 1h30, ven-sam 2h30) ; dim 10h-23h.* À l'angle de 2 rues, près d'une place, un bar à cocktails très moderne derrière une façade à l'ancienne, aux boiseries chics. Passer le mur de plantes vertes, puis un bar pour atteindre une sorte de salon plus cosy aux divans confortables. Excellent café. Grignotage de *croquetas, tostadas* et *pintxos*.

❡ *La Taberna Urbana (plan D2, 43) :* c/ Pelegrin. ☎ 976-39-83-07. *Lun-ven 8h30-minuit (jeu 1h, ven 3h). Sam 12h30-minuit. Fermé dim.* Au pied de la belle église Santa María Magdalena de style gothico-mudéjar, un petit bar populaire et animé aux grandes baies vitrées et au mobilier en bois. Idéal en soirée quand il fait beau.

Où acheter de bons produits ?

⚜ *Pastelería-confitería Fantoba (plan C2, 51) :* c/ Don Jaime I, 21. ☎ 976-29-85-24. ● fantoba@fantoba. com ● *Fermé août. Tlj 10h-22h.* Sans le coq, pas de pâtisserie ! C'est la réponse que fait l'employée quand on lui demande pourquoi autant de coqs collés au plafond... Depuis 1856, ce magasin régale son entourage : *turrón de guirlache,* truffes au chocolat aromatisées à la violette, au jasmin ou à la rose, pâtes de fruits... sans oublier les *guindas al marrasquino* (griottes à l'alcool enrobées de chocolat).

⚜ *Juan (plan D2, 50) :* c/ Mayor, 47. ☎ 976-39-07-51. *Lun-ven 9h-14h, 17h30-20h et sam mat. Fermé dim.* Une petite boutique qui vend tout ce que produisent le cochon et le vigneron. On y trouve aussi du fromage. *Longaniza* de Graus, jambon de Teruel, *morcilla* de Huesca (sorte de boudin) et des conserves de viande dans l'huile typiquement aragonaises.

⚜ *La Rinconada del Queso (plan C2, 52) :* c/ Méndez Núñez, 5. ☎ 976-96-28-74. ● quesos@larinconadadelqueso. com ● *Lun-sam 9h30-14h, 17h-20h45 ; dim et j. fériés 11h30-14h30.* Voici le « temple » du fromage où l'on peut en acheter d'Aragon et du reste de l'Espagne, et même des français. On y trouve le célèbre *tronchón* (fromage préféré de Don Quichotte) reconnaissable à sa forme incurvée, l'*Artesano de Letux,* un brebis qui a fait ses preuves, ou encore le renommé *Patamulo* (littéralement « la patte de mulet », à cause de sa forme).

À voir

– ***Bon à savoir :*** la *Zaragoza Card* (en formules 24h, 48h ou 72h – respectivement 18, 21 et 24 €) inclut tous les monuments et sites de la ville (sans frais supplémentaires) cités dans ce guide sauf l'aquarium (mais avec une réduc pour celui-ci),

L'ARAGON

l'accès au bus touristique qui sillonne la ville, quelques trajets en bus municipaux et diverses visites guidées. Renseignements et achat dans les offices de tourisme, dans certains hôtels, ou avec une réduc sur le site ● zaragozacards.com ●

🕺🕺 *Basílica Nuestra Señora del Pilar* (Notre-Dame-du-Pilier ; plan C1) : pl. del Pilar. Tlj 6h45-21h30 (20h30 l'hiver). GRATUIT (mais 3 € pour monter à la tour et 2 € pour le musée).

Cette *immense et imposante basilique* qui abrite le pilier où serait apparue la Vierge ou qu'elle aurait apporté avec elle de Palestine (les versions divergent...) est l'un des plus *importants lieux de pèlerinage* marial. Le monument actuel date des XVIIe et XVIIIe s, mais les tours qui le structurent architecturalement n'ont été achevées qu'au XXe s. De l'extérieur, la briquette, rehaussée par les touches poly-chromes de la tuile vernissée des coupoles, confère à l'ensemble un style tantôt byzantin, tantôt mudéjar. L'intérieur comprend 3 nefs et, parmi les œuvres les plus remarquables, notons le *maître-autel en albâtre* polychrome de style gothique à décors Renaissance, réalisé par Damián Forment (XVIe s), et quelques fresques de coupole exécutées par Francisco Bayeu ou Francisco de Goya.

– Après l'entrée de l'église, les fidèles passent près d'un grand monument aux colonnes de marbre abritant une chapelle, puis se dirigent à l'arrière de celui-ci. Ils forment une file, s'agenouillent et embrassent un morceau de pierre sculptée du fameux pilier de la Vierge. Celui-ci est entouré d'un anneau ovale doré de la taille d'une assiette. C'est le *lieu sacré des fidèles* qui vénèrent la Virgen del Pilar.

– *Bon à savoir :* seul 1/3 de la basilique est accessible aux visiteurs.

🕺🕺 *La Lonja* (plan C1) : entre la basilique et la Seo (cathédrale). ☎ 976-39-72-39. Ouv seulement pdt expos temporaires 10h-14h, 17h-20h30 (mais toujours fermé dim ap-m et lun), ou dans le cadre des visites guidées de l'office de tou-risme. Entrée payante selon les expos. Voici l'ancienne Bourse du commerce (XVIe s). Bâtiment intéressant, de transition gothique et platéresque. À l'intérieur, ne pas manquer le travail du plafond. Bel exemple d'architecture civile espagnole et magnifique façade aux figures colorées qui sortent des petites corniches.

🔶 🕺🕺 *La Seo* (Catedral de San Salvador ; plan C-D1) : pl. de la Seo. ☎ 976-29-12-31. Tlj. De mi-juin à fin sept : lun-ven 10h-18h30, 19h45-21h ; sam 10h-12h30, 15h-18h30, 19h45-21h ; dim 10h-12h, 14h-18h30, 19h45-21h. En hiver : tlj 10h-14h (12h30 sam, 12h dim), 16h-18h30. Entrée : 4 € ; réduc. Brochure en fran-çais avec plan détaillé. Une visite à ne pas manquer. De son vrai nom catedral de San Salvador, cette cathédrale est bâtie sur la grande mosquée de l'ancienne ville musulmane. En faire le tour, ses extérieurs sont superbes. Elle réunit des styles très différents, du roman au néoclassique en passant par le *mudéjar* (l'abside, une chapelle et la tour-lanterne, d'ailleurs classées au Patrimoine de l'Unesco comme partie de « l'architecture mudéjare d'Aragon ») et le baroque. Mais l'ensemble est plutôt gothique. L'intérieur frappe par la richesse de sa décoration. La partie la plus étonnante est ce *chœur* (coro), finement ouvragé, fermé par une grille en bronze ornée de sculptures en bois doré. Voir aussi les 16 chapelles aux portails baroques et le retable du maître-autel en albâtre polychrome.

Une fois le tour de la cathédrale terminé, la visite se poursuit à l'étage, dans le *museo de Tapices* (musée des Tapisseries) et son extraordinaire collection de tapisseries flamandes des XVe et XVIe s, illustrant différentes scènes bibliques, historiques ou mythologiques. Surtout ne pas manquer le dernier étage et ses tapisseries particulièrement gigantesques de la fin du XVe s ; celles-ci furent léguées à cette église en 1520 par l'archevêque don Alonso de Aragón, fils naturel du très catholique roi Ferdinand II d'Aragon.

🕺 *Iglesia de Santa María Magdalena* (plan D2) : c/ Mayor. Accès aux heures des messes, les lun et sam à 9h et 19h30, dim 9h, 11h, 12h30 et 19h30. De style gothique-mudéjar, restaurée à l'époque baroque, elle se distingue par sa magnifique tour au sommet crénelé, l'une des plus beaux de ce type d'architecture mudéjar (XIVe s). Ce devait être, probablement, un minaret de mosquée à l'époque islamique.

🎭 *Museo Goya – Colección Ibercaja* *(plan C1)* : c/ Espoz y Mina, 23. ☎ 976-39-73-28. ● *museogoya.ibercaja.es* ● *De mi-mars à oct : lun-sam 10h-20h ; de nov à mi-mars : lun-sam 10h-14h, 16h-20h. Dim et j. fériés 10h-14h. Entrée : 6 € ; réduc ; gratuit - de 16 ans et pour les 2e dim du mois. Visites guidées sur résa : 3 € (entrée en sus).* Un musée riche, legs à l'origine de José Camón Aznar, historien, écrivain et membre de l'Académie royale, né à Saragosse, et encore enrichi dans une nouvelle muséographie. Dans ce beau palais Renaissance réparti sur plusieurs niveaux autour d'un patio central, c'est la *salle Goya* qui attire le visiteur. Elle abrite 17 peintures de l'artiste et 8 eaux-fortes. Voir l'autoportrait de Goya (1775) âgé de 29 ans, avec son visage poupin et sa tignasse. Quelques peintures classiques de notables dont celui de Félix de Azara, très réaliste.
Au 1er étage, dans une grande salle sombre, très belle collection de gravures de Goya (près de 200 !), évoquant les thèmes chers à l'artiste : *Los Caprichos* (gravures satiriques sur la société espagnole du XVIIIe s), *Los Desastres de la Guerra* (les horreurs de la guerre), *Los Disparates* – 22 planches aux scènes grotesques et monstrueuses – révélant l'univers psychique déglingué et irrationnel de Goya. Enfin, 4 gravures sur la tauromachie *(Toros de Burdeos),* une autre passion de Goya. Petite salle sur les peintres contemporains de Goya et une autre sur les Bayeu, peintres remarquables et beaux-frères de Goya. Au 2e étage : l'héritage de Goya *(Goya Legado),* c'est-à-dire les peintres ayant subi l'influence du maître.

🎭 *Plaza del Justicia* et la façade de l'*iglesia de Santa Isabel* *(plan C1)* : une des plus belles places de la ville avec une église baroque à souhait. En son centre, une fontaine du Second Empire. Tout autour, belle architecture néoclassique, notamment celle de l'hôtel *Catalonia El Pilar.*

🎭🎭 *Museo Pablo Gargallo* *(plan B-C1)* : pl. de San Felipe, 3. ☎ 976-72-49-22. Mar-sam 10h-14h, 17h-21h ; dim et j. fériés 10h-14h30. Fermé lun. Entrée : 4 €, audioguide en français inclus ; réduc ; gratuit 1er dim du mois. Dans le palais Argillo, du XVIIe s, est rassemblée une bonne partie des œuvres de Pablo Gargallo, sculpteur aragonais du début du XXe s. Il suivit les tendances de son temps, passant de l'académisme au surréalisme et au cubisme, en conservant la pureté des lignes. Intéressant, bien fait, l'endroit mérite vraiment une petite visite, rien que pour son ambiance ; les œuvres baignent dans une véritable quiétude et sont très bien mises en valeur (de plus, le musée est situé sur une place très agréable). Dernier étage lui aussi très intéressant, avec les patrons en carton que l'artiste utilisa pour ses sculptures.

🎭 *Museo del teatro de Cæsaraugusta* *(musée du théâtre Cæsaraugusta ; plan C2)* : c/ San Jorge, 12. ☎ 976-72-60-75. Mar-sam 10h-14h, 17h-21h ; dim 10h-14h30. Fermé lun. Entrée : 4 € audioguide en français inclus (sauf j. gratuits) ; réduc ; gratuit le 1er dim du mois. Entrée combinée avec les autres sites archéologiques de la ville (voir ci-dessous) : 7 €. Au sous-sol, audiovisuel de 15 mn. Explications en espagnol et en anglais.
Un musée dédié aux *ruines du théâtre romain* construit au Ier s et retrouvé par hasard en 1972 en plein centre-ville. Inspiré du théâtre de Marcelo à Rome, il pouvait accueillir environ 6 000 spectateurs (pour une ville de 18 000 habitants !). Il fut enseveli aux VIIIe et IXe s quand la ville, en passant aux mains des musulmans, changea d'aspect. Indirectement, à travers l'histoire de ce théâtre, sa construction, sa destruction, son architecture, c'est toute l'histoire de ce quartier qui est retracée. La visite continue au 1er étage avec une présentation du site dans l'histoire, en particulier des quartiers musulman et juif.
Un parcours aménagé pour les visiteurs à l'extérieur du bâtiment permet de se promener dans les vestiges du théâtre. On peut cependant aussi admirer gratuitement depuis la rue (difficile de le manquer avec l'immense toit blanc qui le protège).

➢ Fondée en 14 av. J.-C., Cæsaraugusta connut son apogée aux Ier et IIe s de notre ère, alors que l'Èbre était navigable et que ses berges étaient jalonnées de débarcadères et de ports. Les passionnés d'archéologie pourront compléter l'*itinéraire autour des sites romains* de la même époque en visitant 3 musées

L'ARAGON

(mêmes horaires que le museo del Teatro) qui abritent des vestiges parfois assez infimes (faire preuve d'imagination !) : *museo del Foro* (musée du Forum, dans un cube en verre, pl. de la Seo, 2 ; plan C1), *museo de las Termas públicas* (musée des Thermes publics, c/ San Juan y San Pedro, 3-7 ; plan C2) et *museo del Puerto fluvial* (pl. San Bruno, 8 ; juste derrière la Seo ; plan D1). Il existe un billet d'entrée individuel pour chacun (3 €), ainsi qu'un combiné incluant la visite du museo del Teatro de Cæsaraugusta (7 €).

🏃🏃 *Museo provincial de Zaragoza* (plan C3) : pl. de los Sitios, 6. ☎ 976-22-21-81. ● museodezaragoza.es ● Mar-sam 10h-14h, 17h-20h ; dim 10h-14h. Fermé lun. GRATUIT. Explications en espagnol uniquement.

Sur une place agréable, agrémentée d'un jardin public, ce vaste édifice, construit comme pavillon des Arts pour l'exposition hispano-française de 1908, abrite un intéressant musée. Au rez-de-chaussée, importante **section romaine** (Roma et Cesaraugusta) avec de belles mosaïques provenant de la *casa de Orfeo*. Sur l'une d'elles on voit Orphée jouant de sa lyre devant des animaux sauvages bien sages. Buste d'Auguste, sculpture d'un faune ivre allongé, monnaies romaines, reconstitution d'un salon romain dans une demeure de Cesaraugusta.

– **1er étage :** une **grande partie est consacrée à Goya.** On peut y admirer une série d'estampes sur ses thèmes favoris, les horreurs de la guerre, la critique sociale et la tauromachie. Certaines sont inspirées des peintures de Velázquez comme *El Bufon el Primo* ou *Felipe III*. Après la salle Goya, les salles du baroque espagnol (fin XVIIe et début XVIIIe s) et de la Renaissance *(Renacimiento)*. L'influence de la peinture des Flandres y est manifeste. Sculptures de Damián Forment (1480-1540) dont un *San Onofre* en albâtre brun, ascète décharné à la longue chevelure lui arrivant aux chevilles... Ensuite des salles consacrées aux beaux-arts du temps de Goya, à Goya et l'Italie (son séjour là-bas en 1769-1771), Goya et l'art du portrait *(Goya y el retrato)*. Parmi les œuvres exposées, se distinguent le portrait du Duque de San Carlos (1815) et celui du roi Fernando VII, les autres toiles semblent être de pâles copies de Goya.

Enfin, dans la **salle 10,** section consacrée à la préhistoire et à l'âge du bronze, remarquer les étonnantes plaques gravées en bronze datant de l'empereur Hadrien qui relatent une querelle foncière autour d'un canal de l'Èbre.

🏃🏃🏃 *Patio de la Infanta* (plan B3) : à l'intérieur de l'Ibercaja, pl. de Paraíso. ☎ 976-97-19-26. ● fundacionibercaja.es ● Pdt les horaires d'ouverture de la banque, accès par l'entrée principale, sinon par la c/ San Ignacio de Loyola. Lun-ven 9h-14h, 17h-21h ; sam 10h-14h, 17h-21h ; dim et j. fériés 11h-14h. GRATUIT. Brochure en français. Des panneaux explicatifs très bien faits permettent de comprendre l'histoire du palais.

Entre 1549 et 1551, don Gabriel Zaporta, un riche marchand juif qui contrôlait le commerce fluvial du río Ebro, fit construire dans sa demeure de Saragosse

PATIO... NNÈMMENT

La demeure qui abritait le patio de la Infanta fut ravagée par un incendie en 1894 et définitivement détruite en 1904. Un antiquaire parisien, Ferdinand Schutz, racheta cependant le patio. Il le remonta à Paris pour en faire le cadre de sa boutique au 25, quai Voltaire ! En 1958, le fameux patio fut de nouveau racheté par Ibercaja, grande banque espagnole, pour être finalement installé en 1980 dans le siège alors flambant neuf de l'Ibercaja... Voilà pourquoi ce bijou Renaissance se cache dans un lieu aussi moderne !

ce magnifique patio Renaissance en l'honneur de son épouse chérie. À la fin du XVIIIe s, l'infante Maria Teresa Vallabriga y Rozas vécut dans cette même demeure, d'où le nom du patio. Quelle surprise de trouver une telle splendeur dans cet endroit !

Seul le rez-de-chaussée du patio se visite, la galerie à l'étage reste inaccessible. Voir le *tableau de Goya* (une reproduction) représentant une soirée chez les Borbón y Vallabriga sur lequel le peintre est représenté en bas à gauche. Difficile de tout détailler, mais parmi les colonnes sculptées du patio remarquer celle de Jupiter : il enlace la Lune et Saturne dans une étrange harmonie. Le pilier le plus mystérieux est la **colonne ésotérique** de Gabriel Zaporta (près de l'escalier en trompe l'œil). On y voit un homme entouré de 2 femmes sans bras, chaque personnage portant 4 cylindres en forme de rouleaux (la Tora ?) à la place des bras, ce qui fait 12 rouleaux au total (le chiffre 12 est sacré dans la tradition religieuse juive).

◎ ᾩᾩᾩ **Palacio de la Aljafería** (hors plan par A2) : c/ Los Diputados. ☎ 976-28-96-83. ● cortesaragon.es ● À env 1,5 km de la pl. de España ; bus nᵒˢ 32 et 34 depuis c/ Conde Aranda. Avr-15 oct : tlj 10h-14h, 16h30-20h. 15 oct-mars : lun-sam 10h-14h, 16h-18h30 ; dim 10h-14h. Attention, ttе l'année, fermé les jeu et ven lorsque le Parlement siège. Visites guidées ttes les heures 10h30-12h30, 16h30-18h30 (17h30 hiver). Entrée : 5 € ; réduc ; gratuit dim et - de 12 ans. Audioguide 3 € disponible à la boutique, pas à la billetterie.

Imposant palais arabe datant du règne des *taifas* (période qui suit le démantèlement du califat de Cordoue au XIᵉ s), il fut réaménagé par les rois d'Aragon. Siège de l'Inquisition dès 1485, par les Rois catholiques (Ferdinand d'Aragon et Isabelle de Castille dite « la Catholique ») qui l'ont réaménagé et embelli en 1492. **Véritable réplique d'un palais maure,** son intérêt artistique réside principalement dans le travail des stucs des fenêtres, des portes (aux arches polylobées), des plafonds ouvragés et des escaliers. Au rez-de-chaussée, on passe dans un **beau patio de style andalou** planté d'orangers. Plus loin, on peut voir un vestige de mosquée.

Dans les étages, à côté du **Mirador de los Escudos,** une vitre en surplomb d'une grande salle permet d'admirer les détails des poutres du plafond ornées d'armoiries et de blasons royaux. Puis on découvre la *Torre del Trovatore* (la seule partie d'origine est cette tour carrée du IXᵉ s) et la *sala del Trono (salle du Trône)* au plafond richement décoré, formé de 30 caissons octogonaux d'où pendent des pommes de pin dorées, symboles de longévité et de paix. Après avoir logé des militaires à partir du début du XVIIIᵉ s, le palais abrite aujourd'hui le **parlement d'Aragon** (ce qui explique, d'ailleurs, l'aspect vide ou « salle de réunion » d'un certain nombre de pièces).
– **Bon à savoir :** l'aspect mauresque de l'extérieur avec ses grosses tours (le côté est du palais en particulier) date seulement des années 1940-1950. C'est une reconstitution historique. L'édifice a changé plusieurs fois de style au fil de l'histoire. Au XVIIIᵉ s, l'Aljafería présentait un authentique style français.

ᾩ ⚇ **Parque del Agua Luis Buñuel** (hors plan par A1) : avda de Ranillas, 109. ● parquedelagua.com ● Rive gauche, à 30 mn à pied du centre historique ; sinon tram, direction parque Goya, arrêt « Pablo Neruda », puis 5 mn de marche. GRATUIT. Ce parc de loisirs de 120 ha porte le nom du cinéaste Luis Buñuel, originaire de Calanda, un bourg au sud-est de l'Aragon. Quelques œuvres architecturales dignes d'intérêt émergent de ce vaste quartier réorganisé entièrement pour l'exposition internationale de 2008. Notons la **torre del Agua,** haute de 76 m et sculptée en forme de goutte (belle surtout la nuit), œuvre d'Enrique de Teresa ; le **pabellón Puente,** de l'architecte irakienne Zaha Hadid, sorte de gros lézard enjambant l'Èbre, d'une prouesse technique admirable puisqu'il supporte en un seul appui le poids de près de la moitié de la structure, soit 7 000 t ! Et encore le **puente del Terce Milenio** (le pont du IIIᵉ millénaire), dessiné et conçu par Juan José Arenas. Un peu mort hors saison, le parc devient aux beaux jours un lieu de divertissements ou de farniente avec une vraie plage, de nombreuses activités aquatiques, des aires de jeux pour enfants, un parc accrobranche, etc.

ᾩᾩ ⚇ **Acuario fluvial** (Aquarium fluvial ; hors plan par A1) : dans le parc Buñuel. ☎ 976-07-66-06. ● acuariodezaragoza.com ● Semaine sainte, puis de

LARAGON

mi-juin à début sept : tlj 10h-20h ; le reste de l'année : tlj 11h-19h (ven-dim et j. fériés 10h-20h). Ferme 45 mn avt. Entrée : 16 € ; enfants 5-12 ans 8 €, 3-4 ans 4 € ; gratuit - de 3 ans. C'est le plus grand aquarium d'eau douce d'Europe et le 3ᵉ du monde. Les panneaux explicatifs en français, invitent à découvrir 5 grands fleuves représentant 5 continents. Du Darling-Murray australien au Nil ou au Mékong, en passant par l'Amazone et, bien sûr, le río Ebro (merci les subventions), vous verrez des poissons de dessus, de dessous, de côté et de face... Mais également quelques sauriens et des loutres. En sortant, achetez donc des « carpes postales » !

Manifestations

– **San Valero** : *29 janv.* Fête du patron de la ville, dont les reliques reposent dans la Seo (cathédrale). Sur la plaza del Pilar, on distribue le *roscón*, une brioche en forme de couronne.
– **Carnaval** : *fév.* Interdit sous Franco, il fut rétabli en 1980. C'est l'occasion de se déguiser pour la cavalcade.
– **Cincomarzada** : *5 mars.* Fête populaire dans le parc El Tío Jorge, sur la rive nord de l'Èbre *(hors plan par C1)* : concerts et pique-nique géant.
– **San Jorge** : *23 avr.* Fête de l'Aragon et foire aux livres, sur le paseo de la Independencia.
– **Fiestas del Pilar** : *tte la sem du 12 oct.* C'est le jour où Alfonso I a reconquis la ville, en 1118. La statue de la Vierge est exposée sur la plaza del Pilar et à ses pieds s'accumule une montagne de fleurs. Défilés, danses et chants de la *Jota*.

DANS LES ENVIRONS DE SARAGOSSE (ZARAGOZA)

🎭🎭 **Belchite** : *à env 50 km au sud-est de Saragosse ; accès par l'A 68 puis l'A 222.* ● *belchite.es/turismo* ● *Résas et achat à l'office de tourisme Belchite Turismo (c/ Becú, 2, ☎ 976-83-07-71 ; tlj 9h30-13h30, 15h-19h), situé dans la partie neuve de la ville. Visite guidée de 1h30, seulement en espagnol. Tlj juil-août 12h, 17h et 19h, et 22h en nocturne. Sept-mars, tlj 12h et 16h. Avr-juin, lun à jeu, 12h et 16h, we 12h, 16h et 18h. Billet 6 €/pers, 10 € en nocturne.*
Voilà un impressionnant témoignage de la guerre civile espagnole. Un village en ruine qui n'a jamais été reconstruit. Est-ce un hasard si Belchite est jumelée avec Oradour-sur-Glane en France ? En août 1937 les avions républicains bombardèrent le village, poche de résistance tenue par des milliers de soldats nationalistes (l'armée de France). Ensuite les combattants des Brigades internationales (des Canadiens, des Américains et des Britanniques) attaquèrent au sol, luttant maison par maison.
Belchite n'était qu'un site stratégique secondaire que les républicains voulaient réduire pour empêcher les troupes franquistes d'avancer vers Saragosse. Ce qui devait être la bataille de Saragosse fut en fait la bataille de Belchite. En mars 1938, lors d'une 2ᵉ bataille, les forces républicaines de Belchite furent vaincues par l'armée franquiste aidée par des corps italien et marocain.
Après la fin de la guerre d'Espagne, le gouvernement de Franco n'a pas voulu reconstruire le village détruit. À côté des ruines du vieux village *(pueblo viejo de Belchite)*, il y a un Belchite neuf et moderne où vivent les habitants.
– **Bon à savoir** : le vieux village est accessible seulement lors des visites guidées, mais les vestiges, assez nombreux, que l'on peut apercevoir depuis la route, sont déjà assez poignants. Plusieurs films furent tournés entre les ruines du village, dont des scènes des *Aventures du baron de Münchhausen* de Terry Gilliam (1988).

🎭🎭 **Museo del Grabado y casa natal de Goya** (musée de la Gravure et maison natale de Goya) : c/ Zuloaga, à **Fuendetodos.** ☎ 976-14-38-30.

● *fundacionfuendetodosgoya.org* ● *À env 20 km à l'ouest de Belchite et 55 km au sud de Saragosse. Tlj sauf lun, 11h-14h, 16h-19h. Entrée combinée avec la maison natale de Goya : 3 € ; réduc ; gratuit - de 16 ans.*
C'est dans ce petit village que naquit Goya. Au museo del Grabado, superbe collection de gravures dans les étages : les séries des *Disparates* (où se mêlent les genres grotesque, comique et irrationnel), *Desastres de la guerra,* et d'autres sujets moins morbides, tels que les *Caprichos*. Ces dernières furent réalisées par l'artiste à ses débuts et témoignent de la vision satirique de son œuvre avec des sujets comme l'éducation, le mariage...
À 100 m du musée, la ***maison natale de Goya*** brille par sa simplicité (attention à la tête en entrant !). Elle compte 4 pièces en bas, et 5 en haut. Cette maison appartenait en réalité à l'oncle maternel de Goya, et le peintre y vécut 6 ans avant que ses parents ne retournent à Saragosse. Celle-ci subit d'importants dommages durant la guerre civile qui fit rage dans la région, mais fut entièrement reconstruite et aménagée avec du mobilier de l'époque.
Ce qui frappe le plus à l'intérieur, c'est probablement la petitesse et le dénuement de cette maison de campagne, même si la famille de Goya n'était en rien une famille pauvre et paysanne (fils d'un maître doreur, il était même d'ascendance noble du côté de sa mère).

AU NORD-OUEST : LES CINCO VILLAS

Au nord-ouest de Saragosse.
Limitrophe avec la Navarre, ce territoire marque la transition entre la morne plaine de Saragosse et, plus au nord, l'Aragon montagneux ou très vallonné des Pyrénées et des pré-Pyrénées. Il comprend, entre autres, les villages de **Sos del Rey Católico** et **Uncastillo**.
Le 1er, un beau village médiéval perché – d'ailleurs classé pour ses ruelles et ses remparts –, est le « berceau du Roi Catholique », en l'occurrence Ferdinand, souverain au XVe s (l'office de tourisme est d'ailleurs installé dans sa maison natale, le *palacio de Sada,* au cœur du bourg). **Uncastillo,** pour sa part, se révèle bien séduisant avec ses ruelles médiévales, ses églises aux clochers ocre finement sculptés et les vestiges d'un ***château*** construit à partir du XIe s. Contrairement à Sos del Rey Católico, il est plutôt encaissé dans le paysage.
– Si vous venez de Jaca, au nord, plusieurs routes pour rejoindre Sos del Rey Católico sont superbes, mais longues car étroites et tortueuses. L'une d'entre elles, l'A 2602, quitte l'A 132 au niveau de Bailo et passe par des villages comme Laruès, Bagüés ou Navardún. L'autre, l'A 1202, encore plus belle, mais vraiment chronophage, part d'Ayerbe (au sud de Murillo de Gállego) et rejoint Uncastillo avant de remonter vers Sos del Rey Católico.

L'ARAGON

Où dormir ? Où manger dans les environs ?

🛏 ***Albergue de Juventud :*** *Meca, s/n, 50680* **Sos del Rey Católico.** ☎ 948-88-84-80. ● *alberguedesos.com* ● *Sur les hauteurs, dans le village (fléché). Tte l'année. Lit 17 € (draps et édredon compris), petit déj env 3 €.* Une AJ agréable, dans des murs de pierre, comprenant 2 dortoirs classiques de 10 et 20 lits superposés. Chacun dispose d'une grande salle de bains. C'est propre, fonctionnel et bien tenu. Parties communes impeccables.

🛏 ***Posada La Pastora :*** *c/ Roncesvalles, 1, 50678* **Uncastillo.** ☎ 976-67-94-99. 🖷 680-58-36-07. ● *lapastora@lapastora. net* ● *lapastora.net* ● *Hôtel fermé nov-fév (ouv à Noël), apparts ouv tte l'année. Doubles 86-91 € petit déj inclus. Appart (2, 4, 6 pers) 95-140 €/nuit. 2 nuits min en été.* Dans une vieille maison du village, des chambres d'hôtes de charme, très confortables. Le décor allie le rustique et le contemporain, avec lits en fer forgé, carrelages au sol, clim... Accueil très professionnel. Pas de resto, en revanche. Loue également des apparts dans une autre maison.

|●| La Cocina del Principal : c/ Fernando el Católico, 13, 50680 **Sos del Rey Católico.** ☎ 948-88-83-48. ● lacocinadelprincipal.r@gmail.com ● Dans la rue principale du vieux village.

Tlj sauf lun, 13h30-15h30, 10h30-22h30. Janv et fév : ouv seulement w-e. Menu dégustation 28 €, carte 30-35 €. Une salle à manger chaleureuse et soignée, murs de grosses pierres et poutres anciennes. On y sert une cuisine régionale finement élaborée et sans triche.

SUR LA ROUTE DE BURGOS

🎿🎿🎿 **Les Bardenas Reales :** à moins de 100 km au nord-ouest de Saragosse ; accès par l'A 68, sortie Tudela ; sur la route de Tudela, prendre la N 134 en direction d'Arguedas, puis suivre le fléchage. À cheval sur l'Aragon et la Navarre, un étrange désert rouge et blanc dresse ses reliefs fantasmagoriques de sable gréseux et marneux, qui ne sont pas sans rappeler certains paysages marocains : ce sont les Bardenas Reales, blanca ou negra, selon la couleur de la terre. Avec une superficie de près de 42 000 ha, ancien territoire royal aux frontières d'Aragon et de Navarre, terrain de transhumance depuis des siècles, ce parc naturel est aujourd'hui en grande partie une zone militaire. Pour le découvrir, il existe des parcours à effectuer à pied, à VTT ou en voiture. Toutefois, excepté pour le circuit « classique » en voiture, il est indispensable de partir avec une bonne carte et les compétences pour la lire sur ce genre de terrain, car les itinéraires ne sont pas balisés. Ceux qui n'ont aucune expérience en la matière prendront obligatoirement un guide (liste disponible au centre d'information et sur leur site, voir ci-après).
– Un circuit en voiture de 31 km (environ 1h30) permet déjà d'avoir un petit aperçu de ce que le parc a à vous offrir. Il peut aussi se parcourir à VTT, mais au bol d'air risque de s'ajouter le bol de poussière de la piste (bien entretenue, cela dit) !

🛈 **Centro de información del parque natural de Bardenas :** ctra del Polígono de Tiro, km 6. ☎ 948-83-03-08. ● bardenasreales.es ● Ouv tte l'année, sauf 1er, 5 et 6 janv et 24, 25 et 31 déc. Tlj 9h-14h, 16h-19h (15h-17h sept-Pâques). Entrée dans le parc autorisée à partir de 8h et jusqu'à 1h avt le coucher du soleil. Vous y trouverez toutes les infos pour explorer le parc : liste des agences de guides, plan du parc et vente d'un topoguide à jour indiquant les différents itinéraires possibles.
– Voir aussi ● bardenas-reales.net ●, le site d'un Français passionné.

SUR LA ROUTE DE HUESCA

🎿 **La Ruta Orwell :** un des hauts lieux de la guerre civile espagnole (1936-1939) dans la sierra de Alcubierre (un des secteurs de Los Monegros) à une quarantaine de km au nord-est de Saragosse. De Saragosse prendre l'A 129 vers Alcubierre. Au Puerto de Alcubierre (col d'Alcubierre), un chemin conduit (200 m) à gauche au **mirador de las Tres Huegas.** En continuant 600 m sur l'A 129 vers Alcubierre, un panneau sur la droite indique **Ruta Orwell** et le chemin qui mène au site du **Monte Irazo** (Vestigios de la Guerra Civil). Ces 2 sites présentent des vestiges de la guerre civile.
La ligne d'affrontement entre les forces républicaines et franquistes (fascistes) formait un front stable (dit le « front d'Aragon ») qui traversait la sierra de Alcubierre, un paysage de monts pelés et arides, couverts de maquis. En janvier 1937, l'écrivain britannique **George Orwell,** sympathisant du POUM (Parti ouvrier d'unification marxiste), a combattu durant 3 semaines sur les monts Irazo et Pucero, 2 importants verrous stratégiques de la zone. Dans son livre **Hommage à la Catalogne,** Orwell raconte son engagement dans la guerre d'Espagne, « une guerre au point mort ». Il fut blessé à la gorge au cours d'un combat. Dans ces différents sites, on voit des postes de tir, des tranchées,

des fortifications, des bunkers, des refuges. Beaucoup ont été restaurés par le gouvernement d'Aragon, comme témoins de l'histoire.

– *Bon à savoir* : les sites sont ouverts tous les jours au public, du lever au coucher du soleil. Accès gratuit. Infos : ● losmonegros.com ● turismomonegros.com ●

➤ À *Robres,* à 7 km au nord d'Alcubierre, la guerre civile est exposée en détail au *Centro de Interpretación de la guerra civil en Aragón.* *Juil-août, sam 11h-14h, 18h30-20h30 (dim mat seulement). Le reste de l'année, sam et dim mêmes horaires (sam 16h30-18h30). Entrée : 2 € ; réduc.*

SUR LA ROUTE DE TERUEL

🏃🏃 *Daroca :* à env 90 km au sud-ouest de Saragosse ; depuis l'A 23 qui relie Saragosse à Teruel, prendre la sortie n° 210, direction Daroca (A 1506). À près de 800 m d'altitude, voici une petite ville (seulement 2 100 hab.) encastrée entre les parois d'un ravin au pied de monts ocre et jaune, avec des maisons de la même couleur, agglutinées le long d'une rue principale. Daroca est entourée d'une muraille des XIIIe et XIVe s, où alternent tours et portes fortifiées, formant un des ensembles urbains les mieux conservés d'Aragon. On y retrouve les styles roman et mudéjar qui s'harmonisent parfaitement. Dans l'ancien quartier juif, beaux édifices de styles Renaissance et baroque (XVIe et XVIIe s).

🏃🏃 🏃 *Laguna de Gallocanta :* à env 20 km de Daroca. Depuis la puerta Baja de Daroca, prendre l'A 211 direction Molina de Aragón, puis suivre le fléchage. Situé sur un plateau à 1 000 m d'altitude, ce marais est un très beau site naturel unique en Espagne, réputé pour sa richesse biologique. Les oiseaux migrateurs viennent nidifier, en particulier les grues, qui voyagent en hiver vers des latitudes plus chaudes. Plusieurs agréables balades à faire à pied ou à VTT dans les environs.

🅸 *Centro de interpretación :* en bordure de la lagune, à la sortie du village de Gallocanta. ☎ 976-80-30-69 ou 978-73-40-31. ● rednaturaldea ragon.com ● *Avr-sept, mer-dim 10h-14h, 16h-19h30 ; oct-mars, mer-dim 9h-13h, 15h30-18h30. Fermé lun-mar. Entrée musée : 2 € ; réduc.* Édite une brochure en français. Très belle expo sur les oiseaux de la région, avec leurs cris pour pouvoir les identifier. À l'étage, un mirador panoramique avec une grande baie vitrée et une batterie de binoculaires pour les observer, ils sont juste devant vous !

🏠 🍽 *Allucant :* c/ San Vicente, 50373 *Gallocanta.* ☎ 976-80-31-37. ● info@ allucant.com ● allucant.com ● 🍴 *À la sortie du village en direction de Calamocha. Congés : de mi-mai à mi-juin. Lit en dortoir 14,50 € sans petit déj ; doubles 40-60 € selon confort ; petit déj 5 €. Pique-nique et repas 9-16 €. Café offert sur présentation de ce guide.* Grosse maison moderne en pierre. Évidemment, plein de photos d'oiseaux sur les murs dans ce petit nid fort apprécié des ornithologues amateurs. Dortoirs propres avec toilettes communes, et de belles chambres aux couleurs fraîches et très bien tenues. La maison prépare des pique-niques à la demande et sert des repas. Ici, on ne plume pas le client ! Bon accueil.

🏃🏃 🏃 ⚑ *Castillo de Peracense :* à 55 km au nord de Teruel. ● peracense.es/ castillo ● *Depuis l'A 23 qui relie Saragosse à Teruel, prendre la sortie n° 160 direction Villafranca del Campo, puis suivre la TE V 9024 vers Peracense. Semaine sainte-fin juin : ouv mer-dim 10h30-14h, 16h-20h30 ; fermé lun-mar. De juil à mi-sept : ouv tlj 10h30-14h, 16h-21h. De mi-sept à mi-oct : ouv mer-dim 10h30-14h, 15h30-19h ; fermé lun-mar. De mi-oct à Pâques : ouv le w-e 10h30-14h, 15h30-18h ; fermé en sem. Entrée : 3,50 € ; réduc.* Drôle de château qui dresse sa masse inquiétante et rouge sur le versant de la sierra de Menera. On ne dirait pas qu'il est situé à 1 365 m d'altitude au-dessus du niveau de la mer ! Il est juché sur un énorme bloc rocheux dont il semble s'extraire. L'intérieur fait un peu coquille vide, n'empêche, le site, très beau, mérite le détour. La vue est splendide sur la vallée du río Jiloca, réputée pour la culture du safran.

L'ARAGON

SUR LA ROUTE DE MADRID

🎒🚶 🚶 *Monasterio de Piedra :* quitter l'A 2 à Calatayud et prendre l'A 202 pour Nuévalos (env 25 km). ☎ 976-87-07-00. ● monasteriopiedra.com ● Visites guidées du monastère (2h) : 10h30, 11h15, 12h15, 13h, 15h15, 16h15, 17h15, 18h. Fermeture des portes à 18h30. Visite libre du parc seul : tlj 9h-20h (19h 25 oct-25 mars), 14,40 €. Entrée (monastère seul) : 8,50 €. Billet combiné monastère + parc : 16 € ; réduc. Panneaux explicatifs en espagnol, anglais et français.

UN MOINE PLAGIAIRE

En 1970, le monastère de Piedra reçoit la visite du génial Salvador Dalí. L'artiste laissa en souvenir un dessin de lui, toujours bien conservé aujourd'hui. Celui-ci portait sur le thème du plagiat. Avant la publication du 2ᵈ tome du Don Quichotte de Cervantes, une suite au 1ᵉʳ tome fut éditée en 1614. Ce plagiat était signé d'un certain Avellaneda. Pour Dalí, ce serait un moine cistercien de Piedra qui aurait écrit sous ce pseudonyme cette (fausse) suite des aventures de Don Quichotte. L'œuvre est désignée comme « Quichotte apocryphe ». L'habit ne fait pas le moine !

Ce monastère cistercien du XIIᵉ s fut occupé par les moines jusqu'en 1836. Ruiné lors des guerres carlistes, il fut racheté par un riche Catalan dont les descendants (la famille Muntadas) sont toujours propriétaires du domaine. On découvre le cloître, l'église abbatiale en ruine, la salle capitulaire, la chaufferie des moines. Une grande salle voûtée abrite un musée du Vin *(museo del Vino)* évoquant le vignoble des moines. On ne voit pas les anciennes cellules qui sont aujourd'hui les chambres d'un hôtel chic, situé à côté du bâtiment principal.

Une ancienne cuisine aux murs noirâtres expose à travers 20 panneaux l'histoire du cacao. Car c'est ici qu'arrivèrent en 1534 les 1ᵉˢ fèves de cacao jamais vues sur le sol européen, accompagnées d'un mode d'emploi sommaire. C'est le frère Gerónimo de Aguilar, moine cistercien et conquistador qui accompagna Hernán Cortés au-delà des mers, qui les envoya à l'abbé de ce monastère cistercien.

Jouxtant le monument, le *parc* est une véritable oasis de fraîcheur dans ce paysage aride : cascades, ruisseaux, lacs, grottes, etc. À faire en 2h, la balade jusqu'à la grotte Iris, à laquelle on accède par un escalier qui permet de voir la cascade de l'intérieur.

– *Bon à savoir :* démonstration de *fauconnerie* et vol de rapaces 3 fois par jour en été (à 11h30, 13h et 16h30).

LE SUD : LA PROVINCE DE TERUEL

Historiquement la province de Teruel vivait de l'agriculture et de l'activité minière. Excepté la production d'énergie, elle est aujourd'hui à peine industrialisée, ce qui explique aussi qu'elle souffre d'un tel dépeuplement. Pour qui aime vagabonder dans des contrées sauvages et désertes, c'est l'endroit ! Si sa capitale peut sembler un peu morne et assoupie comparée à Huesca ou à Saragosse, la nature qui l'entoure figure peut-être pour nous parmi les plus beaux paysages d'Espagne, d'autant que leur variété est assez époustouflante : entre la sierra d'Albarracín et la réserve nationale des Monts Universels, le Maestrazgo ou le Matarraña, on passe de plateaux désertiques rougeoyants s'étendant à l'infini à des paysages déchiquetés aux routes étroites et sinueuses, avant de se retrouver au milieu d'une garrigue plantée d'amandiers et d'oliviers. Le tout parsemé de belles petites fermes, bâtisses ou villages à l'aspect parfois un peu fantomatique.

Quant au climat, il est particulièrement rude et sec : si les températures atteignent des sommets en été, les hivers eux sont très rigoureux. Morale de l'histoire : allez-y au printemps.

MALRAUX DANS LA SIERRA DE TERUEL

En juillet 1936, la guerre civile éclate en Espagne. André Malraux créa *l'escadrille España* avec une vingtaine d'avions. Objectif : fraterniser et soutenir les républicains contre les forces nationalistes de Franco. Après Madrid et Albacete, Valence fut choisie en décembre 1936 comme siège du gouvernement républicain. À la veille de Noël, Malraux reçut l'ordre d'attaquer Teruel (coin enfoncé des franquistes vers Valence) et la route de Saragosse, avec au moins 2 appareils (il lui en restait 7). Le sien capota au décollage. Malraux subit quelques contusions. Le 2e avion décolla mais ne revint pas. Pris en chasse par les *Heinkel* ennemis, il fut abattu dans la sierra de Teruel (le Maestrazgo aujourd'hui) dans le secteur de *Linarès.*
Le 27 décembre 1936, Malraux se rendit en voiture au village de *Valdelinares.* Il se joignit aux habitants et à la caravane de mulets et grimpa jusqu'à l'endroit où l'avion s'était écrasé dans la montagne, pour y récupérer les blessés (et un mort). De ce qu'il a vu et vécu, Malraux a écrit les plus belles pages de son roman *L'Espoir,* paru à la fin de 1937. « Les derniers brancards, les paysans des montagnes et les derniers mulets avançaient entre le grand paysage de roches où se formait la pluie du soir, et les centaines de paysans immobiles, le poing levé. » L'écrivain adapta son roman à l'écran. Le film sortit en juillet 1939, sous le titre *Sierra de Teruel.* Le Front populaire le censura. Eh oui ! Les nazis tentèrent de le détruire mais se trompèrent de film. Marcel Carné sauva la seule et unique copie de *Sierra de Teruel.* En 1945, le film fut retrouvé et renommé *Espoir.*

TERUEL   (44000)   36 000 hab.

L'ARAGON

● Plan *p. 451*

Dominée pendant des siècles par les Maures, cette capitale régionale tranquille a gardé un caractère arabo-musulman, le mélange des styles mozarabe et mudéjar lui donnant son caractère et sa personnalité. Grâce à ses constructions mariant la brique émaillée, la céramique et l'ocre rouge de la terre cuite, la ville est classée au Patrimoine mondial de l'Unesco, au titre de « l'architecture mudéjare d'Aragon ». Ici s'élevait encore une mosquée au début du XVIe s, alors que l'histoire des amants de Teruel faisait déjà pleurer depuis 3 siècles.
Aujourd'hui, Teruel s'est trouvé un autre grand centre d'intérêt : le grand parc d'attractions, dédié au plus grand dinosaure jamais mis au jour en Europe, un bébé de 40 m de long et de plus de 40 t, et dont le squelette, parfaitement conservé, est exposé.

UN PEU D'HISTOIRE

Durant la guerre civile espagnole (1936-1938), Teruel fut une base avancée des forces franquistes. Pour arrêter leur progression vers Valence, siège du gouvernement républicain, les avions des Brigades internationales bombardèrent à plusieurs reprises Teruel et la sierra de Teruel. Les combats furent terribles entre décembre 1937 et février 1938 (c'est la fameuse *bataille de Teruel*).

Arriver – Quitter

🚆 *Estación RENFE (plan A2) :* camino de la Estación. ☎ 912-320-320. ● renfe. com ● Face à la gare, un bel escalier de style néomudéjar rejoint la vieille ville.
➤ *Saragosse :* 4 trains directs/j. dans les 2 sens (durée : env 2h20).
➤ *Valence :* 3-4 trains directs/j. dans les 2 sens (env 2h30).
➤ *Madrid ou Huesca :* changement de train obligatoire à Saragosse !

🚌 *Estación Autobuses (plan B2) :* ronda de Ambeles. ☎ 978-61-07-89. ● estacionteruel.es ● Tlj 6h30-0h30. Une quinzaine de compagnies de cars desservent Teruel. Consigne tlj 7h-23h.
➤ Liaisons tlj avec *Saragosse* (durée 2-3h), *Albarracín* (env 45 mn), *Alcañiz* (env 2h15), *Madrid* (env 4h30), *Valence* (env 2h), *Barcelone* (env 6h30).

Adresses et info utiles

🛈 *Oficina de turismo de Teruel (plan B2, 1) :* pl. Amantes, 6. ☎ 978-62-41-05. ● turismo.teruel.es ● Tte l'année : tlj sauf fêtes de fin d'année 10h-14h, 16h-20h (10h-20h août). Audioguide en français (2 €) pour découvrir la ville, avec plan bien fait pour s'y retrouver.
🛈 *Oficina de turismo de Aragón (plan A2, 2) :* c/ San Francisco, 1. ☎ 978-64-14-61. ● turismodearagon.com ● De juil à mi-sept : tlj 9h (10h dim et j. fériés)-14h, 16h45-19h45. Le reste de l'année : tlj 9h (10h dim et j. fériés)-14h, 16h30-19h. Docs en français sur l'Aragon.

✚ *Hospital Obispo Polanco :* c/ Ruiz Jarabo, s/n. ☎ 978-65-40-00.
– *Stationnement :* la circulation dans le centre historique est extrêmement limitée et le stationnement principalement destiné aux résidents (emplacements rouges). Avec un peu de chance vous trouverez une place sur le parking gratuit juste à côté de la gare *(plan A2) ;* des escaliers majestueux de style néomudéjar *(escalinata del Óvalo)* permettent de rejoindre très rapidement le centre historique. Sinon, il reste les parkings payants (signalés en ville).

Où dormir ?

De bon marché à prix moyens (30-60 €)

🏠 *Hostal Aragón (plan B1, 11) :* c/ Santa María, 4, 44001. ☎ 978-60-13-87. ● info@hostalaragon.org ● hostalaragon.org ● Doubles sans ou avec sdb 35-55 €. Pas de petit déj. À deux pas de la plaza del Torico, dans une petite ruelle, une belle porte et un escalier impeccable qui conduit à une pension modeste et très bien tenue. Les chambres sont avec lavabo (et salle de bains sur le palier) ou avec salle de bains privée. Accueil courtois.

De chic à plus chic (60-120 €)

🏠 *Hotel El Mudayyan (plan A2, 13) :* c/ Nueva, 18, 44001. ☎ 978- 62-30-42. ● info@elmudayyan.com ● elmudayyan.com ● 🅿 Doubles 50-100 €. Un beau petit hôtel à la façade moderniste tout en céramique vert pomme, avec des balcons en fer forgé. Intérieur alliant un style moderne et sobre avec des influences mudéjares. Très bon accueil de la fille de la patronne. Les chambres spacieuses sont agréables et confortables (clim). Elles donnent sur la rue. Familiales aussi. Petite cafétéria au rez-de-chaussée où l'on peut boire un thé à l'orientale. L'hôtel est construit sur des caves et des galeries souterraines du XIVᵉ s.
🏠 *Hotel Sercotel Torico Plaza (plan A-B2, 14) :* c/ Yagüe de Salas, 5. ☎ 978-60-86-55. ● reservas@baco hoteles.com ● hoteltoricoplaza.com ● Doubles 50-100 €. Parking 11 €/j. Une situation idéale, en plein centre historique, et accessible en voiture pour

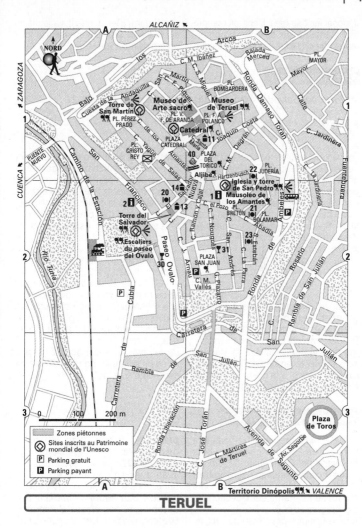

L'ARAGON

TERUEL

---

déposer les bagages. L'endroit compte une trentaine de chambres confortables avec clim, à la déco classique et standard. Elles donnent sur la rue ou sur la place. La suite au 4e étage jouit de la plus belle vue.

Où manger ?

|●| *Torre del Salvador (plan A2, 20) :* c/ El Salvador, 20. ☎ 978-60-52-63. ● restaurante@latorreteruel.es ● Mar-dim pour déj seulement, 13h-16h. Déjeuner et dîner, jeu-sam 13h-16h, 21h-23h. Fermé lun. Menu du jour (en sem seulement) 13 €, carte 30-36 €. Apéritif maison offert sur présentation de ce guide. Au pied de la tour du même nom, un petit resto qui propose une carte classique ou un bel assortiment de *raciones* et de tapas. Spécialité : el asado de paletilla de ternasco (épaule d'agneau grillé).

|●| *Restaurante Yain (plan B1, 22) :* pl. de la Judería, 9. ☎ 978-62-40-76. ● info@yain.es ● &. Tlj jusqu'à 23h, sauf dim soir, lun et mar soir. Menus du jour (sauf le w-e) 17 €, puis 28-45 €. Salle à la déco contemporaine et cuisine de gourmet, très soignée et variée, élaborée avec une touche de créativité. *Bacalao* (morue) préparée de 5 manières différentes, poissons et viandes sans oublier le jambon de Teruel *(carilleras de ibérico)* à la crème de salsifis. Une bonne adresse pour dîner.

|●| *La Barrica (plan B2, 21) :* c/ Abadía, 5. ☎ 645-79-29-20. ● labarrica@hotmail. es ● Lun-ven 9h30-15h30, 20h-23h ; sam 12h-23h. Dim, midi seulement. Fermé dim soir et mar. Plats 7-12 €. C'est un bar à tapas qui sert aussi des *pintxos* de style basque, gastronomiques et soignés. Petite salle modeste et discrète avec la liste des plats et des vins inscrite à la craie sur un tableau. Tout est frais et bien présenté.

|●| *La Bella Neda Asador de Leña (plan B2, 23) :* c/ San Estebán, 2. ☎ 978-60-59-17. ● info@labella neda.com ● Fermé dim soir-mer. Ouv jeu-sam 13h30-15h30, 21h-23h ; dim 13h30-15h30. Derrière ces vieux murs et ce grand portail en bois se cache une rôtisserie à la déco chaleureuse. Toutes les viandes sont grillées au feu de bois : côtelettes d'agneau *(chuletillas)*, bœuf *(chuletón* et *solomillo de ternera)*, et aussi poulpe *(pulpo)*. Accueil jovial et bon service. Une excellente adresse !

Où boire un verre ?

♟ ↑ S'il fait beau, installez-vous à la terrasse de l'un des nombreux bars du *paseo del Óvalo (plan A2, 30)* qui borde le centre historique, surplombant la ville basse, avec vue sur les monts environnants. Parmi ceux-ci citons le bar *Gregory* au n° 6.

Autres options pour boire un verre : les cafés sous les arcades de la *plaza del Torico (plan B1)* ou la grande terrasse du *Café Don Diego (plan B2, 31)* sur la belle plaza San Juan avec ses arcades et sa fontaine. Plusieurs bars de nuit autour des rues *San Andrés, Abadía* et *San Estebán,* et des *plazas Bolamar* et *Bretón (plan B2).* Très animées à partir du jeudi soir.

Où acheter de bons produits ?

⊛ ⚌ *Muñoz (plan B1, 40) :* pl. del Torico, 23. ☎ 978-60-11-30. ● info@ dulcesdeteruel.es ● dulcesdeteruel. es ● Lun-sam 9h30-14h, 17h-20h ; dim 10h-14h. Depuis 1855, la maison voit défiler les gourmands dès la messe dite. Péché ? Que diable ! Ce le serait à moins : *dulce de membrillo* (pâte de coing), *chocolate a la piedra* (légèrement granuleux et safrané), *besos* et *suspiros de los amantes* (biscuit aux amandes et à la framboise). Mais aussi de beaux fromages, sans oublier le célébrissime *jamón de Teruel,* la charcuterie locale, des chocolats et de l'huile d'olive.

À voir

🎬🎬 *L'escalier du paseo del Óvalo* (escalinata del Óvalo, plan A2) : l'un des monuments les plus emblématiques de Teruel. Construit en 1920-1921 pour relier le centre historique à la gare ferroviaire, il débute en hauteur sur le paseo del Óvalo et descend en contrebas jusqu'au camino de la Estación. Bien plus qu'un escalier utilitaire c'est une œuvre d'art de style néomudéjar.

🎬 *Mausoleo de los Amantes* (plan B2) : c/ Matias Abad, 3 (une ruelle en escalier dans le centre, entrée au-dessus de l'office du tourisme). ☎ 978-61-83-98. ● amantesdeteruel.es ● Tlj 10h-14h, 16h-20h (10h-20h en août). Fermé 15 j. mi-janv. Entrée mausolée : 4 €, réduc ; gratuit - de 7 ans, audioguide en français inclus. Billet combiné : mausoleo + conjunto mudéjar (iglesia San Pedro, cloître, abside, sans la tour San Pedro y Ándito) : 9 € (10 € avec la tour). Audiovisuel au rdc. Ce sont les Roméo et Juliette locaux. En 1555, les momies des amoureux furent découvertes et enfin réunies ici. Dans une petite chapelle, les beaux gisants en albâtre des amants sont juxtaposés et leurs mains s'effleurent.

LES HISTOIRES D'AMOUR FINISSENT MAL, EN GÉNÉRAL

Nous sommes au XIIIe s, et Juan Diego aime passionnément Isabel ! Comme la famille de la jeune fille s'oppose à leur union (le jeune homme n'est pas un assez beau parti), il part à la guerre pour faire fortune. Mais cette fortune tarde à venir. Isabel réussit à faire patienter son père pendant 5 ans avant que celui-ci ne la marie à un potentat du coin. Quand Diego revient enfin, Isabel est donc mariée et lui refuse un dernier baiser par fidélité pour son époux : l'amoureux transi en meurt de chagrin. Le lendemain, Isabel vient à ses funérailles, célébrées dans l'église San Pedro, et meurt en embrassant son bien-aimé. Snif, snif !

Dans la partie basse des gisants on devine à travers la pierre ajourée les restes (ossements) des 2 personnages. Le musée raconte cette histoire, avec des expos interactives, un peu gadget, mais pas désagréables : explications sur le contexte social de l'époque, sur les évocations de cet amour contrarié dans la littérature, la musique, la peinture, etc.

⊚ 🎬🎬 ≪ *Iglesia San Pedro et torre San Pedro y Ándito* (plan B2) : billetterie et entrée communes avec le mausoleo de los Amantes, et mêmes horaires. Visite payante et libre pour l'église San Pedro. Visite guidée pour la tour (durée 25 mn). Après la visite du mausolée des Amants, on découvre la belle église San Pedro, de style mudéjar, accolée à celui-ci. Construite au XIVe s sur des fondations du XIIe s, l'église présente un intérieur très richement décoré dans le style de « l'art mauresque aragonais ». Les murs de la nef et le plafond sont colorés mais ces peintures rouge, bleu et doré ne furent réalisées qu'entre 1896 et 1910 par l'artiste local Salvador Gisbert. À l'extérieur, remarquer aussi l'*abside* de forme polygonale avec ses arches entrecroisées en brique et céramique colorée, et ses 7 petites tours octogonales.

La plus ancienne des tours mudéjares de la ville, la *torre San Pedro y Ándito,* date du XIIIe s. Elle ne se visite qu'avec un guide. À l'origine, c'était une tour de guet, pendant la guerre civile elle servit même aux troupes franquistes pour se prémunir des attaques aériennes tandis que l'église abritait les combattants républicains. Au cours de la visite guidée, on accède à une galerie (Ándito) qui fait le tour de l'église à l'extérieur, ce qui permet d'admirer ses vitraux de beaucoup plus près !

⊚ 🎬 *Catedral Santa María de Mediavilla* (plan A-B1) : pl. de la Catedral. Tlj 11h-14h, 16h-19h (20h en été). Entrée : 3 €. Billet combiné cathédrale + museo de Arte sacro : 5 €. Visite guidée obligatoire incluse dans le billet. Durée : env 1h.

L'ARAGON

Celle-ci vaut surtout pour sa tour et son clocher de style mudéjar, construits en 1257 (mais on ne peut pas y monter) et le plafond à caissons de sa nef centrale. Ce sont d'ailleurs les 3 éléments de la cathédrale classés au Patrimoine mondial de l'Unesco. Pour admirer la richesse du très beau plafond gothique du XIVᵉ s, où se mêlent scènes du quotidien, de chasse, de guerre et scènes religieuses, ainsi que les animaux fantastiques sculptés et peints dans les médaillons, une seule option : la visite guidée.

– **Bon à savoir :** la galerie supérieure au-dessus de la nef ne se découvre qu'au cours de la **visite guidée.** Après avoir gravi un escalier étroit de 55 marches, de là-haut on découvre mieux la splendeur intérieure de l'édifice et en particulier son riche plafond.

🏃 **Museo de Arte sacro** (plan A-B1) : pl. Venerable Francés de Aranda, 3 (à côté de la cathédrale). ☎ 978-61-99-50. Tlj sauf dim et j. fériés 10h-14h, 16h-19h (20h en été). Entrée combinée avec la cathédrale : 5 €. Appelé aussi Museo diocesano. Dans l'ancien palais épiscopal (XVIᵉ s), au fond d'un patio élégant, sont rassemblés les trésors du diocèse : Vierges romanes d'une touchante naïveté (XIIᵉ et XIIIᵉ s), orfèvrerie et peintures gothiques. On remarquera un retable du peintre Antonio Bisquert (XVIIᵉ s) et quelques traces de balles de la guerre civile sur certaines statues.

🏃🏃 ✟ **Museo de Teruel** (plan B1) : pl. Fray Anselmo Polanco, 3. ☎ 978-60-01-50. ● museo.deteruel.es ● Mar-ven 10h-14h, 16h-19h ; le w-e 10h-14h. Fermé lun. GRATUIT. Explications en espagnol. Dans le magnifique bâtiment Renaissance de la casa de la Comunidad (XVIᵉ s), ce musée est consacré à la vie et l'histoire de la région. On y voit une section archéologique, objets de l'époque romaine (vases, amphores, petite catapulte en fer forgé), et une pharmacie ancienne reconstituée. Au 4ᵉ et dernier étage, très belles céramiques de l'époque arabe Al-Andalus, dont la tradition locale est très ancienne. Ce beau petit musée donne un bon aperçu de l'histoire régionale. Du dernier étage, la terrasse domine une partie de la ville.

◎ 🏃🏃 ✟ **Les tours mudéjares :** ☎ 978-60-20-61. ● teruelmudejar.com ● Tlj sauf lun ap-m 11h (10h août)-14h, 16h30-19h30 (16h-20h août, 16h30-18h30 nov-janv). Entrée : 2,50 € ; réduc. Ces magnifiques vestiges de l'époque maure dominent encore les remparts. Pour accéder au sommet de la torre del Salvador (plan A2 ; c/ de El Salvador), il faut gravir 122 petites marches : haute de 40 m, elle offre un beau panorama sur la cité et abrite aussi un Centro de interpretación de la arquitectura mudéjar qui constitue une bonne petite introduction aux particularités de cette architecture (en espagnol seulement). La torre de San Martín (plan A1), également construite au XIVᵉ s, ne s'admire que de l'extérieur.

🏃 À voir aussi : la **plaza del Torico** (plan B1), triangulaire et entourée d'arcades, avec le minuscule taureau juché sur la colonne centrale ; la **plaza San Juan** (plan B2), ses arcades et ses façades de brique abritant banques et administrations ; l'**Aljibe medieval** (plan B1-2 ; angle pl. del Torico et c/ Ramón y Cajal, en sous-sol ; ☎ 978-60-28-10 ; ● aljibemedieval.com ● ; tlj 11h-14h, 17h-19h ; entrée : 1,30 €, réduc), restitution de l'ancienne citerne médiévale du XIVᵉ s, construite pour recueillir l'eau de pluie. En effet, Teruel, pour se protéger des attaques, fut bâtie en hauteur par rapport au fleuve, d'où le risque de pénurie d'eau. Cette citerne servit aussi d'abri lors des bombardements pendant la guerre civile.

🏃🏃 🏃 **Territorio Dinópolis** (hors plan par B3) : poligono Los Planos. ☎ 978-617-715. ● dinopolis.com ● Bus nᵒˢ 6 ou 2 depuis le paseo del Óvalo. À la sortie de la ville, route de Valence, à côté du parc des expositions. Horaires compliqués : en gros, fermé lun-mer hors juil-août et vac scol ; août, tlj 10h-20h ; sinon 10h-19h ; pour le reste, consulter leur site. Fermé de mi-déc à mi-mars. Entrée : 28 € ; enfants 4-11 ans et + de 60 ans 22 €. Concept-musée à vocation ludique mis en place à la suite de la découverte dans la région de Galvé d'Argosaurus, le 1ᵉʳ dinosaure espagnol, qui marqua le début de trouvailles du même acabit. La dernière en date ? Celle de Turiasaurus riovenensis, l'un des plus grands dinos de la planète.

Vous pourrez contempler dans la même salle les squelettes en taille réelle d'un *Brachiosaurus* et du fameux *Tyrannosaurus rex* (T. rex pour les intimes). Des temps forts ponctuent une visite agréable, où l'on trouve quelques animations, comme ce « bateau fantôme » qui fait remonter à 65 millions d'années, mais aussi une salle de ciné en 3D, un musée de paléontologie et une aire où les enfants pourront jouer à Indiana Jones. Noter que les sites satellites, répartis un peu partout autour de Teruel (*Inhóspitak* à Peñarroya de Tastavins, *Legendpark* à Galvé, *Región Ambarina* à Rubielos de Mora, *Bosque Pétreo* à Castellote, *Mar Nummus* à Albarracín et *Titania* à Riodeva), peuvent être des compléments de visite intéressants à ce parc.

Fêtes

– **Bodas de Isabel de Segura** (Fiesta de los Amantes) : *3e w-e de fév.* En souvenir des amants de Teruel.
– **Vaquilla del Ángel** (Vachette de l'Ange) : *pdt 10 j. en juil.* Tauromachie et courses de vachettes dans les rues.
– **Fête du Jambon de Teruel :** *2e sem de sept.*

ALBARRACÍN   (44100)   1 090 hab.

À environ 40 km à l'ouest de Teruel. Dans l'écrin de nature sauvage formé par le massif des Monts Universels *(Reserva Nacional de los Montes Universales),* Albarracín, superbe citadelle d'origine arabe corsetée et couronnée par une muraille, dresse ses à-pics à plus de 1 000 m d'altitude, juste à la verticale du *río Guadalaviar.* Au XIIe s la ville était un *taïfa,* un petit royaume dirigé par la dynastie berbère des Banu Razín, d'où dérive le nom d'Albarracín.
Ce gros bourg remarquable a conservé un puissant caractère médiéval et un charme troublant. L'architecture de pierre rouge, les maisons agglutinées les unes aux autres, l'alliance du bois au fer forgé (heurtoirs, balcons, fenêtres), les escaliers et les ruelles en pente, le clocher de sa cathédrale qui se repère de loin : c'est un des plus beaux villages de l'Aragon du Sud, qu'on se le dise ! En raison de la pente, et de l'étroitesse des rues, Albarracín ne peut se visiter qu'à pied (et avec de hardis petits mollets, car ça grimpe !) et mérite absolument une halte. Beaucoup de visiteurs en été. En dehors de cette saison, en revanche, le village retombe dans le calme et le soir, il peut même être difficile d'y trouver un endroit où s'attabler.
– **Bon à savoir :** pour le **stationnement,** utiliser les parkings gratuits dans le bas du village, entre la route principale et la rivière Guadalaviar. En aucun cas, n'envisagez d'entrer en voiture dans la ville. Tout se fait à pied au fil des ruelles très étroites et pentues, entrecoupées d'escaliers. Et munissez-vous de chaussures confortables, foi de routard !

Adresses et infos utiles

✉ Oficina comarcal de turismo : c/ San Antonio, 2. ☎ 978-71-02-62. ● albarracin.es ● comarcadelasierradealbarracin.es ● Dans le bas du village, au bord de la route principale, près du pont sur la rivière Guadalaviar.

Tlj 10h-14h, 16h-20h (19h dim). Propose une carte de la ville et de la région avec des itinéraires détaillés accessibles aux véhicules de tourisme, à pied ou à VTT. Vous y trouverez aussi des toilettes publiques.

L'ARAGON

– **Albarracín Espacios y Tesoros :** dans les écuries du Palais épiscopal, pl. del Palacio, s/n. ☎ 978-70-40-35. ● funda cionsantamariadealbarracin.com ● Visites guidées de la ville. Avr-oct : tlj sauf dim ap-m, à 10h30, 12h, 16h30 et 18h (sam seulement). Prix : 4 €/pers. Visite de 90 mn (en espagnol) ; téléphoner avt pour confirmer les horaires. Ces visites guidées sont le seul moyen d'entrer dans la cathédrale. L'organisme qui les propose gère aussi plusieurs musées de la ville. C'est aussi à lui que l'on doit la restauration de plusieurs bâtisses.

– **El Andador :** c/ La Catedral, 4. ☎ 978-70-03-81 ou 🖥 667-26-06-01.

● elandadoralbarracin.es ● Visites en espagnol : tlj 10h30, 11h, 12h, 12h45, 16h et 17h. Durée : 1h30. Prix : 4 €/pers. Un autre organisme qui a, lui, le mérite de proposer des visites guidées de la ville en espagnol. Possibilité de visiter la *casa-museo noble de los Pérez y Toruela*, superbe demeure aristocratique du XVIIᵉ s dans le centre ancien.

■ **Centro de Salud** (centre de santé) : c/ San Cristo, s/n. ☎ 978-71-01-27.

■ **Distributeurs automatiques de billets :** sur la pl. Mayor (dans la citadelle) ou c/ San Antonio, au bord de la grande route (à proximité de l'office de tourisme).

Où dormir ? Où manger ?

– **Bon à savoir :** Albarracín est réputée pour être le royaume des champignons, des cèpes en particulier.

⚊ 🏠 **Camping-Bungalows de Albarracín :** c/ camino de Gea, s/n. ☎ 978-71-01-97. 🖥 657-49-84-33. ● campingalbarracin5@hotmail. com ● campingalbarracin.com ● À 1,5 km du centre, en direction de Bezas en passant le quartier El Arrabal. Ouv de mars à mi-déc (tte l'année pour les bungalows). Env 18 € pour 2 avec tente et voiture. Bungalows style chalet suisse 4-6 pers 80-107 € selon taille. Chambre double 44 €. Sur une butte au-dessus d'un lotissement résidentiel, un petit camping ombragé, bien tenu, avec des douches chaudes gratuites, cafétéria, mais pas d'épicerie. Propose aussi quelques chambres proprettes. Piscine municipale à 300 m (juil-août).

🏠 **Hostal rural Los Palacios :** c/ Los Palacios, 21. ☎ 978-70-03-27. ● hos tallospalacios@montepalacios.com ● montepalacios.com ● À 100 m d'un parking public gratuit. Double avec sdb 45 €. En juil-août 3 nuits min. Fort joliment située dans la partie ouest de la cité, une pension sans prétention, mais bien propre et tenue avec soin. Accueil familial. Les chambres au sol carrelé ont une belle vue sur la vallée (certaines avec balcon). Pour le petit déj, terrasse avec vue aussi.

🏠 🍴 **Casa de Santiago :** c/ Súbida a las Torres, 11. ☎ 978-70-03-16.

● casadesantiago_albarracin@hotmail. com ● casadesantiago.es ● À côté de l'église Santiago, juste au-dessus de la pl. Mayor ; impossible d'accéder à l'hôtel en voiture et pour parvenir jusqu'à la pl. Mayor, les appeler avt. Fermé fin janv-début fév et 5 j. en sept. Doubles avec sdb 64-70 €. Menu 22 €, servi tlj midi et soir. Par son style et son caractère, cet hôtel-resto se rapproche d'une maison d'hôtes de charme. Déco colorée, soignée et personnalisée. Aucune chambre n'est identique, mais elles sont toutes bien arrangées (pas de clim) avec un intérieur avenant. Vue sur la rue ou la ville. Salons accueillants et conviviaux d'où l'on peut admirer la vue sur le village. Le resto (ouvert aussi aux non-résidents) propose une bonne cuisine régionale (spécialité : l'agneau). Accueil très attentionné.

🍴 **Rincón del Chorro :** c/ Chorro, 15. ☎ 978-71-01-12. ● info@rin condelchorro.es ● Dans la citadelle. En hte saison, tlj, sauf dim soir-lun, 13h-16h, 20h15-23h. En basse saison, ouv seulement ven, sam et dim midi. Résa conseillée. Menu min 23 €, carte 25-30 €. CB refusées. Jolie petite salle à l'étage où l'on savoure une cuisine locale sincère et fine, avec une dominante de viande, à accompagner d'un *Calatayud* ou d'un *Cariñena*. Mais on y trouve aussi de la morue (bacalao) ou la truite du pays. Desserts délicieux et service aimable.

|●| **Alcazaba :** c/ Portal de Molina, 10. ▦ 610-21-55-56. ● restauranteal caza baalbarracin@gmail.com ● Dans l'une des rues partant de la pl. Mayor. Tlj sauf mar. Repas 15-20 €. Certes, la carte est courte et, avec les portions proposées, on ne risque pas l'indigestion (les plats de viande peuvent laisser sur sa faim !). Toutefois, la cuisine est faite maison avec une petite sélection de plats typiques notamment les bonnes soupes. Excellent pain. De plus, le cadre, entre le bar et la taverne, avec d'épais murs de pierre, est agréable et le service charmant.

Où dormir ? Où manger dans les environs ?

🛏 **Casa de Oria :** c/ Garita, 5, quartier El Arrabal, Albarracín. ☎ 978-70-03-51. ● casadeoria@gmail.com ● casa deoria.com ● À 350 m du pont, dans un quartier tranquille, sur la rive droite de la rivière Guadalaviar. Parking facile sur la place. Double avec sdb et clim 47 €, petit déj 5 €. À peine 10 m dans une ruelle, et on arrive à cette petite maison en pierre tenue par une dame joviale. 5 chambres bien arrangées et coquettes. Notre préférée est la chambre Abrigo del Navazo, avec ses murs jaunes et ses 2 petites fenêtres.

🛏 |●| **Hospedería El Batan :** à **Tramacastilla.** ☎ 978-70-60-70. ● contacto@elbatan.es ● elbatan.es ● À 2 km à l'ouest d'Albarracín, par la route A 1512, suivre le panneau sur la gauche avt le village de Tramacastilla. Doubles 79-99 €. Menu 40 €, carte 25-30 €. ½ pens possible. Auberge de campagne plutôt chic dans un paysage verdoyant traversé par une petite rivière, au pied d'une grosse colline. Environnement paisible et très bon accueil. Intérieur à la déco contemporaine. Grandes chambres confortables (très bonne literie), toutes avec terrasse et vue sur le vallon et les prés. Fait aussi resto : savoureuse cuisine régionale.

À voir

– En janvier et février, pour visiter le Museo diocesano et le musée de Albarracín, s'adresser à l'office de tourisme.

👫 **Museo diocesano** (Musée diocésain) **:** dans le Palais épiscopal du XVIIIe s qui jouxte la cathédrale. ☎ 978-70-40-35. Tlj sauf dim ap-m, 10h30-14h, 16h-18h (16h30-18h30 au printemps et en été). Fermé 25 déc et 1er janv, et pour les fiestas de sept (15-17 sept env). En janv-fév, les billets s'achètent à l'office de tourisme. Entrée : 3 € ; réduc. La pièce la plus rare du musée est un poisson en cristal de roche daté du XVIe s. Il est serti d'or et incrusté de pierres précieuses. Vous découvrirez aussi un grand nombre d'objets liturgiques, de remarquables tapisseries du XVIe s, une chapelle de style flamboyant dédiée à la Vierge du Rosaire, des tableaux sur bois de la Renaissance, une belle série de Vierges à l'Enfant et de Christ en Croix de styles baroque et néoclassique ainsi qu'un étonnant portrait de Marie Madeleine daté du XVIIIe s.

👤 **Museo de Albarracín :** c/ San Juan, 18. ☎ 978-70-40-35. Avr-oct : lun-sam 10h30-13h, 16h30-17h30 (19h sam), dim 10h30-13h ; ouv seulement le w-e hors saison. Entrée : 3 € ; réduc. Installé dans l'ancien hôpital d'Albarracín (XVIIIe s), des sections consacrées à la géologie, au climat et à la préhistoire au rez-de-chaussée. À l'étage, quelques sceaux épiscopaux, des céramiques et de la monnaie. Pour les hispanisants.

👤 👫 **Museo de Juguetes** (musée du Jouet) **:** c/ Medio, 2, quartier El Arrabal. ☎ 978-71-02-82. ● museodejuguetes.com ● De l'autre côté de la rivière. Avr-oct : ouv mar-dim mat 11h-14h, 16h-19h (17h-20h en juil-août), fermé lun. En hiver, nov-déc, ouv sam 11h-14h, 16h-19h et dim 11h-14h, fermé lun-ven. Entrée : 3 € ; réduc. La plupart des jouets exposés dans ce petit musée datent de la 1re moitié du XXe s.

L'ARAGON

Ils sont rangés par thème, et l'accent est mis sur les différentes matières utilisées pour leur confection : argile, bois, toile, fer, carton, celluloïd... Il y en a pour tous les goûts : soldats de plomb, maquettes, maisons de poupées, petites voitures, dînettes, et même toute une salle dédiée aux différentes éditions de *Don Quichotte.*

DANS LES ENVIRONS D'ALBARRACÍN

Nous rappelons que l'office de tourisme distribue des cartes où figurent des sentiers de rando et des itinéraires en voiture pour découvrir la magnifique sierra d'Albarracín et la réserve nationale des Monts Universels. Le sentier S2, par exemple, permet de découvrir des peintures rupestres.

🖐🖐🖐 *Les Monts Universels (Reserva nacional de los Montes Universales) :* ce massif montagneux, dont certains sommets culminent à près de 2 000 m, sont réputés pour garder une température clémente, même en été. Pinèdes et blocs de grès rouge, peintures rupestres, cascades et villages parmi les plus hauts d'Espagne se succèdent dans la *serranía* jusqu'aux sources du Tage *(nacimiento del Río Tajo,* une simple fontaine), à la limite de la province de Cuenca (Castille-La Manche).

🖐🖐 *Los Pinares de Rodeno* (les pinèdes du Rodeno) : à 5 km d'Albarracín, en direction de Bezas (fléché). Belles balades à faire dans ce secteur de la sierra. Site d'escalade sur bloc mondialement réputé, parmi les peintures rupestres qui ont 7 000 à 8 000 ans, dissimulées dans les abris-sous-roche. Certes, elles sont protégées derrière des grilles et souvent très effacées, mais les circuits, bien balisés, sont l'occasion d'une très agréable promenade dans la pinède. Aires de pique-nique aménagées.

L'EMBOUCHURE NE CONNAÎT PAS LA SOURCE

Le Tage (Tajo en espagnol, Tejo en portugais) est le plus long fleuve de la péninsule Ibérique : 1 078 km. Il passe par Tolède, entre au Portugal, arrose Lisbonne avant de se jeter dans l'océan Atlantique. Qui aurait pu imaginer que ce río prenne sa source dans les Montes Universales non loin de Teruel ? Cette sierra marque la ligne de partage des eaux entre le Bassin méditerranéen et l'Atlantique.

– *Centro de Interpretación del Paisaje de Rodeno :* à *Donarque.* ☎ 978-68-10-72. ● *albarracinturismo.com* ● *Ouv w-e et j. fériés 10h-14h, 15h-18h ; de juil à mi-sept, tlj 10h30-14h, 16h-20h ; fermé déc-janv.* Informations et expos sur les écosystèmes de cet espace naturel protégé.

LE MAESTRAZGO

Terre âpre, jadis fortement peuplée et aujourd'hui quasiment inhabitée (environ 5 000 hab.), le Maestrazgo est en quelque sorte *la ultima frontera* de l'Aragon. Ici, la montagne ondule, se déchiquette, se soulève et se plisse. Sur ses flancs escarpés pousse un matorral (le nom savant des fourrés méditerranéens !) dense de genévriers, de thuyas, de chênes verts et de sabines rampantes. En hiver, le vent du nord peut être si froid que les bergers l'ont appelé *matacabras,* « le tueur de chèvres ».
Sur cette terre où festonnent de loin en loin les aiguilles de calcaire, les hommes ont dressé des villages et bâti des églises. Le pays tout entier porte encore aujourd'hui les stigmates des luttes qui ont présidé à sa genèse : Maures, Templiers, hospitaliers, guerres carlistes, jusqu'à la guerre civile

(1936-1938) qui ensanglantèrent la région. Il faut avouer qu'en ces terres pour le moins austères on a commencé à croiser le fer de bonne heure ! C'est d'ici que Rodrigo Díaz de Vivar, plus connu sous le nom du Cid, lança la Reconquête sur les Maures au XIe s.
Alors partez à la découverte de ces superbes paysages sauvages parcourus de routes étroites et sinueuses au détour desquelles émergent de jolis villages, perchés pour certains, encaissés pour d'autres.
– *Bon à savoir :* Valdelinares (à 34 km au nord de Rubielos de Mora) est classé comme le village habité le plus haut d'Espagne. Il est perché à 1 692 m ! André Malraux en parle dans un des plus beaux chapitres de son roman *L'Espoir* consacré à la guerre d'Espagne.

➤ Pour rejoindre le Maestrazgo, plusieurs accès possibles. Parmi eux :
– *par l'A 1515 (accessible depuis l'autoroute A 23, sortie au km 73, direction Rubielos de Mora).* L'autoroute une fois quittée, une petite route s'immisce dans les paysages sauvages et encaissés de la *sierra de Gúdar,* propice à la randonnée. Les villages rencontrés ne présentent pas moins d'intérêt. C'est par cette route que nous commençons notre itinéraire.
– *par l'A 226 :* de Teruel, la route grimpe jusqu'au col de Cabigordo (1 602 m) puis continue par les villages de Cedrillas et d'Allepuz jusqu'au col de Villaroya à 1 665 m (à 67 km est de Teruel). Paysage dépeuplé, terre calcaire ravinée et peu fertile, qui progressivement trouve toute son expression à l'approche de Villarluengo au nord de la sierra. Montagnes au relief ruiniforme, partout des bastions, des tours de garde, des échauguettes... taillés dans la roche. Sur fond de pins et d'éboulis, la chape calcaire sauvagement tailladée laisse entrevoir des canyons aux gorges parcourues de filets ténus d'eau claire.

RUBIELOS DE MORA (44415)

À 54 km au sud-est de Teruel.
Juchée à près de 1 000 m d'altitude, cette ravissante petite ville encore entourée de son enceinte fortifiée a obtenu le prix Europa Nostra pour la qualité de la restauration de son patrimoine. On y découvre, au détour des rues, de superbes demeures seigneuriales de style Renaissance. La mairie est un monument imposant comprenant de grandes halles construites dans le style gothique levantin.
Et à 22 km au sud de Rubielos de Mora, le *bourg de Sarrión* est la capitale espagnole de la *truffe noire* (la reine des truffes). Le canton de Gúdar-Javalambre était entré dans le cycle du dépeuplement et de l'exode. Il a été redynamisé grâce à la truffe noire. Au début des années 2000, des paysans se sont mis à planter des chênes truffiers à la place des céréales qui poussaient mal. Les racines de cet arbre permettent au champignon de se développer. Ce sont plus de 6 000 ha de terre (au sol aride et pauvre) qui revivent aujourd'hui grâce au « diamant noir ».

Adresse utile

🔲 *Oficina de turismo :* pl. Hispano América, à l'angle de c/ Sin Cabo Alta et c/ Nevaltería, dans la Casa consistorial. ☎ 978-80-40-96. ● rubielosdemora.es ● Tlj 10h-14h, 16h-19h (17h-20h juil-août). | *Fermé les ap-m des dim et lun.* Tout près de la Portal S. Antonio, l'endroit mérite la visite rien que pour sa jolie situation. En juillet-août, organise des visites guidées de la ville à 11h30 et 18h.

Où dormir ? Où manger ?

🛏 I●I *Hotel de la Villa :* pl. del Carmen, 2. ☎ 978-80-46-40. ● delavillahotel. | es ● Dans la vieille ville, juste à l'entrée, sur une grande place. Doubles 60-90 €

L'ARAGON

selon saison. Menu du jour 14 €. Un palais du XVIᵉ s aux allures de forteresse : fenêtres ogivales, murs en pierre rose et corniche crénelée. L'intérieur a été aménagé avec soin dans le style ancien. Il abrite des chambres confortables et de caractère. La plupart donnent sur le jardin intérieur. Au resto *El Castillo,* savoureuse cuisine de gourmet.

🛏 ●|●| ***Hotel de Montaña :*** *avda Los Mártires, s/n.* ☎ *978-80-42-36.*

● *reservas@hotelrubielos.com* ● *hotel rubielos.com* ● *À l'entrée de Rubielos en venant de Teruel par la nationale A 232. Doubles 73-107 € selon confort et saison. Menus 15-24 €. Grand parking.* Dans une grosse bâtisse moderne, une petite quarantaine de chambres très bien arrangées et confortables (clim). Elles sont calmes et donnent sur le jardin, où la piscine chauffée et couverte fonctionne même en hiver. Cuisine régionale à prix sages.

À voir

🎒🚶 🏃 ***Región Ambarina :*** *à 4 km au nord de Rubielos de Mora, au bord de l'A 1701, en direction de La Iglesuela del Cid.* ● *dinopolis.com* ● *Fermé de mi-oct à fév. Ouv juil-août : tlj 10h30-14h30, 16h-19h (20h août) ; pour les autres mois, consulter le site (en gros, mai-juin jeu-dim, de mi-sept à mi-oct le w-e seulement). Entrée : 5,50 € ; réduc, et forfaits incluant Dinópolis.* Un petit musée présentant des fossiles dans un état de conservation exceptionnel. La vedette ? Une mouche fossilisée vieille de 20 millions d'années ! Belle reconstitution de l'époque du Crétacé inférieur. À l'époque, la mer de Téthys recouvrait la région ; ça permet de comprendre comment les insectes ont pu se conserver dans la résine (*ámbar* = ambre). Belle reconstitution d'une salle de l'époque miocène (20 millions d'années) avec le squelette d'un ancêtre de la grande faune africaine. Fallait pas se faire mordre ! Une visite intéressante pour les amateurs de géologie qui maîtrisent l'espagnol...

LA IGLESUELA DEL CID *(44142)*

À 101 km au nord-est de Teruel et 97 km au sud d'Alcañiz.
Difficile de trouver un bourg plus isolé, perché à 1 227 m entre d'âpres montagnes calcaires, à la limite de l'Aragon et de la communauté de Valence. Il tire son nom du célèbre Cid Campeador, héros de l'histoire espagnole, qui y serait passé pour aller reconquérir Valence (où il est mort en 1099). C'est un charmant village, bien restauré, où l'on peut admirer quelques beaux palais Renaissance et, surtout, l'hôtel de ville installé dans le Torreón de los Nublos, soit le donjon d'un ***ancien château templier*** du XIIIᵉ s.
Entre La Iglesuela del Cid et Villarluengo, vous passerez par ***Cantavieja*** (11 km ouest de La Iglesuela), qui mérite un petit crochet pour son beau centre historique.

VILLARLUENGO *(44559)*

À 86 km au sud-ouest d'Alcañiz, on y accède par une route sinueuse et étroite.
Perché à 1 132 m, ce petit bourg (150 hab.) juché sur le rebord d'une falaise vertigineuse pourrait être l'archétype du village en nid d'aigle de la sierra du Maestrazgo. Les maisons se serrent autour d'une grosse église qui domine fièrement le village.
– ***Punto de Información turística y Centro de interpretación :*** *pl. del Ayuntamiento, à côté de l'église.* ● *villarluengo.net* ● *Horaires compliqués. Ouv certains j. de mi-juil à fin sept, théoriquement 10h-14h, 16h-20h. Fermé juin, oct-déc et janv-mars.* Bonne documentation, carte de la région, infos sur les randonnées.

Où dormir ? Où manger ?

🛏 |●| **Bar-Fonda de Villarluengo :** c/ Castel, 1. ☎ 978-77-30-14. 🖨 642-73-63-97. À 2 pas de l'église. Bar fermé mar. Double avec sdb env 40 €, petit déj inclus. Menu du jour 10 €. C'est le café du village, modeste et populaire. Les chambres, situées bien à l'écart, sont d'un confort suffisant et bien propres.

🛏 |●| **La Posada de Pitarque :** pl. La Era, 1, à Pitarque. 🖨 609-55-37-35. ● laposadadepitarque@gmail.com ● À 9 km à l'ouest de Villarluengo. Double avec sdb 40 €. Repas 15-20 €. Dans un village, voici une auberge de campagne aménagée dans une grande bâtisse en pierre. L'accueil est excellent. Les chambres sont bien propres, avec vue sur la place du village et la montagne en arrière-plan. Au restaurant, cuisine locale fraîche et sincère à prix sages.

🛏 |●| **Hostal-restaurante rural Torre Montesanto :** ☎ 978-77-30-00. 🖨 620-13-69-71. ● lauracastel5@hotmail.com ● torremontesanto.com ● ♿ À 1,5 km du village, sur les hauteurs (fléché).

Attention route bitumée mais étroite (les voitures croisent mal). Résa fortement conseillée. Doubles 70-80 €, petits déj 5 €. Possibilité de ½ pens. Menus 15-20 € pour les non-résidents. Parking gratuit. Réduc de 10 % sur les doubles sur présentation de ce guide. Isolée sur les hauteurs (à 1 500 m d'altitude), cette auberge solitaire date de l'époque des Templiers. Elle est installée dans une demeure ancienne coiffée d'une tour crénelée, surplombant un vallon sauvage. On y trouve 5 chambres coquettes, aux couleurs chaudes et joliment aménagées ; seul petit bémol pour les salles de bains pas très intimes, qui ne sont séparées de la chambre que par un rideau. Murs épais de vieilles pierres, déco de caractère, bibliothèque de voyageur... Côté cuisine, c'est du traditionnel, et l'ambiance est soignée. José Luis et Laura se mettront en quatre pour rendre le séjour agréable et indiquer de bonnes randonnées dans le coin. Un bel endroit pour se mettre au vert.

Achats

🍖 **Jamones El Rullo :** pl. del Ayuntamiento, 1. ☎ 978-77-30-06. ● contacto@jamoneselrullo.com ●

Juste à côté de l'église du village. Petit magasin artisanal, de jambon bien sûr.

À voir. À faire autour de Villarluengo

🥾🥾 **Nacimiento del río Pitarque** (sources du Pitarque) : à 11 km au sud du village de Pitarque. Accès libre. Belle randonnée pédestre, assez facile, aller-retour en 3h par le même chemin (balisé au départ de Pitarque). On suit d'abord le sentier GR-8 (marques blanche et rouge). On traverse des prés, souvent à l'abandon. Les murets de pierres sèches conduisent ensuite vers le portail monumental du Barranco. À l'entrée de la gorge, l'ermitage oublié de la Virgen de la Peña. Toujours tout droit, la vallée se resserre, on laisse le GR-8 à droite, et on continue jusqu'aux sources du río Pitarque. Un site paisible, délicieux et étrange. Bien regarder la roche de tuf sur la gauche. Elle est creusée à chaque prise de main vers son sommet, sorte de chemin de croix naturel sorti des temps anciens.

🥾🥾 **Órganos de Montoro** (orgues de Montoro) : en bordure de l'A 1702, à env 8 km au nord de Villarluengo, en direction d'Ejulve. Ne pas rater le belvédère situé dans le virage. Il s'agit d'un monument naturel qui surgit dans le paysage, sorte de montagnette hérissée d'aiguilles calcaires. Les mers peu profondes du Jurassique et du Crétacé moyen (- 205 à - 110 millions d'années) ont créé cette chape de dépôt calcaire, qui a ensuite été déformée avant d'être puissamment érodée au cours du Quaternaire (- 2 millions d'années à nos jours). Résultat : les couches initialement horizontales sont aujourd'hui en position verticale et continuent de subir l'action érosive de l'eau.

L'ARAGON

MOLINOS (44556)

À 46 km au sud d'Alcañiz.

Typique village aragonais dans un environnement au relief tourmenté et encaissé, au pied des monts calcaire. Un secteur de la bourgade est construit au-dessus d'un ravin. Jolie place autour de son église du XVe s à la belle façade de style levantin-catalan (gothique). À l'intérieur de celle-ci, des fonts baptismaux monobloc du IIe s ainsi qu'un bénitier sculpté d'entrelacs du VIIIe s.

Où dormir ? Où manger dans le coin ?

🏠 🍴 *Hostal de la Villa :* c/ Mayor, 5, à *Molinos.* 📞 620-47-16-68. ● mure sanrodi@yahoo.fr ● *Dans le village, un peu en contrebas de l'église. Ouv tte l'année. Résa conseillée en août. Double avec sdb 50 €, petit déj compris. Menu du jour env 13,50 €.* Dans une grosse maison du XIXe s au cœur du village, une dizaine de chambres agréables, avec tomettes au sol et déco assez gaie. Vaste salle à manger rustique au 1er étage et cuisine régionale classique.

🏠 🍴 *La Posada de Berge :* c/ Iglesia, 3, 44556 *Berge.* ☎ 978-84-93-42. 📞 679-14-32-90. ● laposadaberge2018@ gmail.com ● laposadadeberge.com ● 🚗 *À env 6 km au nord de Molinos ; dans la petite rue passant juste derrière l'église. Doubles 70-140 €. Dîner sur résa 25 €.* Dans un petit village (250 hab.) à la limite du Maestrazgo et du Bas-Aragon. Un « hôtel rural écologique », c'est ainsi qu'il se présente. C'est une demeure du XIXe s restaurée avec des matériaux écologiques. Elle compte 5 chambres seulement, confortables et décorées avec des couleurs chaudes. Les suites sont les plus chères. Également un petit patio où se poser. Une adresse soignée et intime, doublée d'un bel accueil.

À voir

🐾🐾 *Grutas de Cristal :* à 3 km de Molinos (fléché). ☎ 978-84-90-85. ● grutasde cristal.com ● *Tte l'année : visites guidées de 40 mn tte les heures, lun-ven 11h-13h, 16h-18h (oct-Semaine sainte, seulement à 12h et 16h) ; w-e et j. fériés 11h-13h, 16h-19h (18h hiver) ; en août, tlj 10h-13h, 16h-19h. Entrée : 7 € ; réduc. Cafétéria ouv avr-oct.* Dans cette région fut découvert le plus vieil Aragonais, âgé de 25 000 ans ! Autrement, la grotte porte bien son nom. Redécouverte en 1961, classée Monumento Natural en 2006, elle dévoile de magnifiques concrétions où niche une colonie de chauves-souris. Prévoir de bonnes chaussures et emporter sa petite laine (moyenne de 12 °C).

ALCAÑIZ   (44600)   16 400 hab.

Capitale du Bas-Aragon, située à 160 km au nord-est de Teruel et 110 km au sud-est de Saragosse, Alcañiz peut constituer une étape citadine entre 2 superbes échappées dans la nature au Maestrazgo ou au Matarraña voisins. La ville s'est formée au fil des siècles autour de son château médiéval (ancienne forteresse arabe) qui domine les maisons du centre ancien et la vallée du haut de son piton rocheux. À l'extérieur, dans les faubourgs, un mégacomplexe Motorland est dédié aux sports mécaniques, motos et voitures.
– *Stationnement :* il est difficile, presque impossible, de se garer dans le centre ancien. Laisser sa voiture dans des parkings hors de celui-ci, ou le long de l'avenida Aragón, et découvrir la ville à pied.

Arriver – Quitter

🚌 **Estación Autobuses :** *avda de Aragón, 105.*

➤ Avec la Cie *Hife :* ☎ *902-11-98-14.* ● *hife.es* ● Env 3-6 liaisons/j. avec *Saragosse* (durée : 1h30-1h50), 2-3 bus/j. avec *Teruel* (durée : 2h-2h15), et 4-5 bus/j. pour *Barcelone* (durée : env 3h50-4h ; certains vont jusqu'à l'aéroport).

🚆 Pas de gare *RENFE* à Alcañiz. La plus proche est celle de *Caspe,* à 30 km au nord (et env 30 mn de trajet). D'Alcañiz, 5 bus/j. avec la Cie *Hife,* en sem 9h40-19h15 (seulement 1 le w-e à 9h40. Dans le sens Caspe-Alcañiz 5 bus/j. en sem 8h30-18h50 (seulement 1 le w-e vers 12h20).

Adresses utiles

🛈 **Oficina de turismo :** *c/ Mayor, 1 (angle pl. de España).* ☎ *978-83-12-13.* ● *alcaniz.es* ● Tlj 10h-14h, 16h-19h (17h-20h juil-août ; 16h-18h nov-fév ; fermé dim ap-m oct-mai).* Le sous-sol abrite un réseau de galeries souterraines du XIIe s *(entrée :*

2,50 € ; visite libre sans guide). On y découvre des caves et une cavité (une glacière, *nevera*) qui servait à entreposer la neige et la glace pour conserver les aliments.

➕ **Hospital comarcal de Alcañiz :** *c/ Joaquín Repollés.* ☎ *978-83-01-00.*

Où dormir ?

De prix moyens à chic (45-90 €)

🛏 |●| **Hotel Guadalope :** *pl. de España, 8.* ☎ *978-83-07-50.* ● *recepcion@hotel guadalope.es* ● *hotelguadalope.es* ● 🍴 *Resto fermé jeu soir et dim soir. Doubles avec sdb 70-85 €, petit déj léger compris. Menu du jour 13,50 € (25 € le w-e), carte 25-30 €.* Sur la place centrale, face à Santa María la Mayor, un immeuble moderne avec une vingtaine de chambres spacieuses et confortables avec vue sur la plaza de España. Du bruit l'été et en fin de semaine ! Bar à tapas au rez-de-chaussée et restaurant dans une salle à l'arrière.

🛏 **Epsilon Hostal :** *pl. Santo Domingo, 6.* ☎ *978-83-43-40.* ● *info@epsilon hostal.es* ● *epsilonhostal.es* ● Hors du centre, de l'autre côté du pont direction Saragosse, à côté de l'église Santa Lucía. *Double avec sdb 70 €, parking privé et petit déj inclus. Possibilité de ½ pens.* Installé au-dessus d'un bar, petit hôtel avec des chambres réaménagées et modernisées. Décor fonctionnel, salles de bains impeccables. Elles donnent sur un petit parking public (calme) ou à l'arrière de l'immeuble.

Celles du 3e étage sont les plus claires. Cáféteria-resto au rez-de-chaussée.

🛏 **Hotel rural Torre Alta de Ram :** *c/ de Val de Zafán.* ☎ *978-83-08-61.* ● *torre deram@gmail.com* ● *torrealtaderam. com* ● *À 2,4 km au nord-ouest de la ville. Double avec sdb et clim 80 € avec petit déj.* Un panneau l'indique à gauche de la route. Un petit hôtel de campagne niché dans son bouquet d'arbres au sommet d'une colline au pied de laquelle s'étend une belle plantation d'amandiers. C'est charmant, rustique et calme. Le style évoque plus une maison d'hôtes qu'un hôtel classique. On est accueilli par une dame affable et attentionnée qui propose 10 chambres très bien arrangées réparties sur 3 niveaux, avec vue sur le jardin.

Très chic (plus de 120 €)

🛏 |●| **Parador de Alcañiz :** *dans le château Calatravos.* ☎ *978-83-04-00.* ● *alcaniz@parador.es* ● *parador.es* ● 🍴 *Double min 130 €, petit déj inclus. Menus 29-37 € ; plus cher à la carte. Parking gratuit.* Aménagé dans la partie XVIIIe s de ce château du XIIe s perché sur sa colline, le *parador* jouit d'une situation

L'ARAGON

exceptionnelle. Passé la réception voûtée et le patio, on monte dans l'aile plus récente où se trouvent les chambres, spacieuses et très confortables, même si les années commencent à laisser leur marque. Immense salle de resto avec poutres au plafond, blasons aux murs et grande cheminée au fond.

Où manger ?

|●| Dans les **boulangeries** de la ville : pour le salé, la *torta de pimiento y tomate* (sorte de pizza) ; pour le sucré, la *torta del Alma* (gâteau en forme de croissant de lune fourré à la confiture de courge).

|●| **La Chesita Gastrobar :** c/ Alejandre, 21. ☎ 618-97-70-50. À 80 m de la pl. de España (place centrale). Tlj sauf dim soir-lun. Tapas 1,50-2 €. Raciones 8-11 €. En plein cœur de la ville, petite salle gaie et claire pour savourer les spécialités de la maison : les *patatas bravas,* le jambon de Teruel, le risotto de bolets... Très bon accueil et petits prix.

|●| **La Parrilla :** c/ Calanda, 35. ☎ 978-83-23-89. À l'angle avec la ronda de Teruel. Fermé dim soir-lun. Résa le w-e. Repas 20-35 €. Digestif offert sur présentation de ce guide. L'un des meilleurs restos de la ville, bien qu'il soit dans une rue excentrée. La salle, assez petite, creusée directement dans le rocher, vous donnera la sensation d'être dans une grotte (il peut y faire un peu frais). Spécialité de viandes à la braise : poulet, agneau, canard, à déguster avec du *pan con tomate.* Bon accueil.

|●| 🍽 **Empeltre :** c/ Ramón J. Sender, 8. ☎ 978-83-88-84. ● info@empeltre restaurante.es ● Tlj sauf lun, 13h-16h, 20h30-23h. Au bar, menu du jour 13,50 €, carte 12-24 € ; au resto 30-40 €. Dans un quartier moderne, au bord d'un parking public gratuit. Abrite d'un côté un bar pour manger léger (tapas) et de l'autre un restaurant dans une salle plus élégante mais un peu froide. Dans cette partie, les plats sont plus élaborés et le choix plus important. Quel que soit votre choix, la qualité est au rendez-vous, avec des produits soigneusement sélectionnés (la viande comme les poissons) et une certaine créativité. *Empeltre* est le nom... de la variété d'olives vertes locales !

À voir

Rappel historique : en pleine guerre civile espagnole, Alcañiz, tenue par les forces républicaines, a été bombardée en mars 1938 par l'aviation italienne de Mussolini, allié de Franco. Miracle : la ville ancienne a été épargnée, c'est pourquoi elle est si bien conservée encore aujourd'hui.

🏃🏃 Sur la **plaza de España,** 3 monuments méritent un peu d'attention, même si les 2 premiers ne se visitent pas : la **Lonja,** ancienne Bourse du commerce, aux 3 arches gothiques du XVᵉ s, est contiguë à la **mairie** dont la belle façade date du XVIᵉ s. À côté, on remarquera le portail de la monumentale **ex-collégiale baroque Santa María la Mayor** *(en principe, tlj 9h30-13h30, 17h-20h ; entrée libre).* Sa tour date du XIVᵉ s, mais l'église elle-même fut reconstruite au XVIIIᵉ s. Austère et triste, l'intérieur n'a rien d'exceptionnel, hormis sa taille. On pourra compléter ce petit tour en descendant par la **calle Mayor,** avec 2 belles maisons des XVIᵉ et XVIIᵉ s : respectivement, le *palacio Ardid* (la bibliothèque municipale) et le *palacio de los Cascajares,* presque en face. Puis remonter vers la plaza de España par les escaliers de la calle de l'Infanzonia.

🏃 **Castillo de los Calatravos :** visite tlj à 10h15, 11h, 12h, 12h45, 16h15, 17h (18h mai-sept, et 19h juil-août) ; fermé dim ap-m oct-mai. Entrée avec visite guidée obligatoire : env 5 €, réduc. Cet ancien château, dont une partie abrite le *parador,* fut bâti au XIIᵉ s et donné par Alfonso II, en 1179, aux chevaliers de l'ordre de Calavatra. Ils participèrent à la Reconquête, et furent les maîtres d'Alcañiz jusqu'en 1780, soit 6 siècles ! Ce *castillo* connut un grand moment historique, celui de la

Concordia. En effet, en 1410, le roi Martín de Aragón, Cataluña, Valencia y Mallorca mourut sans héritier direct. Les nobles se réunirent dans le château d'Alcañiz avec les ambassadeurs de Castille, France et Sicile, pour élire un successeur.

En 1412, ils signèrent la Concordia et désignèrent tous Fernando de Aragón. Un accord historique (et intelligent) qui permit d'éviter une guerre de succession. On entre par le *cloître*, très agréable, puis on poursuit jusqu'à la chapelle, transformée en salle de concerts, et la tour carrée de l'Hommage *(Torre del Homenaje),* où subsistent de belles peintures murales du XIVe s. Celles-ci sont uniques en Espagne car elles représentent non pas des sujets religieux, mais des thèmes civils (guerres de Jaime Ier).

Fête

– À l'instar de 8 autres villages du Bas-Aragon (Alcorisa, Andorra, Calanda, Albalate del Arzobispo, Samper de Calanda, Híjar, La Puebla de Híjar et Urrea de Gaén), la *Semaine sainte* à Alcañiz est réputée pour ses processions spectaculaires. Des milliers de tambours et de grosses caisses (ou *tamborradas*) ébranlent la ville pendant toute la semaine. *Infos :* ● *rutadeltamborybombo.com* ●

DANS LES ENVIRONS D'ALCAÑIZ

🎭 **Centro Buñuel Calanda (CBC) :** *c/ Mayor, 48, à* **Calanda.** ☎ 978-84-65-24. ● bunuelcalanda.com ● *À 20 km au sud-ouest d'Alcañiz, par la N 211. Dans le palacio Fortón-Cascalares (accès par l'arrière). Mar-dim 10h30-13h30, 16h-20h. Fermé lun. Entrée : 3,50 € ; réduc.*

Calanda est la ville natale du grand Luis Buñuel (mort en 1983). Il vit le jour le 22 février 1900 et passa son enfance dans une maison au n° 12 de plaza de España, toujours debout (face à l'église). Son père Leonardo s'était enrichi dans le commerce à Cuba. À l'âge de ses 7 ans, sa famille déménage à Saragosse où le jeune Buñuel entre comme pensionnaire chez les jésuites du Colegio del Salvador. Il vécut ensuite à Madrid, puis à Paris, New York, Los Angeles et Mexico. Le réalisateur est revenu en 1963 à Calanda avec Géraldine Chaplin et des amis de Hollywood pour la fête locale, puis dans les années 1970 pour la Semaine sainte.

Il n'est donc pas surprenant qu'un lieu lui soit consacré dans ce village. Au rez-de-chaussée, une salle d'expo temporaire avec des œuvres plus ou moins en rapport avec le travail du cinéaste. Au 1er niveau, les livres qui l'ont inspiré et quelques photos de plateau. Le pupitre de sa biographie est interactif, avec des explications en français. Remarquable salle, très bien muséographiée, où l'on est confronté à l'univers fantasmatique et aux obsessions de l'auteur (les insectes, la mort, l'érotisme, la religion, les armes, les objets

L'ARGENT DE MA MÈRE

En 1927, élève à l'Académie du cinéma de Paris, Luis Buñuel, écrivit son 1er scénario sur Goya, à l'occasion de la célébration du centenaire de la mort du peintre. Le film ne fut jamais réalisé faute de producteur. Goya par Buñuel ? Un chef-d'œuvre en puissance ! 2 ans plus tard, il réalisa Un chien andalou, *1er film surréaliste de l'histoire du cinéma, dans lequel apparaît son copain Salvador Dalí. Cette fois, il trouva l'argent nécessaire au tournage. Sa mère finança le film ! Merci maman.*

quotidiens...). On passe ensuite par une enfilade de petites salles avec toute sa filmographie, y compris des extraits en français (parlés ou sous-titrés), ainsi que des commentaires. Le tout également interactif.

LE MATARRAÑA (MATARRANYA)

À l'est d'Alcañiz s'étend une terre habitée depuis la nuit des temps. Avec son paysage d'oliviers et d'amandiers, de garrigues et de canyons, elle mérite son surnom de « Toscane aragonaise ». Une région pour randonneurs où, du haut des sommets, s'élancent forteresses et demeures seigneuriales. Sous leur protection se sont accolés des villages, qui offrent aujourd'hui une remarquable unité architecturale, faite pourtant de rapiéçages multiples et d'ajouts. Territoire de liaison entre la Meseta de l'Espagne centrale et la Méditerranée, de nombreux peuples s'y sont croisés, à tel point qu'on y parle encore par endroits un dialecte vieux de 9 siècles, très proche du catalan.
– *Le Matarraña en VTT :* de nombreux sentiers et chemins permettent de découvrir cette micro-région à VTT. Un beau parcours est celui qui suit le cours accidenté de la rivière Matarraña (falaises de 60 m de hauteur) pour arriver au ravin du Parrisal à partir de Beceite. Infos à l'office du tourisme de Valderrobres.
– *Info :* ● *matarranyaturismo.es* ●

PETIT ITINÉRAIRE

Au départ d'Alcañiz, un itinéraire d'environ 70 km, réalisable en voiture en 1 journée, par de petites routes tranquilles. Départ d'Alcañiz, suivre la N420 jusqu'à *Calaceite*. De ce village, prendre vers *Valderrobres* par l'étroite A 1413. Continuer la route jusqu'à *La Fresneda* et revenir à *Alcañiz*.
– *Bon à savoir :* les hébergements que nous recommandons sont de qualité (et de caractère). Ils s'avèrent de bons points de chute pour rayonner dans la région.

CALACEITE *(44610)*

À 32 km à l'est d'Alcañiz, Calaceite vient d'un toponyme arabe qui signifie le château de l'olivier. Voilà est une petite cité de caractère à l'*architecture tantôt mudéjare, tantôt Renaissance ou baroque.* Dans les années 1970, le charme et la tranquilité de cette bourgade aux maisons de pierre dorée ont séduit des artistes et des écrivains, comme José Donoso ou Ángel Crespo.

Adresse utile

▮ Oficina de turismo : c/ Arriba, 9-11. ☎ 978-85-13-48. ● *comarca matarranya.es* ● *calaceite.es* ● Mer-jeu 8h-14h30 ; ven-sam 9h30-14h, 16h-19h ; dim 9h30-14h. Fermé lun-mar.

Brochure en français sur les sites du Matarraña. Une carte de la région, bien faite, reprend les circuits à suivre à pied ou à vélo avec les temps de parcours.

Où dormir ? Où manger ? Où boire un verre ?

🏠 ▾ Lo Raconet de la Plaça : pl. España, 9. ☎ 978-85-14-51. 🖳 661-47-04-57. ● *raconet@casaruralcalaceite. com* ● *casaruralcalaceite.com* ● Tlj 10h-13h30, 17h30-22h. Congés : janv. Double 50 € ; apparts 4-6 pers 65-95 €. Dans un recoin de la place de la mairie, un petit

estaminet avec quelques tables en terrasse. Jorge, le maître des lieux, propose aux étages de beaux appartements et des chambres lumineuses, belle déco, tomettes pour rappeler qu'on est dans une ville historique. Les plus perchées sont de vrais petits nids d'amour.

|●| *Fonda Alcalá :* avda de Cataluña, 57. ☎ 978-85-10-28. ● *fondaalcala@gmail.com* ● *Sur la route principale qui traverse le village, vers la sortie en direction de Tarragona. En été, tlj midi et soir ; sinon, fermé le soir des dim-jeu. Menu du jour 13,50 et 18 €, plats 12-22 €.* La salle à la déco contemporaine est trompeuse : cette auberge villageoise et familiale existe depuis 1922. Il suffit de venir un week-end pour comprendre que les gens du pays ont leurs habitudes dans cette institution locale. Cuisine régionale soignée et sincère.

À voir

٭٭ Pour le centre historique, entrer par le *portal de San Antonio* (XVIe-XVIIIe s), remarquable clé de voûte décorée de motifs floraux. Poursuivre par la **calle San Cristobal** jusqu'à la *Casa Moix* (XVIIIe s) avec son linteau ondulé et ses imposants balcons. Vient ensuite l'**iglesia parroquial de la Asunción** (XVIIe s) et son très impressionnant portail baroque encadré par 2 colonnes salomoniques du plus bel effet ; lever les yeux et observer ces bonshommes et bonnes dames qui semblent porter tout le poids du monde sur leur dos.

Enfin, la **calle de Maella** (XVIe s) est exceptionnellement bien conservée et permet de se faire une idée de ce que fut la ville par le passé. Noter au n° 12 le beau blason de la **casa Suñer,** ancienne demeure d'un commerçant ayant fait fortune aux Amériques. Au n° 35, de magnifiques balcons baroquisants. La rue débouche finalement sur la porte-chapelle de la **Virgen del Pilar** avec son tambour octogonal, l'un des éléments architecturaux les plus représentatifs du Matarraña.

VALDERROBRES (44580)

À 35 km au sud-est d'Alcañiz.

Si la partie basse de la ville n'est guère séduisante, il suffit de passer le pont pour découvrir la ville ancienne, ses jolies ruelles pentues et ses volées d'escaliers. L'idéal est de commencer la visite en montant jusqu'au château. Juste à côté se dresse l'église gothique *Santa María la Mayor.* Au cœur du vieux village, au bout d'un joli pont de pierre qui fait le lien avec la partie moderne du bourg, se trouve la mairie *(ayuntamiento)* Renaissance reconnaissable à ses arcades, ses boiseries sculptées et son balcon en fer forgé. Elle borde une placette, très agréable avec ses terrasses de bars.

– **Bon à savoir :** la rivière Matarraña, de laquelle la région a tiré son nom, fut la ligne de démarcation entre chrétiens et musulmans au XIIe s.

Où dormir ?

🛏 *Hotel El Castell :* c/ Codo, 13. ☎ 978-89-04-70. ● *reservas@hotel-elcastell.es* ● *hotel-elcastell.es* ● ♿ *Difficile d'accès avec une grosse voiture, se garer au parking du Castillo et continuer à pied par la ruelle. Double min 75 €.* Cette ancienne demeure restaurée compte une douzaine de chambres confortables (clim), toutes différentes. Joli déco dans l'ensemble, avec une forte prédominance de la pierre. Essayer, cependant, d'éviter celles du rez-de-chaussée, un peu trop près de la réception.

À voir

٭ ⮜ *Castillo :* c/ La Paz, 7. 📱 679-63-44-38 (visites guidées). ● *castillodevalderrobres.com* ● *Horaires compliqués et volatiles. Les vérifier sur leur site. Mai-sept :*

ouv mar-sam 10h30-14h, 16h-20h30 (ouv aussi lun en août), fermé lun. Le reste de l'année : ouv ven-sam 10h30-14h, 16h-18h30 et dim 10h30-14h, fermé lun-jeu. Entrée : 5 € ; audioguide en français 1 € (env 40 mn) ; dépliant bien fait en français remis gratuitement à l'entrée. Le billet d'entrée du musée donne également accès à l'église voisine.

Un château du XIVe s construit sur les bases d'une tour de défense du XIIe s. Au 1er étage, le *Salón de las Chemineas* (salon des cheminées), la plus grande pièce du château, dévoile une impressionnante hauteur de plafond ; noter les grandes fenêtres et leurs petits bancs de pierre d'où admirer la vue. Également la cuisine et son étonnante coupole conçue ainsi pour évacuer la fumée des fourneaux situés au centre de la pièce.

Le plus étonnant, cependant, reste la *galerie à voûtes gothiques du dernier niveau*, lieu de stockage des vivres (et où on logeait aussi, à l'occasion, les domestiques !). Elle offre une superbe vue sur les toits du village et les environs. Certes, le château est un peu vide, mais sa structure est intéressante. De plus, un petit film de 5 mn (sous-titré en français) permet de comprendre son histoire.

LA FRESNEDA *(44596)*

À 11 km au nord-est de Valderrobres.
Sur le flanc d'une colline, au cœur d'un paysage vallonné piqué d'oliviers, d'amandiers et de vignes. Ce beau village mérite une petite escale pour sa *capilla del Pilar* (chapelle du Pilar) du XVIIe s et la très belle *calle Mayor*. Remarquer l'enfilade d'arches gothiques en léger contrebas, offrant une étonnante perspective sur cette rue. À noter également, la *remarquable plaza Mayor* (triangulaire, ce qui est rare), bordée de demeures seigneuriales des XVIIe et XVIIIe s. C'est là que se déroule le marché du mercredi. Elle servit de décor à Vicente Aranda pour le tournage de son film *Libertarias*.

Où dormir ? Où manger ?

⛺ **Camping La Fresneda :** *partida Vall del Pi, à 3 km du village.* ☎ 978-85-40-85. ● info@campinglafresneda.com ● campinglafresneda.com ● ♿ *De Valderrobres, au départ d'arriver à La Fresneda, prendre à droite direction La Portellada (fléché). Ouv 1er avr-1er oct. Réception 9h-22h. Env 28 € l'emplacement pour 2 avec tente et voiture.* En bordure de la réserve nationale de Beceite, sur le flanc d'une colline rocheuse plantée de pins, un camping rural à dimension humaine géré par un couple de Néerlandais. Seulement 24 emplacements plats, sous les oliviers et les amandiers (dont certains réservés aux cyclistes et aux marcheurs), tous avec superbe vue sur la vallée. Tout est très bien tenu, les sanitaires et l'agréable bar avec sa terrasse ombragée *(fermé lun soir)*. Soirée paella le samedi à 20h30 (sur résa). En semaine, repas livrés par un traiteur local (sur résa aussi). Pour la tranquillité de ses hôtes, notre couple d'écolos le dit tout net : ici, ni radio ni animaux domestiques ! Par ailleurs, tout est recyclé. Une bonne base pour randonner dans cette belle région.

🏠 |●| **Fonda La Grancha :** *c/ Arrabal, 43.* ☎ 978-85-48-03. ● fonda@lagrancha.com ● lagrancha.com ● *Resto fermé lun. Congés : nov. Doubles 72-77 €, petit déj inclus. Menus 20-34 €, carte env 30 €. ½ pens possible.* Dans une demeure ancienne restaurée du centre historique, une poignée de chambres coquettes, confortables (clim) et agréables (2 avec balcon). Petites salles de bains (certaines avec des murs de grosses pierres), meubles en pin et bonne literie. Jardinet pour prendre son petit déj en été. Resto de cuisine régionale élaborée à partir de produits choisis. Bon accueil.

LES PYRÉNÉES ARAGONAISES

La province de Huesca offre des paysages très contrastés. De mornes plaines agricoles qui s'étendent à perte vue au sud de la capitale régionale, tandis qu'au nord le relief devient de plus en plus accidenté et la nature plus opulente, plus fascinante, à mesure que l'on approche des Pyrénées. Si la traversée du sud de la province peut sem-

BANCO À SODETO

Sodeto est un petit village pauvre à 30 km au sud de Huesca. Fin 2014, les 274 habitants se sont partagés les 210 millions de la loterie nationale. Tous, sauf un qui avait vendu son ticket pour régler une note de restaurant, 3 jours avant le tirage. Ça coupe l'appétit !

bler parfois monotone, l'enthousiasme et la curiosité renaissent avec la découverte des *mallos* de la région de Riglos, le monastère de San Juan de la Peña, la magnifique forteresse de Loarre. Que dire des belles vallées pyrénéennes, blanches en hiver, vertes en été, où pointent les sommets enneigés du parc national d'Ordesa et du Mont-Perdu ? Les amateurs de sensations fortes partiront, pour leur part, tout droit vers la sierra de Guara, haut lieu du canyonisme.

HUESCA   (22000)   52 400 hab.

● Plan *p. 471*

L'ARAGON

Capitale du Haut-Aragon, Huesca, ville au passé tourmenté, est aujourd'hui le centre administratif d'une province principalement tournée vers l'agriculture et l'élevage. Dotée d'un vieux centre, de quelques monuments intéressants (superbe cathédrale gothique) et d'un beau musée provincial, elle n'est pas à proprement parler belle mais elle reste vivante toute l'année, été comme hiver, loin de dépendre du tourisme pour son développement. On

UN SAINT MÉCHOUI

San Lorenzo fut condamné en 258 pour avoir empêché les Romains de récupérer les biens de l'Église, en les distribuant aux pauvres. Sur ordre de l'empereur Valérien, il fut brûlé à petit feu... Pour tenter de soulager sa lente agonie, on le couvrit de basilic censé apaiser la douleur ! Cette plante est devenue le symbole de Huesca, et on retrouve sa couleur verte dans les costumes lors de la fête de San Lorenzo.

ne peut s'empêcher de la trouver attachante et de s'y sentir bien. Peut-être aussi parce que son centre entièrement piéton permet de s'y promener tranquillement et de profiter de son animation. Et si vous êtes dans les environs à la mi-août, ne manquez pas la fête de San Lorenzo.

Arriver – Quitter

🚄 **Estación RENFE** *(plan A3) :* c/ José Gil Cavez, 10. ☎ 912-320-320. ● renfe. com ● *Vente de billets sur place tlj 6h15-21h30.*

➢ Liaisons dans les 2 sens avec *Saragosse* (6-7 trains/j., env 1h), *Jaca* (2-3/ j., env 2h), *Canfranc* (2/j., env 2h40), *Teruel* (via Saragosse, 4h-4h30),

Valencia (3-4 trains/j, via Saragosse, 5h10-6h30) et *Madrid* (5/j., 2h20-3h35).
■ *Location de voitures : Avis,* dans l'enceinte de la gare. ☎ 974-21-82-49. 🖥 650-88-54-49.
🚌 *Estación Autobuses* (plan A3) : à la gare RENFE. ☎ 974-21-07-00. Guichets lun-ven 7h-21h30 ; le w-e 8h (9h dim et j. fériés)-13h, 14h30-21h30.

➢ Avec la Cie Alosa (☎ 902-21-07-00 ; ● aragon.avanzagrupo.com ●) : bus tlj de/vers *Jaca* (env 7 bus/j., durée : 1h15), *Saragosse* (ttes les heures 6h45-21h30, durée : env 1h), *Barcelone* (5 bus/j. env, 6h-13h30, durée : env 4h), *Pampelune* (env 1 bus/j. avec changement à Jaca, durée : env 3h).

Adresses et info utiles

🛈 *Oficina de turismo* (plan A2) : pl. López Allué. ☎ 974-29-21-70. ● hues caturismo.com ● Ouv tte l'année, tlj sauf fêtes de fin d'année 9h-14h, 16h-20h. Très bon accueil francophone. Beaucoup de doc en français. Organise des visites guidées en français en juillet-août presque tous les jours à 11h, en anglais à 17h *(5 €/pers ; réduc).* Départ de l'office.
– *Circulation et stationnement :* les voitures n'ont pas accès au centre-ville de Huesca, où les piétons et les cyclistes sont rois ! Des caméras veillent au cas où vous auriez l'idée saugrenue de vous aventurer dans les rues malgré l'interdiction. Rassurez-vous, la ville se parcourt aisément à pied. Pour l'hébergement, en revanche, mieux vaut se renseigner auprès de son hôtel au préalable pour savoir où se garer. Certains hôtels ont leur propre parking privé.

Où dormir ?

Attention à la semaine du 9 au 15 août. C'est la grande fête au village ! Les hébergements sont pleins des mois à l'avance et les prix connaissent de petites poussées de fièvre !

Camping

🏕 *Camping San Jorge* (hors plan par A1-2) : prolongación c/ Ricardo del Arco, s/n, 22003. ☎ 974-35-23-84. ● campingsanjorge@huesca.es ● campinghuesca.net ● À env 20 mn à pied de la gare. Ouv de mi-juin à mi-sept. Réception 10h-14h, 18h-minuit (10h-minuit l'été). Env 20 € pour 2 avec tente et voiture. À côté de la piscine municipale (ouv début juin-début sept). Camping peu glamour mais d'un confort suffisant. Bar-resto et sanitaires vieillots mais bien tenus. Du gazon bien peigné à l'ombre des platanes, mais vous n'y passerez pas vos vacances...

De bon marché à prix moyens (30-60 €)

🛏 *Hostal Lizana 1 et Lizana 2* (plan A2, 11) : pl. Lizana, 6 et 8. ☎ 974-22-07-76. ● lizana2@hotallizana.com ● hostallizana.com ● Doubles avec sdb 40 € (Lizana 1), 48 € (Lizana 2). Pas de petit déj. Parking privé 9 €. Incroyable rapport qualité-prix que celui de ces 2 petits hôtels situés l'un à côté de l'autre, sur une petite place calme et centrale. Le jovial monsieur de la réception est le propriétaire, présent du matin au soir, c'est une preuve de la conscience professionnelle de cette bonne maison. Chambres impeccables avec clim, déco sans recherche, mais c'est net, propre, clair, jamais triste. Elles donnent sur la place ou à l'arrière (sans vue). En prendre une dans les étages élevés, plus claires.
🛏 *Hostal San Marcos* (plan B3, 10) : c/ San Orencio, 10, 22002. ☎ 974-22-29-31. ● reservas@hostalsan marcos.es ● hostalsanmarcos.es ● En plein quartier qui bouge. Doubles 50-60 €, petit déj 4,50 €. Parking 15 €. Un hôtel moderne et très bien tenu, avec de jolies chambres de bon confort (clim), carrelées et à la décoration fraîche. Elles donnent sur la rue ou sur l'arrière. Préférer celles qui donnent sur l'intérieur, plus tranquilles. Bon accueil.

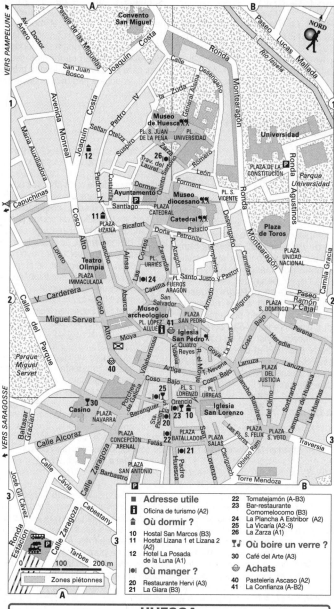

L'ARAGON

HUESCA

- **■** Adresse utile
- **ℹ** Oficina de turismo (A2)

▲ Où dormir ?
- 10 Hostal San Marcos (B3)
- 11 Hostal Lizana 1 et Lizana 2 (A2)
- 12 Hotel La Posada de la Luna (A1)

|●| Où manger ?
- 20 Restaurante Hervi (A3)
- 21 La Giara (B3)
- 22 Tomatejamón (A-B3)
- 23 Bar-restaurante Comomelocomo (B3)
- 24 La Plancha A Estribor (A2)
- 25 La Vicaría (A2-3)
- 26 La Zarza (A1)

▼♪ Où boire un verre ?
- 30 Café del Arte (A3)

✿ Achats
- 40 Pasteleria Ascaso (A2)
- 41 La Confianza (A-B2)

Zones piétonnes

100   200 m

Chic (60-90 €)

🛏 *Hotel La Posada de la Luna* (plan A1, **12**) : c/ Joaquín Costa, 10, 22003. ☎ 974-24-08-57. ● recepcion@posadadelaluna.com ● posadadelaluna.com ● ♿ Doubles 65-90 €, petit déj env 7 €. Parking payant. Au nord de la vieille ville, un hôtel design aménagé et décoré par un artiste local, peintre et sculpteur. À l'extérieur, belle façade de brique et murs bordeaux. À l'intérieur, 8 chambres à la déco postmoderne originale, sobre et dépouillée dans un cadre high-tech : clim, salle de bains avec lavabo transparent, douche à jets hydromassants, lits *king size*...

Où manger ?

Tapas

|●| 🍷 *La Vícaría* (plan A2-3, **25**) : c/ San Orencio. ☎ 974-22-51-95. Tlj sauf dim. Tapas 4 €. Menu 14 €. Très apprécié des locaux, ce petit bar-resto réalise de savoureuses tapas exposées sur le comptoir. Ambiance chaleureuse, murs de vieilles pierres, plafond ancien, petits box en bois contre le mur et chaises hautes pour manger au bar.

|●| 🍷 À l'heure bénie des tapas, c'est sans conteste la *c/ Padre Huesca* (plan B3) qui ravit à ses rivales la faveur des fêtards en partance. Plus tard, c'est entre les c/ *San Lorenzo* et *Padre Huesca,* ainsi que du côté de la *catedral* (plan B2) et de la *plaza Allué* (plan A-B2) que l'animation se poursuit. Mais ça tourne beaucoup, alors fiez-vous à votre instinct !

De bon marché à prix moyens (8-25 €)

|●| 🗲 *Restaurante Hervi* (plan A3, **20**) : c/ Santa Paciencia, 2. ☎ 974-24-03-33 ▤ 648-61-04-66. ● restaurantehervi@gmail.com ● Tlj sauf jeu, 13h-16h, 20h30-23h. Menus du jour en sem 15 €, 30 € le w-e. Raciones 9-18 €. On s'installe dans la salle climatisée en été ou en terrasse côté rue (calme). Cuisine régionale de bon aloi et sans triche. Assiettes copieuses et bien présentées. À la carte, tapas, *tostadas,* et des *raciones* : patatas bravas, des viandes et des produits de la mer comme la *sepia a la plancha* (seiche), des langoustines, couteaux, coques... Service diligent.

|●| *La Plancha A Estribor* (plan A2, **24**) : c/ Las Cortes, 4. ☎ 974-03-28-10. ● laplancha@pulperialaplancha.es ● Tlj sauf lun. Menu du jour (mar-ven midi) 15 €. Autres menus 25 €. Plats 10-20 €. Il suffit de regarder la carte pour voir que la mer y domine la terre, les viandes s'effaçant devant poissons, coquillages et mollusques. Amateurs de poulpe (*pulpo* accomodé de 6 manières), de seiche (*sepia*), de thon (*atun*), de daurade et de moules (*mejillones*) : voici votre royaume ! La question de la fraîcheur ne se pose pas car Huesca est approvisionnée en express depuis l'Atlantique, la baie d'Arcachon (5h de route, via le tunnel du Somport) et San Sebastian (3h de route).

|●| *La Zarza* (plan A1, **26**) : c/ Quinto Sertorio, 13. ▤ 609-49-30-13. Tlj 10h-minuit sauf lun-mar. Plats 9-12,50 €. Proche du musée de Huesca, à l'écart du tintamarre, modeste resto servant une cuisine régionale traditionnelle à base de bons produits locaux, et une carte détaillant tous les allergènes (gluten, soja, lactose...). Salades, agneau, bœuf, chèvre, poissons, En face, de l'autre côté de la ruelle, jardin ombragé où sont exposées des peintures.

|●| *La Giara* (plan B3, **21**) : c/ Argensolas, 2 (angle c/ Padre Huesca). ☎ 974-23-20-18. Tlj midi et soir. Repas 15-20 €. Un resto italien tenu par des Siciliens, et pris d'assaut par les Aragonais. Faut dire que les pizzas, la *pasta* et les *risotti* sont aussi goûteux qu'à Palerme. À savourer sur la très animée plaza Padre Huesca aux heures chaudes des tapas, en été. Les inconditionnels de la cuisine ibérique iront chez *Tomatejamón,* juste à côté (c/ Padre Huesca, 20 ; plan A-B3, **22** ; tlj sauf dim ; ● tomatejamon@tomatejamon.es ●) qui, pour les mêmes prix, offre une ambiance en terrasse quasiment identique.

Plus chic (25-35 €)

|●| ⏸ ↗ *Bar-restaurante Comomelocomo* (plan B3, **23**) : c/ Padre Huesca, 5. ☎ 974-23-86-08. Tlj. Menus 14-20 €, plats 6-12 €. « *Comment je le mange* », c'est son nom. L'extérieur peut laisser croire qu'il s'agit là d'un resto de chaîne ou d'une banal cafèt'. Non, c'est une bonne adresse de cuisine honnête, variée et fraîche, avec des poissons venus de l'Atlantique en fin de semaine. Portions copieuses et goûteuses, à déguster au bar tout vitré au rez-de-chaussée (où l'on peut aussi ne prendre que des tapas ou des *bocadillos*) ou dans la salle de resto en sous-sol. Il y a aussi une grande terrasse dans la rue aux beaux jours.

Où boire un verre ?

⏸ ↗ *Café del Arte* (plan A3, **30**) : pl. de Navarra, 4. ☎ 974-21-09-30. Tlj sauf lun 9h-minuit (23h ven-sam). Situé au rez-de-chaussée de l'ancien casino et prolongé par une petite terrasse donnant sur la place. Vitraux fleuris, grande salle style 1900 avec lustres, terrasse en été, c'est là qu'il faut se montrer ! N'hésitez pas à monter à l'étage pour voir les vieux messieurs du *Círculo Oscense* s'adonner à quelques jeux de cartes ou à la lecture des quotidiens, le tout dans une ambiance d'un autre âge.

Achats

⊛ *Pastelería Ascaso* (plan A2, **40**) : Coso Alto, 9. ☎ 974-22-50-50. ● huesca@pasteleriaascaso.com ● Tlj sauf dim ap-m, 9h-20h45. Une des meilleures pâtisseries de la ville. Spécialité : le *pastel ruso*, un délice à la crème pralinée, noisettes et amandes.
⊛ *La Confianza* (plan A-B2, **41**) : pl. Luís López Allué, 8. ☎ 974-22-26-32. Tlj, sauf ap-m les sam et dim, 10h (11h dim)-14h, 17h-20h30. Un magasin remarquable ! Ce serait la vieille épicerie d'Espagne (1871). Superbes plafonds décorés, vieux mobilier en bois patiné, objets anciens, balance d'antiquaire, long comptoir rétro, murs couverts de produits locaux : liqueurs, vins, huile d'olive, fruits secs (délicieuses amandes du coin), charcuterie, épices, fromages, fèves, graines, friandises diverses... On y vend même à la tranche de la morue norvégienne !

À voir

🏛 *Iglesia San Pedro el Viejo* (plan B2) : pl. San Pedro. ● sanpedroelviejo.com ● Lun-sam 10h-13h30, 16h30-18h ; dim et j. fériés 11h-12h15, 13h10-14h. Entrée : 2,50 € ; réduc.
C'est l'église la plus ancienne de Huesca, où se trouvent les tombes d'Alphonse Ier « le Batailleur » et de Ramiro II « le Moine ». L'ancienne construction mozarabe fut remplacée par l'actuelle de style roman au XIIe s. Le cloître de la cour intérieure est restée à l'identique, c'est-à-dire que les arches n'ont pas été fermées par d'affreuses vitres. Les

SAVEZ-VOUS COUPER LES CHOUX ?

Ramiro II, qui gouvernait l'Aragon, était déconsidéré par les nobles. Le monarque, préoccupé par ce manque de respect, demanda à son jardinier de lui apprendre à trancher les choux d'un seul coup de lame. Peu de temps après, il fit savoir qu'il allait faire fondre une cloche si énorme qu'elle retentirait dans tout le royaume. Le résultat ne se fit pas attendre, à peine l'eut-il fait sonner que les nobles accoururent pour la voir. Et le roi les décapita un par un ! Depuis, les moines cultivent des asperges...

L'ARAGON

chapiteaux sont sculptés des scènes de la vie du Christ, mais aussi des étapes de l'existence des hommes et de la lutte entre le bien et le mal.

Les **sépultures royales** se trouvent dans la *capilla San Bartolome,* dont la grille d'entrée donne sur un des côtés des allées du cloître. On y voit les gisants de 5 rois dont Pedro Ier, Sancho Ramírez, Alfonso Iro et Ramiro II. Dans une autre salle attenante, 2 autres tombeaux royaux, panneaux explicatifs à l'appui. Noter la signature du roi Pedro Ier en lettres arabes !

🎥🎥 **Museo diocesano** *(plan B1-2) : dans la petite église de la Parroquiera et le cloître de la cathédrale.* ☎ 974-23-10-99. ● *museo.diocesisdehuesca.org* ● *Mêmes horaires que la* catedral. *Fermé en fév. Entrée couplée avec la* catedral *: 4 € ; réduc. Demander les fascicules en français.* Un musée intéressant et riche par lequel on passe avant d'entrer dans la cathédrale (sauf aux heures des messes où l'on entre dans la cathédrale par la grande porte). Y sont exposées de belles pièces d'art sacré, comme cet énorme retable en argent. Remarquer aussi les belles peintures, dont celle représentant les pèlerins d'Emmaüs et saint Augustin.

🎥🎥 **Catedral** *(plan B2) : pl. de la Catedral. Juil-août, lun-sam 10h30-14h, 16h-19h. Mars-juin et sept-oct, lun-sam 10h30-14h, 16h-18h (fermé sam ap-m). Reste de l'année, lun-sam 10h30-14h. Fermé dim. Entrée couplée avec le Musée diocésain et la tour : 4 € ; réduc.* Construite aux XIIIe et XVIe s sur un ancien temple romain et l'ancienne mosquée, elle est de style gothique. De l'extérieur, on peut admirer le beau portail, très ouvragé. À l'intérieur, l'impressionnant retable de style Renaissance en albâtre du maître-autel (début du XVIe s) retrace la passion du Christ : il est l'œuvre de Damián Forment, qui s'est d'ailleurs représenté tout en bas à droite. La cathédrale abrite d'autres retables très travaillés et de styles différents, notamment baroques.

🎥🎥 **Museo de Huesca** *(plan B1) : pl. de la Universidad.* ☎ 974-22-05-86. ● *museodehuesca.es* ● *Tlj sauf lun, dim ap-m et j. fériés 10h-14h, 17h-20h. GRATUIT.* Installé dans une partie de l'**ancien palais des rois d'Aragon** (XIIe s), autour d'un vaste et élégant patio octogonal. À partir de 1690, l'endroit abrita aussi la 1re université d'Aragon, fondée en 1354. 8 salles en tout. La section préhistoire est intéressante avec, notamment, des objets provenant des fouilles de la *cueva de Chaves* (Néolithique). Les restes de l'époque romaine sont également dignes d'intérêt, avec une tête d'Éros chevauchant un dauphin et une statue d'Atis en marbre blanc datant du IVe s. De la même époque, très belles mosaïques. Si, hormis quelques textiles et poteries, l'époque musulmane semble avoir été oubliée, une large place est en revanche consacrée au christianisme (remarquer le beau petit Christ crucifié en bronze du XIIe s). Plus loin, **flamboyante salle gothique** avec un très imposant retable en bois recouvert de feuilles d'or ! Plus loin encore, quelques belles huiles sur toile Renaissance. Enfin, après un court détour par la peinture baroque, Goya et Valentín Cardera (l'enfant du pays), place est faite au touche-à-tout de génie qu'était **Ramón Acín,** lui aussi enfant de Huesca, assassiné par les troupes franquistes en 1936. Vous noterez l'étonnante modernité qui se dégage de l'œuvre de cet anarchiste invétéré, chantre de l'expression artistique populaire du 1er tiers du XXe s, capable de rendre des morceaux de métal particulièrement émouvants et expressifs. Ses cocottes en papier sont d'ailleurs devenues l'emblème de la ville.

Fête

– **Fête de San Lorenzo :** *ts les ans 9-15 août.* ● *fiestassanlorenzo.es* ● Pour célébrer le patron de la ville, les participants sont habillés de blanc et de vert. Danses, processions, corridas, concerts... Beaucoup d'animation et foule des grands jours.

ENTRE HUESCA ET JACA : LA HOYA DE HUESCA

La partie traitée ici s'étend entre Jaca et Huesca, à l'endroit où viennent mourir les pré-Pyrénées (snif !) pour laisser place à la plaine de Huesca qui s'étend à perte de vue.

Adresse utile

ℹ Oficina de turismo : c/ Rafael Gasset, 19, 22800 **Ayerbe**. ☎ 974-38-05-54. ● infoayerbe@gmail.com ● turismo.hoyadehuesca.es ● Dans la ville (fléché). Ouv ven-dim et j. fériés 10h-14h (13h ven), 16h-19h ; fermé lun-jeu (ouv tlj en été). Ayerbe est la « grosse » ville de ce secteur géographique, vous y trouverez donc tous les services.

Où dormir ? Où manger dans la région ?

Campings

⚕ ⏹ **Camping Armalygal :** ctra A 132, 22808 **Murillo de Gállego.** ☎ 974-38-30-05. ● armalygal@gmail.com ● armalygal-camping.com ● ⚘ Ouv Pâques-fin sept. Pour 2, env 22 € avec tente et voiture. Bungalows 4 pers, avec cuisine équipée et sdb 85-105 €/j. selon durée du séjour. Repas min 15 €. Ce vaste camping privé (5 ha) est installé dans une oliveraie, au calme. Divisé en 2 secteurs, la partie proche de la réception (mieux équipée) et la partie dite « zona del cielo » plus sauvage. Côté bungalows, correctement équipés et tenus, vue sur l'oliveraie. Peu d'infrastructures (pas d'épicerie), mais des sanitaires corrects et une belle piscine avec vue sur les mallos de Riglos, visibles aussi depuis les immenses baies vitrées du bar-resto Kédos (ouv 9h-22h30). Celui-ci sert de la cuisine locale et des plats végétariens. Propose aussi des activités sportives (escalade, rafting, canyonisme, rando, etc.).

⚕ **Camping Castillo de Loarre :** ctra del Castillo, s/n, 22809 **Loarre.** ☎ 974-38-27-22. ● info@campingloarre.com ● campingloarre.com ● Ouv tlj Semaine sainte-Toussaint ; fermé lun-ven hors saison. Env 19 € pour 2 avec tente et voiture ; quelques jolis chalets et bungalows 2-8 pers 55-150 € selon taille et saison. Au pied du château de Loarre, un joli petit camping simple où l'on plante sa tente sur les pelouses bien entretenues, au milieu des oliviers.... Bungalows bien tenus et bien équipés, façon petits chalets. Très belle vue sur la plaine en contrebas. Bar-resto-épicerie, piscine et location de vélos.

De chic à plus chic

🏠 **Casa rural La Casona de la Reina Berta :** c/ Varella, 9. 📱 628-09-62-62. ● info@lacasonadelareinaberta.com ● lacasonadelareinaberta.com ● Doubles 67-83 €, petit déj 8,50 €. Repas sur résa seulement 12 €. CB refusées. Pas de wifi. Dans le haut du village, une maison moderne arrangée dans le style « néomédiéval » et rustique. Son propriétaire, le jovial Rapha Bernad, a presque tout réalisé lui-même, par goût pour l'histoire et passion pour sa région. Il n'habite pas sur place mais y passe tous les jours. Une dizaine de chambres impeccables, confortables (clim) et décorées avec beaucoup de caractère.

⏹ **Real Posada de Liena – Restaurante Liena :** c/ La Virgen, 10, 22808 **Murillo de Gállego.** ☎ 974-23-18-56. 📱 654-76-79-89. ● posadadeliena@telefonica.net ● realposadadeliena.com ● Dans une ruelle étroite juste derrière l'église. Tlj jusqu'à 22h, tte l'année (mais hors saison, appeler quand même avt pour être sûr !). Menu env 22 €. CB refusées. Le resto

L'ARAGON

de cette *posada* propose une cuisine locale et fraîche. Plats copieux à savourer dans une élégante salle (lustres lourds, murs de pierre, parquet, et tables longues nappées de blanc et d'écru), mais surtout avec une superbe vue sur *Los Mallos de Riglos*. Accueil charmant.

À voir. À faire dans les environs

🏃🏃 *Los Mallos de Riglos* : c'est la grande curiosité du village (et pour cause, ils ont belle allure). À ***Riglos,*** ces formations géologiques dressent leurs énormes doigts de poudingue à 300 m au-dessus des maisons blanches. Il s'agit d'une roche sédimentaire constituée d'un conglomérat de galets. Elle a pris la couleur rouge suite au mélange de l'argile et du fer.

🏃 ← *Murillo de Gállego* : *sur l'A 132, à 41 km ouest de Huesca.* Un joli petit village tout en pente, avec la route qui passe à ses pieds mais, surtout, une jolie vue sur les *Mallos de Riglos.* Une bonne base de départ pour partir à la découverte des environs ou même se lancer dans les **descentes en rafting, kayak, hydrospeed ou canyonisme** sur le *río Gállego* (3 prestataires spécialisés installés sur le bord de la route principale).

🏃🏃 *Le village d'Agüero* : à 7 km à l'ouest de ***Murillo de Gállego,*** ce petit village est lui aussi dominé par de superbes *mallos,* moins connus que ceux de ***Riglos.*** Pourtant, l'apparition en arrivant dans ce village paumé dans un très joli paysage vallonné est de toute beauté.

🏃🏃 🏃← *Castillo de Loarre* : *à 12 km de Murillo ; sur l'A 132 en direction de Huesca, tourner à gauche peu après Ayerbe.* ☎ 974-34-21-61. ● castillodeloarre.es ● *De mi-juin à mi-sept : tlj 10h-20h. De mars à mi-juin et de mi-sept à oct : tlj 10h-19h (20h août). Nov-fév : tlj sauf lun 11h-17h30. Fermé 25 déc et 1er janv. Entrée : 4,50 €, incluant visite de l'iglesia San Esteban (fermée 14h-16h et pdt le culte). Avec visite guidée, 6 € (durée 1h). Audioguide en français 1,60 €.* Superbement isolé sur le versant d'une sierra, il se confond de loin avec le piton rocheux. De là-haut, la vue du château se détachant sur la plaine, qui en contrebas semble s'étendre à l'infini, est magnifique. Ce château du XIe s (ou plutôt ses vestiges très bien préservés) est un très bel exemple d'architecture romane. Construit vers 1020-1035, il fut tout d'abord conçu comme une forteresse afin de se protéger des musulmans qui tenaient alors toute la plaine. Puis il fut agrandi à la fin du même siècle et transformé en monastère. De celui-ci, on peut encore voir la très belle église romane, ses coupoles et les chapiteaux historiés de ses absides. L'influence du château-monastère commença à décliner dès le début du XIIe s, quand le monastère fut transféré au château de Montearagón nouvellement construit. Au cours de la visite on découvre notamment l'église San Pedro, la crypte de Santa Quitéria et, dans la partie haute du *castillo,* la cour et la salle d'Armes, ainsi que les anciennes citernes, la tour de la reine et le Donjon. Quelques sentiers de balades tout autour.
– Bon à savoir : le château de Loarre a servi de lieu de tournage à des scènes du film historique *Le Royaume des cieux* de Ridley Scott (*Kingdom of Heaven,* 2005), dont l'histoire se déroule à l'époque des Croisades (XIIe s).

➤ 🏃 ← Une petite envie de **voir des vautours** ? Depuis Loarre, rejoindre le village de ***Sarsamarcuello,*** à l'écart de la route, direction Ayerbe. De là, des panneaux indiquent **mirador de los Buitres.** Suivre sur 4 km une piste parfois tout juste carrossable jusqu'au château en ruine de Marcuello. Laisser la voiture et continuer à pied sur 1 km. Au bout, vue fantastique sur les *mallos de Riglos* et les dizaines de vautours qui évoluent dans les airs. Petite « casemate » pour se rendre invisible.

JACA   (22700)   13 200 hab.

Située au croisement de 3 vallées pyrénéennes, à une trentaine de kilomètres de la frontière avec la France, Jaca est une ville carrefour, longtemps considérée comme stratégique (d'où la présence d'une citadelle militaire du XVIIIe s). Sa cathédrale est l'une des plus anciennes d'Espagne et la 1re de style roman. Au retour du ski et des excursions, à 820 m d'altitude, c'est la ville de transit entre la montagne et les sierras. Une petite halte pas désagréable, qui possède un musée formidable. De plus, les rues de la vieille ville (calle de Gil Berges, calle Bellido...) s'animent en fin de semaine : elles forment la *zona de marcha* fréquentée par les jeunes.

Arriver – Quitter

Estación RENFE : *au bout de l'avda Juan XXIII.* ☎ 912-320-320 *(n° national).* ● *renfe.com* ● *Billeterie ouv tlj 9h-13h, 16h-20h.*

➢ Liaisons dans les 2 sens, 2-3 trains/j. avec **Huesca** (durée : 2h) et **Saragosse** (durée : env 3h).

Estación Autobuses : *dans le* centre, entre l'avda de Jacetania et la c/ Canfranc, face à la pl. de Biscos. ☎ 974-35-50-60.

➢ Env 6-7 bus/j. (y compris le w-e) depuis et pour les villes de la région : **Huesca, Sabiñanigo, Saragosse...** Avec la Cie Alosa (☎ 912-72-28-32 ; ● *aragon.avanzagrupo.com* ●).

Adresses utiles

🛈 **Oficina de turismo :** *pl. de San Pedro, 11-13.* ☎ 974-36-00-98. ● *jaca. es* ● *Juste à côté de la cathédrale. Juil-sept, lun-sam 9h-21h, dim 9h-15h. Hors saison, lun-sam 9h-13h30, 16h30-19h30, fermé dim. Horaires spéciaux pdt la Semaine sainte et les j. fériés.*

Bon accueil, francophone, et doc en français aussi, notamment une bonne brochure complète de la ville. Propose des visites guidées de Jaca : Jaca médiévale ou *Jaca Modernista.*

✉ **Correos** *(poste) :* c/ Pirineos, 8 (angle c/ Universidad). Un peu excentré.

Où dormir ?

Auberges de jeunesse

🛏 **Albergue Jaca :** *avda Perimetral, 2.* ☎ 974-36-05-36. ● *alberguejaca@ escolapiosemaus.org* ● *alberguejaca. es* ● ♿ *Lits en dortoir 17-23 €/pers sans ou avec petit déj. Doubles avec sdb 34-46 €. Petit déj 5 €. Parking gratuit.* Situé en contrebas de la ville, entre la grande patinoire et le rond-point de la N 240 vers Pampelune, cet ensemble de bâtiments modernes en brique rouge abrite une école et une AJ. L'équipement et le décor sobre rappellent un pensionnat (ce que l'AJ est aussi pendant l'année). Structure donc avant tout fonctionnelle et un peu triste. Chambres de 2, 4 ou 6 lits avec salle de bains dans chacune. Dortoirs assez spacieux, même si les lits sont un peu tassés. Repas midi et soir. Souvent complet en juillet, car accueille des cours d'été.

– Également une **albergue de peregrinos** (pour les pèlerins sur le chemin de Saint-Jacques exclusivement) : c/ Conde Aznar (à l'extrémité est de la c/ Mayor, dans une ruelle sur la gauche). ☎ 974-36-08-48. *Accueil tlj 15h-22h. Fermé de mi-déc à fév. Nuitée env 11 €/pers.* 2 dortoirs de 16 lits et une cuisine à la disposition des pèlerins.

Bon marché (max 45 €)

🛏 **Hostal París :** *pl. San Pedro, 5.* ☎ 974-36-10-20. ● *info@hostalparisjaca.*

com ● hostalparisjaca.com ● *Fermé 10 j. en mai et 10 j. en oct. En hte saison, doubles avec lavabo 38-55 €.* Face à la cathédrale, un petit immeuble centenaire avec une *bodega* au rez-de-chaussée et la réception au 1er étage. Les 18 chambres ont un style vieillot, équipées seulement d'un lavabo (salles de bains sur le palier) et d'un mobilier qui n'a pas bougé depuis les années 1940. Elles donnent sur la place et quelques-unes sur l'arrière de l'immeuble. Le parquet en bois est toujours aussi bien ciré. Tout est bien patiné par le temps, très propre, bien tenu. Bon accueil.

De prix moyens à chic (55-80 €)

🛏 *Hotel Jaqués :* c/ Unión Jaquesa, 4. ☎ 974-35-64-24. ● *hoteljaques@hotel jaques.com ● hoteljaques.com ● ✕ En plein centre, dans une ruelle parallèle à la c/ Mayor. Ouv tte l'année. Doubles 63-72 €. Parking 8 €.* Un établissement très standard, sans grand charme, et aux chambres plus petites à l'arrière que du côté de la rue. L'ensemble n'en reste pas moins confortable (clim partout) et les prestations bonnes. Resto et bar-cafétéria. Accueil souriant.

Où dormir ? Où manger dans les environs ?

🛏 |●| *Las Tiesas Altas :* route d'Aisa, 22713 **Las Tiesas Altas.** ☎ 974-34-80-87. ● *posadalastiesasaltas@gmail. com ● posadalastiesasaltas.es ● À 15 km au nord-ouest de Jaca : accès par l'A 2605. Fermé nov-Semaine sainte. Doubles avec sdb commune 64 €, petit déj compris. Possibilité de ½ pens ou pens complète. Repas env 18 € pour les non-résidents (sur résa seulement). Apéritif maison offert sur présentation de ce guide.* Dans un hameau isolé, presque abandonné, cette petite auberge de montagne restaurée par des passionnés d'écologie est un havre de paix dans un superbe environnement. La demeure comprend la *posada*, la forge, le pressoir à vin et l'étable, autant de vestiges d'une vie rustique en autarcie. Chambres bien tenues. Décoration mêlant pierre et bois, eau de source recyclée, et cuisine familiale végétarienne à base de produits locaux. Tout est prévu pour les séjours nature : trekking et baignade dans la rivière, mais aussi les promenades culturelles. Accueil charmant.

🛏 *Posada Magoria :* c/ Milagro, 32, 22728 **Ansó.** ☎ 974-37-00-49. ● *posa damagoria.com ● posadama goria.com ● Dans la vallée d'Ansó ; au centre du village, juste en dessous de l'église. Ouv tlj début avr-début déc. Hors saison, ouv seulement w-e et vac scol. Doubles 58-63 €, petit déj 6 €. Dîner possible pour les hôtes 10-16 €.* Cette grande maison ancienne de 1916 a appartenu à un négociant enrichi aux Amériques. Aujourd'hui c'est l'ancien maire d'Ansó, Enrique Ipas, francophone, qui la tient, après l'avoir restaurée avec soin. Un grand escalier dessert les 7 chambres au vieux parquet et au mobilier ancien, de vieux lits à barreaux et des armoires campagnardes. Notre préférée ? la n° 3, pour ses 3 fenêtres et son balcon. Il y règne l'ambiance d'une maison de famille chaleureuse et pleine de caractère. La petite véranda offre une vue agréable sur le jardin en terrasses, avec potager bio pour concocter une cuisine exclusivement végétarienne. Une très belle adresse.

🛏 |●| *Casa Blasquico – Restaurante Gaby :* pl. La Fuente, 1, 22720 **Hecho.** ☎ 974-37-50-07. ● *casablasquico@ gmail.com ● casablasquico.es ● Dans la vallée de Hecho ; presque en face de l'office de tourisme. Tlj mars-oct, hors saison ouv ven-dim. Doubles 55-60 €, triple aussi, petit déj 6 € ; ½ pens possible ; carte 30-35 €.* C'est une grosse maison au centre du village, aux murs de pierre grise, aux toits de lauze et à l'intérieur de bois. Sa façade est un peu enfouie derrière la profusion de pots de fleurs... Au rez-de-chaussée, le resto occupe une chaleureuse petite salle avec une cheminée, des poutres apparentes et des murs chargés de plantes et vaisselle ancienne. On y savoure une cuisine goûteuse, plutôt fine, à base de bons produits. Ambiance familiale également dans les étages qui abritent quelques chambres confortables, à la déco classique. Accueil jovial et avenant.

Où manger ? Où boire un verre ?

|●| *19 Tapas y 500 Viños :* c/ Ramiro Iro, 1. ☎ 974-36-03-19. ● info@19tapasy500vinos.com ● Tlj 12h30-15h30, 19h-23h (7h-23h l'hiver). Plats 8,50-21 € (media ración aussi). Autant que son voisin, *Tasca de Ana*, est vieux et patiné, autant celui-ci affiche un décor contemporain. La qualité de la cuisine (produits de la terre et de la mer), la présentation des plats, la variété de la carte, l'amabilité du service : c'est une excellente adresse. Goûter à la grillade *verte* (végétarien), à l'assortiment de poissons fumés, et aussi le poulpe à l'ail, le cochon de lait, et des plats plus classiques.

|●| *Tasca de Ana :* c/ Ramiro I^{ro}, 3. ☎ 974-36-36-21. ● info@latascadeana.com ● En été, tlj midi et soir. Hors saison, tlj, sauf lun, 19h30-23h30 (sam et dim ouv aussi pour déj 12h30-15h30). Tapas 2-3 €, raciones 3-7 €, repas env 15 €. Un minuscule bar à tapas animé et convivial. On mange sur de grands tonneaux stylisés dans la rue, ou autour du bar sous les poutres. Bon choix de tapas, *tostadas,* salades et *sartén,* ces cassolettes du terroir.

|●| ↑ *El Portón :* pl. Marqués de La Cadena, 1. ☎ 974-35-58-54. Tlj sauf mer. Congés : les 2 premières sem de juin et nov. Menu du jour 16 €, carte 25-40 €. C'est une adresse qui se maintient bien, tant pour les plats et le bon rapport qualité-prix des menus que pour l'accueil attentionné et vraiment adorable. La carte offre du choix et revisite la tradition de manière originale, proposant des assiettes bien présentées et des desserts exquis.

🍷|●| ↑ *Casa Fau :* pl. de la Catedral, 3. ☎ 974-36-15-94. Tlj 9h-minuit. Tapas et tostadas 2,50-3 €, plats 9-15 €. Emplacement idéal pour ce bar à tapas situé sous les arcades, au pied de la cathédrale, et prolongé par une petite terrasse en été. C'est simple, bon et frais, avec des prix doux.

🍷 ↑ *Pilgrim Café :* avda Primer Viernes de Mayo, 7. ☎ 974-36-33-37. Sur l'av. principale, près de la citadelle. Tlj sauf jeu, 8h-1h. Au rez-de-chaussée d'un vieil édifice à la façade très rococo, grand et vieux café convivial pour prendre un petit déj, boire un verre ou grignoter. Belle terrasse bien exposée avec vue sur la citadelle.

Achats

⊛ *Echeto :* pl. de la Catedral, 5. ☎ 974-36-03-43. ● confiteria@confiteriaecheto.com ● Tlj 9h30-14h30, 16h30-21h. Cette confiserie, ouverte depuis 1890, est un appel au péché de gourmandise ; un simple coup d'œil dans la vitrine et l'eau monte à la bouche. Délicieux chocolats et caramels durs (appelés *besitos* – petits baisers, tout un programme), petits gâteaux tous plus alléchants les uns que les autres... Un pousse-au-crime gourmand, on vous dit !

À voir

🍖 *Catedral San Pedro :* pl. de la Catedral. Tlj 10h-13h30, 16h-20h. GRATUIT. En été visites guidées lun-sam à 11h, 12h et 18h : 2,50 €/pers. Billet combiné catedral + Museo diocesano : 8,5 € ; réduc. Belle église romane, construite par Ramiro I^{ero} au XIe s. Sa masse sombre et superbe écrase presque la vieille ville. Bien qu'on y ait conservé la structure primitive, l'intérieur, avec ses nombreux ajouts plus tardifs, déçoit un peu, d'autant qu'il est sombre (mais possibilité de glisser une piécette pour éclairer certaines parties). Les absides et les chapelles latérales Renaissance, légèrement chargées, contrastent avec l'extrême sobriété de la coupole à la croisée du transept.

🍖🍖🍖 *Museo diocesano (Musée diocésain) :* dans la cathédrale. ☎ 974-36-21-85. ● diocesisdejaca.org ● Juil-août : tlj 10h-14h, 16h-20h30. Hors saison : lun-sam 10h-13h30, 16h-19h (20h sam) ; dim 10h-13h30. Entrée : 6 € ; réduc. Visites guidées possibles. Cahier avec ttes les explications en français disponible à l'accueil.

L'ARAGON

Ce musée est installé dans une partie de la cathédrale. Dans celle-ci, ne pas manquer les orgues au-dessus du chœur, dans l'abside, ce qui est très rare comme emplacement. On commence par le cloître qui abrite une **exceptionnelle collection de fresques romanes et gothiques** datant du XIᵉ s au XVIᵉ s. La plupart d'entre elles furent retrouvées dans les années 1960 dans différentes églises de la province. Elles furent alors transférées puis restaurées pour être conservées ici. L'ensemble est remarquablement mis en valeur avec, pour chaque fresque, l'église resituée géographiquement et une photo de celle-ci (et vu l'état de certaines, on comprend que ces œuvres ont bien failli disparaître). Visages recueillis, Vierges émouvantes, christs décharnés... et en voyant la tête du Christ retrouvée par hasard sous une autre fresque, on veut bien croire que l'artiste, mécontent de son travail, ait souhaité recommencer !

Un ancien réfectoire abrite les **superbes peintures murales romanes de Bagüés** *(sala Bagüés)*. Une véritable B.D. médiévale. Les 2 plus importantes se font face : Ruesta et Osia. On peut aussi admirer à l'étage des retables et de belles statues en bois polychrome du gothique, de la Renaissance et du baroque. Vraiment un très bel endroit.

🎖 *Ciudadela (citadelle militaire) y museo de Miniaturas militares* (musée des Miniatures militaires) **:** ☎ 974-36-11-24. ● ciudadeladejaca.es ● Tlj juil-août, 10h30-13h30, 16h30-20h30. Avr-juin et sept-oct, 10h30-13h30, 16h-20h. Nov-mars, 10h30-13h30, 15h30-19h30. Fermé 2ᵈᵉ quinzaine de nov. Entrée : 10 € avec visites guidées (a priori) trilingues du château et visite libre au musée des Miniatures ; musée des

INVERSION DES RÔLES...

Ce sont les aléas de l'histoire... La Ciudadela, forteresse en étoile digne de Vauban, construite par les Espagnols aux XVIᵉ et XVIIᵉ s pour se protéger des Français, ne connut qu'une seule vraie bataille. C'était au XIXᵉ s et, en l'occurrence, les troupes de Napoléon Iᵉʳ occupaient la citadelle et furent attaquées par les Espagnols. Curieux, non ?

Miniatures seul : 6 € ; visite guidée du château seul : 6 € ; réduc. La visite de la citadelle comprend celle du musée des Miniatures militaires : il retrace les grandes batailles de l'histoire, de l'Égypte ancienne au XXᵉ s, grâce à la reconstitution de scène avec 32 000 soldats de plomb et autres miniatures. Le 64ᵉ régiment de chasseurs « alpins » espagnols occupe aussi cette forteresse. Les amateurs d'architecture guerrière apprécieront la structure en pentagone, parfaitement conservée, et la chapelle.

Fêtes et manifestations

– **Fête de la Victoire :** 1ᵉʳ ven de mai. La Victoire (des chrétiens sur les Maures) est dansée et chantée par les *banderas* de jeunes en liesse, aux chapeaux couverts de fleurs.

– **Fêtes patronales de San Pedro y Santa Orosia :** 23-29 juin. Avec offices et défilés religieux.

DANS LES ENVIRONS DE JACA

🚶🚶 *Monasterio de San Juan de la Peña :* à 22 km au sud-ouest de Jaca (sur l'itinéraire du GR 65 qui va à Saint-Jacques-de-Compostelle). ☎ 974-35-51-19. ● monasteriosanjuan.com ● Le site comprend en fait **2 monastères** : en bas, le monasterio viejo, en haut, à 1,5 km, le monasterio alto, qui abrite 2 centres d'interprétation historique. Audioguide : 1 €.

Fermé 25 déc-1ᵉʳ janv. Horaires identiques pour les 2 monastères : mars-oct, tlj 10h-14h, 15h30-19h (juin-août 15h-20h) ; nov-fév, tlj 10h-14h (17h sam). Billetterie principale au monasterio alto.
– *3 options appelées* Instalación *;* **Instalación 1 :** *visite du* monasterio viejo *(ou Real Monasterio) : 7 € ; réduc (bus d'accès inclus en hte saison).* **Instalaciones 2 :** monasterio viejo, *monasterio nuevo et restos arqueológicos (audioguide inclus) : 8,50 € ; réduc.* **Instalaciones 3 :** *monasterio viejo, monasterio nuevo, restos arqueológicos et audiovisuel (film de 40 mn) sur l'histoire du royaume d'Aragon : 12 € ; réduc.*
– **Parking obligatoire** *au* monasterio alto *de Pâques à mi-oct ; des bus vous descendent au* monasterio viejo. *Sinon, hors saison, on peut se garer sur un petit parking (peu de places) à 200 m du* monasterio viejo *et y acheter directement les billets (petit kiosque près de l'entrée).*

Le **monasterio viejo :** visite libre. C'est un remarquable édifice roman des XIᵉ-XIIᵉ s, en partie restauré. À demi troglodytique, il est encastré sous un énorme bloc rocheux qui le surplombe. Il a subi les razzias du redoutable Maure Al-Mansur avant de devenir le centre culturel du royaume catholique d'Aragon. Proclamé panthéon royal, il fut en partie détruit par un incendie, puis à nouveau restauré. Les influences mozarabe, romane et gothique ont marqué l'architecture du lieu. On y découvre une courette avec les tombes de nobles personnages, un petit musée avec des panneaux explicatifs en espagnol, la **Sala del Panteón real** (panthéon royal) et plus loin une chapelle romane fermée par une porte en bois où 2 petites fenêtres permettent de voir l'intérieur précisément du panthéon royal. On ne peut y entrer mais on distingue bien les nombreuses sépultures des rois et reines d'Aragon, encastrées comme des urnes dans les murs. Les plus vieux souverains n'y sont pas. Leurs restes se trouvent dans la **Sala del Panteón medieval.** Ensuite on passe au cloître dont les beaux chapiteaux retracent la Genèse et la vie du Christ.

Le **monasterio nuevo,** édifié aux XVIIᵉ et XVIIIᵉ s, hébergea des moines jusqu'en 1835. Il abritait un hôtel chic qui a fermé en 2019. Restent 2 centres d'interprétation (centre d'interprétation San Juan de la Peña, et celui du Reino de Aragón). La **galerie des rois d'Aragon** retrace leur histoire en vidéo (audiovisuel en français ; environ 40 mn). Dans une autre aile du monastère, un musée est consacré à la vie des moines et à l'histoire mouvementée du site (en espagnol seulement).

🍴 À 5 km au nord du monastère, sur la route descendant vers la N 240 et Jaca, ne pas rater le village de **Santa Cruz de la Serós,** où se dresse une église romane (iglesia Santa María, XIᵉ s *; tlj Pâques-oct, 10h-14h, 15h30-19h ; entrée libre ; feuillet en français).* Remarquer son clocher octogonal et ses 2 chrismes (monogrammes du Christ) sculptés au-dessus de l'entrée principale et d'une porte sur la façade de droite. Celle-ci est tout ce qui reste de l'ancien couvent de bénédictines élevé ici au XIᵉ s (soit le pendant féminin du monastère bénédictin de San Juan de la Peña) et transféré à Jaca au XVIᵉ s.

➤ Pour le retour à Jaca, nous vous recommandons vivement la petite route qui tortille et passe par Bernués et le col d'Oroel (1 080 m) ; c'est plus long, certes, mais aussi plus beau.

🍴 **Museo Angel Orensanz y de Artes populares de Serrablo :** c/ San Nicolás de Bari, 1, à **El Puente de Sabiñánigo.** ☎ 974-48-42-61. *À env 20 km à l'est de Jaca, dans un vieux et joli hameau à la sortie de la petite ville industrielle de Sabiñánigo (traverser la ville et suivre la direction de Huesca). Ouv mar-dim 10h-13h30, 15h-18h30 (16h-20h août) ; fermé lun. Entrée : 2 €. Feuillet en français.* Ce musée ethnologique est installé dans une belle maison du XIXᵉ s, la casa Balanero. Sur 4 niveaux et dans une annexe mitoyenne, celle-ci vous livre les objets humbles et quotidiens de la vie des bergers et des agriculteurs des Pyrénées aragonaises. On y découvre les pièces essentielles de la maison (la cuisine, la chambre, le four à pain), mais aussi une section conséquente consacrée au textile, à l'artisanat pastoral ou encore à la musique populaire (petite collection d'instruments, notamment de flûtes).

🍴 *Candanchú et sa vallée :* à 34 km au nord de Jaca, dernière étape avant la France, située à 1 530 m d'altitude, cette station de ski moderne très prisée des familles espagnoles n'est ni plus belle ni plus laide que n'importe quelle nouvelle station de ski... Ceux qui ont du temps pourront aussi faire un joli crochet dans la montagne (route très sinueuse), après Villanua, par *Borau, San Adrián de Sasabe* (avec son église du XIᵉ s et des sentiers de randonnée tout autour) et *Aisa,* avant de rejoindre Jaca.

🍴🍴 *Canfranc Estación* (gare ferroviaire de Canfranc) *:* à 24 km au nord de Jaca et à 4 km du village de Canfranc. ● canfranc.es ● Ouv tlj 11h (10h ven-sam)-19h. Visite guidée tlj en juil-août, à raison de 1, 2 ou 4 visites/j. (horaires sur leur site). Langues : espagnol, anglais ou français. Durée : 40 mn. Billet : 4 €, gratuit - de 5 ans. Résa obligatoire au ☎ 974-37-31-41 (office du tourisme de Canfranc) ou sur le site.

Au pied des pics aragonais aux cimes enneigées surgit une gare fantôme aux proportions hallucinantes. Au fond de sa vallée, elle semble vraiment sortie de nulle part. Cet énorme bâtiment construit dans le style français, mêle Art déco et classicisme, toitures d'ardoises, murs de marbre et arches de pierre, verrières métalliques et longues salles aux plafonds stuqués... Ce « bijou architectural » mesure 240 m de long, compte 365 fenêtres et 156 portes. Dans les années 1930, elle fut la plus grande d'Europe. On voulait en faire une gare internationale prestigieuse (elle abrita un hôtel de luxe) mais au quotidien le trafic ne dépassa jamais... 50 voyageurs par jour. La gare périclita.

Fermée pendant la guerre d'Espagne (1936-1939), puis rouverte durant la Seconde Guerre mondiale (voir encadré), la gare et la ligne reprirent du service jusqu'en mars 1970 quand un accident fatal se produisit. Un train de marchandises venu de Pau dérailla et finit sa course dans le gave d'Aspe. La ligne entre Canfranc et Pau fut définitivement fermée par la SNCF. La grande gare de Canfranc, abandonnée, y gagna le surnom de « Titanic des Montagnes ». La ligne espagnole venue de Saragosse, Huesca et Jaca n'a jamais cessé son activité et continue à desservir le terminus de Canfranc Estación. Il faut ensuite prendre un bus pour

UN TRAIN PEUT EN CACHER UN AUTRE

Au début de la Seconde Guerre mondiale, la gare « internationale » de Canfranc servit aux résistants et aux juifs fuyant la France occupée par les nazis. Mais ceux-ci en prirent vite le contrôle. Les Allemands achetaient au Portugal du wolfram (ou wolframite), minerai de tungstène indispensable à la production d'armes. L'or volé aux déportés dans les camps servit de monnaie d'échange. Quant au minerai espagnol, les Allemands ne le payaient pas car ils avaient bien aidé Franco pendant la guerre civile. Près de 90 t de lingots d'or ont ainsi transité par la gare de Canfranc.

passer la frontière et atteindre Pau par le tunnel du Somport. En 2019, les travaux de restauration de la gare fantôme étaient en cours.

🍴🍴 *Vallées de Hecho et Ansó :* ces 2 belles vallées isolées et parallèles situées au nord-ouest de Jaca peuvent être l'occasion de faire un agréable circuit. Nous vous recommandons de commencer par remonter la vallée de Hecho (et ainsi de garder le meilleur pour la fin !). En effet, si cette vallée n'a en elle-même rien d'extraordinaire, elle mène au joli bourg de *Hecho* (à 30 km au nord-ouest de Huesca), avec ses maisons aux toits de lauzes plates, qui rappellent un peu celles du Périgord. Le temps semble ici comme suspendu, au pied des versants d'altitude. Pourtant le village est loin d'être mort ! On y trouve même un musée d'Art contemporain avec, en plein air, une expo permanente de sculptures qui résulte des symposiums d'art qui se tinrent ici chaque année entre 1975 et 1984.

➤ Depuis Hecho une bonne route large et bitumée mène à la vallée voisine et au *village d'Ansó* (60 km au nord-ouest de Huesca). Celui-ci a encore plus de caractère et de personnalité que Hecho. Ensuite d'Ansó pour rejoindre l'A 21

Pamplona-Jaca, il faut suivre une route étroite et en assez mauvais état, dont un tronçon passe dans des gorges profondes, dans un environnement sauvage.
– **Bon à savoir :** Ansó est une des plus grandes communes d'Aragon par sa superficie. Au total 224 km² soit 2 fois la taille de Paris ! Elle compte 58 km de frontière avec la France et autant avec la Navarre.

LE PARC NATUREL DE GUARA
(LA SIERRA DE GUARA)

● Carte *p. 485*

C'est la terre mythique des canyonistes et des amoureux d'espaces vierges !
Région au microclimat à tendance méditerranéenne creusée de gorges où l'eau s'immisce dans les entrailles de la terre. Pays de cascades et d'eaux vives, d'aiguilles et d'éperons rocheux, de ponts naturels en calcaire et de grottes millénaires, la sierra de Guara s'étend sur une cinquantaine de kilomètres au nord-est de Huesca. Parc naturel depuis 1990, ses 81 000 ha étaient déjà reconnus au XIXe s par les alpinistes anglais et français comme le nouveau Colorado de l'Europe. Au début du XXe s, le Français Lucien Briet sillonna avec des ânes ces dizaines de canyons et de villages encore habités. Mais il a fallu attendre le milieu des années 1970 pour que se développe un sport à part entière : le canyonisme. Aujourd'hui, près de 100 000 personnes visitent annuellement cette région très peu peuplée.
Le biotope est fragile et, en été, ça se bouscule un peu à l'entrée des canyons. Alors, devant l'irresponsabilité de certains vacanciers, on légifère : camping sauvage et bivouacs interdits, feux et 4x4 itou ; quant au canyonisme, il est désormais réglementé...
La partie vraiment touristique – où se trouvent les descentes de canyons les plus emblématiques – se situe à l'est du massif, autour d'Alquézar et de Rodellar. Du coup, les infrastructures touristiques se multiplient : hôtels, chambres d'hôtes, apparts à louer, campings... De quoi satisfaire une clientèle variée, qui vient aussi pour l'escalade, la randonnée à pied ou à VTT, tout ça sur fond de vautours et de gypaètes planant.
● *guara.org* ●
– **À lire :** *Visitez la sierra de Guara,* de David Gomez Samitier (guide forestier), en français, éditions Everest (León). Également *Parc de la sierra et des canyons de Guara* aux éditions Pirineo, en français. Mais la référence en matière de canyonisme est en espagnol : *Sierras de piedra y agua,* d'Enrique Salamero, 335 pages, autoédité.

LARAGON

Arriver – Quitter

🚌 **Gare routière de Barbastro :** *pl. de Aragón, 22300.*
➤ **Huesca :** avec la Cie *Alosa* env

10 bus/j., 6h45-20h35 (6 départs le dim). ☎ 912-72-28-32 ; ● *alosa.avan zabus.com* ● Durée : env 1h.

Adresses et infos utiles

ℹ **Oficina de turismo de Barbastro :** *pl. Guisar, 1-3.* ☎ *974-30-83-50.* ● *bar bastro.org* ● *À côté de la pl. de Toro. Juil-août : tlj 9h30-14h, 16h-19h30 (fermé dim). Sept-juin : mar-sam 9h30-14h,*

16h-19h, fermé dim-lun. Doc en français sur toute la région, dont le parc de Guara et le Somontano. Renseigne sur les bus et les opérateurs de tourisme : location de matériel, agences de guides, etc.

– Il y a des **épiceries** ou des **supérettes** dans les villages de la sierra de Guara, mais si vous restez plusieurs jours, il peut être judicieux de faire un 1er gros ravitaillement à Barbastro ou à Huesca.
– Voir aussi les sites ● *rednaturaldea ragon.com* ● *sierradeguara.fr* ● *guara. org* ou ● *somontano.org* ●, et ● *alber guesyrefugiosdearagon.com* ● qui répertorie les différents refuges et permet de consulter la météo correspondante en temps réel grâce à ses webcams.
– ***Bonnes cartes*** aux éditions Pirineo ou Prames, en vente un peu partout.
■ ***Secours en montagne et urgences :*** ☎ *112 (que ce soit pour un accident de la route ou de montagne).*
■ ***Essence :*** en plus de Barbastro, il n'y a qu'une seule station-service dans tout le massif, au camping d'Alquézar. Et un seul distributeur de billets, à côté de l'office de tourisme d'Alquézar.

Canyons et canyonisme

La concentration de canyons dans la sierra de Guara est extraordinaire. D'abord, une précision : le canyonisme, ce n'est pas faire du bateau ou se laisser porter par le courant sur une bouée au fond d'une gorge. Il s'agit d'une pratique mêlant des techniques de corde, d'escalade et de nage en eaux vives. Certains canyons nécessitent une bonne connaissance de ces techniques et une excellente condition physique, car la marche d'approche est souvent longue et pénible (Mascún Superior, Gorgas Negras). Savoir lire une carte est obligatoire. D'autres sont des randonnées accessibles à de bons nageurs et ne posent pas de difficultés particulières (río Vero, le classique, la Péonera).

On **déconseille vivement** d'entreprendre une excursion dans un canyon sans guide. Certains canyons ne semblent guère dangereux, et pourtant un orage soudain peut faire monter le niveau des eaux en quelques minutes. Les canyons en eau sont déconseillés au printemps (courants très forts, eau glacée). On pourra les remplacer par la descente de canyons secs (il y en a toute l'année).

– ***Bon à savoir :*** s'équiper de chaussures de marche qui peuvent aller dans l'eau, d'un casque et d'une combinaison en Néoprène.

■ ***Compañía de Guara :*** *c/ de la Iglesia, à Rodellar, à la casa Abadia (maison qui jouxte l'entrée de l'église).* ▤ *622-09-55-60 (en Espagne) ou 07-89-25-70-51 (en France). Formules à la journée ou sur plusieurs Formules à la journée ou sur plusieurs j., avec ou sans hébergement et services.* Jacky, un Français adorable, est à l'origine de la descente des canyons. Il vous accueillera avec compétence et propose des balades selon votre niveau sportif. Enfants bienvenus. Location de combinaisons et de tout le matériel nécessaire. Hébergement en refuge ou chez l'habitant. Propose aussi de nombreuses randos et autres activités.
■ ***Terre d'Aventure :*** 30, rue Saint-Augustin, 75002 Paris. ☎ 0825-700-825 (0,15 €/mn). ● *terdav.com* ● L'agence qui a fait découvrir les canyons de Guara aux Français.

Découvrir la sierra de Guara autrement

– La randonnée : on peut aussi crapahuter plus tranquillement ; par exemple, en **gravissant à pied le Tozal de Guara** (sommet de la sierra, à 2 077 m) en partant de *Nocito* ou *Used*, avec une belle vue sur les Pyrénées et la plaine.
– À cheval : avec Fred Seibold, qui organise des « Chevauchées pyrénéennes » (week-end ou semaine) au printemps et à l'automne. On peut le joindre en France, dans la vallée d'Ossau, au relais équestre d'***A Nouste*** : *Sévignacq-Meyracq, 64260* **Arudy.** ☎ *05-59-05-63-11 ou 05-59-82-62-78 (juil.-août).* ● *chevopyr@ gmail.com* ● *equipyrene.com/chevaupyr* ● *Compter 270 €/pers pour une balade de 2 j./3 nuits.* Rando sur le massif sur plusieurs jours. En général, départ du *santuario de San Urbez* près de *Nocito* (versant nord du massif). Ceux qui, même peu initiés, n'ont pas peur de monter 5 à 7h par jour sont acceptés sans problème.

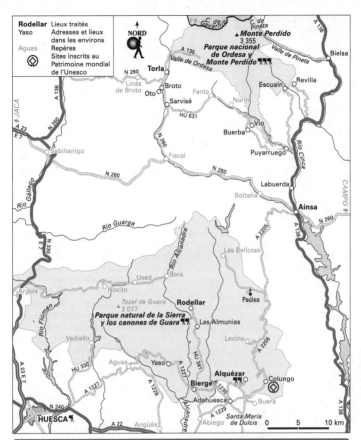

Rodellar | Lieux traités
Yaso | Adresses et lieux dans les environs
Aguas | Repères
⊙ | Sites inscrits au Patrimoine mondial de l'Unesco

LA SIERRA DE GUARA ET LE PARC NATIONAL D'ORDESA ET DU MONT-PERDU

L'ARAGON

ALQUÉZAR   (22145)   300 hab.

À 48 km à l'est de Huesca, ce village très touristique n'appartient plus au monde des vallées pyrénéennes mais aux collines douces du Bas-Aragon, planté d'amandiers et d'oliviers. Le site d'Alquézar, « le château » en arabe *(El-Ksar),* forme une cassure dans le paysage. Haut lieu de l'art roman, le village est dominé par sa collégiale et ses remparts à pic sur des canyons. Du haut du village, panorama somptueux sur la région.

Le centre est interdit aux voitures des non-résidents (parkings gratuits aux abords), la promenade y est donc d'autant plus paisible. Très paisible même, hors week-end et août (où il est impératif de réserver votre hébergement, car ceux-ci sont pris d'assaut).

Arriver – Quitter

➤ *Bus :* tte l'année, 1-2 bus/j. lun-sam avec *Barbastro* ; env 30 mn avec la Cie *Alosa* (☎ 912-72-28-32 ; ● alosa. avanzabus.com ●).

Adresses utiles

🅸 *Oficina de turismo :* Barrio Arrabal, 12. ☎ 974-31-89-40. ● alquezar.es ● Tlj (sauf ap-m des mer-jeu) 9h30-14h, 16h-19h30.

🅸 Petit *point info Casa Fabián* : c/ Baja. Tlj sauf mer et dim.

◼ *Guías Boira :* paseo San Hipólito (proche de l'office de tourisme). ☎ 974-31-89-74. 📱 625-55-65-96. ● guiasboira.com ● Une agence de guides sérieuse et compétente. Propose diverses excursions et activités : canyonisme, via ferrata, grimpe... À partir de 45 €/pers.

Où dormir ?

En juillet-août, tout est ouvert, tous les jours. En août, tout est vite plein : réserver un hébergement est alors indispensable.

⛺ *Camping Alquézar :* ctra Barbastro, s/n. ☎ 974-31-83-00. ● camping@ alquezar.com ● campingalquezar. com ● Env 2 km avt le village. Compter 19-23 € pour 2 avec tente et voiture selon saison. Bungalows 2 pers 35-53 €, 6 pers 85-129 € selon saison. Remarquable exemple d'intégration dans le paysage, ce camping est installé sur un terrain planté de chênes et d'oliviers millénaires, avec des emplacements bien ombragés et verts. Beau bloc sanitaire propre. Resto, épicerie, location de matériel, station-service (essence) et petite piscine.

🏠 *Escuela Refugio Alquézar :* c/ San Gregorio, 24. ☎ 974-31-89-66. ● era@prames.com ● escuela refugioalquezar.com ● Lits en dortoir 17-20 €/pers (sans petit déj) et 22-25 €/pers avec petit déj (12-15 €/pers et 17-20 € pour les adhérents du Club alpin français ou de la Federación Aragonesa de montañismo) ; ½ pens 36-39 €/j. (env 30 € pour les adhérents). Réduc - de 14 ans. Tout ce qu'un randonneur ou grimpeur digne de ce nom espère : gymnase, bibliothèque thématique et un mur d'escalade couvert, impressionnant et très pro. Tout ça compris dans le prix. Pour dormir, quelques dortoirs de 3, 4, 5 ou 8 lits (moins cher) avec ventilo (pas de clim). Salles de bains privées pour les petits dortoirs, communes pour les grands. Certainement le meilleur plan pour partager de bons tuyaux en logeant à pas cher.

🏠 *Hotel Villa de Alquézar :* c/ Pedro Arnal Cavero, 12. ☎ 974-31-84-16. ● info@villadealquezar.com ● villadeal quezar.com ● Fermé fin déc-fin janv. Doubles 76-125 €, petit déj inclus. Parking privé gratuit (mais nombre de places limité). Dans le village, une belle et grande maison aux gros murs épais et au décor « paradoresque ». Les chambres, réparties sur plusieurs niveaux, sont belles et confortables (clim), certaines avec terrasse. Excellent petit déj. Piscine (en été). Accueil charmant et francophone.

🏠 *Hotel Santa Maria de Alquézar :* paseo de San Hipólito, s/n. ☎ 974-31-84-36. ● info@hotel-santamaria. com ● hotel-santamaria.com ● ♿ Près de l'office de tourisme. Congés : 9 déc-1er fév. Doubles 79-99 €, petit déj inclus. Offres sur leur site. Un bel hôtel aux chambres à la déco blanche et florale (clim). Celles donnant sur le canyon sont plus lumineuses, mais aussi plus chères, plus bruyantes et plus chaudes en été que celles donnant sur la paroi rocheuse à l'arrière. Petit déj de qualité et salon commun cossu, accueillant. Le propriétaire de l'hôtel possède aussi l'agence de guides *Avalancha* accolée à l'hôtel. Si le canyonisme ne vous tente pas, il pourra vous conseiller sur les randos à faire.

Où manger ?

I●I ⬆ La Marmita de Guara : avda San Hipólito. ☎ 974-31-89-56. 🖥 696-82-63-12. ● rte.lamarmita@gmail.com ● *Ouv seulement le w-e hors saison (sauf si résa), mer-dim midi aux intersaisons et tlj en été. Congés : janv.* Pintxos et tapas 2-3 €, quesos 4-15 €, plats 8-14 €. Parmi l'alignement de restos en terrasse à côté de l'office de tourisme, en surplomb de la vallée, voici une bonne adresse. Une cuisine plutôt fine, inventive, et des assiettes fort joliment présentées. Carte offrant un choix varié d'entrées copieuses et de bons plats. Spécialité de la maison : les planches de fromage de chèvre et de brebis (*queso de cabra,* une dizaine de variétés). Elles sont servies en ¼, ½ ou plat entier.

I●I ⬆ Casa Pardina : c/ Medio, s/n. ☎ 974-31-84-25. 🖥 660-39-94-72. ● restaurante@casapardina.com ● *Tlj en juil-août. En dehors de ces 2 mois, Pâques-nov, tlj sauf mar midi. Le reste de l'année, seulement le w-e. Menus 31-40 €.* Au menu, une belle cuisine fraîche et soignée, avec une bonne sélection de produits locaux. Goûter à la remarquable huile d'olive de Bierge. Intérieur bien arrangé et agréable, sur plusieurs niveaux, où la plupart des tables jouissent d'une vue sur la vallée. À partir de la mi-juin, dîner possible sur la terrasse, en contrebas, sous les oliviers. Service attentionné et charmant.

I●I Cueva Reina : c/ Baja, 42. ☎ 974-31-81-82. 🖥 687-24-06-10. ● cueva reina@hotmail.com ● ♿ *Pratiquement au pied de la collégiale. Ouv tlj en saison sauf dim soir et lun soir, seulement le w-e hors saison ou sur résa. Congés : janv-fév. Menu 26 €, menu « dégustation » 32 €. Café offert sur présentation de ce guide.* Un resto presque suspendu au-dessus de la vallée grâce à ses baies vitrées. Ici, on marie la pierre au bois dans un design épuré à consonance ibérique. Au menu, une cuisine tout à fait honorable, assez fine et préparée maison. Les budgets plus réduits pourront se réfugier dans l'agréable bar à tapas juste en dessous (avec une entrée distincte de celle du resto) et sa jolie terrasse dans la rue. Belle atmosphère.

Où acheter de bons produits ?

⊛ Supermercado Natividad Castillo : c/ Pedro Arenal Clavero, 11. ☎ 974-31-82-72. *Repérer l'enseigne du tabac. Tlj en juil-août jusqu'à 20h, fermé dim ap-m* et mar hors saison. Chez *Nati,* on trouve de quoi se confectionner son petit pique-nique, y compris une sélection de produits locaux, mais aussi des timbres.

À voir. À faire

🎥🎥 Colegiata de Santa María Mayor : ☎ 974-31-89-16. *Tlj avr-oct, 11h-13h30, 16h30-19h30 (16h-18h nov-mars). Accès à pied seulement. Fermé en sem 8 janv-8 fév. Entrée : 2,50 €. Visites guidées seulement. Billet combiné colegiata + Museo etnológico Casa Fabian : 3,50 €.* Le village s'est développé autour de son ancien château arabe, perché sur son éperon rocheux, et transformé à partir du XIe s en *colegiata.* Remarquer le beau cloître à colonnes géminées avec ses chapiteaux – vestiges de l'église primitive – et ses restes de fresques colorées datant des XVe et XVIe s. Dans l'église de style gothique tardif, belles voûtes en étoile, et un christ roman du début du XIIIe s, stupéfiant d'ascétisme au milieu de la profusion baroque. Plus loin, beau retable flamboyant, et dans la sacristie, un petit musée avec quelques objets liturgiques. Mais c'est peut-être aussi la vue sur la campagne environnante qui mérite que l'on s'essouffle un peu pour atteindre ce joyau...

🎥🎥 La ruta de las pasarelas (route des passerelles) **:** voici un petit parcours qui vous donnera un avant-goût de la région. Cet itinéraire en boucle (1h30, bien fléché) vous conduit depuis la *calle Lucas* jusqu'au fond du *canyon del Vero.* Une fois en bas, il faut

L'ARAGON

suivre la direction de l'ancienne centrale hydroélectrique, puis remonter vers le village. Quelques passerelles étroites assez vertigineuses le long des parois rocheuses offrent de très jolies vues ; en revanche, elles peuvent être éprouvantes avec des enfants en bas âge (les filins constituant le garde-corps sont très espacés).

– *Bon à savoir :* le parcours est bien sécurisé, mais chaussez-vous au moins de tennis. Ne vous aventurez pas par mauvais temps, car le terrain peut être glissant, et il n'en faut pas beaucoup à la rivière pour sortir de son lit.

DANS LES ENVIRONS D'ALQUÉZAR

Centro de interpretación del Arte rupestre de Colungo : c/ Las Braules, 2, à *Colungo.* ☎ 974-31-81-85. ● *parqueculturalriovero.com* ● *À 9 km à l'est d'Alquézar. De juil à mi-sept : ouv mar-dim 10h-14h, 16h30-20h, fermé lun. De mi-sept à début déc, seulement w-e 10h-14h. Mars-juin, seulement sam et dim, 10h-14h. Fermé janv-fév. Entrée : env 2 € ; visite guidée : 4,50 € ; réduc ; audioguide en français inclus dans le prix.* Petit musée avec cartels illustrés présentant l'évolution de l'espèce *Homo* depuis ses origines. Explications sur l'art préhistorique du río Vero et sur les styles qui le caractérisent : paléolithique, levantin et schématique (déclaré Patrimoine mondial par l'Unesco). Juste à côté, reproduction de la grotte de la « fuente del Trucho ».

◎ Pour la visite du *parc archéologique,* le mieux est de passer par le centre d'interprétation afin d'y recueillir toutes les infos concernant l'accès aux différents sites d'art rupestre, éparpillés dans la nature et libres d'accès. Possibilité aussi de les visiter avec un guide (calendrier des visites disponibles au centre d'interprétation).

À la limite de l'Aragon et de la Catalogne

Une randonnée exceptionnelle : dans la partie est de l'Aragon, à la limite de la Catalogne, à une soixantaine de kilomètres de Barbastro, le *Congost de Mont-Rebei* est une gorge encaissée et spectaculaire, taillée entre de hautes falaises calcaires qui tombent à pic dans la rivière Noguera Ribagorçana. Aménagé du côté aragonais, ce chemin du vertige emprunte d'abord des passerelles qui descendent dans les gorges. Un sentier en corniche, creusé dans la paroi rocheuse, permet de franchir la barre du Montsec en passant par les passerelles du Montfalco. Un pont suspendu mène ensuite du côté catalan. Là, le sentier est encore plus vertigineux. Il faut ensuite revenir à son point de départ, le *refugio* de Montfalco. Randonnée de 12,5 km. Durée : 6h. Niveau : pour randonneur expérimenté, car certains passages difficiles.

Attention ! Ce n'est pas une randonnée pour tous. Ne pas porter un sac trop lourd. Ne jamais s'approcher du précipice. Les passages les plus dangereux sont équipés d'une main courante fixée à la falaise.

Infos : ● *turismoribagorza.org* ● *topopyrenees.com* ●

BIERGE   (22144)   251 hab.

À 16 km à l'ouest d'Alquézar, ce petit village à 598 m d'altitude se dresse sur sa colline, au-dessus du río Alcanadre, dans un très beau paysage, moins rocailleux et encaissé qu'Alquézar. Des bosquets, des champs bien verts au printemps, des prés et des vergers d'amandiers et d'oliviers, des vignes, avec en arrière-plan la majestueuse sierra de Guara. C'est le point de départ de l'étroite route (HU 341) de montagne conduisant à Rodellar (18 km au nord). On peut se baigner dans le bassin de la retenue du barrage de Bierge (Salto de Bierge) à 2 km au nord du village.

Adresse utile

🚻 *Centro de interpretación del parque natural de la Sierra de Guara :* *à la sortie de Bierge, sur la route de Rodellar.* ☎ 974-31-82-38. ● rednatu raldearagon.com ● turismosomontano. es ● *Printemps-été, 10h-14h, 16h-20h (15h-18h automne-hiver) ; tlj en juil-août, ouv seulement w-e le reste de l'année.* Panneaux de présentation du parc. Audiovisuels, notamment en version française. Et aussi plein de doc. En vente, le fascicule *Red senderos de Guara* (avec une dizaine de parcours balisés pour les randonnées à pied) et d'autres topoguides pas chers (également en français) sur les circuits à VTT ou les canyons.

Où dormir ?
Où manger à Bierge et dans les environs ?

⚐ 🏠 |●| *Altaoja-yaso Camping :* *c/ Mayor, 13, 22141 Yaso.* ☎ 974-34-31-51. ● campingyaso@gmail.com ● yaso.es ● *À env 10 km de Bierge ; prendre l'A 1227 en direction de Morrano ; dans le village même. Ouv Pâques-fin sept, fermé hors saison. Env 16 € pour 2 avec tente et voiture. Doubles 31-37 €. Tapas et bocadillos 3-5 €, repas 13 €.* Dans un minivillage (le terme de hameau serait peut-être plus juste), l'entrée est marquée par un porche de pierre derrière l'église. Un petit camping rustique à taille humaine et bien ombragé, avec vue sur la plaine de Huesca. Sanitaires corrects mais sommaires. Agréable bar extérieur, petit resto creusé dans la roche et une dizaine de chambres sans ou avec salle de bains, vétustes mais propres, aménagées dans une ancienne ferme. Accueil gentil d'Eduardo qui parle le français.

🏠 *Casa Atuel :* c/ Las Afueras, 20, à Bierge. ☎ 974-31-80-60. 📱 646-31-43-95. ● info@casaatuel.com ● casaatuel. com ● *À l'extérieur de Bierge, ne pas monter vers l'église, y aller par le bas du village (fléchage discret). Nuitée 19 €/pers en dortoir, petit déj compris. ½ pens obligatoire de mi-juil à mi-août 42 €/pers (pique-nique spécial rando).* Une auberge gérée par une Française joviale et sportive, tombée amoureuse de la région. Se compose de 3 petits dortoirs (8 lits) avec mezzanine et salle de bains privée ou commune. Également

1 double, 1 triple familiale et 1 bungalow (5 personnes). Si l'hébergement en lui-même est rustique (et pour les grands, attention à la tête), le décor ne manque pas de caractère. On aime beaucoup le bar et sa jolie terrasse ! Un hébergement plutôt orienté vers les séjours « canyon » en famille. Côté cuisine, produits locaux (yaourts, confitures maison), souvent bio. Les repas se prennent autour d'une grande table commune.

🏠 |●| *Hotel rural Era Conte :* c/ Oriente. 22144 Bierge. ☎ 935-19-59-15. 📱 670-48-98-64. ● info@era conte.com ● hotelsomontano.com ● *Accueil à partir de 16h (si on arrive plus tôt, téléphoner). Doubles 75-119 € selon confort et saison, petit déj 9 €. Repas 10 €.* Petit hôtel rural accessible par une route ou par un joli chemin creux (à pied) à travers champs, depuis le village. On est accueilli par une dame affable, dans une maison récente abritant des chambres à la déco contemporaine, bien arrangées et confortables. Celles avec terrasse donnent sur la campagne et le village (belle vue). Et aussi des triples ou des quadruples. Excellent petit déj. Repas servi à la demande.

🏠 *Hostería de Guara :* c/ Oriente, 2, à Bierge. ☎ 974-31-81-07. 📱 646-53-30-38. ● info@hosteriadeguara.com ● hosteriadeguara.com ● ♿ *Au sud du village, vers Abiego. Fermé janv. Doubles 85-136 €, petit déj compris ;*

½ pens possible. Menu 24 €. Un hôtel-resto installé dans une grande demeure moderne aménagée avec soin, dans un environnement agréable et verdoyant. La maîtresse des lieux est une charmante femme, très attentionnée, qui parle un excellent français. Chambres confortables et bien arrangées, certaines avec balcons. Magnifique jardin avec une piscine qui vous tend les bras pour un beau moment de farniente. Accueil jovial.

À voir. À faire

🦅 *Les vautours de l'ermita de San Pedro de Verona :* de Pâques à la Toussaint, 1 mercredi sur 2, les habitants de Bierge donnent à manger aux vautours. La nourriture consiste en carcasses de bêtes (agneaux, moutons) vendues par les paysans à une association agréée auprès du parc. De Bierge, se rendre à l'ermitage San Pedro *(c/ San Pedro, à 700 m au sud du village).*

RODELLAR   (22144)

À 18 km au nord de Bierge, par une route étroite qui s'enfonce au cœur de la sierra de Guara. C'est le « cul-de-sac » qui mène aux canyons les plus connus (Mascún Superior, Gorgas Negras...). Oliviers, failles de calcaire et village charmant, 5 personnes à peine vivent ici en hiver... et beaucoup plus en été !
– *Bon à savoir :* la circulation dans le village est interdite aux non-résidents. Le parking le plus proche du village se trouve à 800 m à l'entrée de la bourgade. Il est gratuit, mais attention il est très vite plein en haute saison.

Adresses et infos utiles

🛈 *Point info :* à l'entrée du village. De juin à mi-sept, ouv tlj sauf dim ap-m et lun. Fermé de mi-sept à mai.
▪ Voir aussi plus haut, au début de la partie « Le parc naturel de Guara », *Compañia de Guara,* qui organise des descentes des canyons.
⊕ *Valle de Rodellar :* ctra de Bierge, s/n. ☎ 974-31-86-37. ● vallederodellar. com ● Juste à l'entrée de Rodellar. Tlj 8h30-23h. On vous l'indique ici pour son petit supermarché assez bien approvisionné pour les pique-niques et les repas de base (et en alcool aussi !), mais c'est aussi un bar (cadre agréable et jolie vue) et un resto qui, en plus, loue des apparts (formule *Aparthotel*).

Où dormir ?
Où manger à Rodellar et dans les environs ?

⛺ *Camping Mascún :* ctra Abiego, s/n, à Rodellar. ☎ 974-31-83-67. ● camping@guara-mascun.com ● campingmascun.com ● À l'entrée de Rodellar, sur la droite. Ouv Pâques-fin oct, fermé hors saison. Réception 9h-13h, 17h30-21h. Env 25 € pour 2 avec tente et voiture. Bungalows en bois (avec électricité solaire) 4 pers 90-100 € et 6 pers 100-120 € selon saison et confort. Un vaste camping à l'ambiance familiale et sportive. Bien ombragé et fleuri, ses emplacements sont délimités par des arbustes et des plantations. Les bungalows sont équipés, mais les *cabañas* n'ont ni cuisine ni salle de bains. Bar-resto, épicerie. Bureau des guides, location de matériel, cartes, etc.

🏠 ▐●▌ 🌲 **Refugio Kalandraka :** c/ Iglesja, s/n, à Rodellar. ☎ 974-31-86-34. 🖥 639-44-77-27. ● refu@refugio-kalandraka.es ● refugio-kalandraka.es ● À 200 m derrière l'église. Ouv tte l'année sauf janv-fév. Réception 9h-12h, 18h-22h. Lits en dortoir 13-17 €, doubles avec sdb privée ou commune 44-73 € ; petit déj 3-8 €. Repas 10-12 €. ½ pens possible. À 150 m de l'église par un chemin piéton, ce refuge « du bout du monde » est le rendez-vous des grimpeurs européens. La bâtisse offre une vue imprenable sur la montagne. Dortoirs agréables et propres (de 4 à 6 lits), aménagés dans des maisonnettes en pierre éparpillées sur le site. Douche payante dans le jardin pour ceux qui veulent. Beau bar avec terrasse pour refaire le monde. Cuisine commune et restaurant où les repas sont préparés seulement à partir de 8 personnes.

🏠 ▐●▌ **Albergue Las Almunias :** ctra de Rodellar à **Las Almunias.** ☎ 974-31-86-02. 🖥 689-99-81-20. ● info@alberguelasalmunias.com ● albergue lasalmunias.com ● À 6 km avt Rodellar, au début de la route pour Pedruel. Ouv de Pâques à mi-déc ; sur résa le reste de l'année. Réception 8h-12h, 18h-22h. Résa fortement conseillée pour l'été. Nuitée 16 €/pers, petit déj 7 €. Doubles 43-45 €. ½ pens 36 €/pers. En contrebas de la route, une maison en brique et pierre, abritant une demi-douzaine de chambres de 2 ou 6 lits, lumineuses et bien entretenues, avec salle de bains. Micro-ondes, frigo, location de matériel. On est accueilli en français par Montserrat, qui gère cet hébergement municipal et propose une bonne cuisine maison à base de produits de son potager ou locaux. Le mari de Montserrat est guide et assure aussi un service de transfert (payant) en taxi (personnes et bagages).

🏠 ▐●▌ **Hotel Casa Tejedor :** ctra HU-341, 22144 **Las Almunias de Rodellar.** ☎ 974-31-86-86. ● info@casatejedor.com ● casatejedor.com ● Doubles 58-65 €, petit déj 6,5 €. Menu 16 €. Au bord de la route menant à Rodellar, une bâtisse moderne avec un parking, des chambres classiques et confortables (la clim partout, ce n'est pas un luxe en été). Elles donnent sur la rue (peu de passage la nuit) ou sur la montagne à l'arrière (c'est plus calme). À l'accueil, un bon hôtelier à l'ancienne, jovial et professionnel. Fait aussi resto. Cuisine du terroir à prix sages.

▐●▌ **Bar-restaurante Florentino :** c/ La Fuente, 4, à Rodellar. ☎ 974-31-83-61. Tlj jusqu'à 20h30. Bocadillos 4-5 €, plats 6-9 €. C'est LE bar-resto du village, qui a le mérite de toujours être ouvert. En revanche, hors saison notamment, la cuisine reste assez basique et les produits plus congelés que frais ! Accueil charmant. Grande terrasse agréable.

LE PARC NATIONAL D'ORDESA
ET DU MONT-PERDU

Massif calcaire le plus élevé d'Europe, le parc d'Ordesa, dont la vallée du même nom fut déclarée d'intérêt national dès 1918, est un véritable paradis pour les amateurs de sport de pleine nature. Avec ses cathédrales de calcaire, ses nappes de conglomérats, ses canyons et ses grottes, sa structure géologique est de 1er ordre. En outre, grâce à un degré d'humidité constant (eh oui !) combiné à un puissant ensoleillement (ouf !) s'y sont développées plus de 1 400 espèces végétales qui représentent aujourd'hui plus de la moitié de la flore pyrénéenne. C'est, de surcroît, le domaine d'une avifaune (les oiseaux, quoi !) particulièrement riche, d'où se distinguent les grands rapaces comme le circaète, le gypaète barbu, l'aigle royal ou le vautour fauve. Véritable sanctuaire de la biodiversité, le parc d'Ordesa et ses 4 vallées (*Ordesa, Añisclo, Escuaín* et *Pineta*) est l'une des grandes réserves écologiques européennes.

L'ARAGON

Comment s'y rendre ?

Depuis la France, 2 itinéraires routiers, qui passent respectivement à l'ouest et à l'est du parc, dominé par le mont Perdu (3 355 m).

➤ À l'ouest, *du col du Pourtalet,* on rejoint assez facilement la vallée d'Ordesa et son village majeur, Torla-Ordesa, porte d'entrée principale du parc. Depuis le col, la route descend par une gorge sinueuse vers la *station de ski de Formigal,* où ça construit beaucoup. À *Biescas,* on bifurquera à gauche pour rejoindre Torla-Ordesa.

➤ À l'est, *par le tunnel de Bielsa,* depuis *Saint-Lary-Soulan* jusqu'à *Aínsa.*

Adresses utiles

🛈 Toutes les infos concernant le parc d'Ordesa et du Mont-Perdu se trouvent dans les *bureaux d'information du parc,* ouverts toute l'année dans les villages suivants : à *Torla-Ordesa* (pour la vallée d'Ordesa), ☎ 974-48-64-72 ; à *Escalona* (pour la vallée d'Añisclo), ☎ 974-50-51-31 ; à *Bielsa* (vallée de Pineta), ☎ 974-50-10-43. Voir aussi ● rednaturaldearagon.com ●

AÍNSA   (22330)   2 250 hab.

À 107 km au nord de Huesca (1h30 de route), au pied de la peña Montañesa, Aínsa se trouve dans un site exceptionnel, au confluent des ríos Cinca et Ara, dont les eaux vives venues des Pyrénées donnent à la ville un remarquable environnement de nature et de fraîcheur. La petite cité se compose de 2 parties distinctes. Dans la partie basse s'étend la ville neuve, qui vit toute l'année, été comme hiver. La partie haute avec le vieux village, bien préservé, est plus

LE ROYAUME DE SOBRARBE

À 7 km d'Aínsa, dans la haute-vallée de la Cinca, la petite bourgade de Boltaña était avant l'an 1000 le centre du royaume de Sobrarbe. Situé à la limite nord du territoire arabo-musulman de l'Espagne, ce réduit chrétien fut le point de départ de la Reconquista en terre aragonaise. Un chef local, victorieux, vit une croix rouge au-dessus d'un arbre. Ce signe est depuis 1 200 ans le symbole du blason de la moderne comarca (canton) de Sobrarbe.

touristique et se découvre à pied. Moins montagnarde que Torla-Ordesa, Aínsa n'en reste pas moins un bon point de départ pour explorer la partie est du parc d'Ordesa et du Mont-Perdu, d'autant plus que ce côté du parc compte de très belles adresses où poser ses sacs.

– *Pour accéder à la vieille ville* (la partie haute d'Aínsa) : laisser sa voiture dans la partie basse (parkings gratuits) et monter à pied (en 10 mn par les ruelles). Sinon gagner en voiture le parking de Castillo, payant (env 3 €/ pour 10h ; ouv tlj 11h-21h). Il est situé à l'entrée du Castillo, à 300 m de la pl. Mayor.

Adresses et infos utiles

🛈 *Oficina de turismo :* avda Ordesa, 5. ☎ 974-50-07-67. ● villadeainsa.com ● Dans la ville basse. Tlj sauf dim ap-m, 10h-14h, 16h-19h30.

L'ARAGON

⧉ *Oficina comarcal de turismo de Sobrarbe* : *pl. del Castillo, en haut, dans le vieux village, dans l'enceinte du château.* ☎ *974-50-05-12.* ● *turismo sobrarbe.com* ● *Tlj juil-août, 9h30-14h, 16h-20h. Fin sept-juin, mêmes horaires mais 16h30-19h30 w-e.* C'est l'office de tourisme intercommunal où vous trouverez toutes la doc et les infos nécessaires pour explorer les environs. Audiovisuel gratuit (10 et 20 mn).

⧉ *Intersport l'Aínsa* : *avda Sobrarbe, 4 (dans la ville basse).* ☎ *974-50-09-83. Tte l'année, tlj sauf dim 10h-14h, 16h-20h ; en été, tlj 9h-21h. À l'achat :* topoguides, carto, matériel d'escalade et de canyonisme.

⧉ *Taxis Aínsa* : *dans la ville basse, au carrefour.* ▯ *608-53-66-49 ou 689-76-14-14 ou 617-07-11-50.*

– *Urgences médicales* : *dispensaire,* ☎ *974-50-00-30.*

Où dormir ?

Camping

△ *Camping Aínsa* : *ctra Aínsa-Campo, km 1,5.* ☎ *974-50-02-60.* ● *info@campingainsa.com* ● *campingainsa.com* ● ⚒ *À 1,5 km du centre. Après le pont sur le río Cinca, direction Campo, puis tt de suite à gauche. Ouv de la Semaine sainte à mi-oct ; fermé hors saison. Env 24-28 € pour 2 avec tente et voiture, selon saison. Chalets 2-5 pers 50-130 € selon taille et confort.* Calme et bien entretenu, dans un vaste site ombragé avec une grande piscine. Bungalows bien espacés. Bar-cafétéria et resto (en été seulement).

De bon marché à prix moyens

▯ *Albergue Mora de Nuei* : *portal de Abajo, 2.* ☎ *974-51-06-14.* ▯ *676-41-54-04.* ● *info@alberguemoradenuei.com* ● *alberguemoradenuei.com* ● *Au cœur du vieux village. Fermé janv. Lit en dortoir 20 €/pers, 18 € dès 2 nuit ; doubles 50-60 €.* Dans un vieux bâtiment à l'intérieur moderne. Quelques dortoirs assez grands (4, 6 et 10 lits) et propres, ainsi qu'une chambre double, tous avec fenêtre. C'est coquet : faux parquet, lits solides, couleurs vives. Cuisine commune à dispo, petit fumoir à la cave et superbe terrasse avec vue sur la rivière. Sert aussi des planches (charcuterie et fromages locaux). Possibilité aussi de garer son vélo et matériel pour le réparer.

▯ ⦿ *Hotel Mesón de L'Aínsa* : *avda del Sobrarbe, 12.* ☎ *974-50-00-28.* ● *hotel@mesonainsa.com* ● *mesonainsa.com* ● ⚒ *De l'autre côté du pont sur le río Ara, direction Barbastro. Fermé janv-fév. Doubles avec sdb 55-90 €, petit déj 8 €. ½ pens 19 €. Menu min 15 €, tapas min 2 €. Parking gratuit. Réduc de 10 % sur les doubles en basse saison sur présentation de ce guide.* Un gros hôtel moderne aux murs verts, sans charme extérieur mais fonctionnel avec des chambres bien tenues, et confortables, à la déco très ordinaire. Les *doble con terraza* (balcon) sont les plus chères. Elles donnent sur la vieille ville, la rivière ou sur la montagne. Bon accueil.

De chic à plus chic

▯ ⦿ *Posada Real y Restaurante Bodegon de Mallacán* : *pl. Mayor, 6.* ☎ *974-50-09-77.* ● *posadareal@telefonica.net* ● *posadareal.com* ● *Formules à la journée ou sur plusieurs Resto tlj 12h-16h, 19h-23h. Doubles 80-100 €. Menu 22 €.* Une vieille demeure sur la place centrale avec l'entrée sous les arcades. Intérieur chaleureux, photos sur les murs dont celle du roi Juan Carlos et d'un ancien maire de la ville de Paris. Serveuses en tenue traditionnelle. La surprise vient des chambres décorées dans le style médiéval : vieilles poutres, mobilier et objets anciens, lit à baldaquin (les plus chics). Vue sur la place, et pour certaines (les plus belles) sur les Pyrénées et la rivière Cinca. Au restaurant, au rez-de-chaussée, on prend les repas dans une petite salle à manger joliment décorée. Cuisine locale

L'ARAGON

de bonne tenue : *cordero* (agneau), *huevos rotos, trucha* (truite de rivière).

🛏 *Villa Románica :* c/ Santa Cruz, 21-23. ☎ 974-50-07-50. ● info@ hotelvillaromanica.com ● hotelvilla romanica.com ● *Au cœur du vieux village, dans une ruelle qui descend depuis l'église. Doubles 70-80 € selon saison.* Au cœur de la vieille ville, une maison ancienne restaurée,

avec une trentaine de chambres chaleureuses, confortables et bien équipées. Et aussi des triples et des quadruples. La chambre 7 (dite la « Bleue ») est la plus agréable. Toutes jouissent d'une déco différente (kitsch parfois avec un dessus-de-lit léopard...). Très belle vue sur le *río* et les montagnes depuis les balcons ou les grandes terrasses. Bon accueil.

Où manger ?

– Voir aussi le restaurant **Bodegon de Mallacán,** dans la *Posada Real* (citée plus haut).

🍴 *Restaurante Braseria Alberto :* pl. Mayor, 17. ☎ 974-50-09-81. ● alberto@restaurantealberto.com ● *Dans la ville haute. Tlj 10h-23h. Tapas et raciones 4-15 €, menus 25-37 €.* Vieille demeure de pierre et de lauzes donnant sur la belle place centrale. Accueil jovial et enthousiaste. Cuisine traditionnelle de bon aloi à prix raisonnables, on mange au bar à l'intérieur, dans une petite salle ou dehors en terrasse. Quand le cinéaste Almodóvar passe à Aínsa, c'est ici qu'il vient.

🍴 *Sanchez :* avda Sobrarbe, 10.

☎ 974-50-00-14. ● info@hotelsanchez. com ● *Formules à la journée sur plusieurs Dans la ville basse. Tlj midi et soir jusqu'à 1h du mat. Menus 12,50 et 17,50 € (entrée, plat, dessert, pain et 1 verre de vin inclus). Aussi un menu paella (min 2 pers).* Au rez-de-chaussée d'un immeuble moderne et design (il abrite aussi un hôtel) situé au-dessus de la rivière Ara aux eaux vives. Demander une table près de la baie vitrée. Cuisine d'un remarquable rapport qualité-prix, élaborée avec de bons produits du terroir. La carte suit le rythme des saisons et du marché. Poulet bio aux champignons, pois chiches et fruits de mer au safran, riz crémeux au gorgonzola, grillades de viande régionale...

Où dormir ? Où manger dans les environs ?

Camping

⛺ *Camping Valle Añisclo :* ctra Añisclo, km 2, 22363 **Puyarruego.** ☎ 974-50-50-96. ● info@valleanisclo.com ● pirineosguiadeservicios.com/campingval leanisclo ● ♿ *À 12 km au nord d'Aínsa, juste après Escalona en direction des vallées d'Escuaín et d'Añisclo. Fermé hors saison, ouv de la Semaine sainte à mi-oct. En hte saison, env 20-21 € pour 2 avec tente et voiture ; bungalows 2-6 pers 60-105 €.* À 700 m d'altitude, un superbe camping privé, un des plus beaux d'Aragon, dans un environnement superbe de champs, de bois, de monts et de montagnes. Accueil excellent. Très bien équipé, organisé, et bien ombragé. Le río Bellos est à 2 mn à pied (baignades), juste sous le village de Puyarruego. Joli resto en pierre et bois, supérette, jeux.

Prix moyens

🛏 🍴 ↑ *Casa Ángela y Restaurante O'Cado :* pl. Mayor, s/n, 22363 **Puyarruego.** ☎ 974-50-50-13. ● pacopuyarruego@gmail.com ● puyarruego.es ● *Dans le centre du village. Ouv tte l'année (chauffage). Double 50 €. Menu 15 €, sans la boisson.* Dans une vieille maison du XVIe s de ce village perché. Chargée d'histoire, elle a été restaurée dans le style du pays. On est reçu par l'aimable Paco qui vit ici à l'année. Il propose des chambres doubles ou triples, bien arrangées, confortables, avec vue sur le village et les montagnes. Repas servis au resto dans une petite salle à manger. Superbe terrasse avec vue imprenable sur le río Bellos.

Chic

🏠 *O Chardinet d'a Formiga :* c/ Unica, s/n, 22336 **Charo.** ☎ 974-34-19-98. 📠 647-58-29-54. ● ochardinet@ochar dinet.com ● ochardinet.com ● À env 14 km à l'est d'Aínsa, par la N 260 direction Campo ; après une dizaine de km, tourner vers Tierrantona et 1,5 km plus loin vers Charo, puis suivre le fléchage. Fermé dernière sem de juin et 1re sem de sept. Doubles 70-80 € selon saison et confort, petit déj inclus ; dîner seulement pour les hôtes env 17 €. Parking gratuit. Quel endroit remarquable, loin du vacarme du monde moderne ! Dans un hameau isolé et perché au-dessus d'un beau paysage, une très belle maison, tant au niveau des lieux que de l'accueil. On est reçu par une femme de bonne humeur, aimable et attentionnée. Elle et son mari sont guides naturalistes. La bâtisse du XVIIe s abrite 5 chambres, de beaux espaces communs et un jardinet. La chambre *Birigueta* a une vue superbe. Les autres sont mansardées. C'est sobre, confortable, chaleureux, avec un heureux mélange de vieux murs de pierre et de beaux matériaux traditionnels. Le plaisir se poursuit à table,

avec une cuisine maison soignée, utilisant les légumes du jardin (Ecolabel) et les produits fermiers de la région.

🏠 *El Condor :* c/ Mayor, 2, 22149 **Paúles de Sarsa.** ☎ 974-34-30-95. ● infos@elcondor.es ● elcondor.es ● À env 25 km au sud d'Aínsa ; à env 3 km en retrait de la route Alquézar-Aínsa. Fermé janv-fév. ½ pens obligatoire (dîner et petit déj) : double 42 €/pers ; 38 €/pers en chambre quadruple ; réduc enfants. Ajout de 2 €/pers en juil-août. CB refusées. Apéritif maison offert sur présentation de ce guide. « Pour vivre heureux vivons cachés », telle pourrait être la devise de cette ancienne ferme aragonaise d'architecture traditionnelle. Excellent accueil francophone de Dany et de Cecilia. Une dizaine de chambres de 2 à 6 lits, certaines idéales pour les familles. Petits salons, belle salle pour les repas (pris en commun). C'est propre, bien tenu, bien chauffé en hiver, et l'aménagement intérieur a gardé le caractère rustique et ancien. Dans le jardin, petite piscine très agréable en été *(juil-août)*. Propose aussi des activités : canyonisme, rando, VTT, etc. Base de séjour remarquable pour les amateurs de grands espaces.

À voir

🎯🎯 *Le vieux village d'Aínsa :* construit aux XIIe et XIIIe s, il domine la ville nouvelle. Quelques ruelles pavées partent de la plaza Mayor et de son église romane (XIe et XIIe s). Du parking de la partie haute (près de l'entrée du castillo d'Aínsa), on y accède par une vaste cour entourée de remparts. Ce sont, avec le donjon du XIe s et quelques tours, les derniers vestiges de la forteresse que Sancho III le Grand fit construire pour se protéger des musulmans (aux XVIe et XVIIe s). Le roi d'Espagne Philippe II l'a agrandie pour se protéger des Français. Dans le village, moyennant monnaie (les jours où la personne est là !), on peut accéder à la tour carrée de l'église par un escalier très étroit, très raide et très bas de plafond.

🎯🎯 *Espacio del Geoparque de Sobrarbe :* en haut, dans la tour sud-est du château d'Aínsa. ☎ 974-50-06-14. ● geoparquepirineos.com ● sobrarbe.com ● En été (juil-août), ouv mer-dim 9h30-14h, 16h30-19h30 (16h-19h mer, jeu et dim). Fermé lun-mar. Horaires réduits hors saison. Audioguide en français (prévoir une pièce d'identité). GRATUIT. Pour tout savoir sur les roches, les plissements, les couches et les phénomènes érosifs qui ont sculpté ce paysage merveilleux. Ce centre fait partie des 50 géoparcs d'Europe. La géologie du Sobrarbe est unique au monde.

🎯 🏃 *Eco Museo de la Fauna y Centro de Visitantes :* pl Castillo, dans le donjon du château. ☎ 974-50-05-97. ● quebrantahuesos.org ● Fermé de janv à mi-mars ; mai-sept, ouv tlj 11h-14h, 15h-20h. Le reste de l'année, ouv au moins le w-e. Entrée : 4 €. Petit musée (avec textes en français) pour découvrir la faune et la

L'ARAGON

flore des Pyrénées, notamment à travers la reconstitution d'écosystèmes à différentes altitudes et même dans les airs. C'est aussi le siège de la Fondation pour la conservation des Quebrantahuesos (les gypaètes barbus, voir encadré plus bas). D'où la large place accordée aux rapaces, et surtout à ces insolites gypaètes. Une partie du musée abrite d'ailleurs quelques spécimens vivants qui, blessés, ne peuvent plus vivre en liberté ; une petite plaque donne les caractéristiques de chacun d'entre eux.

DANS LES ENVIRONS D'AÍNSA : L'EST DU PARC NATIONAL D'ORDESA ET DU MONT-PERDU

🏃🏃🏃 *Les gorges du río Bellos et la vallée du Vio :* d'Escalona à la vallée d'Añisclo, une petite route très étroite et sinueuse remonte un formidable défilé rocheux, isolé de tout (attention, cette route est déconseillée par mauvais temps à cause des chutes de pierres). À *San Urbez* (au point de départ des randonnées), se garer sur le parking (ou le long de la route en haute saison quand le parking déborde de voitures) et descendre à pied (sentier indiqué) jusqu'au pont ancien qui enjambe le río Bellos (à 5 mn) : avec 50 m de vide sous les pieds, c'est impressionnant !
Pour le retour vers Escalona, on conseille vivement d'emprunter une autre route (obligatoire de juillet à mi-octobre, car il est difficile de se croiser en voiture dans les gorges) passant par la vallée du Vio. En passant par les villages isolés et perchés de *Vio* et *Buerba,* cet itinéraire est très différent avec des paysages beaucoup plus ouverts, mais tout aussi magnifiques.

🏃 *Bielsa et la vallée de Pineta :* la route A 138 d'Aínsa à Bielsa (34 km au nord d'Aínsa) suit le fond d'une profonde vallée pyrénéenne. À Bielsa, la France n'est plus qu'à quelques kilomètres (accessible par le tunnel de Bielsa). Le village est aussi la porte d'entrée de la vallée de Pineta, qui longe le río Cinca et, en quelque 14 km de route goudronnée, vous mène au pied du *mont Perdu* (Monte Perdido). De là partent de nombreux sentiers de randonnée. Si le début de la vallée est relativement habité, celle-ci devient de plus en plus sauvage à mesure que l'on s'y enfonce. Et là-bas, tout au bout, de l'autre côté du mont Perdu (Monte Perdido) et de la frontière, c'est le légendaire cirque de Gavarnie.

🏃 *Escuaín :* à 26 km au nord d'Aínsa, par l'A 138, que l'on quitte à Escalona pour suivre une route de montagne très étroite. Voici un village de montagne perdu au bout de la vallée du même nom. Départ de randos dans la *garganta.*

➤ *Itinéraires de découverte :* l'office de tourisme du Sobrarbe distribue plusieurs petits parcours (en français) ; l'un s'adresse plutôt aux gourmands avec la possibilité de découvrir différents producteurs locaux, les 2 autres sont géologiques. L'un est à faire en voiture, avec 13 arrêts où les panneaux vous incitent à poser un nouveau regard sur le paysage qui vous entoure. Celui à VTT permet d'explorer près de 500 millions d'années de l'histoire de notre planète, rien que ça ! Le parcours

DES OISEAUX ET DES OS

Le gypaète barbu est un drôle de rapace. Il mange essentiellement la moelle épinière des os des animaux morts. Dès qu'il aperçoit un os de carcasse, il plonge, saisit l'os avec son bec, remonte en l'air, et lâche l'os. Celui-ci se casse en tombant. Le gypaète peut alors déguster la moelle épinière qu'il aime tant. À défaut d'os, le gypaète se contente de la chair morte. C'est un charognard comme les autres vautours. Mais son plat préféré c'est la moelle épinière ! Mieux que les épinards.

met en évidence les différentes disciplines de la géologie, à savoir la stratigraphie, l'étude de la sédimentation, la tectonique, la pétrologie et la paléontologie. Facile d'accès, la dizaine de points d'intérêt peut se parcourir en une seule journée. *Rens auprès de l'office de tourisme du Sobrarbe à Aínsa.*

– Bon à savoir : pour les marcheurs, on peut télécharger le parcours, mais pour les VTT, c'est un feuillet en français.

➤ **Randonnée pédestre dans le parc :** chaque vallée ouvre un champ infini de balades. Le mieux est d'aller chercher conseils, cartes et topoguides dans les maisons du parc.

➤ **Observation des gypaètes barbus :** *aux **miradores de Revilla**. ☎ 976-29-97-67 ou 974-500-597. ● quebrantahuesos.org ● Sur l'A 138, d'Aínsa vers Bielsa, prendre la route de Revilla, sur la gauche au niveau de Hospital de Tella. Visite libre (durée 1h30 A/R). Infos auprès de l'**Eco Museo de la Fauna** (voir plus haut). Tarif : 10 €/pers.* Une route étroite en lacet permet d'atteindre en 30 mn le petit parking d'où part le sentier balisé (panneaux) pour les observatoires. Plus grands et plus rares des rapaces d'Europe, les gypaètes (voir encadré) sont aisément observables. Au bout de 15 à 20 mn de marche, on atteint le 1er belvédère, puis en continuant on arrive à 2 autres miradors situés à la fin du parcours.

TORLA-ORDESA   (22376)   320 hab.

À 56 km à l'est de Jaca, ce charmant village de pierre grise, tout en pentes et ruelles pavées, est la porte d'accès à la vallée d'Ordesa. Il est aussi, avec Oto-Broto (moins charmant), un des villages les plus importants de la vallée de Broto. Contrairement à Aínsa, on est vraiment là dans un village de montagne. C'est aussi ici que se trouve le centre d'information du parc national d'Ordesa et du Mont-Perdu.

L'ARAGON

Adresses et infos utiles

🛈 Centro de visitantes – Parque nacional de Ordesa y Monte Perdido : *sur le grand parking, juste à l'entrée de Torla-Ordesa. ☎ 974-48-64-72. Ouv tte l'année : de juil à mi-sept, tlj 9h-14h, 16h-20h ; presque tlj le reste de l'année mais ferme plus tôt (19h ou 18h).* Sert d'office de tourisme pour Torla-Ordesa et sa région. Renseignements sur les balades, cartes et dépliants en plusieurs langues. Centre d'interprétation avec audio-guide en français. Audiovisuels de 10, 15 ou 20 mn, expliquant les phénomènes ayant présidé à la surrection des Pyrénées et à leur modelage, ainsi qu'un film présentant la faune, la flore, les différentes parties du parc et les menaces qui pèsent sur eux. On apprend que le bouquetin dit *Bucardo de los Pirineos* a disparu. Exposition

permanente sur la vie de l'explorateur pyrénéen Lucien Briet (originaire de la Marne) qui fut un des pionniers de la région. Également un **point d'info** à la **Pradera,** point de départ des randos *(ouv juil-sept seulement).*

■ Compañia de Guías de Torla-Ordesa : *c/ Ruata, s/n. ☎ 974-48-64-22. 🖷 616-70-68-21. ● guiasdetorlaordesa.com ● Dans le centre du village. En hiver, tlj 10h-14h et aussi 17h-21h ven-dim. En été, tlj 10h-21h.* La compagnie des guides tient aussi un magasin de matériel de plein air et d'activités de montagne, hiver comme été : randonnées à pied, excursions en 4x4, escalade et alpinisme. Sports en eaux vives (rafting, env 52 €/pers). Pour le canyonisme, réserver 2-3 jours à l'avance en été *(env 46 €/pers, min exigé 4 pers).* En hiver, raquettes et ski.

■ *Distributeur d'argent :* Ibercaja, c/ Ruata, près de la boutique Guías de Torla-Ordesa.

■ *Urgences médicales :* à Broto, ☎ 974-48-64-09.

– *Accès à la vallée d'Ordesa :* en haute saison *(Semaine sainte, de fin juin à mi-sept et aussi quelques j. mi-oct)*, l'accès jusqu'au parking de Pradera, d'où partent les sentiers permettant d'explorer la vallée d'Ordesa, est interdit aux véhicules individuels. On laisse alors son véhicule sur le parking de Torla-Ordesa. De là, navette jusqu'au parking de Pradera : *env 4,50 € A/R ; fonctionne 6h-18h (19h juin-août), départs ttes les 20 mn à partir de 8h ; dernier retour à 22h en été, plus tôt en juin et sept.*

– *Bon à savoir :* le quota journalier de visiteurs admis dans le parc est de 1 800 personnes. Heureusement, il est très rarement atteint.

Où dormir à Torla-Ordesa et aux environs ?

Campings

⋏ *Camping Oto :* ctra N 260, desvio en Broto, 22370 **Oto.** ☎ 974-48-60-75. ● info@campingoto.com ● campingoto.com ● *À 6 km au sud de Torla-Ordesa. Fléché à partir de Broto, juste après le pont sur le río Ara en venant du sud. Ouv mars-oct ; fermé hors saison. Compter env 21 € pour 2 avec tente et voiture. Pas de résa possible 20 juil-20 août.* Un vaste camping dont une grande partie est réservée aux caravanes parquées là à l'année. Rassurez-vous, celle réservée aux visiteurs de passage se situe bien à l'écart, sous les frênes, les tilleuls et les noyers. Et pour tout le monde, une jolie piscine et des services : aires pour grillades, supermarché, resto, jeux pour enfants et terrains de sport. Un bon rapport qualité-prix.

⋏ *Camping San Anton :* ctra Ordesa, s/n, Torla-Ordesa. ☎ 974-48-60-63. ● campingsananton@ordesa.net ● ordesa.net/campingsananton ● *Après Torla-Ordesa, sur la route en direction du parc. Semaine sainte-fin sept. Pour 2 avec tente et voiture, 18-20 € selon saison.* Un petit camping familial bien tenu qui s'accommode bien du terrain en pente. Étagés à flanc de montagne, les emplacements sont assez grands et intimes, car dispersés de part et d'autre de la petite route qui traverse le site. Le vrai problème serait plutôt les lignes à haute tension qui passent juste au-dessus de certains emplacements... Idéal pour les randonneurs, car le bus pour le parking de Pradera s'arrête juste devant. Également une petite épicerie et un bar sur place.

Bon marché

🏠|●| *Refugio Lucien Briet :* c/ Francia, s/n, à Torla-Ordesa. ☎ 974-48-62-21. ● refugio@lucienbriet.com ● refugiolucienbriet.com ● *En plein centre du village. Nuitée 12,50 €/pers en dortoir ; 14 €/pers en chambre triple ou quadruple (env 37 €/pers en pens complète). Double 46 €. Petit déj 6 €. Menu env 17 €. ½ pens possible.* Belle petite auberge nette et bien tenue, située dans un renfoncement juste en face du bar-resto *La Brecha* (même maison). Les chambres sont réparties dans 2 maisonnettes : d'un côté, les dortoirs compartimentés de 14 ou 16 lits avec salle de bains commune. Dans l'autre maisonnette, 1 chambre double, 1 triple et 2 quadruples (avec salle de bains). Petit local pour pique-niquer. Une bonne base pour les randonneurs, d'autant que le resto sert une bonne cuisine locale.

🏠 *Casa rural O' Puente :* à Broto, au bord du río Ara. ☎ 974-48-60-72. 📱 695-34-40-74. ● casaopuente@gmail.com ● casaruralopuente.com ● *En traversant le pont sur le río Ara, en direction de Torla-Ordesa, la maison en pierre tt en hauteur se détache sur votre droite (Habitaciones écrit dessus). Doubles avec sdb 30-40 € selon saison.* Une jolie adresse, chez l'habitant cette fois-ci. Comme son nom l'indique, cette solide demeure en pierre du pays se trouve collée à une grosse arche, vestige d'un ancien pont, devenu aujourd'hui une sorte de terrasse fleurie. En tout, 4 chambres avenantes et confortables, avec vue sur le río Ara. Bon accueil.

De prix moyens à plus chic

≜ |●| *Casa Frauca :* ctra de Ordesa, 22374 **Sarvisé.** ☎ 974-48-63-53. ● info@casafrauca.com ● casafrauca.com ● *À 8 km au sud de Torla-Ordesa, au bord de la N 260, dans le village. Congés : 7 janv-fin fév. Resto fermé dim soir-lun en basse saison ; ouv tlj en été. Résa conseillée. Doubles 61-71 €, petit déj inclus. Menu 25 €, carte 30-35 €.* Imposante demeure bourgeoise, bien conservée, abritant des chambres toutes différentes, plus ou moins grandes, mais ravissantes et chaleureuses, tout comme les petits salons en enfilade à disposition des hôtes. Certaines sont sous les toits, plus intimes, d'autres d'un style plus élégant, d'autres encore dans l'esprit auberge de campagne. Même soin et qualité au restaurant, qui sert une délicieuse cuisine tout en finesse, élaborée avec les produits du terroir.

≜ |●| *Hotel Villa de Torla :* pl. Aragón, 1, à Torla-Ordesa. ☎ 974-48-61-56. ● info@hotelvilladetorla.com ● hotelvilladetorla.com ● *En plein centre du village. Fermé janv-début mars. Doubles 60-80 €, petit déj 7,50 €. Dîner 16 € ; ½ pens possible.* Dans une solide bâtisse montagnarde, une quarantaine de chambres à la déco différente pour chacune, confortables et agréables. Quelques-unes au 1er étage profitent même d'un petit balcon ou d'une terrasse. Celles du 2e étage sont mansardées. Au resto, cuisine traditionnelle. Jolie petite piscine dans le jardin qui surplombe la vallée.

≜ *Hotel Abetos :* ctra de Ordesa, à 800 m au nord de Torla-Ordesa. ☎ 974-48-64-48. ● formulario@hotelabetos.es ● hotelabetos.es ● *Ouv Semaine sainte-1er déc. Doubles 80-95 €, petit déj 9 €.* L'« Hôtel des Sapins » (en espagnol, *abetos*) est une maison familiale de taille raisonnable, aux murs de grosses pierres dans le style pyrénéen. Accueil avenant et cordial. Chambres agréables, avec plancher en bois. Toutes ont une belle vue sur la vallée, certaines (plus chères) ont un balcon extérieur. En été on peut profiter du jardin.

L'ARAGON

Où manger ?

|●| ⚘ *Asador La Cocinilla :* c/ Fatás. ☎ 974-48-62-43. ● info@apartamentostorla.com ● *Tlj midi et soir, sauf mar-mer. Menu 19 €, plats 15-19 €.* C'est de loin la meilleure adresse de la vallée. Descendre quelques marches, et voilà la salle contemporaine avec son mobilier design et la vue sur la vallée. Le chef, aidé de 2 assistantes dont le propriétaire, parvient à un résultat extraordinaire. C'est presque de la haute gastronomie à des prix démocratiques ! Exquis, copieux, avec des plats inspirés de la tradition mais revus par le talent du chef. En saison, il y a du monde, pensez à réserver. Côté service, rien à dire, les serveurs font de leur mieux, hiver comme été. Carte des vins superbe. Terrasse en été.

|●| *El Duende :* c/ La Iglesia. ☎ 974-48-60-32. ● info@restauranteelduende.com ● *Dans le village, pas loin de l'église. Tlj midi et soir jusqu'à 22h30. Fermé à Noël. Menu 24 €, plats 12-25 €. Résa obligatoire (min 2-3 j. à l'avance en pleine saison).* Une bonne table de la vallée, très appréciée par les locaux et les visiteurs de passage, dans une demeure en pierre de 1831. Intérieur rustique et de caractère. Qu'on choisisse les plats de terre ou de mer, on y mange très bien. De la vraie cuisine aragonaise, élaborée et bien présentée.

À voir. À faire

....

> ***Randonnées depuis la vallée d'Ordesa :*** voici une des plus belles randon-
nées depuis Torla-Ordesa (et le parking du Pradera), et modulable selon le niveau
de chacun.

– ***Parcours accessible à tous*** (mais long – compter 6-7h aller-retour) ***:*** il consiste
à parcourir la ***vallée d'Arazas*** par le GR 11. Prendre le chemin balisé et remonter
la vallée du río Arazas jusqu'aux cascades d'Estrecho. Quelques mètres plus loin,
l'abri de Las Hayas offre de très belles vues sur la gorge. Poursuivre le sentier vers
les abris naturels de Frachinal et d'Arazas. Les gradins rocheux de Soaso font
rebondir le gave d'Arazas jusqu'au refuge du Pastore et à la cascade de la Cola
de Caballo. Les cimes enneigées du mont Perdu et du Soum de Ramond surplombent ce paysage de toute beauté.

Les courageux continueront vers le ***refuge de Góriz*** (☎ 974-34-12-01 ;
● goriz.es ● ; ouv tte l'année ; plus de 70 places ; prévoir un sac de couchage).
Compter 1h30-2h de plus depuis Cola de Caballo. Pour info, il existe 2 parcours depuis Cola de Caballo pour rejoindre le refuge, mais le plus court est
éprouvant. Il faut en effet escalader avec des cordes ; franchement déconseillé
avec des enfants ou si vous n'êtes pas un habitué de la rando en montagne.

– ***Bon à savoir :*** entre le 15 mars et le 15 octobre, les résas pour le refuge de Góriz
se font uniquement par Internet.

– ***Un autre circuit, encore plus beau et qui a le mérite d'être en boucle :*** un peu
plus rude que le précédent. Il commence à 1 300 m et monte à 1 700 m au niveau
de Faja Pelay. D'abord une montée bien raide sous les bois, mais celle-ci, amoin-
drie par les nombreux lacets, permet aussi de grimper en altitude relativement vite.
Du parking, traverser la rivière et suivre la direction « Faja Pelay ». Après le gros
effort du début, le réconfort : on marche pendant des kilomètres sur un sentier très
étroit par endroits, mais à peu près plat, et quelle vue ! Ce sentier rejoint la Cola de
Caballo (avant de redescendre on peut aussi continuer jusqu'au refuge de Góriz) ;
après, il ne reste plus qu'à redescendre tranquillement le GR 11 jusqu'au parking.

LA RIOJA

● Carte p. 502-503

Enclavée entre le Pays basque au nord, la Castille-León au sud, la Navarre et l'Aragon à l'est, cette petite région abrite les plus célèbres vignobles d'Espagne. Ses vins, fins et légers, élaborés à partir de cépages tempranillo ou grenache, font penser aux bordeaux. Ils accompagnent une cuisine à la solide réputation, fort prisée.

Au fil de ses 3 microrégions géographiques, elle déploie une grande diversité de paysages. Au nord, la Rioja Alavesa baignée par l'Èbre (descendu des monts Cantabriques), qui offre des paysages de basses collines ondulantes et couvertes par la vigne. De climat quasi méditerranéen, cette petite région prospère s'étend de Haro à Logroño. Culturellement et historiquement, cette microrégion fait partie de La Rioja, mais elle est administrativement rattachée à l'Álava.

Des routes tranquilles passent par de beaux villages haut perchés comme Laguardia, considéré comme le centre principal du vignoble. Une région enracinée mais créative, comme le prouvent quelques œuvres d'architecture futuriste qui ont vu le jour dans les villages : l'hôtel *Viura* à Villabuena de Álava, l'hôtel *Marqués de Riscal* à Elciego et la *bodega Ysios* à Laguardia.

L'ouest de La Rioja (Rioja Alta), 2e microrégion, est radicalement différente de la Rioja Alavesa. Terre de vignobles autour de Briones, village perché, alors qu'ailleurs se déploient de superbes massifs montagneux plus ou moins arides et des villages d'altitude. Quant à Nájera, ce fut, vers l'an 1000, le refuge et l'exil des rois de Navarre. Point de passage des pèlerins sur le chemin de Saint-Jacques-de-Compostelle, la Rioja Alta est également très riche en églises et monastères, les plus beaux étant ceux de Yuso et Suso à San Millán de la Cogolla.

Enfin la Rioja Baja, qui s'étend au sud-est entre Logroño, Calahorra et Alfaro, aux confins de la Navarre et de l'Aragon, une vaste plaine fertile baignée par l'Èbre. Elle est moins connue, moins visitée que le reste de la région.

– Pas mal d'infos sur ● *lariojaturismo.com* ●

LOGROÑO   (26000)   150 070 hab.

● Plan p. 504-505

Plus proche de Bilbao (Pays basque) et de Pamplona (Navarre) que de Burgos, la capitale de La Rioja concentre la moitié de la population de la région. Moderne, vivante et active, l'or rouge (la viticulture, le commerce du vin) lui

LA RIOJA

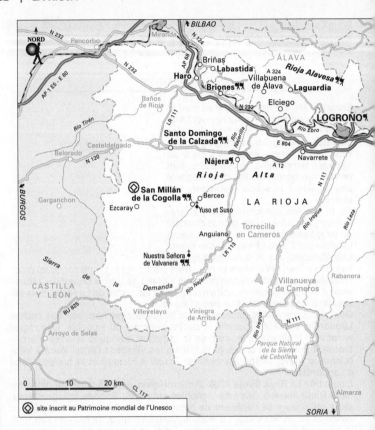

NORD

BILBAO

Pancorbo

Miranda

ÁLAVA

Briñas
Labastida
Haro
Briones

Rioja Alavesa

Villabuena
de Álava
Laguardia

Elciego

LOGROÑO

Baños
de Rioja

Rio Tirén

Belorado

Casteldelgado

Garganchon

Ezcaray

Santo Domingo
de la Calzada

Nájera

Navarrete

Río Ebro

Río Najerilla

Rioja   Alta

LA RIOJA

San Millán
de la Cogolla

Berceo
Yuso et Suso

Anguiano

Nuestra Señora
de Valvanera

Torrecilla
en Cameros

Río Iregua

Río Leza

BURGOS

Sierra

de

la

Demanda

Río Najerilla

Villavelayo

Viniegra
de Arriba

Villanueva
de Cameros

Rabanera

CASTILLA
Y LEÓN

Arroyo de Selas

Parque Natural
de la Sierra
de Cebollera

Río Iregua

Almarza

SORIA

0   10   20 km

⊚ site inscrit au Patrimoine mondial de l'Unesco

assure une prospérité sans faille depuis plus de 50 ans, comme le montre bien la *Gran Vía* bordée d'immeubles d'affaires et de banques. 2 mots d'histoire : les rois de Navarre la reprirent aux Maures en 755, elle fut rattachée à la Castille en 1076, les troupes napoléoniennes l'occupèrent pendant 5 ans (5 ans de trop pour les Logronais). Si la ceinture de la ville est moderne, son centre ancien est des plus animé et ses ruelles piétonnes étroites alignent des dizaines de bars à tapas et *pintxos*. Tapas tellement savoureuses qu'elles font l'objet de récompenses gastronomiques !

Arriver – Quitter

🚂 *Estación RENFE* (hors plan par C3) : pl. de Europa. Rens : ☎ 912-320-320 (n° national). ● renfe.com ●

➢ *Pour Saragosse :* 6-8 trains/j, 6h15-20h18. Durée : 2h-2h20.
➢ *Pour Haro :* 2-3 trains/j. en fin

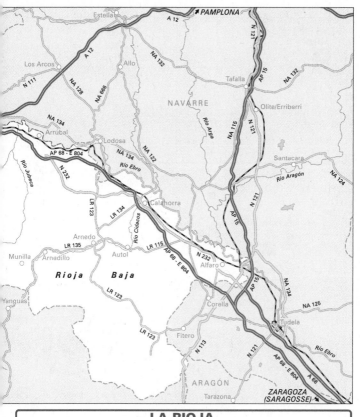

LA RIOJA

LA RIOJA

d'ap-m. Durée : 35-40 mn.
➢ **Pour Bilbao :** 2-3 trains/j. Durée : env 2h30 (plus long que le bus).

🚌 **Estación Autobuses** *(hors plan par C3)* **:** *avda de España, 1.* ☎ *941-23-59-83.*
➢ **Pour Saragosse (Zaragoza) :** env 15 bus/j. 6h45-20h, env 9 bus le dim, 6h45-19h15, avec la Cie *Jimenez* *(*☎ *941-38-00-66 ;* ● *grupo-jimenez. com* ●*).* Durée : 2h-3h.
➢ **Pour Burgos :** 9 bus/j. 7h30-21h, avec la Cie *Jimenez.* Durée : env 2h.
➢ **Pour Haro :** 10 bus/j. (moins le w-e)

7h30-20h, avec la Cie *Jiménez.* Durée : env 1h.
➢ **Pour Santo Domingo de la Calzada :** env 15 bus/j. (moins le w-e).7h10-21h, avec la Cie *Jimenez.* Durée : env 1h.
➢ **Pour Ezcaray via Santo Domingo de la Calzada :** 3 bus/j. de Logroño, 6h45-19h ; de Ezcaray, 8h-20h30 (2 bus/j. le w-e), avec la Cie *Riojacar* *(*☎ *941-50-02-00 ;* ● *riojacar.com* ●*).* Durée : 1h15.
➢ **Pour Madrid :** 8-9 bus/j. avec la Cie *Alsa* et 8-9 bus/j. avec *PLM*

LA RIOJA

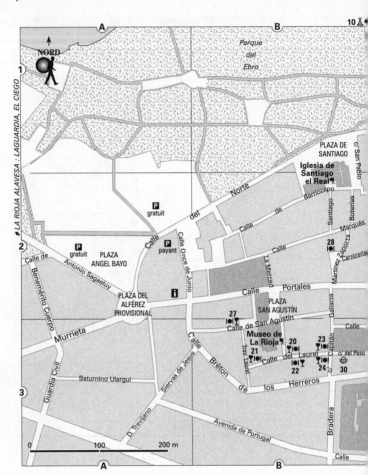

	Adresse utile	**11** Winederful Hostel (C2)
ℹ	Oficina de turismo (A2)	**12** Hostel Entresueños (C2)
		13 Pensión Sebastián (C3)
⚊ 🏠	**Où dormir ?**	**14** Hostal La Numantina (C2)
	10 Camping-bungalows La Playa	**15** Hotel Eurostar Fuerte Ruavieja
	(hors plan par B-C1)	(C1)

(☎ 902-14-41-74 ; ● plmautocares.
com ●). Durée : 4h.
➢ *Pour Pampelune (Pamplona) :*
7-8 bus/j., 5 le dim, 6h45-20h, avec

la Cⁱᵉ *La Estellesa* (☎ 902-14-41-74 ;
● laestellesa.com ●). Durée : 1h10-2h.
➢ *Pour Barcelone :* env 5 bus/j. (et
3 de nuit) avec *Alsa.* Durée : 6-7h.

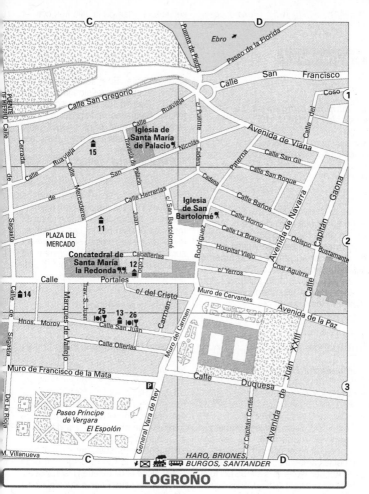

LOGROÑO

| ⦿ | Où manger ?
Où boire un verre ? | | 25 La Segunda Taberna (C3) |
|---|---|---|---|

⦿ Où manger ?
Où boire un verre ?

20 Mesón del Abuelo (B3)
21 Bar Soriano (B3)
22 La Taberna del Laurel (B3)
23 La Tavina (B3)
24 Taberna del Tío Blas (B3)

25 La Segunda Taberna (C3)
26 Bar Tastavín (C3)
27 Taberna de Correos (B2-3)
28 Café Moderno (B2)

☸ **Achats**

30 Vinos el Peso (B3)

Adresse utile

🛈 ***Oficina de turismo*** *(plan A2) :*
c/ Portales, 50. ☎ 941-27-33-53.

● logroño.es ● Lun-ven 9h-14h, 16h-
19h (17h30-19h30 juil-sept) ; le w-e

10h-14h, 17h-19h. *Fermé dim ap-m sauf en juin.* Doc sur Logroño seulement. Plan de la ville très clair et précis.

Où dormir ?

Camping

⚐ *Camping-bungalows La Playa* (hors plan par B-C1, **10**) : avda de la Playa, 6, 26006. ☎ 941-25-22-53. ● info@campinglaplaya.com ● campinglaplaya.com ● À env 1 km du centre. Emprunter l'un des 2 ponts et aller vers la gauche. Camping ouv mars-oct. Env 27 € pour 2 avec tente et voiture. Bungalows 2-9 pers 55-230 € selon taille. Lits en dortoir 20-28 €/pers. Situé sur la rive nord de l'Èbre, sur un terrain ombragé avec des installations modernes, de beaux sanitaires et des douches chaudes. Emplacements assez rapprochés, surtout quand il est plein. Bungalows bien équipés (clim) et dortoirs pour les randonneurs et les familles. Resto sur place.

Bon marché
(moins de 40 €)

🛏 *Winederful Hostel* (plan C2, **11**) : 2-14 c/ Herrerías. ☎ 941-13-96-18. ● winederful@winederful.es ● winederful. es ● Lits en dortoir 18-20 € (draps inclus, pas les serviettes), doubles 51-56 €. Petit déj 3 €. Dans un vieil immeuble restauré et modernisé. Au rez-de-chaussée, la réception est attenante à une petite cafétéria qui sert un excellent café. Accueil jeune et sérieux. Dortoirs (mixtes ou séparés) de 6 ou 12 lits superposés, très bien équipés (clim), dans un décor contemporain. Notons les détails qui comptent pour un routard : chaque lit a son casier, son rideau, sa lampe de lecture et sa prise de courant. Salle de bains privée ou commune. Une seule chambre double. Cuisine commune à disposition. Une très bonne adresse.
🛏 *Hostel Entresueños* (plan C2, **12**) : c/ Portales, 12. ☎ 941-27-13-34. ● info@hostellogrono.com ● hostello grono.com ● Fermé déc. Lits en dortoir 19-25 €, petit déj 3,50 €. Immeuble des années 1930 à l'élégante façade, à l'angle de 2 rues piétonnes, près de la cathédrale. Emplacement exceptionnel. Accueil professionnel. Dortoirs de 10, 12 et 18 lits, tous avec clim et fenêtre. Sanitaires sur le palier (garçons et filles séparés). Draps à louer, mais la plupart des hôtes dorment dans leur sac de couchage.
🛏 *Pensión Sebastián* (plan C3, **13**) : San Juan, 21, 26001. ☎ 941-24-28-00. ● contacto@pensionsebastian.com ● pensionsebastian.com ● Double sans sdb 40 €. Dans la rue des bars à tapas, piétonne et animée, voici une pension modeste et bien tenue. Les chambres (avec lavabo seulement, et TV) donnent sur la rue ou sur le patio à l'arrière (plus sombre mais plus calme). Confort suffisant et salle de bains sur le palier.

De chic à très chic
(de 60 à plus de 120 €)

🛏 *Hostal La Numantina* (plan C2, **14**) : c/ Sagasta, 4. ☎ 941-25-14-11. ● hostal.numantina@gmail.com ● hostalnumantina.com ● Réception au 1er étage. Double avec sdb 62 €, triple aussi. Pas de petit déj. Parking 12 €/j. Très central, cet immeuble moderne compte une trentaine de chambres à la déco très classique, réparties sur 3 étages. Suffisamment confortables (avec clim), elles donnent sur la rue et disposent d'un petit balcon et de fenêtres insonorisées.
🛏 *Hotel Eurostar Fuerte Ruavieja* (plan C1, **15**) : c/ Ruavieja, 22-28. ☎ 941-27-60-90. ● reservas@eurostarsfuerterua vieja.com ● eurostarsfuerteruavieja. com ● Doubles 90-130 € en hte saison. Parking privé env 12 €/j. Dans une rue ancienne et étroite, un vieux bâtiment abrite un hôtel d'une chaîne espagnole et internationale, de très bon niveau (4 étoiles). Une partie ancienne bien conservée (réception, salle de petit déjeuner, salon) et une partie moderne à l'arrière donnant sur une cour intérieure. Chambres de grand confort, décorées avec goût, et bien équipées (clim). Très bon rapport qualité-prix pour sa catégorie.

Où manger ? Où boire un verre ?

– Les *calles del Laurel* (plan B3) et *San Juan* (plan C3), très animées le soir, égrènent de nombreux et excellents **bars à tapas**. Chacun propose une spécialité différente et si l'on s'amuse à les essayer tous – vin y compris ! –, on prend une démarche éléphantesque, d'où le surnom de la rue Laurel, « *calle de los Elefantes* »...

– **Bon à savoir :** la calle del Laurel ne mesure que 100 m mais elle aligne 30 bars à tapas et *pintxos* !

Bars à tapas et à *pintxos*

|●| ▼ *Mesón del Abuelo* (plan B3, **20**) : c/ del Laurel, 12. ☎ 941-22-46-63. Tlj 12h-23h30 sauf mar. Pintxos 1,50-4 €. ½ ración 4,50-9 €. Grande salle d'angle, plus vaste que la moyenne des bars de la rue. La spécialité ici, c'est la morue, préparée de plusieurs façons : *bacalao a la riojana* (morue style Rioja), *bacalao rebozado, confitado* ou encore les *cocochas de bacalao*. Sinon, les 2 grandes vitrines sont pleines d'autres tapas de la terre ou de la mer, variées et succulentes. Notre adresse préférée de la rue.

|●| ▼ *Bar Soriano* (plan B3, **21**) : travesía del Laurel, 2. ☎ 941-22-88-07. Tlj sauf mer, jusqu'à 23h30. Un bar à pintxos *spécialisé dans les champignons* a la plancha. Chaque *pintxo* est composé de champignons posés sur une rondelle de pain et coiffés d'une crevette. En face, le bar propose de la seiche *(sepia a la plancha)* servie en *pintxo* ou en *ración*.

|●| ▼ *La Taberna del Laurel* (plan B3, **22**) : c/ Laurel, 7. ☎ 941-22-01-43. Tlj sauf lun. La spécialité de la maison, ce sont les *patatas bravas*, des pommes de terre coupées en morceaux et servies avec la mayonnaise relevée d'épices.

|●| ▼ Citons aussi dans la calle del Laurel 2 maisons traditionnelles de tapas et *pintxos*, des valeurs sûres depuis des années : *La Tavina* (plan B3, **23**) au n° 2 et la *Taberna del Tío Blas* (plan B3, **24**) au n° 1 : toujours animées, comme le reste de la rue, surtout à partir du vendredi soir.

|●| ▼ *La Segunda Taberna* (plan C3, **25**) : c/ San Juan, 9. ☎ 941-24-75-61. Tlj sauf lun. Un bar à tapas spécialisé dans les tapas aux champignons *(setas)*. Sauvages ou de culture, ils proviennent de la région de Logroño ou de Soria. On les déguste en *pintxos*, en ½ *ración* ou en *ración* complète.

|●| ▼ *Bar Tastavín* (plan C3, **26**) : c/ San Juan, 25. ☎ 941-26-21-45. ● tastavinbardepinchos@gmail.com ● Tlj sauf lun, dès 20h (w-e ouv à 13h). On y va pour sa grande variété de *pintxos*, à la façon basque. Adresse qui se veut plus gastronomique et plus raffinée que les autres.

|●| ▼ *Taberna de Correos* (plan B2-3, **27**) : c/ San Agustín, 8. ☎ 941-89-40-40. Tlj 7h30-4h du mat. Bocadillos et tapas 1-2 €. Bien situé dans une « rue à tapas », une adresse où tout est simple et bon.

Bon marché (max 15 €)

|●| *Café Moderno* (plan B2, **28**) : c/ Martínez Zaporta, 7. ☎ 941-22-00-42. ● info@cafemoderno.com ● Tlj 8h30-2h30 du mat. Fermé mar et en juil. Menú del día 11 €. Sur une placette à l'écart, un des plus vieux (1914) cafés-restaurants de la ville. Long bar patiné par les ans, tables de bistrot en marbre, miroirs et vieux objets (percolateur, balance...). On y sert un bon menu.

Achats

🍶 *Vinos el Peso* (plan B3, **30**) : c/ del Peso, 1. ☎ 941-22-82-54. À côté du marché couvert. Tlj 10h-14h. Boutique avec un grand choix de vins de La Rioja.

LA RIOJA

À voir

Les principaux points d'intérêt se trouvent les uns à côté des autres, dans la vieille ville *(casco viejo)*.

⚜️⚜️ Concatedral de Santa María la Redonda *(plan C2)* : *pl. del Mercado.* ♿ *Lun-sam 8h-13h, 18h30-20h45 ; dim 9h-14h, 18h30-20h45. GRATUIT.* Construction gothique du XVIe s, habillée au XVIIIe s d'une façade baroque avec un grand porche concave et 2 élégantes tours jumelles. Dans le chœur, stalles sculptées Renaissance. Derrière le chœur, dans le déambulatoire se cache une **petite peinture de Michel Ange** représentant un Christ en Croix... Réalisée pour Vittoria Colonna, une riche Romaine et amie de l'artiste florentin. Mariée à Francisco de Avalos, un marquis espagnol, elle fut veuve très tôt. On ne sait pourquoi près de 50 ans après la mort de Michel-Ange (1564) ce tableau arriva dans la collection de l'évêque de Logroño. Celui-ci le donna à la cathédrale où il est conservé dans une niche fermée par 2 gros volets blindés !
– **Bon à savoir :** ne soyez pas étonné de voir autant de pèlerins sac à dos dans la cathédrale. Entre Pâques et octobre, il en passe entre 1 000 et 2 000 par jour ! La raison ? Ils se rendent à la sacristie pour faire valider leur certificat de pèlerin de Saint-Jacques-de-Compostelle (la *credencial*).

⚜️ Iglesia de San Bartolomé *(plan C-D2)* : *par la c/ Herrerías. Tlj 11h30-12h, 12h30-13h15. GRATUIT.* Harmonieux mariage d'un superbe portail gothique du XIIIe s richement sculpté avec un élégant clocher roman en brique. Intérieur roman très sobre, avec 2 beaux cénotaphes dans une chapelle.

⚜️ Iglesia de Santa María de Palacio *(plan C1)* : *c/ Marqués de San Nicolás, 30.* ☎ *941-24-96-60. Tlj 9h-13h30, 18h30-20h30. GRATUIT.* Vous ne manquerez pas sa tour carrée et son clocher en pointe. À l'intérieur, sur les flancs, plusieurs chapelles aux petits retables dorés et dans le chœur grand retable Renaissance. Tout autour s'étend un vieux quartier en pleine restauration. Non loin de l'église, vieux pont en pierre *(Puente de Piedra)* sur l'Èbre, que traversent toujours les pèlerins en route vers Saint-Jacques-de-Compostelle.

⚜️ Iglesia de Santiago el Real *(plan B1-2)* : *c/ Barriocepo, 6. Tlj 8h15-13h15, 18h30-19h. GRATUIT.* Si vous l'abordez en venant de la c/ de Santiago, vous serez surpris par la monumentale statue équestre de saint Jacques Matamore au-dessus du porche.

⚜️ Museo de La Rioja *(plan B3)* : *pl. San Agustín.* ☎ *941-29-12-59. Mar-sam 10h-14h, 16h-21h ; dim et j. fériés 10h-14h. Fermé lun. GRATUIT.* Installé dans un beau palais du XVIIIe s, il abrite sur 3 étages de belles collections. Dans la partie consacrée à l'antiquité romaine, voir ce très **rare casque de bronze** du IIe s av. J.-C. trouvé à Alfaro. Au 2e étage *(Edad Media,* Moyen Âge), ne manquez pas le **retable de Torremuña** (1561), superbe pièce de 23 panneaux de style hispano-flamand dédiés à la Vierge Marie. Dans la salle 16 (le baroque), une peinture de l'atelier du Greco montrant San Francisco près d'un lion. Au 3e étage, peintures du XIXe s, dont celle du général Espartero mort (1879). Ce héros local s'est battu notamment contre Napoléon. Il était le propriétaire du palais où est installé ce musée.

DE LA RIOJA ALAVESA À LA RIOJA ALTA

➤ En allant de Logroño vers le nord, une fois l'Èbre franchi, on se retrouve en **Rioja Alavesa** (en Álava, donc, une des 3 provinces du Pays basque), terre d'accueil des plus célèbres caves de l'appellation Rioja. Un coup d'œil panoramique sur la région permet de comprendre la situation. Au nord, la barrière rocheuse et les montagnes Cantabriques forment une haute muraille naturelle qui arrête les vents du nord. À 400 m au-dessus du niveau de la mer, le vignoble de la Rioja Alavesa, protégé des excès du climat, profite alors d'un microclimat à tendance méditerranéenne : frais en hiver, doux au printemps, chaud (sans extrêmes) en été. Les nuages venus de l'Atlantique, arrêtés par les montagnes, s'enroulent sur les

LES MARQUIS FRANCOPHILES

Après leur séjour d'étude et de travail vers 1850 dans le vignoble bordelais, le marquis de Riscal et son confrère, le marquis de Murrieta, eurent la bonne idée d'importer certaines techniques de la viticulture française. Objectif : améliorer la qualité des vins de La Rioja. Un œnologue bordelais, Jean Pineau, fut appelé à la rescousse pour appliquer de nouveaux savoir-faire à la région. Ces 2 pionniers ont donné l'impulsion. Avec le temps, les vins de La Rioja revendiquent une qualité de bon niveau.

crêtes et coiffent les sommets, sans aller plus loin. La région est dominée par des paysages de vignobles et ponctuée par plusieurs beaux villages perchés : Laguardia, Briones, San Vicente de la Sonsierra...

➤ Pour tout savoir sur les vignobles de la Rioja Alavesa, mais aussi toutes les infos pratiques et les bonnes adresses qui jalonnent la route des vins : ● rutadel vinoderiojaalavesa.com ● (pas de version française).

Visite de caves et achat de vins dans la Rioja Alavesa

– **Achat dans les vinotecas :** ces magasins sont pratiques car situés dans les villes et ils offrent un large choix. Mais achète-t-on un vin sans y goûter ?

– Sachant qu'il y a quelque 200 **bodegas** en Rioja Alavesa, qu'elles ne sont pas toutes ouvertes au public et que nous n'avons pu toutes les tester (hips !), voici une petite sélection de nos fournisseurs préférés. Certains servent des repas. Prévoir des espèces, les cartes de paiement ne sont pas toujours acceptées.

– **Visites et horaires des caves (bodegas) :** dans le secteur de Laguardia plus d'une vingtaine de *bodegas* sont ouvertes au public et font goûter leur production. Attention, certaines caves ferment en août. Dans tous les cas, prendre rendez-vous à l'avance *(cita previa)* par téléphone. Pour connaître les horaires et les prix des visites des différentes caves, l'office de tourisme de Laguardia distribue une liste complète avec tous les détails pratiques. Quant aux prix des bouteilles,

ils sont en moyenne 20 % moins élevés qu'en magasin.

● *Bodegas Eguren Ugarte :* ctra A 124 (ctra Nacional Vitoria-Logroño, km 61), à **Páganos-Laguardia.** ☎ 945-60-07-66. ● enoturismoegurenugarte. com ● À l'extérieur de la vieille ville de Laguardia (env 1 km au sud). Entrée : 10 €/pers (avec dégustation de 3 vins). Visite en français seulement pour les groupes sur résa. En été, 5 visites/j. en espagnol (parfois en anglais), 10h30-18h (le reste de l'année 4 visites/j.). Durée : 1h15. Visite + repas : env 40 €. On remarque de loin ce domaine avec sa tourelle telle une vigie au-dessus du vignoble. Le site remarquable, l'accueil, l'histoire de la famille basque Eguren Ugarte, tout ici est fort séduisant. La cave, en contrebas de l'hôtel, abrite des vins d'une très belle qualité exportés à travers le monde. Boutique sur place.

● *Marqués de Riscal :* à **Elciego,** à la sortie de la ville en direction de Cenicero. ☎ 945-18-08-88.

LA RIOJA

● marquesderiscal.com ● Boutique tlj 10h-19h (parfois 20h en été). Visites guidées sur résa (obligatoire) à 11h, 12h, 13h, 16h, 16h30, 17h, 17h30 et 18h. Durée : 1h30. Langues : espagnol, parfois anglais et français. Visite + dégustation : 16 € ; réduc ; gratuit - de 10 ans. La ciudad del vino (la cité du Vin) ne passe pas inaperçue avec l'architecture étonnante de son hôtel, œuvre de Frank Gehry (architecte du musée Guggenheim de Bilbao). Sa silhouette métallique ondulée, aux couleurs allant du rose au doré en passant par l'argenté, réfléchit le soleil. La visite du domaine inclut 2 petites vidéos, la découverte extérieure de l'hôtel, une promenade rapide dans un arpent de vigne, puis les caves et l'usine d'embouteillage. Le domaine s'étend sur 1 500 ha (dont 500 appartiennent à la marque), et 65 % de la production est exportée. Malgré sa dimension industrielle, la maison maintient la tradition : les vendanges sont faites à la main et le vin est conservé dans des tonneaux de chêne. La visite manque un peu de poésie mais reste intéressante.

⚜ **Bodegas Ysios :** voir aussi notre commentaire plus loin dans la rubrique « Dans les environs de Laguardia ». Située camino de la Hoya, à 1,5 km au nord de Laguardia. ☎ 945-60-06-40. ● clubenvero.com ● visitas.ysios@pernod-ricard.com ● Visites sur résa (obligatoire), lun-ven à 11h, w-e à 11h et 13h. Durée : 1h30. Entrée : 25 € (cher !), avec dégustation. Conçue par Santiago Calatrava (l'architecte de la gare de Bilbao), c'est sans doute la cave la plus design de la Rioja Alavesa, telle une vague argentée qui surfe au-dessus des champs de vigne. Ce domaine de 75 ha produit environ 200 000 bouteilles par an. Vendanges manuelles, fermentation dans des cuves en Inox, vieillissement dans des tonneaux en chêne. Pas de vino joven, ni de crianza, seulement du vin de réserve (qualité supérieure).

⚜ **Granja Nuestra Señora de Remelluri :** ctra Rivas de Tereso, à **Labastida.** ☎ 945-33-18-01. ● remelluri.com ● À la sortie du village vers Laguardia, suivre la direction du monastère de Remelluri et Riva

de Tereso. Boutique : ouv lun-ven 9h-17h (16h en août), sam 11h-13h ; fermé dim. Visite guidée (40 mn) sur **résa seulement** lun-sam à midi (ou tt autre horaire sur résa min 4 pers). Prix de la visite : 15 €. Une de nos adresses préférées, pour la beauté de son site isolé dans une nature superbe, l'esthétisme de ses beaux bâtiments en pierre, et bien sûr ses vins, bio s'il vous plaît. La visite passe par un petit musée, la cave, et une petite chapelle du XIIe s. Une bodega de 90 ha, pleine de charme malgré son jeune âge, puisqu'elle ne date que d'une cinquantaine d'années !

⚜ **Museo de la Cultura del Vino (Vivanco) :** N 232, km 443, à **Briones.** ☎ 941-32-20-13. ● vivancocultura devino.es ● Congés janv. Horaires différents pour le musée et pour la cave (bodega). Pour la visite du musée et de la cave, se reporter au chapitre sur Briones (plus loin).

Les caves souterraines de Laguardia
(plan Laguardia)

Le sous-sol de la ville de Laguardia est percé d'un vaste réseau de caves et de galeries souterraines où des viticulteurs entreposent les tonneaux et les bouteilles de leurs vignobles depuis des siècles. Quelques caves privées sont ouvertes à la visite. On ne voit alors pas les vignobles mais seulement les caves obscures et fraîches. Néanmoins très intéressant et ça ne manque pas de charme. Les visites se terminent par une dégustation.

⚜ **Bodegas El Fabulista** (plan Laguardia, B3, **30**) : pl. San Juan. ☎ 945-62-11-92. ● bodegaelfabulista.com ● Visites à 11h30, 13h, 17h30 et 19h (dim seulement le mat). Durée : 1h. Entrée : 8 € (visite classique) et 12,50 € pour la visite théâtralisée (avec dégustation de 2 vins). Cette cave souterraine date du XVIe s et appartient à la famille du poète Samaniego. Le commentaire est assuré par une personne en costume d'époque. Visite rétro et poétique.

⚜ **Bodegas Mayor de Migueloa** (plan Laguardia, A2, **13**) : c/ Mayor, 20.

647-21-29-47. • mayordemigueloa. com • Visites en été, le w-e à 11h15, 12h15 et 13h15. Le reste de l'année, seulement 2 visites/j. Durée : 45 mn. Entrée : 8 €. Située sous un palais transformé en hôtel de charme (voir rubrique « Où dormir ? » à Laguardia) ci-après. La visite inclut une dégustation de 3 vins de la cave.

Bodegas Los Parajes (plan Laguardia, A2, 31) : c/ Mayor, 46. ☎ 945-62-11-30. • hospederiadelosparajes. com • Un verre de vin + pintxo 3 €. Dans un palais du XVIe s transformé en hôtel chic et cher. On peut boire un verre dans sa cave, et en profiter pour visiter ce labyrinthe étroit qui semble sans fin. Impressionnant !

LAGUARDIA

(01300) 1 480 hab.

• Plan p. 513

À 19 km au nord-ouest de Logroño, au cœur de l'Álava. Situé au pied de la barrière rocheuse des monts Cantabriques, Laguardia est un très beau village médiéval perché sur une colline. Excepté à midi – quand la lumière est trop vive –, ses murailles mordorées invitent à la visite. Et quelle visite ! C'est l'une des villes les plus séduisantes d'Álava et une bonne base pour découvrir les vignobles.

UN PEU D'HISTOIRE

La proximité du site de La Hoya et les nombreux vestiges néolithiques montrent que le village était déjà peuplé bien avant l'ère chrétienne. Mais c'est en 1164 qu'un fuero de Sanche le Sage crée la ville et en fait *l'une des toutes 1res bastides navarraises.* Des remparts y sont ajoutés au XIIIe s, ce qui n'empêche pas la ville d'être annexée par la Castille au XVe s. Isabelle la Catholique crée alors la Tierra de Laguardia et l'incorpore à l'Álava.
La ville a subi quelques dommages lors de la guerre d'Indépendance contre la France. En 1809, le marquis de Barriolucio s'en empare et ordonne la destruction d'une grande partie des murailles. Il veut éviter que les troupes napoléoniennes puissent s'y retrancher au cas où elles reprendraient la cité. Depuis les années 1980, une stricte politique de conservation et de restauration lui a rendu son charme tout médiéval.

Arriver – Quitter

➢ **En bus :** liaisons tlj pour **Logroño** avec la ligne 10 de la Cie Alava Bus, 5 bus/j, 7h45-21h55. Durée : 25 mn. • araba.eus/alavabus •
➢ **Vitoria-Gasteiz** avec la ligne 9 d'Alava Bus, 11 bus/j. Durée : env 1h.
➢ **Samaniego** et **Labastida,** ligne 9 d'Alava Bus, 5 bus/j. Durée : 20 mn et 30 mn.

Adresse utile

Oficina de turismo (plan A2) : casa Garcetas, c/ Mayor, 52. ☎ 945-60-08-45. • laguardia-alava.com • À 50 m de la place de la mairie (ayuntamiento).

Lun-sam 10h-14h, 16h (17h sam)-19h ; dim et j. fériés 10h45-14h. Très bel espace, bon service en plusieurs langues, documentation excellente,

LA RIOJA

infos pratiques sur les visites de caves *(bodegas)* de la Rioja Alavesa. Organise aussi les visites guidées des différentes églises.

Où dormir ?

Prix moyens (max 50 €)

🛏 **Agroturismo Larretxori** *(plan A2, 10) : Portal de Páganos, s/n.* ☎ 945-60-07-63. ● *info@bodegalamioga.com* ● *bodegalamioga.com* ● *nekatur.net/larretxori* ● *Double avec sdb env 50 €, petit déj 6 €. Parking public à côté.* Dans cette maison en brique rouge située à l'extérieur des remparts, on trouve 4 chambres modestes et propres, à la déco sobre. Outre ses prix sages et la proximité immédiate de la vieille ville, les chambres (sauf 1) et la salle du petit déj offrent une belle vue sur les vignobles. Les propriétaires possèdent d'ailleurs des vignes et peuvent vous faire visiter leur *bodega Lamioga* en été.

De prix moyens à chic (50-90 €)

🛏 **Hotel Marixa** *(plan B3, 11) : paseo de Sancho Abarca, 8.* ☎ 945-60-01-65. ● *info@hotelmarixa.com* ● *hotelmarixa.com* ● *Sur l'esplanade est. Doubles 42-85 € selon confort, saison et vue, petit déj 9 €, ½ pens possible.* Il ne compte que 10 chambres, alors pensez à réserver. Petit hôtel familial situé près de la muraille, en surplomb de la plaine viticole. Bien aménagées (clim), lumineuses et agréables, les chambres disposent toutes d'une terrasse avec vue sur la vallée ou la ville. *Marixa* abrite également un excellent restaurant (voir « Où manger ? »).

🛏 **Casa rural Erletxe** *(plan A3, 12) : c/ Mayor de Peralta, 24-26.* ☎ 945-62-10-15. ● *erletxe@gmail.com* ● *erletxe.com* ● *Dans les remparts au sud-ouest de la ville. Doubles 62-80 € selon vue.* Une maison encastrée dans la muraille de la ville, voilà qui est original. Les fenêtres sont donc étroites et les murs très épais (1 à 2 m de large !), rendant l'intérieur sombre et frais. Les chambres, meublées simplement mais d'une propreté sans faille, donnent sur la vallée ou sur la ruelle. Petite terrasse dans un patio tranquille. Accueil charmant.

De plus chic à très chic (de 90 à plus de 120 €)

🛏 **Posada Mayor de Migueloa** *(plan A2, 13) : c/ Mayor, 20.* ☎ 945-60-01-87. 🖶 647-21-29-47. ● *reservas@mayordemigueloa.com* ● *mayordemigueloa.com* ● *Doubles 102-156 € selon saison, petit déj inclus.* Au cœur de la ville, ce palais de 1619 abrite un hôtel de caractère, un très bon resto (voir plus bas), et au sous-sol une cave familiale ouverte au public (voir plus haut). Vieil escalier, murs en pierre et chambres meublées à l'ancienne, peu lumineuses comme toujours dans ces vieilles demeures mais confortables.

🛏 **Hotel Castillo El Collado** *(plan A1, 14) : paseo El Collado, 1.* ☎ 945-62-12-00. ● *hotel@hotelcollado.com* ● *hotelcollado.com* ● *Prendre le long des murailles depuis l'esplanade est. Double env 140 €, petit déj 15 €. Menus 25-40 €, carte 40-45 €. Parking proche gratuit.* Hôtel de charme à taille humaine, dans

---

■	Adresse utile	|◉|	Où manger ?
	🅱 Oficina de turismo (A2)		11 Restaurant de l'Hotel Marixa (B3)
			13 Restaurant de la Posada Mayor
🛏	**Où dormir ?**		de Migueloa (A2)
	10 Agroturismo Larretxori (A2)		20 El Pórtico (A1)
	11 Hotel Marixa (B3)	⚙	**Les caves souterraines**
	12 Casa rural Erletxe (A3)		13 Bodegas Mayor de Migueloa (A2)
	13 Posada Mayor		30 Bodegas El Fabulista (B3)
	de Migueloa (A2)		31 Bodegas Los Parajes (A2)
	14 Hotel Castillo El Collado (A1)		

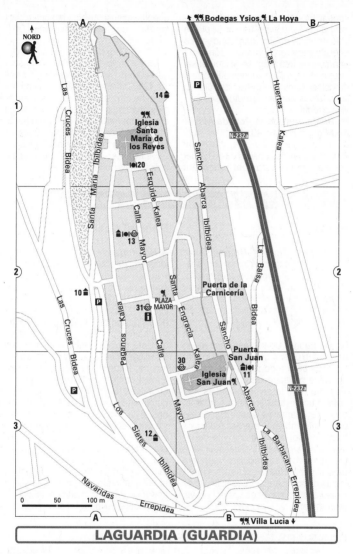

LAGUARDIA (GUARDIA)

un petit manoir cossu. Excellent accueil, à l'image du lieu. Dès l'entrée, le ton est donné avec ce joli retable de style plateresque, entièrement en argent. Chaque chambre possède son propre style, ici une cheminée, là un lit à baldaquin, un jacuzzi, ou encore des colonnades, des murs de pierre...

Où manger ?

|●| Restaurant de l'Hotel Marixa (plan B3, 11) : voir « Où dormir ? ».

Tlj jusqu'à 2h. Menus 19-30 €, carte env 25 €. Notre restaurant préféré à

Laguardia. Grande salle vitrée jouissant d'une vue superbe sur la plaine viticole et la chaîne cantabrique. La chef (la femme du patron) concocte une cuisine très soignée et goûteuse, avec quelques propositions qui sortent des classiques rencontrés ailleurs. Et la carte des vins est somptueuse ! Service attentif.

|●| *Restaurant de la Posada Mayor de Migueloa* (plan A2, 13) : voir « Où dormir ? ». Menus 22-30 €, carte env 40 €. Dans un vieux palais de 1619, cet hôtel abrite un restaurant proposant une savoureuse cuisine régionale, servie dans un décor rustico-chic. Délicieux vins de la cave familiale.

|●| ↑ *El Pórtico* (plan A1, 20) : c/ Mayor, 2. ☎ 945-60-07-34. Tlj sauf mar. Menus 14-20 €, plats 8-14 €, carte 30-40 €. Difficile de résister au charme de cette terrasse joliment posée sur la plus charmante place de la ville, lovée entre la tour abbatiale et l'église Santa María. Un bien bel écrin pour boire un verre en grignotant quelques *pintxos,* ou s'attarder autour d'une cuisine simple mais honnête.

Où dormir ? Où manger dans les environs ?

Plus chic

🏠 |●| *Hotel Eguren Ugarte :* ctra A 124 (ctra Nacional Vitoria-Logroño, km 61), 01309 *Páganos-Laguardia.* ☎ 945-60-07-66. ● reservas@egurenugarte.com ● hotelegurenugarte.com ● À env 1 km au sud de Laguardia. Doubles 102-270 € selon confort et saison, petit déj inclus. La famille Eguren Ugarte est dans le vin depuis 1870, et 4 générations se sont succédé sur ce domaine qui domine un vaste paysage de collines ondulées. Sur le site se trouve aussi cet hôtel chic particulièrement agréable, doté de chambres aussi plaisantes que confortables (superbes salles de bains) qui jouissent d'une vue dégagée sur le vignoble. L'ascenseur vitré menant à votre nid douillet vous fera passer par les caves et leurs alignements de tonneaux... Possibilité de se restaurer sur place et de visiter la cave, évidemment.

Spécial design

🏠 *Hotel Viura :* c/ Mayor, 01307 *Villabuena de Álava.* ☎ 945-60-90-00. ● info@hotelviura.com ● hotelviura.com ● ♿ En contrebas du village. Doubles 150-215 € selon confort et saison, petit déj inclus. Un des plus beaux hôtels design de La Rioja. L'architecte, originaire du village, a intégré avec habileté ce bâtiment ultramoderne à ce village ancien, une véritable performance. L'intérieur est lui aussi résolument contemporain : couloirs noirs, chambres lumineuses et spacieuses, parois en béton brut, tableaux modernes, style épuré et graphique partout. Il y a une piscine (celle du village accessible aux clients de l'hôtel), une *vinoteca* proposant des bouteilles de petits producteurs locaux, une cave souterraine qui conduisait autrefois à l'église, et enfin un resto. Très belle adresse, à condition toutefois d'adhérer aux choix esthétiques qui peuvent surprendre !

DANS LES ENVIRONS DE LAGUARDIA

🍴🍴 *Bodegas Ysios :* camino de la Hoya. ☎ 945-60-06-40. ● visitas.pernodricardbodegas.com ● À 1,5 km au nord de Laguardia. Bien indiqué à l'intersection avec l'A 124 vers Logroño. Voir plus haut « Visite de caves et achat de vin dans la Rioja Alavesa » pour les horaires et tarifs. Au pied des monts Cantabriques, au milieu des champs de vignes, surgit soudain un étonnant bâtiment futuriste, au toit en aluminium dentelé qui ondule sous le ciel de La Rioja. Cette superbe cave a été commandée par le groupe Domecq (associé à Pernod-Ricard) à l'architecte Santiago Calatrava, auteur de la gare TGV de Lyon-Saint-Exupéry et de celle de Bilbao. Architecture moderne et viticulture font décidément bon ménage !

🎋 *La Hoya – Museo prehistórico y poblado :* à env 700 m au nord de Laguardia, à l'entrée du champ de fouilles. ☎ 945-62-11-22. Avr-sept, mar-ven 11h-14h, 16h-20h ; w-e 11h-15h, fermé lun. Oct-mars, mar-dim 11h-15h, fermé lun. GRATUIT. Audioguide et petite brochure en français. Le site de La Hoya fut occupé de la fin de l'âge du bronze à la fin du 2ᵉ âge du fer (en gros de 1500 à 250 av. J.-C.). On sait que des peuples d'Europe centrale s'y installèrent, mais on ignore pourquoi le village fut abandonné vers le IIIᵉ s av. J.-C. Le musée relate l'histoire de ce peuplement et présente des objets du quotidien trouvés lors des fouilles. Cela dit, la maquette du village celtibère est beaucoup plus parlante que les excavations visibles sur le site.

🎋 👫 *Les étangs de Laguardia :* il s'agit de 3 petits marécages (visibles depuis la terrasse est de Laguardia) dont 2 d'entre eux sont « endoréiques », c'est-à-dire uniquement alimentés par les eaux de pluie. Inondés en hiver, ils atteignent leur remplissage maximum au printemps, puis s'assèchent lentement pour ne laisser qu'une croûte de sel en été. Seul le *prao de la Paúl,* créé artificiellement et aussi le plus grand, n'est jamais vraiment à sec.
– ♿ L'office de tourisme offre une petite carte du chemin balisé (2,5 km) permettant de se balader autour de l'étang de Prao de la Paul, le seul qui soit véritablement accessible. Signalons qu'il est aussi praticable par les personnes en fauteuil roulant.

🎋🎋🎋 ⛰ *Puerto de Bernedo* (col de Bernedo) *:* à env 30 km au nord de Laguardia, sur l'A 3220 qui mène à la Navarre en traversant la sierra de Kodes. Le lieu vaut surtout pour la route qui y mène et le paysage qui l'entoure : un cirque de falaises calcaires grises qui domine la vallée de La Rioja. Depuis Laguardia la route monte vers Kripan, Meano et Lapoblación, villages perchés qui offrent de très belles vues. De *Lapoblación,* continuer à monter en suivant l'A 2126. On arrive alors au *col de Bernedo* (992 m) d'où la vue sur la Rioja Alavesa est superbe. À cet endroit, la barrière rocheuse forme une sorte de brèche en U, une trouée étroite dans laquelle la route se faufile. En entrant dans l'Álava (Pays basque) on découvre alors des paysages différents du versant sud, plus verdoyants et humides, avec des forêts et des pâturages... et plus un seul vignoble !

ELCIEGO

🎋 À 5 km au sud de Laguardia.
Ce gros bourg frappe par la concentration de grandes sociétés viticoles. On compte 18 *bodegas* dont Marqués de Riscal, Valdelana, Luberri, Murua et Salceda. Fête patronale du village : le 8 septembre.
Elciego abrite surtout le siège social pharaonique de la *bodega Marqués de Riscal. Pour la visite et plus de détails, voir plus haut la rubrique « Visite de caves et achat de vin dans la Rioja Alavesa ».* ● marquesderiscal.com ● Fondée en 1858, cette maison est la plus ancienne et la plus grande de La Rioja. Si on ne visite pas les caves, on peut admirer l'étonnant hôtel Ciudad del Vino conçu en 2006 par Frank O. Gehry (l'architecte du musée Guggenheim de Bilbao), juste à côté du vignoble et du centre de « vinothérapie ». Composé de gros rubans de tôle colorée, il évoque les ceps de vigne ondulant au-dessus de la terre viticole. Sous le soleil et le ciel bleu, l'hôtel éclate et miroite de modernité. Par temps de pluie, il évoque davantage l'art de la récup et les tôles froissées... On aime, ou pas, c'est selon. Dans l'enceinte autour de l'hôtel (superbe mais hors de prix) se trouvent les caves ouvertes au public, la cafétéria et la boutique.

VILLABUENA DE ÁLAVA (01307)

🎋 À 6 km à l'ouest d'Elciego.
Un petit village au fond d'un vallon qui compte 42 *bodegas* pour... 320 résidents, c'est le record de bouteilles et de tonneaux par habitant ! La vie s'y déroulait

tranquillement au rythme des saisons et des vendanges, jusqu'au jour où un homme d'affaires du pays eut l'idée de construire un hôtel de style avant-gardiste au pied du village médiéval. Il s'agit de l'*Hotel Viura,* un édifice cubiste un peu insolite dans le paysage, mais finalement assez discret. Pour les détails, voir plus haut la rubrique « Où dormir dans les environs ? » à Laguardia.

HARO

(26200) 11 560 hab.

À 40 km au nord de Logroño, sur la route de Miranda de Ebro et du Pays basque. Ce n'est plus un village mais déjà une petite ville. Haro est la capitale du vin de la haute Rioja. Dans les rues du centre, quelques élégantes maisons seigneuriales à blason et *miradores* (sortes de bow-windows) témoignent d'une certaine prospérité. Belle église *Santo Tomás,* avec un admirable portail de style plateresque. Calle Santo Tomás, entre église et

BON CLIENT, BONNE PROMO

Ernest Hemingway avait une affection particulière pour les Espagnols, les corridas et les vins de La Rioja. En 1956, accompagné de son ami le torero Ordoñez, il vint à Haro visiter les caves de la maison Paternina. Les journées étaient bien arrosées. Un souvenir mémorable et une consécration pour la Bodega Paternina qui, depuis son passage, dédie chaque année un cru spécial à Hemingway.

mairie, plusieurs bars à vins pour déguster du rioja.
– *Fête patronale : 29 juin.* Joyeuses libations lors de la *Batalla del Vino,* où chacun s'arrose copieusement de vin ! Vive les taches !

Adresse utile

Oficina de turismo : pl. de la Paz, 1. ☎ 941-30-35-80. ● harotu rismo.org ● Ouv en été tlj sauf lun, 10h-14h,16h-19h. Hors saison, mar-dim 10h-14h et sam ouv aussi l'ap-m. Fermé lun.

Où dormir ? Où manger ?

Hotel Arrope : c/ de la Vega, 31. ☎ 941-30-40-25. ● reservas@hotelar rope.com ● hotelarrope.com Situé près de l'office de tourisme et de l'Hotel Los Agustinos *(ancien couvent).* Doubles 85-111 € selon saison, petit déj-buffet 8 €. Menu du jour à midi 15 €. Parking 12 €. Dans une angle de rues, avec une petite terrasse triangulaire au-devant, voici une demeure récente qui abrite des chambres dotées de verrières (bow-windows). Intérieur restauré avec goût, chambres de très bon confort (clim), décorées dans un style contemporain et coloré. Elles donnent sur 3 côtés, et ont des fenêtres

insonorisées. Bar à tapas et restaurant au rez-de-chaussée.
Restaurante El Terete : c/ Lucrecia Arana, 17. ☎ 941-31-00-23. ● info@ terete.es ● Tlj 13h15-16h, 20h30-23h. Fermé dim soir-lun. Plats 7-20 €. Menu env 39 €. En plein centre-ville, un restaurant réputé pour sa spécialité : l'agneau de La Rioja *(cordero)* servi grillé *(asado)* au four à bois ou bien en côtelettes *(chuletas).* Aussi des salades, des *pimientos rellenos,* et de savoureux desserts. Petite salle en pierre, ambiance chaleureuse, excellent service, et prix sages pour la qualité.

BRIONES

(26330)

867 hab.

À 9 km au sud-est de Haro. Un des plus beaux villages perchés de la Rioja Alavesa avec des maisons en pierre jaune, dorée au coucher du soleil. Moins animé et commerçant que Laguardia (peu de *vinotecas*), mais très belle vue depuis les hauteurs du village sur le vignoble alentour. Ne pas manquer les orgues et le grand retable doré de l'église Nuestra Señora de la Asunción. Le *museo de la Cultura del Vino*, en contrebas du village dans la plaine viticole, vaut à lui seul le détour.

Où dormir ? Où manger ?

≋ |●| *Hostal rural Los Calaos de Briones* : c/ San Juan, 13. ☎ 941-32-21-31. ● info@loscalaosdebriones. com ● hotelbriones.com ● Double min 66 €. Plats 10-16 €, repas 20-30 €. Dans le centre historique de Briones, en surplomb des murailles, un hôtel rural rustique-chic dans une demeure du XVIIᵉ s. Abrite des chambres de charme, colorées et meublées avec caractère, certaines avec lit à baldaquin. Vue magnifique et étendue sur la vallée et le vignoble pour 2 d'entre elles. Resto au sous-sol dans une très belle cave voûtée. Cuisine traditionnelle soignée.

À voir

🏃🏃🏃 *Museo de la Cultura del Vino (Vivanco)* : N 232, km 443. ☎ 941-32-23-23 ou 23-30 (musée). ● vivancoculturadevino.es ● Horaires différents pour le musée et pour la cave : voir leur site web. Musée : août, ouv mar-sam 10h-19h ou 20h, dim 10h-19h ; fermé lun. Avr-juil et sept-nov : ouv mar-ven et dim 10h-18h (fermé mar avr-mai et nov) ; sam 10h-20h ; fermé lun. Déc-mars, fermé lun-mar, et horaires variables selon les jours : 11h-15h ou 10h-18h. Congés : en principe début janv. Entrée musée : 15 € (audioguide en français 3,50 €). Cave (bodega) : 12 €. Billet combiné : musée + cave (visite guidée) + dégustation : 25 €. Autre option : 59 € avec visite guidée de la cave, du musée et repas au restaurant. Moins cher en réservant sur leur site.

– *Bon à savoir :* la cave (bodega) se découvre seulement avec les visites guidées. Elles ont lieu à heure fixe, en espagnol et en anglais (plus rare), en moyenne 3/j. en été (11h, 13h et 17h).

Autoproclamé « musée du vin le plus complet du monde »... Il faut reconnaître qu'il est exceptionnel par son emplacement, sa taille, son ambition encyclopédique, son style et sa beauté. Avec ses 9 000 m² (presque 1 ha), entouré de champs de vigne, ce sanctuaire de l'histoire du précieux breuvage en impose. Une *initiative pharaonique* d'un caviste privé (!), Pedro Vivanco, viticulteur, collectionneur passionné par la vigne et le vin. Toute l'histoire des vins de La Rioja y est expliquée depuis la vigne jusqu'à la vendange, le mûrissement, le vieillissement en tonneaux de chêne, la mise en bouteilles, la commercialisation... Un des lieux les plus étonnants est cette *grande cave octogonale,* sombre et fraîche, où dorment des centaines de tonneaux remplis de vin. Voir aussi l'incroyable et *unique collection de tire-bouchons* (sacacorchos), une des plus grandes du monde...

Pour satisfaire les plus curieux et émoustiller leurs papilles, la visite s'accompagne d'une dégustation. Supports audiovisuels, représentation du vin dans l'art et un joli jardin de vignes regroupant plus de 200 cépages différents. Dans ce vaste musée, on trouve aussi une *œnothèque* et un *restaurant* (avec vue sur le vignoble).

LABASTIDA

(01330)

1 390 hab.

Entre Haro (6 km) et Briones, rattaché à la Rioja Alavesa, ce gros village est adossé (pas vraiment perché comme les autres) à un robuste coteau. Le village revendique lui aussi le titre de capitale du vin de La Rioja. Le nombre de boutiques vendant du vin *(vinotecas)* en témoigne. Au fil des rues, quelques demeures anciennes et palais blasonnés où la couleur ocre de la pierre domine.

Adresse utile

🏛 **Oficina de turismo :** *palacio de los Salazar (casa de cultura), pl. de la Paz, 1.* ☎ *945-33-10-15.* ● *labastida-bastida.org* ● *Semaine sainte et mai-oct : tlj 10h-14h (19h ven, 18h sam). Nov-déc et 15 mars-avr, mêmes horaires, mais* ouv seulement ven-dim. Visite guidée de la ville mar-dim à 11h. Durée : 1h. 5 € la visite complète avec 2 églises. 3 € visite guidée de l'église seule. Organise aussi une visite guidée de la bodega Agricola Labastida *(10 €/pers).*

Où dormir ? Où manger ?

🏠 **Casa rural Osante :** *c/ Frontin, 10.* 🖥 *649-42-64-07.* ● *info@osante.com.es* ● *osante.com.es* ● *Au cœur de la ville ancienne, dans le prolongement de la c/ Mayor. Congés : 15 déc-15 fév. Doubles avec sdb 66-71 € selon saison, petit déj inclus.* Vieille demeure à la façade blasonnée, avec une entrée sombre où l'on est accueilli par des gens aimables. Les chambres, meublées sobrement, sont agréables, à condition cependant d'aimer les literies bien fermes ! Certaines disposent d'un petit balcon d'où on peut voir la belle église Nuestra Señora de la Asunción.

🍽 **Ariño Jatetxea :** *c/ Frontin, 26-28.* ☎ *945-33-10-24. En haute saison, mar, mer, jeu et dim 13h-16h. Ven-sam 13h-16h, 21h-23h. Fermé lun et en sept. Menu déj en sem 12 €, plats 6-17 €.* C'est une maison en grosses pierres avec une salle chaleureuse et rustique, vite remplie. On y sert une bonne cuisine locale aussi basque qu'espagnole, appréciée des habitants du village. Spécialités : *chuletillas de cordero* (côtelettes d'agneau), *pimientos rellenos* (piments doux farcis) et *solomillo de buey* (steak de bœuf).

À voir

Se garer à l'extérieur de Labastida, où l'on peut. Éviter l'entrée principale avec ses vinothèques le long de la route et le parking des bus, et monter à pied jusqu'à la calle Mayor.

🚶 **Calle Mayor :** remarquable surtout par le nombre de maisons anciennes, blasonnées ou non. Au n° 9, belle demeure dotée d'un auvent sculpté, d'un magnifique sol en galets sous le porche, et de balcons en fer forgé. Napoléon y dormit 3 nuits ! Remarquer aussi la n° 15, son auvent sculpté, ses balcons en fer forgé, et la n° 16, maison patricienne blasonnée.

🚶 **Iglesia Nuestra Señora de la Asunción :** *pl. Mayor. Ouv seulement pour les messes du sam (à 20h – 19h en hiver) et du dim (à 12h). Sinon, visite guidée avec l'office de tourisme tlj sauf lun à 13h (3 €).* Voici une église de style baroque mais de construction tardive. Sa taille paraît disproportionnée, mais elle témoigne de l'époque glorieuse de la ville qui comptait, aux XVIIe et XVIIIe s, 3 000 âmes... soit 3 fois plus qu'aujourd'hui ! Elle abrite un très bel orgue du XVIIIe s, de style baroque. Voir aussi le *gigantesque retable* doré aux innombrables scènes religieuses.

Fêtes

– *Fêtes patronales :* 1er w-e d'août.
– *Fête des Vendanges :* en nov.
– *Fiestas de los Pastores :* le 24 déc. Une grande procession où les Rois mages vont à la recherche de la crèche. Tout le village participe avec ferveur à cette quête. L'itinéraire parcourt les 2 rues principales et s'achève à l'église.

SANTO DOMINGO DE LA CALZADA

(26250)   6 700 hab.

À une cinquantaine de kilomètres à l'ouest de Logroño et environ 70 km à l'est de Burgos (nord de la Castille-León), à l'écart de la N 120. Les pèlerins et randonneurs du *Camino francès*, vers Saint-Jacques-de-Compostelle, s'y arrêtent tous. D'ailleurs, le chemin passe au cœur de la petite cité, c'est la principale artère piétonne de Santo Domingo, arpentée entre Pâques et fin octobre par des ribambelles de pèlerins... Si les abords du village n'ont rien de spécial, le cœur ancien a gardé son caractère. Entre autres, une merveilleuse cathédrale, alliance de tous les styles possibles.
– *Bon à savoir :* impossible de se garer dans la vieille ville aux rues étroites et piétonnes. Allez à l'extérieur du centre ancien dans des parkings gratuits ou payants *(6 €/j.).*

Arriver – Quitter

🚌 *Estación Autobuses :* centre-ville, pl. San Jerónimo, angle avec San Roque. ☎ 941-23-59-83. Cie *Jiménez* (☎ 902-202-787 ; ● autobusesjimenez. com ●). Cie *La Unión Alavesa* (☎ 948-22-17-66 ; ● autobuseslaunion.com ●). et Cie *Riojacar* (● riojacar.com ●). Gare routière très modeste (petite baraque vitrée). Les billets s'achètent directement dans le bus.
➤ *Pour Logroño :* env 11 bus/j.

8h35-23h05 avec *Jiménez.* 7 bus le dim. Durée : 1h.
➤ *Pour Haro :* 5 bus/j. lun-ven, 7h30-19h30, et 1-2 le w-e avec *La Unión Alavesa.* Durée : 30 mn.
➤ *Pour Ezcaray :* 4 bus/j. en sem avec *Riojacar.* Le w-e 2 bus/j. Durée : 1h15.
➤ *Pour Burgos :* avec *Jiménez,* env 10 bus/j., 8h25-21h55, un peu moins le dim. Durée : env 1h.

Adresse utile

🛈 *Oficina de turismo :* c/ Mayor, 33. ☎ 941-34-12-38. ● santodomingo delacalzada.org ● Dans le Centro de interpretación del Camino de Santiago. Tlj 10h-14h, 16h-19h. En hiver, ouv mardim 10h-14h, sam 16h-19h, fermé lun.

Où dormir ?

Camping

⛺ *Camping Bañares :* ctra N 120, km 42,2 ; à 2 km au nord-est de Santo Domingo, en direction de Logroño. ☎ 941-34-01-31. ● info@campingba nares.es ● campingbanares.es ● Env

27-28 € pour 2 avec tente et voiture. Vaste, ombragé et bien équipé, ce camping est plus adapté aux mobile homes (vraiment très nombreux en haute saison) qu'aux campeurs (emplacements restreints et mal placés). Blocs sanitaires carrelés, propres.

LA RIOJA

LA RIOJA

On y trouve tous les services possibles : cafétéria, supermarché, court de tennis, piscines, fronton de pelote basque...

Bon marché (max 30 €)

🏠 **Albergue de Peregrinos – Casa de la Cofradía del Santo :** c/ Mayor, 38-42. ☎ 941-34-33-90. ● albergue@alberguecofradiadelsanto.com ● ⚒ Donne sur la pl. de la Alameda. Accueil 11h-22h. Réservée aux pèlerins avec la credencial. Une des plus vieilles auberges sur le chemin de Compostelle. On enlève ses chaussures, on peut ranger son vélo, se faire masser les pieds, acheter la médaille de la Cofradía, le cordon et le titre de Hermano (le tout pour moins de 30 €). Pour dormir, dortoirs à prix libres (on laisse ce que l'on veut, c'est une donation ; mais pas moins de 7 €, quand même !).

Prix moyens (45-65 €)

🏠 **Room Concept Hostel :** c/ Alberto Etchegoyen, 2. ☎ 941-34-23-66. ● info@roomconcept.es ● room concept.es ● Doubles 38-55 €. En plein centre, une petite maison restaurée qui abrite un hostel privé. Séduisant aménagement intérieur de style contemporain (design bleu et blanc), moderne, et fonctionnel. Pas de dortoirs ni de lits superposés, mais des chambres impeccables avec salle de bains commune ou privée (plus cher). Et aussi des triples et des quadruples. Pas de clim mais chauffage l'hiver.

🏠 🍴 **Hotel El Molino de Floren :** c/ Margubete, 5. ☎ 941-34-29-31. ● info@elmolinodefloren.com ● elmolinodefloren.com ● Doubles 65-75 €. Repas 15-30 €. Dans l'ancien moulin de la ville, restauré avec goût et aménagé en auberge. On voit encore des vieilles meules bien conservées. Accueil chaleureux et jovial des propriétaires. Chambres sobrement arrangées, personnalisées, confortables mais sans clim. Elles donnent sur la rue ou sur l'arrière (plus calme). Fait aussi resto. Petite salle d'allure bistrotière où l'on sert une cuisine locale sincère et fraîche.

🏠 **Hospedería cisterciense :** c/ del Pinar, 2. ☎ 941-34-07-00. ● hosperia@cister-lacalzada.com ● cister-lacalzada.com ● Doubles 58-78 €. Repas 13 €. ½ pens possible. La meilleure adresse de la ville dans la catégorie « sobre et économique » ! Tenue méticuleusement par d'adorables sœurs bénédictines, avec des réceptionnistes laïcs, il ne s'agit pas d'un couvent mais d'un hostal comme les autres (mieux que les autres). Ouvert à tous, dans un immeuble classique de la ville. Chambres et atmosphère spartiates (crucifix au-dessus du lit), avec un équipement minimum, mais rien à dire sur le calme et la propreté. Aussi resto pour leurs hôtes, et dispose également d'une quarantaine de places en dortoirs pour les pèlerins (credencial obligatoire).

Très chic (min 110 €)

🏠 **Parador de Santo Domingo de la Calzada :** pl. del Santo, 3. ☎ 941-34-03-00. ● sto.domingo@parador.es ● parador.es ● ⚒ Face à la cathédrale. Doubles 110-150 €, petit déj inclus. Parking privé 15 €/j. Installé dans l'ancien hospice des pèlerins (XIIᵉ s), au cœur de la ville, à l'ombre de la cathédrale. De l'extérieur on ne peut deviner l'importance du bâtiment ancien, restauré avec soin, abritant de nombreuses chambres. Décorées en style castillan rustique celles-ci sont confortables et donnent sur la place, ou sur les rues adjacentes. Même si vous n'y dormez pas, vous pouvez y prendre un verre et vous détendre dans le patio intérieur ou dans le superbe salon aux voûtes gothiques.

Où dormir sur la route de Burgos ?

🏠 🍴 **Hotel rural Redecilla del Camino :** c/ Mayor, 12, 09259 | Redecilla del Camino. ☎ 947-58-52-56. 📱 617-14-33-29. ● info@

hotelredecilladelcamino.com ● hotel redecilladelcamino.com ● À 11 km à l'ouest de Santo Domingo de la Calzada sur la N 120. Fermé déc-fév. Double env 55 €. Menu 10 €. Petite auberge villageoise, très accueillante, qui aime recevoir les pèlerins sur la route de Compostelle. Pas de sectarisme ici, les non-pèlerins sont bienvenus. Des chambres coquettes, colorées et bien équipées (douche et w-c), qui changent un peu des dortoirs spartiates des auberges ou du camping dans les prés. Fait aussi resto avec un bar à l'entrée sur lequel sont disposés de succulentes tapas et des *pintxos*.

Où manger ? Où boire un verre ?

Bon marché (max 15 €)

|●| **Bar Piedra :** c/ Mayor, 54. ☎ 941-34-15-69. À côté de la plaza Mayor et de la cathédrale. Tlj 6h30-minuit. Menu 18 €, raciones 5-12 €. Emplacement central, et bonne cuisine locale à prix doux. On peut grignoter et boire un verre au bar ou bien s'asseoir dans une petite salle à l'arrière. Le service est aimable et attentionné. Tout est frais et confectionné avec de bons produits. *Ensaladas,* tortillas, *huevos...*

|●| **La Gallina que Cantó :** c/ Mayor, 32. ☎ 941-34-26-55. ● asadorla gallina@gmail.com ● Tlj sauf lun. Congés : fév. Menus 8-12 €, et tapas 1-2 € au bar. La poule qui chante... c'est son nom. À gauche d'un vieux palais, ce modeste bar-resto est la cantine où viennent manger les pèlerins quand ils en ont assez des casse-croûte du chemin de Compostelle.

Bocadillos, tapas, *patatas con chorizo, morcilla, chuletón...*

De prix moyens à plus chic (15-35 €)

|●| **Los Caballeros :** c/ Mayor, 58. ☎ 941-34-27-89. ● contacto@restau ranteloscaballeros.com ● ♿ Près de la cathédrale et de la pl. Mayor. Fermé dim soir-lun, sauf août et ponts fériés. Congés : 8-31 janv. Plats 35-40 €, menu dégustation 50 €. Apéro maison offert sur présentation de ce guide. Très bien située, une auberge villageoise élégante, plutôt pour dîner (pour grignoter des tapas, il y a un bar plus moderne). Accueil cordial et souriant. Dans ce resto, on sert de la cuisine locale soignée. Outre les spécialités castillanes, il y a aussi la morue *(bacalao),* très bien préparée. L'océan n'est pas si loin.

LA RIOJA

À voir

🎭 **Catedral :** pl. del Santo. ☎ 941-34-00-33. ● catedralsantodomingo.com ● Accès par le cloître, c/ del Cristo. Ouv lun-sam 9h-19h (cloître 10h30-11h30), dim 9h-19h (cloître 12h-14h). Entrée (cathédrale seule) : 6 € ; réduc pour les pèlerins ; gratuit - de 4 ans. Tour (torre) : 2 €. Cloître (claustro) : 3 €. Forfait (cathédrale, tour, cloître) : 8 €. Visite guidée diurne ou nocturne : 8 € ou 12 €. Durée : 50 mn. Audio-guide en français 1 €.

– **Bon à savoir :** l'entrée de la cathédrale se trouve dans la c/ del Cristo, une ruelle à gauche du monument, à 20 m de la pl. Mayor.

À l'extérieur, le superbe chevet et les absides révèlent les origines romanes du monument ; les élévations sont gothiques, le clocher baroque et le portail d'entrée néoclassique. Avant de pénétrer à l'intérieur, on visite l'exposition permanente installée dans les allées autour du cloître. Dans la *sala Capitular,* superbes pièces d'orfèvrerie religieuse en argent, offertes par de riches colons espagnols du Mexique et de Bolivie. Le clou de cette expo est l'**énorme crèche de Noël napolitaine** *(Belen Popular Napolitana).* Réalisée à Naples au XVIIIᵉ s, elle mesure 10 m sur 5 m et compte des centaines de personnages sculptés dans la pierre, le bois et la cire. Les attitudes et les visages sont hyperréalistes et ne cachent rien des défauts humains.

L'intérieur de la cathédrale est d'une extrême richesse. Voir le *mausolée de saint Dominique* sculpté dans de l'albâtre, avec 6 piliers en pierre de style gothique fleuri (1513). Le chœur (1156) avec ses arcs roman et gothique est l'œuvre de Felipe de Vigarny, un sculpteur surnommé « el Borgoñon », le Bourguignon... Un escalier descend dans la crypte sous le sépulcre. Celle-ci est décorée de mosaïques réalisées par un artiste slovène mandaté par le Vatican, Marko Ivan Rupnik.

En face du mausolée, à plus de 3 m du sol, encastrée dans le mur épais de la cathédrale, une incroyable et insolite apparition dans une église : *un poulailler* !... du moins une sorte de volière. En fait, c'est une cage finement sculptée fermée par des barreaux où *vivent un coq et une poule* – toujours blanche et uniquement de race Legor –, héritage d'une vieille légende médiévale du « pendu dépendu ». Que les âmes tendres se rassurent, les gallinacés sont nourris tous les jours, et

PORTE-BONHEUR ET PORTE-PLUME

Guillaume Manier, voyageur français de passage en 1726, notait que « l'ancien usage était de donner à chaque pèlerin 2 ou 3 plumes de ces poules et coqs, que le plus souvent les pèlerins ont à leurs chapeaux »... Aujourd'hui, la croyance demeure : la chance est censée sourire au pèlerin s'il ramasse une plume ou si le coq se met à chanter !

remplacés toutes les semaines. N'est-ce pas surréaliste d'entendre ces cocoricos résonner sous la nef ? Voir aussi l'immense *retable doré* et polychrome dans la chapelle du Retable Majeur. Il a été réalisé en 1541 par Damián Forment, qui est aussi l'auteur du grand retable de l'église de Huesca et de N.S. Virgen del Pilar à Saragosse. Un écran digital permet de zoomer sur les détails des panneaux de ce retable.
🎋 Tout autour de la cathédrale, aller à la recherche des belles maisons à blason. Harmonieuse *plaza Mayor,* où trône l'hôtel de ville.
– *Fêtes patronales :* 10-15 mai.

DANS LES ENVIRONS DE SANTO DOMINGO DE LA CALZADA

EZCARAY (26280)

À 15 km au sud de Santo Domingo de la Calzada.
À 813 m d'altitude, dans le creux d'une vallée dominée par les monts rocailleux à la maigre végétation (quelques bosquets, des prés d'herbe rase) de la sierra de la Demanda. Ce gros bourg à l'écart du vacarme du monde mérite une escale : rues à arcades, vieilles maisons à colombages, kiosque à musique en pierre, jolie église avec loggia, fontaines qui glougloutent... l'endroit a du charme. Très fréquenté en été par les randonneurs (le GR 93 y passe), il sert également de base en hiver aux sportifs qui se rendent à la *station de ski de Valdezcaray,* à 15 km du village. Petite station sans prétention, ouverte, bien sûr, selon l'enneigement. Pas d'infrastructure hôtelière sur place, redescendre sur Ezcaray.
➤ Lun-ven, 3 bus/j. entre *Ezcaray* et *Logroño* (2 le w-e), via *Santo Domingo.* Durée : 1h15 pour Logroño, 15 mn pour Santo Domingo. Cie *Riojacar* (☎ 941-50-02-00 ; ● riojacar.com ●).

Adresse utile

🛈 *Oficina de Información Turística :* c/ Sagastía, 1. ☎ 941-35-46-79. ● ezcaray.org ● Sur la pl. centrale. Tlj 10h30-13h30 (14h ven-dim), 16h30 (16h ven-sam)-19h (20h sam). Fermé dim ap-m et lun. Infos et plan de la ville.

Où dormir ? Où manger ?

🏠 |●| **Albergue de la Real Fábrica :** ctra Santo Domingo, 4. ☎ 941-35-44-74. ● info@alberguedelarealfabrica. com ● alberguedelarealfabrica.es ● Doubles 55-75 € selon confort. Menu 17 €. Wifi à la réception seulement. Immense bâtisse à l'entrée du village, en venant de Santo Domingo. Ce fut naguère une usine textile. Une partie abrite le théâtre, et une aile accueille un hôtel style auberge de jeunesse (mais c'est bien un hôtel). De grandes chambres (2 ou 4 lits), toutes rénovées, sans ou avec douche et w-c. Fait aussi resto. Une halte appréciée des pèlerins, malgré l'accueil en dents de scie.

🏠 |●| **Casa Masip :** avda Academia Militar, 4. ☎ 941-35-43-27. ● info@ casamasip.com ●G casamasip.com En face de l'office de tourisme. Fermé 2de quinzaine de nov. Doubles avec sdb 110-132 € selon confort et saison. Menus 20-35 €, plats 12-25 €. Au cœur du village, une vieille demeure (1800) en pierre rose du pays. On y trouve à la fois un bar à tapas, un resto et une douzaine de chambres de charme, toutes arrangées avec style et caractère. À l'arrière de la maison, agréable jardin, fleuri et verdoyant. Au resto, savoureuse cuisine de terroir, copieuse et de qualité, qui suit le marché et les saisons. Les murs patinés par le temps et une déco soignée en font une halte chaleureuse. Le propriétaire loue aussi une maison traditionnelle à Zaldierna (à 6 km sud d'Ezcaray ; 4 pers min), à prix sages.

Où dormir ? Où manger dans les environs ?

🏠 |●| **Hotel rural Antigua Ferrería :** camino de San Antón, 1, Aldea de Azárrulla, 57. 🗎 697-34-53-92. ● reser vas@antiguaferreria.com ● antiguafer reria.com ● À 8 km au sud d'Ezcaray sur la route de la station de ski de Valdezcaray. Doubles 70-80 €, petit déj inclus ; familiale aussi. Menus 23-50 €, carte env 25 €. Dans la belle vallée de l'Oja, une finca (domaine rural) de 1 ha en pleine nature. La maison, une ancienne fonderie, tout en grosses pierres, tuiles et colombages, abrite de belles chambres décorées avec recherche. Elles donnent sur le jardin, les champs et les monts. Chauffées en hiver, agréables en été (mais sans clim). Fait aussi restaurant : spécialités locales à base de produits du terroir (côtelettes d'agneau au four à bois). Salle à manger chaleureuse. Piscine. Organise des journées de cueillette de champignons.

NÁJERA   (26300)   7 140 hab.

À 27 km à l'ouest de Logroño sur la route de Santo Domingo de la Calzada (20 km) et de Burgos. Bourgade un peu solitaire dans une vallée traversée par le río Najerilla, et surplombée par des falaises rouges où nichent les cigognes. Le très beau monastère Santa María la Real témoigne de l'importance passée de Nájera... Comment imaginer que plusieurs rois de Castille, de León et de Navarre décidèrent de se faire enterrer dans un bourg aussi isolé ?

UN PEU D'HISTOIRE

Tout a commencé par une terrible bataille. Après la destruction de Pamplona (Pampelune) en 924 par le redoutable calife andalou Abd al-Rahman, l'héritier du trône de Navarre, García Sánchez, chassé de sa ville, vint se réfugier à Nájera où il établit sa Cour pour plusieurs décennies. Il prit alors le titre de « rey de Nájera-Pamplona », repeupla la région, et finança la construction des monastères de la Rioja Baja, comme San Millán de la Cogolla. La royauté de Nájera se termina en 1076 avec l'assassinat du souverain par son frère...

Adresse utile

Oficina de turismo : pl. San Miguel, 10. ☎ 941-74-11-84. • najeraturismo. es • Juin-oct tlj sauf dim ap-m et lun, 10h-14h, 16h30-19h30. Le reste de l'année, mar-dim 10h-14h, et ven-sam ouv aussi l'ap-m 16h-19h. Fermé lun. Petit point info.

Où dormir ? Où manger ?

Pensión San Lorenzo : c/ Constantino Garrán, 10. ☎ 941-36-37-22. • reservas@penseionsanlorenzo. es • pensionsanlorenzo.es • Fermé 15 déc-1er fév. Doubles sans ou avec sdb 40-68 €, petit déj 6 €. Aussi triples et quadruples. En plein centre, à 30 m du monastère, au bord d'une rue piétonne, petit immeuble restauré avec 6 chambres impeccables. Salle de bains commune ou privative, et pas de clim. Déco classique standard, bonne literie. Elles donnent sur la rue (calme), certaines avec balcon. Notre préférée a une vue sur le patio et l'église. Accueil attentionné. Épicerie fine au rez-de-chaussée tenue par la propriétaire.

Olimpo ; pl. de la Cruz, 2. ☎ 941-36-08-49. 🖥 622-12-88-12. Ven et sam 13h-16h, 20h30-23h30. Lun, mar et jeu 13h-16h. Fermé dim soir et mer. Menu du jour déj en sem 17 €, plats 6-13 €. Sur la place au pied de l'église Santa Cruz, proche du monastère, une petite auberge villageoise où l'on sert de la cuisine de terroir, franche et sans triche.

À voir

Monasterio de Santa María la Real : ☎ 941-36-10-83. • santamarialareal. net • Mar-sam 10h-13h30, 16h-19h (17h30 l'hiver) ; dim et j. fériés 10h-13h30, 16h-18h (17h30 l'hiver). Entrée : 4 € ; réduc ; gratuit - de 10 ans.
Cet ensemble monastique intéressant mérite une visite. Vu de l'extérieur, les tours du chevet de l'église (XVe s) lui donnent l'aspect d'une forteresse. À l'intérieur, le *cloître* de style gothique plateresque (XVIe s) compte *parmi les plus beaux de la Renaissance espagnole.* Fascinantes arcades à claire-voie, véritable dentelle de pierre, il abrite le jardin de l'Éden et de nombreux tombeaux et gisants de membres de familles de La Rioja, de Navarre et du Pays basque (Biscaye) dont le mausolée de don Diego López de Haro, seigneur de Biscaye. L'*église* de style gothique tardif (1422) abrite le *panthéon royal* (réalisé vers 1556) des rois de Navarre ayant vécu vers l'an 1000. 2 dynasties distinctes y sont présentes.
À côté, une *grotte* dédiée à la Vierge à la Rose, à l'origine de l'histoire du monastère. On voit les fondateurs, don García et doña Estefania agenouillés en prière. Enfin, voici le *panthéon des Infants* et notamment le sépulcre (du moins le couvercle du sarcophage) de *Blanche de Navarre* (appelée aussi doña Blanca), fille du roi don García et épouse de Sancho III de Castilla. Triste destin, car elle mourut à 18 ans en 1156 des suites de l'accouchement de son fils qui deviendra Alfonso VIII. Dans le chœur, admirer les *sillerías* (stalles) en noyer sculpté de style isabellin.

LES MONASTÈRES DE SAN MILLÁN DE LA COGOLLA ET DE VALVANERA

À 26 km au sud de Nájera, une magnifique balade sur de petites routes dans les vallons au pied des monts de la sierra de la Demanda. Paysages ondulants, et verdoyants au printemps, évoquant par moments la campagne toscane (les cyprès en moins !). Les villages ocre tranchent sur le vert vif et intense des jeunes cultures. À l'automne, leurs tonalités mélancoliques rouges et dorées transforment le paysage. Dans la superbe vallée du río Cardenas, au village de San Millán de la Cogolla, 2 monastères, Yuso et Suso, sont classés au Patrimoine de l'humanité depuis 1997. Ils furent des centres religieux parmi les plus importants de Castille.
Plus au sud se trouve le monastère de Valvanera, secrètement niché dans la montagne.

🛈 Petite *oficina de información* (edificio Recepción de Visitantes) : ☎ 941-37-32-59. ● monasterio desanmillan.com ● Mar-dim 9h30-13h30, 15h30-18h ; fermé lun. Dans le monastère de Yuso à San Millán de la Cogolla. C'est ici qu'il faut *réserver pour la visite du monastère de Suso.*

Résa obligatoire par tél (☎ 941-37-30-82) aux horaires suivants : tlj sauf lun, 9h30-13h30, 15h30-18h30 (17h30 oct-Semaine sainte). Ensemble (monastères compris) fermé 1er, 5 et 6 janv, 9 juin, 28 août, 12 nov, 24, 25 et 31 déc.
– Pas de réservation par Internet.

– *Bon à savoir :* compter minimum 2h pour visiter les monastères de Yuso et de Suso. Les billets pour la visite de Suso se retirent à l'office d'information au monastère de Yuso, au bureau de la *Recepción de Visitantes,* c/ Convento, nº 8. On ne peut accéder à Suso qu'en minibus, inclus dans le billet (laisser son véhicule en bas).

◎ 🍴 *Monasterio de Yuso* (d'en bas) : ☎ 941-37-30-49. Semaine sainte-sept : mar-dim 10h-13h30, 16h-18h30, ouv aussi lun en août. Oct-Semaine sainte : ouv mar-dim mat 10h-13h, 15h30-17h30, fermé lun et dim ap-m. Entrée : 7 € ; réduc ; gratuit - de 7 ans. Photos au flash interdites. Visites guidées (50 mn, en espagnol seulement) ttes les 30 mn env.

Il se détache majestueusement au-dessus du village de San Millán. Surnommé « l'Escorial de La Rioja » à cause de sa masse imposante, de la sévérité de son style herrerien, lequel tire son nom de l'architecte de l'Escorial, Juan de Herrera. Malgré cette austérité sans fantaisie, l'ensemble est adouci par les tons chauds de la pierre. Sa construction s'étendit sur 3 siècles, ce qui explique la diversité des styles. Rien n'aurait été fait dans ce lieu éloigné de tout sans l'exil à Nájera vers l'an 1000 des rois de Navarre chassés de Pampelune par les troupes d'Abd al-Rahman. Ce sont eux qui financèrent la construction des 2 monastères pour y mettre en lieu sûr les reliques de san Millán (connu aussi comme l'ermite Aemilianus fuyant les envahisseurs wisigoths). Donc au départ, il y eut un monastère roman des Xe et XIe s sur lequel fut érigé l'actuel monastère qui date des XVIe et XVIIIe s (moines bénédictins). Une aile du monastère a été transformée en un somptueux hôtel (voir plus bas « Où dormir dans la région? »).
Dans le *musée,* un livre de messe pesant 36 kg, les 1ers textes jamais écrits en castillan (*Las Glosas Emilianenses,* datant du Xe s) et un chef-d'œuvre, le *reliquaire de San Millán* : un coffret à figures d'ivoire ciselé du XIIe s, l'expression des personnages est d'une qualité exceptionnelle. Le 1er poète castillan, *Gonzalo de Berceo,* aurait vécu au XIIIe s à San Millán. Il aurait homologué en quelque sorte la

LA RIOJA

langue castillane issue d'un latin populaire auquel se mêlent de nombreux mots et expressions d'origine arabe.

Sacristie monumentale dans le genre baroque chargé. Cloître avec superbe portail platéresque. Noter les centaines de médaillons du plafond. Tous différents : saints, apôtres, prophètes, martyrs, etc. Dans l'église, débauche d'ors.

⊙ 🍴🍴 **Monasterio de Suso** (d'en haut) : à 1,5 km de Yuso. ☎ 941-37-30-82. **Résa obligatoire par tél** (voir ci-dessus). Retirer son billet min 30 mn avt l'heure fixée au bureau de Recepción de Visitantes, puis prendre les minibus au monastère de

LE CASTILLAN COMME LE FRANÇAIS

S'adapter, évoluer ou disparaître ! Devenu la langue espagnole d'aujourd'hui, le castellano du Moyen Âge est dérivé du latin, langue officielle de la péninsule Ibérique jusque vers l'an 1000. Hormis les érudits et les moines, les Celtibères avaient bien du mal à utiliser au quotidien cette langue élaborée. Ils pratiquaient un latin dit « vulgaire ». Ce castellano était peu littéraire mais compréhensible par le peuple. Un phénomène identique d'altération linguistique et de métamorphose eut lieu en Gaule avec la naissance de la langue française.

Yuso (départs ttes les 30 mn env : tlj sauf lun). Pâques-oct : 9h55-13h25, 15h55-17h55. Fermé lun. Oct-Pâques : mêmes horaires. Entrée : 4 €, minibus inclus ; réduc.

Plus petit que le monastère de Yuso, mais dans un site encore plus beau, son église est en partie creusée dans la roche. On distingue très nettement les 3 périodes de construction : wisigothique (VIIe s), mozarabe (en 959, avec des arches en fer à cheval) et romane. Dans une cavité rocheuse, on peut admirer l'**Oratorio de san Millán,** qui abrite le cénotaphe du saint, datant du XIIe s. L'ermite se réfugia ici au VIe s pour prier dans la solitude et fuir les Wisigoths. En 1002, le maure Almanzor incendie le monastère et en 1030, après la canonisation du saint, le roi Sancho el Mayor de Navarra reconstruit le monastère de Suso. Près du cénotaphe de San Millán, on peut voir un autel en forme de niche creusée dans la roche : ce serait le plus vieil autel chrétien d'Espagne.

Plus loin plusieurs sarcophages sont réunis dans un même passage : los Siete Infantes de Lara (martyrisés par les Maures), las Reinas de Navarra (Ximena y Elvira). Les tables de San Millán proviennent de Suso.

🍴🍴 **Monasterio de Nuestra Señora de Valvanera :** à env 34 km au sud de Nájera et de San Millán, par le village d'Anguiano. ☎ 941-37-70-44. G monasteriodevalvanera.es ● Tlj 9h-19h. Fermé 20 déc-10 janv. GRATUIT.

À 1 000 m d'altitude, au creux d'un vallon, plus isolé que les précédents monastères, Valvanera surgit brusquement au détour d'un virage. Un site grandiose dans un paysage intemporel, dominé par les sommets de la sierra de la Demanda. Depuis le XIe s ce lieu est dédié à la prière, et pour cela les moines choisirent un lieu éloigné du reste du monde. La reine Isabel La Católica y vint en pèlerinage en 1482.

On ne peut visiter que l'église et son intérieur gothique. Au-dessus de l'autel, la Vierge de Valvanera, patronne de La Rioja. Contrairement à d'autres couvents espagnols, désaffectés, celui-ci est occupé depuis le Xe s par des moines bénédictins. Ils suivent la règle de saint Benoît de Nurcie (alliance de prière, d'étude et de travail manuel). Une aile du monastère abrite aujourd'hui un hôtel (voir ci-après).

Où dormir dans la région ?

⌂ **Camping Berceo :** c/ Término El Molino, s/n, 26227 **Berceo.** ☎ 941-37-32-27. ● camping.berceo@ fer.es ● campingberceo.com ● Au *village de Berceo, un peu avt San Millán, en venant de Santo Domingo de la Calzada. Compter env 27 € pour 2 avec tente et voiture. Bungalows 2 pers 75-85 €.* Petit camping de village, très modeste, en bord de rivière (le río Cardenas), ombragé par des arbres. Sanitaires (eau chaude) bien entretenus. Piscine et resto. Une alternative pour ceux qui fuient les campings taille XXL...

🛏 I●I ***Hospedería de Valvanera :*** *à Valvanera (26323),* ☎ *941-37-70-44.* ● *hostal@monasteriodevalverde.es* ● *monasteriodevalvanera.es* ● 👣 *Double 50 €, petit déj 5 €. Aussi triples et quadruples. Repas 10-12 € en sem, 12-15 € le w-e.* À 1 000 m d'altitude, nuits fraîches même en été ! C'est l'hôtellerie d'un monastère bénédictin – toujours en activité – qui pratique l'accueil public (pèlerins ou non), selon la règle de saint Benoît. Chambres sobrement décorées mais très bien tenues, sans luxe ostentatoire, comme il est d'usage dans les monastères. Vue splendide sur les montagnes et grand calme la nuit. Également un resto, à heures fixes et avec menu fixe. Plaira aux ascètes plus qu'aux adeptes de la bling-bling *society*...

🛏 ***Hostería del Monasterio de San Millán :*** *au monastère de Yuso, 26326 San Millán de la Cogolla.* ☎ *941-37-32-77.* ● *info@hosteriasanmillan.com* ● *hosteriasanmillan.com* ● 👣 *Congés : janv-fév. Doubles 99-119 €, petit déj-buffet 12 €. Suites aussi. Parking gratuit.* Cela pourrait être un petit *parador,* en plus modeste. Il abrite des chambres élégantes et de caractère, toutes confortables (avec bonne literie). Silence et calme monacal la nuit. Resto haut de gamme.

HOMMES, CULTURE, ENVIRONNEMENT

BOISSONS

– La boisson la plus rafraîchissante qu'on trouve beaucoup en été est la **horchata,** que tout le monde traduit, à tort, par « orgeat ». Alors que l'orgeat est une boisson à base d'amandes, l'*horchata,* d'origine valencienne, est fabriquée avec le suc des tubercules et des tiges de la *chufa* (en français, le souchet jaune), une sorte de papyrus. Sa texture rappelle celle du lait (en plus épais). La recette semble héritée des Arabes, qui eux-mêmes l'ont reçue de l'Égypte antique, période durant laquelle le souchet était une base importante de l'alimentation. Il existe aussi des *horchatas* d'amandes et d'orge.

– **La bière (cerveza) :** la boisson la plus répandue ! Dans les bars, plutôt qu'une *cerveza,* demandez *una caña,* l'incontournable et très rafraîchissante bière à la pression, généralement servie dans des verres de 0,2 l ou 0,33 cl (pour un plus grand verre – 0,5 l – demandez *una jarra*). Un panaché se dit *una clara.*

– **Le vin :** l'Espagne du Centre produit de bons vins régionaux, connus et moins connus. Parmi les plus réputés, ceux de **La Rioja,** aussi célèbres en Espagne que nos bordeaux, et de la **Castille-León** (Ribera del Duero, Rueda, Tierra de León), sans oublier les vins du Somontano dans les environs de Huesca, en **Aragon,** et ceux de la **Manche** qui offrent une bonne moyenne. Côté petites productions, on a raffolé d'un petit cru, le *cebreros,* dans la région d'Ávila.

En Estrémadure, on trouve souvent du *vino de pitarra,* un vin artisanal jeune, pas mauvais et bon marché, mais sa fermentation accélérée en une vingtaine de jours ne réussit pas toujours aux estomacs sensibles.

Les jeunes Espagnols se retrouvent sur les places, les stades ou les plages pour faire « *botellón* » (littéralement « grande bouteille ») et s'abreuvent allègrement de *calimocho,* une boisson qui n'est ni plus ni moins que du vin rouge mélangé à du... Coca-Cola ! Plus facile à avaler et très courant, le *tinto de verano,* à base de vin et de limonade (*gaseosa,* mais on dit souvent *casera,* du nom d'une marque) ou de *Fanta* ou *Kas* citron, selon les préparations : buvable bien frais, mais avec modération quand même !

– **Le vermuth al grifo :** littéralement, « vermouth au robinet ». Il s'agit de vin cuit (en général d'Andalousie, mais pas nécessairement), macéré avec des herbes et livré dans des petits fûts avec de l'eau gazeuse. On le tire un peu comme de la bière à la pression. C'est léger, rafraîchissant, mousseux, et ça n'a rien à voir avec les vermouths en bouteille. À consommer avec beaucoup de tapas car ça monte vite à la tête.

Très courant aussi, le **xérès,** ce vin cuit que l'on associe plutôt en France à nos grands-mères, est servi dans tous les bars espagnols. Il peut être *fino, manzanilla, amontillado* ou *oloroso* (du plus clair au plus ambré).

– **Le granizado de limón :** jus de citron, sucre et glace pilée. On trouve aussi la version **granizado de café** ou **de divers fruits** (orange, pêche, melon, etc.). Rafraîchissant.

– Le **café,** généralement bon, est de tous les petits déjeuners. Les Espagnols l'apprécient particulièrement au lait *(café con leche),* ajouté bien chaud dans les bars. Si vous le voulez noir, demandez un *café solo* – ou un *cortado* si vous le préférez juste avec une touche de *leche.* Un allongé se dit *café largo* ou *americano.* Et puis : *café helado* (glacé) ou *café con hielo* (servi chaud mais avec un verre rempli de glaçons : à vous de faire le mélange pour obtenir un café frappé !).

– Autre incontournable espagnol depuis la découverte des Amériques, le **chocolat chaud,** qui en fait ne ressemble pas au nôtre. Ici, ce n'est pas un breuvage clairet à l'eau ou au lait, mais une boisson riche et nourrissante, épaissie à la fécule (de maïs en général), dense en arômes, faite tout exprès pour y tremper les fameux *churros,* ces beignets allongés. Un régal quand c'est bien fait, mais point trop n'en faut ! Pour la petite histoire, les Espagnols ont dû obtenir une dérogation de l'UE pour continuer à épaissir leur chocolat.

CORRIDA

La corrida telle qu'on la connaît n'existe pas depuis si longtemps. Au départ, elle ressemblait probablement à des *capeas* en plein centre du village. Au Moyen Âge, il était interdit de tuer le taureau à pied : il fallait être à cheval. C'est ainsi d'ailleurs que Charles Ier se prit d'intérêt pour la tauromachie, la transformant en sport équestre destiné au spectacle. Les règles actuelles datent du XIXe s. Au début, les picadors avaient le rôle le plus important, puis peu à peu le matador à pied grignota du terrain, réclamant bientôt ses habits de lumière.

Alors, rite barbare ou art sublime ? Lors de toute tentative de réponse à cette question, il faut se souvenir que le taureau est un mammifère, donc un animal équipé d'un système nerveux développé du même type que celui de l'homme... Comment croire un instant qu'un animal capable de déceler une mouche sur sa croupe, et de la chasser d'un coup de queue, ne ressente rien lorsqu'on lui enfonce 5 cm de métal dans l'échine, qui plus est à plusieurs reprises ? La souffrance d'un animal peut-elle être érigée en spectacle ?

À cette problématique s'ajoutent des pratiques contestables (et illégales pour la plupart) utilisées lors de la préparation des animaux avant même les corridas. On est bien souvent loin du fantasme du « combat à armes égales » dont se réclament les pro-corridas...

Par ailleurs, les chiffres sont là : le nombre de corridas organisées en Espagne est en baisse. Les nouvelles générations vouent un intérêt pour le moins discret à la tauromachie. Tout comme en France, les manifestations contre la *fiesta nacional* se succèdent, rythmées par des slogans soulignant la cruauté d'une tradition jugée barbare.

Ce qu'il faut savoir

Les *corridas de toros* ont lieu pendant les jours de *feria* et lors d'autres fêtes, ainsi que tous les dimanches en saison dans les grandes villes. Pour la plupart, ce sont des *novilladas* où les taureaux *(novillos)* ont moins de 4 ans, où les *novilleros* n'ont pas reçu la consécration de l'alternative (investiture solennelle), où il n'y a pas souvent de *picadores.* Les *novilleros* désireux de faire carrière y donnent le meilleur d'eux-mêmes.

Les différentes phases de la corrida (ou comment théâtraliser une pulsion de mort)

Après le signal de l'entrée, donné par le président de la corrida, commence le *paseo* (entrée des *cuadrillas* dans l'arène). Les matadors, vêtus de costumes brodés, saluent la présidence, tandis qu'un *alguacil* demande la permission d'ouvrir le *toril*. Les matadors troquent alors leurs manteaux contre les *capotes* roses doublées de jaune ou de bleu. Pendant une corrida, 6 taureaux sont mis à mort par 3 matadors, mais chaque mise à mort s'opère en 3 phases : les **tercios.**

Le 1er tercio (tercio de vara)

Lors de ce *tercio,* le torero doit détecter les failles et les forces de la bête, afin de mettre au point sa stratégie. Le *matador* torée avec la cape en de nombreuses figures *(pases)*. Ensuite vient la *suerte de varas* (phase des piques). Les *picadores* entrent sur leurs chevaux, exhortent le taureau à les affronter.

Le 2e tercio : les banderilles

Ici, le matador (ou ses assistants) va affronter la bête à corps découvert, avec seulement en main les 2 banderilles, ornées de papier aux couleurs vives et au bout desquels il y a un crochet.

Le 3e tercio : la faena (le travail)

Il s'agit ici de soumettre le taureau, tout en mettant en évidence son courage et sa force. C'est le moment le plus difficile à vivre pour l'ami des bêtes...
La mise à mort : selon la façon dont l'épée est enfoncée dans le taureau, l'estocade porte un nom différent ; il y a les estocades profondes, courtes, contraires (l'épée reste sur le côté gauche du taureau), etc.

El arrastre

C'est la fin de la corrida. Des chevaux de trait traînent le cadavre du taureau hors de l'arène. Si le public est satisfait du travail du matador, il le manifeste à l'aide d'un mouchoir blanc. Si, au contraire, il est mécontent, il y aura la *bronca* (chahut, cris, etc.) ; à Séville, le mépris à l'égard du matador se traduira par un silence.

Lexique de la corrida

– *Aficionados :* passionnés de corrida.
– *Bronca* (faire la) : manifestation de colère du public. Sifflets, cris, jets de coussins.
– *Descabello :* épée avec laquelle on donne le coup de grâce quand le torero a loupé son coup avec la première épée.
– *Estocada :* mise à mort.
– *Muleta :* c'est la cape rouge utilisée par le matador dans le dernier *tercio*. On utilise la rose et jaune pour les 2 premiers *tercios*.
– *Plaza de toros :* arène.

CUISINE

Commençons par le début de la journée : au petit déjeuner, les *tostadas* (pain grillé) ne sont pas beurrées, mais arrosées d'huile d'olive (avec ou sans tomates en dés ou en purée), ou tartinées de pâté ou de *sobrasada* (sorte de pâte de chorizo). Grande tradition madrilène du petit déj : le *chocolate con churros* !

Les spécialités culinaires nationales

– **La paella :** fond de riz cuit dans l'huile en même temps que le poulet, porc maigre avec jambon, langoustines, petits pois, ail, oignons, épices et safran. La paella est d'origine valencienne. Elle est née au XIXe s dans la région de l'Albufera, une grande lagune aux portes de Valence. Les pêcheurs ajoutèrent au riz les ingrédients trouvés sur place : anguille, lapin, haricots verts, petits pois, artichauts des *huertas* (jardins potagers), etc., ainsi que le safran, l'épice la plus chère au monde, qui donne à la paella sa couleur jaune. Vu son prix, le safran est très souvent remplacé par du curcuma ou un colorant alimentaire sans goût. En plein air, dans une grande poêle *(paellera)* posée sur un trépied, sa cuisson doit être lente, afin que le riz s'imprègne de tous les aliments de la recette, produisant le délicieux *soccarrat*, croûte brune et croustillante qui se forme autour du plat. Sinon, c'est un simple « riz accommodé » *(arroz),* moins cher et parfois très bon, mais qui n'a que peu de choses à voir avec la vraie paella, laquelle peut nécessiter jusqu'à 2 bonnes heures de préparation (contre 30-40 mn) !
– **Le gazpacho :** soupe froide d'origine andalouse, composée de légumes crus : tomates, poivrons, oignons, concombres, ail, huile d'olive, vinaigre et pain dur. Assez similaire à la précédente, le **salmorejo** ne contient que tomates, ail, huile

d'olive et pain rassis en plus grande quantité. Plus épais, il se déguste avec de l'œuf dur et du jambon cru. On adore !

– **La tortilla :** omelette bien épaisse servie froide ou chaude, le plus souvent aux pommes de terre *(patatas),* voire aux fines herbes, aux queues d'écrevisses (plus rares), au chorizo ou encore oignons, tomates, lardons, petits pois, etc.

– **Le cocido :** sorte de pot-au-feu avec plus ou moins de variantes, servi en plat de résistance et très roboratif. En général, servi comme spécialité du jour, dans certains restaurants, une fois par semaine.

– Côté douceurs, les **churros,** ces bâtons de pâte à crêpe frits, hérités de l'influence arabe, les **porras** (gros *churros*) et les **buñuelos** (beignets) à tremper (sans honte) à l'heure du goûter dans le traditionnel chocolat chaud bien épais. Autres délices, le plus souvent à base de lait et d'œufs, la **leche frita,** sorte de béchamel sucrée et épaisse, refroidie puis coupée en gros carrés frits dans l'huile puis saupoudrés de sucre (léger !), le **tocino de cielo** (gâteau aux cheveux d'ange), les **natillas,** crème anglaise épaisse et parfumée à la cannelle ou au citron, l'**arroz con leche** (riz au lait), les **torrijas,** l'équivalent de notre pain perdu...

Les spécialités régionales

– **La Rioja :** patatas a la riojana (pommes de terre cuisinées à l'étouffée avec ail, oignon, laurier, paprika, poivron séché et chorizo). À accompagner d'un vin de La Rioja, bien entendu. La sauce *a la riojana* (petits oignons et échalotes revenus dans du vin rouge) accompagne aussi bien les haricots blancs que la morue ou la jardinière de légumes asturienne *(menestra).*

– **Navarre :** truite de montagne à la navarraise (grillée avec du jambon *serrano,* du thym et du romarin), piments de *piquillo.*

– **Aragon :** le *chilindrón* est une sauce à base de tomates, d'oignon, de poivrons rouges et de jambon cru, le tout revenu dans l'huile d'olive légèrement aillée. Il accompagne les volailles, mais aussi les viandes blanches ; les *migas* sont des petits morceaux de pain rassis, roussis dans de l'huile parfumée à l'ail avec des dés de jambon. À Saragosse, on les sert avec du raisin blanc ; les *crespillos* sont des feuilles tendres de bourrache en beignets frits dans l'huile d'olive (un héritage arabe). Le *recao,* qui signifie « repas complet » en aragonais, est un plat préparé à base de haricots blancs, de pommes de terre, de riz et d'aromates. Celui de Binéfar (village du Haut-Aragon) est le plus connu. L'*empanadón* est une sorte de galette orientale fourrée à la confiture de potiron.

– **Castille-León :** région très terrienne, donc très viandarde ! Dans la région d'Ávila, le *chuletón* est roi : c'est une côte de bœuf tendre et fondante, servie grillée. Autres délices carnés : les rôtis *(asados)* d'agneau de lait et de cochon de lait (*cordero* et *cochinillo asado*) cuits généralement dans un four à bois. La viande d'agneau est d'ailleurs exceptionnelle en Espagne, alliant tendreté et douceur. Étonnant aussi, le chevreau *(cabrito),* viande au goût exquis et prononcé, héritage de la cuisine arabe. Des viandes souvent accompagnées de haricots blancs d'El Barco de Ávila, traditionnels de la région, ou ceux de la Granja, dans la province de Ségovie. Grande spécialité de Burgos (dont on trouve pas mal de variantes dans le reste de la région), la *morcilla,* une sorte de boudin noir dans lequel le sang est mêlé de riz, de piment, d'oignon et d'ail. À Burgos est également produit un fromage frais : mou et aqueux, il est élaboré au lait de brebis. Il est généralement accompagné d'autres ingrédients : miel, pâte de coing, noix... À l'honneur dans la province de León et dans les sierras, les archicopieux *cocidos* (pot-au-feu de 7 à 11 viandes différentes) : à Astorga, on le nomme *cocido maragato,* et à León, *cocido leonés.* Soria est connue pour sa pratique de **la diète méditerranéenne (classée au Patrimoine immatériel de l'Unesco !)** à base de fruits et légumes frais ou séchés, huile d'olive, céréales et épices. Il n'empêche que les spécialités du coin sont le *picadillo soriano* (hachis de chorizo) et le *torrezno* (poitrine de porc frite)... Cherchez l'erreur !

– **Castille-La Manche :** région d'élevage et de chasseurs, la Manche apprécie le gibier (cerf, lièvre, perdrix...), qui se retrouve sur presque toutes les cartes. Parmi ses plats emblématiques, citons le *morteruelo,* une sorte de hachis mêlant divers gibiers, la *perdiz escabechada* (perdrix escabèche) servie chaude ou froide, l'*asadillo* (mixture de poivron rouge, ail et tomate) et le classique *cochinillo* (cochon de lait), que l'on peut même commander entier ! Les *gazpachos de la Mancha* (ou *galianos*) n'ont rien à voir avec leur homologue andalou. Chauds (il fait froid ici l'hiver !), ils sont plutôt consistants, servis avec une galette de pain. Leur composition varie en fonction des provinces : champignons, escargots, perdrix, asperges... Le *pisto manchego* est un mélange de poivrons rouges et verts, tomates, oignons et courgettes dans de l'huile d'olive : il ressemble fort à la ratatouille. Et enfin, les délicieux fromages de brebis *manchegos,* qui méritent leur réputation. Une cuisine qui réchauffe l'hiver, mais pas forcément idéale dans la chaleur de l'été !

– **Estrémadure :** avant tout, le célèbre et succulent *jamón ibérico,* la star du jambon cru dont le goût très spécifique provient de l'alimentation des porcs élevés dans les forêts de chênes-lièges extrémègnes. Nombreux fromages de brebis comme les *tortas* de la Serena ou de Cáceres. Excellente viande de mouton, pas mal de gibiers aussi, notamment de la perdrix et produits du terroir comme les champignons, les truffes blanches (rien à voir avec les noires) et les poissons de rivière. Grosse production de cerises, châtaignes, miel et paprika aussi, principalement dans la Vera. Enfin, bons petits vins de la *Ribera del Guadiana.*

Petit lexique culinaire

Agneau	cordero
Porc	cerdo
Bœuf	vaca, buey
Jambon	jamón
Poulet	pollo
Veau	ternera
Filet de porc	solomillo
Côtelette	chuleta
Rôti	asado
Grillé	a la plancha
Frit	frito
Entrecôte, longe	lomo
Poisson	pescado
Morue	bacalao
Fruits de mer	mariscos
Hors-d'œuvre	entremés
Œufs	huevos
Omelette	tortilla
Salade	ensalada
Légumes	verduras
Riz	arroz
Dessert	postre
Fromage	queso
Glace	helado
Vin rouge (hic !)	vino tinto
Vin blanc (re-hic !)	vino blanco
Vin pétillant	espumoso
Eau plate/gazeuse	agua sin gas/con gas
Bière, panaché	cerveza, clara
Café noir	café solo
Expresso avec une noisette de lait	cortado
Café au lait	café con leche

Verre (pour l'eau)	*vaso*
Verre (pour le vin)	*copa*
Sel	*sal*
Poivre	*pimienta*
Moutarde	*mostaza*
Huile	*aceite*
Vinaigre	*vinagre*
Beurre	*mantequilla*
Pain	*pan*
Bouteille	*botella*

CURIEUX, NON ?

– Les Espagnols dînent rarement avant 22h. Entre 22h30 et 23h30, il est difficile de trouver une table libre (ou alors, c'est que le resto n'est pas bon !). Sans réservation, et pour ne pas se casser le nez, venir dès l'ouverture de la cuisine, vers 20h30-21h. Généralement, on trouve facilement de la place jusqu'à 21h30, avant que le flot arrive et que la salle ne se remplisse en quelques minutes. Attention au week-end, quand toutes les familles sont de sortie : il est alors prudent de réserver, y compris le midi.

– Les Espagnols invitent très peu chez eux. Ils se retrouvent au resto... et avec les enfants.

– En règle générale, le marchandage est assez mal vu dans une boutique d'artisanat. Toutefois, sur les marchés très touristiques, tenter de négocier.

– Il est un rituel que l'on retrouve dans toute la péninsule Ibérique, celui du **paseo** (littéralement « la promenade »). Vers 19-20h, avant le dîner, plus particulièrement en fin de semaine, les Espagnols ont l'habitude de déambuler dans les rues de la ville, le long des promenades par exemple, en famille ou entre amis. L'élégance est de mise, chez les grands comme chez les petits. C'est un moment convivial, souvent ponctué de retrouvailles : on croise un voisin, on dit bonjour à une cousine, puis on finit par s'asseoir sur un banc (ou apporter sa propre chaise !) pour regarder les autres passer...

– Dans une majorité de bar à tapas, *mesón, comedor* et certains restaurants, la télévision est allumée en permanence. Les soirs de match (presque tous les soirs en période de championnat), difficile d'échapper aux « bravos » extrêmement bruyants des supporters. Chaque but est vécu avec un enthousiasme proche des « *Gooooooal* » brésiliens. Pour ceux qui ont les tympans sensibles, mieux vaut venir après le match.

– La Semaine sainte *(Semana santa)* est le point d'orgue du calendrier des fêtes en Espagne. Pour un étranger, rien de plus étonnant que ces défilés de pénitents en capuche, ces confréries en costumes bariolés, ces processions extatiques où l'on trimballe à la force des bras des chars au faste délirant, dans une liesse populaire enfiévrée... Dans une vingtaine de villes, ces événements sont classés *Fêtes touristiques d'intérêt international.* Hélas, les tarifs hôteliers doublent, voire triplent pour l'occasion !

ÉCONOMIE

Une économie moderne

Au début des années 2000, le leitmotiv du 1er ministre espagnol, José María Aznar, était : « España va bien. » C'est vrai que l'Espagne a connu une période de forte croissance au début de la décennie 2000. L'agriculture occupe désormais à peine plus de 2,5 % de la population active (18 % en 1985), l'industrie environ 22 % et les services un peu plus de 75 %. C'est bien là le profil d'un pays moderne, industrialisé (les produits industriels représentent 80 % des exportations) et tertiarisé, participant pleinement aux échanges commerciaux internationaux. L'Espagne compte parmi les 1ers producteurs mondiaux d'automobiles (avec 10 % de la population active dans ce seul secteur !). Elle est un grand exportateur d'acier, de produits chimiques, de vêtements, le 1er producteur d'huile d'olive (41 % de la production mondiale) et elle est à la tête de la 1re flotte de pêche de l'UE. Et n'oublions pas le tourisme, qui génère une part importante du PIB (entre 10 et 15 %, selon les estimations). L'Espagne se classe au 14e rang des puissances économiques mondiales, au 5e rang européen.

Légère embellie après la crise de 2008

Après le boom de l'économie du début des années 2000, l'Espagne plongea dans la crise en 2008, frappée de plein fouet par l'éclatement d'une bulle immobilière. La crise économique mondiale n'a fait qu'aggraver la situation. Acculés en raison de la hausse des taux de leurs emprunts immobiliers, les Espagnols ont freiné sur les dépenses, entraînant une chute de la consommation et, logiquement, de la production industrielle. Le déficit public a explosé.

OÙ EST PASSÉ LE POGNON ?

Les conquistadors espagnols ont rapporté d'Amérique des trésors considérables à leur mère patrie. À part à Séville et dans quelques cathédrales, on se demande pourquoi ces richesses ont laissé si peu de traces. Eh bien, ces grands navigateurs étaient des parvenus ; ils dépensèrent leur fortune en soieries et en épices, les produits de luxe de l'époque. Le grand bénéficiaire en fut donc la Chine, et non pas l'Espagne.

Dans les années qui suivirent, sous la pression de l'Union européenne (et relayés par les différents gouvernements espagnols), l'Espagne subit une cure d'austérité drastique (augmentation de la TVA et des impôts, baisse des salaires dans la fonction publique, coupes franches dans les dépenses publiques, retraite à 67 ans, flexibilisation des contrats de travail...). Les plans d'austérité se sont accumulés. En septembre 2011, l'Espagne fut même le 1er pays de l'UE à inscrire dans sa Constitution une « règle d'or » de stabilité budgétaire. Résultat, depuis 2014, la croissance pointe à nouveau le bout de son nez, les marchés sont contents (youpi !), les agences de notation relèvent la note du pays après l'avoir fortement dégradée 2 ans plus tôt. Ça, c'est pour les pages business des journaux.

La réalité concrète est tout autre. Le taux de chômage bondit, passant de 8 % en 2008 à 27 % en 2013 – le 2e taux le plus élevé des pays de l'Union européenne, derrière la Grèce... Le chômage touche aussi près de 1 jeune sur 2, un record absolu ! Et les ¾ des jeunes qui ont un emploi sont des précaires : on les surnommait *mileuristas* (« ceux qui gagnent 1 000 € par mois »). En 2012, ils sont devenus les « *nimis* », pour « *ni mismo* », « pas même » 1 000 € par mois, et cela concerne aussi bien les diplômés que les moins qualifiés. L'Espagne tient d'ailleurs le record, en UE, du taux d'émigration des jeunes...

Après 6 années de récession, la reprise s'engage dès 2013-2014. Après sa réélection en 2016, Mariano Rajoy dévoile ses priorités : maintenir le cap de la rigueur budgétaire, consolider la reprise, augmenter le salaire minimum. La chute du gouvernement Rajoy, remplacé en 2018 par une coalition dirigée par le socialiste Pedro Sánchez, n'entame pas la reprise. Le déficit repasse sous la barre des 3 % (pour la 1re fois depuis plus de 10 ans), la croissance se hisse à 2-3 % entre 2015 et 2020 et le taux de chômage est en baisse constante pour atteindre 16,5 % en 2017 et 13,6 % en 2019 (30 % chez les moins de 25 ans). Un chiffre qui reste toutefois supérieur à la moyenne des autres pays de l'Union européenne et ne masque pas une réalité difficile : le salaire minimum se monte à 900 € par mois et 93 % des embauches sont des contrats temporaires, le CDI étant en voie de disparition...

Madrid et le désert castillan

D'un point de vue géoéconomique, quels sont les points forts et les points faibles du territoire espagnol ? Sa particularité réside dans le fait que l'essentiel des hommes, des villes et des activités industrielles du pays, excepté Madrid, se concentre sur le pourtour du pays : côte atlantique, vallée de l'Èbre, côte méditerranéenne. En dehors de la communauté madrilène qui, avec plus de 6 millions d'habitants, demeure la 1re région économique du pays, les territoires du centre de l'Espagne représentent bien peu économiquement. Madrid et ses banlieues sont une île surpeuplée au milieu du désert de la Meseta (moins de 20 hab./km²), dont les villages se dépeuplent. Seules Valladolid et Saragosse, dans la vallée de l'Èbre, font figure de métropoles régionales. Cette partie du pays reste avant tout agricole.

ENVIRONNEMENT

L'Espagne connaît les mêmes problèmes environnementaux que ses voisins européens. Quoique... Depuis que les Romains ont initié la déforestation de la péninsule pour alimenter leurs fourneaux et boiser leurs mines, et que leurs successeurs ont fourni aux chantiers navals le bois de marine dont ils avaient besoin, chaque génération a amplifié le mouvement. Résultat : aujourd'hui les menaces environnementales les plus graves sont **l'érosion, la désertification, la pollution des eaux et la déforestation** (incendies). Car, si l'on en croit les experts, l'Espagne aurait besoin de planter 2 milliards d'arbres d'ici à 2030 pour pallier les désastres causés par l'activité humaine, selon une étude du groupe écologique WWF en 2009.

Dans un autre secteur, la construction de plus d'un millier de barrages (l'Espagne est le pays au monde ayant la concentration la plus importante dans ce domaine) a profondément modifié l'habitat naturel des animaux, déjà menacés par l'emploi systématique de pesticides dans l'agriculture. Mais, en Espagne, *le problème de l'eau* reste entier. Près des ¾ de l'eau disponible se trouvent dans le Nord. Ce problème est d'ailleurs régulièrement un sujet de bisbille entre les politiques. L'Espagne se tourne par ailleurs vers la solution des usines de désalinisation, mais elles sont énergétivores. Le fond du problème, c'est la surconsommation. 30 % de l'eau consommée se répartissent entre l'industrie et la consommation domestique, tandis que 70 % sont dédiés à l'agriculture. L'Espagne s'est doté (comme la Suède) d'un *parquet environnemental*, un tribunal spécial qui peut prononcer des condamnations pour des délits et des crimes environnementaux. Les particuliers peuvent déposer des plaintes.

Les parcs nationaux, une garantie pour l'environnement

Cependant, un très bon point pour le pays est la création de *parcs nationaux* (au nombre de 15), de parcs régionaux et de réserves protégées. L'Espagne a même été la 1re sur ce plan : parcs nationaux Picos de Europa (partagé entre Asturies, Cantabrie et Castille-León), Ordesa y Monte Perdido (Pyrénées aragonaises, créé dès 1918), Tablas de Daimiel et Cabañeros (Castille-La Manche), parc naturel de las Batuecas-Sierra de Francia (Castille-León)... Ils étaient quelques dizaines dans les années 1980, on en compte désormais plus de 400.

Énergies renouvelables

Par ailleurs, *l'Espagne est très avancée en matière d'énergie « propre »*, et a développé un parc important d'éoliennes : le pays a été pionnier en produisant 20 % de l'énergie éolienne mondiale dès 2007, et est devenu leader sur le secteur en recherche et développement. Aujourd'hui, 25 % de la consommation totale d'énergie est d'origine renouvelable, la majeure partie provenant de l'éolien, le reste de l'énergie solaire. L'objectif de 20 % en 2020 a été largement dépassé. Certaines régions ont énormément investi et sont autonomes grâce aux ressources durables. C'est le cas de la Galice, de l'Estrémadure, de la Castille-La Manche et de l'Aragon, mais surtout de la Castille-León, qui produit plus de 160 % d'énergie « verte » et peut ainsi exporter le surplus. Le problème, c'est que la politique éolienne engendre des effets pervers, d'ordre général, comme l'augmentation du coût de l'électricité ou environnemental, en posant de sérieux problèmes aux oiseaux. Mais restons positifs. En Castille, de gros efforts portent sur le traitement des eaux usées. Pour combattre la pollution galopante due à l'important trafic routier, on envisage de renforcer les structures ferroviaires dans l'ensemble de la Castille et du León, et de développer un mode de transport propre en ville. C'est déjà le cas dans de nombreuses grandes villes avec les créations de pistes cyclables et leur système de vélopartage. Quant à Madrid, si la circulation automobile intense entraîne une pollution qui porte désormais atteinte à la réputation de climat sain dont jouissait la ville... et qui diminue son ensoleillement, la ville est en train de se convertir au vélo, avec l'aménagement de kilomètres de pistes cyclables. Tout fout le camp !

Dernière chose, car dans le cochon, tout n'est pas bon comme on le dit souvent. L'Espagne en est le 4e producteur mondial et possède le plus gros cheptel porcin d'Europe. Or, celui-ci est élevé en batterie, selon les méthodes très polluantes inspirées du modèle américain. En Aragon, on ne sait que faire des 6 milliards de litres de purin produits par les 5 millions de porcs élevés dans la région. C'est bon le jambon de Teruel, mais ça a un coût (et une odeur...) ! Plus que jamais, on ira donc profiter de l'air pur des parcs nationaux !

La Véloroute de l'Atlantique

Des mesures sont tout de même prises pour encourager les voyageurs à utiliser des modes de transport plus écologiques. Parmi eux, le vélo est évidemment en tête de peloton. Le réseau des pistes cyclables européennes (EuroVelo) permet de parcourir l'Europe en long, en large et en travers, grâce à 19 itinéraires aménagés sur 34 pays. La *Véloroute de l'Atlantique* traverse 6 pays sur 9 100 km. Grâce à cet itinéraire, on peut rejoindre l'Espagne depuis la Bretagne en longeant la côte. Cette piste cyclable traverse la Castille-León et les villes de *Logroño, Burgos, Palencia, Valladolid, Zamora, Salamanca, Plasencia* et *Mérida* (en suivant un axe nord-sud). Et si vous n'êtes pas trop éreinté, elle suit son cours jusqu'à Huelva en Andalousie puis remonte le Portugal par l'océan ! De quoi muscler vos mollets... Plus d'infos sur : ● eurovelo.com/fr ●

FLAMENCO

Expression pure et puissante de ce que l'âme andalouse possède de noble et tragique, voici le flamenco, art bouleversant en vérité, qui sort du ventre et prend aux tripes, quelque chose d'indiciblement fort comme jailli du tréfonds de l'être, de la souffrance, du bonheur et de la mort. Cette énergie toute particulière qui passe de l'artiste au public, et du public à l'artiste, dans une communion pleine d'extase, s'appelle le *duende*.

Retour aux sources

Vers la fin des années 1980, le flamenco s'est mis à résonner partout. À toutes les sauces : dans les night-clubs, sur la FM, et jusqu'aux robes vivement colorées et froufroutantes des danseuses de flamenco copiées par le prêt-à-porter. Et voici qu'un gitan,

FLAMENCO, L'ORIGINE

Le mot vient bizarrement de « flamand ». La danse gitane subit l'influence des domestiques, originaires des Flandres, qui entouraient Charles Quint quand il vint s'installer à Grenade.

nommé Camarón de la Isla, est consacré star, parce qu'il joue du flamenco et enflamme des foules de jeunes. Que s'est-il passé ? Même s'il n'est pas originaire de ces régions d'Espagne, on vous en touche deux mots ici, car vous aurez certainement la possibilité d'assister à des démonstrations, en particulier à Madrid. Les *tablaos,* ces salles de spectacle spécialisées, restent très bien pour une 1re approche, et le silence des non-initiés, finalement assez gênant devant la passion des danseurs, vous donnera certainement envie d'aller creuser un peu plus loin : il y a des chances, alors, que votre prochaine destination soit l'Andalousie !

Ce n'est pas un hasard si Camarón de la Isla est fils et petit-fils de gitans. Car ce sont *les gitans andalous qui ont créé le genre musical flamenco.* Nés pour ainsi dire avec le *cante flamenco,* ils le chantent mieux que personne. Des générations d'apprentissage en ont fait les détenteurs de la sensibilité flamenca. Et pourquoi spécialement les gitans andalous ? Parce que c'est en Andalousie que se sont installés les gitans qui ont le plus voyagé ; et, durant leur périple – depuis l'Inde –, ce peuple a puisé dans tous les chants sacrés qu'il a pu entendre et chanté à son tour pour endurer sa peine. Alors, riches de cette connaissance unique, ils créèrent le *cante jondo,* la forme la plus puissante du flamenco. Un cri, une déchirure. La prière d'un peuple fier et bafoué, toujours indépendant, longtemps martyrisé. Voir à ce sujet le très beau film de Tony Gatlif, *Latcho Drom,* qui parle de cette épopée musicale.

De la taverne populaire au cabaret bourgeois

Dès le début du XIXe s, il s'exprimait dans les tavernes d'Andalousie, notamment celles de Triana à Séville. Ce chant libre était la fierté, l'expression des pauvres. Une langue à part entière.

La 1re évocation historique du flamenco remonte à 1750, dans un ouvrage intitulé *Le Livre des gitans de Triana,* de Jerónimo de Alba Diéguez. On y évoque une danse *(la danza del Cascabel Gordo)* interprétée par 12 vierges gitanes.

Vers 1850, les cabarets connurent en Espagne une vogue subite. De Séville à Madrid, le flamenco fit rugir sa belle voix. À cette même époque, des marins rapportèrent de Cuba, de Puerto Rico et d'Argentine des musiques nouvelles : *milongas, colombianas, guajiras.* Le flamenco, affamé comme les gorges qui le modulaient, se nourrit aussitôt de ces rythmes lointains.

À la fin du XIXe s, le flamenco passa du bar au théâtre. Lentement, *il gagna ses lettres de noblesse et imposa sa violence triste et son ardente mélancolie.* Vicente Blasco Ibáñez écrivait à l'époque : « Nous sommes un peuple triste, nous avons ça dans le sang. Nous ne savons pas chanter sans menacer ou sans pleurer, et plus nos chansons se mêlent de soupirs, de hoquets douloureux et de râles d'agonie, plus elles sont belles. »

La réhabilitation et, en quelque sorte, la popularisation passèrent par le biais des élites en pleine ferveur romantique qui trouvèrent dans ce chant une mélancolie, un spleen opportuns. Parmi eux figurait Lorca, promoteur du 1er *Concurso de cante jondo* à Grenade, en 1922. Le flamenco s'y teinta de touches d'amour, acquit ses premières lettres de patriotisme et de culture du patrimoine andalou. En quelques mots, il gagna en visibilité et en honorabilité.

Depuis, le flamenco a emprunté mille chemins. Du style le plus épuré (un chanteur pose simplement sa voix sur le rythme d'un marteau frappant une enclume, évoquant le travail d'un maréchal-ferrant) aux arrangements symphoniques des chansons de Camarón, le flamenco se décline sur toutes les gammes de la sensibilité gitane. Depuis 2010, il est inscrit sur la liste du Patrimoine immatériel de l'humanité par l'Unesco.

Le flamenco possède en gros 4 styles de base ou *palos* et fleurit dans les provinces de Cadix, Séville, Málaga et Grenade. Vous apprendrez à reconnaître les *soleares,* les *siguiriyas,* les *tangos* et les *fandangos.* Ces styles se divisent ensuite en multiples ramifications et essences rythmiques parallèles : *bulerías, malagueñas* (de Málaga), *cartageneras* (de Carthagène), *granaínas* (de Grenade), *rondeñas* (de Ronda), *alegrías, cantiñas, rumbas, tientos...*

GÉOGRAPHIE

L'Espagne, aussi surprenant que cela puisse paraître, c'est avant tout la montagne. C'est en effet **le pays le plus montagneux d'Europe après la Suisse,** avec une altitude moyenne de 650 m et la capitale la plus élevée du continent (646 m). Le centre de l'Espagne illustre parfaitement cette particularité géographique : y dominent sierras et plateaux, dans un enchevêtrement d'ailleurs assez complexe. Essayons d'y voir plus clair.

ORIENTER UNE CARTE

Autrefois, les grands navigateurs « orientaient » leurs cartes, c'est-à-dire que le haut indiquait l'est (l'Orient, en direction de Jérusalem et du tombeau du Christ). Puis, avec l'invention de la boussole, on comprit qu'il était bien plus pratique de placer le nord au sommet des cartes. Curieusement, le terme « orienter » est resté dans le langage.

– Au centre du Centre se situe la *Meseta* (« petite table » en espagnol), vaste plateau essentiellement granitique, vieux de 300 millions d'années, légèrement incliné vers l'ouest (ce qui explique le sens de l'écoulement des principaux fleuves du pays, de l'est vers l'ouest). Son altitude varie entre 600 et 1 000 m. La Meseta est connue pour son climat purement continental, caricaturé par le fameux proverbe : « 9 mois d'hiver, 3 mois d'enfer. » Le caractère continental est renforcé par les chaînes montagneuses qui l'encerclent et qui l'isolent des régions côtières.

– Au nord, les austères **monts Cantabriques,** prolongement ibérique des Pyrénées, culminent à 2 648 m dans le très beau massif karstique des Picos de Europa, qui vient mordre dans sa partie sud sur la province de León.

– Au sud, la **sierra Morena** marque la frontière avec l'Andalousie, en bordure sud de l'Extrémadure et de la Castille-La Manche.

– Au nord-est, la **cordillère Ibérique** court en diagonale de Burgos à Teruel, marquant une minifrontière naturelle entre La Rioja et l'Aragon côté nord-est, et les 2 Castille côté ouest. Le Douro et le Tage y naissent.

Notons enfin, pour être complets, que la Meseta est coupée en 2 par la cordillère Centrale (**sierra de Gredos, sierra de Guadarrama** qui abrite une station de ski à 60 km de Madrid), séparant la Vieille-Castille (actuelle Castille-León), au nord, de la Nouvelle-Castille (Castille-La Manche), au sud.

Paysages et climat de la Meseta se retrouvent également en Aragon, qui bénéficie toutefois d'une tendance méditerranéenne beaucoup plus marquée.

HISTOIRE

Quelques dates

– **Néolithique :** des peuplades d'Ibères, sans doute venues d'Afrique, s'établissent dans le sud et dans l'est de l'Espagne.

– **202 av. J.-C. :** occupation romaine.

– **484 apr. J.-C. :** le royaume des Wisigoths s'étend sur toute l'Espagne.

– **756 :** le calife de Damas s'établit à Cordoue et sera l'artisan du rayonnement de la civilisation arabe en Espagne.

– **1035-1492 :** les États chrétiens reprennent progressivement possession des territoires perdus : c'est la « Reconquête » sur l'islam.

– **1469 :** mariage de Ferdinand II d'Aragon et d'Isabelle de Castille, les fameux « Rois catholiques ».

– **1478-1479 :** mise en place de l'Inquisition par Tomás de Torquemada ; elle subsistera en Espagne, même après sa disparition dans les pays voisins.

– **1492 :** chute du royaume de Grenade, le 2 janvier. Découverte de l'Amérique par Christophe Colomb, le 12 octobre (devenu jour de fête nationale). Expulsion des juifs « pour protéger l'unité religieuse de l'Espagne » (200 000 environ partent pour l'Afrique du Nord, l'Italie et l'Empire ottoman).

– **1516-1556 :** règne de l'empereur Charles Quint (Charles Ier pour les Espagnols), petit-fils d'Isabelle la Catholique.

ISABELLE, LA REINE « TROP » CATHOLIQUE

En 1958, on tenta sa béatification. Très vite, plusieurs objections apparurent. D'abord, elle usurpa le trône à sa nièce. Ensuite, elle institua l'Inquisition, puis l'expulsion des juifs d'Espagne. Enfin, elle était vénérée par le régime franquiste. Bref, son dossier scolaire présentait trop de mauvaises notes.

Domination d'un immense empire, tant en Europe qu'en Amérique, « où jamais le soleil ne se couche ».

– **1560** : la capitale du royaume d'Espagne est transférée de Valladolid à Madrid.

– **1621-1655 :** le traité des Pyrénées cède à la France l'Artois, le Roussillon et la Cerdagne.

– **1659 :** Louis XIV épouse l'infante Marie-Thérèse d'Espagne.

– **1700 :** avènement au trône d'Espagne de Philippe V, petit-fils de Louis XIV, à l'origine de la guerre de la Succession d'Espagne (1701-1714) – qui se termine, à la signature du traité d'Utrecht, par la perte des Pays-Bas et du royaume de Naples.

– **1808 :** Napoléon nomme son frère Joseph roi d'Espagne, surnommé « *Pepe Botella* ». Madrid, occupée par les troupes françaises, se soulève. Début de la guerre d'Indépendance.

– **1813 :** victoire de l'armée anglo-portugaise de Wellington, jointe aux Espagnols. Ferdinand VII retrouve le trône d'Espagne.

– **1814-1833 :** morcellement des possessions espagnoles d'Amérique en États indépendants.

– **1931 :** aux élections municipales, la gauche l'emporte dans les grandes villes et proclame la République. Abdication du roi Alphonse XIII.

– **1933 :** 1res élections avec suffrage féminin.

– **1935 :** constitution du *Frente popular,* regroupant syndicats et partis de gauche.

– **1936 :** succès du *Frente popular* aux élections de février. Très vite, l'armée du Maroc dirigée par le général Francisco Franco se soulève. C'est le début d'une terrible guerre civile fratricide, qui durera 3 ans. L'Espagne devient un terrain d'affrontement indirect des grandes puissances qui offrent une aide importante à l'une et l'autre parties.

– **1939 :** Barcelone est prise par les nationalistes. Le gouvernement républicain, qui s'y était replié, se réfugie en France. Le 28 février, chute de Madrid, dernier bastion de la résistance républicaine.

– **1969 :** le général Franco désigne officiellement son successeur en la personne du prince Juan Carlos, petit-fils d'Alphonse XIII.

– **1975 :** mort de Franco le 20 novembre. Le 22 novembre, Juan Carlos devient roi d'Espagne.

– **1978 :** la nouvelle Constitution d'un État espagnol, « social et démocratique », entre en vigueur.

– **1986 :** entrée de l'Espagne dans la Communauté économique européenne.

UN HYMNE SANS PAROLES

Depuis la fin de la dictature, l'hymne national – la Marcha Real *– se retrouve sans paroles. Ces mots, appris par cœur par tous les écoliers du royaume depuis 1761, symbolisaient trop le franquisme. Sans oublier que l'Espagne possède 5 langues officielles, et, ici, on ne rigole pas avec les nationalismes.*

– *11 mars 2004 :* à la veille des élections législatives, un terrible attentat fait 192 morts et plus de 2 000 blessés dans des trains de banlieue de Madrid. Le PP désigne immédiatement l'ETA, alors que l'enquête démontre très vite la culpabilité d'islamistes.

– *Fin mai 2004 :* il n'y a plus de soldats espagnols en Irak. Mariage du prince Felipe de Bourbon (fils de Juan Carlos Ier et alors futur roi d'Espagne) et de Letizia Ortiz, une journaliste.

– *2005 :* le mariage homosexuel et l'adoption d'enfants par des couples de même sexe sont légalisés. L'Espagne fête les 400 ans de la publication de *Don Quichotte,* le roman de Cervantes.

– *2008 :* le pays tout entier s'enfonce dans la crise : immobilière d'abord, économique ensuite...

– *2010 :* l'Espagne se retrouve classée parmi les pays à risques par les agences de notation anglo-saxonnes. L'opium des peuples vient consoler les hommes : l'Espagne remporte la Coupe du monde de foot pour la 1re fois de son histoire !

– *2011 :* toujours en pleine crise, l'Espagne voit proliférer à la fin du printemps les mouvements spontanés *(Indignados)* appelant à l'émergence d'une autre société. Le 20 décembre, suite à la victoire du Parti populaire aux élections législatives, Mariano Rajoy devient le nouveau chef du gouvernement. Il présente aussitôt un 1er plan d'austérité.

– *2012-2013 :* la crise s'aggrave, le taux de chômage continue sa triste ascension pour frôler les 27 %. Les Indignés redescendent dans les rues espagnoles.

– *2014 :* la croissance revient, un peu, le chômage baisse à peine (26 %), le pays est toujours englué dans la crise. Fragilisé par des scandales à répétition, le roi Juan Carlos abdique en faveur de son fils, Felipe.

– *2015 :* en mai, les élections régionales et municipales installent vraiment dans le paysage politique les nouveaux venus de *Podemos* (parti né du mouvement des Indignés).

– *2016 :* le pays traverse la plus grande crise politique de son histoire récente. Un blocage politique qui aura duré 10 mois, le pays n'arrivant pas à dégager une majorité claire, malgré 2 élections législatives. Le 19 octobre, le président du Parti populaire (PP), Mariano Rajoy, est finalement reconduit à la tête du gouvernement, après avoir arraché la confiance du Congrès. Mais le Parlement espagnol demeure sans majorité marquée...

– *2017 :* le chômage passe sous la barre des 18 %. Le 17 août, un attentat revendiqué par Daesh endeuille Barcelone et tout le pays : 16 morts et une centaine de blessés, fauchés par la folie des hommes sur les Ramblas.

– *2018 :* défié par une motion de censure, le gouvernement Rajoy est renversé. *Une coalition fragile, dirigée par Pedro Sánchez (PSOE) et soutenue par Podemos, prend le pouvoir.*

– *2019 :* législatives anticipées en avril. Le PSOE et les centristes de *Ciudadanos* sont renforcés, le PP et *Podemos* coulent à pic. Mais on retiendra surtout l'émergence de *Vox,* un mouvement franquiste. *L'extrême droite espagnole entre au Parlement pour la 1re fois depuis la mort de Franco.* Isolé, Sánchez ne parvient à réunir une fragile coalition qu'après les 4e élections législatives en 4 ans, le 10 novembre.

Préhistoire et Antiquité

D'après les mythes antiques, les Ibères sont un peuple venu d'Afrique (vers 1000 av. J.-C.), auquel se mêlent progressivement des tribus celtes de l'intérieur des terres – c'est ainsi que l'on parle des *Celtibères.* La zone côtière, elle, subit l'influence des Phéniciens, qui établissent des comptoirs dès le VIIe s av. J.-C. Un de leurs héritiers, le Carthaginois Hamilcar Barca, débarque en Hispanie en 236 av. J.-C. et s'y taille un vaste territoire – destiné à compenser la perte de la Sicile à l'issue de la 1re guerre punique, remportée par les Romains. Il ne faut pas même 20 ans avant que ne se déclenche la 2e guerre punique. Parti d'Espagne,

Hannibal marche sur Rome avec ses éléphants, mais doit refluer devant les armées romaines de Scipion. En 202 av. J.-C., *le pays est entièrement soumis à Rome.* À partir de ce moment, il devient tour à tour un foyer de rébellion (Pompée défiant César) et le lieu de naissance de personnages importants de l'histoire romaine : Trajan, Hadrien, Sénèque (précepteur de Néron)... Ses gisements de métaux assurent une certaine prospérité économique à la péninsule, qui connaît une paix relative par rapport au reste de l'Empire romain. *Le christianisme y apparaît à la fin du Iᵉʳ s apr. J.-C.* pour s'y développer dès le IVᵉ s.

Wisigoths et Arabes

Comme dans tout le reste de l'Europe, l'Empire romain cède devant la poussée des Barbares. En 409, les Vandales arrivent... Puis c'est au tour des Alains et des Suèves, qui prennent racine. Chassés d'Aquitaine par Clovis en 507, les Wisigoths se replient sur le Languedoc et pénètrent en Espagne. Ils installent leur capitale à Tolède. En 585, le roi Léovigild est crédité de la 1ʳᵉ « unification » de la péninsule Ibérique. Son fils Récarède abandonne l'arianisme (une secte chrétienne) pour le catholicisme. Mais au VIIᵉ s, luttes internes et persécutions (notamment contre les juifs) affaiblissent le royaume.

Outre-Méditerranée, au Maghreb, l'islam s'est répandu comme une traînée de poudre. Seul le port de Ceuta, aux mains du comte Julien, vassal de Byzance, résiste encore. La légende, portée par tous les bardes médiévaux, se greffe alors : cherchant l'alliance avec les Wisigoths, Julien envoie sa fille à Tolède, mais le roi Rodéric l'engrosse – de force, peut-être. Vengeance en tête, Julien ouvre les portes de Ceuta aux armées arabes du gouverneur Moussa ibn Noçaïr et lui prête même des navires... pour envahir l'Espagne ! La mission est confiée à Tarik ibn Ziad. Avec un corps de 7 000 cavaliers berbères, il débarque en 711 à Gibraltar, auquel il donne son nom (de l'arabe *djebel Tarik,* la « montagne de Tarik »). Ils progressent rapidement, obtenant de faciles victoires en garantissant la liberté de culte aux juifs et aux chrétiens. Le royaume wisigoth est devenu impopulaire au point de s'écrouler. Succès total. Du coup, pour empêcher que leur émissaire berbère ne s'accapare tout le gâteau espagnol, le califat de Damas y expédie pas moins de 18 000 fantassins arabes. Objectif : Tolède, la capitale des Wisigoths, laquelle finira par tomber face à la réunion des 2 armées berbère et arabe. Le vent en poupe, la foudroyante avancée musulmane se poursuit vers le nord : Saragosse, Lérida, Soria, Oviedo, Gijón... 2 ans plus tard, *l'essentiel de l'Espagne prend la forme d'un émirat baptisé Al-Andalus,* dépendance de l'immense Empire arabe et de son calife installé à Damas.

Al-Andalus : l'émirat d'Espagne

Les Maures continuent leur expansion au-delà des Pyrénées, jusqu'à ce qu'un certain Charles Martel les arrête à Poitiers, en 732. Devant la pression franque, ils finissent par se replier sur la péninsule Ibérique. Mais, en 750, une révolution de palais décide du sort d'Al-Andalus. À Damas, la dynastie omeyyade est massacrée par ses ennemis abbassides. Son dernier membre survivant, Abd el-Rahman, découvre, tout à l'ouest de l'ancien empire familial, cette terre encore promise. En peu de temps, il fonde un émirat autonome centré sur Cordoue, qui va briller d'un éclat incomparable.

En 929, Abd al-Rahman III (non, ce n'est pas Iznogoud) rompt définitivement avec Bagdad en se proclamant calife à la place du calife. En d'autres termes, héritier du Prophète. D'une main de fer, c'est une version veloutée de l'islam qu'il professe : une foi tolérante, ouverte aux idées et aux arts. *La florissante Cordoue est alors la plus grande cité d'Europe occidentale* (800 000 habitants). Dans ses différents quartiers cohabitent Arabes et Berbères d'Afrique du Nord (musulmans), *Muladíes* (chrétiens convertis à l'islam), mozarabes (chrétiens), juifs et Slaves, pour beaucoup esclaves (il suffit de reconnaître Allah comme seul Dieu pour échapper à la servitude et à l'impôt). Certes, la coexistence n'est pas toujours aisée. Les sectes et les événements temporels jettent de l'huile sur le feu. Mais l'héritage omeyyade prévaut.

Férus de savoir, les califes de Cordoue constituent une formidable bibliothèque, que l'on dit riche de 400 000 ouvrages. Mathématiques, astronomie, médecine, géographie, art de la navigation, le savoir des Grecs est traduit en arabe, en langues romanes, en latin. À Tolède, une grande école dirigée par un archevêque bourguignon permet à ces enseignements de franchir les Pyrénées. Cordoue est parallèlement l'une des capitales de l'astronomie et de la médecine. Ses chirurgiens opèrent sous anesthésie des chrétiens venus de toute l'Espagne ! L'usage des chiffres arabes se répand vers le nord, la trigonométrie apparaît, l'algèbre et les algorithmes se diffusent. Les marins de toute l'Europe héritent de ces calculs : l'astrolabe, dès le Xe s, facilite la navigation. Le papier chinois, le sucre (de l'arabe *sukkar*), l'abricot *(al-birkouk),* les agrumes, les dattes, la grenade, la soie, le safran *(zaferan),* le coton *(koton)* et même le riz arrivent en Europe ou s'y développent grâce aux Maures d'Al-Andalus. Habitués aux terres sèches, ceux-ci font montre d'un extraordinaire savoir-faire en matière d'irrigation.

La Reconquista

Charlemagne peine à maintenir un accès en Espagne (Roncevaux, en Navarre), à partir duquel il espère déstabiliser les musulmans. Mais ses efforts finissent par encourager la création de plusieurs royaumes chrétiens le long du golfe de Gascogne et des Pyrénées : d'abord la Navarre (852), puis le León (914), la Castille et l'Aragon (vers l'an 1000). La mise à sac du lieu de pèlerinage de Saint-Jacques-de-Compostelle (997) galvanise les esprits, et l'éclatement du califat de Cordoue en une vingtaine de petits *taïfas* (1031) ouvre de nouvelles perspectives.

C'est pendant la 2de moitié du XIe s que se tient l'épisode du *Cid Campeador* (de l'arabe *Sidi*, « seigneur ») de Rodrigo Díaz de Vivar qui, n'en déplaise à Corneille, est un fieffé coquin : fâché avec le roi, il se fait mercenaire et se taille un petit royaume autour de Valence pour lui tout seul. Il s'allie même avec les Sarrasins de Saragosse contre les chrétiens ! Le 1er vrai verrou du maillage musulman saute *le 25 mai 1085* : *Fernando Ier, 1er roi de Castille, s'empare de Tolède.* La nouvelle se répand comme une traînée de poudre dans le monde chrétien, si bien que les comtes de Barcelone et de Cerdagne s'allient avec l'Aragon pour faire tomber Saragosse, après 6 mois de siège, le 2 décembre 1118. Dans le même temps, des ordres militaro-religieux voient le jour : Templiers, santiaguistes, calatravans. Quand ils ne bataillent pas, ces moines-soldats repeuplent les territoires conquis en allant parfois jusqu'à offrir à des repris de justice des lopins de terre. *La victoire de Las Navas de Tolosa (actuelle Andalousie) en 1212* défait les Almohades et marque le tournant de la Reconquête. La chrétienté marque des points : la Castille s'empare de Cordoue en 1236 et de Séville en 1248, tandis que l'Aragon reprend les Baléares (1229-1235), puis Valence (1238). Désormais, les musulmans sont confinés dans le royaume de Grenade qui finit lui-même par céder en 1492 (bonjour Cristóbal Colón !).

Naissance d'un empire à la fin du XVe s

Il faut attendre le mariage entre Isabelle de Castille et Ferdinand II d'Aragon (1469) pour que les 2 royaumes oublient leurs rivalités et posent *les fondements d'une Espagne unifiée.* En 3 siècles, ils ont affermi leur autorité sur la plus grande partie de la péninsule, l'Aragon se taillant même un véritable empire maritime en Méditerranée après la reconquête des Baléares.

Pour ne pas être en reste, *Isabelle commandite l'expédition de Christophe Colomb,* qui vient d'essuyer le refus du roi du Portugal et que les hésitations de Ferdinand d'Aragon ont découragé. Quand il aborde le 12 octobre 1492 à

San Salvador, une île que l'on suppose être aux Bahamas, il ne peut pas se douter qu'il va être à l'origine de la puissance et de la richesse de l'Espagne pour les 350 années à venir... Le 7 juin 1494, le traité de Tordesillas, entériné par la papauté, décide du partage du Nouveau Monde entre l'Espagne et le Portugal.

L'Inquisition

Ces 2 souverains que l'on a appelés les *Rois catholiques* ne gouvernent pas seulement à la naissance d'un empire colonial, mais aussi au durcissement d'une institution qui fait trembler l'Europe : la Sainte Inquisition.

Au fur et à mesure que les grandes villes espagnoles sont libérées de la prédominance musulmane, les juifs, qui n'avaient pas été inquiétés jusque-là, sont systématiquement persécutés. Après la tuerie de Séville de 1391, les « baptêmes sanglants » se multiplient dans toute l'Espagne,

LA SAINTE (?) INQUISITION

Cette scandaleuse machine à tuer n'est pas une invention espagnole mais française (pas de quoi être fier). Face à la montée des hérésies qui refusaient l'autorité papale, Grégoire IX utilisa les dominicains, dès 1231, pour créer ces tribunaux religieux. Il s'agissait de torturer pour faire avouer et condamner au bûcher. Les victimes comptaient de préférence des femmes (les moines étaient plutôt misogynes) et des riches (l'Église récupérait leurs biens !).

obligeant les juifs à se convertir ou à mourir. *C'est pour surveiller ces nouveaux « chrétiens » de près qu'est créée l'Inquisition espagnole* (détachée de la papauté) – dont le chef, Torquemada, se montre dès 1485 d'une rare cruauté. Si les Rois catholiques et le pape Sixte IV eux-mêmes se disent choqués par ces méthodes, ils n'en décrètent pas moins l'expulsion des juifs de la péninsule Ibérique le 30 mars 1492, 3 mois après la chute du royaume de Grenade, dernier bastion maure en territoire espagnol. Un édit contre les gitans est adopté en 1499, un autre à l'encontre des Maures en 1502 – malgré les engagements pris auprès du dernier sultan. Les derniers sont chassés de la sierra Nevada, où ils s'étaient repliés, en 1609.

Au-delà des mers : la conquête du Nouveau Monde

La terreur qu'inspire l'Inquisition est telle que les idées de la Renaissance n'ont que peu d'écho en Espagne. Cela dit, la littérature se nourrit de la poétique des Lumières ; *Lazarillo de Tormes* et *Don Quichotte* sont des fruits de la Renaissance. De même, la *Gramática castellana*, 1re grammaire espagnole (1492), révèle les richesses du castillan, face au latin des scolastiques médiévaux. Puis la découverte de nouvelles contrées et leur exploration retiennent l'attention du pays. En 2 décennies, *l'Empire aztèque puis l'Empire inca tombent dans les mailles du filet*. Apparaît une nouvelle race d'aventuriers rudes et sans scrupules : les *conquistadores*, qui s'enrôlent avec pour seul but la chasse aux trésors. Plus ils en rapporteront à la cour espagnole, plus leur part sera importante. Les plus avides essaient même d'échapper à la tutelle de l'Espagne en se taillant leur propre « royaume » dans le vaste Nouveau Monde et n'hésitent pas à détourner des convois avant de disparaître dans la nature. De là à la piraterie, il n'y a qu'un pas, allègrement franchi par certains dès la fin du XVIe s...

Le mot « Amérique », du nom du navigateur italien Amerigo Vespucci, qui apparaît pour la 1re fois sur une carte en 1507 à Saint-Dié-des-Vosges, n'est pas encore très utilisé. Un hommage à celui qui est le 1er à avoir émis l'hypothèse de l'existence d'un nouveau continent – Colomb ayant toujours cru débarquer sur des îles rattachées à l'Empire de Chine ou aux Indes.

Charles Quint, Philippe II et le Siècle d'or

Le 14 mai 1516, Charles Ier accède au trône après avoir destitué sa mère Jeanne la Folle (Juana la Loca), unique héritière des Rois catholiques. *L'union des royaumes de Castille et d'Aragon,* qui n'était encore qu'une alliance maritale, devient une réalité politique. Tout aussi important : Charles 1er est le fils de Philippe Le Beau, un Habsbourg. Résultat des alliances : il est le fondateur de la **dynastie des Habsbourg d'Espagne.** À la mort de son grand-père paternel,

LA MALÉDICTION DES HABSBOURG

À cause de multiples mariages consanguins, la famille impériale qui régna longtemps sur l'Autriche et l'Espagne portait les signes de dégénérescence et présentait des malformations qui empoisonnèrent le sang d'une bonne partie des familles régnantes européennes. Le prognathisme (menton en avant) de Charles Quint en est un bon exemple.

l'empereur Maximilien d'Autriche, en janvier 1519, Charles Ier hérite de toutes ses possessions personnelles (Alsace, Rhénanie, Autriche et Tyrol). Sans oublier la Bourgogne et les Flandres (appelés aussi Pays-Bas espagnols). *Élu à la tête du Saint Empire romain germanique* 6 mois plus tard, il prend le nom de Charles V (en espagnol, *Carlos Quinto,* francisé en Charles Quint). Pour lui c'est le jackpot, puisqu'il a désormais en main une puissance jamais égalée par un souverain occidental.

Quasiment encerclée, la France voit cette ambition d'un sale œil, et François Ier – qui s'était porté candidat au titre d'empereur contre Charles Quint – ne manque pas une occasion de lui mettre des bâtons dans les roues. En 1525, vaincu à la bataille de Pavic (dans le Milanais actuel), François 1er est fait prisonnier et conduit en captivité à Madrid. Mais un petit moine a déjà porté au Saint Empire romain germanique un coup dont il ne se remettra jamais : les idées de Luther font voler en éclats tout principe d'autorité, qu'il vienne de l'Église ou de l'empereur...

Grandeur et déclin

Découragé et malade, *Charles Quint abdique en 1556* et se retire au couvent de Yuste. Il lègue à son fils Philippe II le trône d'Espagne, les colonies et les Pays-Bas, et laisse à son frère Ferdinand ses autres possessions. La péninsule Ibérique connaît alors un grand essor culturel (c'est le *Siècle d'or espagnol,* l'arrivée du Greco à Tolède), économique et militaire. Le Portugal est annexé en 1580 et l'afflux de richesses venant des 2 empires coloniaux s'accroît encore. L'Espagne se fait parallèlement l'apôtre de la Contre-Réforme et la protectrice de la foi catholique (Thérèse d'Ávila rédige la règle des carmélites en 1568). Mais elle connaît aussi des déboires cuisants : les Pays-Bas – où la Réforme a reçu une vive adhésion – se révoltent face aux persécutions et à la maladresse politique de Philippe II, qui ne comprend rien à la mentalité de ses sujets du Nord. C'est le début d'une longue période de guerres qui ensanglantent la région et causent bien des tracas à Sa Majesté.

DES BANQUEROUTES SURPRENANTES

Au XVIe s, grâce à l'afflux d'or et d'argent, l'Espagne était le pays le plus riche du monde. Mais Philippe II, fils de Charles Quint, dépensait sans compter : construction de palais et, surtout, guerres sans fin contre les Ottomans, les Français, les Flamands... Son « Invincible Armada » fut défaite par les Anglais. De nombreux navires transportant les trésors sud-américains furent interceptés par les corsaires. Et par 3 fois, malgré ses revenus insensés, le royaume frôla la banqueroute.

Voilà que l'Espagne se met en tête de punir Élisabeth d'Angleterre après l'exécution de Marie Stuart, reine catholique d'Écosse et, aux yeux des Espagnols, héritière légitime du trône. Le 18 juin 1588, une formidable flotte composée de 130 navires embarquant près de 30 000 hommes, dont 19 000 soldats – que les Anglais nommeront ironiquement *l'Invincible Armada* –, s'ébranle vers les côtes britanniques. But de la manœuvre : débarquer dans le Kent, où doit se faire la jonction avec des troupes massées en Hollande. Mais la suprématie tactique des Anglais et la puissance de leur artillerie leur font gagner une bataille décisive à Gravelines. Impossible d'embarquer l'armée des Flandres. Piètre marin, le commandant décide de rentrer au bercail en contournant l'Écosse par le nord. Les tempêtes que rencontre la flotte et les mauvaises cartes font le reste et une bonne moitié des navires est envoyée par le fond : *la suprématie maritime espagnole s'effondre.*

Dans les années qui suivent, l'Espagne perd pied en Europe : les Anglais, sous le commandement de Drake, prennent Cadix en 1595 et les Français récupèrent la Picardie. Puis, appelées en renfort par l'empereur romain germanique pour écraser la révolte des princes protestants allemands (1618-1648), les troupes espagnoles essaient en vain de museler les volontés séparatistes des Pays-Bas. Peine perdue. En 1648, le traité de Westphalie met fin à cette période de troubles et modifie les cartes du jeu politique sur le continent : il reconnaît notamment le nouvel État, ainsi que l'indépendance du Portugal, qui récupère ses colonies. Ensuite, sous Louis XIV, la France reprend l'Artois, le Roussillon, les Flandres et la Franche-Comté. En 1704, lors de la guerre de la Succession d'Espagne, l'Angleterre s'installe à Gibraltar, qu'elle ne lâchera plus.

Au terme du conflit, par les traités d'Utrecht (1713) et de Rastatt (1714), l'Espagne perd les Pays-Bas du Sud (l'actuelle Belgique), ses possessions en Italie du Nord, Naples, la Sardaigne et la Sicile : elle est effacée de l'avant-scène européenne. De plus, un Bourbon, Philippe V, s'installe sur le trône d'Espagne. Enfin, malgré la défaite franco-espagnole de Trafalgar (1805), au large des côtes andalouses, *Napoléon parvient, en 1808, à imposer son frère Joseph sur le trône espagnol* au détriment de Charles IV et de son fils Ferdinand VII...

Métropole et colonies : nouvelles réalités

Dès mai 1808, l'insurrection gronde. Grâce à l'aide des Anglais, Ferdinand VII retrouve son trône en 1813, avec une Constitution plutôt libérale pour l'Espagne. Mais une politique maladroite, à laquelle se joint l'impact des idées inspirées par la Révolution française, déclenche *le morcellement de l'empire colonial espagnol.* Celui-ci est facilité par les problèmes de la métropole et par le congrès de Vienne de 1815, qui abolit la traite des Noirs et vise l'esclavage en général. D'abord, l'Argentine (1816), le Chili (1818), le Mexique et le Pérou (1821), puis la Colombie (1822) et la Bolivie (1825), enfin l'Équateur et le Venezuela (1830) proclament leur indépendance. Privée des ressources de ses ex-colonies et mal préparée à la révolution industrielle qui s'annonce, l'Espagne, déjà très appauvrie économiquement, sombre dans un chaos politique qui facilite – malgré une 1re tentative républicaine de janvier 1873 à décembre 1874 – la mise en place de gouvernements de dictature.

L'avènement de Franco

Le règne d'Alphonse XIII, à partir de 1902, n'améliore pas la situation et, après de nombreux remaniements ministériels, *le général Miguel Primo de Rivera prend l'initiative d'un coup d'État* en 1923. Tous les ingrédients d'une solide dictature sont réunis : Parlement dissous, suppression de la Constitution, parti unique... Mais des conflits sociaux obligent Primo de Rivera à démissionner en 1930 et la monarchie elle-même se voit contestée. Des élections suivent, donnant à plusieurs reprises la majorité aux républicains et aux socialistes. Dès 1931, des grandes villes se proclament en république alors qu'Alphonse XIII n'a pas encore abdiqué. Entre-temps, un fort sentiment anticlérical se fait jour parmi la population, entraînant parfois des excès de violence. De nouvelles élections en 1936 voient la victoire écrasante du *Frente popular*, l'union des partis de gauche. Cette fois, *la république est proclamée.* Une nouvelle vague de violence et l'assassinat du député monarchiste Calvo Sotelo (13 juillet 1936) servent de prétexte au déclenchement de la guerre civile.

La guerre civile

Parti le 17 juillet des garnisons stationnées au Maroc espagnol (dont Ceuta et Melilla, qui sont toujours des enclaves espagnoles), et dirigé par *le général Franco*, le mouvement insurrectionnel se répand comme une traînée de poudre dans l'ouest et le nord de l'Espagne. C'est une *guerre sauvage* où les atrocités succèdent aux atrocités. Des villes entières sont anéanties, les populations civiles sont directement prises pour cibles,

L'ESCADRILLE ESPAÑA

Les forces antifranquistes n'ayant pas d'aviation, Malraux s'engagea vite dans la guerre d'Espagne. En quelques semaines, il récupéra 25 avions, pour créer l'escadrille España, aidé par un inconnu, un certain Jean Moulin. Ne sachant pas piloter, Malraux savait cependant commander et, surtout, convaincre. Il participa directement à 65 opérations aériennes. Respect.

inaugurant des schémas qui vont bientôt se répéter partout pendant la Seconde Guerre mondiale. Si les grandes nations – URSS exceptée – ne s'engagent pas franchement aux côtés des républicains, les troupes nationalistes du général Franco bénéficient largement du soutien de Hitler et de Mussolini. D'ailleurs, sous couvert de l'aider, ils effectuent plusieurs raids aériens, comme sur un petit village basque... Guernica.

Le 26 janvier 1939, Barcelone – où s'est réfugié le gouvernement républicain – tombe aux mains du Caudillo de España, Franco. Le 28 mars, c'est au tour de Madrid. Un nombre considérable d'Espagnols passent les Pyrénées, fuyant un régime indésirable et la répression qui ne va pas manquer de suivre... Saignée à blanc *(en 3 ans, la guerre civile a fait 1 million de morts !),* privée de son élite intellectuelle, l'Espagne s'enfonce peu à peu dans cette torpeur caractéristique des pays dont la population est muselée par une dictature, avec son lot d'attentats, une économie paralysée et une vie culturelle réduite à néant...

1975 : la mort de Franco, une nouvelle Espagne

Le général Franco meurt le 20 novembre 1975, presque 40 ans après le soulèvement militaire de 1936. Sa disparition était à la fois crainte et espérée : les plus pessimistes allaient jusqu'à annoncer une nouvelle guerre civile... C'était ne pas prendre en compte l'habileté du roi Juan Carlos, successeur désigné par Franco en 1969, qui effectua la transition d'une main de maître : d'abord en prêtant serment devant les *Cortes* dès le 22 novembre, ensuite en faisant appel à un homme nouveau, Adolfo Suárez, comme 1er ministre. Et Suárez réussit à faire approuver à une forte majorité, par référendum, un projet libéral de réforme des institutions. Les *1res élections, en juin 1977,* voient la victoire de l'UCD (Union du centre démocratique), qui soutient l'action du gouvernement, suivi du parti socialiste et du parti communiste (à nouveau autorisés). La droite franquiste ne vient qu'après. Les partis autonomistes sont en plein essor.

La démocratisation ne concerne pas seulement la politique, mais s'exerce dans tous les domaines. Par le pacte de la Moncloa, qui tend à bloquer le pouvoir d'achat pour limiter l'inflation (47 % !), les 4 principaux partis politiques font preuve d'un grand sens civique. Progressivement, tous les monuments (ou presque) à la gloire de Franco sont déboulonnés. Les nouvelles autorités débaptisent des milliers de rues, ponts, hôpitaux, etc. Madrid ne compte plus qu'une seule et modeste statue du Caudillo, au ministère du Travail, sans nom...

FRANCO EST NUL !

Pour sa succession, le dictateur se méfiait de Juan de Bourbon, le roi en titre, à cause de ses idées démocratiques. Il préféra donc son fils, Juan Carlos, dont l'éducation fut assurée par des professeurs bien franquistes. L'élève cacha bien son jeu, et Juan Carlos lui succéda donc à sa mort. Et patatras ! En instaurant aussitôt la démocratie, le jeune roi tourna définitivement la page noire du franquisme.

Juan Carlos Ier de Bourbon

Longtemps, le roi Juan Carlos bénéficia d'une large popularité. Et pourtant, l'héritage du petit-fils d'Alphonse XIII n'était pas facile à assumer... Élevé à l'étranger, le roi fut mis sur le trône par Franco lui-même. Pourtant, à la mort du dictateur, il soutint le 1er ministre, Adolfo Suárez, dans sa tâche de démocratisation et de libéralisation, rassurant les militaires qu'il connaissait bien tout en laissant le champ libre à l'opposition démocratique. Il comprend alors rapidement l'intérêt que son pays pourrait avoir à s'ouvrir sur l'Europe, puis à s'y intégrer.

Mais c'est lors de la tentative de putsch du 23 février 1981 qu'il entra vraiment dans le cœur du peuple. Durant toute une nuit restée historique, *Juan Carlos réussit à convaincre un à un les généraux de renoncer à l'aventure putschiste.* En dénonçant le complot, il témoigna d'un sang-froid et d'un courage qui légitiment la monarchie dans le pays.

Malgré son image de figure tutélaire de la transition démocratique, l'entrée dans le XXIe s. voit flétrir les lauriers du roi. Une accumulation de scandales pèse sur la famille royale qui perd d'année en année en popularité. Longtemps connu pour son franc parler – il demanda un jour au président vénézuélien Hugo Chávez qui interrompait José Luis Zapatero : « Pourquoi tu ne te tais pas ? » –, les Espagnols ne le reconnaissent plus. Il élude ainsi toute question à l'heure où sa

JUAN CARLOS, UN DRÔLE DE ROI ?

En 39 ans de règne, Juan Carlos s'est illustré par sa bonhomie et son sens de l'humour... tranchant ! Ainsi, lorsque Philippe Seguin l'invita en 1993 à visiter l'Assemblée nationale et qu'il entendit les roulements de tambour annonçant son arrivée, il s'exclama : « La guillotine m'attend ! », en référence à la mise à mort bien française de Louis XVI.

famille la plus proche (sa fille Cristina, finalement innocentée – au contraire de son époux Iñaki Urdangarin) se retrouve impliquée dans des scandales financiers, et continue à mener un mode de vie trop cossu alors que les Espagnols s'enfoncent dans la crise. Eux qui l'admiraient autrefois pour sa réputation de jet-setter discret ! Après une longue phase de déni, le roi, affaibli par des problèmes de santé, se résout finalement à *abdiquer en faveur de son fils Felipe, le 2 juin 2014.*

La fin du XXe siècle et le début du XXIe siècle

Depuis la mort du Caudillo, l'Espagne a rattrapé, en puissance économique et en démocratie, ses partenaires européens. Elle ne se contente plus de suivre les

« grands frères » français et allemands. Ainsi, le 1er ministre Aznar n'hésite pas, en 2002 et 2003, à soutenir clairement les positions américaines en Irak, contre l'avis d'une part écrasante de la population espagnole. Un déni de démocratie aux conséquences funestes. *Le 11 mars 2004, Madrid est frappée par un attentat qui fera 192 morts.* L'Espagne tout entière est secouée par cette barbarie terroriste. Respectant sa promesse électorale, José Luis Zapatero, le 1er ministre suivant, retire les troupes espagnoles d'Irak dès mai 2004.

Mais, comme ses homologues européens, l'Espagne subit aussi le retour de bâton du capitalisme forcené. À partir de 2008, le pays, à l'instar de toute l'Europe, plonge dans *une crise économique sans précédent.* En 2011, face à un système corrompu et à un chômage galopant, des manifestants occupent pendant des mois la Puerta del Sol (à Madrid) contestant le capitalisme sauvage. Le *mouvement des Indignados* (inspiré du livre *Indignez-vous,* de Stéphane Hessel) s'étend à d'autres villes, en Espagne comme à l'étranger, et engendre la naissance de *Podemos,* un nouveau parti politique. Bientôt suivi par *Ciudadanos – Partido de la Ciudadanía,* autre mouvement politique citoyen. Depuis le blocage politique de 2016 (10 mois à tenter de dégager une majorité pour reconduire Mariano Rajoy à la tête du gouvernement), le traditionnel bi-partisme espagnol apparaît fragilisé. Car si l'arrivée en tête du PSOE aux élections de juin 2018 a permis à Pedro Sánchez d'accéder au poste de 1er Ministre, il se retrouve, lui aussi, sans majorité pour pouvoir former un gouvernement. 4e législatives en 4 ans pour les Espagnols, le 10 novembre 2019 : le PSOE arrive fragilement en tête, et la percée de Vox, parti d'extrême droite, se confirme, avec 52 sièges au Parlement. Podemos reste l'interlocuteur privilégié du PSOE pour former une coalition gouvernementale.

Retour sur l'histoire...

En septembre 2004, une commission interministérielle pour l'étude de la situation des victimes de la guerre civile et du franquisme a été créée. Une étape cruciale dans le travail de mémoire et la reconnaissance des victimes. C'est un travail de longue haleine qui est en cours : enquêtes, récupération d'archives, constitution de bases de données sur ceux qui ont souffert de représailles, sur les disparus et les exilés, exhumation de fosses communes et identification des corps... Des hommages, des

LES BÉBÉS VOLÉS DU FRANQUISME

Jusqu'en 1987 (donc 12 ans après la mort de Franco !), 300 000 enfants furent enlevés à des familles républicaines et vendus à des mères... bien-pensantes. Pour le prix d'un appartement ! Dans les maternités, on persuadait l'accouchée que l'enfant était mort-né. Certaines religieuses et des médecins participaient à ce trafic inqualifiable et lucratif.

commémorations et des expositions sont désormais organisés. Toujours dans cette optique a été adoptée fin 2007 une loi sur la mémoire historique, qui vise à réhabiliter et indemniser les victimes du franquisme. En 2011, le gouvernement a inauguré un site internet (● memoriahistorica.gob.es ●) répertoriant toutes les fosses communes identifiées et facilitant les recherches dans les archives pour les proches de victimes.

JAMBONS

Vous en trouverez dans tous les bars à tapas dignes de ce nom et vous vous perdrez dans les boutiques spécialisées qui proposent un choix dément à tous les prix et surtout, de toutes les qualités. Parce qu'il n'y a pas en Espagne UN jambon mais bien DES jambons. Le plus commun, et le moins cher, que l'on considère déjà en France – et à juste titre – comme un excellent produit, est le **serrano**. Parmi ceux-ci, citons le **très bon jambon de Teruel**, produit dans la province du même nom, dans le sud-est de l'Aragon et le 1er en Espagne à avoir obtenu l'AOC. Vient ensuite le **jamón ibérico**, une race rustique, proche du sanglier, connu aussi sous le nom de *pata negra* en raison de ses pattes... noires. L'animal est élevé en Estrémadure (ou en Andalousie), le long de la frontière portugaise, en liberté pendant les 6 mois avant l'abattage, moment où le porc aura doublé de poids !

Sa fabrication demande un tour de main et une patience que l'on ne soupçonne pas au premier abord : pour commencer, la cuisse du porc préparée en jambon est enterrée dans du sel à raison de 1 journée par kilo. Le jambon est ensuite lavé, et pendant 1 mois on le sèche très doucement afin qu'il conserve son moelleux. Traditionnellement, on le transfère alors dans un séchoir où il passera 1 an, régulièrement enduit de graisse pour ne pas se dessécher. Puis il repassera encore 1 ou 2 ans en fonction de sa qualité dans une cave, dans le noir complet et enfin, après tous ces efforts, il sera prêt à être dégusté, à température ambiante, coupé à la main, en tranches fines. **Le meilleur d'entre tous étant le bellota,** qui signifie « gland » en espagnol puisque c'est ainsi que sont nourris les porcs qui serviront à produire cet incomparable jambon à la chair et à la graisse (c'est ce qu'il y a de meilleur, vous passerez pour des barbares si vous la retirez !) fondantes et très goûteuses. Là où ça devient compliqué, c'est que certains jambons sont fabriqués à partir d'un pourcentage variable de *bellota* et reçoivent donc d'autres appellations en fonction également de leur provenance.

Ce jambon haut de gamme a bien sûr un coût élevé (autour de 70 € le kilo minimum, si on l'achète entier !). Si vous voulez rester sage, vous pouvez vous rabattre sur l'épaule *(paletilla),* moins chère... Et pour cause, elle est plus petite, mais la chair peut en être tout aussi savoureuse (et moins grasse pour ceux qui font attention à leur ligne).

Outre les excellents jambons, on trouve aussi de délicieux *chorizos* (moins chers que les jambons). Également du *lomo* (filet mignon de porc mariné puis séché) et toutes sortes de saucisses et saucissons *(salchichón)... Bellota* ou ibérique ? *Pata negra* ou non ? C'est reparti pour un tour !

MÉDIAS

VOTRE TV EN FRANÇAIS : TV5MONDE, la 1re chaîne culturelle francophone mondiale

Avec ses 11 chaînes et ses 14 langues de sous-titrage, TV5MONDE s'adresse à 370 millions de foyers dans plus de 198 pays du monde par câble, satellite et sur IPTV. Vous y retrouverez de l'information, du cinéma, du divertissement, du sport, des documentaires...

Grâce aux services pratiques de son site voyage ● *voyage.tv5monde.com* ●, vous pouvez préparer votre séjour et une fois sur place rester connecté avec les applications et le site ● *tv5monde.com* ● Demandez à votre hôtel le canal de diffusion de TV5MONDE et contactez ● *tv5monde.com/contact* ● pour toutes remarques.

Presse

L'Espagnol lit peu mais lit proche. Les 2 grands quotidiens nationaux *El Mundo* (1,2 à 1,3 million de lecteurs), de sensibilité libérale droitière, et *El País* (2 millions), plus socialisant, n'atteignent ces chiffres de diffusion que grâce à leurs éditions régionales (15 pour le 1er, 7 seulement pour le 2d). Dans tous les cas, ils sont désormais dépassés par certains gratuits, au 1er titre desquels *20 Minutos* (2,4 millions de lecteurs). Dans les hôtels, les restaurants, les campings, les quotidiens régionaux se taillent la part du lion et, le plus souvent, on ne trouve qu'eux. Mais ils sont bien différents des grands titres de la presse régionale française. Les régionaux espagnols dépassent rarement les 200 000 exemplaires et ne s'intéressent guère qu'à l'actualité de 1 ou 2 provinces. D'où une foultitude de titres (près de 10 pour la seule Andalousie). Pour la plupart, ils traitent avec soin des nouvelles internationales (surtout européennes, en fait) et nationales, mais y ajoutent d'innombrables pages locales où fleurissent les faits divers. Pour le voyageur, ce peut être une aubaine : le moindre événement, le moindre concert, la moindre foire artisanale ou marché sympa sont très signalés. Ajoutons les annonces publicitaires, les agendas culturels souvent très détaillés (ciné, théâtre, spectacles...), les pages télé, etc. Bref, une aubaine même si, il faut bien le dire, elle est encore plus conservatrice que la presse régionale française.

À Madrid, les pages « Culture » d'*El Mundo* (édition Madrid – 135 000 exemplaires) sont les plus complètes. On y trouve pratiquement toutes les expos et tous les spectacles. Mais dès qu'on sort de la province, on a intérêt à se pencher sur d'autres sources, le *Heraldo de Aragón* à Saragosse ou le *Norte de Castilla* pour la Castilla-León.

Télévision

TVE 1, TVE 2 sont des télés d'État, complétées par une offre de chaînes régionales assez peu regardées sauf au Pays basque. Du côté des chaînes privées, on trouve Antena 3, Cuatro (version gratuite de Canal+), Telecinco (Tele 5, chaîne des reality-shows, des jeux et des potins) et La Sexta, ainsi que Digital + (payante, nom espagnol de Canal+). Sachez que les journaux télévisés suivent l'heure des repas (15h et 21h sur TVE 1). Les téléréalités et les émissions people battent des records d'audience depuis des années. La *telebasura* séduit avec des formats tels *Sálvame,* où, chaque après-midi, un groupe de collaborateurs tous plus trashs les uns que les autres étripe l'intimité de célébrités de série B. Belén Esteban, ex-femme de torero et figure de la télé espagnole, est l'égérie de ce drôle de cirque qui a failli à plusieurs reprises être supprimé en raison des nombreuses plaintes de collectifs de téléspectateurs. Véritable phénomène de société, ce type d'émission contraste avec la qualité des reportages sur des sujets politiques et sociaux, dans lesquels les journalistes espagnols excellent.

Radio

De ce côté-là, c'est un peu le foutoir. Des centaines de miniradios inondent la bande FM. Pour écouter de la musique locale (surtout en Andalousie), c'est l'aubaine, sauf en voiture car le *cantaor* au *duende* fabuleux se trouve soudain remplacé par un débat sur la culture des olives au détour d'une colline. Une valeur sûre, la radio nationale avec Radio Clásica (pour la musique... classique !) ou Radio 3 (du rock au hip-hop en passant par les musiques du monde).

PATRIMOINE CULTUREL

Architecture

Aux origines

Si les Carthaginois et leurs puissants ennemis Romains n'ont laissé que peu de traces architecturales (sauf en Estrémadure pour les Romains), les envahisseurs wisigoths contribuent, eux, à enrichir le patrimoine espagnol. Débarqués au VIe s, ces Ariens (une secte chrétienne) bâtissent des *églises massives,* trapues, aux murs parfois cyclopéens, inspirées des traditions romaine et byzantine. On en rencontre encore, souvent perdues en pleine campagne, comme à *San Pedro de la Nave (Zamora), San Juan Bautista de Baños (Zamora)* ou en *Asturies.* Croix de Malte, pampres et animaux y ornent autel et chapiteaux.

L'architecture romane

Des éléments wisigoths typiques, comme les **fenêtres en forme de serrures,** se transmettent au **préroman,** qui s'épanouit à partir du IXe s entre Catalogne, Asturies et Galice. Dans les replis montagneux du nord, de miniroyaumes chrétiens se forment, puis se renforcent tandis que Compostelle prend de l'importance. Le style roman s'impose peu à peu au gré des pérégrinations des pèlerins. Aux côtés des personnages encore naïfs ornant les chapiteaux du cloître du monastère de **San Juan de la Peña (Aragon)** apparaissent des statues-colonnes soutenant les portails, des motifs d'entrelacs, des paons, des chimères, des créatures de l'enfer dévorant les pécheurs. L'élégante **chapelle octogonale d'Eunate,** aux baies couvertes d'albâtre, le proche **pont de Puente la Reina (Navarre)** – parmi d'autres – pavent le chemin vers le salut.

L'époque maure

À **Cordoue,** plus grande cité d'Europe occidentale au Xe s, une réalisation incarne le développement et la puissance rayonnante du califat d'Al-Andalus : la **grande mosquée,** la plus vaste du monde après celle du Caire, dont les 800 colonnes forment une merveilleuse forêt aux arcades se multipliant comme autant de frondes de palmiers. Dans ce monde sûr de lui, qui prend le meilleur des autres cultures sans craindre leurs influences, **les artisans de toutes les minorités participent à la construction.** Ce sont ainsi des Byzantins qui réalisent l'exceptionnelle mosaïque or et bleu cobalt du grand mihrab. Peu d'exemples dans les régions centrales de l'Espagne, cependant.

Le style mudéjar

Désunis, les royaumes musulmans succombent peu à peu à la Reconquête espagnole. Tolède est prise en 1085 ; Cordoue tombe en 1236, Séville en 1248. Les rois chrétiens ne se montrent pourtant pas forcément hostiles au monde qu'ils découvrent, et créent sans le vouloir **un nouveau style architectural, le mudéjar.** Héritage direct du monde arabe, il se développe du XIIe au XVIe s, et se caractérise par l'emploi de la brique, de la céramique, du bois et du plâtre. S'inspirant de la tolérance qui

> ## BON SANG, MAIS C'EST BIEN SÛR !
>
> *Les grandes familles espagnoles se targuaient d'avoir la peau claire, et les veines bleues apparentes, par opposition aux occupants maures (pas très catholiques) et aux juifs... Les gens bien nés n'allaient jamais au soleil (la mode du bronzage fut créée par Coco Chanel à partir de 1920). Par extension, le sang bleu est devenu synonyme de noblesse. L'expression n'a traversé les Pyrénées qu'au milieu du XIXe s.*

prévalait dans la Cordoue omeyyade, **Alphonse X el Sabio (le Sage !) s'entoure de lettrés espagnols et arabes, de mathématiciens et d'astronomes juifs.** Les Rois catholiques raffolaient du raffinement dont bénéficiaient les califes et sultans, et souhaitaient avoir le même décor pour leurs propres palais. Au siècle suivant (1362), Pierre Ier le Cruel ordonne, à Séville, la construction du palais de l'Alcázar, dans un style directement inspiré de l'ornementation maure : arabesques, voûtes en stalactites, arcs en fer à cheval, faïences murales, broderies de pierre et de stucs, plafonds à caissons marquetés. Le *mudéjar,* mêlant au gothique occidental le savoir-faire des artisans de Grenade, intervenus sur demande personnelle du roi espagnol, atteint son apothéose.

Reconquête par la pierre

La Reconquête achevée marque le début d'une période toute de gloire, tournée vers la soumission des Amériques et le triomphe sans partage du catholicisme d'État. Églises, chapelles et monastères de style gothique (bientôt flamboyant, et plus souvent isabellin, du nom de la reine Isabelle la Catholique) se multiplient, souvent en lieu et place des anciennes mosquées.

Le style plateresque

Le XVIᵉ s subit tardivement l'influence de la Renaissance italienne, mais elle ne s'épanouit pas en Espagne aussi facilement que dans le reste de l'Europe. C'est ainsi un style remodelé, adapté, qui voit le jour : le **plateresque.** Son nom vient de la manière dont on ciselait l'argent (plata), très minutieusement, comme le faisaient les orfèvres. Le souci du détail et la richesse ornementale qui le caractérisent le rendent parfois lourd à digérer. Les portes et les fenêtres des églises sont le théâtre majeur de son expression. **Diego de Siloé, l'architecte de Burgos,** en est l'un des représentants les plus fameux. Les éléments principaux du plateresque sont décoratifs et non structurels : colonnes en forme de candélabres, ornementées de motifs en arabesques et surmontées de chapiteaux corinthiens, intégration de motifs floraux et de sculptures, usage ornemental de blasons héraldiques et d'enroulements, influences mudéjares et gothiques persistantes. On utilise aussi les azulejos, ces fameux carreaux de faïence peints, souvent bleus. Un style hybride, donc, qui allie l'art gothique, l'art de la Renaissance italienne et le style arabo-musulman.

Dans la 2ᵈᵉ moitié du XVIᵉ s, on assiste à un retour à une certaine austérité, sous la conduite de l'architecte Juan de Herrera, proche de Charles Quint. Dans ce **style herreriano,** les volumes se font immenses, les plans rigoristes, les lignes droites ; l'ornementation est réduite à sa plus simple expression. C'est ainsi au Palais royal d'Aranjuez, à l'Alcázar de Tolède ou encore à l'Escurial, son principal chef-d'œuvre.

La réaction churrigueresque

Au début du XVIIᵉ s, le herreriano a vécu. Les Espagnols s'accommodent mal des architectures ternes. Le **règne du baroque,** venu d'Italie, s'affirme. D'abord plutôt sages, les façades et les autels explosent au XVIIIᵉ s en formes rococo, sous l'égide de **José Benito Churriguera** (1665-1725), sculpteur de formation. On parle ainsi de **style churrigueresque.** Stucs et sculptures polychromes, angelots potelés et dorés, guirlandes, moulures végétales et balustrades entrent en fanfare dans les églises. Vous avez dit surchargé ? Il n'est qu'à voir le retable de l'**église San Esteban de Salamanque,** l'un des 1ᵉʳˢ chefs-d'œuvre (1693) du maître, pour s'en convaincre. Salamanque est sans conteste la ville d'Espagne la plus riche en monuments churrigueresques, avec sa plaza Mayor réputée comme étant l'une des plus belles du pays. Mais on trouve ailleurs bien d'autres œuvres clés de cette époque : le très débridé Transparente de la **cathédrale de Tolède,** ingénieusement éclairé par un puits de lumière, la façade de l'**hospice San Fernando de Madrid,** l'**Obradoiro de Compostelle,** etc. Le churrigueresque s'est aussi exporté avec succès dans les colonies américaines – et surtout au Mexique.

Le modernisme

Autant le style néoclassique n'a guère laissé de chef-d'œuvre en Espagne, autant l'aube du XXᵉ s s'éveille-t-elle sur une nouvelle période faste : celle du modernisme. **Cousin de l'Art nouveau,** celui-ci émerge à Barcelone à l'initiative d'artistes, écrivains et intellectuels œuvrant pour une renaissance catalane. Parmi eux, 3 architectes : Josep Puig, Lluís Domènech et Antoni Gaudí. Ce dernier a surtout enrichi le patrimoine de sa Catalogne natale, mais il a légué quelques édifices au reste du pays : le Palacio episcopal à Astorga, la casa Botines à León, El Capricho en Cantabrie.

Petit lexique

– *Abbassides* : nom donné aux califes arabes issus de la dynastie d'Abu Abbas al-Saffah.

– *Alcazaba* : cité ceinte de hauts remparts. À ne pas confondre avec l'*alcázar*.

– *Alcázar* : palais habité par les rois et gouverneurs.

– *Almohades* : nom des Berbères qui dominèrent une bonne partie de l'Espagne et tout le Maghreb du milieu du XIIe s jusqu'au milieu du XIIIe s.

MUDÉJAR ?

Ce mot vient de l'arabe et signifie « domestiqué ». Il s'agit de ces musulmans qui durent rapidement se convertir suite à la victoire des Rois catholiques (1492). Ces derniers n'avaient pas la réputation d'être particulièrement tolérants.

– *Azulejos* : carreaux de faïence qui couvrent le bas des murs et qui forment de fantastiques combinaisons géométriques. Les dominantes de couleurs sont le bleu, le vert, l'ocre et l'argenté. Les formes s'entrelacent à l'infini et composent souvent de belles étoiles.

– *Mauresque* : nom donné à l'art musulman utilisé en Espagne de manière générale.

– *Mihrab* : niche vers laquelle on se tourne pendant la prière dans une mosquée. Elle est en général voûtée et ornée de motifs délicats et de textes sacrés calligraphiés.

– *Morisques* : musulmans qui restèrent en Espagne après la *Reconquista*. La répression qu'ils subirent les poussa à se réfugier dans les Alpujarras, avant d'être chassés du pays en 1609.

– *Mozarabe* (art) : art chrétien influencé par l'art musulman pendant l'occupation arabe, à partir du Xe s. C'est l'exact parallèle de l'art mudéjar.

– *Mozarabes* : nom donné aux chrétiens pendant l'occupation musulmane.

– *Omeyyades (ou Umayyades)* : dynastie qui domina l'Espagne du VIIIe s au milieu du XIe s. Fondée par Mu'awiyya, calife au VIIe s. Réputée pour sa tolérance vis-à-vis de la représentation des animaux et des êtres humains.

PERSONNAGES

Cinéma

– **Victoria Abril** *(1959)* : plus de 80 films à son actif, tant en espagnol, en anglais qu'en français, font de cette Madrilène une actrice incontournable. Sulfureuse et faussement ingénue, Victoria Mérida Rojas excelle aussi bien dans les rôles qu'Almodóvar lui confie (*Attache-moi !, Kika,* et surtout son excellente prestation dans *Talons aiguilles*) qu'aux côtés d'Ana Belén et Ariadna Gil pour la belle saga historique (inédite en France) que fut *Libertarias*. Parallèlement, Victoria Abril renoue avec la chanson, puis plus récemment avec le théâtre. Parmi les personnalités les plus populaires en Espagne, elle continue à tourner autant en France qu'en Espagne.

– **Pedro Almodóvar** *(1951)* : il est né à Calzada de Calatrava, un petit village de la Manche, mais sa renommée est internationale. On doit à l'enfant terrible de la Movida madrilène une fière chandelle pour avoir fait sauter la chape de plomb cinématographique de la dictature. Après quelques courts-métrages, c'est *Pepi, Luci, Bom et les autres filles du quartier* (1980) qui le révèle au grand public. Almodóvar affirme s'inspirer du cinéma espagnol des années 1950. *Femmes au bord de la crise de nerfs* (1987) délaisse le monde des marginaux et propose une satire de l'Espagne postfranquiste, des années fric et du « felipisme ». Almodóvar domine en maître incontesté les années 1980 et 1990 par sa tchatche hyper-créative. En 1999, alors que toute la critique l'attend pour la Palme d'or, il reçoit le

Prix de la mise en scène au Festival de Cannes, puis l'oscar du meilleur film non anglophone, pour *Tout sur ma mère*, dédié à toutes les mères et à la sienne en particulier, décédée quelques mois après la sortie du film. À partir de 2002, avec le superbe *Parle avec elle* (pour lequel il rafle un oscar du meilleur scénario) puis *La Mauvaise Éducation* (2004), *Volver* (2006), *Étreintes brisées* (2009), *La piel que habito* (2011) et *Julieta* (2016) il prend ses distances avec le comique et aborde ses sujets, toujours très contemporains, avec des univers plus intimistes, comme pour provoquer le spectateur à regarder la société droit dans les yeux, sans le filtre de la satire. En 2017, il est président du jury du 70e Festival de Cannes. En 2019, toujours à Cannes, *Douleur et Gloire* marque son grand retour auprès de la critique et du public, avec des confessions intimes d'une grande pudeur (ses liens avec sa mère, son grand amour, la drogue...) qui vaudra un prix d'interprétation à son acteur fétiche Antonio Banderas.

– *Antonio Banderas (1960) :* originaire de Málaga, où il apprit d'ailleurs le métier d'acteur à l'école d'art dramatique, ce sex-symbol est un des acteurs fétiches d'Almodóvar avec lequel il tourne *Labyrinthe de la passion, Matador, Femmes au bord de la crise de nerfs, Attache-moi !...* Mais après son mariage avec Melanie Griffith, il privilégie sa carrière américaine, bien plus lucrative. Après avoir tourné dans *Philadelphia, Evita,* les 3 épisodes de *Spy Kids,* sans oublier quelques navets avec sa belle, Banderas incarne Zorro dans une superproduction hollywoodienne *(Le Masque de Zorro),* avant de récidiver dans la suite, *La Légende de Zorro.* Il retrouve périodiquement le cinéma d'auteur, sous la direction d'Almodóvar, en 2011 dans *La piel que habito* ou en 2013 dans *Les Amants passagers,* mais c'est avec *Douleur et Gloire* en 2019 qu'il obtient la suprême récompense, un prix d'interprétation à Cannes ! Son retour sur le devant de la scène dans un rôle fort est unanimement salué.

– *Luis Buñuel (1900-1983) :* né à Calanda en Aragon ; cinéaste espagnol natura-lisé mexicain. En 1925, il fuit la dictature de Primo de Rivera pour la France où il fait ses 1res armes comme assistant du réalisateur Jean Epstein. Avec quelques copains, dont Dalí qu'il fréquentait déjà sur les bancs de la fac de Madrid, il réalise en 1928 *Un chien andalou,* manifeste surréaliste qui fait scandale. Puis il tourne *Las Hurdes (Terre sans pain)* en Estrémadure, à la lisière de la Castille-León, un documentaire bidonné sur la misère des habitants de cette région sauvage, un film référence pour les cinéphiles, longtemps censuré. Après un exil aux États-Unis, il tourne au Mexique quelques productions commerciales et 3 très grands films *(Los Olvidados, Él et Nazarín),* sans toutefois s'éloigner de son précepte surréa-liste et de son sens moral, puis retourne à ses 1res amours, la France, où il réalise quelques-uns de ses chefs-d'œuvre : *Belle de jour* (1966), *Le Charme discret de la bourgeoisie* (1972) et *Cet obscur objet du désir* (1977), avec Carole Bouquet qui y faisait ses débuts. Durant cette période, il tournera dans l'Espagne franquiste, à Tolède, *Tristana* (1970) avec Catherine Deneuve et Fernando Rey. Un musée entiè-rement consacré à sa vie et son œuvre a ouvert dans sa ville natale de Calanda, dans les environs d'Alcañiz (Aragon).

– *Penélope Cruz (1974) :* fille d'une coiffeuse et d'un mécanicien, la sublimis-sime Madrilène est d'abord révélée par Bigas Luna dans *Jamón, jamón* (1993) avec Javier Bardem. Puis par – devinez qui ? – Almodóvar ! Avec *En chair et en os* (1997), *Tout sur ma mère* (1999), et bien d'autres encore. Almodóvar, fasciné par les personnages féminins, la met sur le devant de la scène dans *Volver* (2006) et *Étreintes brisées* (2009). Entre-temps, sa carrière internationale décolle : on la retrouve dirigée par Stephen Frears dans *The Hi-Lo Country* (1999), mais aussi aux côtés de Ridley Scott ou dans *Pirates des Caraïbes* en 2011. En 2009, elle est la 1re actrice espagnole à remporter un oscar pour son rôle dans *Vicky Cristina Barcelona* de Woody Allen. Côté vie privée, on retient ses 3 ans de relation avec Tom Cruise (et non pas Cruz !), mais sur-tout son mariage avec le beau Javier Bardem en 2010 et la naissance de leurs 2 enfants.

– Et aussi : l'acteur *Javier Bardem,* certes catalan, mais d'une telle renommée (il fut le 1er Espagnol à recevoir un oscar en 2001) qu'il est incontournable partout en Espagne ; *Sara Montiel* (Campo de Criptana, 1943 – Madrid, 2013), star sulfureuse des années 1950 et 1960, qui fut la 1re actrice espagnole à faire carrière à Hollywood ; *Carmen Maura,* qui, après *Tigre de Papel,* collabore pendant la décennie 1980 avec Almodóvar (encore lui) et franchit la frontière pour tourner, entre autres, *Le bonheur est dans le pré, Alice et Martin* ou *Les Femmes du 6e étage* dans les années 1990-2010, tout en restant fidèle à Almodóvar dans *Volver* ; *Rossy de Palma,* dont le physique singulier donna la pêche à bien des femmes et inspira Jean-Paul Gaultier ; *Marisa Paredes,* l'une des inoubliables héroïnes de *Tout sur ma mère* ; le réalisateur *Carlos Saura,* qui après avoir réalisé de beaux films dans les années 1970 (*Cría Cuervos, Maman a cent ans, Vivre vite !...*) mêle le cinéma aux autres arts, telles la danse (*Carmen, Tango, Salomé, Flamenco*) ou la peinture (*Goya*)...

Littérature

– *Miguel de Cervantes Saavedra (1547-1616) :* né à Alcalá de Henares (banlieue de Madrid) dans une famille de *conversos* (juifs convertis). Quant au petit Miguel, il était bègue et... brillant poète. Condamné à l'âge de 20 ans pour avoir blessé quelqu'un en duel, il s'enfuit hors du pays. On le retrouve à Rome, domestique d'un cardinal (qui aurait été son amant). Il s'engage ensuite dans l'armée papale pour combattre les Turcs. Ironie du sort, il perd l'usage de la main gauche à la bataille de Lépante, en 1571. Après d'autres batailles, il est capturé par les Turcs et passe 5 ans emprisonné en Algérie. Selon ses biographes, il y deviendra l'amant du bey d'Alger ! Sa vie privée n'est d'ailleurs qu'une succession de scandales : il se maria pour des raisons financières, eut une fille qui n'était vraisemblablement pas de lui et vécut avec ses sœurs qui vendaient leurs charmes. Souvent endetté, il fit de la prison à plusieurs reprises (comme son père) et ne connut la gloire qu'à la fin de sa vie, avec la parution de *Don Quichotte.* Il écrivit pourtant une vingtaine de pièces de théâtre, mais 2 seulement sont parvenues jusqu'à nous. Preuve de sa grande force de caractère, il a réussi l'exploit de faire rire des générations de lecteurs avec son *Don Quichotte,* alors que sa propre existence n'aura été qu'une suite de malheurs et de catastrophes. Juste retour des choses : le père du roman moderne est aujourd'hui considéré comme l'un des plus grands écrivains de tous les temps...

– *Federico García Lorca (1898-1936) :* originaire de Fuente Vaqueros, près de Grenade, le poète publie à 20 ans ses 1ers poèmes. Il se sent proche de l'âme gitane, et la tauromachie l'inspire. C'est *Romancero Gitano* qui le fait connaître en 1928, puis il y a *Poeta en Nueva York* qu'il publie à l'issue d'un voyage aux États-Unis. Il revient à Grenade en 1936, en pleine terreur phalangiste. On l'arrête comme sympathisant républicain. Il est très rapidement et sommairement exécuté à Víznar la même année.

– *Jorge Semprún (1923-2011) :* né à Madrid, Semprún subit très tôt les conséquences du totalitarisme. À l'âge de 14 ans, il s'exile avec sa famille – chassée d'Espagne par Franco – en France, où il étudie la philosophie à la Sorbonne. 4 ans plus tard, il devient résistant et entre au parti communiste espagnol, avant d'être déporté à Buchenwald en 1943. Dès lors, il est de tous les combats politiques, tout en menant parallèlement des activités littéraires : d'abord traducteur pour l'Unesco, il devient un écrivain de renom et décroche des prix. Semprún écrit aussi des scénarios engagés pour les cinéastes Alain Resnais, Joseph Losey et Costa-Gavras (*Z, L'Aveu*). De 1988 à 1991, il est ministre de la Culture du gouvernement espagnol. Il finit sa vie à Paris où il se consacre essentiellement à l'écriture.

– *Javier Marías (Madrid, 1951) :* fils d'un professeur d'université exilé après la guerre civile pour ses idées républicaines, le jeune Javier grandit entouré d'une partie de l'élite intellectuelle espagnole. Depuis 1971, il a publié plus de 15 romans (dont *Un cœur si blanc* et *Demain dans la bataille pense à moi*), ainsi que d'innombrables articles de presse. Traduite dans 40 langues et récompensée de plusieurs prix, son œuvre explore les domaines du « secret, la confiance, la trahison et le soupçon » et dresse un portrait inquiétant des recoins de l'âme humaine. Il occupe le siège « R » à la Real Academia Española.

– **Almudena Grandes** *(Madrid, 1960) :* issue d'une famille idéologiquement divisée par la guerre civile, cette grande brune creuse avec réalisme et finesse dans l'inconscient espagnol au tournant du siècle. Très marqués par l'histoire récente du pays, ses romans, depuis le très érotique *Les Vies de Loulou* jusqu'à *Inés et la joie,* témoignent d'une pénétrante analyse psychologique des personnages.

Musique et comédie

– **Montserrat Caballé** *(1933-2018) :* cette Barcelonaise s'est révélée aux yeux du public néophyte par son duo avec Freddie Mercury, le chanteur défunt du groupe Queen. C'est dans *La Bohème* de Puccini en 1956 que Montserrat se fait remarquer par les experts. Elle ébauche sa carrière lentement mais sa grande technique vocale, la versatilité de sa tessiture et sa prestance lui ouvrent bien des rôles, des plus romantiques primesautières aux mornes et dramatiques vengeresses. *Tosca* de Puccini, *Aïda* de Verdi, ou encore *Salomé* de Richard Strauss à l'Opéra de Vienne en 1959. Mais elle met réellement pieds dans les « starting-blocks » lors d'un concert au Carnegie Hall de New York en 1965, où elle remplace Marylin Horne dans *Lucrèce Borgia* de Donizetti. À la retraite, elle œuvra auprès de l'Unesco comme ambassadeur de bonne volonté.

– **Paco Ibáñez** *(1934) :* le vieux loup valencien de la chanson espagnole engagée. Mis au ban par l'Espagne franquiste en 1967, Ibáñez se réfugie en France. De ce séjour forcé, il a contracté (pour notre plus grand plaisir) un amour immodéré des textes de Brassens, de Ferré ou d'Atahualpa Yupanqui. Le regard lucide qu'il porte sur son pays reste une référence. Il retourne s'y installer en 1990. Aujourd'hui, il interprète les textes des poètes Rafael Alberti, José Goytisolo ou Pablo Neruda (comme sur son album *Paco Ibáñez canta a los poetas latinoamericanos,* 2012) lors de ses tournées qui le conduisent souvent dans l'Hexagone.

– **Julio Iglesias** *(1943) :* le chouchou des ménagères de plus de 50 ans. Pour conquérir les foules du monde entier, Julio n'hésite pas à chanter dans 7 langues différentes (japonais compris, s'il vous plaît). Une recette gagnante puisqu'il détient le record mondial d'albums vendus. Outre ses légendaires « Non, jé n'ai pas channngé » et « Vous les femmes... », le *Latin lover* ibérique a aussi à son répertoire des duos avec Diana Ross, les Beach Boys et les Pointer Sisters. La relève est assurée : **Enrique Iglesias** suit depuis plus de 20 ans avec succès les traces de son bellâtre de papa. De quoi réconcilier les grands-mères, les mères et les filles !

– **Rosalía** *(1993) :* formée à l'École supérieure de musique de Catalogne, cette jeune chanteuse réinvente le flamenco à sa manière, associant airs traditionnels à des rythmes pop, R'n'B et électroniques. Elle connaît un succès qui ne cesse de grandir depuis la sortie du titre « Malamente ».

Peinture et beaux-arts

El Greco, crétois d'origine, élève de Titien, servit Rome d'abord puis Tolède, et peignit essentiellement des portraits, des images de dévotion et des retables. Le Sévillan **Diego de Silva Velázquez,** loin de flatter la Cour dont il était pourtant peintre officiel, réalisa avec beaucoup d'audace son plus célèbre tableau, *Les Ménines.* Très influencé par l'Italie où il résidera 2 ans, il y exécutera l'un des seuls nus de la peinture espagnole, *Vénus au miroir.* Quant à **Goya,** nous retiendrons surtout *Les Fusillades du 3 mai 1808,* toile inspirée par l'invasion des troupes napoléoniennes en Espagne où l'on voit des condamnés tomber sous le feu du peloton d'exécution et qui célèbre la liberté. **Zurbarán,** quant à lui, décora le Buen Retiro de Madrid ; et de **Miró,** citons le chef-d'œuvre,

La Naissance du monde. Vinrent ensuite **Picasso,** le monstre sacré, symbole de l'art du XXe s, père du cubisme et du surréalisme, l'exubérant **Dalí** et ses célèbres montres molles, **Gaudí,** la plus grande figure de l'architecture catalane, pilier de l'Art nouveau, **Tàpies,** marqué par la guerre civile et ses atrocités, dont le style mêle huile, marbre pulvérisé, pigments en poudre ou latex, altérés par des signes informels, **Miquel Barceló** (né aux Baléares), valeur sûre de l'art contemporain espagnol, qui joue avec la matière et ses influences africaines. Et tant d'autres...

MYSTICISME OU PRAGMATISME ?

Paradoxalement, le Greco ne connut pas une existence aussi mystique que son œuvre : il vivait à Tolède, en concubinage (pas très catholique...), et lisait de la poésie profane (pour rester pudique, disons profane !). De plus, connaissant la valeur de son art, il vendait ses toiles fort cher... Car, contrairement à certaines légendes, les artistes ne vivent pas seulement d'amour et d'eau fraîche !

Sports

De grandes figures du cyclisme ont marqué l'Espagne des années 1980 tel **Pedro Delgado** *(1960)* dont la 1re victoire remonte à la *Vuelta de España* en 1985 et qui participe toujours au Tour mais derrière les micros. De même, **Miguel Indurain** *(1964)* gagne sa 1re course cycliste à l'âge de 11 ans, puis il enchaîne les victoires avec, entre autres, 5 Tours de France consécutifs, 2 Paris-Nice, 2 fois le *Giro* d'Italie, le record de l'heure en 1994, la médaille d'or du contre-la-montre aux J.O. d'Atlanta en 1996... Plus récemment, **Alberto Contador** (né en 1982 à Madrid) a remporté le Tour de France en 2007, 2009 et en 2010, même si, paraît-il, il ne sirote pas que des jus de fruits frais. Début 2012, il sera même suspendu 2 ans (sanction à effet rétroactif), après que son test antidopage se fut révélé positif, le privant alors de sa victoire du tour de France 2010. Son ami **Fernando Alonso,** quant à lui, fut le 1er champion du monde espagnol de Formule 1 (en 2005 et 2006). Côté tennis, **Arantxa Sánchez Vicario** *(1971)*, surnommée par les journalistes sportifs le « Bouledogue », remporte Roland-Garros en 1989 et en 1994, l'US Open en 1994, puis de nouveau Roland-Garros en 1998. Côté masculin, c'est **Rafael Nadal** (originaire des Baléares), ancien n° 1 mondial au classement ATP, qui accumule les records, avec ses 12 victoires à Roland-Garros (19 victoires en grand chelem au total).

Politique

– **Felipe VI** *(1968) :* ancien prince des Asturies et nouveau roi d'Espagne. Enfant modèle, le benjamin de la fratrie royale fait ses armes à l'académie militaire de Saragosse, étudie le droit à Madrid puis les relations internationales à l'université de Georgetown. En 2004, il épouse Letizia Ortiz, malgré ses origines modestes (qui ne sont pas sans rappeler son pendant britannique, Kate Middleton), sa famille républicaine, et surtout son divorce. Mais l'amour l'emporte

FELIPE VI, ROI DE CORSE ?

Lors de son couronnement, Felipe VI n'a pas seulement été sacré roi d'Espagne, il est aussi roi de Corse, duc et comte palatin de Bourgogne, comte du Roussillon, landgrave d'Alsace, comte du Haut-Rhin... Au total, plus d'une centaine de titres farfelus qu'il hérite de ses origines bourboniennes et habsbourgeoises. C'est au nom de la tradition et grâce à ses ancêtres Louis XIV et Charles Quint que Felipe hérite de ces prérogatives obsolètes.

et donnera naissance aux infantes Leonor en 2005 et Sofia en 2007. Felipe, plutôt austère et mesuré, voit sa popularité augmenter à mesure que celle de son père, Juan Carlos, diminue. Sérieux, travailleur, moderne (et écolo !) – la presse et l'opinion publique l'encensent – il est apprécié par 66 % des Espagnols en 2013, dans un contexte de récession où l'on remarque davantage sa discrétion et sa simplicité. De plus, sa maîtrise du catalan est un atout dans ce contexte de montée du régionalisme.

– Et puis citons **Jose María Aznar** (Madrid, 1953) et **Jose Luis Rodríguez Zapatero** (Valladolid, 1960), 2 ex-présidents du gouvernement ; **Enrique Tierno Galván** (Madrid, 1918-1986), maire de Madrid pendant les années de la Movida, qui encouragea l'esprit festif et transgresseur de l'époque.

RELIGIONS ET CROYANCES

À ce propos, les clichés ont la vie dure : l'Espagne apparaît à beaucoup comme un pays très catholique, très empreint de religiosité. Qu'en est-il réellement ?

Certes, 68,50 % de la population espagnole se dit catholique, mais 26,50 % s'affirment agnostiques ou athées (ce qui laisse que 5 % pour les autres obédiences). Mais ce chiffre, qui donne l'image d'un catholicisme triomphant, cache

L'AURÉOLE DES SAINTS

Partout dans la chrétienté, l'auréole est le symbole des saints. Au départ, on apposait un disque métallique, juste pour protéger la tête des statues de la chute de pierres ou de la tombée des eaux qui suintent des plafonds. Peu à peu, les fidèles ont cru que cette protection était l'attribut de la sainteté...

une baisse prononcée de la fréquentation des églises, notamment lors de la messe dominicale, et surtout chez les jeunes. Se déclarer catholique ne signifie pas forcément avoir la foi, mais plutôt être de culture catholique et se conformer à certains rites très ancrés : le baptême, la communion, le mariage à l'église sont autant d'événements sociaux incontournables dans la vie de tout Espagnol. Cependant, seulement 22 % des mariages ont été célébrés selon le rite catholique, alors qu'il y a presque 20 ans, les ¾ étaient célébrés par l'Église. Si le baptême est toujours autant pratiqué, la pratique religieuse a fortement baissé, seulement 13 % des personnes qui se déclarent catholiques vont à la messe le dimanche. L'Espagne est un des pays européens qui s'est laïcisé le plus rapidement. La jeune génération, qui associe la religion à la droite ou à l'extrême droite conservatrice (le catholicisme était la religion d'État dans la période franquiste et sa pratique était obligatoire), tend à s'en écarter ou à se concentrer sur un culte catholique de conviction personnelle, sans pratique.

En fait, la religion reste surtout le meilleur prétexte pour faire la fête : aux nombreux jours fériés à caractère religieux s'ajoutent les différentes fêtes des villes et des villages données en l'honneur du saint patron local, tandis que la Semaine sainte et ses processions mettent les Espagnols dans un état proche de l'hystérie collective. Une hystérie à travers laquelle se mêlent joie de vivre l'instant plutôt qu'authentique ferveur religieuse.

LES MARRANES

En 1492, les Rois catholiques obligèrent les juifs à s'enfuir ou à se convertir. Appelés « marranes », ils pratiquaient leur religion en secret. Certains sont célèbres comme Montaigne dont la mère Lopez de Villanueva (francisé en Louppes de Villeneuve) avait des ascendances juives. Mais aussi, Spinoza, Juan Miró et même... Christophe Colomb. Le grand inquisiteur Torquemada, chargé de chasser les juifs, était marrane. Un comble !

Et les non-catholiques dans tout ça ? Eh bien, comptez un peu moins de 1 million de musulmans dans tout le pays, issus pour la plupart de l'immigration. Les quelques protestants et mormons égarés dans le pays (environ 310 000) sont également pour moitié des immigrés, en provenance de l'Europe du Nord. Les juifs seraient environ 40 000. Quant aux sectes, elles paraissent peu implantées, et souvent liées aux mouvements d'extrême droite.

SAVOIR-VIVRE ET COUTUMES

– Au restaurant, le service est compris comme en France. Libre à vous ensuite de laisser ou non un *pourboire (propina),* ce dernier étant plus fréquent dans les restos chics que dans les bars ou les cantines.
– Il y a peu de *toilettes publiques,* mais on peut plus facilement qu'en France utiliser les toilettes des cafés et restos.

ON SE DIT TU ?

Le tutoiement est bien plus utilisé qu'en français. Un désir d'amitié et de sympathie qui surprend quand un chauffeur de taxi vous tutoie, par exemple. Il s'agit aussi d'un rejet du formalisme. On vouvoie plutôt les supérieurs hiérarchiques ou les personnes âgées. Mais pas toujours !

Fêtes à toutes les sauces

Toutes les excuses sont bonnes en Espagne pour organiser une fête. Bien sûr, tous les saints y passent, mais aussi les escargots, les ânes, les récoltes, les taureaux ! Il y en a pour tous les goûts et pour toutes les folies : on se fait courser par des taureaux aux *San Fermines* de Pampelune, on roue de coups un pauvre âne à Villanueva de la Vera (Cáceres), on est submergé de tomates à Buñol (Valence), on se gave de couleurs au carnaval de Ténérife...
On a compté plus de 25 000 fêtes par an, soit une fête toutes les 20 mn ! Et pour la plupart concentrées en été : il y a de quoi s'amuser ! L'origine de ces fêtes est avant tout religieuse. Le christianisme naissant a récupéré toutes les fêtes païennes pour se faire accepter et, au contraire du protestantisme de l'Europe du Nord, est resté attaché à toutes les commémorations et à tous les vieux rites.
Dans le centre de l'Espagne, il faut retenir surtout la *San Isidro,* fêtée de manière impressionnante à Madrid avec les plus prestigieuses corridas, des concerts, feux d'artifice... En juin, on célèbre le Corpus Christi (Fête-Dieu) partout mais c'est à Tolède que les processions attirent le plus les foules !
Fait paradoxal, la chape de plomb franquiste une fois levée n'a pas eu d'effet sur la ferveur festive. Les Espagnols l'affirment eux-mêmes : au-delà de la religion, c'est leur identité qu'ils célèbrent. Comme le souligne Philippe Noury, du *Monde* : « Pas touche à des choses aussi sérieuses ! Devant les assauts de l'Europe puritaine, l'Espagne dressera encore longtemps son mur de fêtes et de beauté. »

Vie nocturne

Ici, on dort peu ! Pour ceux qui sont venus chercher le soleil en Espagne, une surprise de taille les attend : ils y bronzeront aussi aux lumières de la nuit. Certains finissent même par dormir éveillés. La vie nocturne espagnole est certainement, il faut le dire, l'une des plus développées d'Europe, voire du monde. Après 23h, à la sortie des restos, la rue appartient aux noctambules qui tournent de bar en bar, puis de boîte en boîte – qui fourmillent dans les quartiers les plus animés.

SITES INSCRITS AU PATRIMOINE MONDIAL DE L'UNESCO

En coopération avec le

Organisation
des Nations Unies
pour l'éducation,
la science et la culture

Centre
du patrimoine
mondial

Pour figurer sur la liste du Patrimoine mondial, les sites doivent avoir une valeur universelle exceptionnelle et satisfaire à au moins un des 10 critères de sélection. La protection, la gestion, l'authenticité et l'intégrité des biens sont également des considérations importantes.

Le patrimoine est l'héritage du passé dont nous profitons aujourd'hui et que nous transmettons aux générations à venir. Nos patrimoines culturel et naturel sont deux sources irremplaçables de vie et d'inspiration. Ces sites appartiennent à tous les peuples du monde, sans tenir compte du territoire sur lequel ils sont situés. Pour plus d'informations : ● whc.unesco.org ●

– Dans la province de Madrid : le monastère et le site de l'Escurial (San Lorenzo de El Escorial, 1984), l'université et le quartier historique de Alcalá de Henares (1998), et le paysage culturel d'Aranjuez (2001).

– En Castille-León : c'est la région qui compte le plus de sites classés au monde. Ils sont au nombre de 8 : la *cathédrale de Burgos* (1984), la *vieille ville d'Ávila et ses églises extra-muros* (1985), la *vieille ville de Ségovie et son aqueduc* (1985), la *vieille ville de Salamanque* (1988), *Las Médulas* (1997), le *site archéologique d'Atapuerca* (2000), le *site d'art rupestre de Siega Verde* (2010) et la *portion nord du chemin de Saint-Jacques-de-Compostelle* (2015).

– En Castille-La Manche : la vieille ville de Tolède (1986), la ville historique fortifiée de Cuenca (1996).

– En Estrémadure : la vieille ville de Cáceres (1986), l'ensemble archéologique de Mérida (1993), le monastère royal de Santa María de Guadalupe (1993).

– En Aragon : l'architecture mudéjare d'Aragon (1986 et 2001), des sites relevant de l'« art rupestre du Bassin méditerranéen de la péninsule Ibérique » (1998), et le mont Perdu (1997).

– Dans la Rioja : les monastères de Yuso et Suso à San Millán (1997).

SPORTS ET LOISIRS

Incontournable, le *fútbol* (*balom-pié* disent certains). Introduit par les Anglais à la fin du XIX\ :sup:`e` s, c'est vite devenu une 2\ :sup:`e` religion en Espagne. Il n'y avait qu'à se balader en ville le soir de la victoire de l'Espagne en Coupe du monde en 2010 pour s'en convaincre ! Ainsi, il faut voir avec quelle ferveur les socios supportent leur club, qu'il joue en *Liga* (l'équivalent de notre Ligue 1) ou en division 4 !

Cette attitude démesurée s'explique notamment par le fort sentiment d'attachement régional des

UNE CHAMPIONNE TOUT-TERRAIN

Une drôle de casse-cou, cette Lili Álvarez (1905-1998), qui remporta Wimbledon en 1926, 1927 et 1928, et fut la 1re femme, en 1931, à se présenter à un tournoi officiel... en short ! Ayant plus d'un tour dans son sac, elle fut également championne d'Espagne de ski, de patinage artistique, de billard, de tango (!) et remporta un rallye automobile à 19 ans !

Espagnols. Le *FC Barcelona* pour la Catalogne ou l'*Athletic Club de Bilbao* pour le Pays basque possèdent, par exemple, des publics parmi les plus « chauds » de la péninsule Ibérique et le 2\ :sup:`d` ne fait jouer que des Basques depuis plus d'un siècle. Ils ont longtemps incarné l'opposition à l'hégémonisme centralisateur dont le symbole était le *Real Madrid,* utilisé comme un instrument de propagande par la dictature franquiste. Le football était alors l'un des rares espaces de liberté avant de devenir le moteur d'une ouverture sur l'Europe et sur le monde.

Le football ibérique domine en ce moment la scène continentale. C'est ce que confirment notamment les victoires en Ligue des champions de l'UEFA du Real Madrid (4 titres entre 2014 et 2018) et du FC Barcelone (3 titres entre 2009 et 2015) ou celles, en 2014, de Séville ou de l'Atletico Madrid en 2010 et 2012 en ligue Europa.

TAPAS

Bienvenue dans notre chapitre préféré ! La ***tournée des bars à tapas*** est un art (de vivre) espagnol auquel on se doit de rendre hommage... *El Via Crucis* (le chemin de Croix, pardi !) ! On « égrène » les troquets comme les grains d'un chapelet... On arrive à plusieurs dans un endroit, on rencontre d'autres amis, on part avec l'un ou l'autre pour en retrouver d'autres ailleurs, on se donne rendez-vous plus tard avec les précédents... Les tapas font partie de ce pèlerinage convivial. Vous serez vite converti.

Un peu d'histoire

D'où vient la tradition des tapas ? Sachez que dans les couloirs de la rédaction du *Routard,* une querelle fait rage. Un peu similaire à celle des Anciens et des Modernes. Les 1ers affirment que l'origine des tapas est d'émanation royale. En effet, pour lutter contre l'alcoolisme, un roi (dont on a oublié le nom) aurait obligé les débits de boissons à poser une assiette avec un en-cas sur le verre de vin. Les Modernes, eux, soutiennent que les tapas auraient été créées dans un but uniquement utilitariste : pour éviter que les mouches ne tombent dans le verre de vin. Comme ça faisait un peu tristounet, une soucoupe vide, on ajouta une olive pour faire joli. Dans une théorie comme dans l'autre, *tapar* signifiant « couvrir, boucher », l'en-cas prit rapidement le nom de *tapas.* De nombreux bars populaires proposent des tapas mais ne l'affichent pas forcément. Demander : « *¿ De tapeo, qué hay ?* » Avant, le prix des tapas était toujours compris dans la boisson. C'est encore souvent le cas dans les campagnes et les petites villes, plus rarement dans les grandes – à l'exception des olives et cacahuètes servies parfois gracieusement avec la bière.

Ir de tapeo

Si c'est la 1re fois que vous débarquez en Espagne, vous vous demandez probablement pourquoi le soir, quel que soit le jour, les bars sont bondés. Tout simplement parce que les Espagnols ont l'habitude de téléphoner à leurs potes pour « aller de tapas en tapas » *(ir de tapeo).* Ils se donnent tous rendez-vous dans leur bar favori et parcourent les *mesones* au gré de leurs envies et des spécialités des maisons. Ici, *morcilla,* là, tortilla. On mange debout (mais ce n'est pas grave, puisque l'on n'y reste pas longtemps) en s'essuyant le coin du bec avec une serviette en papier cigarette, c'est souvent plus économique et moins formel qu'un restaurant où l'on doit s'asseoir et attendre les plats, faire risette au serveur, se faire servir du vin. Pour les néophytes, il ne faut pas avoir peur d'insister auprès des serveurs. Ils sont souvent débordés et il leur arrive d'oublier carrément la commande. Animation garantie, sauf à l'heure de la sieste (entre 15h et 18h-19h environ), où tous les bars sont fermés.

Rappelons que ces infernales gourmandises appelées *tapas* ont vite dépassé le stade des simples amuse-gueules pour devenir de véritables échantillons de dégustation. Certains bars à tapas fonctionnent comme nos traiteurs, avec un choix étonnant de spécialités maison, plats du jour, etc. Ces amuse-gueules, selon l'inspiration du patron, vont des anchois sur toast aux tranches de chorizo, des lamelles de jambon aux salades composées, des minipaellas aux sardines, des champignons à l'ail aux *boquerones* (anchois frais) à l'huile... Généralement préparées le matin et vendues au fil de la journée, il arrive aussi qu'elles soient préparées à la commande – le nec plus ultra. Dans les bars chics, certaines prennent des airs de haute cuisine miniature.

– Si vous n'êtes pas doué dans la langue de Cervantes, pas de panique : les tapas étant généralement conservées sur le bar dans une vitrine réfrigérée, il suffit de pointer le doigt sur ce qui vous inspire. En revanche, il faut parfois demander combien elles coûtent car les prix ne sont pas toujours indiqués – histoire d'éviter les malentendus lors de l'addition. En général, *3 ou 4 tapas constituent un repas léger.* Les prix pratiqués sont sensiblement les mêmes partout, allant d'un bon 1,50 € pour les classiques (tortilla, etc.), à 8-12 € environ pour une assiette *(ración)* de jambon cru ou de fromages. Vous croiserez aussi souvent des *pinchos* (ou *pintxos,* un mot basque) : c'est une sorte de *tapa,* genre de gros canapé sur une tranche de pain tenu par une pique genre cure-dents.

les *ROUTARDS sur la FRANCE 2020-2021*

(dates de parution sur • *routard.com* •)

Découpage de la FRANCE par le ROUTARD

Bretagne Nord Titre du guide « Routard »

Autres guides sur la France

- Hébergements insolites en France
- Nos meilleurs campings en France
- Nos meilleures chambres d'hôtes en France

Autres guides sur Paris

- Paris
- Paris balades
- Paris exotique
- Restos et bistrots de Paris
- Le Routard des amoureux à Paris
- Week-ends autour de Paris

Le Routard à vélo

- EuroVelo6
- La Bourgogne du Sud à vélo
- La Loire à Vélo
- La Vélodyssée (Roscoff-Hendaye)
- Le Canal des 2 mers à vélo
- Paris Île-de-France à vélo
- ViaRhôna

les ROUTARDS sur l'ÉTRANGER 2020-2021

(dates de parution sur • *routard.com* •)

Découpage de l'ESPAGNE par le ROUTARD

Découpage de l'ITALIE par le ROUTARD

Autres pays européens

- Allemagne
- Angleterre, Pays de Galles
- Autriche
- Belgique
- Bulgarie
- Crète

- Croatie
- Danemark, Suède
- Écosse
- Finlande
- Grèce continentale
- Hongrie
- Îles grecques et Athènes
- Irlande
- Islande
- Madère

- Malte
- Norvège
- Pays baltes : Tallinn, Riga, Vilnius
- Pologne
- Portugal
- République tchèque, Slovaquie
- Roumanie
- Suisse

Villes européennes

- Amsterdam
- Berlin
- Bruxelles

- Budapest
- Copenhague
- Dublin
- Lisbonne
- Londres
- Moscou
- Naples

- Porto
- Prague
- Saint-Pétersbourg
- Stockholm
- Vienne

Découpage des ÉTATS-UNIS par le ROUTARD

Autres pays d'Amérique

- Argentine
- Brésil
- Canada Ouest
- Chili et île de Pâques

- Colombie
- Costa Rica
- Équateur et les îles Galápagos
- Guatemala, Belize

- Mexique
- Montréal
- Pérou, Bolivie
- Québec et Ontario

Asie et Océanie

- Australie côte est
  + Red Centre
- Bali, Lombok
- Bangkok
- Birmanie (Myanmar)
- Cambodge, Laos
- Chine

- Hong Kong, Macao, Canton
- Inde du Nord
- Inde du Sud
- Israël et Palestine
- Istanbul
- Jordanie
- Malaisie, Singapour

- Népal
- Shanghai
- Sri Lanka (Ceylan)
- Thaïlande
- Tokyo, Kyoto et environs
- Turquie
- Vietnam

Afrique

- Afrique du Sud
- Égypte
- Kenya, Tanzanie et Zanzibar
- Maroc
- Marrakech
- Sénégal
- Tunisie

Îles Caraïbes et océan Indien

- Cuba
- Guadeloupe, Saint-Martin, Saint-Barth
- Île Maurice, Rodrigues
- Madagascar
- Martinique
- République dominicaine (Saint-Domingue)
- Réunion

Guides de conversation

- Allemand
- Anglais
- Arabe du Maghreb
- Arabe du Proche-Orient
- Chinois
- Croate
- Espagnol
- Grec
- Italien
- Japonais
- Portugais
- Russe
- G'palémo (conversation par l'image)

Livres-photos/Livres-cadeaux

- Voyages
- Voyages : États-Unis (nouveauté)
- Voyages : France (nouveauté)
- Voyages : Italie
- Road Trips (40 itinéraires sur les plus belles routes du monde)
- Nos 120 coins secrets en Europe
- Les 50 voyages à faire dans sa vie
- 1 200 coups de cœur dans le monde
- 1 200 coups de cœur en France
- Nos 52 week-ends dans les plus belles villes d'Europe
- Nos 52 week-ends coups de cœur en France
- Cahier de vacances du Routard

Avant le grand départ,
assurez-vous de ne rien oublier.

Trouver un médecin qui parle français ?
Un problème avec vos bagages ?

Avec Routard Assurance,
partez l'esprit tranquille.

Profitez d'une assurance voyage complète qui vous offre toutes les prestations d'assistance indispensables à l'étranger. Quelle que soit la durée de votre séjour, bénéficiez de toutes les garanties Routard Assurance.

www.avi-international.com

Routard Assurance

adaptée à tous vos voyages, en solo, à deux ou en famille, de quelques jours à une année entière !

☆ Une application mobile.
☆ Pas d'avance de frais.
☆ Un vaste réseau médical.
☆ À vos côtés H24.
☆ Dès 29 € / mois.
☆ Reconnue pour tous les visas.

RÉSUMÉ DES GARANTIES*	MONTANT
FRAIS MÉDICAUX (pharmacie, médecin, hôpital)	300 000 €
RAPATRIEMENT MÉDICAL	*Frais illimités*
VISITE D'UN PARENT en cas d'hospitalisation de l'assuré de plus de 5 jours	2 000 €
RETOUR ANTICIPÉ en cas de décès accidentel ou risque de décès d'un parent proche	*Billet de retour*
ASSURANCE RESPONSABILITÉ CIVILE VIE PRIVÉE	*750 000 € corporel 450 000 € matériel*
ASSURANCE BAGAGES en cas de vol ou de perte par le transporteur	2 000 €
AVANCE D'ARGENT en cas de vol de vos moyens de paiement	1 000 €
CAUTION PÉNALE	7 500 €

* * Les garanties indiquées sont valables à la date d'édition du Routard. Par conséquent, nous vous invitons à prendre connaissance préalablement de l'intégralité des Conditions générales à jour sur www.avi-international.com.

Souscrivez dès à présent sur
www.avi-international.com

AVI International (Groupe SPB) - S.A.S. de courtage d'assurances au capital de 100 000 euros - Siège social : 40-44, rue Washington (entrée principale au 42-44), 75008 Paris - RCS Paris 323 234 575 - N° ORIAS 07 000 002 (www.orias.fr). Les Assurances Routard Courte Durée et Longue Durée ont été souscrites auprès d'un assureur dont vous trouverez les coordonnées complètes sur le site www.avi-international.com.

Nous tenons à remercier tout particulièrement Loup-Maëlle Besançon, Thierry Bessou, Gérard Bouchu, François Chauvin, Grégory Dalex, Fabrice Doumergue, Cédric Fischer, Carole Fouque, Nicolas George, Michelle Georget, David Giason, Claude Hervé-Bazin, Emmanuel Juste, Dimitri Lefèvre, Fabrice de Lestang, Romain Meynier, Éric Milet, Pierre Mitrano, Jean-Sébastien Petitdemange, Thomas Rivallain et Jean Tiffon pour leur collaboration régulière.

Brice Andlauer
Jean-Jacques Bordier-Chêne
Agnès Debiage
Coralie Delvigne
Jérôme Denoix
Tovi et Ahmet Diler
Clélie Dudon
Sophie Duval
Alain Fisch
Bérénice Glanger
Adrien et Clément Gloaguen
Sébastien Jauffret
Alexia Kaffès

Augustin Langlade
Jacques Lemoine
Aline Morand
Louis Nagot
Caroline Ollion
Martine Partrat
Odile Paugam et Didier Jehanno
Céline Ruaux
Prakit Saiporn
Nejma Tahri Hassani
Alice Tonasso
Caroline Vallano

Direction: Nathalie Bloch-Pujo
Direction éditoriale: Élise Ernest
Édition: Matthieu Devaux, Olga Krokhina, Gia-Quy Tran, Julie Dupré, Emmanuelle Michon, Pauline Janssens, Amélie Ramond, Margaux Lefebvre, Aurore Grandière, Astrid Richard, Lisa Pujol, Camille Lenglet et Anne Le Marois
Ont également collaboré: Marie Sanson, Clémence Toublanc, Marie Gosset et Cécile Chavent
Cartographie: Frédéric Clémençon et Aurélie Huot
Contrôle de gestion: Jérôme Boulingre et Yannis Villeneuve
Secrétariat: Catherine Maîtrepierre
Fabrication: Nathalie Lautout et Audrey Detournay
Relations presse: COM'PROD, Fred Papet. ☎ 01-70-69-04-69.
• info@comprod.fr •, Martine Levens (Belgique) et Maureen Browne (Suisse)
Direction marketing: Stéphanie Parisot, Élodie Darty et Charlotte Brou
Couverture: le-bureau-des-affaires-graphiques.com
Silhouette du Routard: Clément Gloaguen (d'après Solé)
Maquette intérieure: le-bureau-des-affaires-graphiques.com, Thibault Reumaux et npeg.fr
Direction partenariats: Jérôme Denoix
Contact Partenariats et régie publicitaire: Florence Brunel-Jars
• fbrunel@hachette-livre.fr •

INDEX GÉNÉRAL

INDEX GÉNÉRAL

LISTE DES CARTES ET PLANS

IMPORTANT : DERNIÈRE MINUTE

Sauf rare exception, le *Routard* bénéficie d'une parution annuelle à date fixe. Entre deux dates, des événements fortuits (formalités, taux de change, catastrophes naturelles, conditions d'accès aux sites, fermetures inopinées, etc.) peuvent intervenir et modifier vos projets de voyage. Pour éviter les déconvenues, nous vous recommandons de consulter la rubrique « Guide » par pays de notre site ● *routard.com* ● et plus particulièrement les dernières *Actus voyageurs.*

INDEX GÉNÉRAL

Les **Routards** *parlent aux* **Routards**

Routard Assurance *2020*

Édité par Hachette Livre (58, rue Jean-Bleuzen, CS 70007, 92178 Vanves Cedex, France)
Photocomposé par Jouve (rue de Monbary, 45140 Ormes, France)
Imprimé par Lego SPA Plant Lavis (via Galileo Galilei, 11, 38015 Lavis, Italie)
Achevé d'imprimer le 17 janvier 2020
Collection n° 13 - Édition n° 01
54/9019/4
I.S.B.N. 978-2-01-710070-6
Dépôt légal : janvier 2020

PAPIER À BASE DE
FIBRES CERTIFIÉES